Lieve Vangehuchten:

El léxico del discurso económico empresarial:
identificación, selección y enseñanza en
Español como Lengua Extranjera con Fines Específicos

LINGÜÍSTICA IBEROAMERICANA
Vol. 26

DIRECTORES: Concepción Company Company
María Teresa Fuentes Morán
Eberhard Gärtner
Emma Martinell
Hiroto Ueda
Reinhold Werner
Gerd Wotjak

Lieve Vangehuchten

El léxico del discurso económico empresarial:

identificación, selección y enseñanza en Espãnol como Lengua Extranjera con Fines Específicos

Iberoamericana · Vervuert · 2005

Publicado con el apoyo de la Fundación Universitaria de
Bélgica

Gedruckt mit Unterstützung der belgischen
Universitätsstiftung (Fondation Universitaire Stichting)

Bibliographic information published by Die Deutsche Bibliothek
Die Deutsche Bibliothek lists this publication in the Deutsche
Nationalbibliografie; detailed bibliographic data are available
on the Internet at http://dnb.ddb.de

ISBN 84-8489-165-8 (Iberoamericana)
ISBN 3-86527-151-0 (Vervuert)
Deposito legal:B- 22.794-2005

Diseño de la portada: Marcelo Alfaro
The paper on which this book is printed meets the
requirements of ISO 9706
Printed in Spain

Í N D I C E

AGRADECIMIENTOS

En vez de titular esta primera página *Prólogo* he preferido llamarla *Agradecimientos,* porque soy muy consciente de que el presente trabajo no se hubiera podido realizar sin la ayuda de muchos. La primera persona a la que agradezco muy sinceramente es el Prof. Dr. R. Verdonk, quien me ha ayudado desde el principio a orientarme y no ha dejado de motivarme con sugerencias bibliográficas, invitaciones a coloquios y entrevistas muy enriquecedoras.

Asimismo, les agradezco a la Prof. Dra. G. Fabry y a la Prof. Dra. S. Lucchini sus valiosos consejos y estímulos tras la lectura de primeras y segundas versiones de capítulos.

La Prof. Dra. M. T. Cabré es otra persona clave que me dio un empujón en la buena dirección en un momento decisivo. Gracias a su amabilidad de concederme una hora de su tan escaso tiempo durante una estancia de sólo un día en Amberes, y de enviarme a raíz de aquella conversación numerosos artículos y referencias bibliográficas, di un gran paso al frente.

A mis colegas-ayudantes de la Facultad de Ciencias Económicas Aplicadas de la Universidad de Amberes les agradezco su disponibilidad de ayudarme con la interpretación de los conceptos expresados por los términos, y de compartir conmigo sus conocimientos respecto de su identificación. La economía empresarial es una ciencia especializada que cubre muchos subcampos, por lo cual el tener cerca a especialistas en marketing, gestión, producción, etc. tiene un valor inestimable. Si no cito nombres, es porque hay demasiados. No obstante, me gustaría dar las gracias a uno en particular, mi antiguo vecino de despacho durante muchos años, el Dr. Gerrit Bethuyne, que no sólo me enseñó cómo procesar mis datos en Excel, sino que además me elucidó con sus testimonios humorísticos sobre sus experiencias como alumno de varias lenguas extranjeras con fines específicos.

También merecen unas palabras de agradecimiento los estudiantes de español de la carrera de Económicas de la Universidad de Amberes, quienes, con su pregunta eterna "¿Y por qué tenemos que estudiar todas estas palabras?", no han dejado de convencerme de la relevancia de este estudio.

A mis amigos, a mi familia, y muy especialmente, a mi marido Christophe, les doy las gracias por su paciencia y su comprensión, y también por su apoyo y su interés tan sincero y alentador.

INTRODUCCIÓN

Como indica el título, el presente trabajo no se dedica exclusivamente al estudio del léxico económico empresarial, sino que pretende demostrar que el léxico que caracteriza el discurso económico empresarial implica más que el mero léxico terminológico, debido a su interacción con otras categorías léxicas, como el léxico funcional, general y subeconómico. De ahí que se proponga elaborar un método que permita tanto identificar las distintas categorías léxicas presentes en este tipo de discurso como hacer una selección entre las palabras contenidas en ellas, con vistas a su enseñanza.

La motivación que está en la base de este propósito es doble.

Por un lado, todos los análisis efectuados se motivan desde el mismo objetivo didáctico, es decir, el de llegar a unas conclusiones útiles respecto de la manera más eficaz de enseñar el léxico del discurso económico empresarial en ELE[1]. Por otro, la motivación por el presente trabajo encuentra su origen en la constatación de que el material didáctico existente para la enseñanza del español con fines económicos –bien sean manuales, léxicos o diccionarios– no es coherente en cuanto a su contenido. En general, el proceso de selección del léxico en estos materiales carece de metodología y se basa en criterios meramente intuitivos. Además, se mezclan distintas categorías léxicas –léxico técnico, general y subtécnico– sin distinguir entre ellas, y sin diferenciar en función de su importancia respectiva. A continuación se analizan y se comparan algunos materiales para la enseñanza del español con fines económicos. La selección de los manuales, léxicos y diccionarios examinados se ha realizado de manera arbitraria, en el sentido de que son todos aquéllos a los que hemos podido tener acceso. No pretendemos, ni mucho menos, presentar un panorama bibliográfico exhaustivo. Se trata más bien de una muestra aleatoria.

---

[1] Desde ahora en adelante, se abreviará Español Lengua Extranjera mediante las siglas ELE.

a) *Manuales*

Hemos examinado los siguientes manuales de español con fines económicos y/o comerciales:

36 actividades para mejorar el español de los negocios, M. De Prada Segovia *et al.*, Navarra, Eunsa, 1998.

Albarán. Español para la empresa, C. Matellanes Marcos, Navarra, Eunsa, 1997.

Correspondencia comercial en español, J. Gómez de Enterría, Madrid, SGEL, 1990.

Cuestión de negocios, L. García Vitoria, Paris, Ophrys, 1993.

Cuestiones económicas y sociales en la prensa, M. Albou *et al.*, Paris, Dunod, 1994.

El español de los negocios, A. M. Martín *et al.*, Madrid, SGEL, 1989.

El español por profesiones: Secretariado, B. Aguirre y J. Gómez de Enterría, Madrid, SGEL, 1992.

Español para el comercio internacional, A. Felices Lago y C. Ruiz López, Madrid, Edinumen, 1998.

Exposiciones de negocios en español, A. M. Brenes García, Madrid, Arco/Libros, 2002.

En este país. El español de las ciencias sociales, F. San Vicente, Bologna, Clueb, 1999.

Hablando de negocios, M. de Prada y M. Bovet, Madrid, Edelsa, 1992.

Hablemos de negocios, M. L. Sabater *et al.*, Madrid, Alhambra Longman, 1992.

Informes y proyectos del mundo empresarial, M. Franciulli y C. Vega Carney, Madrid, Arco/Libros, 2002.

La comunicación escrita en la empresa, J. Gómez de Enterría y Sánchez, Madrid, Arco/Libros, 2002.

La comunicación informal en los negocios, A. M. Brenes García y W. Lauterborn, Madrid, Arco/Libros, 2002.

L'espagnol économique et commercial, J. Chapron y P. Gerboin, Paris, Pocket, 1981.

Marca registrada, M. Fajardo y S. González, Madrid, Santillana, 1995.

Proyecto en ... Español Comercial, A. Centellas, Madrid, Edinumen, 1997.

Socios/Colegas, M. González *et al.*, Barcelona, Difusión, 1999.

Spanish at work, T. Connell y J. Kattán-Ibarra, Cheltenham, Stanley Thorns, 1989.
Trato hecho. Español de los negocios. Nivel elemental, B. Aguirre *et al.*, Madrid, SGEL, 2001.

El léxico tratado en estos manuales es el de los textos y ejercicios. Los textos fueron redactados por los autores en la mayoría de los casos. Los textos auténticos son menos frecuentes y están casi siempre adaptados al nivel de los estudiantes. Los temas tratados suelen ser los mismos, por lo cual se presenta más o menos el mismo léxico en cada manual. Los temas recurrentes son la empresa, la reunión y la negociación, el viaje y la comida de negocios, la publicidad, el marketing, los recursos humanos, los productos y servicios, la banca y las finanzas, la bolsa, la (tele)comunicación, el mundo laboral, el liderazgo, el comercio interior y exterior, la contabilidad, el transporte, la distribución y la comunicación comercial formal e informal (redacción de informes, correspondencia comercial, exposiciones orales).

Una excepción en cuanto al contenido es el manual de F. San Vicente, *En este país. El español de las ciencias sociales*, que toma como punto de partida unos textos –auténticos, adaptados o de la mano del autor– que tratan la historia sociopolítica y económica de España desde la transición democrática hasta el año 1998. Por consiguiente, la lista de vocabulario que figura al final del libro contiene otras palabras que las de los demás manuales de español económico. En cuanto a los manuales *Correspondencia comercial en español*, *La comunicación escrita en la empresa*, y *Español para el comercio internacional* es necesario destacar que se concentran en un solo subtema del español con fines económicos, respectivamente la correspondencia comercial y el comercio internacional, por lo cual profundizan más e incluyen más términos específicos.

Cabe observar que en todos los manuales comentados, el léxico proviene de los textos elegidos o redactados por los autores, con excepción de *La comunicación escrita en la empresa* que menciona explícitamente una bibliografía de diccionarios especializados. Por lo tanto, en la mayoría de los manuales la selección del léxico es el resultado de la intuición del autor. No se basa en ningún criterio coherente u objetivo. Esta arbitrariedad, esta falta de metodología en cuanto a la selección del léxico, lleva a cuestionar la representatividad del contenido léxico de estos manuales. Nelson (2000) llega a esta misma constatación por lo que se refiere al léxico de los manuales de inglés comercial, o sea, que por lo visto el problema no se limita a los manuales de español. A partir de la comparación del léxico de un corpus de inglés comercial auténtico (1.023.000 palabras) con uno de manuales de inglés comercial (590.000 palabras), Nelson concluye que:

- El léxico de los manuales es mucho más limitado que el del corpus de material auténtico. Los manuales contienen mucho menos léxico especializado.
- Los temas tratados se limitan a unas actividades de comunicación interpersonal, como las reuniones, las presentaciones, los viajes y el entretenimiento.
- Los manuales emplean una gramática más restringida que el lenguaje comercial real.

Es de suponer que una comparación para el español produciría los mismos resultados.

Por último, es conveniente señalar que ninguno de los manuales con glosario o diccionario al final, distingue en cuanto a la frecuencia o importancia de uso de las distintas palabras.

b) *Léxicos*

Hemos consultado los siguientes léxicos de español económico y/o comercial:

1000 palabras de negocios, D. Horner y I. Azaola-Blamont, Barcelona, Difusión, 1994.

El mundo de los negocios. Léxico inglés-español, español-inglés, I. De Renty, Madrid, SGEL, 1977.

Lexique de termes économiques et commerciaux, S. Blavier-Paquot, Louvain-la-Neuve, Cabay, 1984.

Satzlexikon der Handelskorrespondenz, E. Weis *et al.*, Wiesbaden, Oscar Brandstetter Verlag KG, 1973.

Spanischer Grundwortschatz Wirtschaft, A. Schick-Wagner, München, Hueber, 1984.

Terminologie de l'économie. Terminología económica, B. Foucault, De Boeck, 1992.

Thematische woordenschat Spaans voor handel en economie, H. De Vries y F. G. Egas Repáraz, Amsterdam/Antwerpen, Intertaal, 1997. En todos estos léxicos se plantea una vez más el problema de la representatividad. *El mundo de los negocios* (1977: 5) manifiesta abiertamente la subjetividad de la selección hecha. Así, el autor da las siguientes explicaciones sobre la metodología de la composición del léxico:

> Cada día, [...], anotaba todas las locuciones y giros nuevos de las conversaciones que habían tenido lugar con mis interlocutores en el curso de la jornada. [...] La obra reproduce fielmente las expresiones familiares utilizadas por el hombre de negocios en su vida cotidiana.

Resulta que la única fuente del léxico son las conversaciones del día, lo que es heterogéneo y, sin duda, también incompleto ya que depende enteramente de la memoria del autor.

Spanischer Grundwortschatz Wirtschaft (1984: 3) menciona la experiencia como criterio de selección. Gracias a su experiencia, la autora pretende ser capaz de seleccionar los términos más frecuentes, un criterio que nos parece demasiado intuitivo:

> Die Verfasserin hat sich bemüht, aufgrund einer langjährigen Lehrerfahrung mit Fachtexten aus der Wirtschaft diejenigen Wörter aufzunehmen, die eine verhältnismässig hohe Frequenz aufweisen.

Los demás léxicos sencillamente callan el criterio de selección –si es que ha habido uno– con excepción de *Thematische woordenschat Spaans voor handel en economie* (1997: 8), que proclama haberse basado en una metodología científica, aunque tampoco menciona de manera explícita sus fuentes ni su criterio de selección:

> De selectie van de trefwoorden heeft plaatsgevonden op basis van een groot aantal bronnen. De belangrijkste daarvan waren:
> - vakwoordenboeken;
> - woordenschatregisters van het gangbare lesmateriaal voor zakelijk Spaans;
> - de woordenschatlijsten van de ICC (International Certificate Conference), met betrekking tot Spaans voor beroepsdoeleinden;
> - actuele Spaanse teksten op het gebied van handel, economie en bedrijfsleven.

Uit de woorden uit deze bronnen is een selectie gemaakt op basis van frequentie en gebruiksnut. De woorden zijn vervolgens thematisch gerangschikt. Ook zijn er woorden toegevoegd die binnen de context van een thema of subthema een noodzakelijke aanvulling bleken[2].

Además, *Thematische woordenschat Spaans voor handel en economie* distingue entre un léxico fundamental y un léxico de continuación, respectivamente 2.465 y 2.028 palabras. Sin embargo, al echar un vistazo al léxico de estas dos secciones, es difícil entender la lógica de la subdivisión, dado que palabras como *cruce de datos, recargo de demora, fluorclorocarbonados, funda de plástico*, etc. se encuentran en el léxico fundamental, mientras que las palabras *homogéneo, margen, flexible, continuado*, etc. están clasificadas como léxico de continuación.

En segundo lugar, todos estos léxicos pretenden contener terminología, pero, al mirar más de cerca su contenido, queda claro que también figuran muchas palabras que tienen poco que ver con el ámbito económico y/o comercial. Por ejemplo, en el *Satzlexikon der Handelskorrespondenz* se encuentran palabras como *poco, agua, vida, quizá, fundamental, futuro*, etc. En *Thematische woordenschat Spaans voor handel en economie* figuran palabras como *hidratante corporal, contrarrestar, cerciorarse, pingüe*, etc.

Por último, estos léxicos no contienen las mismas palabras, lo que no ha de extrañar dada la arbitrariedad del proceso de selección. Así, *El mundo de los negocios* pone ante todo énfasis en los giros de la lengua hablada, que no son necesariamente económicos, como por ejemplo, *aguantar hasta el final, no dar su brazo a torcer, eso me sacará de apuros*, etc. *Lexique de termes économiques et commerciaux* se limita a palabras individuales, la mayoría con contenido económico, pero que sin embargo no coinciden con, por ejemplo, los términos contenidos en

---

[2] "La selección de las palabras clave se hizo a partir de gran número de fuentes. Las más importantes eran: diccionarios especializados; glosarios incluidos en material didáctico para la enseñanza del español comercial; las listas ICC (International Certificate Conference) para el español con fines específicos; textos actuales en español sobre el comercio, la economía y el mundo empresarial. La selección se hizo en base a la frecuencia de las palabras y su utilidad. Después, las palabras se ordenaron por tema. Asimismo, se añadieron palabras imprescindibles dentro del contexto de un tema o subtema".

Spanischer Grundwortschatz Wirtschaft. Estos dos léxicos se dejan comparar fácilmente, porque el orden en que se presenta el léxico es alfabético. Entre las palabras que empiezan con la letra A –127 en el primero y 161 en el segundo– ¡sólo hay 50 que coinciden! En *Thematische woordenschat Spaans voor handel en economie* faltan palabras económicas clave como por ejemplo *ahorro, ahorrar, agrícola, agricultor*, etc.

c) *Diccionarios*

Los diccionarios examinados son todos diccionarios traductivos de economía y/o comercio, concebidos para la enseñanza de las lenguas extranjeras. Se trata de las siguientes obras:
Diccionario comercial inglés-español español-inglés, A. Frías Sucre Giraud, Barcelona, Juventud, 1940.
Diccionario de economía y comercio. Francés-Español / Español-Francés, P. Y. Garnot, Madrid, Paraninfo, 1987.
Diccionario de términos usados en informes financieros. Español-Inglés / Inglés-Español, P. J. Donaghy y J. Laidler, Bilbao, Ed. Deusto, 1983.
Dictionnaire économique, commercial & financier. Espagnol-Français / Français-Espagnol, J. Chapron y P. Gerboin, Paris, Presses Pocket, 1988.
Dictionnaire de l'espagnol des affaires, G. de la Rocque y Y. Bernard, Paris, Librairie Générale Française, 1988.
Routledge Spanish Dictionary of Business, Commerce and Finance. Spanish-English / English-Spanish, London/New York, Routledge, 1998.

Ninguno de estos diccionarios expone claramente los criterios en que se basa para la selección de los términos. Es más, la mayoría no da ninguna explicación respecto de su composición. El *Diccionario de términos usados en informes financieros* (1983: 6) sí menciona sus fuentes, pero de manera muy vaga:

(El diccionario) Se ocupa de la terminología de informes financieros que se hacen públicos y por tanto se concreta en los términos utilizados en las memorias de las compañías, en sus estados financieros anuales, en las notas y explicaciones que se acompañan a los mismos y en comentarios informativos de expertos sobre la materia de que se ocupan las revistas y publicaciones pertinentes. El núcleo del vocabulario de este diccionario se ha montado sobre la base de un estudio minucioso de las fuentes mencionadas e incluye la terminología de más de 200 memorias. A la vez, incluye términos introducidos en el Plan General de Contabilidad de España, la IV Directriz de la CEE y la Ley de Sociedades del Reino Unido de 1981.

El *Diccionario comercial inglés-español español-inglés* (1940: 6) afirma ser un calco de los demás diccionarios existentes, enriquecido de los recuerdos personales del autor:

Este diccionario reúne en un solo volumen [...] no solamente todo el material aprovechable, de uso y aplicación comerciales, que contienen los diccionarios generales y especiales, vocabularios, etc., hasta ahora publicados, sino con mucho un gran número de palabras, definiciones y expresiones a propósito, que he compilado pacientemente durante mi activo servicio, cada una de ellas debidamente comprobada como correcta y de frecuente uso en el comercio y que se buscarían en vano en las obras aludidas.

Una excepción es el *Routledge Spanish Dictionary of Business, Commerce and Finance*, que, aunque tampoco menciona sus fuentes ni los criterios de selección, por lo menos afirma no haber recurrido a la intuición de los autores, sino que parte de una base de términos redactada por especialistas, y revisada y adaptada en una segunda fase por lexicógrafos.

Con el objetivo de controlar la eficacia de los diccionarios, hemos buscado en ellos unas palabras especializadas de un manual de introducción a la economía empresarial (el corpus del presente trabajo que presentaremos más adelante). Hemos constatado que el decimotercer término más frecuente de este manual (por orden de frecuencia absoluta), *rentabilidad*, no figura en el *Diccionario comercial inglés-español español-inglés*. Los términos *trabajo* y *trabajador*, que ocupan respectivamente las posiciones 18 y 24 en cuanto a su frecuencia absoluta, no están en el *Diccionario de economía y comercio. Francés-Español / Español-Francés*. El término en la posición 26, *flujo de caja*, sólo está presente en el *Dictionnaire de l'espagnol des affaires*. *Valor actual neto*, en la posición 36, no figura en ninguno de ellos. *Equipo¹* (maquinaria) y *distribución¹* (el suministro de los productos), ocupando respectivamente las posiciones 37 y 60, no están en el *Diccionario comercial inglés-español español-inglés* y así se puede continuar, pero con estos ejemplos pensamos haber demostrado la heterogeneidad y la arbitrariedad de los diccionarios examinados.

Asimismo, es de lamentar que ninguno de estos diccionarios ofrezca indicaciones de frecuencia, tal como lo hace el *Gran Diccionario de uso del español actual* (Madrid, SGEL, 2001) para el español general.

A guisa de conclusión se puede decir que ninguno de los tres tipos de materiales didácticos comentados maneja un criterio objetivo y unívoco respecto de la selección del léxico especializado. Tampoco dan indicaciones acerca de la frecuencia y el uso de las UL seleccionadas, o sea, que ofrecen miles de palabras a los estudiantes sin distinguir entre ellas en cuanto a su importancia. En cierto sentido, *Thematische woordenschat Spaans voor handel en economie* constituye una excepción, porque distingue entre un léxico fundamental y un léxico de continuación, pero el resultado, como ya se ha ilustrado, no es convincente.

Por lo tanto, a fin de fomentar un contenido coherente y verídico en los materiales de español con fines económicos, urge en primer lugar una reflexión metodológica al respecto, lo cual constituye el contenido principal de la Parte A de este trabajo. En una segunda fase, esta reflexión teórica ha de resultar en la elaboración de un método que permita la identificación y la selección objetiva del léxico del discurso económico empresarial para su enseñanza (Parte B). Este método se desarrolla a partir del léxico de un corpus modélico que se somete a un análisis léxico-terminológico y léxico-estadístico. Al utilizar la denominación 'corpus modélico', queremos hacer hincapié en el hecho de que el objetivo de este libro no consiste en la elaboración de una herramienta pedagógica lista para ser utilizada en una situación de enseñanza, bajo la forma de un glosario o diccionario didáctico que pretende contener el léxico del lenguaje económico empresarial en español. El corpus es modélico en el sentido de que sirve de modelo, o más bien, de muestra del discurso económico empresarial, una muestra necesaria para el desarrollo del método propuesto.

El análisis léxico-terminológico del léxico del corpus modélico tiene tres vertientes: una semasiológica, una fraseológica y una onomasiológica. La vertiente semasiológica parte de las formas léxicas del corpus. Se estudia el significado que estas formas léxicas tienen en el corpus y, en base a criterios esencialmente semánticos, se clasifican estas formas en categorías léxicas, que después se someten a unos análisis lingüísticos y léxico-estadísticos más profundos en los que intentamos no perder de vista el objetivo de este estudio, o sea, que las investigaciones realizadas tengan relevancia didáctica. Por lo que se refiere al análisis del léxico técnico, recurrimos a la disciplina terminológica, que consideramos como una subdisciplina de la lingüística. En el análisis fraseológico se intenta poner al descubierto las relaciones que los términos pueden mantener entre ellos y con palabras de las demás categorías léxicas. El análisis onomasiológico se propone examinar el léxico a partir de los conceptos y de las relaciones que existen entre los conceptos. De este manera se pretende revelar la estructura conceptual del léxico con el fin de contribuir a un modelo de organización eficaz para su enseñanza.

En una tercera fase (Parte C) se plantea la cuestión de la enseñanza del léxico descrito y analizado. Se someten los resultados de la investigación en corpus a las ideas de la didáctica y la lingüística aplicada a la adquisición de vocabulario en una lengua extranjera, desde un punto de vista histórico y actual. Estos conocimientos teóricos, en combinación con los resultados del análisis empírico, permitirán formular unas pautas didácticas aplicables a la enseñanza del léxico en una clase de español económico como lengua extranjera.

De lo que precede, se desprende que el presente trabajo se construye alrededor de dos preguntas de investigación fundamentales:
- ¿Qué léxico enseñar en una clase de español económico como lengua extranjera?, o sea, ¿cómo llegar a un método que permita su selección objetiva?;
- ¿Cómo enseñar este léxico?

A la primera pregunta se intenta contestar en las Partes A y B, mientras que la segunda constituye el objeto de estudio de la Parte C.

PARTE A:

EL LÉXICO DEL DISCURSO ECONÓMICO EMPRESARIAL: ELABORACIÓN DE UN MARCO TEÓRICO PARA SU ANÁLISIS

CAPÍTULO I: LA DEFINICIÓN DEL CONCEPTO DE LÉXICO ESPECIALIZADO EN LA DIDÁCTICA DE LAS LENGUAS EXTRANJERAS CON FINES ESPECÍFICOS

1. INTRODUCCIÓN: UNAS DEFINICIONES PRELIMINARES

En este capítulo se propone formular una definición del concepto de léxico económico empresarial con vistas a su identificación en un análisis de corpus. Esta definición se debe considerar como provisional, como un instrumento de trabajo que se puede adaptar en función de los resultados del análisis de corpus. La razón por la cual no se parte de una definición fija es que no existe una aceptación unánime de lo que es el léxico especializado, y menos del léxico económico empresarial. A continuación se presentan las interpretaciones vigentes al respecto, que serán evaluadas a la luz del objetivo final de este trabajo, es decir, la enseñanza del léxico empresarial. Pero, antes de lanzarse en la polémica de las posibles acepciones del léxico especializado, es imprescindible poner en claro a qué conceptos se refieren las denominaciones *léxico*, *vocabulario*, *palabra*, *unidad léxica*, enfocándolos por el prisma de la didáctica de las lenguas extranjeras.

1.1. ¿Vocabulario o léxico?

Aunque estos dos términos[3] no son sinónimos absolutos, se puede afirmar que por lo que se refiere a los significados relevantes en un contexto didáctico, ambos se definen en primer lugar como el conjunto de las palabras de una lengua, y en segundo lugar como el conjunto de las palabras utilizadas por un grupo social determinado, en un contexto determinado. Por tanto, en lo que sigue *léxico* y *vocabulario* serán empleados indistintamente.

---

[3] Aparte de algunos empleos individuales, encontramos en el María Moliner (1983: 1545 y 247) que tanto *vocabulario* como *léxico* pueden ser sinónimos de "diccionario". También en la vigésima segunda edición del *Diccionario de la Lengua Española* de la Real Academia, que se puede consultar en http://www.rae.es (2004), "diccionario" es el segundo significado tanto de *léxico* como de *vocabulario*.

Según la definición anterior, la enseñanza de léxico o de vocabulario es sinónimo de la enseñanza de palabras. Pero, ¿qué es una palabra? Resulta que es un nombre que en la lingüística da lugar a varias interpretaciones.

1.2. ¿Palabra o unidad léxica?

Generalmente la palabra es considerada como la unidad de base de una lengua y tradicionalmente se define como la combinación de una sola forma con un solo sentido que se refiere a un solo concepto en la realidad. Esta definición plantea, no obstante, numerosos problemas a la enseñanza del léxico. ¿Qué hacer, por ejemplo, con las formas a las que les corresponde más de un significado? ¿Se trata todavía de la misma palabra? ¿Palabras compuestas o *multi-ítems* forman una o dos palabras? ¿Y las frases idiomáticas, los proverbios, los refranes? Estos ejemplos demuestran que la composición del léxico es más heterogénea de lo que el término *palabra* a primera vista hace suponer. Una forma léxica puede referirse a varios significados, y un solo significado puede ser expresado en varias palabras y realizarse por encima de las fronteras léxicas.

A fin de evitar estos problemas terminológicos, Carter (1987) propone utilizar el término *lexical ítem*[4]. Según él, esta denominación resume mejor las propiedades ortográficas, fonológicas, gramaticales y semánticas de un elemento léxico. Una unidad léxica es la realización de un lexema –la unidad abstracta, básica– que puede sufrir variaciones gramaticales (sintácticas y morfológicas). El significado de una unidad léxica es único e invariable, aunque permite empleos pragmáticos individuales. Si a una misma forma le corresponden dos o más significados, se trata de unidades léxicas distintas. Como unidad de base para la enseñanza de léxico, el concepto de 'unidad léxica' parece el más adecuado. Este término da la flexibilidad necesaria de la que no disponen ni 'palabra', ni 'lexema', ni 'forma', ya que una unidad léxica puede componerse de más de una palabra y sufrir variaciones gramaticales a partir de una misma forma básica o lexema.

---

[4] Nos referiremos a este término inglés con la traducción 'unidad léxica'.

1.3. ¿Lengua especializada o lenguaje especializado?

El léxico especializado forma parte del lenguaje o de la jerga de una especialidad, lo que se denomina en inglés LSP (*Language for Specific Purpose*). En la bibliografía LSP se suele traducir por 'lengua especializada', porque este término remite a la vez a la expresión lingüística como a los conocimientos especializados. Algunos autores se oponen a esta traducción, argumentando que no se trata de otra lengua – la gramática siendo la misma–, sino de un empleo de la lengua que se reserva para cierta especialidad y ciertos locutores. Por lo tanto, prefieren la denominación de 'lenguaje especializado' en la acepción de 'jerga'. No obstante, se puede constatar en la bibliografía que la denominación 'lengua especializada' tiene un empleo muy generalizado. Rondeau (1983: 26) define 'lengua especializada' y 'lengua común' como el conjunto de palabras y expresiones que, en el nivel de la "parole", según el contexto en que se emplean, se refieren o no se refieren a una actividad especializada:

> Précisons enfin que les expressions "langue(s) de spécialité" et "langue commune" ne doivent pas être entendues dans un sens littéral. En effet, dans le cas de "langue(s) de spécialité", c'est au niveau de la parole et non à celui de la langue que s'actualisent en termes ou en non-termes bon nombre de formes linguistiques. Autrement dit, c'est en contexte […] et donc en situation de discours, que telle unité linguistique appartiendra à la zone des langues de spécialité ou à la zone de la langue commune. Dans le cas de "langue commune", il faut noter que tout l'appareil phono-morpho-syntaxique est sous-jacent aussi bien aux langues de spécialité qu'à la langue commune. Dans les deux cas, on a affaire à des sous-ensembles lexicaux qui constituent des sous-ensembles d'une langue donnée.

Lerat (1997: 17) defiende también el empleo de la denominación 'lengua especializada' y apela al principio pragmático y funcional que posee una lengua especializada definiéndola como "*la lengua natural considerada como instrumento de transmisión de conocimientos especializados*". Es la lengua misma como sistema autónomo, pero al servicio de una función más amplia: la transmisión de conocimientos específicos.

En este estudio se empleará la denominación 'lengua especializada' en oposición a las nociones 'lengua común' o 'general'.

1.4. ¿Léxico especializado, científico o técnico?

En la comunicación del contenido especializado el léxico desempeña un papel preponderante, ya que es uno de los indicadores más reveladores de la temática de un texto. Un texto de tipo científico y técnico se caracteriza sobre todo por su densidad léxica y por la abundancia de términos especializados. Para designar este léxico, algunos autores distinguen entre las denominaciones 'científico' y 'técnico', basándose para ello en criterios sociológicos, semióticos o discursivos. Mortureux (1995: 21) distingue los términos científicos de los términos técnicos básandose en su funcionamiento semiótico:

> Le rôle d'un terme scientifique est de nommer un concept destiné à rendre compte d'une façon unifiée et abstraite de phénomènes divers, disparates en apparence, parfois contradictoires [...]. Un terme technique est plutôt le nom d'une matière première, d'un processus, d'un agent ou d'un instrument [...].

Esta diferencia, que en nuestra opinión reside en la oposición 'abstracto' *vs.* 'concreto', no parece relevante respecto del objetivo didáctico de este trabajo, y usaremos, por consiguiente, indistintamente los calificativos 'especializado', 'técnico' o 'científico'. Cabe observar, no obstante, que en el caso concreto de la economía, la terminología no siempre tiene un aspecto muy técnico o científico, debido a que es una ciencia humana que comparte bastantes palabras con la lengua común. Eso lo confirma el economista Mankiw (1998: 17), en su manual de economía con autoridad mundial:

> Every field of study has its own language and its own way of thinking. [...] Economics is no different. Supply, demand, elasticity, comparative advantage, consumer surplus, deadweight loss –these terms are part of the economist's language. In the coming chapters, you will encounter many new terms and some familiar words that economists use in specialized ways.

2. EN BUSCA DE UNA DEFINICIÓN DEL CONCEPTO DE LÉXICO ESPECIALIZADO EN LA DIDÁCTICA DE LAS LENGUAS EXTRANJERAS CON FINES ESPECÍFICOS: LÉXICO TÉCNICO Y SUBTÉCNICO

Hasta la fecha no hemos logrado encontrar en la didáctica de las lenguas extranjeras con fines específicos una definición de qué se entiende por léxico especializado. La denominación de este concepto es múltiple: léxico técnico, científico, especializado, específico, pero una definición nunca se da. Nation (2001: 18) confirma esta constatación: "There has been no survey done of the size of technical vocabularies and little research on finding a consistently applied operational definition of what words are technical words". Sí parece existir consenso sobre las características principales de este léxico: se asume que este léxico es esencialmente monosémico y universal.

En relación con el léxico técnico, la didáctica de las lenguas extranjeras con fines específicos usa a menudo la noción de léxico subtécnico. Ahora bien, para este léxico subtécnico sí existe definición, aunque no es unívoca. En la bibliografía hemos encontrado por lo menos tres acepciones –sin contar con las variantes y las interpretaciones personales– de lo que se denomina léxico subtécnico.

1. La primera acepción la encontramos, entre otros, en Nelson (2000), que define el léxico subtécnico como términos que comparten su forma con una unidad léxica general:

   Sub-technical lexis- words with a specific meaning in the business area under investigation and possessing a different common meaning in general English.

Esta definición coincide con lo que Phal (1971) llama el *VGOS* (*Vocabulaire général d'orientation scientifique*), proyecto surgido a partir de la constatación de que algunas palabras del *Français fondamental* (Gougenheim, Michéa y Rivenc, 1964) tenían en las lenguas especializadas una frecuencia muy superior a la que tenían en el corpus de lengua general. No se trataba de palabras específicas de una especialidad determinada, sino que parecían ser comunes a las lenguas especializadas en su totalidad. Muchas entre ellas adoptaban en el contexto especializado un significado distinto del que tenían en la lengua general. Phal (1970: 101) define el *VGOS* como

Vocabulaire Général (en ce qu'il est commun à toutes les spécialités au niveau fondamental) d'Orientation Scientifique (parce que le sens des mots qui le composent se spécialise sous l'influence du contexte scientifique dans lequel ils sont employés). C'est le vocabulaire qui établit entre les termes les relations sans lesquelles ces termes fixes resteraient inutilisables. Le VGOS est le véritable instrument de la pensée scientifique.

Phal (1970: 95) da algunos ejemplos como *vide* en *ensemble vide*, y *un cas* en patología. El concepto del *VGOS* fue adaptado al español como *VGOC* o *Vocabulario General de Orientación Científica* por García Hoz (1976). Por lo que se refiere más específicamente al léxico económico, Phal (1970: 110) menciona que el *VGOS* sólo abarca las ciencias exactas, aunque cree que debe existir un léxico propio de las ciencias exactas y humanas a la vez: "il existe une phraséologie 'savante' qui est commune aux sciences exactes et aux sciences humaines".

Morgenroth, en un estudio del léxico económico del francés y del alemán a partir de un corpus bilingüe de economía empresarial, distingue entre el *VGOS* y el *VGOE (Vocabulaire général d'orientation économique)*. El *VGOE* es según este autor el léxico económico del *VGOS*, es decir, en la medida en que este léxico no constituye el objeto de un análisis científico económico en el corpus analizado:

Il s'agit en règle générale de termes issus du domaine Economie générale auxquels on se réfère couramment sans pour autant les définir, étant donné que les étudiants allemands en Economie de l'entreprise (Betriebswirtschaftslehre) doivent suivre des modules obligatoires en Economie générale (Volkswirtschaftslehre) (1994 : 74).

Al integrar en el *VGOS* no tanto unidades léxicas generales, sino términos propios de otras especializaciones, como las matemáticas, las estadísticas, el derecho, las ciencias políticas, la geografía, la física, etc., Morgenroth complica la situación, dado que ocurre con frecuencia que un término de una ciencia determinada se hace también término en otra ciencia. El mismo Morgenroth da el ejemplo del término *la persona física*, originalmente un término del derecho, pero que pertenece también a la terminología de la economía empresarial.

2. La segunda acepción fue protagonizada por Cowan (1974: 391), que define el léxico subtécnico como: "context-independent words which occur with high frequency across disciplines". Esta acepción se encuentra también en Robinson (1991: 28), que define "semi-technical, subtecnical or general scientific/technical vocabulary" como "items necessary for discussing the research process and for analyzing and evaluating data, whatever the academic discipline". Para estos autores el léxico subtécnico son palabras generales que ocurren con una mayor frecuencia en las lenguas especializadas que en la lengua general, ya que se prestan particularmente al comentario científico y al análisis, cualquiera que sea la disciplina.

3. En la última acepción se toman los dos significados precedentes juntos. Trimble (1985: 129) define el léxico subtécnico como:

    those words that have the same meaning in several scientific or technical disciplines. To these words we have added those "common" words that occur with special meanings in specific scientific and technical fields. Together, the two sets of words make up the English sub-technical vocabulary.

Aunque estas tres definiciones no tratan del mismo léxico en absoluto, sí manifiestan todas un paralelismo importante: en la didáctica de las lenguas extranjeras con fines específicos parece existir la creencia generalizada de que la enseñanza necesita dedicar más tiempo al llamado léxico subtécnico que al léxico técnico mismo, éste último siendo considerado como monosémico y universal. Esta postura se ve confirmada por ejemplo en Gerbert (1989: 314) cuando cita a J. Swales, editor de *Episodes in ESP* (1988):

The counter-productiveness of attempting to handle technical vocabulary in the ESP class is at least one thing nearly all authors of "Episodes" agree on.

Los argumentos de la didáctica de las lenguas extranjeras con fines específicos para considerar la enseñanza de este léxico subtécnico más importante que la del léxico técnico, son principalmente los siguientes:

*   En las actas del coloquio *Les langues de spécialité. Analyse linguistique et recherche pédagogique*, una de las primeras manifestaciones de interés por el lenguaje especializado por parte de

la didáctica de las lenguas extranjeras, Phal (1970: 101) proclama
que no es necesario estudiar los términos porque:

> 1) c'est aux spécialistes de dresser les listes de mots de haute
> spécialité dont ils ont besoin dans leur situation particulière […]; 2)
> les difficultés qu'offre ce vocabulaire sont plus des difficultés de
> mémorisation que des difficultés linguistiques; 3) quelle que soit leur
> complexité, leur sens est univoque.

Por lo tanto, existe en la didáctica la creencia generalizada de que
los términos son monosémicos y universales y que no constituyen
ningún obstáculo para los estudiantes, sino que se pueden estudiar en
una nomenclatura bilingüe:

> Technical terms are likely to pose the least problems for learners: they
> are often internationally used or can be worked out from a knowledge
> of the subject matter and common root words (Hutchinson y Waters
> 1987: 166).
>
> Technical vocabulary by itself does not pose enough of a problem for
> the majority of non-native students to need special attention in the
> classroom (Trimble 1985: 128).
>
> When teaching vocabulary, LSP teachers frequently note that a high
> proportion of terms in specialized terminologies consists not only of
> neologisms or highly technical words, but also of sub-technical lexical
> items. Whereas the first group does not cause difficulty to the
> knowledgeable reader, except perhaps finding their meaning and
> translation in a good technical dictionary, the second will require more
> attention (Roldán Riejos 1998: 34).

- El léxico subtécnico puede causar ambigüedad, porque el estudiante
  tiene que darse cuenta de que el sentido general que conoce de la
  palabra en cuestión no sirve en el contexto especializado:

  > The learner may know the 'general' meaning already and may be
  > confused when he meets it in a context with a different meaning
  > (Kennedy y Bolitho 1984: 58).

- Al estudiante le puede resultar difícil hacer la extensión del
  significado general de la palabra subtécnica al significado
  especializado, ya que el significado general puede ser muy distinto
  del significado especializado.

- En caso de que el alumno no conozca la palabra subtécnica, es
  posible que consulte un diccionario 'general' que no contiene el
  significado especializado, sino únicamente los significados

generales de la palabra en cuestión, lo que también planteará problemas de comprensión:

> For some unexplained reason, few non-native science or technology students seem to have specialized dictionaries or, in many cases, even to be aware of their existence (Trimble 1985: 129).

De todo lo que precede se puede concluir que, aunque en la didáctica no existe una definición de lo que es el léxico técnico, la definición del léxico subtécnico como léxico general con un significado especializado, sí ofrece un criterio de exclusión para inducir lo que debe ser entonces el léxico especializado, o sea, léxico con un significado exclusivamente especializado.

A propósito de este criterio se imponen dos observaciones. En primer lugar este criterio resulta muy intuitivo. Es verdad que la lingüística propone esencialmente tres métodos para estudiar una lengua en todos sus aspectos: el método por introspección, el método basado en la observación de la lengua en un corpus y el método por encuesta o experimento con hablantes (nativos o no) de la lengua que se examina. Ahora bien, el método por introspección es el más intuitivo y, por esto, el que más problemas plantea: Geeraerts (1989: 41) señala que la investigación psicológica ha demostrado de manera convincente que existe a menudo una gran discrepancia entre lo que los hablantes de una lengua opinan, y sus actos lingüísticos reales. Esta limitación del método por introspección se manifiesta aún más cuando un lingüista quiere estudiar una lengua especializada basándose en sus propias intuiciones. Para un lego en la materia, no siempre resulta fácil decidir si una palabra es un término según el especialista o no. No todas las palabras especializadas son neologismos o artefactos fáciles de identificar como términos. En el caso de la economía, los legos utilizan muchas palabras de la economía sin conocer su verdadero significado económico. Palabras como *dinero, banco, capital, ahorro*, etc. las utilizamos a diario aunque no conocemos su definición económica correcta. Así se lee en el *Diccionario económico y financiero* de Bernard y Colli (1985: 64) a propósito de la palabra *ahorro*:

> Acaso no exista un término económico tan familiar en el lenguaje corriente y al mismo tiempo tan irreductible en apariencia a una definición clara y precisa que consiga aceptación general.

Así pues, ¿dónde está la frontera entre el léxico general y el léxico especializado? A menudo se trata de una frontera muy borrosa. Basándose únicamente en la intuición, la didáctica no ofrece al enseñante un criterio claro e inequívoco para distinguir el léxico técnico del no técnico, e incita de esta manera a la arbitrariedad en la selección del léxico especializado. Esto es el caso de la mayoría de los materiales didácticos existentes, tal como se ha podido constatar en la introducción.

La segunda observación es a propósito del léxico subtécnico en su acepción de léxico general que extiende su significado a uno especializado. En el caso concreto de la terminología empresarial, parece haber cantidad de palabras que provienen de la lengua general en origen, pero cuyo significado general fue desplazado por el significado especializado. Nada más al pensar en palabras como *fusión, inflación, absorción, inversión* etc., parece contranatural no considerar estas palabras como términos de la jerga económica empresarial. Incluso fuera de todo contexto, la probabilidad de que una persona se imagine estas palabras primero en un contexto económico con su significado económico, es real. Por consiguiente, se puede poner en tela de juicio el valor de realidad de la denominación 'léxico subtécnico' y preguntarse en qué medida la enseñanza del léxico empresarial en español lengua extranjera puede sacar provecho de la oposición *léxico técnico / léxico subtécnico*.

Ahora bien, antes de poder sentenciar sobre las nociones de léxico técnico y subtécnico tal como la didáctica de las lenguas extranjeras con fines específicos las propone, es necesario efectuar un análisis de corpus que permita estudiar qué léxico corresponde concretamente a las categorías de léxico técnico y subtécnico y si esta oposición resulta útil en el caso particular de la enseñanza del léxico económico empresarial. A este propósito se impone en primer lugar la necesidad de componer un corpus de discurso económico empresarial que cumpla con los requisitos didácticos y lingüísticos necesarios. De esta temática trata el siguiente capítulo.

CAPÍTULO II:
LA COMPOSICIÓN DEL CORPUS MODÉLICO

En este capítulo trataremos el contenido y el género del corpus modélico. Después de una introducción teórica sobre los rasgos lingüísticos con los cuales ha de cumplir un texto especializado, comentamos y justificamos nuestra opción por el lenguaje económico empresarial por un lado, y el género de doctrina o discurso científico de instrucción por otro, tanto desde un punto de vista didáctico como terminológico. Asimismo, se discute la relación entre el tamaño ideal del corpus y su representatividad.

1. CARACTERÍSTICAS LINGÜÍSTICAS DE UN ENUNCIADO ESPECIALIZADO

La lingüística general no dedica un gran interés al estudio de las lenguas especializadas, pero su subdisciplina, la terminología, sí. Por consiguiente, para una descripción de las características lingüísticas de un enunciado especializado recurrimos a la teoría de la terminología[5].

La característica más llamativa de un enunciado especializado es la presencia de una terminología y fraseología específicas que resumen el contenido. Además, la terminología y fraseología influyen en el grado de especialización del enunciado, como dice Cabré en su obra *Terminología: representación y comunicación* (1999):

> Tanto más opaca, densa, exclusiva y precisa (la terminología) cuanto mayor sea el nivel de especialización del texto (Cabré 1999: 211).

---

[5] 'Terminología' es una palabra polisémica que se usa tanto para denominar la disciplina que estudia las lenguas especializadas, como para designar los términos mismos, es decir el léxico especializado. Una tercera significación de la palabra 'terminología' se refiere a las técnicas y métodos utilizados por el terminólogo. Sager (1990: 3) formula el carácter polisémico de la palabra de la siguiente manera:
"1. The set of practices and methods used for the collection, description and presentation of terms; 2. A theory, i.e. the set of premises, arguments and conclusions required for explaining the relationships between concepts and terms which are fundamental for a coherent activity under 1; 3. A vocabulary of a special field".

Según Rondeau (1983: 24) el léxico de una lengua con fines específicos se reparte entre tres círculos concéntricos y va desde el círculo más grande, el del léxico más cercano a la lengua común, hasta el círculo más restringido del léxico ultra-especializado de la especialidad en cuestión. En el círculo más grande se encuentran, por tanto, las unidades léxicas especializadas que no pertenecen a una especialidad particular. En el círculo más restringido se encuentran los términos de la especialidad misma. Estos términos manifiestan en muchos casos unas características morfológicas específicas como, por ejemplo, raíces, prefijos, sufijos cultos (de origen latino o griego) y rasgos internacionales.

Sin embargo, Cabré (1999: 206) argumenta que el tipo de léxico que un enunciado contiene no es suficiente para considerarlo especializado, ya que existe un intercambio permanente entre el léxico de la lengua común y el de la lengua especializada. Los fenómenos de la *terminologización* (unidades léxicas generales que se especializan) y de la *banalización* (términos que se trasladan al uso general de la lengua) son tan frecuentes, que la presencia o la ausencia de términos en un texto no puede ser el único criterio para decidir del carácter especializado de un texto. Por tanto, aparte del criterio léxico, Cabré (1999: 211) distingue otros más como, por ejemplo, el criterio sintáctico. Aunque el lenguaje especializado y el lenguaje común comparten la misma gramática, un texto especializado se caracteriza por el carácter restrictivo de su sintaxis. Gómez de Enterría (1998: 35) destaca que unos rasgos sintácticos recurrentes del discurso especializado son:

la nominalización, el empleo de los tiempos verbales determinados, los conectores empleados para llevar a cabo los planteamientos lógicos o para poner en práctica los procesos de reformulación, etcétera […].

Un factor semántico-cognitivo que determina el carácter especializado de un enunciado es la temática: un tema sólo es especializado si vehicula un conocimiento que ha sido conceptualizado y codificado en un marco científico preestablecido. No obstante, tampoco es éste un criterio decisivo, principalmente porque un tema especializado se puede tratar "a distintos niveles de abstracción, con distintos propósitos comunicativos, en distintas situaciones de comunicación y para distintas funciones lingüísticas" (Cabré 1999: 206).

Los siguientes criterios son criterios pragmáticos: los interlocutores, las condiciones situacionales y las condiciones funcionales. Los interlocutores (emisor y receptor) determinan en gran parte el grado de especialización de un texto. Entre especialistas el discurso es altamente especializado, mientras que el discurso que se realiza entre el especialista y los aprendices de una materia es un discurso medianamente especializado de carácter didáctico. Cuando la información especializada tiene lugar entre un especialista –de manera directa o mediada por un periodista– y el público en general, se trata de un discurso de divulgación especializada. En un estudio preliminar (Vangehuchten 2000), hemos analizado el léxico de dos textos económicos de dos géneros distintos: prensa (un artículo de la sección de Economía de *El País*) y doctrina (un capítulo de un manual español de economía general). Los resultados indican claramente que el grado de especialización del género doctrina es superior al del género prensa: el capítulo del manual contiene tres veces más términos, mientras que en el artículo de prensa, el léxico general es muy mayoritario.

Las condiciones situacionales influyen en el grado de variación denominativa del léxico especializado. Con el concepto de variación denominativa Cabré se refiere a los fenómenos de sinonimia y polisemia:

> El grado máximo de variación lo cumplirían los términos de las áreas más banalizadas del saber y los que se utilizan en el discurso de registro comunicativo de divulgación de la ciencia y de la técnica; el grado mínimo de variación es el propio de la terminología normalizada por comisiones de expertos; el grado intermedio lo representa la terminología usada en la comunicación natural entre especialistas (Cabré 1999: 85).

Los resultados de un estudio de Domenèch, explicado en Cabré y Domenèch (2000), corroboran la existencia de una correlación entre la variación denominativa y el grado de especialización de un enunciado: la presencia de sinónimos y de perífrasis es muy baja en los textos más especializados con un promedio de un 3,05%, frente a un promedio de un 7,75% en los textos menos especializados.

El último criterio pragmático se refiere a las condiciones funcionales de un discurso especializado: ha de ser un discurso con referencialidad especializada, es decir, un discurso en que predomine la función referencial especializada de la lengua. Un texto especializado suele ser, por tanto, preciso, conciso y sistemático. Evita la redundancia y la ambigüedad.

Otro elemento por el cual se puede identificar un enunciado especializado es su aspecto formal, o sea, el alto grado de elaboración, la sistematicidad en la presentación y la integración de sistemas semióticos simbólicos, tablas, gráficos, esquemas, etc. (Cabré 1999: 87). Por eso, un enunciado especializado suele ser un texto escrito. Aun cuando se trate de un discurso oral, éste manifiesta las características de un texto escrito y, en muchos casos, es la reproducción de un texto escrito. Phal (1971: 15) formula la diferencia entre el discurso especializado oral y escrito de la siguiente manera:

> [...] il semble que la langue écrite est la seule vraiment adéquate à l'expression scientifique: la pensée scientifique, en effet, ne s'accomode pas des tâtonnements, approximations, repentirs, reprises, etc. qui font du discours oral une création floue, changeante, jamais achevée. La pensée scientifique n'est vraiment elle-même, fidèle à son objet, exacte et rigoureuse, que coulée dans une forme parfaite et inaltérable qui ne peut lui être fournie que par l'écriture.

2. UN CORPUS DE DISCURSO ECONÓMICO EMPRESARIAL

En la didáctica de las lenguas extranjeras con fines específicos se suele distinguir entre el lenguaje con fines académicos y el lenguaje con fines profesionales. Con relación al ámbito de la economía se asume que existe un lenguaje para la investigación en economía general y en economía empresarial, y un lenguaje para los negocios (Dudley-Evans y St. John 1998: 7). Para la composición de un léxico económico bilingüe (francés y alemán), Morgenroth (1994: 2) establece un corpus de textos de manuales de economía empresarial, argumentando que la lengua de la economía general es demasiado teórica y científica. Quiere dar prioridad a la lengua económica empresarial, porque le parece que es ésta la que los economistas más necesitan en su vida profesional. Por consiguiente, Morgenroth considera el criterio de las necesidades de los alumnos decisivo para la composición de su corpus:

Le choix de la terminologie de la langue de spécialité de l'Economie de l'entreprise (Betriebswirtschaftslehre) pour notre corpus allemand plutôt que de celle de l'Economie générale (Volkswirtschaftslehre) s'explique par le fait que la première est celle sur laquelle est basée la communication professionnelle "sur le terrain", notamment dans les entreprises, tandis que la seconde est réservée à la communication théorique et scientifique. C'est à cette terminologie de la communication professionnelle que nous accordons la priorité au sein du vocabulaire économique global, notamment dans une perspective de linguistique appliquée, pédagogique par exemple [...].

También en Leech (1997: 19) se puede leer que el primer criterio pedagógico con referencia a la composición de un corpus ha de ser que el corpus corresponda a las necesidades de los alumnos "the best kind of corpus would be one corresponding to the target language behaviour of the learners concerned".

Ahora bien, preferimos un corpus de economía empresarial a uno de economía general, porque estimamos, igual que Morgenroth (1994: 2), que el léxico económico que la mayoría de los economistas necesita en su vida profesional es de carácter empresarial. De la base de datos de la Facultad de Ciencias Económicas Aplicadas de la UFSIA (última actualización en 2000), que contiene los datos profesionales de más de 10.000 antiguos alumnos, se desprende que la mayoría de los estudiantes que hacen la carrera de ciencias económicas aplicadas no continúan en el mundo de la investigación, lo que es más bien el terreno de la economía general, sino que su vida profesional se sitúa preferentemente en un contexto empresarial, sea en un servicio de estudio, sea en una función más comercial. Los cinco sectores en los que más antiguos alumnos trabajan, son, por orden decreciente, la banca; la consultoría y la auditoría; la industria química; la informática; las aseguradoras. En cuanto a las funciones que desempeñan en estos sectores, resulta que la mayoría se dedica a una función financiera o comercial. Otras funciones importantes son la de gestor, consultor y auditor. Según percibimos las necesidades lingüísticas de nuestros estudiantes como futuros profesionales, optamos, por tanto, por un corpus que trate los temas básicos de la economía empresarial[6].

---

[6] No obstante, es cierto que la terminología de la economía aplicada al ámbito empresarial tiene sus raíces en la terminología de la economía general. Mankiw (1998:

La razón por la cual no optamos por un corpus de español comercial o de los negocios, es que un texto de economía empresarial es más científico y, por lo tanto, más técnico que uno comercial, aunque ambos discursos, por supuesto, pertenecen al lenguaje especializado. Es lógico que en el estudio de una lengua extranjera con fines específicos el alumno aprenda primero a expresar los conceptos técnicos de su especialidad, ya que éstos forman parte de sus herramientas básicas. No obstante, como ya se ha señalado en la Introducción, la mayoría de los manuales que pretenden enseñar el español económico y comercial, se centran sobre todo en situaciones comunicativas del ámbito de los negocios, como las comidas y los viajes de negocios, las técnicas de negociación, las entrevistas de solicitud, etc., asuntos cuya importancia Nelson (2000) indica como mucho menor en un corpus de comunicación comercial auténtica. Por otro lado, no queremos callar que la constitución de un corpus con material de comunicación empresarial auténtica (correspondencia por correo normal y electrónico, conversaciones telefónicas, telecopias, comunicación interna de una empresa (circulares, memorandos, convocatorias, exposiciones, informes, etc.) nos planteara por supuesto numerosos problemas prácticos de índole obvia.

Opinamos que los argumentos expuestos justifican la opción en este trabajo por un corpus modélico de lengua económica empresarial. Sin embargo, queda claro que el estudio del español económico y empresarial cuenta con tres dominios –el de la economía empresarial, general y el de los negocios– por lo cual *idealiter* estos tres tipos de discurso necesitan ser estudiados.

---

17), economista y autor de un manual de economía general con autoridad internacional, formula la supremacía de la terminología de la economía general de la siguiente manera:
"At first, this new language (la terminología económica) may seem needlessly arcane. But, as you will see, its value lies in its ability to provide you a new and useful way of thinking about the world in which you live".

3. UN CORPUS DE DOCTRINA

Dentro del discurso económico empresarial se presentan tres posibilidades de género:
- uno altamente especializado, de comunicación entre especialistas, que es el género de la investigación;
- uno medianamente especializado, de comunicación entre un especialista y aprendices, que es el género de la doctrina;
- uno de divulgación científica, para un público general, que es el género de la prensa.

Para la composición del DICOFE (*Dictionnaire contextuel du français économique*, Binon, Verlinde y Van Dyck, 1993), los autores optan por un corpus compuesto de prensa diaria escrita. También el corpus del DAFA (*Dictionnaire d'apprentissage du français des affaires*, Binon, Verlinde, Van Dyck y Bertels, 2000) se constituye muy mayoritariamente de textos publicados en la prensa. Verlinde (1993: 4) defiende esta opción con los siguientes argumentos. Aparte de la ventaja práctica –o sea, la facilidad con la que se pueden obtener los textos en soporte informático, lo que evita la fastidiosa labor del escaneo–, Verlinde menciona también unos motivos lingüísticos. Primero el hecho de que se trata de textos de varios autores, lo que evita que un solo estilo de redacción y la preferencia de un autor por el uso de determinadas palabras predominen. En segundo lugar, le parece que los artículos de prensa presentan la claridad de redacción que su proyecto requiere, dado que los autores del DICOFE se sirven del contexto en que se presenta el léxico para su enseñanza. Sin embargo, los resultados del análisis de artículos de prensa en español por parte de Díaz, Hernández y Martínez (2000), inducen a poner esta convicción en tela de juicio. Su análisis de subgéneros de la prensa, es decir artículos de diarios y semanarios, revela que los primeros no resultan tan fáciles de entender, porque son más implícitos, menos divulgativos que los artículos semanales. Esta diferencia no se debe al contenido, sino a los recursos argumentativos utilizados. La última razón por la cual el DICOFE prefiere un corpus de prensa es que, según Verlinde, (1993: 4) el contenido de los artículos de prensa es un contenido familiar para los alumnos:

[...] ils (les articles) abordent tous les thèmes des cours que nous proposons et ils constituent une source d'information avec laquelle les étudiants ont déjà été confrontés dans la plupart des cas lors de leurs études secondaires.

Queremos señalar que esta constatación de Verlinde no se corrobora en un modesto experimento que hemos organizado con 16 estudiantes universitarios de ciencias económicas aplicadas (Vangehuchten 2000). Hemos investigado la comprensión del léxico (general y económico) en dos textos económicos de dos géneros distintos (prensa y doctrina) así como la comprensión de los textos mismos[7]. Hemos constatado que el léxico se comprendió igual de bien en los dos textos (T-test, bilateral: $p = .185 > \alpha = .05$)[8]. No obstante, la comprensión del contenido del artículo de prensa resultó inferior a la del texto de doctrina (T-test, bilateral: $p = .027 < \alpha = .05$). Nos parece que los conocimientos previos que los estudiantes tienen de la especialidad misma, explican esta diferencia. El contenido del texto de doctrina, que comenta las funciones y el funcionamiento del Banco de España, representa un contenido familiar para el estudiante de económicas. El contenido del artículo de prensa, en cambio, comenta los últimos sucesos en el mundo bancario español, un contenido desconocido. Nuestras constataciones se confirman en Lehmann (1983: 141), que rechaza el género de la prensa como corpus para un análisis didáctico por este mismo motivo:

[...] d'une part, tous ceux qui ont utilisé des documents authentiques pour un enseignement fonctionnel (especializado) ont pu constater que les textes de vulgarisation s'avèrent presque toujours infiniment plus difficiles à comprendre pour des scientifiques que les textes scientifiques eux-mêmes, ce qui n'a d'ailleurs rien pour surprendre. D'autre part, le discours de la

---

[7] Los textos y los ejercicios del experimento se pueden consultar en el anexo B de este trabajo.

[8] Un test estadístico que compara datos, parte siempre de lo que se llama 'la hipótesis cero'. Esta hipótesis postula que hay una diferencia significativa entre lo que se compara y que hay un 0% de duda respecto de esto. Sin embargo, es una práctica generalizada en la estadística aceptar un pequeño margen de duda, representado por $\alpha = .05$, o sea, a un nivel de significación del 5%. Si p, que representa la probabilidad de que la diferencia sea significativa, queda por debajo de $\alpha = .05$, se acepta la hipótesis y la diferencia se considera estadísticamente significativa con una probabilidad del 95%. En el caso contrario, se rechaza la hipótesis cero y se considera la diferencia como no representativa.

vulgarisation n'est pas, chacun en conviendra, le discours de la science, ni à l'écrit, ni à l'oral, d'où le risque de ne pas atteindre les objectifs langagiers qui sont ceux des apprenants.

Además, Gómez de Enterría (1998) constata en un análisis de artículos de prensa económica que se trata de un género en que la función poética de la lengua está muy presente. Debido a su carácter divulgativo y explicativo, el empleo del lenguaje es más figurado y metafórico. Concluimos que la prensa no es el género más adecuado para investigar el léxico del discurso económico empresarial, ya que resulta demasiado poco especializado.

Un género altamente especializado, que contiene una terminología muy específica y precisa, es el discurso científico entre especialistas. Sin embargo, la lengua internacional de la investigación en economía es el inglés. De su recensión de estudios estadísticos sobre la importancia del inglés en el mundo como lengua de investigación, Swales (1985: 3) saca la siguiente conclusión: "[...] English is indeed the strongly dominating language for the communication for research on an international level".

A fin de comprobar si esta constatación vale también para el ámbito de la economía, hemos examinado tres listas que contienen un *ranking* internacional de las revistas científicas en economía. Los investigadores se basan en estas listas para juzgar la calidad científica de una publicación[9]. Resulta que todas las revistas económicas prominentes, sin excepción, se redactan en inglés y que, incluso en las categorías menos prestigiosas, las revistas en otro idioma que el inglés, son casi inexistentes. Damos a continuación una comparación de estas tres listas en cuanto a la lengua de redacción de las revistas. El orden es por importancia decreciente.

---

[9] Se trata de la lista del periódico especializado *Financieel Economische Tijd* (febrero de 1999), de la lista de la Unión de las Universidades de los Países Bajos (*VSNU*), y también de la lista de la Facultad de Economía de la Universidad de Gante, un tanto más arbitraria quizás, dado que se creó en el seno de una sola universidad, por lo que la clasificación puede haber sufrido confusión de intereses por parte de sus autores.

Categoría	FET	VSNU	RUG
A	8 inglés	55 inglés	51 inglés
B	46 inglés	153 inglés 3 neerlandés 3 alemán	51 inglés 1 alemán
C	46 inglés	239 inglés 14 neerlandés 12 alemán 8 francés 4 italiano	65 inglés
D	44 inglés 1 alemán	380 inglés 53 neerlandés 17 alemán 15 francés 4 italiano 3 español 1 indonesio	72 inglés 9 francés 8 neerlandés 6 alemán
E	373 inglés 24 español 16 italiano 14 francés 8 alemán 7 otros idiomas	202 inglés 61 neerlandés 24 alemán 7 francés 4 español 2 italiano 2 otros idiomas	
Total	587 (el 4% en español, cat.E)	1.266 (el 0,55% en español, cat. D y E)	263 (el 0% en español)

TABLA 2.1.

De esta reseña se desprende que la importancia del español como lengua de investigación en economía es mínima, tanto en cantidad como en calidad.

Dado que el género *prensa* resulta demasiado poco especializado y que el género *investigación científica* casi es inexistente en español, el género *doctrina* parece una buena solución intermedia. Este género existe en español en un nivel de alta calidad, contiene terminología especializada, y además la explica, lo que brinda contextos significativos para su enseñanza.

4. DISCUSIÓN SOBRE EL TAMAÑO Y LA REPRESENTATIVIDAD

Según Biber, Conrad y Reppen (1998: 249), un análisis lexicológico que quiere estudiar el significado y el uso de las palabras y de sus colocaciones, debe realizarse en un corpus de varios millones de ocurrencias y, sobre todo, en un corpus diverso, compuesto de varios textos:

> Many words and collocations occur with low frequencies, and a corpus must be many millions of words, taken from many different texts, to enable investigations of their use. However, for all kinds of research, it is important to realize that size cannot make up for a lack of diversity.

No obstante, según *The Handbook of Terminology Management*, un manual de terminología, un corpus de 100.000 formas léxicas ya es suficiente para sacar conclusiones significativas, por lo menos en el marco de un análisis de un corpus de lengua especializada, dado que el léxico utilizado para tratar una temática especializada es más restringido que el léxico de un discurso no especializado:

> As a rule of thumb, special-language corpora already start to become useful for key terms of the domain in the tens of thousands of words, rather than the millions of words required for general-language lexicography. (Ahmad y Rogers 2001: 736).

Esta cifra orientativa queda confirmada en Bowker y Pearson (2002: 48):

> In our experience, well-designed corpora that are anywhere from about ten thousand to several hundreds of thousands of words in size have proved to be exceptionally useful in LSP studies.

En cuanto a las razones de componer un corpus menos extenso, las autoras no sólo mencionan el carácter restringido del lenguaje especializado sino también la dificultad de encontrar muestras representativas:

> First, it is more difficult and time consuming to obtain samples of specialised texts as opposed to general texts, and second because LSP

represents a more restricted subset of natural language. Bowker y Pearson (2002: 48).

Pero también en la lingüística de corpus se está desarrollando una tendencia hacia *corpora* más modestos por lo que se refiere a la investigación de áreas más especializadas de la lengua: "To focus merely on size, however, is naïve". (Leech 1991: 10). Pensar que se puede obtener un corpus representativo de la lengua general nada más por el tamaño, es una idea ingenua. Los usos de una lengua son infinitos y además una lengua evoluciona continuamente creando no sólo nuevas formas léxicas sino también nuevos tipos de discurso, como por ejemplo los *chat shows* en televisión, los canales de *chat* en internet, o los mensajes escritos enviados por teléfono móvil. Esto lleva a Stubbs (2001: 223) a decir que un corpus sólo puede ser representativo si la población de la que se toma la muestra es homogénea, lo que sólo puede ser el caso en un corpus modesto:

> A sample can be representative only if the population to be sampled is homogeneous, and this is possible only in special cases, say with a specialized sub-genre corpus (such as editorials dorm quality newspapers or research articles on biochemistry). Every time we enlarge a corpus, we increase the heterogeneity of the data, and there will always be text-types which we have not sampled, or which are arguably under-represented.

Otro ejemplo de la posible representatividad de un corpus modesto en cuanto a su tamaño lo ofrece el estudio de Geeraerts *et al.* (1994: 35). Este estudio examina las variaciones en las denominaciones y los significados de prendas de vestir en neerlandés, y parte de un corpus de revistas de moda que cuenta 9.205 *tokens*[10]. Ahora bien, una comparación con el corpus de neerlandés actual del *Instituut voor Nederlandse Lexicologie,* que cuenta 42 millones de *tokens*, revela que las frecuencias absolutas de palabras que se refieren a prendas de vestir son considerablemente menos importantes en este corpus que en el corpus de Geeraerts *et al.* Por ejemplo, si la totalidad de ítems con una frecuencia superior a 10 es de 7.884 en el corpus de Geeraerts *et al.*, los mismos ítems sólo ascienden a una totalidad de 3.827 ocurrencias en el corpus del *Instituut voor Nederlandse Lexicologie.*

---

[10] Los *tokens* son las ocurrencias de los *types*. Un *type* es la forma flexionada o conjugada de un lema.

De lo que precede se puede concluir que, si antes el lema era *'biggest is best'* (por ejemplo Sinclair 1991) en cuanto al tamaño de un corpus, hoy día se matiza esta postura, argumentando que hay otros criterios que se deben tener en cuenta: "Small corpora [...] can be very useful, providing they can offer a 'balanced' and 'representative' picture of a specific area of the language". (Murrison-Bowie 1993: 50). Esta cita sugiere que la representatividad y el equilibrio de un corpus predomina sobre el tamaño. Encontramos la misma convicción en Kennedy (1998: 68): "A huge corpus does not necessarily 'represent' a language or a variety of a language any better than a smaller corpus"[11].

La didáctica actual comparte esta convicción. Leemos en Lewis (2000: 193) que "the single most essential thing about developing or using a corpus is that it must be designed for a particular purpose". En los análisis de corpus efectuados recientemente en el área de la didáctica de las lenguas extranjeras con fines específicos, el tamaño de los corpus utilizados es bastante modesto. Según Morgenroth (1994: 69) un corpus de 15.000 grafemas, o sea, *tokens*, ya es representativo para un análisis que se limita al léxico, sin tener en cuenta la fraseología. Sin embargo cita a Hoffmann (1985: 24), según quien sólo se pueden obtener resultados significativos a partir de 20.000 grafemas, siempre para un análisis del léxico. Clijsters (1990: 18), en su análisis del léxico de la correspondencia comercial en francés, trabaja en un corpus de 17.126 ocurrencias y admite que no es suficiente para el análisis fraseológico de los términos:

205 documents représentant 17.126 occurrences ne suffisent pas à établir un classement valable des lemmes et à inventorier les collocations intéressantes du FA (français des affaires).

El corpus de Lyne (1985: 280), que le sirve para analizar el léxico (lexemas y colocaciones) de la correspondencia comercial en francés, abarca 78.259 formas o *tokens* en total, en los que Lyne distingue después de la lematización 3.497 ítems o *types*, considerando sin

---

[11] Esta misma evolución se está produciendo en cuanto al tamaño de las muestras o de las partes del corpus que se utilizan para tests estadísticos: "Experience with samples of 20.000 words has shown that on the whole these are sufficiently large to yield statistically reliable results on frequency and distribution". (de Haan 1992: 3). Kennedy (1998) expresa la misma opinión al respecto.

embargo homonimias y polisemias como un solo ítem. Lyne cita también a Michéa, quien proclama que para el estudio del léxico en un corpus, sólo se puede proceder por segmentación, es decir, por el análisis de varios corpus modestos que tratan cada uno un segmento determinado de la lengua general. Lo contrario no tiene sentido en su opinión:

> [...] to claim that it is possible to find the most frequent 3000 or 4000 words of French, German or English without regard to use, special subject, nature or epoch, that is to say without defining the field of application of the list, is rather like believing in the philosophers' stone. A statistically obtained vocabulary can but be a point of view in respect of language. The more general the point of view, the less its practical value must necessarily be in given situations and particular cases. Michéa (1964: 24), citado en Lyne (1985: 5).

De lo que precede se puede concluir que ya a partir de 20.000 formas léxicas un estudio puede suministrar datos interesantes. Sin embargo, el tamaño aconsejado por la terminología para el estudio de los términos básicos de un dominio es de 100.000 formas léxicas (Ahmad y Rogers 2001, Bowker y Pearson 2002), lo que no es nada en comparación con la cantidad de millones de formas léxicas sugeridas por la lexicología general. Creemos, por tanto, que un corpus de 100.000 formas léxicas de discurso especializado representa el justo medio en el marco de la creación de un corpus modélico que ha de servir como objeto de experimentación para la elaboración de un método de identificación y selección del léxico típico del discurso económico empresarial.

5. PRESENTACIÓN DEL CORPUS MODÉLICO

Presentamos ahora el corpus elegido para este estudio. Este corpus cumple con todos los requisitos pedagógicos y lingüísticos de contenido, género y tamaño expuestos arriba. Se trata de un manual de introducción a la economía empresarial de la mano de Eduardo Pérez Gorostegui, Catedrático de Economía de la Empresa en la UNED (*Universidad Nacional de Educación a Distancia*). El manual se titula *Introducción a la administración de empresas* y la primera edición data sólo de 1997 (Madrid, Ed. Centro de Estudios Ramón Areces). El autor explica en el prólogo que, antes de comenzar a elaborar el manual, efectuó una revisión de los programas de Introducción a la Economía de la Empresa de la mayor parte de las universidades españolas. Por lo tanto, este manual es de verdad un manual introductorio que cubre los temas básicos de la economía empresarial, sin especializarse demasiado en un solo subtema. Esto tiene como ventaja que trata los conceptos –y los términos– básicos de la economía empresarial. En cuanto al tamaño respeta con creces el mínimo de formas léxicas propuestas por la teoría de la terminología, porque en su forma cruda, no lematizada, el manual cuenta en total 136.932 formas. El manual cuenta 627 páginas y comprende 6 partes que están subdividos en 17 capítulos en total. Se presentan a continuación los títulos de las partes y de los capítulos[12]:

Parte I: Prolegómenos.
Capítulo 1: La naturaleza de la empresa y su entorno.
Parte II: La dirección de empresas y la toma de decisiones.
Capítulo 2: El proceso de dirección de la empresa.
Capítulo 3: La decisión empresarial.
Capítulo 4: Instrumentos de planificación, programación y control.
Parte III: Finanzas.
Capítulo 5: Introducción a las decisiones financieras.
Capítulo 6: Análisis y evaluación de inversiones.
Capítulo 7: Las fuentes de financiación y el efecto del endeudamiento sobre la rentabilidad y el riesgo de la empresa.
Capítulo 8: El coste del capital y la valoración de empresas.
Parte IV: Producción.
Capítulo 9: La función productiva de la empresa y el proceso de producción.
Capítulo 10: La capacidad de producción.
Capítulo 11: Los inventarios.
Capítulo 12: El factor humano en la producción.
Parte V: Marketing.
Capítulo 13: El mercado, la demanda, el marketing y el presupuesto mercadotécnico.

---

[12] En el anexo A se puede consultar el índice completo.

Capítulo 14: Investigación de mercados, segmentación y experimentación comercial.
Capítulo 15: El producto y el precio.
Capítulo 16: Comunicación y distribución.
Parte VI: Complementos.
Capítulo 17: La empresa: estrategia y cultura.

Como se deduce de estos títulos, queda claro que el manual da una introducción a los ámbitos más importantes de la economía empresarial: la gestión de empresas, el marketing, la contabilidad y la auditoría, la política de inversión, la gestión del proceso de producción y de inventarios y los recursos humanos.

Subrayamos que este corpus sólo es representativo del español peninsular, dado que existen diferencias entre el vocabulario económico de España y de las comunidades hispanohablantes de América. Según Haensch (1981: 145), esta diferenciación se debe

en parte a la conservación de arcaísmos en América ya no usados en España (mercaderías por mercancías, alcabala en Venezuela), pero también a la rapidez de las comunicaciones que impide en muchos casos el que se forme un término único en todos los países hispanohablantes, a la mayor influencia norteamericana sobre el español americano y a otras causas.

Unos ejemplos presentados por Haensch (1981: 146) de diferencias entre el español hispanoamericano y peninsular, son:

ingresos y egresos	*vs.*	ingresos y gastos
financista	*vs.*	financiero
rentar (México)	*vs.*	alquilar
menudeo (México)	*vs.*	comercio al por menor
suba (Argentina)	*vs.*	subida o alza

Se podría reprochar a este corpus modélico el hecho de ser de un solo autor, por lo cual no sería representativo del discurso económico empresarial en general, sino del idiolecto del autor. De ahí que resulte necesario, una vez más, poner en claro que el corpus modélico presentado no sirve como base para la confección de un glosario o diccionario de léxico económico empresarial, sino que desempeña la función de objeto de experimentación. Por otra parte, cabe señalar que el texto pertenece a un registro formal y escrito de lenguaje técnico sometido a un grado elevado de normalización. Asimismo, se trata de un texto de instrucción, un manual que tiene un uso generalizado en las universidades españolas. Todas estas características nos permiten decir que el carácter idioléctico de este texto está muy limitado y se manifiesta sin duda más en algunas estructuras sintácticas recurrentes del autor, que en su empleo del léxico técnico. En este contexto cabe citar el estudio de Sutarsyah, Nation y Kennedy (1994), quienes, para la comparación del vocabulario de la lengua económica con el vocabulario de la lengua académica, se sirven como corpus de un manual de economía general de un solo autor que cuenta 300.000 *tokens* u ocurrencias.

No obstante, no se puede negar el hecho de que la elaboración de un léxico con uso didáctico inmediato requiriera la extensión del corpus modélico con textos de otros autores, por una parte, y de otros niveles de especialización –es decir, no sólo de introducción– por otra. Esto repercutiría también positivamente en el tamaño.

CAPÍTULO III:
PREPARACIÓN DEL CORPUS MODÉLICO AL ANÁLISIS

1. LA DIGITALIZACIÓN

A fin de poder trabajar eficazmente con el corpus y aprovechar la existencia de programas de lematización y extracción de concordancias, es imprescindible disponer de él en versión electrónica. A este efecto, se ha escaneado el texto con el programa *Caere Omnipage Pro (versión 10.0)*.

2. LA LEMATIZACIÓN

2.1. Sobre la necesidad de lematizar

Después de pasar los textos por el escáner, han sido lematizados. Huelga decir que la lematización es una fase preparatoria laboriosa pero imprescindible en el análisis del corpus, ya que sólo a partir de un corpus lematizado los análisis cualitativos (morfosintácticos, semánticos, fraseológicos) y cuantitativos (léxico-estadísticos) pueden dar lugar a resultados significativos. La lematización permite superar la cuenta sencilla de formas homófonas, lo que según Muller, el padre de la aplicación de la estadística a la lingüística, se ha de considerar "linguistiquement, une aventureuse hérésie, et statistiquement, une regrettable impasse" (en el prólogo de Lafon 1984: XI).

En su significado más general, la lematización se refiere al proceso de llevar cada realización de una palabra en un corpus a su lema, es decir, a su forma canónica sin que esté sujeta a flexiones o conjugaciones. Pero, la dificultad está en saber qué se debe considerar como palabra: la unidad gráfica, la unidad léxica, la unidad simple o la unidad compuesta. Como lo afirma Muller (1977: 13), a fin de poder lematizar de manera lógica y coherente, se necesita primero elaborar lo que él llama una norma lexicológica. Tal norma permite tomar decisiones consecuentes y coherentes en cuanto a la delimitación de las palabras en la lematización:

> [...] une norme lexicologique. On nomme ainsi un ensemble de règles qui, dans la lemmatisation d'un texte, décident de la délimitation des mots et des vocables, afin de soustraire le plus possible de cas douteux à l'appréciation momentanée et subjective de l'opérateur, et de garantir ainsi au mieux la constance des traitements.

Ahora bien, según Muller (1977: 14) las posturas a propósito de la delimitación de un lema no pueden ser unívocas, porque dependen del idioma que se estudia, y también, dentro de un mismo idioma, del tipo de lenguaje:

> Une norme lexicologique ne vaut que pour un idiome donné, car chaque idiome pose des problèmes spécifiques. On devrait même en limiter la validité à un état de langue déterminé, car les différences diachroniques aussi bien que les particularités des langages spéciaux (vocabulaires techniques) peuvent appeler à des solutions différentes.

Queda claro que un corpus de lenguaje especializado plantea unos problemas muy específicos. Por ejemplo, *mano de obra*, ¿son tres lemas o uno solo? Y la palabra *amortización*, con sus dos significados económicos, ¿constituye un lema o dos? Palabras como *fusión*, *inflación*, *inversión*, etc. que tienen tanto un significado literal general como uno económico, ¿forman un mismo lema? Teniendo en cuenta la particularidad del léxico del corpus, y también los objetivos claramente pedagógicos del estudio, opinamos que la solución más eficaz es tomar como norma lexicológica la unidad léxica, o sea, cada manifestación, simple o compuesta, de un solo concepto. Varios argumentos apoyan esta decisión. En primer lugar el hecho de que el objetivo de este estudio se limita al examen de las unidades léxicas características del corpus de discurso económico empresarial. Por lo tanto, no nos proponemos estudiar significados que no estén presentes en el corpus, lo cual corresponde más bien al cometido de un diccionario, que ha de tener en cuenta todos los significados posibles de una forma léxica. Asimismo, adoptar la unidad léxica como norma de lematización soluciona el problema de la distinción entre polisemia y homonimia, dado que cada lema representa un solo significado y que, por consiguiente, en la fase de la lematización no se han de tener en cuenta las posibles relaciones semánticas entre una forma y sus significados relacionados. En tercer lugar, dicha norma se justifica desde un punto de vista didáctico: no sería correcto contar las frecuencias de varios significados representados por la misma forma léxica, por ejemplo uno general y otro económico, como una sola frecuencia. Así, Carter (1988: 3) señala que la lista de vocabulario básico en inglés de Ogden C. K. y Richards I. A. (*Basic English*, 1930), contiene sólo 850 formas léxicas, pero, ¡estas formas tienen juntas 12.425 significados! Por último, gran parte de los términos económicos en el corpus son unidades léxicas compuestas que se componen de formas que en posición aislada tienen un significado general. Si se registran los componentes de estos términos compuestos como lemas separados, pertenecientes al léxico general, se obtiene una imagen trastornada de la tasa de léxico especializado en el corpus.

En suma, una lematización que adopta como norma que cada lema ha de coincidir con no más que una unidad léxica es la que más conviene a los objetivos de este estudio y a la naturaleza del corpus mismo. Con esta norma sencilla pero clara pretendemos cumplir con los dos criterios que a Muller (1977: 28) le parecen ser primordiales: la sencillez y la constancia:

> Simplicité et constance de la norme, garants de son efficacité, valent bien quelques sacrifices à l'idéal, un peu utopique, d'une norme hautement scientifique.

2.2. La lematización automática

La lematización, a pesar de que hoy día existen unas herramientas informáticas cada vez más fiables y eficaces, sigue siendo una labor extremadamente entretenida, dado que ningún *tagger* ni *parser* dan lugar a un resultado correcto al cien por cien. *Tagger* y *parser* son las denominaciones inglesas de programas informáticos de lematización que hoy día proliferan en Internet, por desgracia sobre todo para la lengua inglesa y sólo en menor medida para el español. La denominación *tagger* se refiere a programas que lematizan y a la vez dan la identificación morfológica de la unidad léxica lematizada. Un *parser* es un programa que añade además las funciones gramaticales de las unidades léxicas en la sintaxis. Debido a las imperfecciones de estos soportes, los resultados obtenidos necesitan comprobación manual, sobre todo en cuanto a la identificación morfosintáctica (reconocimiento gramatical) y semántica (los problemas de polisemia, de las unidades léxicas compuestas).

Para la parte automática de la lematización del corpus, hemos recurrido a un *tagger* español (*RELAX* Part-of-Speech *tagger*) desarrollado por el *Natural Language Processing Group* de la Universitat Politècnica de Catalunya, en colaboración con el *Computational Linguistics Laboratory* de la Universidad de Barcelona (información en http://www.lsi.upc.es/~nlp/). Hemos elegido este programa por varias razones. En el momento de empezar la lematización de nuestro corpus[13], era el único lematizador de lengua castellana que ofrecía un grado tan elevado de perfección: los autores aseguran un 97% de precisión. Aunque se ha de relativizar esta tasa por lo que se refiere a la lematización de nuestro corpus, como mostraremos después, aun así los resultados son muy convincentes. Además, era el único programa tan eficaz que se ponía de modo gratuito a disposición de los investigadores. Por último, la norma de lematización que está en la base de este programa coincide con la nuestra, lo que no es evidente en absoluto, porque, ya lo hemos dicho, existen varias normas de lematización. El lema de este programa es la unidad léxica, o sea, la expresión léxica de un solo concepto, que sea simple, compuesta, sigla o acrónimo. A continuación se presenta la norma detallada del RELAX *tagger*.

2.2.1. La norma lexicológica del RELAX tagger

El conjunto de etiquetas utilizado para representar la información morfológica de las palabras, se basa en las etiquetas propuestas por el grupo EAGLES[14] para la anotación morfosintáctica de léxicos y *corpora* para todas las lenguas europeas. Por esto, en función de la lengua lematizada, hay atributos que posiblemente no pueden especificarse. Si

---

[13] Al consultar la página web del *Natural Language Processing Group* de la Universitat Politècnica de Catalunya (http://www.lsi.upc.es/~nlp/, 2004) se podrá ver que actualmente existen herramientas más sofisticadas para la lematización como FreeLing 1.1 o SVMTool 1.2.

[14] EAGLES es la sigla de *Expert Advisory Group on Language Engineering Standards* (más información en http://www.cs.vassar.edu/CES/, 2004). Este grupo desarrolló un estándar para la codificación de *corpora* en lenguas europeas, el CES o *Corpus Encoding Standard*.

un atributo no se especifica, significa que bien expresa un tipo de información que no existe en la lengua, bien la información no se considera relevante. La infraespecificación de un atributo se marca con el 0. Las distintas categorías previstas son:
- ADJETIVOS
- ADVERBIOS
- ARTÍCULOS
- DETERMINANTES
- NOMBRES
- VERBOS
- PRONOMBRES
- CONJUNCIONES
- NUMERALES
- ABREVIATURAS
- PREPOSICIONES
- SIGNOS DE PUNTUACIÓN

Primero se presentan para cada categoría los atributos, valores y códigos que puede tomar (adaptados y completados de http://www.lsi.ucp.es/~nlp/).

Ejemplo:

ETIQUETAS			
Posición	Atributo	Valor	Código
Columna 1	Columna 2	Columna 3	Columna 4

TABLA 3.1.

En la *columna 1* se encuentra un número que hace referencia al orden y posición en que aparecen los atributos en la etiqueta. La *columna 2* hace referencia a los atributos, mediante un número que varía conforme la categoría. En la *columna 3* se encuentran los valores que puede tomar cada atributo y, finalmente, la *columna 4* representa los códigos que se han establecido para su representación. Las etiquetas en sí sólo son los códigos (columna 4) y se sabe a qué atributo pertenecen por la posición (columna 1) en la que se encuentran. Ahora sigue la descripción de la norma por categoría.

A. ADJETIVOS

ADJETIVOS			
Pos.	Atributo	Valor	Código
1	Categoría	Adjetivo	A
2	Tipo	Calificativo	Q
3	Grado	Apreciativo	A
4	Género	Masculino	M
		Femenino	F
		Común	C
5	Número	Singular	S
		Plural	P
		Invariable	N
6	Caso	-	0
7	Función	Participio	P

TABLA 3.2.

- El lema de los adjetivos siempre es la forma masculina singular (*bonito*) o la forma singular si el adjetivo es de género común (*alegre*). Para los adjetivos invariables, es decir aquellos que tanto para el singular como para el plural presentan la misma forma, el lema coincide con la forma.

Ejemplos:

Forma	Lema	Etiqueta
alegres	alegre	AQ0CP00
alegre	alegre	AQ0CS00
bonitas	bonito	AQ0FP00
bonita	bonito	AQ0FS00
bonitos	bonito	AQ0MP00
bonito	bonito	AQ0MS00
quemada	quemado	AQ0FS0P

TABLA 3.3.

B. ADVERBIOS

ADVERBIOS			
Pos.	Atributo	Valor	Código
1	Categoría	Adverbio	R
2	Tipo	General	G
3	-	-	0
4	-	-	0
5	-	-	0

TABLA 3.4.

- Para los adverbios tan sólo se indica que son de tipo general.
- La etiqueta final es RG000 y sirve tanto para los adverbios como para las locuciones adverbiales.

Ejemplos:

Forma	Lema	Etiqueta
despacio	despacio	RG000
ahora	ahora	RG000
siempre	siempre	RG000
hábilmente	hábil	RG000
posteriormente	posterior	RG000
a_cuatro_patas	a_cuatro_patas	RG000
a_granel	a_granel	RG000

TABLA 3.5.

C. ARTÍCULOS

ARTÍCULOS			
Pos.	Atributo	Valor	Código
1	Categoría	Artículo	T
2	Tipo	Definido	D
3	Género	Masculino	M
		Femenino	F
		Común	C
4	Número	Singular	S

		Plural	P
5	Caso	-	0

TABLA 3.6.

* Aunque está prevista la categoría de *artículo indefinido*, el RELAX *tagger* trata las formas del paradigma *un* como determinantes indefinidos o numerales.

Ejemplos:

Forma	Lema	Etiqueta
el	el	TDMS0
los	el	TDMP0
lo	el	TDCS0
la	la	TDFS0
las	la	TDFP0

TABLA 3.7.

D. DETERMINANTES

DETERMINANTES			
Pos.	Atributo	Valor	Código
1	Categoría	Determinante	D
2	Tipo	Demostrativo	D
		Posesivo	P
		Interrogativo	T
		Exclamativo	E
		Indefinido	I
3	Persona	Primera	1
		Segunda	2
		Tercera	3
4	Género	Masculino	M
		Femenino	F
		Común	C
5	Número	Singular	S
		Plural	P
		Invariable	N

6	Caso	-	0
7	Poseedor	1ª persona-sg	1
		2ª persona-sg	2
		3ª persona	0
		1ª persona-pl	4
		2ª persona-pl	5

TABLA 3.8.

- El atributo de *Caso* no se especifica en español y el atributo de *Poseedor* sólo se usa con los determinantes posesivos.

Ejemplos:

D.1. Determinantes demostrativos

Forma	Lema	Etiqueta
aquel	aquel	DD3MS00
aquella	aquel	DD3FS00
aquellas	aquel	DD3FP00
aquellos	aquel	DD3MP00
esa	ese	DD3FS00
esas	ese	DD3FP00
ese	ese	DD3MS00
esos	ese	DD3MP00
esta	este	DD3FS00
estas	este	DD3FP00
este	este	DD3MS00
estos	este	DD3MP00

TABLA 3.9.

D.2. Determinantes posesivos

Forma	Lema	Etiqueta
mi	mi	DP3CS01
mis	mi	DP3CP01
tu	tu	DP3CS02
tus	tu	DP3CP02

su	su	DP3CS00
sus	su	DP3CP00
nuestra	nuestro	DP3FS04
nuestras	nuestro	DP3FP04
nuestro	nuestro	DP3MS04
nuestros	nuestro	DP3MP04
vuestra	vuestro	DP3FS05
vuestras	vuestro	DP3FP05
vuestro	vuestro	DP3MS05
vuestros	vuestro	DP3MP05
suya	suyo	DP3FS00
suyas	suyo	DP3FP00
suyo	suyo	DP3MS00
suyos	suyo	DP3MP00

TABLA 3.10.

D.3. Determinantes interrogativos

Forma	Lema	Etiqueta
cuánta	cuánto	DT3FS00
cuántas	cuánto	DT3FP00
cuánto	cuánto	DT3MS00
cuántos	cuánto	DT3MP00
qué	qué	DT3CN00

TABLA 3.11.

D.4. Determinantes exclamativos

Forma	Lema	Etiqueta
Qué	qué	DE3CN00

TABLA 3.12.

D.5. Determinantes indefinidos

Forma	Lema	Etiqueta
alguna	alguno	DI3FS00
algunas	alguno	DI3FP00

alguno	alguno	DI3MS00
algún	alguno	DI3MS00
algunos	alguno	DI3MP00
bastante	bastante	DI3CS00
bastantes	bastante	DI3CP00
cada	cada	DI3CS00
ninguna	ninguno	DI3FS00
ningunas	ninguno	DI3FP00
ninguno	ninguno	DI3MS00
ningún	ninguno	DI3MS00
ningunos	ninguno	DI3MP00
otra	otro	DI3FS00
otras	otro	DI3FP00
otro	otro	DI3MS00
otros	otro	DI3MP00
sendas	sendos	DI3FP00
sendos	sendos	DI3MP00
tantas	tanto	DI3FP00
tanta	tanto	DI3FS00
tantos	tanto	DI3MP00
tanto	tanto	DI3MS00
todas	todo	DI3FP00
toda	todo	DI3FS00
todos	todo	DI3MP00
todo	todo	DI3MS00
unas	un	DI3FP00
una	un	DI3FS00
unos	un	DI3MP00
un	un	DI3MS00
varias	varias	DI3FP00
varios	varios	DI3MP00

TABLA 3.13

E. NOMBRES

Pos.	Atributo	Valor	Código
NOMBRES			
1	Categoría	Nombre	N
2	Tipo	Común	C
		Propio	P
3	Género	Masculino	M
		Femenino	F
		Común	C
4	Número	Singular	S
		Plural	P
		Invariable	N
5	Caso	-	0
6	Género Semántico	-	0
7	Grado	Apreciativo	A

TABLA 3.14.

- Los atributos que corresponden a *Caso* y *Género semántico* no se especifican, por lo tanto el valor es 0.
- Los nombres tienen como lema la forma singular. Para los nombres invariables, es decir aquellos que tanto para el singular como para el plural presentan la misma forma (*tesis*), el lema coincide con la forma.
- Los nombres que tienen un significado específico en plural, distinto de su significado singular, por ejemplo *pérdidas* o *fondos*, se mantienen en plural, al lado de sus formas singulares que constituyen una unidad léxica separada.

Ejemplos:

Forma	Lema	Etiqueta
shico	chico	NCMS000
chicos	chico	NCMP000
chica	chica	NCFS000
chicas	chica	NCFP000
oyente	oyente	NCCS000
oyentes	oyente	NCCP000

cortapapeles	cortapapeles	NCMN000
tesis	tesis	NCFN000
Antonio	Antonio	NP00000

TABLA 3.15.

F. VERBOS

VERBOS			
Pos.	Atributo	Valor	Código
1	Categoría	Verbo	V
2	Tipo	Principal	M
		Auxiliar	A
3	Modo	Indicativo	I
		Subjuntivo	S
		Imperativo	M
		Condicional	C
		Infinitivo	N
		Gerundio	G
		Participio	P
4	Tiempo	Presente	P
		Imperfecto	I
		Futuro	F
		Pasado	S
5	Persona	Primera	1
		Segunda	2
		Tercera	3
6	Número	Singular	S
		Plural	P
7	Género	Masculino	M
		Femenino	F

TABLA 3.16.

- El lema del verbo siempre es el infinitivo.
- El atributo de *Género* tan sólo afecta a los participios, para el resto de formas este atributo no se especifica (0).

Forma	Lema	Etiqueta
cantada	cantar	VMP00S*F*
cantadas	cantar	VMP00P*F*
cantado	cantar	VMP00S*M*
cantados	cantar	VMP00P*M*

TABLA 3.17.

- Por lo que se refiere a la distinción entre participios y adjetivos que a veces puede ser problemática, señalamos que en caso de duda tratamos la forma como adjetivo si figura como tal en el María Moliner (1983) y/o en el *Diccionario de la Lengua Española* de la Real Academia (consulta en Internet en http://www.rae.es). En el caso contrario la lematizamos como infinitivo.

Ejemplos:

Tiempo	VERBOS PRINCIPALES			VERBOS AUXILIARES		
	Forma	Lema	Etiqueta	Forma	Lema	Etiqueta
PRESENTE DE INDICATIVO	canto	cantar	VMIP1S0	soy	ser	VAIP1S0
	cantas	cantar	VMIP2S0	eres	ser	VAIP2S0
	canta	cantar	VMIP3S0	es	ser	VAIP3S0
	cantamos	cantar	VMIP1P0	somos	ser	VAIP1P0
	cantáis	cantar	VMIP2P0	sois	ser	VAIP2P0
	cantan	cantar	VMIP3P0	son	ser	VAIP3P0
PRETÉRITO IMPERFECTO	cantaba	cantar	VMII1S0	era	ser	VAII1S0
	cantabas	cantar	VMII2S0	eras	ser	VAII2S0
	cantaba	cantar	VMII3S0	era	ser	VAII3S0
	cantábamos	cantar	VMII1P0	éramos	ser	VAII1P0
	cantabais	cantar	VMII2P0	erais	ser	VAII2P0
	cantaban	cantar	VMII3P0	eran	ser	VAII3P0
PRETÉRITO PERFECTO SIMPLE	canté	cantar	VMIS1S0	fui	ser	VAIS1S0

	cantaste	cantar	VMIS2S0	fuiste	ser	VAIS2S0
	cantó	cantar	VMIS3S0	fue	ser	VAIS3S0
	cantamos	cantar	VMIS1P0	fuimos	ser	VAIS1P0
	cantasteis	cantar	VMIS2P0	fuisteis	ser	VAIS2P0
	cantaron	cantar	VMIS3P0	fueron	ser	VAIS3P0
FUTURO DE INDICATIVO	cantaré	cantar	VMIF1S0	seré	ser	VAIF1S0
	cantarás	cantar	VMIF2S0	serás	ser	VAIF2S0
	cantará	cantar	VMIF3S0	será	ser	VAIF3S0
	cantaremos	cantar	VMIF1P0	seremos	ser	VAIF1P0
	cantaréis	cantar	VMIF2P0	seréis	ser	VAIF2P0
	cantarán	cantar	VMIF3P0	serán	ser	VAIF3P0
CONDICIONAL	cantaría	cantar	VMCP1S0	sería	ser	VACP1S0
	cantarías	cantar	VMCP2S0	serías	ser	VACP2S0
	cantaría	cantar	VMCP3S0	sería	ser	VACP3S0
	cantaríamos	cantar	VMCP1P0	seríamos	ser	VACP1P0
	cantaríais	cantar	VMCP2P0	seríais	ser	VACP2P0
	cantarían	cantar	VMCP3P0	serían	ser	VACP3P0
PRESENTE DE SUBJUNTIVO	cante	cantar	VMSP1S0	sea	ser	VASP1S0
	cantes	cantar	VMSP2S0	seas	ser	VASP2S0
	cante	cantar	VMSP3S0	sea	ser	VASP3S0
	cantemos	cantar	VMSP1P0	seamos	ser	VASP1P0
	cantéis	cantar	VMSP2P0	seáis	ser	VASP2P0
	canten	cantar	VMSP3P0	sean	ser	VASP3P0
PRETÉRITO IMPERFECTO DE SUBJUNTIVO	cantara	cantar	VMSI1S0	fuera	ser	VASI1S0
	cantaras	cantar	VMSI2S0	fueras	ser	VASI2S0
	cantara	cantar	VMSI3S0	fuera	ser	VASI3S0
	cantáramos	cantar	VMSI1P0	fuéramos	ser	VASI1P0
	cantarais	cantar	VMSI2P0	fuerais	ser	VASI2P0
	cantaran	cantar	VMSI3P0	fueran	ser	VASI3P0
	cantase	cantar	VMSI1S0	fuese	ser	VASI1S0

	cantases	cantar	VMSI2S0	fueses	ser	VASI2S0
	cantase	cantar	VMSI3S0	fuese	ser	VASI3S0
	cantásemos	cantar	VMSI1P0	fuésemos	ser	VASI1P0
	cantaseis	cantar	VMSI2P0	fueseis	ser	VASI2P0
	cantasen	cantar	VMSI3P0	fuesen	ser	VASI3P0
FUTURO DE SUBJUNTIVO	cantare	cantar	VMSF1S0	fuere	ser	VASF1S0
	cantares	cantar	VMSF2S0	fueres	ser	VASF2S0
	cantare	cantar	VMSF3S0	fuere	ser	VASF3S0
	cantáremos	cantar	VMSF1P0	fuéremos	ser	VASF1P0
	cantareis	cantar	VMSF2P0	fuereis	ser	VASF2P0
	cantaren	cantar	VMSF3P0	fueren	ser	VASF3P0
GERUNDIO	cantando	cantar	VMG0000	siendo	ser	VAG0000
IMPERATIVO	canta	cantar	VMMP2S0	sé	ser	VAMP2S0
	cante	cantar	VMMP3S0	sea	ser	VAMP3S0
	cantemos	cantar	VMMP1P0	seamos	ser	VAMP1P0
	cantad	cantar	VMMP2P0	sed	ser	VAMP2P0
	canten	cantar	VMMP3P0	sean	ser	VAMP3P0
INFINITIVO	cantar	cantar	VMN0000	ser	ser	VAN0000
PARTICIPIO	cantada	cantar	VMP00SF	sido	ser	VAP00NC
	cantado	cantar	VMP00SM			
	cantadas	cantar	VMP00PF			
	cantados	cantar	VMP00PM			

TABLA 3.18.

G. PRONOMBRES

PRONOMBRES			
Pos.	Atributo	Valor	Código
1	Categoría	Pronombre	P
2	Tipo	Personal	P
		Demostrativo	D
		Posesivo	X
		Indefinido	I

		Interrogativo	T
		Relativo	R
3	Persona	Primera	1
		Segunda	2
		Tercera	3
4	Género	Masculino	M
		Femenino	F
		Común	C
5	Número	Singular	S
		Plural	P
		Invariable	N
6	Caso	Nominativo	N
		Acusativo	A
		Dativo	D
		Oblicuo	O
7	Poseedor	1ª persona-sg	1
		2ª persona-sg	2
		3ª persona	0
		1ª persona-pl	4
		2ª persona-pl	5
8	Politeness	Polite	P

TABLA 3.19.

- El atributo de *Caso* se especifica para los pronombres personales y el atributo de *Poseedor* sólo se usa con los pronombres posesivos.

G.1. Pronombres personales

- Los pronombres personales tienen como lema la forma singular: *yo, tú y él*.
- Se puede constatar que los pronombres *me, te, nos, os, se* se lematizan indistintamente como *yo, tú* y *él*, que rellenen la función de pronombre personal COI/COD, de pronombre reflexivo o de *se* de la voz pasiva. Esto tiene como consecuencia

que tanto los infinitivos pronominales como las voces pasivas con *se*, no se identifican en la lematización. Aunque nos parece más correcto distinguir entre las distintas funciones de dichos pronombres, no hemos adaptado los resultados del *tagger*, dado que las funciones gramaticales del léxico funcional no constituyen el objeto de estudio de este trabajo.

Forma	Lema	Etiqueta
yo	yo	PP1CSN00
me	yo	PP1CS000
mí	yo	PP1CSO00
nos	yo	PP1CP000
nosotras	yo	PP1FP000
nosotros	yo	PP1MP000
conmigo	yo	PP1CSO00
te	tú	PP2CS000
ti	tu	PP2CSO00
tú	tú	PP2CSN00
os	tú	PP2CP000
usted	tú	PP2CS00P
ustedes	tú	PP2CP00P
vos	tú	PP3CS00P
vosotras	tú	PP2FP000
vosotros	tú	PP2MP000
contigo	tú	PP2CNO00
él	él	PP3MS000
ella	él	PP3FS000
ellas	él	PP3FP000
ello	él	PP3CS000
ellos	él	PP3MP000
la	él	PP3FSA00
las	él	PP3FPA00
lo	él	PP3MSA00
lo	él	PP3CNA00
los	él	PP3MPA00

le	él	PP3CSD00
les	él	PP3CPD00
se	él	PP3CN000
sí	él	PP3CNO00
consigo	él	PP3CNO00

TABLA 3.20.

G.2. Pronombres demostrativos

Forma	Lema	Etiqueta
aquéllas	aquél	PD3FP000
aquélla	aquél	PD3FS000
aquéllos	aquél	PD3MP000
aquél	aquél	PD3MS000
aquellas	aquel	PD3FP000
aquella	aquel	PD3FS000
aquellos	aquel	PD3MP000
aquel	aquel	PD3MS000
aquello	aquello	PD3CS000
ésas	ése	PD3FP000
ésa	ése	PD3FS000
esas	ese	PD3FP000
esa	ese	PD3FS000
esos	ese	PD3MP000
ese	ese	PD3MS000
ésos	ése	PD3MP000
ése	ése	PD3MS000
eso	eso	PD3CS000
esta	este	PD3FS000
éstas	éste	PD3FP000
ésta	éste	PD3FS000
estas	este	PD3FP000
esta	este	PD3FS000
estos	este	PD3MP000
este	este	PD3MS000

éstos	éste	PD3MP000
éste	éste	PD3MS000
esto	esto	PD3CS000

TABLA 3.21.

G.3. Pronombres posesivos

Forma	Lema	Etiqueta
mía	mío	PX3FS010
mías	mío	PX3FP010
mío	mío	PX3MS010
míos	mío	PX3MP010
nuestra	nuestro	PX3FS040
nuestras	nuestro	PX3FP040
nuestro	nuestro	PX3MS040
nuestros	nuestro	PX3MP040
suya	suyo	PX3FS000
suyas	suyo	PX3FP000
suyo	suyo	PX3MS000
suyos	suyo	PX3MP000
tuya	tuyo	PX3FS020
tuyas	tuyo	PX3FP020
tuyo	tuyo	PX3MS020
tuyos	tuyo	PX3MP020
vuestra	vuestro	PX3FS050
vuestras	vuestro	PX3FP050
vuestro	vuestro	PX3MS050
vuestros	vuestro	PX3MP050

TABLA 3.22.

Observamos que el RELAX tagger lematiza los pronombres posesivos sin tener en cuenta que siempre van precedidos del artículo determinado. Dado que los pronombres posesivos no constituyen el objeto de nuestro estudio, no hemos cambiado los resultados.

G.4. Pronombres indefinidos

Forma	Lema	Etiqueta
algo	algo	PI3CN000
alguien	alguien	PI3CN000
alguna	alguno	PI3FS000
algunas	alguno	PI3FP000
alguno	alguno	PI3MS000
algunos	alguno	PI3MP000
cualesquiera	cualquiera	PI3CP000
cualquiera	cualquiera	PI3CS000
demás	demás	PI3CP000
misma	mismo	PI3FS000
mismas	mismo	PI3FP000
mismo	mismo	PI3MS000
mismos	mismo	PI3MP000
mucha	mucho	PI3FS000
muchas	mucho	PI3FP000
mucho	mucho	PI3MS000
muchos	mucho	PI3MP000
nada	nada	PI3CN000
nadie	nadie	PI3CN000
ninguna	ninguno	PI3FS000
ningunas	ninguno	PI3FP000
ninguno	ninguno	PI3MS000
ningunos	ninguno	PI3MP000
otra	otro	PI3FS000
otras	otro	PI3FP000
otro	otro	PI3MS000
otros	otro	PI3MP000
poca	poco	PI3FS000
pocas	poco	PI3FP000
poco	poco	PI3MS000
pocos	poco	PI3MP000
quienquier	quienquiera	PI3CS000

quienesquiera	quienquiera	PI3CP000
quienquiera	quienquiera	PI3CS000
tanta	tanto	PI3FS000
tantas	tanto	PI3FP000
tanto	tanto	PI3MS000
tantos	tanto	PI3MP000
toda	todo	PI3FS000
todas	todo	PI3FP000
todo	todo	PI3MS000
todos	todo	PI3MP000
última	último	PI3FS000
últimas	último	PI3FP000
último	último	PI3MS000
últimos	último	PI3MP000
una	uno	PI3FS000
unas	uno	PI3FP000
uno	uno	PI3MS000
unos	uno	PI3MP000
varias	varios	PI3FP000
varios	varios	PI3MP000

TABLA 3.23.

G.5. Pronombres interrogativos

Forma	Lema	Etiqueta
adónde	adónde	PT000000
cómo	cómo	PT000000
cuál	cuál	PT3CS000
cuáles	cuál	PT3CP000
cuándo	cuándo	PT000000
cuánta	cuánto	PT3FS000
cuántas	cuánto	PT3FP000
cuánto	cuánto	PT3MS000
cuántos	cuánto	PT3MP000
dónde	dónde	PT000000

qué	qué	PT3CN000
quién	quién	PT3CS000
quiénes	quién	PT3CP000

TABLA 3.24.

G.6. Pronombres relativos

- Se puede constatar que el RELAX *tagger* lematiza *cual* como pronombre relativo sin tomar en consideración que en esta función gramatical siempre está precedido del artículo determinado. Aunque la forma gramatical correcta de este pronombre relativa es *el cual*, hemos respetado los resultados del *tagger*, ya que los pronombres relativos no forman el objeto de estudio de este trabajo.

Forma	Lema	Etiqueta
como	como	PR000000
donde	donde	PR000000
cuando	cuando	PR000000
cual	cual	PR3CS000
cuales	cual	PR3CP000
cuanta	cuanto	PR3FS000
cuantas	cuanto	PR3FP000
cuantos	cuanto	PR3MP000
cuya	cuyo	PR3FS000
cuyas	cuyo	PR3FP000
cuyo	cuyo	PR3MS000
cuyos	cuyo	PR3MP000
que	que	PR3CN000
quien	quien	PR3CS000
quienes	quien	PR3CP000

TABLA 3.25

H. CONJUNCIONES

CONJUNCIONES			
Pos.	Atributo	Valor	Código
1	Categoría	Conjunción	C
2	Tipo	Coordinada	C
		Subordinada	S
3	-	-	0
4	-	-	0

TABLA 3.26.

- Los últimos dos dígitos de la etiqueta siempre son 0.

H.1. Conjunción coordinada

Forma	Lema	Etiqueta
e	e	CC00
mas	mas	CC00
ni	ni	CC00
o	o	CC00
pero	pero	CC00
sino	sino	CC00
siquiera	siquiera	CC00
u	u	CC00
y	y	CC00

TABLA 3.27.

H.2. Conjunción subordinada

Forma	Lema	Etiqueta
aunque	aunque	CS00
como	como	CS00
conque	conque	CS00
cuando	cuando	CS00
donde	donde	CS00
entonces	entonces	CS00

ergo	ergo	CS00
incluso	incluso	CS00
luego	luego	CS00
mientras	mientras	CS00
porque	porque	CS00
pues	pues	CS00
que	que	CS00
sea	sea	CS00
si	si	CS00
ya	ya	CS00

TABLA 3.28.

I. NUMERALES

NUMERALES			
Pos.	**Atributo**	**Valor**	**Código**
1	Categoría	Numeral	M
2	Tipo	Cardinal	C
		Ordinal	O
3	Género	Masculino	M
		Femenino	F
		Común	C
4	Número	Singular	S
		Plural	P
5	Caso	-	0
6	Función	Pronominal	P
		Determinante	D
		Adjetivo	A

TABLA 3.29.

- Los dígitos que corresponden a *Caso* y *Función* siempre son 0.
- El lema de los numerales que tienen género es el masculino.
- Para las formas apocopadas (primer, tercer) el lema es la forma masculina singular plena (primero, tercero)

I.1. Numerales cardinales

Forma	Lema	Etiqueta
catorce	catorce	MCCP00
cien	cien	MCCP00
cinco	cinco	MCCP00
cincuenta	cincuenta	MCCP00
cuatro	cuatro	MCCP00
cuatrocientas	cuatrocientos	MCFP00
cuatrocientos	cuatrocientos	MCMP00
diez	diez	MCCP00
doce	doce	MCCP00
dos	dos	MCCP00
una	uno	MCFS00
unas	uno	MCFP00
uno	uno	MCFS00
unos	uno	MCMP00

TABLA 3.30.

I.2. Numerales ordinales

Forma	Lema	Etiqueta
primer	primero	MOMS00
primera	primero	MOFS00
primeras	primero	MOFP00
primero	primero	MOMS00
primeros	primero	MOMP00
segundas	segundo	MOFP00
segunda	segundo	MOFS00
segundos	segundo	MOMP00
segundo	segundo	MOMS00
tercer	tercero	MOMS00
terceras	tercero	MOFP00
tercera	tercero	MOFS00
terceros	tercero	MOMP00

tercero	tercero	MOMS00
últimas	último	MOFP00
última	último	MOFS00
últimos	último	MOMP00
último	último	MOMS00

TABLA 3.31.

J. ABREVIATURAS

ABREVIATURAS			
Pos.	Atributo	Valor	Código
1	Categoría	Abreviatura	Y

TABLA 3.32.

Ejemplos:

Forma	Lema	Etiqueta
etc.	etc.	Y
ej.	ej.	Y

TABLA 3.33.

K. PREPOSICIONES

- *Al* y *del* son considerados como preposiciones por el *tagger*, también en grupos preposicionales. Por ejemplo se distingue entre *después de* y *después del*. No obstante, hemos adaptado los resultados al distinguir en las contracciones *al* y *del* la preposición del artículo.

PREPOSICIONES			
Pos.	Atributo	Valor	Código
1	Categoría	Adposición	S
2	Tipo	Preposición	P
3	Forma	Simple	S
		Contraída	C

3	Género	Masculino	M
4	Número	Singular	S

TABLA 3.34.

Ejemplos:

Forma	Lema	Etiqueta
al	al	SPCMS
del	del	SPCMS
a	a	SPS00
ante	ante	SPS00
bajo	bajo	SPS00
con	con	SPS00

TABLA 3.35.

L. SIGNOS DE PUNTUACIÓN

SIGNOS DE PUNTUACIÓN			
Pos.	Atributo	Valor	Código
1	Categoría	Puntuación	F

TABLA 3.36.

Ejemplos:

Forma	Lema	Etiqueta
¡	¡	Faa
!	!	Fat
,	,	Fc
[	[	Fca
]	]	Fct
:	:	Fd
"	"	Fe
-	-	Fg
/	/	Fh
¿	¿	Fia
?	?	Fit
{	{	Fla
}	}	Flt
.	.	Fp

(	(	Fpa
)	)	Fpt
«	«	Fra
»	»	Frc
...	...	Fs
%	%	Ft
;	;	Fx
		Fz
+	+	Fz
=	=	Fz

TABLA 3.37.

2.2.2. Descripción de las adaptaciones manuales requeridas

Aunque el RELAX *tagger* parte de una norma sencilla y constante que toma como lema la unidad léxica, sigue siendo un lematizador desarrollado para lematizar lengua general. Esto significa concretamente que no es capaz de distinguir entre significados especializados y generales, ni tampoco de reconocer términos compuestos. Por lo tanto, la tasa de un 97 % de exactitud que vaticinan los autores del RELAX *tagger* se ha de relativizar cuando se trata de lematizar una lengua especializada. A continuación se describe cómo el RELAX *tagger* procesa datos crudos y en qué consiste la labor de corrección manual que se ha de efectuar entre el momento de recibir el resultado de la lematización automática y el momento de disponer de una base de datos de lemas limpia, lista para empezar los análisis lexicológicos y terminológicos. Asimismo se calculará cuál es el porcentaje de correcciones manuales realizadas.

Concretamente este programa necesita un texto limpio en ASCII que, al haberlo procesado, devuelve de la siguiente manera. Enseñamos varias muestras:

1.
Introducción_El introducción_el NP00000
término término NCMS000
« « Fra

- 83 -

Economía_de_la_Empresa economía_de_la_empresa NP00000
» » Frc
2.
Pero pero CC00
las la TDFP0
principales principal NCMP000
son ser VAIP3P0
las la TDFP0
siguientes siguiente AQ0CP00
((Fpa
tabla tablar VMMP2S0
1.1 1.1 Z
)) Fpt
: : Fd
Criterio_Tipos criterio_tipos NP00000
de de SPS00
empresas empresa NCFP000
*Tamaño_Pequeñas_Medianas_Grandes_Actividad_Deltamaño_pequeñas_
medianas_grandes_actividad_del NP00000*
sector sector NCMS000
primario primario AQ0MS00
Industriales_De industriales_de NP00000
servicios servicio NCMP000
*Ámbito_Locales_Provinciales_Regionales_Nacionales_Multinacionales_Forma
ámbito_locales_provinciales_regionales_nacionales_multinacionales
_forma NP00000*
3.
Figura figurar VMIP3S0
4.7 4.7 Z
Supongamos supongamos NP00000
, , Fc
por_ejemplo por_ejemplo RG000
, , Fc
que que PR3CN000
se él PP3CN000
trata tratar VMIP3S0
de de SPS00
un un DI3MS00
proyecto proyecto NCMS000
en en SPS00

4.
Marcar marcar VMN0000
los el TDMP0
productos producto NCMP000
tiene tener VMIP3S0
ventajas venta AQ0FP
para para SPS00
la la TDFS0
empresa empresa NCFS000
5.
Es es NP00000
una un DI3FS00
estrategia estrategia NCFS000
frecuente frecuente AQ0CS00
en en SPS00
mercados mercado NCMP000
industriales industrial AQ0CP00
grandes grande AQ0CP00
6.
la la TDFS0
probabilidad probabilidad NCFS000
de de SPS00
obtener obtener VMN0000
una uno PI3FS000
negra negra NCFS000
en en SPS00
la la TDFS0
segunda segundo MOFS0D
vale vale NCMS000
uno 1 MCMS00
7.
punto_muerto punto_muerto NCMS000
o o CC00
umbral umbral NCMS000
de de SPS00
rentabilidad rentabilidad NCFS000
8.
Sin sin NP00000
embargo embargar VMIP1S0
, , Fc

9.
ni ni CC00
unos uno PI3MP000
activos activo AQ0MP00
fijos fijo AQ0MP00
netos neto NCMP000
superiores superior AQ0MP00
a a SPS00
75 75 Z
millones millo NCMP
de de SPS00
euros euro NCMP000

El RELAX *tagger* devuelve el texto íntegro de manera vertical en el formato ASCII. A la izquierda se encuentran las palabras del texto sin modificar. En medio se encuentran los lemas, y a la derecha viene la etiqueta. Como se desprende de las muestras, los errores en la lematización son de índole múltiple:

- formas que el programa reconoce erróneamente como unidades léxicas compuestas. Ejemplos **1**y **2**.
- la lematización de palabras que no forman parte de una frase resulta difícil, por ejemplo *tabla* y *figura* se lematizan sistemáticamente como *tablar* y *figurar*. Ejemplos **2** y **3**.
- errores inherentes al programa, por ejemplo *ventaja* se lematiza como *venta*; la forma verbal *vale* como sustantivo; la forma verbal *es* al principio de una frase se identifica como nombre propio; el subjuntivo *supongamos* no se reconoce, etc. Ejemplos **3**, **4**, **5** y **6**.

Los errores que acabamos de describir representan, en promedio, un 2% de la totalidad de formas en el corpus. Esta tasa queda por lo tanto por debajo de la tasa del 3% pronosticada por los autores del programa. Sin embargo, se puede observar en las muestras que hay dos tipos de errores más, teniendo éstos que ver con la especificidad del corpus examinado:

- la incapacidad del programa de distinguir entre el significado general de una forma y su significado especializado. Ejemplo **9**.
- la incapacidad del programa de reconocer UL compuestas, y sobre todo términos compuestos. Ejemplos **7** y **8**.

Los errores de este tipo son mucho más importantes: no identifica algo menos de una décima parte (9,98%) de las formas léxicas en el corpus. Esto significa que en total la tasa de errores en el corpus, después de la lematización automática, asciende a un 12% de todo el léxico. Esta cifra es demasiado importante como para negarla. De ahí la necesidad de repasar el resultado de la lematización automática palabra por palabra, tal como lo hemos hecho, a fin de sacar a la luz el léxico especializado en el corpus que, sin esta corrección manual, permanecería en gran parte escondido.

Dado que la lematización de un texto especializado es una labor que tiene su propia especificidad en comparación con la lengua general, se está desarrollando en la terminología un enfoque que intenta reconocer automáticamente los términos en un corpus. Unos nombres de proyectos son *Termino* y *Termight*, como se expone por ejemplo en Drouin (1997), Antia (2000) y Alcina Caudet (2001). La automatización del proceso de extracción de términos de un corpus supone, por supuesto, un ahorro de tiempo enorme para los terminólogos y traductores. No obstante, sería erróneo pensar que se trata de una técnica completamente automática. Como dicen Bowker y Pearson (2002: 165), un programa de extracción automática puede suministrar una lista de candidatos, de posibles términos, pero siempre será necesario someter esta lista al juicio del especialista. Por consiguiente, les parece más adecuado definir esta técnica como semi-automática o asistida por ordenador:

> One important thing to note is that although these tools are often referred to as automatic term extraction tools, this is actually a bit of a misnomer. Although the initial extraction attempt is performed by a computer, the resulting list of candidate terms contains just that – candidates. […] Therefore, the list of candidates must be verified by a human, and for this reason, the process is best described as being computer-aided or semi-automatic rather than fully automatic.

Las razones por las cuales no trabajamos nosotros con un programa de extracción automática del léxico especializado, son de índole logística. En el momento de empezar la lematización del corpus no había, que sepamos, programa de extracción automática de términos económicos para la lengua española. Además, hasta la fecha, la tasa de errores –o el 'ruido'– en los programas existentes todavía es tan elevada que los resultados necesitan de todos modos corrección manual.

3. RESULTADO DE LA LEMATIZACIÓN

Después de la lematización automática y la corrección manual, el resultado es como sigue:

La	La	TDFS0
Naturaleza	Naturaleza	NCFS000
De	De	SPS00
La	La	TDFS0
Empresa	Empresa	NCFS000
Y	Y	CC00
Su	Su	DP3CS00
Entorno	Entorno	NCMS000
Introducción	Introducción	NCFS000
El	El	TDMS0
Término	Término	NCMS000
«	«	Fra
Economía de la Empresa	Economíadelaempresa	NCFS000
»	»	Frc
Viene	Venir	VAIP3S0
A	A	SPS00
Ser	Ser	VMN0000
La	La	TDFS0
Traducción	Traducción	NCFS000
De	De	SPS00
Lo	El	TDCS0
Que	Que	PR3CN000
Los	El	TDMP0
Anglosajones	Anglosajón	NCMP000
Denominan	Denominar	VMIP3P0
Business administration	Businessadministration	NP
,	,	Fc

Que	Que	PR3CN000
Literalmente	Literalmente	RG000
Significa	Significar	VMIP3S0
«	«	Fra
Administración de negocios	Administracióndenegocios	NCFS000
»	»	Frc
.	.	Fp
Son	Ser	VAIP3P0
Muchos	Mucho	DI3MP00
Los	El	TDMP0
Tratadistas	Tratadista	NCMP000
Que	Que	PR3CN000
Preferirían	Preferir	VMCP3P0
Que	Que	PR3CN000
Se	Él	PP3CN000
Utilizara	Utilizar	VMSI3S0
El	El	TDMS0
Término	Término	NCMS000
«	«	Fra
Administración de Empresas	Administracióndeempresas	NCFS000
»	»	Frc
,	,	Fc
El	El	TDMS0
Cual	Cual	PR3CS000
,	,	Fc
Sin duda	Sinduda	RG000
,	,	Fc
Refleja	Reflejar	VMIP3S0
Mejor	Mejor	AQ0CS00
El	El	TDMS0
Contenido	Contenido	NCMS000
De	De	SPS00
Esta	Este	DD3FS00
Disciplina	Disciplina	NCFS000
.	.	Fp

TABLA 3.38.

En la primera columna figuran las palabras no lematizadas. Las formas léxicas que juntas constituyen una unidad léxica compuesta, se encuentran a la misma altura. En la columna derecha se encuentra la identificación morfosintáctica corregida de las unidades léxicas. En la columna media se encuentran las unidades léxicas lematizadas. Si se trata de una unidad léxica compuesta, se puede observar que no hay espacio entre los elementos de aquella unidad. Esto es necesario a fin de que el soporte informático del que nos servimos para crear las listas de frecuencias de las unidades léxicas y sus ocurrencias, cuente las unidades léxicas compuestas como una sola unidad. Se trata del programa CONCORDANCER (versión 2.0), desarrollado por el *Institut für Sprach- und Literaturwissenschaft* de la *Technische Hochschule Darmstadt* en Alemania. Este programa se sirve de la columna media con las formas lematizadas como *input* para crear una lista con las frecuencias absolutas, relativas y cumulativas de todas las unidades léxicas[15]. En el siguiente apartado presentamos las frecuencias de los lemas o unidades léxicas del corpus. Estas frecuencias representan las realizaciones de los lemas: las ocurrencias.

4. FRECUENCIAS DE LOS LEMAS

Depués de haber efectuado la lematización completa del corpus, su estado inicial de 136.932 formas se ve reducido a 120.514 ocurrencias de 5.317 unidades léxicas o lemas. La gran discrepancia entre 136.932 ocurrencias antes de la lematización del corpus y 120.514 ocurrencias una vez la lematización es completada se debe, en primer lugar, a que el programa CONCORDANCER cuenta cada forma separada de las demás por espacios blancos. Por lo tanto, en el corpus no lematizado las formas de las unidades léxicas compuestas se consideran como formas

---

[15] En el anexo G de este estudio se puede consultar la lista con las frecuencias de todas las unidades léxicas del corpus por orden de frecuencia absoluta decreciente, con su identificación semántica y gramatical. En el anexo G bis se pueden consultar las mismas unidades léxicas por orden alfabético. En el anexo C se encuentra la identificación de las formas polisémicas u homónimas. Las UL polisémicas u homónimas llevan ¹, ², ³, etc.

separadas. Ahora bien, en total 1.280 de todas las unidades léxicas son compuestas, o sea, un 24,07% de las 5.317 unidades léxicas, y aunque se realizan en total sólo 6.698 veces (un 5,56% de las 120.514 ocurrencias), esto ya explica buena parte de la diferencia descrita, dado que bastantes de las unidades léxicas se componen de más de dos elementos. Además, se cuentan antes de la lematización también las cifras y las fórmulas, que se eliminan después por no ser formas léxicas. Sin embargo, no es posible quitarlas antes, porque esto tendría un efecto negativo en el resultado de la lematización. De hecho, aunque no se trata de formas léxicas, las cifras y las fórmulas sí pueden desempeñar una función gramatical en la frase y por lo tanto influir en su estructura morfosintáctica. Obsérvese por ejemplo el siguiente párrafo: *"Si se desea tener una confianza de 94,18 sobre cien, de acertar al fijar el límite máximo de x, ha de tomarse como tal 3.206. O, lo que es lo mismo, existe un 5,82% de probabilidades de que se equivoque quien afirme que x tomará un valor no superior a 3.206"* [cap.3 : 80] .

En total, 384 de las 5.317 unidades léxicas son nombres propios de particulares o abreviaturas de conceptos en fórmulas sin uso generalizado ni contenido semántico estable. Estas 384 unidades léxicas ocurren en total 2.149 veces. Dado que se trata de formas sin relevancia alguna para el estudio del léxico empresarial en ELE, han sido excluidas del estudio[16]. A continuación se dan las diez formas más frecuentes de esta categoría, con su frecuencia y una ocurrencia por forma como ejemplo:

b	157.00	Bu , S. A. , que tiene dos almacenes: uno situado en la ciudad **b** y otro en la ciudad c .
P	139.00	O más de la capacidad de producción anual (**P**) sea sólo de un 5 %. ¿ Cuánto vale l?
K	90.00	De la zona i que se espera que acudan a comprar al lugar **k**, Pik es la probabilidad de
t	88.00	Supongamos que un trabajador tarda **t** unidades de tiempo (u. t.) en realizar la tarea .
N	86.00	Tres almacenes de los que finalmente disponga ha de

---

[16] Los nombres propios que sí se conservan en el estudio, tienen un contenido económico estable y serán tratados como términos.

		servir a los mercados **N** , **M** y **S**
R	84.00	L es el plazo de entrega , y **R** es el número de unidades físicas que hay en el almacén
i	80.00	Dicho de otro modo, la puntuación de la localización **i** donde pij es el número de pu
S	72.00	Elegir correctamente .Bajo el estado **S2** , la decisión correcta es El, y si se hubiera ele
X	70.00	Denominando **X** al número de unidades que debe servir cada mes el almacén i al mer
Q	59.00	Sólo ha podido aventurar que la demanda anual (**q**) sigue una distribución de probab

TABLA 3.39.

Sin estas abreviaturas arbitrarias, que carecen de contenido semántico estable, y sin los nombres propios de particulares, el tamaño definitivo de nuestro corpus asciende a 4.933 unidades léxicas que ocurren en total 118.365 veces. Con esta tasa de ocurrencias se supera con creces el mínimo necesario según la terminología a fin de obtener un corpus representativo, que es de 100.000 formas léxicas simples.

CAPÍTULO IV:
ANÁLISIS DEL LÉXICO TÉCNICO Y SUBTÉCNICO EN EL CORPUS: APROXIMACIÓN DIDÁCTICA

En este capítulo se pretende analizar el léxico técnico y subtécnico tal como la didáctica de las lenguas extranjeras con fines específicos los define o no define –véase el Capítulo I– y averiguar si la oposición entre los dos léxicos resulta fructífera en el marco de su enseñanza. Asimismo, se quiere comprobar si los vaticinios que la didáctica emite respecto del grado de dificultad de ambos, corresponden a la realidad. Repetimos que la didáctica adjudica un papel muy importante a la intuición a la hora de determinar qué léxico se puede considerar como técnico. La decisión la deja enteramente a la arbitrariedad del enseñante, quien ha de decidir si el contenido de la unidad léxica en cuestión le parece técnico o no, algo que en principio no cae bajo su competencia. Por otro lado, la didáctica define palabras como *fusión, absorción, inflación, inversión*, etc., como palabras subtécnicas, o sea, palabras generales con un significado extendido, lo que parece contranatural, dado que el contenido de estas palabras en un contexto económico es exclusivamente técnico y no tiene nada de general. No obstante, hemos aplicado los criterios propuestos por la didáctica con rigurosidad, lo que significa que hemos clasificado todas las palabras con un significado único y que de alguna u otra manera puedan ser consideradas económicas, como términos y las palabras con un significado general en origen, pero con significado especializado en el contexto, como léxico subtécnico.

A continuación se presentan las tasas de léxico técnico (T) y léxico subtécnico (ST) en el corpus según la aproximación didáctica. Este léxico se puede consultar de manera exhaustiva en el anexo D por frecuencia absoluta decreciente, y en el anexo D bis por orden alfabético. El anexo C contiene las polisemias/homónimas con su identificación [1], [2], [3], etc., por orden alfabético. El siguiente cuadro presenta las tasas de las unidades léxicas (UL) y de sus ocurrencias (OC) en comparación con el total de UL y OC en el corpus, sin tener en cuenta las abreviaturas arbitrarias y los nombres propios de particulares. También se menciona la frecuencia media.

	UL	OC	Frecuencia media
Total	4.933	118.365	23,99
Léxico técnico	765 = 15,51%	9.339 = 7,89%	12,21
Léxico subtécnico	680 = 13,78%	5.723 = 4,84%	8,42

TABLA 4.1.

De este esquema se desprende que la cantidad de léxico subtécnico en el corpus es casi tan elevada como la cantidad de léxico técnico. Las UL del léxico técnico se realizan más: el 7,89% frente al 4,84%. La frecuencia media del léxico técnico es, por consiguiente, más elevada.

Se procede ahora al comentario detallado de los resultados, a fin de poder evaluar la clasificación obtenida mediante los criterios didácticos. Primero se examina la categoría del léxico técnico.

1. EL LÉXICO TÉCNICO

1.1. ¿Exclusivamente monosémico?

La didáctica pretende que el léxico técnico es esencialmente monosémico. Esto implica que no puede haber polisemias entre los términos. A pesar de que la monosemia ha sido el criterio principal para distinguir el léxico técnico del subtécnico, se han encontrado siete términos polisémicos. Se trata de las siguientes palabras:

ahorro: afectación de renta al atesoramiento, a un empleo, a un préstamo o a la inversión directa (5 oc.); el recorte financiero[17], un comportamiento de "economía", de abstinencia. (3 oc.);

---

[17] En dos casos se trata de un uso económico, parsimonioso del tiempo en el proceso de producción: *ahorro de tiempo*.

amortización : desembolso de un crédito (5 oc.); cálculo contable de una depreciación (15 oc.);

economía: el conjunto de las actividades de los seres humanos destinado a producir y a consumir riquezas (7 oc.); el estudio de este conjunto de actividades (2 oc.); el ahorro, el recorte financiero (3 oc.);

promoción: aumento de rango o de salario de un empleado (47 oc.); publicidad (6 oc.):

mercado: mercado de bienes (191 oc.); mercado de valores, mercado financiero (14 oc.);

amortizar: desembolsar un crédito (11 oc.); calcular contablemente una depreciación (4 oc.);

productivo: de la creación del producto (10 oc.); que produce mucho (1 oc.).

También figuran algunas polisemias gramaticales entre los términos en el sentido de que se trata de formas que pueden ser tanto adjetivos como sustantivos: *productor, fabricante, material* e *industrial*.

A continuación se examinan las UL compuestas que, como se puede observar en el siguiente cuadro, constituyen una gran parte del léxico técnico. Más de la mitad de las UL especializadas son UL compuestas y también en cuanto a las ocurrencias la tasa es considerable.

| Total Términos | 765 UL | 9.339 OC |
| Términos compuestos | 432= 56,47% | 2.297 = 24,60% |

TABLA 4.2.

A propósito de estas UL compuestas se impone la siguiente observación. En cierto sentido, todas las UL compuestas de esta categoría son polisemias, porque su significado es otro que la suma de los sumandos: se necesitan conocimientos especializados para poder entenderlas. Obsérvense los siguientes casos. Se trata de los diez términos compuestos más frecuentes:

u. m. (unidad monetaria)	375
S. A. (sociedad anónima)	86
valor actual neto	66
VAN (valor actual neto)	54
rentabilidad financiera	47
rentabilidad requerida	43
producto terminado	38
unidad monetaria	36
coste variable unitario	34
rentabilidad económica	33

TABLA 4.3.

Para captar plenamente el contenido de estos términos compuestos se necesita conocer la extensión de significado y tener formación de especialista, porque, ¿cómo saber a qué concepto exacto corresponde la *rentabilidad financiera, requerida* o *económica* de una inversión? Entender las palabras individuales *coste, variable* y *unitario* no procura una definición del conjunto terminológico *coste variable unitario.* Para poder determinar qué empresas se pueden denominar *Sociedades Anónimas* es necesario conocer las condiciones que una empresa tiene que cumplir para poder llamarse una S. A. Saber qué es un *producto terminado* requiere conocimientos del proceso de producción, etc. Estos ejemplos demuestran que es necesario relativizar el principio de la monosemia de los términos por lo que se refiere a los términos compuestos, ya que el conjunto expresa otro significado al de los elementos individuales. En Dirven y Verspoor (1999: 65) se llega a la misma conclusión respecto de la interpretación de las unidades léxicas compuestas en la lengua general:

> Om zulke complexe woorden te begrijpen moeten wij een beroep kunnen doen op drie soorten kennis: 1)[…] lexicologie; 2 […] morfologie; 3) de

kennis van de hele culturele achtergrond, d.w.z. de ervaringswereld waarin deze complexe begrippen en woorden zinvol ingezet worden[18].

De hecho, es la convicción de Temmerman (2001: 80) que la monosemia en una terminología es inexistente. Según ella, un término raramente tiene exactamente el mismo significado, ya sea por polisemia o por vaguedad:

> When considering the meaning of a particular term we noticed that the borderline between polysemy (the fact that one term can have different senses) and vagueness (the fact that a term is never used with exactly the same meaning) is fuzzy.

La constatación de que la monosemia pura es difícil de encontrar y de que la extensión de significado es algo normal y corriente, desde luego no es nada revolucionaria. En la lingüística la polisemia y la extensión de significado son características intrínsecas de la lengua, y *a fortiori* del lenguaje especializado. Aunque la gran mayoría de las palabras simples de una lengua son el resultado de una relación arbitraria entre un *signifiant* y un *signifié*, tal como lo explicitó Ferdinand de Saussure, queda claro que las palabras compuestas y las palabras derivadas no son arbitrarias sino motivadas, o sea, que su significado se extiende a partir de otro ya existente. Encontramos un ejemplo interesante en Dirven y Verspoor (1999: 16) a propósito de los términos *hardware* y *software* en inglés. Resulta que la unidad léxica compuesta *hardware* se refiere en origen a las herramientas necesarias para el mantenimiento de la casa y del jardín. Cuando ocurre el surgimiento de la informática, el significado de esta palabra fue extendido hacia el significado que ahora también tiene en español, es decir 'el equipamiento técnico del ordenador'. *Hardware* tiene, por tanto, en inglés dos significados: el básico y el extendido. Pero el término *software*, que tiene como único significado en inglés 'programa informático', se ha desarrollado por analogía con *hardware*, y es un neologismo motivado, una composición de dos palabras existentes en inglés: *soft* y *ware*, que según el ejemplo de *hardware*, extendieron su significado básico y dieron lugar a un nuevo término de la informática.

---

[18] "A fin de entender palabras tan complejas es necesario recurrir a tres tipos de conocimiento: 1) [...] la lexicología; 2) [...] la morfología; 3) el conocimiento del contexto cultural, o sea, el mundo en que estos complejos conceptos y palabras se utilizan".

Queda claro que, de hecho, el origen de ambos términos no es arbitrario sino motivado, aunque no de la misma manera.

Según Kocourek existen pocos términos arbitrarios, la gran mayoría siendo motivados de manera fonética, morfológica, semántica o sintagmática (1982: 154):

> En dépit de la possibilité de la formation terminologique immotivée, il n'existe que peu de termes arbitraires. [...] En terminologie, la prédominance du motivé est si prononcée qu'elle est un caractère essentiel de la formation terminologique (cf. Guiraud 78: 99). La forme des termes suggère souvent une partie de leur sens (1982 : 151).

Veremos que también en nuestro corpus la mayor parte del léxico con significado especializado no es arbitraria sino motivada.

1.2. ¿Exclusivamente universal?

La segunda característica que la didáctica suele atribuir al léxico técnico es que éste es esencialmente universal. Suponemos que con la denominación 'universal' la didáctica se refiere al hecho de que se trata de palabras transparentes a nivel universal, es decir, en todas las lenguas. Resulta que esta opinión necesita también matización. Hemos comprobado para cada término en el corpus si se trata de una palabra transparente en neerlandés, la lengua materna de nuestros estudiantes. Presentamos a continuación los resultados de este análisis.

Total	765 UL	100%	9.339 OC	100%	12,21
Universales	33 UL	4,31%	160 OC	1,71%	4,85
Cognadas	255 UL	33,33%	3.018 OC	32,32%	11,84
Falsas cognadas	3 UL	0,39%	15 OC	0,16%	5

TABLA 4.4.

En el cuadro hay tres categorías. En el anexo E se pueden consultar las listas exhaustivas de estas categorías. Comentamos primero la categoría de los términos universales. De hecho se trata de términos ingleses que no se han 'españolizado' de ninguna manera –ni por traducción, ni por préstamo, ni por calco– y que en neerlandés también se conservan. Unos ejemplos son:

marketing	52
PERT (programme evaluation and review technique)	19
marketingmix	11
CPM (critical path method)	10
staff	10
stock	7
badwill	4
CAD (computer aided design)	4
CAM (computer aided manufacturing)	4
goodwill	4

TABLA 4.5.

La segunda categoría la denominamos la de los términos cognados. Utilizamos la palabra 'cognado' en el significado que actualmente tiene en la gramática:

Se aplica a las palabras de una lengua que se parecen o están asimiladas a las de otra lengua o que están relacionadas por un determinado parentesco lingüístico (*Gran diccionario de uso del español actual* 2001: 531).

Sin embargo, imponemos una restricción a esta definición en el sentido de que sólo consideramos como cognadas las palabras que manifiestan un parentesco morfológico obvio, que se puede reconocer inmediatamente sin tener que efectuar un análisis lingüístico etimológico. Concretamente significa para el análisis de nuestro corpus que palabras como *precio*, *almacén* y *mercado* no se consideran como cognadas –aunque comparten su origen etimológico[19] con el neerlandés: *prijs* < *pretium*, *magazijn* < *mábzan* y *markt* < *mercatus*– porque estimamos que el parentesco morfológico no es bastante claro, mientras que palabras como *producto*, *inventario* y *costar* sí se aceptan como términos cognados, dada su transparencia morfológica elevada en comparación con las palabras neerlandesas *produkt*, *inventaris* en *kosten*. Estimamos que esta definición algo prudente de 'cognado' corresponde más a la realidad de alumnos economistas, que no tienen formación lingüística. Los resultados de un estudio de Moss (1992: 157)

---

[19] Fuentes consultadas: *Groot woordenboek der Nederlandse taal* (Geeraerts 2001: versión electrónica) y *Breve diccionario etimológico de la lengua castellana* (Corominas 1980: 472, 42, 392).

confirman esta intuición. En un experimento que incluía varios tipos de palabras cognadas de carácter muy transparente hasta muy poco transparente, la gran mayoría de los estudiantes hispanohablantes tenía dificultades con el reconocimiento de palabras cognadas inglesas que presentaban diferencias iniciales y/o finales, un tamaño diferente o más de dos vocales distintas, como por ejemplo *react/reaccionar, risk/riesgo, compress/comprimir.*

Desde este punto de vista, sólo un 33,33% de los términos en el corpus son palabras cognadas en neerlandés. La frecuencia media de estas cognadas –11,84– corresponde casi a la frecuencia media de todos los términos: 12,21, o sea, que no son más frecuentes en cuanto a ocurrencias que los términos no cognados. Los diez términos cognados más frecuentes son:

producto	491	2
coste	330	3
rentabilidad	173	7
producción	143	10
inventario	92	12
calidad	77	15
dividendo	66	18
publicidad	48	23
promoción	47	24
financiar	45	27

TABLA 4.6.

La tercera columna indica cuál es el rango del término cognado en la lista con las frecuencias de todos los términos del corpus. Podemos constatar que estos diez términos cognados están en los 27 términos más frecuentes.

La tercera categoría es la de las falsas cognadas. Esta denominación se refiere a palabras de distintos idiomas que se parecen morfológicamente pero cuyo significado no corresponde. La didáctica también les llama 'falsos amigos'. Sólo hay tres en el corpus, que además se realizan poco: la frecuencia media asciende sólo a 5 ocurrencias. Se trata de los términos *alimentación* (3), *empresario* (10*), producto de alimentación* (2).

Concluimos que en cuanto a la comparación con el neerlandés, la tasa de términos similares –bien sean universales o cognados– en español, es bastante limitada: el 4,31% más el 33,33%, o sea, un total de un 37,64%, lo que queda lejos de constituir una mayoría.

No obstante, haciendo el mismo ejercicio para el inglés y el francés –lenguas extranjeras que los estudiantes neerlandófonos dominan bastante bien– se constata que la tasa de palabras cognadas es más elevada: un 61,96% de todos los términos y un 69,22% de todas sus ocurrencias son términos cognados en francés y/o inglés.

Total	765 UL	100%	9.339 OC	100%	12.22
Falsas cognadas	3 UL	0,39%	13 OC	0,14%	4,33
Universales	33 UL	4,31%	160 OC	1,71%	4,85
Cognadas	474 UL	61,96%	6.464 OC	69,22%	13,64

TABLA 4.7.

Hay tres falsas cognadas, pero no son todas las mismas que en neerlandés. Se trata de los términos *empresario* (10), *manutención* (1) y *reinvertir* (2). La categoría de universales es, por supuesto, exactamente la misma que en el cuadro anterior. Los términos cognados con el neerlandés son también todos cognados con el francés y/o inglés, excepto *saldo* (11), una palabra cognada con el neerlandés, que corresponde en francés a 'solde' y en inglés a 'balance'.

1.3. Conclusión

El análisis de lo que, acorde con el criterio didáctico, se ha considerado léxico técnico en el corpus, permite formular dos constataciones importantes. En primer lugar se ha examinado el supuesto carácter monosémico de este léxico. Aunque en principio la selección del léxico técnico en este capítulo se ha basado en el requisito de univocidad, en el sentido de que los términos no podían disponer de un significado general al lado de su significado especializado, se puede constatar que, aún así, existen términos que tienen más de un significado especializado, y, sobre todo, que el significado de los términos compuestos es una extensión a partir de la combinación de dos o más unidades léxicas que tienen un significado individual general o especializado. Esta constatación empírica se siente apoyada en la teoría lingüística, que confirma que, aunque el léxico es arbitrario en origen, la mayor parte de las unidades léxicas son motivadas.

Una segunda constatación trata del supuesto carácter universal del léxico técnico. En comparación con el neerlandés, sólo un 33,33% de los términos son palabras cognadas. Aunque la tasa es bastante más elevada para el inglés y/o francés (el 61,96%), difícilmente se puede sostener que los términos del corpus son todos universales. Moss (1992: 143), en el marco del mismo experimento que acabamos de describir, realizó un estudio contrastivo sobre el léxico de textos técnicos en español en comparación con el inglés y llegó a la constatación de que en total el 30% del léxico español en textos técnicos es cognado con el inglés. Además, Moss añade unas observaciones muy importantes. En primer lugar, los resultados de su experimento demuestran que la opinión extendida en didáctica de que las UL cognadas se reconocen automáticamente, no es válida. En segundo lugar, revelan que los estudiantes españoles tienen muy poca conciencia de la frecuencia de palabras cognadas en textos técnicos. Éstas son también las conclusiones de un estudio realizado por Hancin-Bhatt y Nagy (1994: 306). La competencia de establecer relaciones morfológicas entre la lengua materna y la lengua extranjera supone un potencial de aprendizaje enorme, pero no es innato sino que requiere entrenamiento.

Los argumentos expuestos hasta ahora se basan todos en el análisis del corpus modélico. Disponemos, sin embargo, de otros datos empíricos que confirman lo que precede. En un experimento llevado a cabo con estudiantes de español económico, que tenía el objetivo de determinar qué unidades léxicas resultaban problemáticas, la comprensión de los términos –en oposición con lo que vaticina la didáctica– sí planteó problemas (Vangehuchten 2000). 16 estudiantes universitarios de ciencias económicas aplicadas cuya lengua materna es el neerlandés y que cursaron 120 horas de español general en dos años durante las cuales adquirieron los elementos básicos de la morfosintaxis española y un léxico general de más de 5.250 palabras, recibieron dos textos –en dos momentos distintos, con una semana de intervalo– acompañados de las siguientes instrucciones[20]:

1. Leer el texto.
2. Volver a leerlo y subrayar las palabras desconocidas.
3. Traducir al neerlandés las palabras indicadas en el contexto de los textos.
4. Contestar con Verdadero/Falso a unas aserciones relativas al contenido de los textos.

Un texto era un artículo de prensa, el otro un fragmento de un manual de economía general. Resultó que en el artículo de prensa no entendieron el 6,23% de todos los términos, y en el fragmento del manual el 8,73%. Unos ejemplos de los términos que resultaron desconocidos son *ahorros, redescuento, deuda, asesoramiento, prestamista, operaciones de cobro, Hacienda, tenencias*. No se trata de tasas muy elevadas, pero las tasas del léxico general desconocido no eran más significativas, respectivamente el 8,54% y el 6,42%.

2. EL LÉXICO SUBTÉCNICO (ACEPCIÓN *A*)

Bajo la denominación de 'léxico subtécnico', según la acepción *a* de la didáctica (véase el Capítulo I de esta parte), se incluyen todas las UL cuyo significado especializado es el resultado de un proceso de extensión semántica, es decir, que comparten su forma con un significado general. Ahora bien, la lingüística enseña que existen varios procesos de extensión de significado: la metáfora, la metonimia, la extensión por especialización y la extensión por generalización[21]. Dado que la didáctica actual concede un interés particular a las metáforas, como demostraremos a continuación, éstas serán tratadas como una categoría aparte. Las metonimias y las UL subtécnicas sujetas a especialización, serán comentadas juntas. No hay UL subtécnicas

---

[20] Se pueden consultar los dos textos y los ejercicios acompañantes en el anexo B de este trabajo.

[21] En un proceso de extensión de significado por especialización, el significado básico de una UL se especifica, o sea, se refiere a menos referentes. Una UL que generaliza su significado básico, se aplica a más referentes.

sujetas a un proceso de generalización en el corpus, lo que no ha de extrañar, dado que se trata de un corpus de discurso especializado que emplea el léxico con un significado restringido al ámbito de la economía. A las dos categorías presentadas, se debe añadir una más: la de las homonimias. Si bien no se trata de palabras que han sufrido una extensión de significado, sí plantean el mismo problema potencial vaticinado por la didáctica, es decir, el riesgo de que el estudiante confunda el significado especializado de estas palabras con el significado general. Además, no siempre resulta fácil decidir si dos palabras son homónimas, o si se trata de una polisemia, dado que la posible relación semántica entre las palabras homófonas puede tener un origen etimológico no transparente. En este trabajo, se considera como homonimia cada palabra con significado especializado que comparte su forma con un significado general, sin que parezca existir una relación semántica entre los dos significados. Por lo tanto, no se tiene en cuenta la etimología, lo cual, como se puede desprender de la siguiente cita de Geeraerts (1989: 84), es una opción generalmente aceptada en la lingüística:

> Welke criteria moet men dan aanleggen om ertoe te besluiten met één of meer woorden te maken te hebben? Eén mogelijkheid is te kijken naar de herkomst van de woordvormen: gaan ze terug op onderscheiden vormen die door de toevalligheden van de taalgeschiedenis zijn samengevallen, dan spreken we van homoniemen. […] Anderzijds kan men, zonder gebruik te maken van historische gegevens, spreken van verschillende woorden als de betrokken betekenissen te ver uit elkaar liggen om herkend te worden als realisaties van hetzelfde basisbegrip[22].

También desde un punto de vista didáctico nos parece que este enfoque exclusivamente sincrónico se justifica, porque estimamos – como Laufer (1997: 152)– que se necesita relativizar la distinción entre homonimia y polisemia. Según Laufer, esta distinción no es muy

---

[22] "¿Qué criterios se deben adoptar a fin de decidir si se trata de una sola o más palabras? Una primera posibilidad consiste en examinar la etimología de la palabra: si se trata de formas distinas que se han unido debido a las coincidencias de la historia de la lengua, entonces les denominamos homonimias. […] Por otro lado se admite, sin recurrir a datos históricos, que se trata de dos palabras distintas si los significados están demasiado poco emparentados como para poder ser reconocidos como realizaciones de un mismo concepto de base".

importante para estudiantes de una lengua extranjera. Lo que sí importa según ella, es que se ha constatado que los fenómenos de polisemia y homonimia plantean posiblemente problemas a los estudiantes debido a la multiplicidad de significados de una sola forma. Por tanto, Laufer sugiere que en la enseñanza del léxico se traten la polisemia y la homonimia como un solo problema, es decir, el de la capacidad de discriminar entre los distintos sentidos de una misma forma y de emplear cada sentido correctamente.

A continuación se comentan las tres categorías que se distinguen en el léxico subtécnico del corpus. Se pueden consultar exhaustivamente en los anexos F1, F2 y F3 por frecuencia absoluta decreciente, y en los anexos F1, F2 y F3 bis por orden alfabético. El siguiente cuadro muestra la repartición.

			Frecuencia media
Total	680 UL	5.723 OC	8,42
Metáfora	252 (37,06%)	1.905 (33,29%)	7,56
Especialización/Metonimia	370 (54,41%)	3.188 (55,71%)	8,62
Homonimia	58 (8,53%)	630 (11,01%)	10,86

TABLA 4.8.

2.1. Las metáforas

En la discusión sobre las dificultades de comprensión que plantea el léxico subtécnico, se suele insistir mucho en las metáforas, tal vez más que en los demás procesos de extensión de significado. Nos parece que este interés tan vivo por la metáfora tiene mucho, si no todo, que ver con la influencia actual de la semántica cognitiva en la lingüística. Si antes la metáfora era considerada nada más como una de las posibles figuras estilísticas en literatura, hoy día se ha convertido en un verdadero tópico en la lingüística cognitiva y sus aplicaciones. En la base de todo está la obra de Lakoff y Johnson, *Metaphors we live by* (1980). La idea fundamental es que nuestros pensamientos están estructurados metafóricamente y que estas metáforas cognitivas se manifiestan lingüísticamente. La idea de que las metáforas controlan o estructuran nuestros pensamientos y también nuestro lenguaje, no ha tardado en interesar a la lingüística aplicada a la enseñanza de las lenguas extranjeras:

> The multiple perspectives from which metaphor can be viewed imply that there is a need for second language educators to identify which of these are relevant to particular instructional objectives. In the case of vocabulary teaching, if there is no clear cut boundary between literal and figurative meanings, and the literal meanings of words are extended to provide figurative meanings, there are implications for second language learners who may not be able to distinguish between such literal and metaphoric uses (Charteris-Black 2000: 152).

La semántica cognitiva discierne dos tipos de metáfora: la metáfora conceptual y la lingüística. La metáfora conceptual se refiere a la relación entre dos áreas conceptuales, como por ejemplo la asociación de la economía con un vehículo cuando va bien, y con un paciente cuando va mal. Estas asociaciones conceptuales se manifiestan en la lengua al nivel del léxico, dando lugar a las metáforas lingüísticas. Así, es posible que la economía *arranque* fuerte, pero que después *sufra síntomas* de *recalentamiento*, por lo que hay que *sanearla*.

Examinemos ahora las UL subtécnicas metafóricas en nuestro corpus. El examen de la metáfora en nuestro corpus se limita a la metáfora lingüística en el léxico subtécnico, es decir a las unidades léxicas que por metaforización obtienen un significado económico. Presentamos las 20 UL más frecuentes:

inversión	322
nudo	109
activo	99
flujo de caja	87
coste fijo	62
pasivo	56
crédito	40
ingreso	35
desviación	34
inflación	34
invertir	33
elasticidad	32

punto muerto	32
flujo	31
existencias	28
fuente de financiación	27
activo circulante	26
activo fijo	24
obligación	22
balance	20

TABLA 4.9.

Esta lista invita a hacer algunas reflexiones críticas. En primer lugar, a propósito del significado supuestamente general de estas palabras. La motivación de la didáctica para insistir en el peligro de la mala comprensión de la metáfora es que el significado general de la palabra en cuestión puede despistar al estudiante. Pero, ¿cuál es la probabilidad de que el estudiante de español económico conozca el significado general? Nos parece que un estudiante que estudia el español con un fin específico, o sea, con el fin de utilizarlo en un contexto económico, no aprenderá primero los significados generales de palabras como *inversión*, *ingreso*, *inflación*, *elasticidad, balance, nudo* o *desviación,* porque este significado que llamamos general, paradójicamente no es tan general.

Creemos que aquí cabe hacer un paréntesis sobre lo que llamamos léxico general y especializado. La oposición entre 'general' y 'especializado' que se suele adoptar en la lingüística y en la didáctica, se basa más en razones de comodidad que en la realidad. Como leemos en Sager *et al.* (1980: 1):

> In teaching English as a foreign language we speak of English for general purposes (EGP) and English for special purposes (ESP), which represents a division of convenience for designing syllabuses and course outlines. A user specification is given for the selection of items of the language to be taught in preference to others. Such a division is, however, not theoretically substantiated and is arrived at on purely practical grounds.

Llamamos 'general' o 'común' a lo que no es especializado por meras razones de comodidad, porque tenemos que ponerle nombre a este léxico, pero denominarlo así no es garantía de que forme parte del léxico cotidiano de cada hablante ni tampoco de lo que se llama el *common core* (léxico nuclear, fundamental) del léxico de una lengua. Ilustremos esta idea con otro ejemplo del corpus. La palabra *nicho*[23] ocurre tres veces en el corpus con el significado de 'segmento de mercado', lo que es un significado especializado que deriva por metaforización de su significado básico 'concavidad hecha en el espesor de un muro'. *Nicho* en su significado literal no es un término especializado: cualquier hablante nativo o avanzado del español entiende lo que significa sin que necesite conocimientos arquitecturales. Sin embargo, pretender que *nicho* en su significado no especializado es una palabra de la lengua cotidiana tampoco corresponde a la realidad. Esto se confirma en los léxicos fundamentales existentes del español. Esta palabra no se encuentra en *Un nivel umbral*, libro que según la UE contiene el léxico nuclear del español. Tampoco figura en otros léxicos didácticos que dicen contener el léxico fundamental del español[24]. Por lo tanto, la posibilidad de que el significado metafórico o especializado de una palabra sea el primero que el estudiante especialista aprende de esta palabra, en vez de su supuesto significado general, es real. Y es aún más real cuando el estudiante especialista, ya como debutante, sigue un curso de lengua extranjera especializada. Un manual como *Socios/Colegas*, que enseña el español económico a partir del nivel de debutantes mediante el enfoque por tareas (*content y task based approach*), presenta palabras como *invertir*, *inflación*, *balance*, *banco*, etc. únicamente con su significado técnico, ya que el significado general no corresponde a las necesidades de los estudiantes especialistas.

Esta primera reflexión crítica nos lleva a concluir que los problemas que la metáfora puede plantear a la comprensión de las unidades léxicas subtécnicas, parecen exagerados si se tiene en cuenta que el significado que está en la base de la metáfora no siempre es tan

---

[23] *Nicho* es también un calco del inglés, '*niche*', que manifiesta el mismo significado general y especializado que en español. Alvar Ezquerra (1999: 43) trata este caso como un 'neologismo de sentido' y añade lo siguiente al respecto:
"Solamente un buen conocimiento de la lengua nos permitirá detectarlos, pues los deslizamientos y cambios semánticos pueden parecernos perfectamente normales".
[24] *Vocabulaire de base espagnol-français*, Labarde H. y Pau F., Hachette, 1991; *Le mot pour dire*, J. P.Vidal, Bordas, Paris, 1991, *Vocabulario básico del español*, Buyse K. y Delbecque N., Wolters, Leuven, 1993; *Thematische woordenschat Spaans*, De Vries H. y Egas Repáraz F., IntertaaL, Amsterdam, 1995.

general, por lo cual podemos dudar que este significado literal sea conocido por el estudiante. Nos atrevemos a pensar que, en muchos casos, el contacto del estudiante especialista con la palabra en su significado metafórico será el primero que tenga con esta palabra[25]. Para poder corroborar esta hipótesis, se necesitaría comparar este léxico con un corpus de español no especializado, 'general', y comparar si en un contexto general el uso de este léxico con su significado general es tan importante cuantitativamente como en un contexto especializado con su significado técnico. Sin embargo, si partimos del principio de que un curso de lengua extranjera con fines específicos puede orientarse desde el nivel de principiantes hacia su objetivo, el lenguaje específico, podemos cuestionar la utilidad de esta operación. Nos parece entonces más fructífero examinar cuál es el léxico general propio de la lengua especializada en cuestión, mediante la comparación con un corpus de referencia de lengua general. De esta manera se podrá determinar qué léxico general necesitan conocer los estudiantes especialistas aparte del léxico especializado. Pero volveremos a tratar de esto cuando comentemos la segunda acepción de lo que en la bibliografía se denomina 'léxico subtécnico'.

Una segunda reflexión concierne a la definición de la metáfora utilizada en el discurso científico. Se puede cuestionar si las UL metafóricas del corpus, aunque metáforas en origen, todavía pueden ser consideradas así. A nuestro parecer, la probabilidad de que un economista, que oye palabras como *balance, inversión, invertir,*

---

[25] Esta idea se confirma en Mondria (1996: 13), que describe el aprendizaje de una palabra como el proceso de adquisición de los significados que al alumno le hagan falta, sin que necesite conocerlos todos:

"In een later stadium kunnen eventueel nog andere lexicale eenheden geleerd worden die deel uitmaken van het betreffende lexeem, net zolang tot uiteindelijk het hele lexeem is geleerd. Dat laatste zal overigens in de meeste gevallen niet plaatsvinden, in is ook niet nodig: in de praktijk kan namelijk vaak worden volstaan met kennis van de belangrijkste lexicale eenheden binnen een lexeem".

"En una fase posterior se pueden aprender eventualmente otras unidades léxicas que forman parte del mismo lexema, hasta que se conozca finalmente el lexema en su totalidad. No obstante, una situación de adquisición completa de un lexema es rara y, además, superflua: en la práctica basta a menudo con conocer las unidades léxicas más importantes de un lexema".

obligación, etc. fuera de todo contexto, piense primero en su significado especializado, es muy elevada. En este contexto resulta útil citar a Cristina Bicchieri (1988: 113), que distingue entre la metáfora literaria y la metáfora científica. Según ella, los dos tipos de metáfora no cumplen con los mismos criterios, porque no comparten el mismo objetivo:

> A good literary metaphor should be surprising and unexpected [...] Scientific metaphors, on the contrary, are to be overused. [...] Paradoxically, a successful scientific metaphor is a 'dead' metaphor: It has become well entrenched, literal, part of our body of knowledge. On the contrary, I do not believe that literary metaphors benefit from overuse. [...] Linguistically, both poetic and scientific metaphors may function in the same way. But their contexts are very different, and so are their goals. One has a cognitive goal, the other does not attempt to extend our "theory" of the world.

La metáfora científica es, por lo tanto, una metáfora petrificada. De hecho, la metáfora especializada se crea para dejar de ser metáfora y hacerse término. Éste es también el caso de las metáforas económicas, como bien lo dice Smith (1995: 45):

> A number of what were originally metaphors have become conventionalised in the language of economics, and can now better be considered as technical terms than "living metaphors". Such terms as equilibrium, float, inflation, leakage, boom, liquidity and slump are now so familiar in the jargon of the subject that their metaphorical etymology is not immediately obvious.

En lugar de continuar considerando estos términos como metáforas, sería por lo tanto más realista llamarlos palabras polisémicas. Y la polisemia es, como ya se ha mencionado en este capítulo, una característica esencial, intrínseca de la lengua. Aparte de un núcleo básico que tiene un origen arbitrario, el léxico de una lengua se extiende y continúa evolucionando por la deliberada composición de palabras sueltas o por un proceso motivado de extensión de significado. En este aspecto, las lenguas especializadas no son distintas de la lengua general, y los posibles problemas de comprensión planteados por las metáforas, no son distintos de los problemas causados por las polisemias en la lengua general. Además, estos problemas se han de relativizar. En efecto, el léxico de una lengua está lleno de polisemias, lo que muy raras veces da lugar a ambigüedad, dado que las palabras siempre se producen en un contexto lingüístico y extralingüístico que aclaran enseguida el significado. Como lo constata Stubbs (2001: 15), que investigó todas las ocurrencias de la forma polisémica *bank* en un corpus de inglés escrito general de un millón de formas léxicas:

> So, in isolation the word is ambiguous, but this statement depends on a very artificial assumption, since the word never occurs in isolation. [...] In the vast majority of cases, any potential ambiguity was ruled out due to words within a short span to left or right.

Basándose en esta constatación, Stubbs (2001: 16) concluye que no se pueden exagerar los posibles problemas de comprensión de palabras polisémicas.

> Invented and decontextualized examples may exaggerate difficulties of interpretation. A theory of semantics should deal primarily with normal cases: what does typically occur, not what might occur under strange circumstances.

Esta conclusión debe ser extendida de la semántica a la didáctica de las lenguas extranjeras con fines específicos. Es imprescindible que en una clase de lengua especializada el léxico se presente a los estudiantes de manera contextualizada. El riesgo de que un estudiante economista interprete entonces palabras como *inflación, elasticidad* o *inversión* en su significado general es mínimo. Es más probable que se produzca una de las siguientes situaciones: bien el estudiante logra deducir el significado especializado de la palabra en cuestión mediante el cotexto y el contexto –es decir, el contexto lingüístico y extralingüístico–, bien se da cuenta de que el significado que conoce de la palabra en cuestión no tiene sentido en el contexto dado y que, por lo tanto, se trata de una palabra polisémica cuyo significado necesita consultar en un diccionario especializado.

Estas aserciones son aún más válidas por lo que se refiere a las UL metafóricas compuestas, que son muy numerosas en el corpus. De las 252 metáforas, 189 son UL compuestas, o sea, el 75%. Intentar interpretar UL compuestas como *flujo de caja, punto muerto* o *activo circulante* literalmente, resulta en un significado absolutamente aberrante, lo que inevitablemente incitará al estudiante a buscar más lejos, en el cotexto y el contexto o en un diccionario.

En tercer lugar, merece la pena mencionar que bastantes de estas metáforas son cognadas, si no por la forma, entonces por el contenido, ya que en la lengua materna del estudiante –el neerlandés–, los conceptos entre los cuales se crea la relación metafórica son los mismos. Si se hace extrapolación de lo que dice la didáctica a propósito de los términos, o sea, que los términos universales no necesitan explicación por su carácter cognado, se puede suponer que cuanta más semejanza haya entre las metáforas de la lengua meta y la lengua materna, tanto más fácil será su comprensión. Estas cognadas se pueden consultar de manera exhaustiva en el anexo F1 por frecuencia absoluta decreciente y en el anexo F1 bis por orden alfabético. El siguiente cuadro presenta las tasas de cognadas en cuanto a la forma en comparación con el neerlandés.

Total metáforas	252 UL	1.905 OC
	100%	100%
Cognadas en cuanto a la forma	43 UL	444 OC
	(17,06% del total de metáforas)	(23,31%)
Falsas cognadas	20 UL	364 OC
	(7,94%)	(19,12%)

TABLA 4.10.

Por lo que se refiere a la transparencia morfológica, la semejanza entre el neerlandés y el español no es abrumadora: el 17,06% del total de las UL metafóricas subtécnicas y el 23,31% de las ocurrencias. Unos ejemplos[26] son *pasivo, elasticidad, activo, obligación, balance, canal de distribución, inflación*. Hay bastantes falsas cognadas, sobre todo en cuanto a las ocurrencias, un 19,12%, lo que se debe esencialmente a una sola palabra: *inversión*, que ocurre 322 veces. Las demás falsas cognadas son todas UL compuestas que contienen la palabra *inversión*, por ejemplo *inversión fraccionable, inversión mixta, inversión mutuamente excluyente*, etc.

En comparación con el inglés y el francés, las tasas para la transparencia morfológica de las metáforas españolas son bastante más elevadas.

---

[26] Se pueden consultar exhaustivamente en el anexo F1 por frecuencia absoluta decreciente y en el anexo F1 bis por orden alfabético.

Total metáforas	252 UL	1.905 OC
	100%	100%
Cognadas en cuanto a la forma	141 UL	962 OC
	(55,95% del total de metáforas)	(50,50%)

TABLA 4.11.

Unos ejemplos[27] de cognadas son *nudo, desviación, punto muerto, fondo de comercio, existencias, margen de beneficio, inmovilizado*, etc.

A continuación se examina en qué medida el contenido de la metáfora en español es el mismo en neerlandés, o sea, si en neerlandés las UL equivalentes corresponden a traducciones literales del español.

Total metáforas	252 UL	1.905 OC
	100%	100%
Semejantes en cuanto al contenido	170 UL	1.256 OC
	(67,46% del total de metáforas)	(65,93 %)

TABLA 4.12.

Resulta que el contenido de la metáfora española es bastante parecido al neerlandés. El neerlandés realiza para la mayoría de las UL subtécnicas metafóricas en español –el 67,46%– la misma extensión de significado, lo que al estudiante economista, que conoce el significado general y especializado de la UL en neerlandés, puede ayudarle a hacer la misma extensión de significado, siempre que conozca la UL española en su significado general. Unos ejemplos[28] son *ingreso, activo fijo, activo circulante, flujo de caja, coste fijo*, etc.

---

[27] Se pueden consultar exhaustivamente en el anexo F1 por frecuencia absoluta decreciente y en el anexo F1 bis por orden alfabético.

[28] Se pueden consultar exhaustivamente en el anexo F1por frecuencia absoluta decreciente y en el anexo F1 bis por orden alfabético.

Un estudio interesante que confirma en cierto sentido estos resultados es el de Charteris-Black y Ennis (2001). Estos investigadores examinaron en un corpus de prensa económica española e inglesa[29] si el lenguaje figurado y los marcos conceptuales que se emplean en los dos idiomas para comentar sucesos económicos, son los mismos en los dos idiomas. Por lo tanto, no se limitaron a las metáforas en el léxico económico mismo, sino que efectuaron su estudio sobre el léxico entero del corpus. El corpus se componía de artículos sobre el colapso del mercado de valores a finales de octubre de 1997. La parte inglesa del corpus era de 12.500 formas léxicas y contenía 288 metáforas, la parte española ascendía a 12.250 formas léxicas con 350 metáforas. Los marcos conceptuales para comentar los sucesos –o sea, la comparación cognitiva o semántica que forma la base de la metáfora– resultaban ser los mismos en inglés que en español. Las metáforas se desarrollaban todas dentro de los mismos marcos conceptuales: la comparación de la economía a un organismo vivo, que se puede enfrentar físicamente a otros y que puede enfermarse física y mentalmente; la comparación de los movimientos del mercado a movimientos físicos y la comparación de tendencias bajistas del mercado a desastres naturales. En cuanto a las metáforas lingüísticas sólo había diferencias sutiles, la gran mayoría de las metáforas españolas siendo traducciones literales de las metáforas inglesas. La misma idea se confirma en un estudio de Gómez de Enterría (2000: 84) que llega a la conclusión de que "la mayoría de las metáforas económicas son calco de otras que a su vez han sido acuñadas en inglés".

Aunque se ha de relativizar la fuerza de las palabras cognadas en el proceso de reconocimiento del significado de una palabra –como los estudios de Moss (1992) y Hancin-Bhatt y Nagy (1994) indican–, los datos precedentes permiten sacar tres conclusiones importantes. En primer lugar, resulta que hay bastantes palabras cognadas morfológicas entre las UL metafóricas. Quizás no tanto en neerlandés, sólo el 17,06%, pero sí en francés y/o inglés: el 55,95%. Recordamos que cuando hemos examinado el carácter cognado de los términos, los resultados no eran mucho más elevados: un 33,33% para el neerlandés y un 61,96% para el inglés y/o francés. Además, en cuanto a la extensión conceptual, el

---

[29] Se trata de dos corpus distintos, no de traducciones.

neerlandés manifiesta una semejanza considerable con el español: el 67,46 % de las metáforas están emparentadas conceptualmente. Por lo tanto, si se tiene en cuenta esta constatación, no hay motivo para pretender que las metáforas del lenguaje económico empresarial requieren más atención en la enseñanza del español económico empresarial que los términos. En segundo lugar, se puede concluir que las UL subtécnicas metafóricas del corpus representan todas metáforas petrificadas, muertas, que se han convertido en UL con significado técnico que comparten de manera polisémica su forma con un significado general. Es de esperar que el contexto le dé suficientes pistas al estudiante como para poder encontrar sin problemas el significado conveniente, lo que suele ser el caso con palabras polisémicas, como lo confirma Stubbs (2001). Por lo tanto, se puede cuestionar si resulta útil continuar tratando estas UL como metáforas, o si no es más realista verlas como términos de economía, palabras técnicas que comparten su forma con un significado general del que ni siquiera es seguro si un día el estudiante se encontrará en un contexto que manifieste aquel significado general, dado que general no es sinónimo de cotidiano. A esto se refiere la tercera conclusión. La oposición entre léxico especializado y léxico general se basa en razones de comodidad. En realidad, no existe un léxico general, porque una situación comunicativa siempre trata de algún asunto particular. Lo que sí existe es la noción intuitiva de un léxico cotidiano, de palabras que necesitamos a diario, aunque éstas también puedan divergir de un grupo de la población a otro. Mantenemos, por consiguiente, la denominación de léxico general, a sabiendas de que no sólo incluye el léxico cotidiano, sino también todo lo que se puede considerar léxico no técnico. Esto nos lleva a argumentar que no va por descontado que el primer significado que un estudiante aprende de una palabra, sea su supuesto significado general.

2.2. Las unidades léxicas subtécnicas sujetas a especialización y las metonimias[30]

Estas UL, que se pueden consultar en el anexo F2 por frecuencia absoluta decreciente y en el anexo F2 bis por orden alfabético, constituyen la mayoría de las UL subtécnicas en el corpus: el 54,41% de las UL y el 55,71% de las ocurrencias, con una frecuencia media de 8,62 ocurrencias, un poco más elevada que la frecuencia media de todas las UL subtécnicas: 8,42. La mayoría de ellas son UL compuestas: el 63,52%, pero en cuanto a las ocurrencias las UL compuestas sólo ascienden a un 27,70% del total, o sea, que tienen una frecuencia media muy baja de sólo 3,76 ocurrencias. Las UL subtécnicas más frecuentes de esta categoría son, por lo tanto, UL simples, con una frecuencia media de 17,07 ocurrencias. Presentamos a continuación las 10 UL más frecuentes:

valor	*229*
decisión	*215*
demanda	*138*
información	*130*
factor	*125*
marca	*60*
planificación	*58*
materia prima	*54*
organización	*49*
adquirir	*48*

TABLA 4.13.

---

[30]Las metonimias se comentan en el mismo apartado que las UL sujetas a especialización por ser muy poco numerosas. En el corpus se limitan a algunas sinécdoques (*pars pro toto*) y compuestos con epónimos, como por ejemplo *grandes superficies*, *bienes Giffen*, *criterio de Savage*, *principio de Pareto*, etc. Kocourek (1982: 149) confirma que las metonimias terminológicas son mucho menos frecuentes que las metáforas, y cita una relación de 1 metonimia por 11 metáforas. En el corpus esta relación es de 1 metonimia por 9,33 metáforas, con 27 metonimias en total por 252 metáforas.

Estas UL presentan una diferencia llamativa con las metáforas de la sección anterior, en el sentido de que son palabras que, cuando se oyen fuera de todo contexto, no se asocian inmediatamente con un contexto económico, aparte de la UL compuesta *materia prima*. También son palabras que, aunque tienen en un contexto económico un contenido económico preciso, son fáciles de entender para un no especialista porque la especialización consiste en que el contenido de la palabra se restringe al ámbito económico. *Valor* se restringe a *valor financiero*, *decisión* a *decisión empresarial*, *demanda* a *demanda económica*, *información* a *información empresarial*, etc. Aunque no se conozca la definición exacta de estas palabras, sí resulta fácil hacer la extensión del significado hacia el ámbito de la economía, lo que es menos evidente en el caso de UL metafóricas como *elasticidad*, *holgura*, *apalancamiento* o *fondo de rotación*, que requieren conocimientos de especialista.

La misma situación se presenta *a fortiori* para las UL compuestas. Los elementos individuales son palabras corrientes, pero la combinación de estos elementos individuales hace suponer que el conjunto tiene un significado especializado, ya que el significado general de las palabras individuales no alcanza para dar una interpretación sensata y significativa. Las 10 UL compuestas más frecuentes son:

materia prima	54
tipo de descuento	42
desembolso inicial	40
beneficio neto	32
plazo de recuperación	28
beneficio operativo	26
recursos propios	21
tipo de interés	20
mano de obra	19
tipo de rendimiento interno	18

TABLA 4.14.

La comprensión errónea de estas UL por parte de un estudiante de español como lengua extranjera es imposible, porque la combinación de los significados literales no significa nada. Ahora bien, si para un no especialista en economía es difícil seguir la extensión del significado general hacia el significado especializado, es de suponer que al estudiante economista no le plantearán los mismos problemas, dado que posee los conocimientos necesarios. En este contexto queremos hacer referencia al modelo de Douglas (2000: 35) respecto de lo que él llama *"Components of specific purpose language ability"*. Según él, un alumno especialista que quiere aprender un lenguaje especializado como lengua extranjera, hace uso de los siguientes elementos:

1. Conocimientos lingüísticos de la lengua extranjera (léxicos, gramaticales, textuales, funcionales y sociolingüísticos).
2. Conocimientos técnicos especializados que el alumno utiliza para dar sentido al *input* lingüístico.
3. Competencia estratégica: esta competencia funciona como intermediario entre los conocimientos lingüísticos y técnicos, por un lado y la situación comunicativa, por otro. La competencia estratégica abarca dos tipos de estrategias: estrategias metacognitivas y estrategias comunicativas. El alumno utiliza estas estrategias para relacionar sus conocimientos técnicos y lingüísticos con una situación comunicativa particular. Estas estrategias le permiten analizar la situación comunicativa a la que se ve enfrentado, formarse un objetivo comunicativo, planificar su intervención comunicativa y controlar la ejecución de esta intervención. Las estrategias metacognitivas son responsables de los aspectos técnicos de este proceso, que no necesariamente necesitan lengua. Las estrategias comunicativas son responsables de hacer funcionar los conocimientos lingüísticos en el debido momento.

Este modelo explica por qué un hablante nativo no especialista no tiene acceso al contenido de términos compuestos como los presentados más arriba, aunque conoce y entiende los elementos individuales. Para entender el significado extendido, es imprescindible disponer de los conocimientos técnicos adecuados. Por otro lado, el modelo explica por qué un especialista con pocos conocimientos lingüísticos de la lengua extranjera en cuestión, tendrá muchos problemas al leer un periódico o al desenvolverse en una situación de comunicación cotidiana, pero será capaz en un contexto especializado –como por ejemplo la lectura de un artículo científico– de captar el significado especializado de los términos compuestos sin conocer el significado de los elementos individuales.

Por consiguiente, no se pueden exagerar los posibles problemas de comprensión causados por esta categoría de UL subtécnicas. En cuanto a las UL simples se ha constatado que, si se conoce el significado general de la UL simple, la extensión hacia el significado especializado o metonímico es bastante evidente. En el caso de las UL compuestas también, porque la mera combinación de los significados generales no tiene sentido.

No obstante, sigue existiendo la posibilidad de que el estudiante no conozca la UL en cuestión, ni siquiera en su significado general. Por lo tanto, hemos examinado cuál es la tasa de cognadas[31] en el corpus en comparación con el neerlandés y con el francés y/o inglés.

Total			Frecuencia media
	370 UL	3.188 OC	8,62
	100%	100%	
Cognadas con el neerlandés	144 UL	1.214 OC	
	38,92%	38,08%	8,43
Cognadas con el francés/inglés	287 UL	2.711 OC	
	77,57%	85,04%	9,45
Falsas cognadas con el neerlandés	2 UL	49 OC	
	0,54%	1,54%	24,5
Falsas cognadas con el francés/inglés	4 UL	82 OC	
	1,08%	2,57%	20,5

TABLA 4.15.

Del cuadro se desprende que la tasa de cognadas con el neerlandés no es inapreciable, y con el francés y/o inglés considerable. Unos ejemplos con el neerlandés son *información, distribución, marca, cuota, segmento, organización*, etc. Unos ejemplos específicamente para el inglés y/o francés son *valor, decisión, demanda, materia prima, adquirir, remuneración*, etc. Además, las respectivas frecuencias medias

---

[31] Se pueden consultar exhaustivamente en el anexo F2 por frecuencia absoluta decreciente y en el anexo F2 bis por orden alfabético.

–8,43 y 9,45– enseñan que las palabras cognadas forman parte de las UL subtécnicas metonímicas y especializadas más frecuentes, porque la frecuencia media para todas las UL subtécnicas es de 8,42. Las falsas cognadas constituyen una cantidad inapreciable en los tres idiomas. En neerlandés se trata de las palabras *dirección* en el sentido de liderazgo, que ocurre 46 veces, y de la palabra *asesor*, que ocurre 3 veces. Las cuatro falsas cognadas en inglés y/o francés son *ciclo largo, tipo de descuento, tipo de interés* y *tipo de rendimiento interno*, que ocurren respectivamente 2, 42, 20 y 18 veces.

Resulta pues que hay bastantes cognadas en cuanto a la forma en esta categoría. Igual que para las metáforas, hemos querido examinar en qué medida existe semejanza en cuanto a la extensión conceptual de significado respecto del neerlandés. Hemos llegado a la conclusión de que también en esta categoría la similitud es considerable, ya que asciende al 72,16% de las UL.

Total	370 UL 100%	3.188 OC 100%
Con el neerlandés	267 UL (72,16%)	2.536 OC (79,55 %)

TABLA 4.16.

2.3. Las homonimias

Aunque la didáctica cuenta únicamente las UL con significado extendido como UL subtécnicas, incluimos también las homonimias. Creemos que está justificado poner las hominimias al mismo nivel que las metonimias, las metáforas y los demás casos de polisemia, porque contienen el mismo riesgo potencial de comprensión errónea.

No hay muchas homonimias con significado especializado en el corpus. El cuadro siguiente presenta las tasas de UL simples y compuestas, OC simples y compuestas y también la frecuencia media:

UL	OC	Frecuencia media
total: 58 (8,53 % del total de UL subtécnicas)	630 (11,01%)	10,86
compuesta: 22 (37,93 % del total de UL homónimas)	101 (16,03%)	4,59

TABLA 4.17.

Obsérvese que, aunque el 37,93% de todas las homonimias son UL compuestas, en cuanto a las ocurrencias sólo representan el 16,03%. Las homonimias más frecuentes son, por lo tanto, UL simples. Se dan ahora las 10 homonimias más frecuentes:

acción	96
interés	71
equipo	65
capital	34
producir	36
fondo de comercio	30
banco	23
abonar	22
prima	22
personal	20

TABLA 4.18.

El estudio detallado de estos 10 casos muestra que el cotexto y el contexto aclaran enseguida su significado. A continuación se presenta para cada una de estas UL una ocurrencia contextualizada procedente del corpus:

El objetivo financiero primario de la empresa es maximizar la riqueza de sus accionistas por su vinculación a la empresa, o, lo que es lo mismo, maximizar el precio de la acción [cap. 5].
El banco que le prestó los 50 millones le cobra un interés anual del 10 % [cap. 5].
Un ingeniero puede valorar la tecnología que aporta un equipo en relación a los demás y determinar con criterios técnicos cuál es la mejor máquina entre un conjunto de alternativas [cap. 6].

La empresa se desarrolla siguiendo una red de aliados seguros que puedan movilizar el capital, la tecnología y la distribución allí donde se encuentren y donde ella los necesite [cap. 17].

Otro clasificación es la que distingue entre la inversión financiera, que se materializa en activos de carácter financiero, como la obligación, la acción, el pagaré, etc, y la inversión productiva, que es la que se concreta en activos que sirven para producir bienes y servicios [cap. 6].

Cuando el fondo de comercio es positivo, también se le denomina con el término anglosajón goodwill [cap. 8].

En aquel momento, el banco le impuso un tipo de interés del 10 % anual y el sistema americano de amortización [cap. 8].

Si la empresa desea pagar un dividendo constante en términos reales, el número de unidades monetarias que habrá de abonar cada año tendrá que crecer en una tasa igual que la de inflación [cap. 8].

En el sistema York o con prima por pieza, la proporción que representa el incentivo, I, sobre el salario unitario, so, es igual a la que representa el tiempo estándar, T, sobre el ahorro de tiempo, T [cap. 12].

La evaluación del personal se produce en período relativamente largo de tiempo y la promoción es muy lenta [cap. 2].

En todas estas frases el significado no especializado de las homonimias queda excluido por el cotexto y el contexto. Incluso si el alumno sólo conoce el significado general de estas palabras, se dará cuenta enseguida de que necesita buscar más lejos, en el contexto o en un diccionario especializado, porque el significado general da lugar a un contenido incomprensible.

Claro que el carácter cognado de estas homonimias con significado especializado también puede contribuir positivamente al proceso de comprensión. Una comparación de la morfología de las homonimias españolas con los términos correspondientes en neerlandés, y también en francés y/o inglés, suministra los siguientes resultados[32]:

---

[32] Estos resultados se encuentran exhaustivamente en el anexo F3 por frecuencia absoluta decreciente y en el anexo F3 bis por orden alfabético.

Total	58 UL	630 OC	Frecuencia media 10,86
Cognadas con neerlandés	27 UL (46,55% de las homonimias)	293 OC (46,51%)	10,85
Cognadas con francés/inglés	44 UL (75,86%)	561 OC (89,05%)	12,75

TABLA 4.19.

Destaca que la tasa de cognadas en la categoría de homonimias con significado especializado es bastante elevada, sobre todo para el francés y/o inglés, pero también para el neerlandés. Unos ejemplos con el neerlandés son *artículo, banco, capital, efecto, firma*, etc., y con el francés y/o inglés *acción, cotización, ejercicio, empleo, equipo, firma*, etc.

2.4. Conclusión

En lo que precede se ha discutido la opinión generalizada en la didáctica de las lenguas extranjeras con fines específicos que asume que la dificultad de la enseñanza del léxico de una lengua especializada no reside en el léxico técnico, que se caracteriza por ser monosémico y universal, sino en el léxico subtécnico debido a su gran diversidad y/o su carácter metafórico. En efecto, unos argumentos teóricos y constataciones empíricas nos han llevado a demostrar que no resulta útil la oposición del léxico técnico al léxico supuestamente subtécnico.

Una primera objeción nuestra se refiere a los criterios de clasificación de la didáctica entre el léxico técnico y el léxico general, por un lado, y entre el léxico técnico y el supuesto léxico subtécnico, por otro. Estos criterios resultan demasiado intuitivos. En primer lugar la distinción entre el léxico técnico y el léxico general. Es muy difícil para un no especialista decidir si una palabra es técnica o general, y aún más en economía, una ciencia social cuya terminología se basa en el léxico general y que contiene pocos neologismos o inventos técnicos. Palabras como *dinero, empresa, banco* y *ahorro* a los no especialistas les pueden parecer muy anodinas y poco especializadas porque las utilizan a diario, pero para el especialista son términos a los que corresponde una definición técnica. Como se ha podido constatar en la categoría más grande, la de las metonimias y UL subtécnicas sujetas a especialización, muchas de ellas no tienen sentido literalmente y requieren conocimientos especializados para poder entenderlas. De ahí que la selección de lo que forma parte de la terminología de una disciplina científica no pueda caer bajo la responsabilidad del no especialista. Le toca al especialista formular cuál es la terminología de su especialidad. Por consiguiente, es imprescindible buscar una definición clara, inequívoca y, sobre todo, científica de lo que es el léxico técnico. Ha quedado claro que la didáctica no ofrece tal definición, porque sólo habla del léxico técnico en términos negativos, diciendo lo que no es: no es léxico general y tampoco es léxico subtécnico. En cuanto a la distinción que la didáctica crea entre el léxico técnico y el léxico subtécnico, creemos haber demostrado que ésta es artificial y superflua. En un contexto técnico, una palabra con significado técnico, aunque tenga otro significado en otro contexto, aunque sea metafórica en origen, será término. Denominarla 'subtécnica' es sugerir que no es término, lo cual no corresponde a la realidad lingüística y sólo puede dar lugar a confusión en la mente del alumno.

Una segunda objeción es puramente lingüística: la polisemia es un fenómeno natural de la lengua, es una característica intrínseca tanto de la lengua general como de las lenguas especializadas. La polisemia se encuentra tanto en el léxico subtécnico como en los términos mismos, ya que cada término compuesto es el resultado de la extensión de significado de los elementos que lo constituyen. Cualquier estudiante que aprende una lengua extranjera necesita enfrentar la polisemia, y en principio el cotexto y el contexto solucionan la ambigüedad y si no, el diccionario. Pretender, como lo hace Trimble, que el problema en la enseñanza de las lenguas especializadas es que los estudiantes no disponen de un diccionario especializado es falsificar la problemática. La solución es, por supuesto, que en una clase de lengua extranjera con fines específicos el enseñante haga tomar conciencia a los estudiantes de la existencia de polisemias en las lenguas especializadas, y que les enseñe a consultar y a trabajar con un diccionario especializado a fin de promover la autonomía de los estudiantes. De hecho Trimble (1985: 163), aunque continúa oponiendo léxico subtécnico a léxico técnico, admite en sus conclusiones que el léxico subtécnico no es el mayor problema de las lenguas especializadas:

> *The sub-technical vocabulary can be covered fairly quickly, especially if students have access to specialist dictionaries (that is scientific and technical dictionaries, both mono- and bilingual). Once learners realize that many 'common words' in general English have specialized meanings in their particular scientific or technical field, they usually have a minimum of trouble with the sub-technical lexis.*

Aquí Trimble tiene toda la razón. La solución al problema de la comprensión de este léxico es enseñar a los estudiantes cómo utilizar un diccionario, es decir fomentar algunos reflejos muy lógicos: consultar un diccionario especializado si no se entiende el significado de una palabra y sopesar varios significados hasta encontrar uno que tenga sentido en el contexto dado. Es por lo tanto necesario proveer a los estudiantes de algunas estrategias de autoaprendizaje fundamentales.

Una última objeción se basa en los datos empíricos obtenidos del corpus respecto de las formas cognadas. En comparación con el neerlandés, la diferencia entre el léxico técnico y subtécnico no es significativa, y en comparación con el francés y/o inglés la tasa de palabras subtécnicas cognadas es incluso superior a la de los términos cognados. Por lo tanto, no hay razón para dedicar más interés al léxico subtécnico que al léxico técnico. Recapitulamos las cifras:

	Términos	Léxico subtécnico (promedio)
Cognadas con neerlandés (UL)	33,33 %	31,47% (43 + 144 + 27 = 214 de 680 UL)
Cognadas con francés/inglés (UL)	61,96%	69,41% (141 + 287 + 44 = 472 de 680 UL)

TABLA 4.20.

Tanto para las UL como para las OC las tasas son muy semejantes: la categoría de los términos no es ni más ni menos universal que la del léxico subtécnico, y esto desde el punto de vista del neerlandés como del inglés y/o francés. Un análisis de las cognadas en las distintas categorías ha demostrado que la enseñanza puede aprovechar las semejanzas formales existentes entre el español y el neerlandés, el francés y/o el inglés, y en el caso de las metáforas y de las UL metonímicas y sujetas a especialización, también las semejanzas conceptuales.

Aparte de estas tres objeciones, creemos que tanto el léxico técnico como el léxico subtécnico sí contienen grandes desafíos. En primer lugar, al nivel de la comprensión, pero también al nivel de la producción, porque, tal como hemos constatado en el léxico técnico y en el supuesto subtécnico, no todas las palabras son cognadas susceptibles de ser 'españolizadas' a partir del neerlandés, el francés o el inglés. Destaca asimismo en el corpus la tasa elevada de UL compuestas: combinaciones de léxico técnico con léxico general, que presentan una gran diversidad de estructuras. El 56,47 % de los términos y el 65,59% de las supuestas subtécnicas son UL compuestas y aunque las UL simples son más frecuentes, las tasas de ocurrencias de las UL compuestas tampoco son inapreciables, respectivamente el 24,60 % y el 31,47%. Estas UL compuestas merecen interés especial, desde un punto de vista receptivo y productivo. Según Trimble (1985: 163) constituyen aun un mayor problema que el léxico subtécnico:

> Compounds, however, are a more difficult problem. […] Practice in making analyses of simple and complex compounds is useful as a basis both for understanding and for producing compounds at these levels.

En lugar de favorecer el análisis de las UL simples, es necesario estudiar las UL compuestas y también en un nivel más alto, las colocaciones fraseológicas, es decir las combinaciones entre UL técnicas/subtécnicas y UL de otras categorías léxicas.

Ahora bien, si después de lo que precede no cabe duda de que la oposición entre léxico técnico y subtécnico según la acepción *a* no tiene sentido, seguimos siempre sin definición clara e inequívoca del concepto de léxico técnico. Podemos concluir que la didáctica no ofrece una respuesta satisfactoria a este problema epistemológico y que necesitaremos salir de la didáctica a fin de encontrar una definición que nos permita identificar el léxico técnico del corpus en base a motivos científicos y no meramente intuitivos.

3. ANÁLISIS DEL LÉXICO TÉCNICO Y SUBTÉCNICO EN EL CORPUS SEGÚN LA SEGUNDA ACEPCIÓN

Sobre la definición del concepto de léxico subtécnico en su segunda acepción, es decir como léxico común a todas las ciencias con una frecuencia más elevada que en la lengua general (véase el Capítulo I de esta parte), no se pueden sacar conclusiones a partir de un solo corpus. La combinación de nuestra intuición con la frecuencia elevada de algunas palabras en el corpus, sí nos puede hacer sospechar que éstas son características del discurso especializado en general y del económico en particular. De esta manera, hemos seleccionado las 20 palabras generales más frecuentes del corpus que intuitivamente nos parecen ser subtécnicas según la acepción *b*. Las presentamos a continuación seguidas de su frecuencia absoluta.

actividad	327
caso	311
figura	242
tabla	215
denominar	180
nivel	177
unidad	171
objetivo (sustantivo)	170
determinar	158
sistema	155
resultado	147
proyecto	137
criterio	133
representar	121
medio (adjetivo)	118
relación	118
distinto	116
estrategia	112
considerar	110
proceso	99

TABLA 4.21.

Sin embargo, para comprobar esta hipótesis, es necesario comparar este léxico con el léxico de un corpus de referencia. Esto es lo que hicieron Phal y García Hoz (véase el Capítulo I de esta parte): para conocer el léxico común a todas las ciencias, respectivamente en francés (*Vocabulaire général d'orientation scientifique*) y en español (*Vocabulario general de orientación científica*), compararon el léxico de varias ciencias. Podríamos seguir su ejemplo, pero somos reticentes a tal operación por dos motivos. En primer lugar, supondría una inversión de tiempo enorme, dado que se necesitarían varios corpus de referencia. No obstante, más importante que esta objeción práctica se presenta una objeción teórica. De hecho, no corresponde al objetivo de este estudio conocer el léxico general común a todas las ciencias. Lo que se pretende es elaborar un método para conocer el léxico general típico del lenguaje económico empresarial. Creemos que a este propósito se han de comparar las frecuencias del léxico general del corpus especializado con las del léxico general de un corpus de lengua general. Además, nos parece que este método permitirá detectar palabras generales que sólo son importantes en un discurso económico, como por ejemplo la *rotación* del capital, el *crecimiento* de la economía, la *subida* de los precios, etc., palabras generales que son típicas del discurso económico, pero no necesariamente de otras ciencias.

Es este léxico el que nos parece interesante conocer en relación con la enseñanza del léxico económico: un léxico que le dé al léxico técnico la posibilidad de estructurarse, de crear vínculos semánticos entre los términos. A este léxico lo llamamos 'subeconómico' porque se trata de aquel léxico general que ayuda a expresar las acciones del léxico económico y las relaciones existentes dentro de este último.

Para descubrir este léxico subeconómico, existen tres maneras complementarias. En primer lugar, es imprescindible una definición científica de lo que es el léxico técnico. Si no se puede discernir a base de motivos científicos el léxico técnico del léxico general, no se puede llegar a conclusiones coherentes respecto de la composición léxica del corpus. En segundo lugar, es necesario comparar las frecuencias relativas y la distribución de las UL generales del corpus económico con las de un corpus de referencia de español general. Una última posibilidad es el enfoque fraseológico, es decir que dentro del corpus de base, partiendo de los términos, se han de examinar todas las colocaciones fraseológicas relacionadas. Las tres aproximaciones serán explotadas en este trabajo, empezando con la primera en el siguiente capítulo.

4. ANÁLISIS DEL LÉXICO TÉCNICO Y SUBTÉCNICO EN EL CORPUS SEGÚN LA TERCERA ACEPCIÓN

Después de todo lo que precede, esperamos que vaya por descontado que la combinación de las acepciones *a* y *b* no tiene sentido porque se trata de dos tipos de léxico muy distintos, la mezcla de léxico técnico con léxico general.

5. CONCLUSIÓN

Dado que por un lado las definiciones propuestas por la didáctica se han revelado demasiado intuitivas y confusas y que, por otro, se necesita una definición científica y objetiva a fin de poder distinguir el léxico técnico del léxico general, es necesario continuar nuestra búsqueda de una definición del concepto de léxico especializado. En el siguiente capítulo abandonamos el ámbito de la didáctica y examinamos cuál es la postura de la lingüística, y más particularmente de una de sus subdisciplinas, la terminología, respecto del léxico especializado y su definición.

CAPÍTULO V:
EN BUSCA DE UNA DEFINICIÓN DEL CONCEPTO DE LÉXICO TÉCNICO: APROXIMACIÓN LINGÜÍSTICA

En este capítulo intentaremos encontrar una definición científica y objetiva de los conceptos de *léxico técnico, científico* o *especializado*. A este propósito consultamos dos subdisciplinas de la lingüística cuyo objeto de estudio es respectivamente el léxico en general y el léxico especializado.

1. EL ENFOQUE DE LA LEXICOLOGÍA

La lexicología es la rama de la lingüística que estudia el léxico, en el sentido de que lo estudia en su totalidad y no concede un interés particular al léxico especializado. Su objeto de estudio es la unidad léxica. Una unidad léxica se compone de una forma que es la etiqueta para un significado. El significado se sitúa en el nivel conceptual, es una construcción mental de la realidad y no la realidad misma. En la lingüística existen principalmente dos maneras de concebir el contenido del significado: el análisis componencial y la teoría prototípica. El análisis componencial, que se sitúa en la rama estructuralista y que encuentra sus orígenes en Aristóteles, considera el significado como algo estático, un conjunto de características que ya no pueden cambiar. El punto de partida de la teoría prototípica (Rosch 1978), que sienta las bases de la lingüística cognitiva, es totalmente opuesta: el significado es dinámico y no estable. Cada unidad léxica tiene un sentido prototípico o central que se basa en el mejor ejemplo, es decir, en las características más típicas de un prototipo, pero, en función del contexto algunas características pueden desempeñar un papel más importante que otras, lo que cambiará en menor o mayor medida el significado de la unidad léxica. Se asume, por tanto, que el contenido de una unidad léxica corresponde a una categoría cognitiva de significados relacionados que están todos anclados en un prototipo, el mejor ejemplo de la categoría. Estas categorías no son absolutas. Nacen en la mente humana de manera intuitiva, en función de cómo ésta percibe lo que ocurre en su entorno. Eso tiene como consecuencia que los límites entre las categorías no son rígidos. En función del contexto las categorías cognitivas pueden solaparse o fusionarse. Por lo tanto, el contexto es de gran importancia en la organización y en la creación de sentido. El sentido se negocia, se fija gracias al contexto. Este contexto no lo constituye únicamente el entorno lingüístico, o sea, las relaciones que la unidad léxica mantiene con otras[33]. La teoría prototípica tiene también en cuenta la influencia de los modelos cognitivo y cultural. La influencia del modelo cognitivo en un locutor es la influencia de sus experiencias personales en la comprensión de la categoría cognitiva. Este modelo cognitivo individual puede depender para ciertos ámbitos del modelo cultural del locutor, es decir, el conjunto de los modelos cognitivos colectivos compartidos por los miembros de un grupo social. Dado que en la teoría prototípica el sentido de una unidad léxica es determinado por la pragmática de la situación, se considera que las palabras fuera de su contexto sólo son artefactos de los que la lingüística no tiene que ocuparse. Cada forma es, por consiguiente polisémica, ya que el contenido varía en función del contexto, aunque los distintos significados están relacionados.

A guisa de conclusión se puede decir que según la lexicología cognitiva cada unidad léxica tiene un sentido denotativo (o también llamado conceptual o cognitivo) que se refiere a un referente en la realidad y que es el sentido principal o nuclear de una palabra. El sentido connotativo es un valor semántico que se añade al concepto, a la imagen conceptual, pero que no pertenece a la representación semántica prototípica de la unidad léxica en cuestión. El contenido del sentido

---

[33]Se trata de las relaciones gramaticales (sintácticas y morfológicas), semánticas (de sinonimia, antonimia, polisemia, hiponimia), de forma (homonimia), de uso (expresiones idiomáticas, colocaciones), etc. que existen entre las unidades léxicas. En cuanto al fenómeno polisemia/homonimia constatamos que éste se explica mejor con la teoría prototípica que con el análisis componencial: dos términos son polisémicos si comparten el mismo núcleo semántico, es decir si tienen el mismo significado prototípico pero cambian de significado debido al contexto. Hablamos de homonimia cuando dos términos morfológicamente idénticos no comparten el mismo sentido básico. Es obvio que aun así sigue siendo difícil distinguir entre los dos fenómenos, porque, si no hay una explicación etimológica, depende de la interpretación semántica que puede ser arbitraria.

connotativo está determinado por el contexto lingüístico (las relaciones sintagmáticas y paradigmáticas) y extralingüístico (las interpretaciones individuales, culturales, convencionales, creativas, universales, etc.).

Otra diferencia entre la lingüística estructural y la lingüística cognitiva es que la primera considera la relación entre el '*signifiant*' y el '*signifié*' como arbitraria, mientras que según la segunda la mayoría del léxico, aparte de un grupo de palabras que asientan las bases de una lengua, se forma a partir de aquel grupo básico mediante la extensión de significado (metonomia, metáfora, especialización o generalización) o mediante la combinación de elementos existentes.

De todos modos, ambas ramas tienen en común que el estudio del léxico requiere la combinación de un enfoque semasiológico con uno onomasiológico. Existe un intercambio permanente entre los dos enfoques. Para conocer el léxico en todas sus facetas, se necesita poner al descubierto tanto las relaciones sintagmáticas que existen entre las palabras como las relaciones paradigmáticas. No obstante, la lexicología considera que el enfoque semasiológico es primordial, dado que cada análisis onomasiológico presupone en cierta medida un análisis semasiológico. Así, el método onomasiológico de los campos semánticos requiere primero una descripción semasiológica de las palabras: no se ordenan sencillamente palabras en un campo, sino que se ordenan palabras con un significado determinado. Por ejemplo, en el campo semántico de la contabilidad, palabras como *asiento*, *partida*, *ejercicio*, *activo*, *pasivo*, *balance*, etc. sólo se combinan por un significado determinado que las une. El campo semántico de la contabilidad no revela que estas palabras tengan significados múltiples, pero es imprescindible ser consciente de los diversos significados de estas palabras si se quiere colocarlas en sus campos semánticos correspondientes. También se puede observar que dentro del campo semántico de la contabilidad, *asiento* se puede considerar tanto sinónimo de *partida* como –con este mismo significado– hipónimo de su significado hiperonímico de *anotación, apunte de una partida*. Por consiguiente, queda claro que antes de poder colocar la palabra *asiento* en el campo semántico de la contabilidad, se necesita conocer sus distintos significados y saber cómo éstos están relacionados. A este propósito se impone un análisis semasiológico que preceda al análisis onomasiológico.

2. EL ENFOQUE DE LA TERMINOLOGÍA

De lo que precede se desprende que la lexicología nunca ha manifestado mucho interés por el léxico especializado, como también lo afirma Adelstein (2001: 14). Esto explica sin duda por qué se desarrolló a principios del siglo XX, en época de plena industrialización, una metodología por parte de no lingüistas (industriales y científicos) cuyo objetivo fue normalizar la proliferación de términos que acompañó la rápida evolución de la ciencia y de la tecnología. Esta metodología, la terminología, pretende ser una disciplina autónoma, independiente de la lingüística. Tiene una vigencia muy generalizada en el sentido de que sus principios regulan la comunicación especializada a nivel internacional. Sin embargo, desde hace unos diez años, la lingüística ha empezado a interesarse por las lenguas especializadas. Los resultados de sus investigaciones contradicen los postulados de la terminología tradicional. Recorremos a continuación la teoría tradicional de la terminología, para oponerla después a las constataciones de la teoría alternativa. Terminaremos con un resumen de las tendencias más recientes en terminología y una definición del concepto de léxico especializado, que nos permitirá en un siguiente capitulo continuar el análisis del corpus modélico, esta vez desde una perspectiva léxico-terminológica.

2.1. La teoría tradicional de la terminología

La terminología se desarrolla como teoría a principios del siglo XX bajo la influencia del ingeniero e industrial Eugen Wüster, que publica en 1931 su obra *Die internationale Sprachnormung in der Technik, besonders in der Elektronik.* Con esta obra Wüster quiere sentar las bases de una disciplina autónoma cuyo primer objetivo es la elaboración de un instrumento metodológico y normativo que permita eliminar las ambigüedades en la comunicación especializada. Los dos principios clave de la terminología wüsteriana son la onomasiología y la biunivocidad[34]. La visión de Wüster es esencialmente conceptual: antes de crear un término, es necesario formular una definición del concepto. Las nociones y los términos constituyen dos campos independientes y a cada concepto se le designa un término mediante una relación biunívoca. De esta manera se intentan excluir características intrínsecas de la lengua natural, como la polisemia, la sinonimia, el lenguaje figurado y connotativo que, para Wüster, influido por el positivismo de la época, sólo son figuras retóricas, obstáculos del lenguaje natural a la formulación inequívoca. Se reduce, por consiguiente, la lengua al nivel literal para que sea a la vez precisa y económica. En esta teoría sólo se admite la homonimia, es decir que se admite que exista en la lengua natural una unidad léxica que comparte su forma con un término de la lengua especializada.

La teoría 'tradicional' de la terminología ha tenido otros representantes, que han matizado los postulados de Wüster –aunque comparten el objetivo final: la normalización– en el sentido de que han intentado tomar en consideración las constataciones de la lingüística saussuriana. La escuela soviética, contemporánea de la vienesa o wüsteriana, reconoce el carácter esencialmente polisémico del léxico y acepta la primacía del contexto, del que el término recibe su significado. No obstante, es la terminología wüsteriana la que actualmente disfruta de mayor difusión y autoridad internacional, lo que tiene unas consecuencias importantes para la gestión política de las lenguas especializadas. A nivel mundial (ISO: International Standard Organisation) existe la convicción de que se pueden normalizar no sólo la concepción y las características técnicas de los aparatos, sino también el léxico especializado, que se refiere siempre, de manera unívoca, a conceptos universales.

A pesar de la vigencia generalizada de esta teoría, ha surgido una teoría 'alternativa' que critica severamente los postulados de Wüster, tanto bajo la influencia de los planteamientos de la lingüística (la

---

[34] Con 'biunivocidad' (*Eineindeutigkeit* en alemán), Wüster (1970: 94) combina la univocidad con el principio de la denominación única. La univocidad del término consiste en que éste remite de manera inequívoca a un solo significado especializado. Con el prefijo "bi-" Wüster se refiere al principio de que el significado en cuestión sólo puede ser expresado por este mismo término.

semántica), como en base a argumentos empíricos. Gambier (1993: 166) formula su intuición de la siguiente manera:

> Quiconque travaille avec les langages spécialisés, professionnels (traducteurs, documentalistes, rédacteurs, éditeurs, journalistes, enseignants, chercheurs, ...) sait vite que les mythes à l'égard des terminologies ne résistent pas longtemps, que le respect sacralisé, inhibiteur pour des notions en général peu courantes, des termes peu fréquents, n'est pas basé sur des données linguistiques: il y a des zones grises, des utilisations flottantes dans n'importe quel vocabulaire spécialisé [...]. La rigueur définitoire, la systématisation reconnue, l'emploi uniforme sont contredits par les usages: le consensus ne peut être que partiel [...].

2.2. Una alternativa para la teoría general de la terminología

La diferencia principal que se puede percibir entre la terminología wüsteriana y las ideas de sus opositores es que la primera quiere prescribir un lenguaje artificial, que asegure una comunicación especializada eficaz, exenta de toda ambigüedad. La 'nueva' terminología, que se denomina en la bibliografía 'terminología comunicativa' (Cabré 1999), 'socioterminología' (Gaudin 1993) o 'terminología sociocognitiva' (Temmerman 2000), postula que la separación entre el lenguaje especializado y el lenguaje natural es imposible y que el lenguaje especializado se debe estudiar en el seno del lenguaje natural. Si Wüster considera que la terminología es una disciplina autónoma, los partidarios de la nueva terminología estiman que la terminología es una subdisciplina de la lingüística:

> Ce sont les bases mêmes de la linguistique moderne qui manquent à la terminologie ainsi conçue. [...] Il est indispensable de replacer la problématique de la terminologie dans le circuit réel de la production et du transfert de la connaissance scientifique et technique. Et ce circuit n'a ni la "simplicité" ni la "pureté" à laquelle en sont restés les terminologues traditionnels, même quand leur matériel se sophistique avec l'informatique, les banques de données, les sytèmes experts (Guespin 1995: 211-212).

A continuación se presentan primero las críticas que la nueva terminología formula respecto de la terminología tradicional. Después exponemos los postulados de la nueva terminología.

2.2.1. La Teoría General de la Terminología: sus fundamentos rebatidos

La semántica de Wüster es presaussuriana (Gaudin 1993)

Para Gaudin (1993: 25) es esencialmente por la teoría del término que Wüster se distingue de la lingüística. Al considerar el término simplemente como la unión biunívoca de un sonido con un concepto, Wüster rechaza la lengua real. Para ilustrar eso, Gaudin (1993: 25) cita a Saussure:

> c'est une grande illusion de considérer un terme simplement comme l'union d'un certain son avec un certain concept. Le définir ainsi, ce serait l'isoler du système dont il fait partie.

Partir de una definición, como la terminología clásica lo hace, es por tanto negar a Saussure, que impone el estudio del término dentro del sistema de la lengua, y no como la realización de un concepto idealizado. Los lingüistas no consideran que exista una distinción rígida entre un lexema y un término:

> L'opposition entre lexèmes et termes ne peut être conçue dans l'absolue, en dehors des discours; les termes ne figurent pas que dans des discours spécialisés, et bien des unités lexicales sont mises en jeu dans des types de communication multiples, plus ou moins spécialisés selon la situation et la compétence des interlocuteurs (Mortureux 1995: 25).

La terminología tradicional no es una disciplina científica (Temmerman 2000)

Una disciplina científica requiere un objeto de estudio, un objetivo y un marco teórico. La terminología tradicional tiene un objeto: el vocabulario especializado. También tiene un objetivo: la estandarización. Carece, sin embargo, de un marco teórico que permita comprobar sus principios y métodos mediante la investigación empírica. La razón es que la terminología tradicional ha confundido su objetivo con los hechos de la realidad, que deben establecer la base de cada ciencia. El objetivo de la estandarización es tan imperativo que la terminología tradicional plantea el principio básico de la univocidad como un hecho, como una realidad. Sin embargo, los resultados empíricos no corroboran este principio. Claro que la univocidad existe, pero más que la univocidad, la sinonimia y la polisemia son fenómenos reales en el discurso especializado:

> The one concept-one term situation is not a principle which is underpinned by scientific research. It is axiomatically taken to be the case (Temmerman 2000: 15).

La teoría wüsteriana lleva a la paralización de la creatividad lingüística y del dinamismo de las lenguas especializadas, debido al principio de la biunivocidad que excluye la polisemia. La nueva terminología en cambio, rechaza esta actitud prescriptiva, porque no corresponde a la realidad. Su enfoque basado en el análisis lexicológico de un corpus, o sea, en el estudio del léxico en su contexto comunicativo, ha revelado que la polisemia y la sinonimia son características esenciales de la comunicación especializada. Temmerman (2000: 132) demuestra que la sinonimia y la polisemia no sólo son hechos frecuentes en el discurso especializado, sino que además son funcionales. El análisis de un corpus de textos de la biofísica revela que la sinonimia sirve para expresar distintas perspectivas de un concepto. La polisemia es la evolución natural de la univocidad debida a cambios en la comprensión de la categoría (la concepción) o debida a innovaciones tecnológicas o sociológicas (la percepción):

> Because understanding is never a static situation but a constantly changing process in time which is aimed at progress, there is a constant development in what a term can be used to refer to (Temmerman 2000: 150).

A pesar de lo que precede, la 'nueva' terminología no niega la importancia o la necesidad de la normalización en favor de la comunicación colectiva, pero, en vez del enfoque exclusivamente prescriptivo de la terminología clásica, propone un procedimiento esencialmente descriptivo, en fin lingüístico. Kocourek (1982: 77) lo resume de manera sencilla pero pertinente:

> Les termes sont [...] des unités lexicales dont le sens est défini par les spécialistes dans les textes de spécialité.

Y más lejos:

> [...] le critère essentiel de lexicalisation en terminologie est l'existence d'une définition spécialisée du syntagme analysé (1982: 131).

Sin embargo, dado que los sistemas conceptuales sufren bastantes cambios, sobre todo en el ámbito de la investigación o en el desarrollo de una ciencia o tecnología innovadora, no se puede nunca determinar ni definir de manera absoluta la terminología de una especialidad.

Many terms [...] undergo small variations of meaning which impinge on the intension of other terms and would thus invalidate a highly restrictive definition. It is the recognition of varying degrees of elasticity of the knowledge spaces occupied by some types of terms which suggests that the static approach of definition is unsuitable as it tends to ignore the dynamics of the segmentation of the whole knowledge structure" (Sager 1990: 54).

La norma debe apoyarse en la realidad lingüística y no limitarse al resultado de una actividad administrativa internacional. En Béjoint y Thoiron (2000: 14) leemos lo siguiente:

La communication techno-scientifique ne peut plus être assimilée, sauf dans quelques rares secteurs, à de simples échanges internationaux standardisés.

Gaudin (1993: 171) distingue entre la norma subjetiva y la norma objetiva. La norma objetiva intenta imponer o recomendar una forma única, equivalente en cada una de las lenguas mundiales. Estos términos internacionales deben entonces servir de modelo a los demás idiomas para que acerquen su terminología en lo posible a este modelo internacional. Sin embargo, una norma sólo puede tener efecto si los usuarios la integran, la asimilan. A veces la norma objetiva se desvía de la norma subjetiva y necesita ser adaptada. Como dice Cabré (1999: 312):

Y así, de la misma forma que sólo puede hablarse del éxito de un plan de normalización lingüística cuando se ha llegado a cambiar la situación de una lengua, el éxito de un plan de terminología no termina en su elaboración, sino que reside en su implantación en el uso real de sus verdaderos usuarios.

2.2.2. Los postulados de la nueva terminología

Una teoría sociocognitiva (Temmerman 2000)

Temmerman (2000) desarrolla una teoría sociocognitiva de la terminología bajo la influencia de la semántica cognitiva. La función cognitiva del lenguaje consiste en su capacidad de clasificar, de categorizar. Esta función cognitiva del lenguaje es negada por la terminología tradicional que, por su enfoque exclusivamente onomasiológico, limita la categorización a la conceptualización en la mente, sin que intervenga el lenguaje. En la terminología sociocognitiva el lenguaje desempeña un papel importante en la comprensión y la concepción del mundo:

> It is not the objective world as it is that needs to be named, but the world as it is being understood, interpreted and created by a member of a community of specialists (Temmerman 2000: 128).

Los seres humanos no sólo percibimos el mundo, sino que también creamos categorías a partir de nuestras experiencias y nuestros conocimientos adquiridos anteriormente (*experientialism*, Lakoff 1987). Estas categorías pueden basarse en rasgos semánticos compartidos (cfr. la semántica estructuralista) o en prototipos (*cfr.* la semántica prototípica).

En su análisis de textos de la biotecnología, Temmerman (2000: 217) ha comprobado la tesis de Lakoff y Johnson (1980) de que la metáfora es una manifestación de la función cognitiva del lenguaje. La metáfora constituye un instrumento cognitivo imprescindible para la denominación de nuevas realidades porque permite expresar lo nuevo en función de lo ya experimentado, no sólo para que sea comprensible para todos, lo que es la dimensión didáctica de la metáfora, sino también para guiar el proceso mismo de la conceptualización, para participar en la creación del nuevo sentido. Gracias a la analogía, al paralelismo con la experiencia personal del sujeto, su mente dispone de un marco cognitivo familiar lo que le permite definir el nuevo significado con mayor facilidad. Gómez de Enterría (2000) llega a la misma conclusión a partir de su análisis de un corpus de prensa económica. Las metáforas aportan al discurso económico precisión designativa, incluso en los niveles discursivos de mayor especialización. En este sentido las metáforas constituyen un instrumento didáctico valioso, porque Gómez de Enterría observa que la presencia continua de estas metáforas en la prensa diaria favorece la divulgación de la ciencia, al favorecer la desaparición de las barreras que se establecen en toda comunicación especializada entre especialistas y no especialistas.

Queda claro que la metáfora de la que tratan Temmerman y Gómez de Enterría es comparable con la metáfora literaria en el sentido de que es única, creadora de un nuevo concepto por la semejanza con otro. Por consiguiente, esta metáfora no corresponde a la metáfora a nivel de la unidad léxica que hemos analizado en el léxico subtécnico del corpus en el capítulo precedente y a la que habíamos llamado, acorde con la terminología de Bicchieri, metáfora científica. Aunque la metáfora de la que tratan Temmerman y Gómez de Enterría también se produce en un contexto científico, no se trata (todavía) de una metáfora muerta o petrificada como en el caso de los términos *fusión, absorción, inversión,* etc. Al contrario, es una metáfora innovadora, creadora de nuevos conceptos, que, posiblemente, puede resultar en una metáfora muerta, un término usual, si encuentra aceptación en la comunidad científica entera, pero, hasta que no sea el caso, sigue siendo metáfora pura.

Una teoría comunicativa (Cabré 1999)

Para Cabré (1999) la renovación teórica de la terminología no supone un cuestionamiento global de la teoría wüsteriana. Le parece que en contextos prescriptivos (estandarización nacional e internacional, documentación e inteligencia artificial) la teoría tradicional –Cabré la llama TGT (Teoría General de la Terminología)– es incuestionable. Encontramos la misma idea en Sager (1990: 102):

> In special subject communication it is normally assumed that both sender and recipient operate within the same subject field or area of knowledge. The existence of accepted standardised terms which the sender can assume the recipient to recognise, is of considerable utility in ensuring comparability of knowledge, since the standard term presupposes absolute comprehension of its definition.

Sin embargo, en situaciones de comunicación natural esta teoría resulta insuficiente:

> [...] los términos no son unidades aisladas que constituyen un sistema propio, sino unidades que se incorporan en el léxico de un hablante en cuanto adquiere el rol de especialista por el aprendizaje de conocimientos especializados (Cabré 1999: 131).

Por lo tanto Cabré propone una teoría amplia de la terminología de base comunicativa, que denomina la TCT (Teoría Comunicativa de la Terminología). Esta teoría quiere estudiar el léxico especializado en toda su dimensionalidad, integrando los aspectos psicolingüísticos implicados (compartidos con la perspectiva cognitiva) y los elementos sociolingüísticos relacionados (compartidos con la perspectiva social). Además, la TCT quiere destacar que existen diferentes niveles de especialización y que se necesita analizar el lenguaje especializado teniendo en cuenta estos niveles:

> Sólo así, los términos pueden explicarse en toda su realidad comunicativa y representacional. Sólo así, la terminología del deseo pasa a ser efectivamente la terminología de la realidad (Cabré 1999: 126).

El término es una unidad lingüística, cognitiva, funcional y sociocultural (Adelstein y Cabré 2000)

Los 'nuevos' terminólogos están de acuerdo en que el término no sea una etiqueta monosémica y biunívoca para un concepto ya establecido, sino una unidad lingüística (forma parte del lenguaje natural), cognitiva (representa conocimiento), funcional (sirve para comunicarse) y sociocultural (determinado por el contexto extralingüístico: las condiciones culturales, políticas y económicas de la sociedad que la usa). Una cuestión más espinosa es la de determinar en qué consiste la diferencia entre un término y una unidad léxica de la lengua general. Cabré (2000: 27) opta por una terminología claramente lingüística, insistiendo más en los elementos que acercan los términos a las palabras que en los que los distinguen:

> il existe effectivement des éléments qui différencient les deux types d'unité. Cependant, elles (sic) ne doivent pas être considérées comme deux unités différentes mais comme des réalisations différentes, dans le discours, d'un même type d'unité.

Cabré observa que los términos son unidades lingüísticas que siguen las mismas reglas morfológicas, léxicas y sintácticas que las unidades léxicas de la lengua general. Por tanto, desde el punto de vista morfosintáctico, no presentan ninguna diferencia con el léxico general. Los rasgos diferenciales son de índole semántica y pragmática. Semánticamente, los términos se distinguen del léxico general por el proceso de significación más que por el significado. El valor semántico del término se determina mediante unos esquemas de interpretación preestablecidos, que son propios de una temática particular, o sea, de la especialidad en cuestión. El significado de la unidad léxica general, en cambio, se considera en base a un conocimiento difuso del discurso general. La pragmática es el segundo factor por el cual los términos se distinguen del léxico general. Las características pragmáticas diferenciales son los interlocutores (el emisor y el receptor), la temática y las situaciones de uso. El emisor puede ser un especialista, en el caso de un discurso especializado original, o puede ser un simulador, en el caso de un discurso mediático. El tipo de receptor o destinatario permite también distinguir distintos tipos de discurso especializado: el discurso especializado entre especialistas, el discurso didáctico entre especialista y aprendiz, y el discurso de divulgación para legos.

Concluimos que para Cabré (2000: 36) los términos no son unidades autónomas que constituyen un léxico especializado separado del léxico general, sino unidades lingüísticas que activan su contenido semántico especializado en función de las características pragmáticas de la situación en la que se emplean. El significado de un término es determinado por su aparición en el campo semántico de una especialidad. Cuando un término se utiliza en cierta especialidad se le puede atribuir un significado único y preciso. No obstante, los términos son potencialmente polisémicos, dado que su significado puede extenderse a otras especialidades en que se pueden utilizar con el mismo significado o con un significado derivado. Cabré (1999: 76) señala también que

> existen muy pocos datos cuantitativos sobre la frecuencia de los términos y de los tipos de términos en los textos especializados. Dicho en otras palabras, en terminología la investigación empírica todavía se encuentra en sus inicios.

El léxico especializado no sólo se compone de términos (Cabré y Domenèch 2000)

Hasta ahora sólo hemos tratado de términos. No obstante, en un discurso especializado los términos comparten el espacio con otras unidades lingüísticas portadoras de conocimiento especializado: colocaciones, fraseología especializada, unidades no lingüísticas (cifras, símbolos especiales). La 'nueva' teoría terminológica quiere describir todos los tipos de unidades que trasladan conocimiento especializado. Kocourek (1982: 73) propone incluir también los nombres propios en el estudio del lenguaje especializado:

Vu la particularité sémantique des noms propres et leur apparition fréquente dans les textes technoscientifiques, cette question doit être réglée de façon à permettre une vue plus complète de la langue technoscientifique.

Por tanto, una parte de los nombres propios que se emplean en un discurso especializado podrán ser considerados como unidades terminológicas[35].

Necesidad de un enfoque discursivo (Sager 1990: 8)

El análisis de las lenguas especializadas no puede limitarse a los aspectos formales, sino que debe estudiarse también desde su vertiente social y comunicativa. El léxico especializado se crea en el discurso de los hablantes porque es así como organizan su pensamiento y transmiten sus conocimientos y creencias. Un enfoque pragmático, que permita estudiar las condiciones mismas de la producción y del uso del discurso especializado, es necesario para llegar a una apreciación más realista de la diversidad de las formas lingüísticas. Para Cabré (1999: 213) el valor pragmático de las unidades terminológicas incluye aspectos como:

> su grado de estandarización o de normalización o, en algunos casos y lenguas, su valor normativo; su frecuencia de uso; su nivel de especialización, el ámbito geográfico de utilización, su valor sectorial y profesional, etc.

Resumen

El punto de partida de la nueva terminología no es el concepto sino el término, de acuerdo con la convicción de la lingüística cognitiva de que el símbolo lingüístico es motivado y no arbitrario. La consecuencia es que la nueva terminología da la preferencia a un enfoque semasiológico (polisemia, relaciones intracategoriales) que parte de los términos mismos, aunque también incluye el enfoque onomasiológico en sus análisis (investigación sobre sinonimia, relaciones intercategoriales). De todos modos, como no acepta la existencia de los conceptos puros independientes de la lengua, rechaza el método de introspección y de

---

[35] Véase el subapartado 4. en el Capítulo III de esta primera parte así como el Capítulo I en la Parte B a propósito de los nombres propios entre los términos.

conceptología fuera de todo contexto y denuncia la necesidad de investigaciones empíricas a partir de corpus reales.

2.3. Una crítica de la crítica: reacciones de la rama descriptiva de la terminología wüsteriana

De lo que precede queda claro que la teoría alternativa de la terminología se perfila como descriptiva y quiere distanciarse de la terminología wüsteriana, a la que considera como exclusivamente prescriptiva. Aunque no niega la importancia de una práctica de estandarización a nivel de la comunicación científica internacional, tiene la firme convicción de que una técnica de normalización no alcanza para analizar el papel que la terminología desempeña en otras situaciones comunicativas y cognitivas, es decir, en situaciones de comunicación real, natural. No obstante, dentro de la terminología wüsteriana existe una corriente que sí se considera descriptiva (Laurén, Picht y Myking 1998, Felber y Budin 1989, Toft 1998) y que se siente, por consiguiente, injustamente atacada. A este propósito Budin (2001) dice lo siguiente:

> Contrary to ethical standards in science, as practiced in all disciplines including the humanities and social sciences, some critics simply ignored more recently published articles or monographs that are accessible in English and in other languages that do contribute to a more scientific and up-to-date account of terminology. Instead they claimed that nothing new happened after Wüster's death in 1977.

Esta corriente, que intenta ser fiel a Wüster, argumenta que ya el mismísimo Wüster distinguió entre '*Soll-Norm*' e '*Ist-Norm*', o sea, entre la prescripción y la descripción. Wüster subrayó también que los principios de monosemia y biunivocidad se aplican sobre todo a las ciencias exactas, y sólo en muy menor medida a las ciencias sociales. Por lo tanto, esta corriente proclama que la terminología descriptiva existe desde los orígenes de la terminología prescriptiva misma, pero que siempre ha sido asociada con ella, dado que Wüster es el fundador de ambas. Así leemos en Myking (2001):

> By reading e.g. Wüster's Einführung it is not particularly difficult to certify that his view of synonymy is not without nuances, that a number of his works display an interest in semiotic problems, that there is a significant degree of 'semasiology' in his analysis of the 'inner forms' of terms, and

above all: that his distinction of 'Ist-Norm' and 'Soll-Norm' clearly shows no neglect of the empirical and sociolinguistic underpinning of language planning. [...] To put it short: there are certain points in the 'socio-criticism' that could be ascribed to as an incomplete reading of Wüster and his followers, and those points fail to hit their target.

Ahora bien, si es verdad que dentro de la terminología wüsteriana existe una corriente descriptiva, también es cierto que difiere bastante de la 'nueva' terminología descriptiva. Tradicionalmente la terminología se ha definido siempre por sus diferencias con la lingüística: es ella la que ha subrayado su preferencia por la onomasiología *vs.* la semasiología, por las investigaciones sistemáticas *vs.* las investigaciones puntuales y empíricas, y por la descripción al servicio de la estandarización *vs.* la descripción pura. En la base de estas oposiciones respecto de sus métodos se encuentra una oposición fundamental de la que ya hemos hablado: la concepción de los símbolos lingüísticos como arbitrarios *vs.* la motivación lingüística. Para la terminología descriptiva tradicional, como para la terminología prescriptiva, el concepto es primordial y el estudio de su realización lingüística se limita a un análisis morfológico, dado que se considera como arbitraria.

3. CONCLUSIONES PARA UN ANÁLISIS LÉXICO-TERMINOLÓGICO DEL CORPUS

3.1. Definición del concepto de léxico técnico

La nueva terminología formula los términos como unidades lingüísticas que activan un contenido semántico especializado cuando se emplean en un contexto especializado (Cabré 1999). El criterio para reconocer los términos es la definición: como lo dice Kocourek, se ha de considerar como término lo que los especialistas definen como elementos pertenecientes a su terminología. Al adoptar esta definición en nuestro estudio, tomamos claramente partido por la nueva terminología. A continuación argumentamos esta opción. En primer lugar no existen a nuestro parecer criterios absolutos para definir el léxico económico: "el" léxico económico, como clase cerrada, no existe. De ahí que el criterio de la normalización no ofrezca salida a la hora de decidir del carácter económico de una unidad léxica. Aparte de la objeción teórica, o sea, el hecho de que el criterio de la normalización impida tener en cuenta la creatividad del lenguaje especializado, hay un obstáculo práctico: no existe una norma para el léxico económico por parte de ISO (*International Standard Organisation*) ni AENOR (*Asociación Española de la Normalización*). Esto se debe, sin duda, al hecho de que la economía es una ciencia humana que debe mucho de su terminología a la lengua general. Asimismo, como es una disciplina que nos interesa a todos en cierta medida, muchos de sus términos tienen un empleo banalizado en la lengua general. Riggs (1993: 216) en su estudio sobre la terminología de las ciencias sociales, llega a la misma conclusión:

> Whenever I have discussed terminology with social scientists, an almost instinctive response has been, "Are you trying to legislate for us? If so, forget it -we will never agree". Thus terminological legislating and standardizing are almost curse words for social scientists.

La segunda ventaja de la definición del término según la nueva teoría de la terminología es que permite evitar el empleo de las nociones ambiguas 'VGOS', 'VGOE' y léxico 'subtécnico', por lo menos en una de sus acepciones, es decir, de una unidad léxica especializada que comparte su forma con una unidad léxica general. Acorde con esta definición, cada unidad lingüística que adopta un significado especializado definido por especialistas se puede considerar como término, también si en otro contexto aquella unidad tiene un significado general.

De hecho, esta definición 'flexible' de léxico técnico es también la que ha utilizado Clijsters (1990: 176) en su estudio del léxico especializado de la correspondencia comercial en francés. Argumenta que la especificidad de una unidad léxica depende de su contexto, de lo que denomina "*le lexitope*" de la unidad léxica, por analogía con el biotopo de un ser vivo. Pero también en la didáctica general de las lenguas extranjeras existe esta tendencia hacia un enfoque contextual y sociocultural del léxico: "Meanings emerge from words in use" (McCarthy 1990: 48).

3.2. Terminología prescriptiva o descriptiva

Para el análisis de nuestro corpus nos vamos a servir de los métodos de la terminología descriptiva, dado que la terminología prescriptiva en una ciencia social como la economía tiene poco sentido y que, además, el objetivo de nuestro estudio consiste en la descripción del uso real del discurso económico. No obstante, sigue existiendo el problema de entre qué terminología descriptiva elegir. Tal como también se sugiere en la corriente descriptiva wüsteriana, opinamos que las dos corrientes no son incompatibles:

> Although many of the criticisms about Wüster's theory are correct, a more constructive and [...] a coordinative approach to evaluating and comparing theories and individual assumptions and hypotheses would be much more productive in order to further develop terminology theory from a more holistic and integrative point of view. [...] Like any other emerging scientific field of study, terminology is going through a process of systematization, community building and the development of discourse patterns, of research traditions that increasingly interact and fertilize eachother, [...]. From a macro-perspective, i.e. from outside terminology, and in comparison to other, more established disciplines such as linguistics, we can expect that a single, but collective, yet very multifaceted and multidimensional theory of terminology is currently emerging, on the basis of the pioneering achievements of the first generation of terminology resarchers, and now with a whole new generation of young researchers bringing many new aspects into the discussion and providing interesting and promising results in their research activities (Budin 2001).

Existe, por lo tanto, el deseo de reunir las dos corrientes descriptivas y a nuestro parecer no ha de ser una ilusión. Tal como un análisis lexicológico sólo puede estar completo cuando haya efectuado una investigación semasiológica y onomasiológica, también en terminología los dos enfoques son complementarios y necesarios si se quiere poner al descubierto todas las posibles relaciones que existen entre las unidades léxicas. Por tanto, la supuesta dialéctica que parece existir entre las dos corrientes puede ser superada mediante una visión más global, más lingüística. De esta manera los aportes de las dos pueden ser apreciados en su justo valor. Analizaremos el léxico de nuestro corpus desde esta óptica, es decir tanto desde el enfoque semasiológico como onomasiológico, a fin de describir el léxico en todos sus aspectos. Sin embargo, empezaremos con un análisis semasiológico, dado que este enfoque es primordial desde el punto de vista lingüístico y lexicológico.

3.3. Ventajas de un análisis léxico-terminológico para la didáctica del léxico especializado en una lengua extranjera

También desde un punto de vista didáctico resulta que el enfoque semasiológico como el onomasiológico tienen su relevancia. Binon y Verlinde ilustran esto con su proyecto de diccionarios: el DAFA (*Dictionnaire d'apprentissage du français des affaires,* Binon,Verlinde, Van Dyck y Bertels, 2000) y el DICOFE (*Dictionnaire contextuel du français économique,* Binon, Verlinde y Van Dyck, 1993). La base de la creación de estos diccionarios la constituye –en parte, porque también parten de listas hechas– un análisis de corpus con el objetivo de seleccionar el léxico económico y comercial y, sobre todo, sus colocaciones. El criterio para seleccionar las colocaciones es esencialmente conceptual u onomasiológico dado que proceden por campos semánticos, como dice Verlinde (1993: 8):

> Nous employons le concept champ sémantique dans son acception la plus large pour couvrir tous les mots qui renvoient à des personnes, des concepts ou des actions qui peuvent intervenir dans le processus problème → négociation → solution.

Por lo tanto, la frecuencia no es un criterio de selección, aunque los autores reconocen su importancia como ayuda al estudio de la materia. Eso significa que indican para cada unidad léxica seleccionada mediante las listas previamente establecidas y mediante el criterio onomasiológico, su frecuencia, para darle al alumno la posibilidad de graduar su aprendizaje.

También llama la atención el hecho de que el papel del terminólogo, tal como se describe en la nueva terminología (Cabré 1999), muestra mucho parecido con el del profesor de una lengua extranjera con fines específicos. El terminólogo debe poseer cuatro tipos de competencia para llevar a cabo su trabajo y estos tipos están relacionados con las características de la unidad términológica que se define en la nueva terminología, lo repetimos, como una unidad léxica lingüística, cognitiva, funcional y sociocultural. Por lo tanto, el terminólogo necesita en primer lugar una competencia léxica –debe conocer las unidades terminológicas y fraseológicas– y gramatical, para que pueda interpretar el contexto lingüístico del término; también requiere una competencia cognitiva específica sobre la materia especializada de la que trata el texto; una competencia pragmático-comunicativa que le permita comprender las condiciones de comunicación en que se creó el discurso especializado; y una competencia sociocultural para interpretar el contexto extralingüístico. Nos parece que el profesor de una lengua extranjera con fines específicos debe disponer de estos mismos tipos de competencia y que, además, el objetivo de su enseñanza debe ser el desarrollo de la competencia lingüística y sociocultural en sus alumnos, las dos otras siendo consideradas apropiadas anteriormente.

Otro punto convincente de la nueva teoría de la terminología desde un punto de vista didáctico es el hecho de que esta visión 'contextual' del léxico económico se integra bien en la corriente 'implícita' de la enseñanza del léxico, según la cual el léxico se aprende mejor en contexto. Al encontrar frecuentemente una palabra en varios contextos, el estudiante puede conocer los distintos usos posibles de esta palabra, lo que también le ayudará a retenerla (*multi-track learning*, Schouten-Van Parreren 1985)[36]. Es importante que el estudiante tenga varios contactos con una misma unidad léxica en distintos contextos. La selección de los contextos no se puede hacer de manera arbitraria. Para un nivel básico por ejemplo, es importante que el contexto ilustre primero el significado prototípico de la unidad léxica y no enseguida sus connotaciones o empleos idiomáticos.

Por último nos parece una ventaja que un análisis léxico-terminológico analice todo el léxico de un corpus, porque pensamos como Gaultier (1968: 23) que cada una de las categorías léxicas del discurso especializado necesita ser estudiada en clase:

> [...] la classe de langue spécialisée ne doit pas tourner à la classe d'explication de texte (où l'on commente des mots rares), mais donner vraiment aux élèves l'occasion de pratiquer la langue.

---

[36] Schouten-Van Parreren emplea la metáfora de la huella para explicar cómo se realiza la retención de una palabra: cuantas más huellas se creen, tanto más fácil se encontrará el camino hacia la palabra requerida.

CAPÍTULO VI: DEFINICIÓN DE LA DEFINICIÓN

En el capítulo anterior hemos fijado el criterio para seleccionar los términos en nuestro corpus: cada unidad léxica definida en el corpus con un significado especializado será considerada como término. Por lo tanto, es necesario saber qué se considera como definición. Resulta que existen varias opiniones científicas acerca de ello.

Una definición se presenta siempre como la ecuación del *definiendum* (lo que se debe definir) y el *definiens* (la parte que define). Leemos en Temmerman (1994: 85) que tradicionalmente la lógica sólo reconoce como definición la definición aristoteliana, que es una definición real –es decir de objeto– que ha de ser *per genus et differentiam (sive differentias)*, o sea, que ha de indicar la categoría que incluye el objeto y también el o los rasgos distintivos. La terminología prescriptiva o la terminografía acepta en principio únicamente este tipo de definición, como leemos en Bessé (1997: 69):

> In terminography, the analytical or intensional definition is unquestionably preferred firstly because it gives the general class to which the defined concept belongs, and secondly, because it either specifies what distinguishes it from other concepts situated in the same class or enumerates all the characteristics of the concept or both.

Pero existen también definiciones verbales, es decir, definiciones que definen una palabra mediante otras palabras. Se trata entonces de la sustitución de un símbolo por otro u otros. La terminología descriptiva, tanto la corriente tradicional como la alternativa, acepta como definición la definición verbal, o sea, cualquier expresión a propósito del *definiendum*:

> Traditionally the theoretical position concerning definitions was that the proper way of defining was given by the classical pattern of 'genus et differentiae'. In fact, however, very few definitions have ever followed this strict pattern. A more relevant theory of terminology will have to admit the full range of definitions currently being used both in lexicography and terminology (Sager 1990: 42).

Esta interpretación más amplia de la definición es la que nos conviene, dado que no nos proponemos realizar una labor terminográfica, sino que queremos servirnos de la definición como instrumento para reconocer los términos en nuestro corpus. En la terminología descriptiva se aceptan distintos tipos de definición, algunos más significativos, más 'definidores' que otros, considerados más bien defectuosos por la terminología prescriptiva. Como lo dice Temmerman (2001: 81), lo que se considera importante en una definición depende de la unidad léxica que se ha de definir:

Depending on the unit of understanding, what is considered more essential or less essential information for a definition will vary.

Aunque no nos proponemos estudiar los distintos tipos de definiciones presentes en nuestro corpus –nuestro objeto de estudio lo constituyen los *definienda*, los *definientia* sirven únicamente para determinar qué unidades léxicas pertenecen al léxico económico– nos parece útil dar un breve resumen de qué tipos de formulaciones se considerarán como definiciones e ilustrarlos con unos ejemplos del corpus. Para los distintos tipos de definiciones nos basamos en Sager (1990), Arntz y Picht (1989) y Draskau y Picht (1985):

- la definición intencional: es la definición por comprensión, *per genus et differentiam*, dando el concepto superordinado (el hiperónimo) y las características distintivas:

"El **balance** es un importante documento empresarial en el que se detallan todas las inversiones que la empresa ha ido realizando a lo largo de su existencia, así como las fuentes de financiación de estas inversiones" [Cap. 5: 129].

- la definición extensional: es la definición por enumeración o que da la regla que permite enumerar:

"En la **dirección intermedia** se incluyen ejecutivos como los directores de fábricas o los jefes de divisiones" [Cap. 2: 24].

- la definición contextual: es la definición mediante un ejemplo, describiendo un uso del *definiendum*. Es, por lo tanto, una manera implicativa de definir, se usa el *definiendum* en un contexto explicativo, pero no hay relación de equivalencia entre el *definiendum* y el *definiens*:

"En cualquier caso, se debe saber diferenciar entre **flujo de caja** y **beneficio**. Las decisiones de selección de inversiones deben basarse en los flujos de caja, que son diferencias entre cobros y pagos, y no en los beneficios, que son diferencias entre ingresos y gastos" [Cap. 6: 166].

- la definición por sinonimia:

"Más concretamente, la empresa es un sistema abierto; un sistema que recibe de su entorno una serie de **inputs** o entradas (materiales, fondos financieros, informaciones) y que envía a su exterior otra serie de **outputs** o salidas de diverso tipo" [Cap. 1: 14].

- la definición por paráfrasis:

"Es decir, a diferencia de las obligaciones, que incorporan la obligación del pago de los intereses y la devolución del principal, las acciones no incorporan un compromiso de pago de dividendos" [Cap. 8: 259].

- la definición por descripción, identificando las relaciones que existen entre el concepto definido y otros conceptos:

"Un **árbol de decisión** es un sistema de representación del proceso decisional en el que se reflejan las posibles alternativas por la que se puede optar y los resultados que corresponden a cada alternativa según cuál sea el estado de la naturaleza que se presente" [Cap. 4: 90].

- la definición ostensiva: es la definición por demostración, utilizando una figura, una tabla, etc.

"En el gráfico del flujo del proceso se señalan todas las fases por las que va pasando un material, especificándose, en cada una de ellas, si se trata de una operación, una inspección, un transporte, un almacenamiento o una demora, para lo cual se utilizan los símbolos de la figura 9.5.

O operación
? inspección
| transporte
τ almacenamiento
ω demora"
[Cap. 9: 320]

Según Sager (1990: 43), a menudo las definiciones son combinaciones de dos tipos. Da, entre otros, un ejemplo de una definición por sinonimia y descripción a la vez:

Obliterating paint: a pseical dense flatting used over a primary coat to give a ground for a final coat of glossy paint or enamel.

De hecho, también en nuestros ejemplos se puede observar una mezcla de tipos de definiciones, por ejemplo intencional y por descripción (ejemplo *árbol de decisión*), por paráfrasis y contextual (ejemplo *obligación*), ostensiva y por paráfrasis (ejemplo *gráfico del flujo del proceso*), extensional y por sinonimia (ejemplo *input*), etc.

Al aplicar el criterio de la definición en alguna de las formas que acabamos de describir, se disciernen 925 términos económicos en el corpus, o sea, el 18,75% del total de unidades léxicas. Sin embargo, debido a que se trata de un manual de economía empresarial, bastantes términos de la economía general, que se utilizan en cualquier rama de la economía, no están definidos porque el autor supone que ya son conocidos. Ahora bien, a fin de que estos términos no desaparezcan en la masa gris del léxico general, hemos añadido dos criterios más de selección. En primer lugar hemos consultado dos diccionarios económicos y si la palabra estaba en uno de los dos, la hemos tratado como término. Se trata de las siguientes obras:

• *Diccionario económico y financiero* de Bernard y Colli.

• *Tesauro ISOC de Economía* del Centro de Información y Documentación Científica español.

Hemos pensado que un criterio un tanto normativo es preferible a una selección de términos basada en la intuición de un no especialista. De todos modos, para corregir el carácter 'absolutista' del segundo criterio, hemos añadido un último criterio más que se conoce en la bibliografía bajo el nombre del '*elicitation approach*' (por ejemplo, Douglas 2000) y que consiste en la asesoría de especialistas en cuanto a la identificación de los términos de una especialidad. A propósito de este enfoque más bien antropológico, Douglas (2000: 99), que examina el proceso de evaluación en la enseñanza de las lenguas extranjeras con fines específicos, dice lo siguiente:

> […] specific purposes language test developers do in fact have something to learn from subject specialist informants, and should involve them early in the analysis of the target language use situation.

Por consiguiente, cuando una palabra del texto tenía un significado económico, pero no estaba definido ni en el texto ni en los dos diccionarios, hemos pedido ayuda a un especialista, o sea, un economista, para que nos explique el contenido y dé el visto bueno sobre el carácter terminológico de la palabra en cuestión. Al añadir estos dos criterios suplementarios al proceso de selección, el número de términos en nuestro corpus ha subido a 1.408 unidades léxicas o al 28,54% de la totalidad de unidades léxicas (sin contar las abreviaturas arbitrarias y los nombres propios de particulares).

Se puede concluir que el método utilizado en este trabajo para identificar el léxico técnico es esencialmente el de la observación de este léxico en un corpus. Asimismo interviene en cierta medida el aporte del método por introspección, al seleccionar aquellas palabras de las que suponemos que tienen un significado especializado y al someterlas a la consulta en una obra especializada o al juicio de un especialista, lo cual corresponde al método por elicitación. De esta manera nos servimos en alguna que otra medida de los tres métodos que proponen la lexicología y la lingüística en general para el estudio del lenguaje (Geeraerts 1989: 41).

Con este capítulo hemos llegado al final de la primera parte de este trabajo. Creemos disponer ahora tanto del corpus modélico idóneo como de los criterios necesarios para poder afrontar los análisis léxico-terminológicos, que constituyen el objeto de estudio de la segunda parte.

Parte B:

Análisis léxico-terminológico del corpus modélico

Capítulo I: El léxico del corpus modélico: una presentación

1. Análisis[37] de las categorías léxicas

Antes de empezar el análisis del léxico del corpus, queremos subrayar que la clasificación de las palabras en las categorías que proponemos, no se puede considerar como absoluta, sino que en bastantes casos es discutible, sencillamente porque las lenguas especializadas no son lenguas artificiales. Siguen formando parte del lenguaje natural cuyo léxico, desde luego, no se puede controlar de manera absoluta.

A continuación se presenta la composición léxica del corpus. Las UL de cada categoría pueden consultarse por frecuencia absoluta decreciente en el anexo G y por orden alfabético en el anexo G bis. En el anexo C se encuentra la identificación de las formas polisémicas u homónimas, que llevan [1], [2], [3], etc.

---

[37] Aunque el análisis de las categorías léxicas puede dar la impresión de hacer hincapié en los aspectos cuantitativos en detrimento de los cualitativos, queremos señalar que esta oposición es algo artificial dado que, por un lado, una interpretación semántica o cualitativa del léxico está en la base del tratamiento cuantitativo de los datos y que, por otro, los datos cuantitativos permiten profundizar el análisis cualitativo. Esto lo afirma Sciarone (1979: 56) cuando comenta la importancia del criterio de la frecuencia para la selección pedagógica de vocabulario:
"Het tellen van woordtekens heeft geen ander doel dan bepaalde kwaliteiten bloot te leggen. Eigenschappen van kwantitatieve aard zijn even inherent aan taal als eigenschappen van semantische aard […] ".
"La actividad de contar formas léxicas tiene como objetivo la investigación de unas cualidades determinadas. Las cualidades de carácter cuantitativo son tan inherentes a la lengua como las cualidades de carácter semántico […]".

	UL	OC	*Frecuencia media*
Nombres propios (NP)	384	2.149	5,60
Funcionales (F)	250	66.275	265,10
Términos (T)	1.408	14.466	10,27
Términos auxiliares (A)	265	2.125	8,02
Generales (G)	3.010	35.499	11,79
Total con NP	**5.317**	**120.514**	**22,67**
Total sin NP	**4.933**	**118.365**	**23,99**

TABLA 1.1.

En cuanto a la categoría de los nombres propios repetimos lo que ya hemos destacado en el capítulo III de la primera parte (Apartado 4), es decir, que los nombres propios en el corpus que manifiestan un contenido económico estable, por ejemplo nombres de métodos o de técnicas, han sido clasificados como términos y serán comentados en el apartado correspondiente. Los demás nombres propios no se toman en consideración en los análisis del léxico del corpus ni tampoco en el cálculo del total de UL y de OC. Se trata de los nombres propios que se refieren a nombres de particulares o de letras o siglas que representan conceptos en fórmulas, pero que carecen de un contenido semántico estable en el sentido de que en otra fórmula, posiblemente, remiten a otro concepto. Así, por ejemplo, la letra *P* se refiere según el contexto a *precio, producto, presupuesto, penetración* (de un soporte en el mercado), etc. Por lo tanto, a partir de ahora se calculan los porcentajes sobre el total de UL y OC presentes en el corpus sin contar con la categoría de los NP. El cuadro de arriba se puede entonces representar porcentualmente de la siguiente manera:

	UL	OC
Funcionales (F)	5,07%	55,99%
Términos (T)	28,54%	12,22%
Términos auxiliares (A)	5,37%	1,80%
Generales (G)	61,02%	29,99%
Total sin Nombres Propios	**100%**	**100%**

TABLA 1.2.

Según cabe esperar –lo contrario extrañaría– el léxico funcional manifiesta la tasa de cobertura más importante: el 55,99% de las ocurrencias. Sin embargo, sólo constituyen el 5,07% de todas las UL, o sea, que la diversidad léxica en esta categoría es muy baja. El léxico general presenta una situación contraria. La gran mayoría de las UL son UL generales (el 61,02%), pero tienen una frecuencia mucho menos importante, porque su tasa de cobertura sólo es del 29,99%. Los términos son la segunda categoría más importante en cuanto a UL, pero tienen una tasa de cobertura que se limita al 12,22%. La categoría menos importante, tanto en cuanto a UL como respecto de su tasa de cobertura, son los términos auxiliares.

En total, las 30 UL más frecuentes de las cuatro categorías juntas manifiestan una tasa de cobertura del 51,89%. Entre estas UL hay 26 UL funcionales[38], 1 UL general y 3 términos. Presentamos estas UL con su frecuencia absoluta y su código:

1. el	9591 f	11. del	1409 f	21. este	638 f
2. de	9219 f	12. su	1057 f	22. como	634 f
3. la	7748 f	13. por	940 f	23. tener[1]	524 g
4. que	3792 f	14. empresa	821 t	24. si	516 f
5. él	3681 f	15. para	789 f	25. producto[1]	491 t
6. ser	3370 f	16. poder[2]	764 f	26. entre	451 f
7. y	2884 f	17. haber	760 f	27. más	396 f
8. en	2831 f	18. o	736 f	28. otro	396 f
9. a	2574 f	19. no	677 f	29. u. m.	375 t
10. un	2311 f	20. con	666 f	30. cada	373 f

TABLA 1.3.

Como se puede observar, los dos únicos sustantivos son los términos *empresa* y *producto[1]*. Hay también un sintagma nominal

---

[38] Las UL *no* y *más* son consideradas como funcionales, con motivo de su frecuencia elevada en el corpus, y siguiendo a Powers (2001: 121) que las considera como semi-léxicas, o sea, entre el léxico funcional y el léxico de contenido:
"Semi-lexical heads such as no and more fall in between the truly lexical items like nouns and the truly functional items like the preposition of. [...] They are semi (or somewhat) lexical and also somewhat or pseudo-functional, [...]".

terminológico que es a la vez una abreviatura, *u. m.* (unidad monetaria). Las demás UL son 26 palabras gramaticales y 1 UL general, el verbo transitivo, *tener[1]*.

La siguiente tabla presenta la progresión en la tasa de cobertura en comparación con las UL más frecuentes.

Tasa de cobertura	
UL más frecuentes	% del texto cubierto
5	28,75%
10	40,55%
30	51,89%
100	63,28%
300	76,22%
1.000	90,32%
2.000	95,89%
4.933	**100%**

TABLA 1.4.

Esta progresión está visualizada de otra manera en el siguiente gráfico para las 150 UL más frecuentes. Destaca claramente en este gráfico el alza brusca del principio de la curva, lo que muestra que la tasa de cobertura aumenta muy rápidamente. Sin embargo, la pendiente de la curva disminuye progresivamente porque la tasa de cobertura deja de crecer a la misma velocidad que al principio.

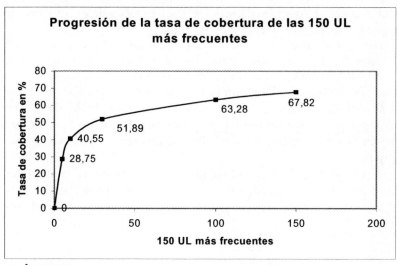

GRÁFICO 1.1.

A continuación se comentan las frecuencias de las unidades léxicas y el crecimiento del léxico en su totalidad, o sea, sin distinguir entre las cuatro categorías que serán tratadas separadamente en los apartados 2, 3, 4 y 5. Estas frecuencias se presentan en un espectro que muestra la distribución de las frecuencias agrupadas (Baayen 2001: 8).

1.1. El espectro de frecuencias del léxico del corpus

En el espectro de frecuencias que sigue, *m* es el índice de la clase de frecuencia. El número de UL en una clase de frecuencia dada para un corpus del tamaño de N ocurrencias se indica mediante *V (m, N)*. Por ejemplo V (35, N) son todas las UL del corpus con frecuencia 35, o sea, 12 en total. Las frecuencias del léxico en el corpus van de frecuencia 1 a frecuencia 9.591. La palabra más frecuente del corpus es el artículo determinado *el* y es la única palabra que tiene la frecuencia máxima de 9.591 ocurrencias. Al contrario, la frecuencia más baja, 1, corresponde a no menos que 1.672 UL distintas. Estas 1.672 UL forman los *hapax legomena* del corpus, en total el 33,89% de las UL pero sólo el 1,41% de las OC, o sea, una tasa de cobertura bajísima. Ahora bien, leemos en

Muller (1977: 156) que es normal que en un espectro de frecuencias, los *hapax legomena* formen el grupo más grande:

Dans une distribution de fréquences *(= espectro de frecuencias)*, V1 *(= hapax legomena)* est supérieur à tous les Vi suivants, aucun texte et aucun corpus, à ma connaissance, n'a fourni d'exception à cette constatation [...].

De hecho, este fenómeno resulta inherente a lo que se denomina la *Ley de Zipf* (Muller 1977: 95), que dogmatiza el hecho de que un número relativamente restringido de lemas muy frecuentes de un corpus cubren una tasa relativamente elevada de ocurrencias en aquel mismo corpus.

El número de UL que ocurren dos veces en el corpus –los llamados *dis legomena*, 689– es mucho menos importante, pero aún así es casi un tercio más grande que el número de UL que ocurren tres veces, 470.

m	V (m,N)				
1	1672	35	12	70	6
2	689	36	6	71	6
3	470	37	9	72	2
4	294	38	12	73	3
5	197	39	10	74	4
6	173	40	7	75	1
7	124	41	5	76	1
8	79	42	8	77	4
9	99	43	7	78	3
10	84	44	8	79	1
11	68	45	8	80	3
12	47	46	7	81	2
13	41	47	6	82	1
14	43	48	5	83	5
15	33	49	7	85	1
16	28	50	4	86	5
17	28	51	7	87	5
18	42	52	6	89	3
19	20	53	6	90	2
20	22	54	8	91	2
21	17	55	3	92	5
22	35	56	4	94	1
23	17	57	4	95	1
24	22	58	5	96	1
25	24	59	3	97	1
26	28	60	6	99	4
27	16	61	5	100	3
28	18	62	5	101	2
29	17	63	1	103	1
30	9	64	3	105	2
31	17	65	4	107	1
32	19	66	3	109	2
33	12	67	7	110	2
34	14	68	1	112	2
		69	5	113	2

114	4	173	1	330	1
115	1	174	1	373	1
116	2	177	2	375	1
117	1	178	2	396	2
118	2	180	2	451	1
121	2	181	1	491	1
124	4	185	1	516	1
125	1	191	1	524	1
126	1	192	1	634	1
127	1	193	1	638	1
128	1	198	1	666	1
130	1	201	2	677	1
133	4	211	1	736	1
135	1	214	1	760	1
137	2	215	3	764	1
138	2	221	1	789	1
140	1	225	1	821	1
143	2	228	1	940	1
146	1	229	1	1057	1
147	1	230	1	1409	1
151	1	242	1	2311	1
154	1	243	1	2574	1
155	3	266	1	2831	1
156	1	272	1	2884	1
158	1	277	1	3370	1
159	1	285	1	3681	1
160	1	289	1	3792	1
161	1	295	1	7748	1
163	1	300	1	9219	1
170	1	311	1	9591	1
171	1	322	1		
172	1	327	1		

TABLA 1.5.

En el siguiente gráfico el contenido del espectro de frecuencias viene visualizado de otra manera. En la abscisa se representan gráficamente las clases de frecuencia *m* utilizando una escala logarítmica. La ordenada representa el porcentaje de UL con frecuencia *m*: *V (m, N)*. Así por ejemplo el punto 13,97% en el gráfico representa las 689 UL del corpus (13,97% de todas las UL) con frecuencia 2. Obsérvese en este gráfico que *V (m, N)* es una función de *m* que baja casi enseguida con una cola impresionante de frecuencias *m* muy elevadas realizadas por un grupo muy restringido de UL:

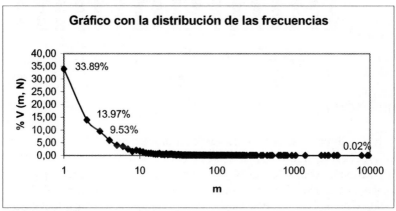

GRÁFICO 1.2.

1.2. El crecimiento del léxico en el corpus

En este apartado se quiere examinar cómo se desarrolla el crecimiento del léxico en el corpus. A este propósito se estudia la evolución de la aparición de las nuevas unidades léxicas por capítulo. Al respetar la división del libro en capítulos, el corpus se reparte en 17 partes no arbitrarias, lo que tiene como consecuencia que no todas las partes tienen el mismo tamaño, como se puede observar en el siguiente diagrama.

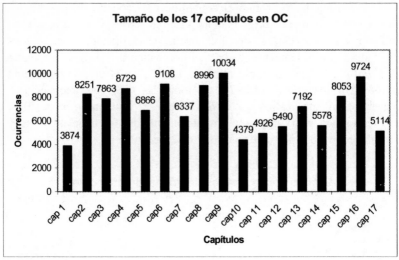

GRÁFICO 1.3.

La dimensión media de un capítulo es de 7.089,06 OC. Sin embargo, el capítulo I –*La naturaleza de la empresa y su entorno*– es el más pequeño con sólo 3.874 OC, mientras que el capítulo IX –*La función productiva de la empresa y el proceso de producción*– es el más grande y cuenta con 10.034 OC, es decir, algo menos del triple del más pequeño (11.622). Pese a esta gran diferencia, hay buenas razones por no repartir el corpus en partes equivalentes. Un reparto por capítulos es un reparto temático que se basa en la coherencia semántica del corpus. En efecto, el orden en que se siguen las palabras en un texto nunca es arbitrario, sino siempre requerido. Una repartición en partes equivalentes rompería esta coherencia semántica que puede enseñar mucho sobre la importancia de los términos y términos auxiliares en relación con el tema tratado. Lo mismo vale para el léxico general: quizás determinados asuntos requieran más que otros un léxico general particular, algo que un reparto arbitrario no pondría al descubierto. Estimamos, por lo tanto, que un reparto en muestras equivalentes de un corpus sólo es útil si se trata de un corpus que contiene varios textos con un contenido similar. Así, por ejemplo, en el estudio de Clijsters (1990) sobre el léxico de la correspondencia comercial en francés a partir del análisis de un corpus de cartas, queda claro que un reparto en muestras equivalentes es mucho más evidente, aunque aun así Clijsters no corta en las cartas mismas, sino que incluye cada carta en su totalidad en las distintas muestras, respetando de esta manera la estructura conjunta de la carta. Muller (1977) distingue en este contexto entre fragmentos y muestras, siendo los fragmentos las subdivisiones naturales de un texto, creadas por el autor. A propósito del desequilibrio numérico de los fragmentos dice lo siguiente:

> Il va de soi que les fragments sont, en général, d'étendues inégales; il y a cependant avantage à ce que les différences ne soient pas excessives (par exemple, que le fragment le plus long ne soit pas 10 fois plus étendu que le plus court) [...].

Como ya hemos demostrado, la mayor diferencia en cuanto al tamaño de los distintos capítulos del corpus, es de algo menos del triple, por lo cual respetamos con creces el límite sugerido por Muller. No obstante, como se ilustra en el siguiente diagrama, la presentación de la evolución de las nuevas UL en cifras absolutas, manifiesta unos resultados bastante similares a los del diagrama anterior, que presenta el tamaño de los distintos capítulos. Aparte de los dos primeros capítulos que, por supuesto, contienen sobre todo léxico nuevo, dado que es el principio del manual, la cantidad de léxico nuevo en los demás capítulos parece estar muy influida por el tamaño de éstos mismos. Por ejemplo, donde se ve que los capítulos 6, 7, 10, 11 y 14 contienen pocas UL nuevas, esto coincide con el diagrama anterior en que estos mismos capítulos tienen un tamaño inferior al de los demás capítulos.

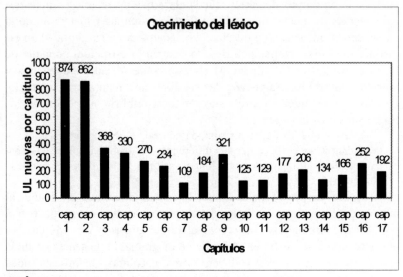

GRÁFICO 1.4.

A continuación se expresa la comparación de la cantidad de UL nuevas por capítulo en porcentajes, o sea, dando el porcentaje de UL nuevas sobre la tasa total de UL por capítulo; en primer lugar, a fin de rectificar las diferencias proporcionales entre los distintos capítulos y, en segundo, porque una representación porcentual nos parece más clara:

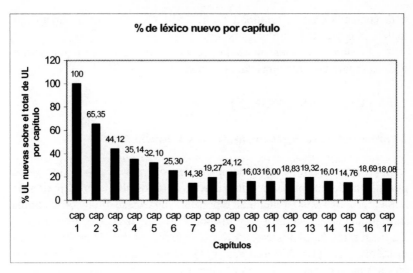

GRÁFICO 1.5.

En este gráfico la evolución del léxico es más lógica que en el anterior: la tasa de UL nuevas disminuye progresivamente entre los capítulos 1 y 7, sufre altibajos entre los capítulos 7 y 10 para llegar a una situación de estabilidad relativa a partir del capítulo 11. Clijsters (1990: 84) llama a este punto 'la saturación' del léxico: " [...] l'accroissement en vocables nouveaux tend vers un point de saturation (V n'augmente plus qu'à grand-peine) [...] ".

Este punto indica que se ha empezado a agotar el léxico del asunto tratado y que habrá un momento en que el inventario de UL nuevas tocará fondo. Aún según Clijsters, este momento de inicio de agotamiento representado por el punto de saturación también es una prueba de la representatividad del corpus. Para nuestro caso esto significa, como se desprende claramente del gráfico, que un corpus compuesto de los siete primeros capítulos del manual –51.028 OC en total– no hubiera sido representativo, dado que después del séptimo capítulo el punto de estancamiento todavía no se alcanza. El punto de saturación parece coincidir con el capítulo 11, o sea, después de 79.363

ocurrencias. Con una totalidad de 120.514 OC, el corpus supera por tanto con creces el punto de saturación.

En los siguientes apartados se comentan las cuatro categorías léxicas separadamente empezando con el léxico funcional.

2. EL LÉXICO FUNCIONAL (F)

2.1. El espectro de frecuencias de las UL funcionales

El léxico funcional se llama también léxico gramatical o léxico vacío por su valor semántico casi inexistente en oposición con el léxico de contenido. El léxico funcional representa una clase finita de palabras muy frecuentes. Según Lerot (1986: 10) este léxico comprende las siguientes unidades léxicas: "Elles comprennent les déterminants, les pronoms, les prépositions, les conjonctions ainsi que les verbes auxiliaires, les copules et certains adverbes".

Con *"certains adverbes"* (1986: 31), Lerot se refiere a los adverbios emparentados con los pronombres, como los adverbios demostrativos (*aquí, ahí, allí, así, ahora, entonces*, etc.), los adverbios interrogativos y exclamativos (*cuándo, cuánto, dónde, qué*, etc.), los adverbios relativos (*como* y *donde*) y los adverbios indefinidos (*dondequiera, un día, por todas partes*, etc.). Como está indicado arriba (nota de pie 34), incluimos también los adverbios *no* y *más*.

Según esta definición se distinguen 250 UL funcionales en el corpus que se realizan 66.275 veces. Representan sólo el 5,07% de todas las UL del corpus pero el 55,99% de las ocurrencias. Esto explica su frecuencia media tan elevada: 265,1 por UL funcional. Sin embargo, la frecuencia de las UL que ocupan la posición de la mediana, *al cabo de, a lo largo de, entonces* y *puesto que*, asciende sólo a 10 ocurrencias, lo que está muy por debajo de la frecuencia media de 265,1. De hecho, las 50 palabras funcionales más frecuentes del corpus realizan juntas el 53,30% de la totalidad de ocurrencias en el corpus con una frecuencia media de 1.261,68, lo que significa que el 2,69% de ocurrencias funcionales restantes está cubierto por 200 UL distintas con una frecuencia media bastante más baja de 15,96 OC. La tasa limitada de *hapax legomena* ilustra también que se trata de una categoría de UL frecuentes: sólo hay 48 casos, o sea, un 19,2% del total de UL funcionales, frente al 33,89% de *hapax legomena* para el léxico en su totalidad. El 50% de las UL funcionales ocurre entre 10 y 9.591 veces.

El siguiente espectro de frecuencias ilustra lo dicho:

M V							
(m, N)		36	1	101	1	760	1
1	48	37	1	109	1	764	1
2	22	38	1	112	1	789	1
3	23	39	1	114	1	940	1
4	6	40	1	121	1	1057	1
5	7	45	2	124	1	1409	1
6	6	46	1	126	1	2311	1
7	3	47	2	127	1	2574	1
8	4	49	1	128	1	2831	1
9	6	50	1	140	1	2884	1
10	4	51	2	146	1	3370	1
11	3	52	1	163	1	3681	1
12	2	53	1	177	1	3792	1
13	3	54	1	180	1	7748	1
14	2	56	1	181	1	9219	1
16	2	57	1	192	1	9591	1
17	1	59	1	198	1	**TABLA 1.6.**	
18	2	60	1	201	1		
20	1	61	1	221	1		
21	1	62	1	230	1		
22	3	64	2	295	1		
23	2	67	1	300	1		
24	1	69	2	373	1		
25	1	71	2	396	2		
26	1	77	1	451	1		
27	1	79	1	516	1		
28	3	85	1	634	1		
29	3	86	1	638	1		
31	2	90	1	666	1		
32	2	95	1	677	1		
		100	1	736	1		

En el gráfico se representa el contenido del espectro porcentualmente:

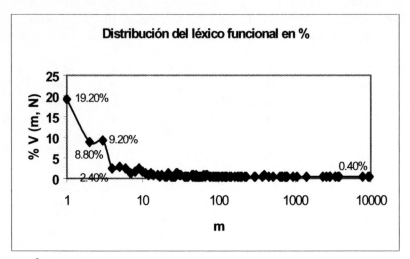

GRÁFICO 1.6.

En cuanto a la polisemia de las palabras funcionales en el corpus se puede afirmar que esta categoría contiene sólo 12 formas polisémicas. Se trata de las preposiciones *vía* (1)[39] y *bajo* (32), de la conjunción *e* (86), y de varios verbos auxiliares para formar una perífrasis verbal: *tratar* (85), *ir* (69), *tener* (60), *llegar* (18), *seguir* (8), *continuar* (7), *volver* (5) y *llevar* (2), así como del verbo modal *poder* (764). Con motivo de la ambigüedad que estas UL pueden causar en el proceso de comprensión, queremos introducir el concepto de '*colligation*'. Con este concepto, Stubbs (2001: 88) quiere destacar que la polisemia a menudo encuentra su solución en el comportamiento gramatical de la palabra en cuestión. Resulta obvio que es el caso de las polisemias funcionales: la preposición *vía vs.* el sustantivo, la preposición *bajo vs.* el adjetivo, la conjunción *e vs.* el símbolo *e*, y los verbos auxiliares *vs.* los verbos (in)transitivos. Queda por ver si en las demás categorías léxicas el

---

[39] Se menciona detrás de una unidad léxica, entre paréntesis, su frecuencia absoluta en el corpus.

contexto gramatical será también capaz de solucionar situaciones de polisemia, o si será necesario recurrir a otros medios.

2.2. El crecimiento del léxico funcional

Como para el análisis del crecimiento del léxico en su totalidad, se respeta el reparto natural del corpus en 17 capítulos. El crecimiento del léxico funcional está expresado en porcentajes sobre el total de UL por capítulo. En el gráfico se puede ver que el léxico funcional nuevo se concentra, sobre todo, en el primer capítulo, con el 11,56% de la totalidad de UL presentes en este capítulo y, en menor medida, en los capítulos 2 y 3, con el 4,02% y el 2,04% del léxico respectivamente. No obstante, queda claro que este léxico se va agotando conforme avanzan los capítulos. A partir del capítulo 7, las tasas de UL funcionales nuevas ya no superan el 1 por ciento, variando entre el 0,79% y el 0,18%. Esto no ha de extrañar, dado que el léxico funcional constituye una clase de UL cerrada.

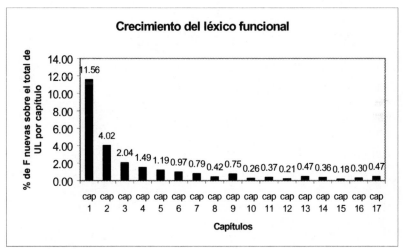

GRÁFICO 1.7.

3. LOS TÉRMINOS (T)[40]

3.1. El espectro de frecuencias de los términos

En total hay 1.408 unidades léxicas terminológicas en el corpus que juntas constituyen el 28,54% de todas las UL. La tasa de cobertura de los términos en cuanto a ocurrencias es del 12,22%, o sea, muy inferior a la del léxico funcional, que es del 55,99%. Esto significa que también la frecuencia media de los términos es mucho más baja: sólo 10,27 ocurrencias por término en promedio. Se presenta ahora el espectro de frecuencias de los términos:

---

[40] En este apartado se comentan los términos económicos. Los términos auxiliares se presentan en el siguiente apartado.

M	V				
	(m, N)	30	2	74	1
1	504	31	4	75	1
2	229	32	9	77	1
3	141	33	4	80	1
4	99	34	6	86	1
5	57	35	4	87	1
6	48	36	3	89	1
7	38	38	3	92	2
8	18	39	2	96	1
9	23	40	3	99	1
10	23	41	1	109	1
11	14	42	1	110	1
12	10	43	1	117	1
13	8	44	1	133	1
14	10	45	2	138	1
15	9	46	3	143	1
16	8	47	2	160	1
17	7	48	3	173	1
18	9	49	1	185	1
19	5	51	1	191	1
20	6	52	2	214	1
21	3	54	2	215	1
22	6	56	1	228	1
23	2	58	1	229	1
24	4	60	2	285	1
25	2	62	2	322	1
26	7	65	1	330	1
27	5	66	2	375	1
28	7	70	1	491	1
29	3	71	1	821	1
		73	1		

TABLA 1.7.

Destaca la alta frecuencia de *hapax legomena* en la categoría de los términos. Esto se ve claramente en el siguiente diagrama. El 35,80 % de los términos en el corpus son *hapax legomena*, una tasa parecida a la del léxico total (33,89%). El 16,26% de los términos son *dis legomena*. El 69,11% de los términos tiene una frecuencia inferior a 5 ocurrencias. Esto significa que sólo 435 términos o el 30,89% tienen una frecuencia igual o superior a 5 ocurrencias. Estos 435 términos cubren el 10,72% de las ocurrencias en el corpus, la tasa de cobertura total siendo del 12,22%. El siguiente gráfico visualiza el espectro porcentualmente:

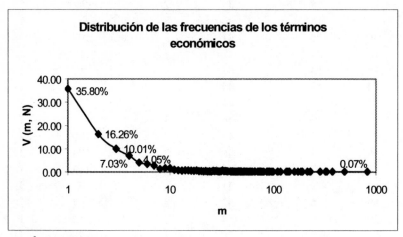

GRÁFICO 1.8.

Un análisis más detallado de las frecuencias de los términos y su dispersión en el corpus, forma el objeto de estudio del capítulo III de la Parte B de este trabajo.

3.2. El crecimiento de los términos

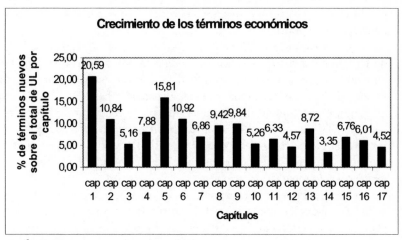

GRÁFICO 1.9.

Este gráfico presenta la evolución de los términos nuevos en el corpus. Como se puede ver, esta evolución es completamente distinta de la del léxico funcional. En lugar de una baja continua, observamos que hay una tendencia hacia abajo, pero esta tendencia sufre bastantes altibajos. Por lo tanto, queda claro que el léxico terminológico en el corpus no alcanza su punto de saturación, lo que es normal dado que cada capítulo trata otro tema para el cual necesita su terminología propia. Sí se observa un inicio de una baja a partir del capítulo 15, pero es imposible predecir si esta tendencia va a persistir para desembocar en el estancamiento del léxico económico empresarial, o si tiene que ver con los temas que estos capítulos tratan.

El capítulo I, *La naturaleza de la empresa y su entorno*, es el que más términos contiene. Esto se debe, sin duda, al hecho de que se trata del capítulo introductorio – el capítulo I es a la vez la primera parte del manual que se titula *Prolegómenos* – que presenta los términos fundamentales de la economía empresarial, términos que se repetirán en los demás capítulos. La diferencia con los demás capítulos es llamativa, y aún más si se toma en consideración que también en cifras absolutas el capítulo I es el que más términos nuevos contiene (180 o el 20,59% de las 874 UL en este capítulo[41]), a pesar de contar sólo 3.874 OC en total, por lo cual es el capítulo más pequeño del corpus como hemos podido constatar en el gráfico 1.3.

En el capítulo II, *El proceso de dirección de la empresa*, la tasa de términos nuevos queda casi reducida a la mitad (10,84%). Una baja parecida se produce en el capítulo III sobre *La decisión empresarial*, donde la tasa de términos nuevos desciende hasta el 5,16%. Sin embargo, el porcentaje de términos nuevos se recupera un poco en el capítulo IV a propósito de los *Instrumentos de planificación, programación y control*. Los capítulos II, III y IV forman juntos la segunda parte del manual. Esta parte lleva el título *La dirección de empresas y la toma de decisiones*.

La tercera parte del manual, *Finanzas*, empieza con el capítulo V y llama la atención cómo la tasa de términos nuevos se dispara en este capítulo, que se llama *Introducción a las decisiones financieras*. La siguiente alza se produce a partir del capítulo IX y coincide con el inicio de la cuarta parte del manual denominada *Producción*. Parece, pues, que a partir de la tercera parte del manual, la evolución de los términos nuevos en el corpus es cíclica, y que cada nueva parte en el manual coincide con un alza de términos nuevos, que se encuentra, no obstante, cada vez en un nivel inferior al del alza precedente. Esto se confirma en el capítulo XIII, que es el primer capítulo de la quinta parte sobre el *Marketing*. Se puede suponer que las alzas se explican por coincidir, cada vez, con el primer capítulo de una nueva parte y que, por lo tanto, contienen los términos fundamentales para todos los capítulos de la parte en cuestión. La última parte del manual, titulada *Complementos*, se compone de un solo capítulo, *La empresa: Estrategia y Cultura*, lo cual no permite corroborar dicha hipótesis.

Los altibajos en la evolución de los términos nuevos en el corpus demuestran, de todos modos, que la cantidad de términos utilizada en un texto de economía empresarial está relacionada con el tema que se trata, dado que se desprende claramente del gráfico que, cuando se introduce una nueva parte, esto influye en la tasa de términos nuevos. También

---

[41] Las tasas de las distintas UL en los 17 capítulos son respectivamente 874, 1319, 834, 939, 841, 925, 758, 955, 1331, 780, 806, 940, 1066, 837, 1125, 1348 y 1062.

hay asuntos que por lo visto necesitan poca terminología propia como, por ejemplo, el capítulo XIV sobre la *Investigación de mercados, segmentación y experimentación comercia*l, que manifiesta un fuerte descenso de términos nuevos entre los capítulos XIII y XV, o los capítulos III, VII y X, *sobre La decisión empresarial, Las fuentes de financiación y el efecto del endeudamiento sobre la rentabilidad y el riesgo de la empresa* y *La capacidad de producción* respectivamente.

4. LOS TÉRMINOS AUXILIARES (A)

Esta categoría contiene todos los términos procedentes de otras disciplinas científicas que la economía, sobre todo la estadística y las matemáticas –ciencias de las que procede el 74,60% de los A– y en menor medida también el derecho, la sociología, las ciencias políticas, la psicología, la biología y la física. Los términos auxiliares no son muy numerosos en el corpus: sólo representan el 5,37 % de las UL con una tasa de cobertura muy modesta del 1,80 %. Examinamos a continuación su espectro de frecuencias.

4.1. El espectro de frecuencias de los términos auxiliares

M	V (m, N)				
		13	1	34	1
1	102	14	3	37	1
2	34	15	2	38	2
3	29	16	1	40	1
4	19	18	1	41	1
5	10	19	2	43	1
6	17	21	1	45	1
7	4	23	2	52	1
8	1	24	2	53	1
9	5	25	3	83	1
10	3	26	1	154	1
11	5	27	1	172	1
12	1	31	1	201	1

TABLA 1.8.

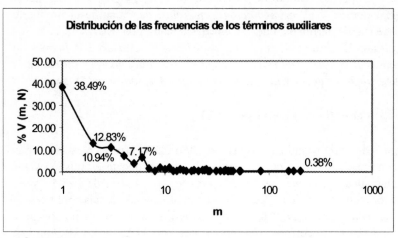

GRÁFICO 1.10.

También en esta categoría la tasa de *hapax legomena* resulta elevada: el 38,49 % de todos los A. Los diez A más frecuentes, aunque sólo el 3,77% de las UL auxiliares, representan el 41,6% de la tasa de cobertura de todos los A juntos. Son todos términos de las matemáticas y uno de la estadística. Se trata de las siguientes palabras: *número* (201), *variable* (172), *probabilidad* (154), *calcular* (83), *medida* (53), *suma* (52), *cociente* (45), *medir* (43), *término* (41) y *social* (40). En el siguiente diagrama se pueden observar los datos del espectro visualizados en una curva en la que destaca la gran cantidad de *hapax* en oposición con el 30,57% de los A que tienen una frecuencia igual o superior a 5.

4.2. El crecimiento de los términos auxiliares

En el siguiente gráfico, que expresa la evolución de A nuevos en porcentajes sobre el total de UL por capítulo, se puede constatar que algunos capítulos contienen muchos más A que otros. No hay, por lo tanto, una baja continua de este léxico en el corpus, sino que por lo visto depende del tema económico empresarial tratado si se usan muchos o pocos A. La presencia llamativa de A en el capítulo I se debe, sin duda, al hecho de que es el capítulo introductorio, que introduce unos términos auxiliares básicos que vuelven a lo largo del manual. En el capítulo III no obstante, que trata de *La decisión empresarial*, la presencia destacada sólo se puede relacionar con el tema tratado. Además, si se hace la comparación con la tasa de términos nuevos en este capítulo, se constata que ésta es muy inferior a la de los A: el 5,16% frente al 8,87%. El tema de *La decisión empresarial* necesita, por lo tanto, más términos procedentes de las ciencias auxiliares que de la economía misma. Esto se confirma cuando se miran los subtítulos de este capítulo: *La teoría de los juegos de estrategia*; *Probabilidad y riesgo; El análisis bayesiano*; *La determinación del grado de confianza*; *La Teoría de la Información*. Queda claro que la toma de una buena decisión empresarial requiere una preparación de índole estadística. El capítulo IV, sobre los *Instrumentos de planificación, programación y control*, manifiesta también una tasa de A nuevos considerable, pero en este capítulo son los términos económicos nuevos los que priman: el 7,88% frente al 2,56%. En los demás capítulos la presencia de A nuevos es inapreciable, con excepción de los capítulos XIII y XIV –titulados respectivamente *El mercado, la demanda, el marketing y el presupuesto mercadotécnico* y la *Investigación de mercados, segmentación y experimentación comercial*– cuyos métodos mercadotécnicos se basan esencialmente en la estadística y las matemáticas. En el capítulo XIII los términos nuevos siguen siendo numéricamente más importantes que los A nuevos: el 8,72% frente al 3,28%.

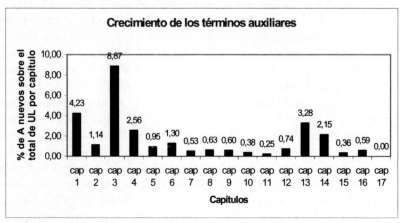

GRÁFICO 1.11.

En el siguiente capítulo, que trata de los términos en el corpus, se estudiarán más en detalle los términos auxiliares.

5. EL LÉXICO GENERAL

La categoría del léxico general es la que más UL cuenta en el corpus: el 61,02% de todas las UL. Además, manifiesta también una tasa de cobertura importante: el 29,99%, el segundo porcentaje más importante después del léxico funcional (55,99%). El léxico general presenta una gran diversidad, dado que la frecuencia media es de 11,79 OC por UL, pero la diversidad de los términos y los términos auxiliares es aún mayor, ascendiendo las frecuencias medias respectivamente a 10,27 y 8,02 OC por UL. A continuación se estudia la distribución de las frecuencias para el léxico general.

5.1. El espectro de frecuencias del léxico general

El 33,82% de las UL generales sólo ocurren una vez en el corpus, lo que queda sólo un poco por debajo del porcentaje del léxico total que es del

33,89%. La tasa de *dis legomena* es menos importante: el 13,42%, así como la cantidad de palabras que tienen la frecuencia 3, el 9,20%. El 37,91% de las UL generales tiene una frecuencia igual o superior a 5, lo que es bastante en comparación con los términos y los términos auxiliares, donde respectivamente el 30,89 % y el 30,57 % ocurren 5 o más veces.

m	V	m	V	m	V
	(m, N)	28	8	57	3
1	1018	29	11	58	4
2	404	30	7	59	2
3	277	31	10	60	3
4	170	32	8	61	4
5	123	33	8	62	2
6	102	34	7	63	1
7	79	35	8	64	1
8	56	36	2	65	3
9	65	37	7	66	1
10	54	38	6	67	6
11	46	39	7	68	1
12	34	40	2	69	3
13	29	41	3	70	5
14	28	42	7	71	3
15	22	43	5	72	2
16	17	44	7	73	2
17	20	45	3	74	3
18	30	46	3	76	1
19	13	47	2	77	2
20	15	48	2	78	3
21	12	49	5	80	2
22	26	50	3	81	2
23	11	51	4	82	1
24	15	52	2	83	4
25	18	53	4	86	3
26	19	54	5	87	4
27	9	55	3	89	2
		56	2	90	1

91	2	124	3	177	1
92	3	125	1	178	2
94	1	130	1	180	1
97	1	133	3	193	1
99	3	135	1	211	1
100	2	137	2	215	2
101	1	138	1	225	1
103	1	143	1	242	1
105	2	147	1	243	1
107	1	151	1	266	1
110	1	155	3	272	1
112	1	156	1	277	1
113	2	158	1	289	1
114	3	159	1	311	1
115	1	161	1	327	1
116	2	170	1	524	1
118	2	171	1		
121	1	174	1		

TABLA1.9

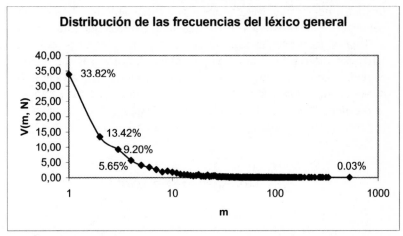

GRÁFICO 1.12.

Como se puede ver en el siguiente gráfico, que expresa el contenido del espectro mediante una curva, la tasa de léxico general que ocurre menos de 5 veces en el corpus, es considerable: el 62,09% (= 33,82% + 13,42% + 9,20% + 5,65%).

Este es un índice claro de que hay UL generales que se emplean mucho más en el corpus que otras. Las 10 UL generales más frecuentes del corpus son *tener* (verbo transitivo, 524), *actividad* (327), *caso* (311), *año* (289), *obtener* (277), *realizar* (272), *mayor* (266), *siguiente* (243), *figura* (242) y *es decir* (225).

Estudiaremos las UL generales y sus frecuencias más en detalle en el capítulo VI de esta segunda parte mediante la comparación del corpus modélico con un corpus de referencia de español general, a fin de encontrar un método para seleccionar las palabras generales típicas del discurso económico empresarial.

5.2. El crecimiento del léxico general

Del siguiente gráfico se desprende que la evolución del léxico general nuevo por capítulo se desarrolla según una baja continua. En esto, este gráfico se parece por consiguiente al del crecimiento del léxico funcional del corpus. Resalta que a partir del capítulo VIII la evolución del léxico general nuevo se estabiliza, lo que indica que este léxico llega a alcanzar su punto de saturación en el corpus. A partir del capítulo VIII, las diferencias entre los distintos capítulos son mínimas. Los pequeños aumentos, por ejemplo en los capítulos XII, XVI y XVII, se deben quizás a una presencia menor de términos en estos capítulos que se compensa mediante la introducción de léxico general, como se puede ver en el gráfico sinóptico 1.14 del apartado 6.

GRÁFICO 1.13.

6. CONCLUSIÓN

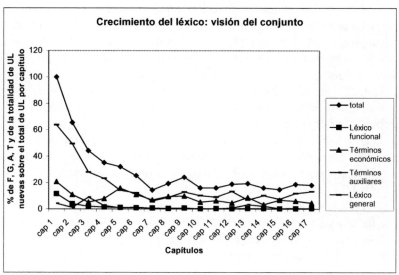

GRÁFICO 1.14.

Este gráfico ofrece una visión de conjunto de la evolución del léxico nuevo en el corpus. Se enseñan los cursos de las cuatro categorías separadas, así como del léxico en su totalidad. Se puede constatar que el solo desarrollo del léxico general determina el desarrollo del léxico en su totalidad, siendo sus cursos casi idénticos. El contenido de este gráfico confirma también el orden de las categorías léxicas en cuanto a su tamaño. Así, la categoría del léxico general es la que más UL contiene, y esto es también el caso para el léxico general nuevo, excepto en los capítulos V, VI, VII, VIII, XIII y XV, donde la tasa de UL generales nuevas casi coincide con la de los términos nuevos. La segunda categoría más importante en cuanto a UL, es la de los términos. Obsérvese que la tasa de términos nuevos queda por encima de la de los funcionales y términos auxiliares en todos los capítulos, excepto en el capítulo III. Las UL funcionales son menos numerosas que los términos auxiliares, pero sólo un poco (250 UL frente a 265 UL), lo que explica sin duda por qué sus tasas coinciden en la mayoría de los capítulos con las de los términos auxiliares e, incluso, pasan por debajo de ellas en algunos capítulos.

Recapitulamos que la evolución del léxico nuevo en su totalidad confirma la representatividad del corpus, dado su estancamiento a partir del capítulo XII. No obstante, las categorías de los términos y los términos auxiliares no manifiestan el mismo patrón de evolución. Esto hace suponer que la dispersión del léxico general y funcional es más homogénea que la de los términos y términos auxiliares, cuyo uso está en estrecha relación con el tema tratado, lo cual explica los numerosos altibajos en sus cursos. Esta hipótesis se comprueba por la constatación de que el 1,86% del léxico general (o 56 UL) está presente en los 17 capítulos, mientras que para los términos económicos esta tasa se limita al 0,21% que representan 3 UL, y para los términos auxiliares al 0,38% o 1 sola UL.

En cuanto a la distribución de las frecuencias, se puede concluir que las tasas de *hapax legomena* son elevadas en todas las categorías léxicas, pero más en las categorías de los términos y términos auxiliares, como resalta el siguiente diagrama:

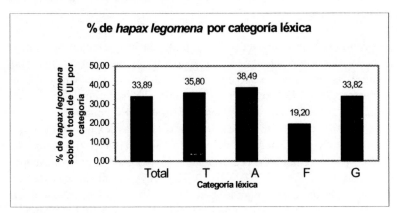

GRÁFICO 1.15.

Una comparación de las cantidades de UL que ocurren con una frecuencia igual o superior a 4 en el corpus, se da en el siguiente diagrama. Desde luego, la categoría de léxico funcional es la que más UL con una frecuencia superior a 4 tiene (151 UL o el 60,4%), seguida de la categoría de las UL generales, con un 37,91%. La mayor diversidad léxica se encuentra, por consiguiente, en las categorías de los términos y los términos auxiliares.

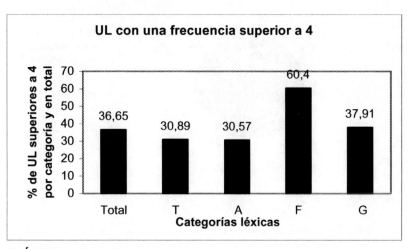

GRÁFICO 1.16.

Finalmente, la cobertura de la totalidad de UL en el corpus se reparte de la siguiente manera entre las categorías léxicas:

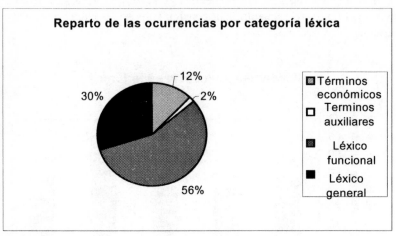

GRÁFICO 1.17.

En el siguiente capítulo se estudiará más en detalle la categoría léxica de los términos. Después de un análisis de las categorías gramaticales, se comentarán los casos de polisemia tanto dentro de la categoría de los términos como entre los términos y las demás categorías, y se comprobará la utilidad del concepto de '*colligation*' en la materia. Se dedicará un interés especial a los distintos procesos de formación terminológica, sobre todo por lo que se refiere a los términos compuestos, que abarcan no menos del 66,19% de los términos económicos y el 45,66% de los auxiliares en el corpus.

CAPÍTULO II: ANÁLISIS SEMASIOLÓGICO DE LOS TÉRMINOS ECONÓMICOS Y AUXILIARES

1. LAS CATEGORÍAS GRAMATICALES

En este apartado se describe a qué categorías gramaticales pertenecen los términos económicos y auxiliares del corpus. Se trata de las siguientes categorías: nominal (S), adjetival (A), adverbial (B) y verbal (V). La repartición de las unidades léxicas entre las categorías es:

Categoría gramatical	Términos económicos		Términos auxiliares	
S	1.260	89,49%	198	74,72%
A	61	4,33%	41	15,47%
B	28	1,99%	11	4,15%
V	59	4,19%	15	5,66%
Total	1.408	100%	265	100%

TABLA 2.1.

Queda claro que los sustantivos predominan: constituyen el 89,49% de todos los términos económicos y el 74,72% de los auxiliares. Las demás categorías gramaticales son de menor importancia, con excepción de los adjetivos de las ciencias auxiliares, que representan el 15,47% del total de los términos auxiliares en el corpus.

También en cuanto a las ocurrencias, los sustantivos forman la categoría más importante, como se puede observar en el siguiente cuadro, en que se menciona también la frecuencia media por categoría:

Cat. gram.	T. económicos		Frec. media	T. auxiliares		Frec. media
S	13.242	91,54%	10,51	1.710	80,47%	8,64
A	504	3,48%	8,26	168	7,91%	4,10
B	70	0,48%	2,5	35	1,65%	3,18
V	650	4,49%	11,02	212	9,98%	14,13
Total	14.466	100%	10,27	2.125	100%	8,02

TABLA 2.2.

Entre los términos económicos los sustantivos manifiestan, sin duda alguna, la mayor tasa de cobertura (91,54%). Entre los términos auxiliares también (80,47%), pero en esta clase léxica las tasas de cobertura de los adjetivos (7,91%) y de los verbos (9,98%) son bastante más importantes que en la clase de los términos económicos (el 3,48% y el 4,49% respectivamente). La frecuencia media total de los términos económicos es más elevada que la de los términos auxiliares: 10,27 frente a 8,02. En ambas clases los adverbios son los que más variación presentan –con unas frecuencias medias muy bajas de 2,5 y 3,18–, mientras que los sustantivos y los verbos son los que más se repiten, por lo cual sus frecuencias medias son más elevadas: 10,51 y 11,02 para los sustantivos y verbos económicos respectivamente; 8,64 y 14,13 respectivamente para los auxiliares.

Las tasas de *hapax legomena* son, tanto para los términos económicos como para los auxiliares, bastante similares en todas las categorías gramaticales (entre el 28,81% y el 36,87%), con excepción de la categoría de los adverbios en que los *hapax* económicos representan casi la mitad de todos los adverbios económicos con un 42,86%, y los *hapax* auxiliares el 81,82%. En el siguiente cuadro se expresan porcentualmente las tasas de términos con una frecuencia igual a 1 o superior a 1, sobre el total de unidades léxicas por categoría gramatical:

Cat. Gram.	Términos económicos		Términos auxiliares	
	> 1	= 1	> 1	= 1
S	63,89%	36,11%	63,13%	36,87%
A	67,21%	32,79%	63,41%	36,59%
B	57,14%	42,86%	18,18%	81,82%
V	71,19%	28,81%	66,67%	33,33%

TABLA 2.3.

El siguiente cuadro muestra la importancia numérica de las UL terminológicas y auxiliares de cada categoría gramatical, separando las que tienen una frecuencia igual a 1 de las que tienen una frecuencia superior a 1:

Cat. gram.	Términos económicos		Términos auxiliares	
Total	904 > 1 100%	504 = 1 100%	163 > 1 100%	102 = 1 100%
S	89,05%	90,28%	76,69%	71,57%
A	4,54%	3,97%	15,95%	14,71%
B	1,77%	2,38%	1,23%	8,82%
V	4,65%	3,37%	6,13%	4,90%

TABLA 2.4.

Se puede observar que los sustantivos, dentro de la misma clase léxica, presentan unas tasas muy similares, ya sean *hapax* o no. Por consiguiente, se puede concluir que tanto para los términos más frecuentes (superiores a 1) como para los términos menos frecuentes (iguales a 1), la gran mayoría suele ser sustantivos: el 89,05% y el 90,28% por lo que se refiere a los términos económicos, y el 76,69% y el 71,57% respecto de los términos auxiliares. Las tasas de las demás categorías son también similares, excepto para los adverbios auxiliares, que son numéricamente más importantes entre los términos auxiliares con frecuencia 1 que entre los demás: el 8,82% frente al 1,77%, el 2,38% y el 1,23%.

En términos de ocurrencias, los *hapax* económicos y auxiliares manifiestan desde luego unos porcentajes bastante bajos para todas las categorías gramaticales, con excepción –una vez más– de los adverbios. Las tasas de coberturas –para cada categoría aparte y para el total– son las siguientes:

Categ. gramatical	Términos económicos	Términos auxiliares
S	3,44% (455 de 13.242)	4,27% (73 de 1.710)
A	3,96% (20 de 504)	8,93% (15 de 168)
B	17,14% (12 de 70)	25,71% (9 de 35)
V	2,62% (17 de 650)	2,36% (5 de 212)
Total	**3,48% (504 de 14.466)**	**4,8% (102 de 2.125)**

TABLA 2.5.

De este cuadro se desprende claramente que la probabilidad de toparse con uno de los *hapax* económicos o auxiliares del corpus en un discurso de economía empresarial no es muy elevada, el 3,48% y el 4,8% respectivamente para la totalidad de *hapax*. Para las categorías gramaticales individuales estas tasas son similares, excepto para la categoría de los adverbios económicos y auxiliares, que presentan respectivamente una tasa de cobertura del 17,14% y del 25,71%.

En el siguiente cuadro las tasas de términos con una frecuencia de entre 2 y 5, y los términos con una frecuencia superior a 5, se ponen en relación con sus tasas de cobertura respectivas. Los porcentajes están calculados sobre el total de UL y OC por categoría gramatical (cfr. tablas 2.1. y 2.2.):

Cat. gram.	Cat. frecuen.	T. económicos		T. auxiliares	
		UL	OC	UL	OC
S	2-5	468	1.390	71	212
		37,14%	10,50%	35,86%	12,40%
	> 5	337	11.397	54	1.425
		26,75%	86,07%	27,27%	83,33%
A	2-5	22	61	16	48
		36,07%	12,10%	39,02%	28,57%
	> 5	19	423	10	105
		31,15%	83,93%	24,39%	62,5%
B	2-5	15	43	1	5
		53,57%	61,43%	9,09%	14,29%
	> 5	1	15	1	21
		3,57%	21,43%	9,09%	60,00%
V	2-5	21	68	4	16
		35,59%	10,46%	26,67%	7,55%
	> 5	21	565	6	191
		35,59%	86,92%	40,00%	90,09%
Total	**2-5**	**526**	**1.562**	**92**	**281**
		37,36%	**10,80%**	**34,72%**	**13,22%**
	> 5	**378**	**12.904**	**71**	**1.742**
		26,85%	**89,20%**	**26,79%**	**81,98%**

TABLA 2.6.

Resulta que, para las cuatro categorías juntas, los términos económicos y auxiliares con una frecuencia superior a 5 son los que presentan una mayor tasa de cobertura, el 89,20% y el 81,98% respectivamente. No obstante, sólo constituyen algo más de una cuarta parte de la totalidad de unidades léxicas, es decir, el 26,85% y el 26,79%. Una situación similar se presenta para las categorías gramaticales separadas, con excepción de la categoría de los adverbios económicos, en que sólo hay un adverbio con una frecuencia superior a 5. Concluimos que el grupo de términos que presenta una mayor tasa de cobertura, no es el más grande en cuanto a unidades léxicas, o sea, que los términos con una frecuencia superior a 5 no forman la mayoría de la totalidad de unidades léxicas.

2. ANÁLISIS DE LOS TÉRMINOS SIMPLES Y COMPUESTOS[42]

Hasta ahora se han analizado las categorías gramaticales de los términos sin tener en cuenta su estructura morfosintáctica, o sea, si se trata de una unidad léxica simple o compuesta. Ya se ha aludido al hecho de que hay muchos términos compuestos en el corpus: el 66,19% del total de los términos económicos con una tasa de cobertura del 29,05%, y el 45,66% de los términos auxiliares con una tasa de cobertura del 20,42%. Aunque las tasas de cobertura no son muy elevadas –siendo los términos simples mucho más frecuentes–, los compuestos merecen ser estudiados de cerca. Se analiza en este apartado primero la estructura morfosintáctica de los términos simples para continuar, después, con un análisis de los términos compuestos.

Recapitulamos las cifras para los términos simples y compuestos:

---

[42] Adoptamos la denominación 'término compuesto', por analogía con la inglesa: '*compound term*', muy generalizado en terminología (por ejemplo, Sager 1990).

	Términos económicos		Términos auxiliares	
Simples	476 UL	10.264 OC	144 UL	1.691 OC
	33,81%	70,95%	54,34%	79,58%
Compuestos	932 UL	4.202 OC	121 UL	434 OC
	66,19%	29,05%	45,66%	20,42%
Total	**1.408 UL**	**14.466 OC**	**265 UL**	**2.125 OC**
	100%	**100%**	**100%**	**100%**

TABLA 2.7.

2.1. Términos simples

Entre los términos simples la repartición por categoría gramatical es la siguiente:

Cat. gram.	Térm. económicos simples		Térm. auxiliares simples	
	UL	OC	UL	OC
S	357	9.112	82	1.308
	75,00%	88,78%	56,94%	77,35%
A	57	494	39	159
	11,97%	4,81%	27,08%	9,40%
B	5	11	8	12
	1,05%	0,11%	5,56%	0,71%
V	57	647	15	212
	11,98%	6,30%	10,42%	12,54%
Total	**476**	**10.264**	**144**	**1.691**
	100%	**100%**	**100%**	**100%**

TABLA 2.8.

Como se desprende del cuadro, los términos simples económicos son, sobre todo, sustantivos (el 75,00%) con una tasa de cobertura muy elevada del 88,78%. Los sustantivos son menos importantes entre los auxiliares, aunque también constituyen la mayoría (el 56,94%), con una tasa de cobertura considerable del 77,35%.

Las tasas de *hapax legomena* entre los términos simples son las siguientes:

C. gram.	*Hapax* económicos simples	*Hapax* auxiliares simples
S	65	21
	18,21% de todos los S simples	25,61% de todos los S simples
A	19	14
	33,33% de todos los A simples	35,90% de todos los A simples
B	2	7
	40% de todos los B simples	87,5% de todos los B simples
V	16	5
	28,07% de todos los V simples	33,33% de todos los V simples
Total	**102**	**47**
	21,43% de todos los simples	**32,64% de todos los simples**

TABLA 2.9.

En total el 21,43% de los términos económicos simples son *hapax legomena* y el 32,64% de los auxiliares. En la categoría de los sustantivos la tasa es la más baja, el 18,21% y el 25,61% respectivamente. En la de los adverbios es donde más *hapax* hay, el 40% y el 87,5% respectivamente.

Los términos simples cuentan con 28 préstamos, todos económicos excepto uno auxiliar, que ocurren en total 188 veces. En total hay 8 préstamos a los que Alvar Ezquerra (1993: 16) llama híbridos, o sea, préstamos que han adaptado su morfología al español: *líder* (28), *grafo* (20), *plusvalía* (4), *simograma* (2), *minusvalía* (2), *tayloriano* (1), *neperiano* (1) y *dólar* (1). Los 20 restantes son palabras-cita (Alvar Ezquerra *ibíd.*). Se trata de palabras tomadas directamente de otra lengua –para los términos simples, el inglés–, sin ninguna alteración. Entre ellas hay cuatro adjetivos: *handmade* (1), *hard* (1), *soft* (2) y *last* (3). Los demás son todos sustantivos, como por ejemplo *marketing* (52), *ratio* (20), *staff* (10), *stock* (7), etc. Se pueden consultar exhaustivamente en el anexo G.2 por frecuencia absoluta decreciente y en el anexo G.2 bis por orden alfabético.

Los calcos, es decir las traducciones de términos de otros idiomas al español, son también, en cierto sentido, un tipo de préstamo, pero se limitan a un préstamo semántico, o sea, que no influye en la morfología. Los calcos no se comentan en este trabajo, dado que un estudio exhaustivo requeriría, por un lado, un corpus de referencia en inglés, idioma del que la mayoría de los calcos españoles en economía provienen y, por otro, un análisis etimológico, porque algunos calcos hace tiempo que existen en español y su origen ya no queda del todo claro.

Entre todos los términos simples, económicos y auxiliares, figura sólo una abreviatura: *pts.*, que ocurre una vez.

La estructura morfológica de los términos simples y las relaciones de derivación entre ellos se comentarán en el capítulo V de esta parte B cuando introduzcamos el concepto didáctico de la 'familia de palabras' (*word families*, por ejemplo Bauer y Nation 1993: 253).

2.2. Términos compuestos

A las unidades léxicas compuestas se las denomina en la literatura también unidades léxicas o lexías complejas, por un lado, y composiciones o compuestos sintagmáticos, por otro (Bustos Gisbert 1986, Lang 1990, Alvar Ezquerra 1993, Martínez Marín 1999). Con referencia a las lenguas especializadas Cartagena (1998: 281) utiliza la denominación '*término sintagmático*' citando la definición de Cabré, para la que el término sintagmático "se basa en la formación de una nueva unidad a partir de una combinación sintáctica jerarquizada de palabras" (Cabré 1993).

En el corpus las UL compuestas –especializadas y no especializadas– constituyen juntas, con un total de 1.280 UL, el 25,95% de las UL (siempre sin contar las abreviaturas arbitrarias y los nombres propios de particulares) y con 6.698 OC el 5,66% de las OC. El reparto entre las distintas clases léxicas es el siguiente:

Clase léxica	UL		OC	
Términos	932	72,81%	4.202	62,74%
Auxiliares	121	9,45%	434	6,48%
Funcionales	104	8,13%	926	13,83%
Generales	123	9,61%	1.136	16,96%
Total	**1.280**	**100%**	**6.698**	**100%**

TABLA 2.14.

En este cuadro resalta que la gran mayoría de las UL compuestas del corpus son términos económicos, es decir, el 72,81%. También en cuanto a ocurrencias es la clase léxica más importante, con un 62,74%. Los términos auxiliares compuestos son mucho menos importantes, tanto en cuanto a unidades léxicas (9,45%), como en cuanto a ocurrencias (6,48%). No obstante, recuérdese que el 45,66% de todos los términos auxiliares son UL compuestas (121 UL de 265 UL), mientras que este porcentaje es mucho más bajo para el léxico general: sólo el 4,09% de todos los generales son compuestos (123 UL de 3010 UL). Entre las UL funcionales, la tasa de compuestos es más elevada: un 41,6% o 104 UL de 250 UL en total, pero aun así, la composición parece ser una característica esencial de la unidad terminológica, que necesita ser examinada.

La media ponderada del tamaño de los términos compuestos es de 3,00 formas para los términos económicos y de 2,91 para los auxiliares, con un mínimo de 2 formas y un máximo de 12 en el caso de los económicos, y con un mínimo de 2 formas y un máximo de 7 para los auxiliares. La mayoría, sin embargo, se compone de dos formas, respectivamente el 42,38% y el 47,11%, y son también estos términos los que una mayor tasa de cobertura manifiestan: el 54,64% y el 61,75%. El siguiente cuadro muestra de manera exhaustiva la repartición en cuanto a unidades léxicas y ocurrencias[43]:

Número de componentes	Términos económicos		Términos auxiliares	
	UL	OC	UL	OC
C2	395 42,38%	2.296 54,64%	57 47,11%	268 61,75%
C3	334 35,84%	1.483 35,29%	36 29,75%	123 28,34%
C4	118 12,66%	274 6,52%	15 12,40%	22 5,07%
C5	45 4,83%	88 2,09%	10 8,26%	15 3,46%

---

[43] Los compuestos con dos componentes se abrevian desde ahora en adelante como C2, aquéllos con tres componentes como C3, etc.

C6	19 2,04%	34 0,81%	1 0,83%	1 0,23%
C7	3 0,32%	4 0,10%	2 1,65%	5 1,15%
C8	7 0,75%	8 0,19%	/	/
C9	5 0,54%	8 0,19%	/	/
C10	4 0,43%	4 0,10%	/	/
C12	2 0,21%	3 0,07%	/	/
Total	**932 100%**	**4.202 100%**	**121 100%**	**434 100%**

TABLA 2.15.

Muchos de los términos compuestos son *hapax legomena*: el 43,13% de los económicos y el 45,45% de los auxiliares. Estas tasas son más elevadas que entre los términos simples, donde sólo el 21,43% de los económicos son *hapax* y el 32,64% de los auxiliares. Esto viene resumido en el siguiente cuadro sinóptico:

	Términos económicos		Términos auxiliares	
Hapax compuestos	402	43,13%	55	45,45%
Hapax simples	102	21,43%	47	32,64%

TABLA 2.16.

El reparto de los términos compuestos por categoría gramatical es el siguiente:

Cat.gram.	Términos económicos			Términos auxiliares		
	UL	OC	Frec.m.	UL	OC	Frec. m.
S	903 96,89%	4.130 98,29%	4,57	116 95,87%	402 92,63%	3,47
A	4 0,43%	10 0,24%	2,5	2 1,65%	9 2,07%	4,50

B	23 2,47%	59 1,40%	2,57	3 2,48%	23 5,30%	7,67
V	2 0,21%	3 0,07%	1,5	0 0,00%	0 0,00%	0,00
Total	**932** **100%**	**4.202** **100%**	4,51	**121** **100%**	**434** **100%**	3,59

TABLA 2.17.

Llama la atención que los términos compuestos son muy mayoritariamente sintagmas nominales, tanto por lo que se refiere a las UL como en cuanto a las OC. A continuación se examina primero la estructura morfosintáctica de los términos nominales.

2.2.1. Los sintagmas nominales

Los compuestos nominales entre los términos cuentan entre 2 y 12 componentes para los económicos y entre 2 y 7 para los auxiliares, con una media ponderada respectiva de 3,00 y de 2,91 componentes. El siguiente cuadro ofrece una visión completa del reparto:

Número de componentes	Términos económicos		Términos auxiliares	
	UL	OC	UL	OC
C2	380 42,08%	2.258 54,70%	55 47,41%	259 64,43%
C3	324 35,90%	1.455 35,23%	34 29,31%	101 25,12%
C4	115 12,74%	269 6,51%	14 12,10%	21 5,22%
C5	44 4,87%	87 2,11%	10 8,62%	15 3,73%
C6	19 2,10%	34 0,82%	1 0,86%	1 0,30%
C7	3 0,33%	4 0,10%	2 1,72%	5 1,24%
C8	7 0,78%	8 0,19%	/	/

C9	5 0,55%	8 0,19%	/	/
C10	4 0,44%	4 0,10%	/	/
C12	2 0,22%	3 0,07%	/	/
Total	**903 100%**	**4.130 100%**	**116 100%**	**402 100%**

TABLA 2.18.

Nos vamos a centrar, ante todo, en el análisis de los compuestos de 2, 3, 4 y 5 componentes, dado que son éstos los que determinan las medias. Los sintagmas nominales que poseen entre 6 y 12 componentes, representan en total sólo el 4,42% y el 2,58% de las UL compuestas económicas y auxiliares, con unas tasas de cobertura aún más bajas del 1,47% y del 1,54%. Además, estos compuestos son los que proporcionalmente más *hapax legomena* presentan, como se desprende del siguiente gráfico:

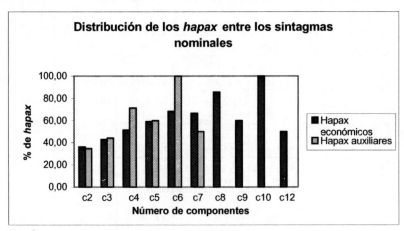

GRÁFICO 2.1.

Este gráfico visualiza la tendencia estadística –sobre todo entre las UL compuestas económicas, ya que las auxiliares no cuentan más de

7 componentes– de que las UL de 2, 3, 4 y 5 componentes contienen menos *hapax legomena* que las demás. Asimismo conviene señalar que entre los C6, C7, C8, C9, C10 y C12, los que no son *hapax legomena*, son *dis legomena*, con excepción de cuatro C6: *teoría de los costes de transacción* (6), *teoría de los derechos de propiedad* (5), *método de los números dígitos crecientes* (3) y *coste de la mano de obra* (3), un C7: *método del análisis de la varianza* (4) y un C9: *flujo de caja medio anual por unidad monetaria comprometida* (3). Dada la baja frecuencia de estos compuestos, se puede poner en tela de juicio si ya se han consolidado como términos, o si se trata más bien de simples acuñaciones esporádicas. Como dice Myking (1989: 270):

> Compounds are not always intended for institutionalization, i. e. as a term. They may function as ad-hoc descriptive or definition-like syntactic phrases, corresponding to the text-condensing compounds of news-paper headlines, etc.[44]

A continuación se procede al análisis de los sintagmas nominales compuestos de 2, 3, 4 ó 5 elementos. No obstante, los sintagmas que cuentan con más elementos también se incluyen en los totales. Según Alvar Ezquerra (1993: 22), las UL compuestas requieren más bien un

---

[44] En este contexto cabe comentar la variabilidad morfosintáctica en la formulación de algunos términos compuestos. Entre los *hapax legomena* y *dislegomena* hay formas que se parecen muchísimo y sólo se distinguen por pequeñas diferencias. Esto puede ser otra indicación de que el término en cuestión (aún) no se ha fijado y que, como dice Myking (1989), queda más cerca de una definición que de un término. En total se trata de 43 casos entre los términos económicos y sólo 2 entre los términos auxiliares. Las alternancias morfosintácticas coinciden con las que ha detectado Cartagena en su análisis de textos médicos españoles (1998). Algunos ejemplos son: *campaña publicitaria* (1) - *campaña de publicidad* (1); *bienestar de la sociedad* (1) - *bienestar social* (2) (alternancia de un adjetivo con un complemento nominal), *precio al contado* (1) - *precio de contado* (1); *en línea y staff* (2) - *de línea y staff* (1) (alternancia de la preposición), *método VAN* (2) - *método del VAN* (1) (supresión de la preposición y del artículo), *ruptura de stocks* (6) - *ruptura del stock* (1) (alternancia del singular y del plural, y de la ausencia y presencia del artículo), *periodo medio de maduración económico* (2) - *período medio de maduración económico* (6) (alternancia ortográfica), *empresa cooperativa* (2) - *cooperativa* (1) (supresión del núcleo), *índice de cantidades de Laspeyres* (1) - *índice de Laspeyres* (2) (supresión de una parte del atributo), etc. Asimismo, Cartagena examina la variabilidad léxica, o sea, el uso de sinónimos en los términos sintagmáticos, un fenómeno que nosotros estudiaremos en el capítulo del análisis onomasiológico.

análisis morfosintáctico que morfológico, dado que se trata de dos o más formas léxicas que llegan a establecer una sola unidad léxica, pero sin que se realice una fusión morfológica de las distintas formas, por lo cual resulta *"difícil determinar si se ha producido la lexicalización o no"*. Alvar Ezquerra distingue tres tipos de compuestos[45]: la disyunción, la contraposición y la sinapsia. Comentamos primero la disyunción, que es un tipo de composición no muy frecuente en la lengua general, pero que es típico de las lenguas especializadas. Su forma básica se compone de dos elementos y presenta las siguientes características:

- los componentes designan un solo objeto, lo cual confirma que se ha producido la lexicalización del conjunto;
- la relación semántica entre los elementos no podría existir sin un sustento sintáctico, implícito: "se trata de una relación de identidad en la que el segundo elemento es un predicado que se une al primero mediante la fórmula (que) es, esto es, una aposición: guerra (que) es civil; pez (que) es espada; tinta (que) es china" (1993: 25);
- cuando se trata de una unión de sustantivos, éstos deben tener –por lo menos– un rasgo común;
- en el caso de una disyunción compuesta de un sustantivo y un adjetivo, el adjetivo desempeña un papel de especificación, y no de similitud o comparación.

Basándonos en estos rasgos, distinguimos 342 disyunciones entre los 380 C2 económicos del corpus y 54 entre los 55 C2 auxiliares. Esto significa que la mayoría de los C2 son disyunciones, el 90% y el 98,18% respectivamente. El 96,20% (329 UL) y el 96,30% (52 UL) de estas disyunciones económicas y auxiliares son composiciones de un sustantivo y un adjetivo (en este orden), el 2,63% (9 UL) de las disyunciones económicas son composiciones de un adjetivo con un sustantivo, y el 1,17% (4 UL económicas) y el 3,70% (2 UL auxiliares) restantes son combinaciones de dos sustantivos, dos verbos, o un

---

[45] Somos conscientes de que la lingüística propone varias clasificaciones, como por ejemplo la de Val Álvaro (2000: 4759) que distingue principalmente entre compuestos léxicos y compuestos sintagmáticos, pero nos parece que la clasificación de Alvar Ezquerra conviene mejor a la descripción de los términos compuestos, dado que se centra en los grupos de palabras que (aún) no se han unido en una sola forma gráfica.

sustantivo con un adverbio. A continuación se dan unos ejemplos de las disyunciones más frecuentes con mención de sus ocurrencias:

Disyunciones	Económicas		Auxiliares	
S+A	coste fijo	62	desviación típica	27
(329 econ.	materia prima	54	esperanza matemática	26
y 52 aux.)	rentabilidad financiera	47	valor esperado	24
	rentabilidad requerida	43	variable explicativa	18
	desembolso inicial	40	distribución normal	14
A+S	pequeña empresa	8	/	
(9 econ.)	alta dirección	8		
	grandes almacenes	6		
	gran empresa	6		
S+S (1 econ.	hora hombre	4	plaza milla	2
y 2 aux.)			distribución beta	1
S+B	precio de contado	1	/	
(2 econ.)	precio al contado	1		
V+V	dejar hacer[46]	2	/	
(1 econ.)				

TABLA 2.19.

Entre los C3 y C4 se encuentran también disyunciones, ampliadas con otros elementos, como adverbios, conjunciones, adjetivos o sustantivos. En total se trata de unas 25 UL económicas y 6 UL auxiliares, o sea, que si se suman estas tasas a las de las disyunciones C2, en total el 40,64% (25 + 342) de todos los sintagmas nominales económicos y el 51,72% (6 + 54) de los auxiliares se pueden considerar disyunciones. A continuación damos un ejemplo para cada tipo de disyunción compuesta de más de dos elementos:

---

[46] El 'dejar hacer' es un sintagma nominal que se compone morfológicamente de dos infinitivos,como traducción literal de '*laissez faire*'.

Disyunc.	Económicas		Auxiliares	
S+B+A	inversión mutuamente excluyente	4	variabilidad no explicada	1
S+A+A	valor actual neto	66	distribución normal estandarizada	4
A+C+A	pequeña y mediana	1	/	
A+C+A+S	pequeña y mediana empresa	2	/	
S+A+A+A	base temporal homogénea finita	3	/	
S+A+B+B	/		distribución normal cero uno	1
S+A+C+A	empresa mediana y grande	2	/	
S+S+S+S	análisis-coste-volumen-beneficio	2	/	

TABLA 2.20.

A propósito de la disyunción *pequeña y mediana*, queremos mencionar que se sobreentiende por supuesto el sustantivo *empresa*, lo que justifica su clasificación como disyunción. Se trata de otro caso de variabilidad léxica (véase la nota a pie de página número 41).

La contraposición es otro tipo de composición que cuenta con dos elementos. Pueden ser dos adjetivos, unidos o no por guión, que funcionan como si fuera uno solo, pero esta combinación no se da en nuestro corpus. También es posible la contraposición entre dos sustantivos, que según Alvar Ezquerra (1993: 29) se puede distinguir de las disyunciones mediante las siguientes características:
- los compuestos por contraposición suelen responder a una estructura sintáctica de coordinación, por ejemplo un *químico-físico* es a la vez físico y químico;
- el segundo de los sustantivos expresa o indica el fin del objeto designado.

Hay algunas contraposiciones compuestas por sustantivos en el corpus, pero no son numerosas –sólo el 2,37% (9 de 380) y el 1,82% (1 de 55) de todos los C2 nominales económicos y auxiliares– lo que permite dar la lista exhaustiva:

Contraposic.	Económicas		Auxiliares	
A+A	/		/	
S+S	población objetivo	5	función objetivo	9
	compra-venta	3		
	mercado objetivo	2		
	ciudad testigo	2		
	mercado testigo	1		
	mercado prueba	1		
	coeficiente beneficio	1		
	ciudad experimento	1		
	capacidad punta	1		

TABLA 2.21.

A propósito de *compra-venta* es necesario señalar que, aunque la *Real Academia Española* (1982: 152; 1999: 83) restringe el uso de los guiones a los grupos adjetivales de nueva composición (por ejemplo, *teórico-práctico*) y a los gentilicios de dos pueblos o territorios que se oponen, como por ejemplo *franco-prusiano* o *germano-soviético*, y aunque la palabra en cuestión se suele escribir en una sola forma gráfica (*María Moliner, DRAE*), esta unidad léxica ocurre en el corpus con guión, lo que nos ha hecho incluirla entre los términos compuestos.

Una composición que cuenta con, por lo menos, tres elementos y que, según Alvar Ezquerra, es muy típica del lenguaje técnico –algo que se confirma en el corpus–, es la sinapsia. Este término es un préstamo del lingüista francés Émile Benveniste, según quien "puede ser de una productividad indefinida, especialmente en la terminología científica y técnica" (citado en Alvar Ezquerra 1993: 22). La sinapsia tiene como principal característica que exige la presencia de una preposición. En total hay entre los sintagmas nominales 432 casos de sinapsia económica en el corpus y 48 de sinapsia auxiliar, o sea, el 47,84% y el 41,38% respectivamente de todos los términos nominales compuestos. La mayoría de las sinapsias se compone de tres elementos: el 58,80% (254 UL) y el 45,83% (22 UL). La sinapsia presenta entonces la siguiente estructura: sustantivo determinado + preposición + sustantivo determinante. Las medias ponderadas son de 3,80 y 3,92 componentes, pero el corpus contiene sinapsias de hasta doce elementos, que contienen entonces artículos, adjetivos, adverbios y verbos. Algunos ejemplos con mención de sus ocurrencias entre paréntesis, son: *rentabilidad neta de riesgo* (7), *período medio de maduración económico* (6), *sistema de libre mercado* (2), *criterio del mínimo pesar* (1), *coste del capital* (11), *escuela de la dirección científica* (5), *método de los números dígitos crecientes* (3), *teoría de los costes de transacción* (6), *principio de unicidad del estado inicial y del estado final* (1), etc.

El hecho de que el sustantivo determinante vaya precedido de un artículo, es un índice de una menor lexicalización en comparación con las sinapsias que presentan una estructura del tipo *sustantivo determinado + preposición + sustantivo determinante*. En total el 21,99% y el 25,00% de todas las sinapsias económicas y auxiliares en el corpus manifiestan la presencia de un artículo delante del sustantivo determinante.

En español la preposición utilizada en una sinapsia suele ser *de*, lo que se confirma en el corpus. Así, por ejemplo, entre las sinapsias con 3 compuestos, el 89,76% de las económicas (228 UL) y el 95,45% (21 UL) de las auxiliares, contiene la preposición *de*. Las demás preposiciones que se prestan en el corpus a la formación de una sinapsia son, por orden de frecuencia decreciente, *en* (15), *por* (7), *a* (3), *para* (1) y *sobre* (1). Llama la atención que no hay sinapsias con la preposición *con* en el corpus, aunque la bibliografía la menciona como una de las preposiciones usuales en una sinapsia (Lang, 1990: 87; Gómez de Enterría 2000 : 76). Damos a continuación para cada preposición el ejemplo más frecuente, sin tener en cuenta el número de componentes de la sinapsia en cuestión:

Sinapsia	Económica		Auxiliar	
De	flujo de caja	87	distribución de probabilidad	16
En	desviación en cantidades	10	comunicación en masa	1
Por	producción por encargo	3	/	
A	respuesta al estímulo	3	/	
Para	producción para el mercado	3	/	
Sobre	impuesto sobre el beneficio	5	/	

TABLA 2.22.

Unos casos que merecen un comentario especial son los compuestos *hora hombre* y *plaza milla*. Resulta que estos dos compuestos son disyunciones que se encuentran muy cerca de las sinapsias, dado que se podrían formular también de la siguiente manera: *hora de hombre, plaza por milla*. Pero su grado de lexicalización en la lengua ya es tan elevado que la preposición resulta superflua. Cabe observar que en el corpus estas dos UL incluso se escriben con guión, lo que indica hasta qué punto la lexicalización ya se ha realizado.

Quedan por analizar los términos compuestos que contienen o que forman enteramente préstamos, siglas, acrónimos o epónimos. Primero los préstamos. En total hay 60 préstamos compuestos económicos y 2 auxiliares, que ocurren respectivamente 211 y 12 veces: o sea, el 6,64% y el 1,72% de todos los sustantivos compuestos con unas tasas de cobertura del 5,11% y del 2,99%. Entre los económicos, hay 18 préstamos totales o palabras-cita, o sea, cuyos elementos han sido todos importados desde otro idioma, en este caso el inglés, con excepción de un préstamo francés: *laissez faire* (4)[47]. Algunos ejemplos son *marketing*

---

[47] No obstante, dado que *laissez faire* se utiliza también en inglés (*The new Palgrave. A dictionary of Economics* 1987: 116), es posible que haya entrado en el español por el inglés en lugar de por el francés.

mix (11), *full costing* (2), *superordinate goals* (1), *simultaneous motion* (1). Entre las palabras-cita se encuentran también bastantes siglas, o sea, abreviaturas complejas, como *PERT* (*Programme Evaluation and Review Technique*, 19), *CPM* (*Critical Path Method*, 10), *CAM* (*Computer Aided Manufacturing*, 4), *CAD* (*Computer Aided Design*, 4). También hay dos acrónimos: *bit* (*binary digit*, 3) y *nit* (*neperian digit*, 1).

Los préstamos compuestos parciales contienen palabras prestadas de otro idioma, adaptadas a la lengua española o no, en combinación con una o más palabras españolas. Los 2 préstamos auxiliares son préstamos parciales que contienen ambos una expresión latina: *probabilidad a posteriori* (6) y *probabilidad a priori* (6). Entre los 42 préstamos parciales económicos, hay 36 palabras-cita, por ejemplo *tiempo early* (17), *tiempo last* (14), *método PERT* (11), *stock de seguridad* (8) , y 6 híbridos, o sea, con adaptación morfológica al español, como *grafo parcial* (10), *liderazgo en costes* (6) o *empresa líder* (1).

Las abreviaturas no abundan en el corpus. Entre los sustantivos compuestos contamos sólo 7 siglas y 4 acrónimos. La sigla más frecuente es *UM* (*unidad monetaria*) con 375 ocurrencias. Las demás son *S. A.* (*Sociedad Anónima*) con 86 ocurrencias, *VAN* (*Valor Actual Neto*, 54), *TIR* (*Tasa Interna de Rentabilidad*, 26), *PYME* (*Pequeña y Mediana Empresa*, 2), y 2 siglas parciales *método VAN* (2) y *método del VAN* (1). Los acrónimos de hecho son composiciones abreviadas de carácter técnico, casi siempre tomadas de otro idioma, en que se unen los extremos opuestos de dos palabras. Hay también autores, sobre todo anglosajones, que llaman a este tipo de composición *"blends"*, y a las siglas acrónimos (por ejemplo Lang 1990: 198), pero mantenemos en este trabajo las denominaciones vigentes en la lingüística hispánica (Alvar Ezquerra, *op. cit.*). En el corpus figuran cuatro acrónimos parciales: *criterio maxi-min*(1), *criterio mini-max* (1), *criterio maxi-max* (1), *criterio mini-min* (1), en que se combinan cada vez los principios de las palabras latinas *maximum* y *minimum*.

El corpus contiene también unos compuestos nominales cuyo segundo miembro es un epónimo, o sea, un nombre propio que se ha convertido en un nombre común. En total se trata de 24 económicos y 5 auxiliares, que ocurren 59 y 10 veces respectivamente, es decir el 2,66%

de todos los sustantivos económicos compuestos y el 4,31% de los auxiliares, con unas tasas de cobertura del 1,43% y del 2,49%. Unos ejemplos son *gráfico de Gantt* (7), *método de Belson* (5), *modelo de Wilson* (4), *principio de Pareto* (2), *bienes Giffen* (1), etc.

Antes de continuar con el análisis de los sintagmas adjetivales, adverbiales y verbales, se presenta en el siguiente gráfico una visión de conjunto de las distintas categorías discernidas en los sintagmas nominales. Se pueden consultar estos casos exhaustivamente en los anexos G.2 y G.3 por frecuencia absoluta decreciente y en los anexos G.2 y G.3 bis por orden alfabético.

	Sintagmas nominales económicos		Sintagmas nominales auxiliares	
Disyunciones	367 40,64%	1.818 44,02%	60 51,72%	261 64,93%
Contraposiciones	9 1,00%	17 0,41%	1 0,86%	9 2,24%
Sinapsias	432 47,84%	1.475 35,71%	48 41,40%	110 27,36%
Préstamos	60 6,64%	211 5,11%	2 1,72%	12 2,99%
Siglas/acrónimos	11 1,22%	550 13,32%	/	/
Compuestos con epónimo	24 2,66%	59 1,43%	5 4,31%	10 2,49%
Total	**903 UL 100%**	**4.130 OC 100%**	**116 UL 100%**	**402 OC 100%**

TABLA 2.23.

De este cuadro se desprende claramente que, en cuanto a la tasa de cobertura, las disyunciones son la categoría más importante entre los sintagmas nominales, con respectivamente el 44,02% y el 64,93% para los económicos y los auxiliares. Las sinapsias presentan unas tasas elevadas en cuanto a UL (el 47,84% y el 41,40%), pero menos en cuanto a OC (el 35,71% y el 27,36%).

2.2.2. *Los sintagmas adjetivales, adverbiales y verbales*

Los sintagmas adjetivales, adverbiales y verbales con significado especializado se comentan juntos, porque son poco numerosos –29 económicos y 5 auxiliares–, como ya se ha indicado en el cuadro del reparto por categoría gramatical. En total constituyen sólo el 3,11% de las UL económicas compuestas y el 4,13% de las UL auxiliares, con unas tasas de cobertura respectivas del 1,71% (72 OC) y el 7,37% (32 OC).

Los términos económicos cuentan entre dos y cinco componentes, los auxiliares sólo entre dos y tres componentes. Las medias ponderadas respectivas son de 2,80 y 2,66, o sea, un poco más bajas que para los sintagmas nominales (3,00 y 2,91). Dado que son poco frecuentes, es difícil detectar patrones recurrentes. Como se trata de pocas unidades léxicas, las mencionamos de manera exhaustiva:

Cat. gram.	Términos económicos		Términos auxiliares	
	UL	OC	UL	OC
A	hecho a mano	1	asintóticamente ergódico	1
	libre de riesgo	3	mutuamente excluyente	8
	maxi-min	3		
	mini-max	3		
B	a crédito	2	de interés público	1
	al contado	15	en régimen de alquiler	1
	al detalle	1	por término medio	21
	al por mayor	1		
	al por menor	1		
	a plazo	3		
	de línea y *staff*	1		
	en comité	2		
	en línea	4		
	en línea y *staff*	2		
	en masa	1		
	en serie	5		
	en *staff*	1		
	en términos de			

	capacidad adquisitiva	1	
	FOB	1	
	free on board	1	
	para almacén	3	
	para el mercado	2	
	por encargo	2	
	por lotes	5	
	por órdenes	2	
	por órdenes de fabricación	2	
	por pronto pago	1	
V	hacer inventario	1	/
	llevar el negocio	2	

TABLA 2.24.

Observamos que los adjetivos compuestos manifiestan cuatro tipos distintos de compuestos, entre ellos dos casos de préstamo-acrónimo, es decir *maxi-min* y *mini-max*, composiciones prestadas del latín a partir de las unidades léxicas *maximum* y *minimum*. Repetimos que no se presentan casos de contraposición adjetival en el corpus.

Entre las locuciones adverbiales son todas composiciones de una preposición con un sustantivo con excepción de los préstamos parciales y totales *en staff, en línea y* staff, *de línea y* staff y *free on board*, figurando este último también bajo su forma de sigla: *FOB*.

Sólo hay dos verbos terminológicos compuestos, *hacer inventario* y *llevar el negocio*, que además presentan una frecuencia bajísima.

2.2.3. El plural de los compuestos

Una última cuestión que queremos tratar con relación a los términos compuestos en el corpus, es su formación en plural. Los sintagmas adverbiales quedan fuera de consideración dada su invariabilidad. Los grupos adjetivales y los 2 verbos compuestos del corpus, *hacer inventario* y *llevar el negocio*, tampoco plantean muchos problemas. La forma verbal o adjetival concuerda respectivamente con el sujeto de la frase o el sustantivo al que acompaña, mientras que los complementos son invariables. Un ejemplo del corpus:

Pero supongamos que estas inversiones son *mutuamente excluyentes* y que, por tanto, no se pueden efectuar las dos [cap. 6].

Los acrónimos *maxi-min* y *mini-max* no se presentan en plural en el corpus, por lo cual es difícil sacar conclusiones respecto de su pluralización. No obstante, por analogía con las disyunciones adjetivales (Alvar Ezquerra 1993: 20) es de suponer que el primer miembro queda invariable, mientras que el segundo se pluraliza en *-es* o *-x*, según el caso.

Por lo que se refiere a los sintagmas nominales, la formación del plural queda bastante clara en el caso de las sinapsias. Como señala Lang (1990: 86), sólo la cabeza de la sinapsia se pone en plural. Unos ejemplos: *flujos de caja, costes de producción, rentabilidades netas de riesgo*, etc.

Las disyunciones compuestas de un sustantivo y uno o más adjetivos, conjunciones o adverbios tampoco plantean problemas: se siguen las reglas de la sintaxis, o sea, que el sustantivo se pone en plural, el adjetivo concuerda con el sustantivo y las demás formas se mantienen invariables (Lang 1990: 90). Los siguientes ejemplos ilustran lo dicho: *unidades monetarias, grandes empresas, empresas medianas y grandes, entidades no lucrativas*, etc.

En el caso de que se sigan dos o más sustantivos, la situación resulta menos clara. Según Lang (1990: 83), la opción de pluralizar sólo el sustantivo determinado, se reserva para los sintagmas nominales altamente lexicalizados o cuyo segundo componente es incontable. No obstante, Alvar Equerra (1993: 29) argumenta que "*la casuística es abundante*". Recordemos que el corpus contiene únicamente 14 sintagmas terminológicos compuestos de sustantivos: 4 disyunciones y 10 contraposiciones, de las que además sólo 4 manifiestan una ocurrencia en plural: *horas-hombre, plazas-millas, mercados-testigo* y *mercados-prueba*. Constatamos que todos llevan guión, lo que, recordémoslo, indica un elevado grado de lexicalización. Sólo uno de los cuatro compuestos pone ambos componentes en plural, lo que confirma lo expuesto por Lang. Según la *Gramática descriptiva de la lengua española* de Bosque y Demonte (Ambadiang 1999: 4894), "los nombres compuestos de dos sustantivos requieren la marca de plural en sus dos miembros en caso de existir entre ellos una relación de coordinación (poetas-pintores), o sólo en el primero si la relación es de subordinación (coches bomba, buques fantasma, decretos ley)". Se puede cuestionar el carácter coordinado de la relación entre *plazas* y *millas*, pero, aun así, el corpus contiene demasiado pocas ocurrencias de este tipo como para poder sacar conclusiones significativas al respecto.

2.3. Términos simples y compuestos: unas conclusiones provisionales

Claudel (2000: 55), que analiza un corpus de terminología física y química, concluye que:

> Les catégories les plus importantes demeurent celle du terme formé d'un Nom, lexie simple (N: 35% en physique, 46% en chimie) et celle du terme composé d'un Nom et d'un Adjectif (N Adj: 26% en physique et 25% en chimie).

Aunque los términos simples son importantes y constituyen con 476 UL el 33,81% de la totalidad de términos económicos en el corpus y con 144 UL el 54,34% de los auxiliares, queda claro que los términos compuestos constituyen un rasgo típico del lenguaje económico empresarial, ya que forman el 66,19% de los términos económicos y el 45,66% de los auxiliares. Además, el 82,26% del total de UL compuestas en el corpus son términos económicos y auxiliares. Subrayamos, por lo tanto, la importancia de una enseñanza de los términos compuestos que haga hincapié en la formación de las disyunciones y las sinapsias –ya que son las categorías más importantes–, pero tampoco se puede olvidar que los términos compuestos sólo tienen una tasa de cobertura del 29,05% para los económicos y del 20,42% para los auxiliares, o sea, que los términos simples, dada su frecuencia, siguen siendo más importantes.

3. LAS FORMAS POLISÉMICAS

En este apartado nos proponemos examinar las polisemias entre los términos económicos y auxiliares y comprobar hasta qué punto el concepto de "*colligation*", introducido en el capítulo anterior, soluciona las posibles ambigüedades creadas por ellas. En cuanto al concepto de polisemia queremos destacar que éste, concebido desde el ángulo de la semántica cognitiva, que tiene como postulado que el contenido de una palabra nunca es estable, puede llegar a tener una envergadura enorme. En el caso de los términos, según Temmerman (2001: 82) hay tres razones simultáneas que dan lugar a la polisemia:

> Textual archives contain the factual information necessary to prove that three reasons for polysemisation occur simultaneously. A first reason is a change in the world due to new technology or social change. A second reason can be found on the cognitive level: change in the understanding of the category. A third reason lies in the possibilities and constraints brought about by the totality of all the elements of change inherent to language as a system. This implies on the one hand that the prototype structure of categories provides for further meaning evolution and on the other hand that elements in language mutually influence and constrain one another.

En primer lugar resulta que los términos, al ser usados por los especialistas, sufren modificaciones en cuanto a su contenido, sencillamente porque la ciencia no deja de evolucionar en sus ideas. La siguiente razón, de carácter cognitivo, se debe a que no todos entendemos un término de la misma manera, lo que es obvio en el caso de los términos banalizados que utilizan los legos a diario –por ejemplo, *dinero*, *coste*, *ahorro*, *beneficio*, etc.– sin entender su pleno potencial especializado. Por último, es la lengua misma la que impone ciertas restricciones a la interpretación de la extensión de significado a partir del prototipo. Así, por ejemplo, en términos compuestos como *fondo de comercio*, *activo circulante*, *valor sustancial*, *apalancamiento financiero*, etc., uno puede entender los significados de las palabras separadas, pero la combinación impone una restricción de significado que cambia el significado básico de los elementos individuales para crear otro distinto. Dado que el análisis de la polisemia desde el punto de vista de la semántica cognitiva nos llevaría demasiado lejos y también se pasa del objetivo didáctico, este trabajo se limita al análisis de los casos de polisemia 'reales', o sea, las formas léxicas que se presentan en el corpus con más de un significado, sin entrar en situaciones eventuales de ambigüedad causadas por posibles significados no presentes en el corpus.

A propósito de los conceptos de polisemia y ambigüedad, coincidimos con Muñoz Núñez (1999: 159) en que

son muchos los autores que identifican el fenómeno de la polisemia y/u homonimia con el de la ambigüedad, cuando en realidad, [...], la polisemia es un fenómeno formal consistente en la coincidencia de dos o más acepciones, variantes o invariantes, en la expresión material, mientras que la ambigüedad es su consecuencia más inmediata, debida a un problema de interpretación por parte del oyente.

La ambigüedad se limita, por lo tanto, a un problema de comprensión, dado que a nivel de la producción el hablante selecciona conscientemente el significado de la palabra polisémica que emplea. Pero también al nivel de la comprensión, la polisemia no crea automáticamente situaciones de ambigüedad, como se demostrará enseguida en el análisis de las polisemias del corpus. Concluimos que la ambigüedad y la polisemia no son sinónimos, a pesar de que la didáctica de las lenguas extranjeras muy a menudo las presenta como si lo fueran.

En cuanto al problema de la distinción entre polisemia y homonimia, repetimos que no nos detenemos en esta problemática, dado que el análisis semasiológico de los términos en el corpus no es etimológico, por lo cual dicha oposición no resulta pertinente ni desde la perspectiva del análisis lingüístico ni desde el punto de vista didáctico, como ya se ha aclarado en la Parte A de este trabajo. Tampoco se toman en consideración los casos de polisemia/homonimia morfológica, como por ejemplo *fui*, *sienta*, etc., dado que sólo se analizan formas lematizadas. A continuación se comentan primero los casos de polisemia entre los términos.

3.1. Casos de polisemia entre los términos económicos y auxiliares

Dentro de la categoría de los términos económicos se distinguen 15 casos de polisemia, que corresponden a 31 UL distintas con 555 OC, y en la de los auxiliares 1 solo que corresponde a 2 UL con 11 OC. El caso del término auxiliar *gráfico* se soluciona enseguida mediante el concepto de *colligation*: en 6 de sus ocurrencias desempeña la función gramatical de sustantivo, en las 5 restantes la de adjetivo. Entre los económicos también hay algunos casos en que la posible ambigüedad se puede enfrentar de la misma manera: *fabricante*: sustantivo (29) y adjetivo (15), *productor*: sustantivo (13) y adjetivo (1), *inmovilizado*: sustantivo (13) y adjetivo (3), *industrial*: sustantivo (3) y adjetivo (13), y *nominal*: sustantivo (4) y adjetivo (4). De hecho, se trata de polisemias sintácticas (Juilland y Chang-Rodríguez: XXXI), es decir, formas polisémicas que según su significado pertenecen a una u otra categoría gramatical. En los 10 casos restantes de polisemia léxica, las formas pertenecen a la misma categoría gramatical, por lo cual el oyente o receptor de las formas polisémicas ha de recurrir a otra 'salvaguarda', como la denomina Muñoz Nuñéz, que es el contexto. A continuación se presenta cada acepción de las polisemias en un contexto aclaratorio, con mención antepuesta del número de ocurrencias:

mercado
(191) Por ejemplo, para poder pagar sustanciosos dividendos, en las empresas se investiga, se desarrollan nuevas tecnologías, se estudia el **mercado** para detectar posibles deseos y necesidades que los consumidores todavía no tengan cubiertos, se desarrollan nuevos productos para satisfacerlos y se crea riqueza y empleo.
(14) En la práctica, existen muchas fuentes de financiación que no cotizan en ningún **mercado**, por lo que no es posible acudir a él para conocer de forma inmediata las valoraciones de las mismas.
Queda claro que en el primer caso se trata del mercado en su significado económico más general, o sea, como lugar en que se efectúan contratos de compraventa o alquiler de bienes, servicios o capitales, mientras que en su segunda acepción el significado se restringe al mercado financiero. En ambos casos el contexto contiene suficientes elementos que eliminan la posible ambigüedad: *consumidores*, *productos* en el primero, y *fuentes de financiación*, *cotizar*, *valoraciones* en el segundo.

organización
(45) Otra razón es que los agentes sociales no disponen de toda la información necesaria, por lo que, si prescindieran de la empresa, incurrirían en una serie de riesgos que se evitan con la intervención de esa **organización** en la que se reúnen las necesarias experiencias.
(49) A efectos prácticos, la estructura en línea y *staff* y la estructura matricial, que es más moderna, son las únicas formas de **organización** capaces de cubrir las necesidades actuales de las empresas medianas y grandes.

De estos contextos se desprende claramente que en el primer caso *organización* es sinónimo de empresa, mientras que en el segundo se refiere a la manera de organizar una empresa.

promoción

(47) Las necesidades del mercado y sus características, así como las del producto y las de los tipos de distribución y **promoción** seleccionados, conjuntamente con las limitaciones financieras de la empresa, determinan la política de precios.

(6) Una política de personal sería "la **promoción** de los empleados se realiza sobre una base de capacidad, resultados y tesón".

En el primer caso se trata de un término de marketing, sinónimo de publicidad, en el segundo es un término de recursos humanos.

capital

(34) Evidentemente, bajo esta perspectiva quedan totalmente diferenciadas la figura del aportante del **capital**, y la del directivo.

(3) Otra definición que incorpora ese Diccionario es la de "entidad integrada por el **capital** y el trabajo, como factores de producción y dedicada a actividades industriales, mercantiles y de prestación de servicios, con fines lucrativos y con la consiguiente responsabilidad ".

Capital se utiliza 34 veces como sinónimo de *caudal*, un significado más bien empresarial, y sólo 3 veces en su significado económico general de *factor de producción*.

amortización

(15) Además, se incurre en costes de alquiler o de **amortización** de los locales destinados a almacenes, costes de control de los productos, de manipulación física, de obsolescencia y mercados de los productos almacenados, de seguros, etc.

(5) Tomemos como ejemplo el caso de la empresa fabricante de embutidos Sebo, S. A., que tomó hace dos años un crédito bancario de 10 millones a cuatro años, por lo que quedan dos para su **amortización**.

En el caso de *amortización*, el significado depende del complemento: si se trata de una amortización de costes o gastos, se hace referencia a la expresión contable de la distribución en el tiempo de las inversiones en inmovilizado por su utilización en el proceso productivo. En el caso de la amortización de un crédito o un empréstito por obligaciones, se trata de un desembolso. El verbo *amortizar* manifiesta estas mismas acepciones, con 11 y 4 ocurrencias respectivamente.

economía

(7) Sin embargo, los poderes públicos intervienen en la **economía**, lo cual, en algunos casos, supone una limitación de los derechos y las libertades individuales.

(3) De ese modo se comprueba que se cumplen principios de **economía** de movimientos como el de que las dos manos no deben estar ociosas al mismo tiempo o que una mano no debe utilizarse como punto de sujeción ya que para ello hay herramientas especiales.

(2) La clasificación de mercados más generalizada en **Economía** es la que los distingue según el número de oferentes y demandantes que intervienen, conforme a la tabla 13.

Economía cuenta con 3 acepciones: la economía como sistema, la economía como sinónimo de parsimonia, y la economía como ciencia, acepción que también está marcada por el empleo de la mayúscula, lo cual se puede considerar como un elemento de '*colligation*'.

productivo

(10) A diferencia de la programación de la producción, en la que habitualmente se trata de optimizar la elaboración de un conjunto de productos, la planificación de las actividades **productivas** se centra en preparar la elaboración de un producto.

(1) Desde sus primeras investigaciones, Taylor descubrió la existencia de ciertas limitaciones al aumento de la productividad provenientes del temor de los trabajadores a perder su empleo y a la escasa predisposición de los empresarios a compensar económicamente a los trabajadores más **productivos**.

Productivo se refiere en la primera acepción, la más frecuente, al proceso de producción, y en su segunda acepción al hecho de producir mucho o poco.

ahorro

(5) Muchos empresarios y comerciantes entienden que el proveedor no les cobra ningún interés si pagan a plazo, y perciben un **ahorro** en el pago al contado, como si aquél les regalara el descuento.

(3) Los primeros son los conseguidos en el exterior de la empresa captando el **ahorro** de otros, en tanto que los fondos internos son los generados dentro de la empresa mediante su propio **ahorro**.

Ahorro se refiere 5 veces a un recorte (financiero)[48], un descuento. En los 3 casos restantes tiene el significado de cantidad ahorrada.

cartera

(1) La empresa podría elaborar otra tabla, como la 15.3, en la que se han calculado los beneficios totales si se incorpora a la **cartera** el producto 2 y si es el tipo 3 el que se introduce.

(1) Las estrategias de ínternacionalización básicas son las siguientes: En la mayor parte de los casos es particularmente importante la cooperación con empresas locales, es decir, constituir una **cartera** de alianzas internacionales.

Cartera se refiere primero a una cartera de productos, y en el segundo caso a una de clientes.

3.2. Casos de polisemia entre los términos y las demás categorías léxicas

Entre los términos económicos y auxiliares, y las unidades léxicas de las demás categorías léxicas, hay más casos de polisemia: 65 en total, que se realizan en 148 UL distintas y 3.169 OC. Entre ellos, 10 casos se identifican gracias a su categoría gramatical, o sea, que son casos de *colligation*, como por ejemplo *bien*: sustantivo (70) y adverbio (43), *directivo*: sustantivo (46) y adjetivo (11), *personal*: sustantivo (20) y adjetivo (15), *variable*: sustantivo (172) y adjetivo (15), etc. Otra salvaguarda, que se manifiesta en 4 casos, es el plural: en su significado terminológico los términos, *medios* (9), *valores* (26), *pérdidas* (14) y *fondos* (14) ocurren en plural[49]. Esto va por supuesto en contra de la norma de lematización terminológica, según la cual la forma canónica de un sustantivo ha de ser singular, pero como dice Wright (1997:17):

---

[48] En dos casos se trata de un uso económico, parsimonioso del tiempo en el proceso de producción: *ahorro de tiempo*.

[49] No obstante, en el caso de *medios* y *valores*, la forma plural no constituye el único término económico derivado del lema, como se verá más adelante.

Nouns that only occur in the plural or that have different meanings in the plural constitute an exception to this rule. [...] The singular and plural terms should be treated as two separate concepts[50].

Los casos de polisemia restantes se aclaran principalmente gracias al contexto. Comentamos a continuación los más frecuentes y los que mayor variación semántica presentan[51]. Los 5 más frecuentes son:

Producto
(491) Según el grado de elaboración del producto se distingue entre mercados de **productos** primarios (agropecuarios, marítimos, minerales), productos semielaborados, bienes manufacturados y servicios.
(11) El coste variable total es el producto del número de unidades producidas y vendidas por el coste variable unitario, C, siendo este último el que se precisa para elaborar una unidad física de producto.

En la mayoría de las ocurrencias *producto* es un término económico, mientras que en el segundo ejemplo es un término auxiliar de las matemáticas, aunque en la misma frase la forma léxica se presenta también en su significado económico.

A continuación se presenta para las formas *interés, acción, obligación* y *balance* primero un ejemplo con el significado económico de la forma en cuestión, después uno con el significado general. Obsérvese que en cada caso el uso de la forma como término económico es, con diferencia, el más frecuente.

Interés
(71) El banco que le prestó los 50 millones le cobra un **interés** anual del 10 %.
(26) Esta perspectiva se basa en la idea de que los consumidores y la sociedad auspiciarán a aquellas organizaciones que demuestren **interés** por su satisfacción y bienestar.

---

[50] Por lo tanto, esta excepción explica también por qué algunos de los términos compuestos se encuentran lematizados en plural como, por ejemplo, *recursos propios* (21), *recursos ajenos* (16), *relaciones públicas* (15), *recursos* humanos (12), *factores de producción* (12), *grandes almacenes* (6), etc. En total se trata de 24 compuestos lematizados en plural.

[51] Las formas polisémicas/homónimas se pueden consultar exhaustivamente en el anexo C.

Acción

(96) El objetivo financiero primario de la empresa es maximizar la riqueza de sus accionistas por su vinculación a la empresa, o, lo que es lo mismo, maximizar el precio de la **acción**.

(26) La publicidad es una forma de comunicación en masa que tiene como objetivo transmitir información, crear una actitud o inducir a una **acción** beneficiosa para quien la realiza.

Obligación

(22) Como los intereses se calculan aplicando el tipo de interés nominal (el 10 %) sobre el valor nominal (1,000 u. m.) , quien adquiere una **obligación** obtiene unos intereses anuales de 100 u. m. y el precio de reembolso dentro de tres años (1,000 u. m.).

(3) La responsabilidad es la **obligación** de la persona de llevar a efecto las tareas que le han sido asignadas.

Balance

(20) El **Balance** es un importante documento empresarial en el que se detallan todas las inversiones que la empresa ha ido realizando a lo largo de su existencia, así como las fuentes de financiación de esas inversiones.

(2) Posteriormente, es preciso estudiar y realizar un **balance** de la situación general de la empresa y su entorno.

En el caso de *balance*, su uso como término no sólo se indica gracias al contexto, sino además mediante la mayúscula.

Los que más variación semántica presentan son:

Medio

(118) Los modelos explicativos se aplican a corto, **medio** y largo plazo, tanto para prever la evolución espontánea del mercado como sus reacciones a las decisiones de la empresa.

(24) El control es un **medio** de previsión y corrección de problemas, pero, en algunos casos puede ser causa de dificultades.

(9) En el plan financiero se establecen las inversiones que se van a realizar y los **medios** con los que van a ser financiadas.

(9) Selección de medios y soportes publicitarios. Un **medio** está formado por todos los soportes afines o de la misma categoría.

(5) La probabilidad de obtener cara es de un **medio** porque hay un caso favorable sobre dos posibles.

(3) En los tests de reconocimiento se les pregunta si han visto el anuncio en un determinado **medio**, o con qué marca asocian un producto, o una necesidad, etc.

Medio manifiesta 6 significados distintos en el corpus: 2 de ellos se pueden reconocer gracias a identificadores gramaticales, como el plural en el caso del término económico *medios* (9) y la forma adjetival en el caso del adjetivo *medio* (118). Los 4 restantes se han de inducir del contexto: *medio* como sinónimo de instrumento (24), como término del marketing (9), como sinónimo de un 50% (5), y como sinónimo de canal de información (3).

Carga

(3) Internacionalizándose, las empresas pueden obtener ventajas en costes, aprovechando economías de escala, así como diferencias en los costes de los factores, y en las **cargas** financieras y fiscales de los distintos países.

(2) Reduciendo el peso de los bloques y dejando un tiempo de descanso entre cada cierto número de **cargas**, consiguió que cada uno pasara de cargar diariamente 12.

(1) Que los vendedores de cada territorio tengan semejante **carga** de trabajo y potencial de ventas.

(1) Si la incertidumbre se encuentra estructurada, la decisión continúa incorporando una **carga** de subjetividad muy elevada, de modo que distintas personas tomarían diferentes decisiones, dependiendo de su optimismo o pesimismo, de su aversión al riesgo o al fracaso, etc.

Los 4 significados distintos de la forma léxica *carga* contienen 1 económico, es decir la carga como gravamen o tributo (3), y 3 generales: la acción de cargar (2), la cantidad de trabajo (1), un efecto mental (1).

Distribución

(47) La **distribución** incluye todas aquellas decisiones y actividades que se orientan al proceso por el que se dirige el producto hasta el consumidor final.

(24) Siguen una **distribución** normal con esperanza matemática nula y desviación típica constante cualquiera que sea el valor de las variables explicativas.

(13) Combinando cuanto se ha expuesto hasta el momento, no tiene dificultad alguna la optimización del presupuesto y de su **distribución** por marcas, segmentos y variables.

(4) A veces es posible mejorar la **distribución** de la planta de modo que las distancias que deben recorrerse se reduzcan.

La forma *distribución* manifiesta 2 significados terminológicos en el corpus: 1 económico, que es el más frecuente (44) y que está definido en el primer ejemplo; otro auxiliar, un término de la estadística (24) que se refiere a la distribución probabilística de los valores de una variable estadística. Los demás significados son generales: el más frecuente (13) es un sinónimo de *reparto*, el restante (4) de *disposición*.

Competencia

(52) Para hacer frente a la **competencia** en cada segmento, la empresa puede desarrollar estrategias de marcas múltiples que compitan entre sí y con las de las empresas competidoras.

(3) Una empresa está mal organizada si sus unidades funcionan con objetivos cruzados, si departamentos rivales están constantemente peleando por sus **competencias**, o si algunas funciones no se realizan porque nunca quedaron claramente asignadas a alguien.

(2) Cuando no existe esa relación, se dice que la diversificación es heterogénea o conglomeral, y en tal caso sólo suelen existir algunas sinergias de tipo financiero o de las basadas en el mejor aprovechamiento de las **competencias** y conocimientos de la dirección.

La forma *competencia* como término económico es la más frecuente. En sus significados generales, respectivamente el hecho de tener la autoridad y el hecho de tener la experiencia y el conocimiento, es mucho menos frecuente: 3 y 2 ocurrencias.

Dirección

(46) La **dirección** requiere una sistemática respuesta a los cambios del entorno empresarial; comporta un conjunto de procesos que facilitan la toma de decisiones en un entorno cambiante, para la consecución de unos objetivos.

(32) La **dirección** se ocupa de dirigir; los trabajadores se ocupan de trabajar.

(1) La tendencia o **dirección** predominante de la serie observada en un período suficientemente amplio.

La forma *dirección* presenta 2 significados terminológicos, uno que se refiere a la acción de dirigir una empresa, otro que es el nombre colectivo de todos los directivos juntos. En su significado general, que ocurre sólo una vez, *dirección* es sinónimo de tendencia, tal como el texto lo explicita.

3.3. Conclusión

En suma, el 6,58% (110 UL en total) de todas las UL terminológicas (económicas y auxiliares), comparten su forma léxica con otro significado. Estas UL tienen juntas, con 2.840 OC, una tasa de cobertura del 17,12% para la totalidad de términos, o sea, que la probabilidad de que el término con que el estudiante se encuentra, tenga todavía otro significado en el corpus, es del 17,12%. Sin embargo, si las tasas de formas polisémicas con, por lo menos, un significado especializado (110 UL) se ponen en relación con la totalidad de UL y OC en el corpus, su importancia se reduce bastante: sólo el 2,23% de todas las UL con una tasa de cobertura del 2,40%, es decir, una probabilidad de algo más de un 2% de encontrarse con una forma que combine un significado especializado con otro especializado o general en el corpus. Esta probabilidad poco elevada apoya nuestras conclusiones del capítulo IV de la Parte A en más de un sentido. En primer lugar, demuestra que dentro de un mismo texto no suele haber ambigüedad debido a formas polisémicas porque, como se desprende del corpus, raras veces coinciden en un mismo contexto. Asimismo, en el corpus la forma con significado terminológico suele ser la más frecuente: 2.840 OC con significado especializado *vs.* 908 OC con significado general, o sea, el 75,77% de todas las OC (3.748) frente al 24,33%. Por consiguiente, si un estudiante estudia el español económico desde el nivel elemental, la posibilidad de que le confundan las significaciones generales de las formas que conoce como términos, se ve bastante limitada. Segundo, el hecho de que la ambigüedad potencial se puede solucionar gracias a salvaguardas de distinta índole, sean éstos elementos gramaticales, como el concepto de *colligation*, el género, el plural, el empleo de una mayúscula, etc., sea el contexto, contribuye también a la relativización del problema de la polisemia. Como lo confirma Muñoz Nuñéz (1999: 163), la lengua no admite la existencia de una polisemia indescifrable, una situación que llevaría a "*la desaparición de una o varias de las acepciones de la palabra de que se trate*", cosa que no suele producirse, dado que ninguna ambigüedad es insuperable.

Aun así, si bien los términos que comparten su forma con otro significado representan sólo el 6,58 % de todas las unidades terminológicas, no se puede negar el hecho de que figuran entre los más frecuentes, ya que su tasa de cobertura es del 17,12% (2.840 OC). Sería útil, por lo tanto, indicar la posible polisemia del término en algún momento de su enseñanza, para que el estudiante se dé cuenta de la ambigüedad eventual.

CAPÍTULO III: ANÁLISIS LÉXICO-ESTADÍSTICO DE LOS TÉRMINOS ECONÓMICOS Y AUXILIARES

1. INTRODUCCIÓN

En este capítulo se examinará si los términos más frecuentes, es decir, los que presentan la mayor tasa de cobertura, también se pueden considerar los más importantes del corpus, y si es posible establecer un ranking entre ellos con utilidad didáctica inmediata. Por lo tanto, se trata de encontrar los criterios adecuados y de elaborar el método idóneo para ordenar los términos, seleccionados hasta ahora mediante criterios semánticos, de la manera más eficaz posible.

En la didáctica, el criterio de la frecuencia sufrió durante mucho tiempo duras críticas, sobre todo en los años 60 y 70 cuando cosechan mucho éxito las listas de vocabulario básico, como *L'élaboration du français fondamental I* (1967, Gougenheim G. *et al.*), *Le vocabulaire disponible du français I* (1971, Mackey W. F. *et al.*), *A general service list of English words* (1953, M. West), los niveles umbrales para los distintos idiomas europeos por parte del Consejo de Europa, etc. Los autores de estas listas llegan a la conclusión de que el criterio cuantitativo de la frecuencia no produce resultados satisfactorios, porque faltan palabras útiles que estiman imprescindibles según su intuición y experiencia. De ahí que recurran a dos criterios cualitativos para complementar, o incluso sustituir, el de la frecuencia, es decir la valencia y la disponibilidad. Mediante el criterio de valencia se seleccionan sólo palabras que permiten reemplazar otras –aunque a veces mucho más frecuentes que las seleccionadas– mediante uno de los siguientes procesos: la combinación de dos o más palabras conocidas que evitan el estudio de una nueva como, por ejemplo, *ir fuera* en lugar de *salir*; la extensión de una palabra o su valor polisémico que permite cubrir más significados con una sola forma que las palabras monosémicas; la inclusión mediante el uso de hiperónimos que pueden sustituir los hipónimos; la definición o la paráfrasis. La valencia está en la base del *Basic English* de Richards (1943) que cuenta en total sólo 850 formas léxicas, aunque con 12.425 significados distintos. El criterio de la disponibilidad se basa en la experiencia de los autores, los profesores y/o los hablantes nativos de una lengua respecto de la supuesta utilidad de una palabra. No obstante, los criterios de valencia y disponibilidad plantean unos problemas fundamentales: la valencia porque se centra únicamente en la producción léxica y, por consiguiente, no funciona en situaciones de comunicación real que exigen una competencia léxica receptiva no artificial a fin de poder entender el discurso de un hablante nativo, y la disponibilidad porque resulta demasiado subjetiva, lo que es *a fortiori* el caso en el proceso de selección y ordenación de léxico especializado, algo que no se puede confiar al juicio del profesor de lenguas no especialista en la materia. Sciarone (1979: 36) constató que existe una fuerte correlación entre el juicio basado en la experiencia respecto de la utilidad de una palabra y su frecuencia efectiva, en el sentido de que las palabras más frecuentes son también las que se seleccionan en base a la experiencia, pero que, según disminuye la frecuencia, crece también el número de palabras que falta en la lista de disponibilidad. Se puede sacar como conclusión que el criterio de experiencia pierde importancia a medida que la frecuencia baja, y que una lista de frecuencias bastante larga –según Sciarone (*ibíd.*) a partir de 1000 palabras– produce resultados más significativos que una lista de disponibilidad, que pierde su fiabilidad a partir de cierto punto.

2. LA FRECUENCIA Y LA DISTRIBUCIÓN COMO INSTRUMENTOS DE SELECCIÓN

Hoy en día vuelve a admitirse que la frecuencia es un criterio eficaz y fiable para seleccionar y graduar el léxico en un contexto didáctico, con tal de que se elija el corpus adecuado con el tamaño adecuado, dos *conditiones sine qua non* que no se cumplieron en el caso de los léxicos básicos, lo que explica los malos resultados y la necesidad de recurrir a las alternativas descritas, aunque tampoco con mucho éxito. Además, para dar resultados verídicos, el criterio de la frecuencia necesita ser combinado con el de la dispersión. La dispersión, que también se denomina repartición, distribución o *range*, tiene en cuenta cómo las unidades léxicas se reparten entre las distintas partes del corpus. Cuanto mayor sea la dispersión de una palabra, tanto más estable será la frecuencia y *vice versa*. Para la lexicología, por consiguiente, la dispersión es un dato imprescindible a fin de determinar la estabilidad de una frecuencia, incluso cuando el corpus analizado es enorme, como lo confirman Leech *et al.* (2001: 17):

Even in a large and varied corpus such as the BNC[52], simple word-frequency counts can be misleading. […] It is possible that the word has a high frequency not because it is widely used in the language as a whole but because it is 'overused' in a much smaller number of texts, or parts of texts, within the corpus. […] To keep track of such distorting effects, we have also provided dispersion statistics.

Como dicen Leech *et al.*, a fin de tener en cuenta la repartición del léxico en un corpus, la lexicología apela a la estadística léxica. Ésta desarrolló distintas fórmulas para combinar frecuencia y dispersión, siendo, sin duda, una de las más conocidas el *'usage coefficient'* de Juilland y Chang-Rodríguez (1964: XVIII), pero existen también el Um de Carroll (1970), la Fréquence modifiée (FM) de Engwall (1972) y la Korrigierte Frequenz (KF) de Rosengren (1971). Engwall, que comparó estas cuatro fórmulas para el léxico de 25 novelas francesas, llega a la constatación de que las diferencias entre los resultados obtenidos mediante los distintos cálculos son inapreciables:

On peut dire en conclusion qu'il n'y a entre les résultats des différents modes de calcul d'écarts notables ni en ce qui concerne les valeurs données aux vocables fictifs ni sous le rapport des rangs attribués aux types de notre corpus" (1974: 124).

No obstante, según Muller (1977: 74) sí es importante tomar en consideración si el corpus está dividido en partes iguales o fragmentos desiguales. En el último caso, que es el nuestro, el padre de la estadística léxica sugiere una frecuencia "corregida":

On a proposé[53] une autre façon de calculer une **fréquence corrigée**, qui a l'avantage d'être utilisable aussi bien pour un corpus dont les parties sont

---

[52] BNC es la sigla de *British National Corpus*, un corpus de 100 millones de palabras de inglés británico actual escrito y hablado. Se compone de 4.124 subcorpora todos en relación con otro tópico; por lo cual el corpus pretende estar bien equilibrado.

[53] De hecho, se trata de una fórmula desarrollada por V. Rosengren, citado en Müller (1977: 74).

inégales. [...] cette fréquence corrigée, représentée par KF (en allemand, Korrigierte Frequenz), s'exprime par:

$$KF = \left(\sum \sqrt{p_i f_i}\right)^2$$

En esta fórmula, que está basada en la media geométrica y que fue desarrollada por Rosengren (1971:119), p_i representa el tamaño relativo del fragmento o capítulo i en que figura la unidad léxica en cuestión, o sea, la totalidad de ocurrencias en el fragmento i dividida por la totalidad de ocurrencias en el corpus. La frecuencia de la unidad léxica en el fragmento i corresponde a f_i. Al calcular el producto de f_i con p_i para cada capítulo en que está el lema, se obtiene una cifra que Rosengren llama la frecuencia corregida, ya que esta fórmula tiene en cuenta la dispersión de cada lema para corregir su frecuencia. Por lo tanto, los lemas que ocurren en total dos veces en dos capítulos, se estiman más importantes que los lemas con una frecuencia superior pero concentradas en un solo capítulo. Asimismo, el tamaño del capítulo determina en cierta medida el resultado, dado que Rosengren parte del supuesto de que cuanto mayor el fragmento, tanto más representativo y, por consiguiente, tanto más significativa la ocurrencia del lema:

> The formula expresses the fact that a word that is frequent in a large category is relatively more frequent than a word that is frequent in a small category (1971: 120).

3. APLICACIÓN: CREACIÓN DE UN RANKING A BASE DE LA FRECUENCIA CORREGIDA DE ROSENGREN

En un contexto didáctico, el hecho de tener en cuenta la dispersión puede servir a dos objetivos: el de eliminar palabras frecuentes pero mal repartidas y/o el de ordenar la lista de frecuencias de manera que el resultado corresponda más a la realidad lingüística. Es el segundo objetivo el que nos proponemos en este apartado. Mostramos a continuación las primeras 50 UL del ranking de los términos económicos del corpus[54] después de la aplicación de la fórmula de Rosengren, y añadimos al lado la lista de frecuencias no alterada, a fin de observar las diferencias:

Ranking según frecuencia corregida		Ranking según frecuencia absoluta	
1. empresa	686,74	empresa	821
2. producto[1]	319,80	producto[1]	491
3. coste	260,85	u. m.	375
4. u. m.	214,46	coste	330
5. decisión[1]	188,69	inversión	322
6. valor[2]	186,28	venta	285
7. venta	147,34	valor[2]	229
8. cliente	140,27	precio	228
9. precio	133,24	decisión[1]	215
10. inversión	120,81	cliente	214
11. beneficio	111,60	mercado[1]	191
12. mercado[1]	106,83	beneficio	185
13. producción	80,72	rentabilidad	173
14. rentabilidad	77,73	consumidor	160
15. consumidor	65,22	producción	143
16. riesgo	65,12	demanda	138
17. demanda	55,66	vendedor	133
18. financiero	53,43	trabajo	117
19. pagar	48,58	riesgo	110
20. vender	47,16	nudo	109
21. económico	42,02	activo	99
22. S. A.	41,84	acción[1]	96

[54] Se pueden consultar las listas completas con las frecuencias corregidas de los términos económicos y auxiliares en el anexo H de este trabajo. El anexo H bis contiene la misma información pero por orden alfabético. No están incluidos los *hapax legomena* en estas listas, ya que las formas que ocurren una sola vez no están sometidas al fenómeno de la dispersión. Repetimos que la identifación de las formas polisémicas u homónimas se encuentra en el anexo C. Las UL polisémicas u homónimas llevan [1], [2], [3], etc.

23. calidad	35,13	inventario	92
24. vendedor	34,69	trabajador	92
25. bien[1]	32,57	pagar	89
26. trabajo	32,50	flujo de caja	87
27. adquirir	29,64	S. A.	86
28. gasto	28,92	financiero	80
29. activo	27,61	calidad	77
30. pago	25,62	deuda	75
31. planificación	25,09	almacén	74
32. compra	23,88	vender	73
33. marketing	23,80	interés[1]	71
34. empresarial	23,62	bien[1]	70
35. unidad monetaria	22,20	dividendo	66
36. acción[1]	21,82	valor actual neto	66
37. dirección[1]	21,42	equipo[1]	65
38. competencia[1]	21,25	coste fijo	62
39. comprar	20,92	pedido	62
40. recursos	19,92	económico	60
41. inventario	19,30	marca	60
42. almacén	19,28	planificación	58
43. interés[1]	19,27	pasivo	56
44. distribución[1]	19,04	materia prima	54
45. adquisición	18,87	VAN	54
46. flujo de caja	18,71	competencia[1]	52
47. deuda	18,54	marketing	52
48. coste fijo	18,01	pago	51
49. trabajar	17,74	organización[2]	49
50. promoción[1]	17,47	adquirir	48

TABLA 3.1.

La fórmula de Rosengren no tiene efecto en las primeras dos UL más frecuentes del corpus –*empresa* y *producto*[1]. Hasta la posición 15, las UL de las dos listas corresponden, aunque no todas en las mismas posiciones. A partir de la posición 16, las diferencias se hacen más notables. En las posiciones 28, 34, 35, 37, 39, 40, 48 y 50 de la lista de frecuencia corregida se encuentran, respectivamente, las UL *gasto*, *empresarial, unidad monetaria, dirección*[1], *comprar, recursos, trabajar* y *promoción*[1], todas palabras que no están entre los 50 términos económicos más frecuentes. En la lista de frecuencia absoluta ocupan respectivamente las posiciones 59, 84, 76, 57, 72, 71, 97 y 53, o sea, que están entre las primeras cien. Los términos que están en la lista de los 50 términos más frecuentes, pero no en la lista de frecuencia corregida son –mencionamos su posición entre paréntesis– *nudo* (20), *trabajador* (24), *dividendo* (35), *valor actual neto* (36), *equipo*[1] (37), *pasivo* (43), VAN (45), *organización*[2] (49) y *pedido* (39). En la lista de frecuencia corregida ocupan respectivamente las posiciones 95, 59, 80, 58, 81, 114, 96, 65 y 107. Se puede constatar que forman todos parte de los primeros cien, excepto los términos *pasivo* y *pedido*, que se sitúan en la posición 114 y 107 respectivamente.

Los sustantivos constituyen, por supuesto, la categoría gramatical más frecuente y mejor repartida, porque 42 de las primeras 50 UL en la lista por frecuencia corregida son sustantivos, pero llama la atención que los adjetivos y los verbos ganan importancia en comparación con la lista por frecuencia absoluta, dado que la primera contiene 3 adjetivos y 5 verbos –*financiero, económico, empresarial, pagar, vender, adquirir, comprar* y *trabajar*–, mientras que la segunda sólo cuenta con 2 adjetivos y 3 verbos: *financiero, económico, pagar, vender* y *adquirir*.

No hay muchas UL compuestas entre las primeras 50, sin duda porque el 43,13% (402 términos) de las compuestas son *hapax legomena*. En la lista por frecuencia corregida de las 50 UL más frecuentes sólo hay 5, dos menos que en la lista por frecuencia absoluta. Se presentan a continuación las primeras 10 UL compuestas de la lista por frecuencia corregida, con las 10 más frecuentes al lado:

Frecuencia corregida			Frecuencia absoluta		
4	u. m.	214,46	3	u. m.	375
22	S. A.	41,84	26	flujo de caja	87
35	unidad monetaria	22,20	27	S. A.	86
46	flujo de caja	18,71	36	valor actual neto	66
48	coste fijo	18,01	38	coste fijo	62
52	materia prima	17,04	44	materia prima	54
58	valor actual neto	15,22	45	VAN	54

70	producto terminado	12,87	54	rentabilidad financiera	47
78	coste variable unitario	10,62	61	rentabilidad requerida	43
83	toma de decisiones	10,01	62	tipo de descuento	42

TABLA 3.2.

A la izquierda de cada lista de UL compuestas se menciona el rango; a la derecha, respectivamente, la frecuencia corregida y absoluta. Llama la atención que 4 de las 10 UL compuestas en estas listas no coinciden: la lista por frecuencia corregida incluye las UL *unidad monetaria*, *producto terminado*, *coste variable unitario* y *toma de decisiones* antes de *VAN*, *rentabilidad financiera*, *rentabilidad requerida* y *tipo de descuento*. Además, las 10 UL compuestas de esta lista se reparten entre las primeras 83 UL, mientras que las de la lista por frecuencia absoluta entre las primeras 62, o sea, que las UL compuestas ocupan puestos menos importantes en la lista por frecuencia corregida.

Entre las primeras 50 UL de la lista por frecuencia corregida hay 11 UL que comparten su forma con otro significado en el corpus. Se trata de las UL *producto[1]*, *decisión[1]*, *valor[2]*, *mercado[1]*, *bien[1]*, *acción[1]*, *dirección[1]*, *competencia[1]*, *distribución[1]*, *interés[1]* y *promoción[1]*. Juntas constituyen sólo el 6,08% del total de las polisemias terminológicas en el corpus (33 + 148 = 181 UL), pero con 1.552 OC cubren el 41,55% de la totalidad de ocurrencias (566 + 3.169 = 3.735 OC). La tasa de cobertura aumenta al 51,81% (1.935 OC) si se consideran las polisemias de las primeras 100 UL de esta lista. Se añaden entonces las siguientes UL: *producir[1]*, *capital[1]*, *directivo[2]*, *organización[1]*, *organización[2][55]*, *invertir[1]*, *flujo[1]*, *equipo[1]*, *fabricante[1]* y *fabricante[2][56]*. Esto significa que entre las UL más frecuentes y mejor repartidas del corpus, se encuentran también las polisemias más recurrentes. Esta constatación refuerza la conclusión de que se han de relativizar los problemas posibles causados por la polisemia. Al presentar el vocabulario en un contexto didáctico en el orden que sugiere esta lista, más de la mitad de los casos de polisemia terminológica se solucionan después del estudio de los cien primeros términos.

---

[55] *Organización[1]* se utiliza como sinónimo de empresa, *organización[2]* se refiere a la organización del trabajo.

[56] *Fabricante[1]* desempeña la función de sustantivo, *fabricante[2]* la de adjetivo.

Una comparación total de la lista por frecuencia corregida con la elaborada por frecuencia absoluta produce los siguientes resultados (los términos se presentan por orden de frecuencia corregida decreciente):

Fragmento	Términos no presentes en la lista por frecuencia absoluta	%
1-100	comercial, escaso, renta, flujo[1], neto, empleado, toma de decisiones, maquinaria, abonar, cobro, fabricar, proceso de producción, incertidumbre, tecnología, fabricante[2], fabricante[1], coste variable, volumen de ventas	18%
101-200	tecnológico, rentable, dinero, margen de beneficio, empresario, empleo, negocio, medios, escasez, riqueza, productor[1], comisión, coste de la financiación, productivo[1], precio unitario, coste de oportunidad, saldo, optimización, competir, factores de producción, recursos humanos, marketingmix	22%
201-300	negociación, función de producción, medio financiero, coste de producción, retribución, economía de la empresa, coste financiero, hora extraordinaria, labor, inversor, laboral, ingeniero, crédito bancario, mercancía, sondeo, gran empresa, rentabilidad operativa, margen bruto, depreciación, carga de estructura, intermediación, plantilla, liquidez, seguro[1], coste de distribución, economía[1], empresa pequeña, margen bruto total, producto semiterminado, grandes almacenes, económicamente, demora, incentivar	33%
301-400	horizonte, industria, flujo de información, margen unitario, bruto, penetración, expansión, investigación operativa, organización empresarial, libre de riesgo, precio de adquisición, línea de productos, participación[2], impuesto sobre el beneficio, coyuntura económica, ejercicio[1], comercialización, tasa de crecimiento, umbral de rentabilidad, hipermercado, inversión mutuamente excluyente, nominal[1], valor nominal, red de distribución, suministro, gasto financiero, cargar[1], coste marginal, muestreo, fondo, modelo determinista, producto en curso de fabricación, repuesto, tiempo normal, actividad productiva	35%
401-500	asesor, sindicato, coste de transporte, compra-venta, capacidad adquisitiva, desembolsar, alimentación, presupuestario, flujo neto de caja, tasa de rentabilidad, tipificar, director financiero, retroalimentación, capacidad	44%

productiva, utilidad de lugar, utilidad de tiempo, teoría de la información, precio de coste, prestar[1], carga[1], ofertar, abastecimiento, producción múltiple, economicidad, productividad global, valor de retiro, valor residual, agrícola, jubilación, prescriptor, satisfacción de las necesidades, sistema mixto, técnica AIDA, amortización constante, cuota fija, ahorro[2], panel, coste del pasivo, hora de trabajo, autogestión, línea[3], grandes superficies, *payback*, contablemente

501-600	gestión financiera, técnica PERT, coste de la producción, supermercado, contable, sociedad[1], coyuntura, líquido[1], gravar, mercado de valores, estado mayor, concurrente, estudio de mercado, a crédito, mina, política de cero defectos, mantenimiento preventivo, método de los números dígitos crecientes, para almacén, producción para almacén, producción para el mercado, producción por encargo, tanto fijo, tipificación[1], vida técnica, embalaje, decisión empresarial, poder no coercitivo, respuesta al estímulo, sistema OPR, materia auxiliar, por órdenes, proceso productivo, abono, transportista, remunerar, empresa consultora, equipo de trabajo	38%
601-700	objetivo de ventas, recursos financieros propios, venta a crédito, flujo físico, mercantil, técnica PERT CPM, minero, dirección de la empresa, lucrativo, economía[3], consultor, sociedad anónima, huelga, costes estándares, decisión de proceso, decisión de producción, dirección de producción, disposición combinada, disposición de punto fijo, disposición por procesos, disposición por productos, *full costing*, función productiva, índice de Laspeyres, índice de productividad global, inversión de renovación o reemplazo, mantenimiento correctivo, mantenimiento predictivo	28%
701-800	método del tanto fijo, para el mercado, por encargo, por órdenes de fabricación, precio estándar, producción en masa, renta anual equivalente, tabla de control de costes, tasa de productividad global, técnica del *direct costing*, tecnológicamente, modelo de distribución, modelo marginalista, poder coercitivo, semimayorista, test de recuerdo, trabajo a comisión, método de la comparación de costes, método VAN, *payback* con descuento, tasa interna de rentabilidad, pequeña y mediana empresa, PYME,	43%

minusvalía, pérdidas de capital, prima de reembolso, quebrar, quiebra, reinvertir, renta nacional, sindicato bancario, tributo, valoración en funcionamiento, valor en funcionamiento, método CPM, método PERT en incertidumbre, PERT tiempo, prelación lineal, principio de designación sucesiva, organización informal, presidente, producto de alimentación, teoría Z

801-904   /   0%

TABLA 3.3.

Este cuadro muestra que el tener en cuenta la dispersión cambia considerablemente el orden de palabras por frecuencia absoluta. La columna del medio menciona las UL que, en primer lugar, en la lista por frecuencia absoluta no figuran en el mismo fragmento de cien UL y, en segundo lugar, tampoco figuran en uno anterior a partir del fragmento 101-200, sino en uno de los fragmentos siguientes. La diferencia entre el contenido de los fragmentos por frecuencia corregida y absoluta es progresiva. En el primer fragmento difieren sólo el 18% de las palabras, lo que es normal, porque la mayoría de las palabras más frecuentes de un corpus, suele también presentar la mejor dispersión. En el segundo, el tercero y el cuarto fragmento, la diferencia crece y es, respectivamente, del 22%, 33% y 35%. En el quinto fragmento, de 401 a 500, es donde más diferencia hay: un 44% de los términos no corresponden, una situación que se reproduce casi en el octavo fragmento con el 43%. En el séptimo fragmento, el solapamiento es algo mayor: la tasa de UL no presentes en el fragmento por frecuencia absoluta baja al 28%. Es lógico que en el último fragmento la diferencia se reduzca al 0%.

La lista por frecuencia corregida cuenta sólo 904 términos, porque hemos omitido los 504 *hapax legomena*. Dado que estos términos ocurren sólo una vez en el corpus, tiene poco sentido someterlos a una fórmula que combina la frecuencia con la dispersión. Sin embargo, esto no significa que no sean importantes. Aunque queda claro que no forman parte del '*core vocabulary*' o vocabulario fundamental del léxico económico empresarial, sí constituyen más del tercio (el 35,80%) de la totalidad de términos económicos (UL) en el corpus, por lo cual no pueden ser omitidos. Así, bastantes *hapax* compuestos manifiestan como elemento básico un término simple muy frecuente y forman una variante o ampliación a partir de éste mismo, como por ejemplo los siguientes *hapax* compuestos que contienen todos el término *inversión*: *inversión de activo fijo, inversión de ampliación a nuevos productos o mercados, inversión de ampliación de los productos o mercados existentes, inversión de mantenimiento, inversión de reemplazamiento para el mantenimiento de la empresa, inversión de reemplazamiento para reducir costes o para mejorar tecnológicamente, inversión en activo circulante, inversión fraccionable, inversión impuesta, inversión no simple* e *inversión pura.*

4. EL CRITERIO DE HAZENBERG (1994) Y LAS LIMITACIONES DEL RANKING POR FRECUENCIA CORREGIDA

Se ha demostrado que la fórmula de la frecuencia corregida de Rosengren ofrece un criterio fiable para ordenar los términos según su importancia. No obstante, conviene hacer una observación respecto del ranking así obtenido y la utilidad de someter el resultado exhaustivo al estudiante de español económico. Hazenberg (1994: 49) demuestra, en su intento de establecer un vocabulario fundamental neerlandés para estudiantes extranjeros que desean empezar una carrera académica, que la frecuencia y la dispersión sólo son útiles en la medida en que la tasa de nuevas palabras por aprender sea compensada por una ganancia considerable en cuanto a la tasa de cobertura. Dicho de otro modo, a partir del momento en que el aprendizaje de nuevas palabras ya no corresponde a un progreso considerable en cuanto a la tasa de cobertura, no tiene sentido continuar imponiéndolas al estudiante, ya que se entra en la zona donde las palabras manifiestan todas la misma frecuencia bajísima, por lo cual la posibilidad de toparse con ellas en un texto representativo del lenguaje examinado queda muy reducida. Claro está que esto no significa que las UL que siguen a este punto no sean importantes, sino que vale más que a partir de este momento el estudiante centre sus intereses en un subcampo determinado y que extienda sus conocimientos léxicos con el vocabulario desconocido que éste contiene. Como bien dice Hazenberg (1994: 149):

Ik wil daarbij benadrukken dat het nut van het kennen van laagfrequente woorden zeker niet moet worden onderschat. Woorden die in een algemene, niet-domeinspecifieke lijst [...] laagfrequent zijn, kunnen binnen bepaalde domeinen juist hoogfrequent zijn. Het verdient echter geen aanbeveling om domein-specifieke woorden [...] te selecteren, te onderwijzen en te leren, maar men doet er beter aan zulke woorden, zoals Nation voorstelt, via doelspecifieke teksten te leren[57].

Si se aplica esta idea a los términos económicos y auxiliares del corpus, después de haberlos ordenado según su frecuencia corregida, es posible distinguir entre los términos básicos y los términos de continuación o subespecialización. A continuación se presentan las tasas de cobertura de los términos económicos y auxiliares en el corpus, teniendo en cuenta también los *hapax legomena*:

T	OC	% de cobert.	% de ganancia	TA	OC	% de cobert.	% de ganancia
0	0	0%		0	0	0%	
201	10.831	74,87%	+ 74,87%	30	1.375	64,71%	+ 64,71%
402	12.425	85,89%	+ 11,02%	60	1.653	77,79%	+ 13,08%
603	13.228	91,44%	+ 5,55%	90	1.812	85,27%	+ 7,48%
804	13.735	94,95%	+ 3,51%	120	1.919	90,31%	+ 5,04%
1.005	14.063	97,21%	+ 2,26%	149	1.995	93,88%	+ 3,58%
1.206	14.264	98,60%	+ 1,39%	178	2.038	95,91%	+ 2,03%
1.408	14.466	100%	+ 1,40%	207	2.067	97,27%	+ 1,36%
				236	2.096	98,64%	+ 1,37%
				265	2.125	100%	+ 1,36%

TABLA 3.3.

Los 201 primeros términos económicos más frecuentes y mejor repartidos, manifiestan una tasa de cobertura muy elevada del 74,87%.

---

[57] "Quiero insistir en que no se debe subestimar la utilidad de conocer palabras poco frecuentes. Palabras que no son frecuentes [...] en una lista general elaborada a partir de un contexto no específico, pueden ser muy frecuentes en otros contextos. No obstante, no es recomendable seleccionar, enseñar y aprender palabras [...] que pertenecen a un dominio muy específico de la lengua. Vale más, tal como lo propone Nation, que el alumno adquiera estas palabras a través de textos especializados".

A partir de este punto la ganancia disminuye sin cesar: si de 201 a 402 UL todavía es de un 11,02%, baja a un 5,55% de 402 a 603 UL y a un 3,51% de 603 a 804 UL. Según Hazenberg (1994: 48), al repartir las UL del corpus en partes iguales por orden de frecuencia decreciente[58], una progresión del 3,5% aún se puede considerar sustancial en términos de comprensión potencial. Este porcentaje no se basa en ninguna investigación experimental, sino en la experiencia de la autora. Esto significa, para los términos económicos del corpus modélico, que 804 de ellos se pueden seleccionar como fundamentales en base a su frecuencia corregida. Después de este punto, el estudio de 201 UL más, sólo generaría una ganancia del 2,26%. Por consiguiente, hay 604 términos que quedan fuera de los términos seleccionados como fundamentales. Entre ellos figuran los 504 *hapax legomena*. El siguiente gráfico ilustra la reducción progresiva de la tasa de cobertura:

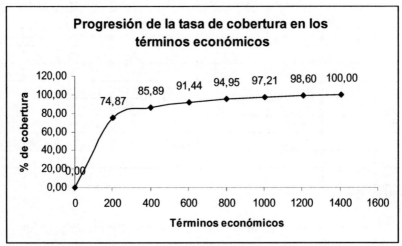

GRÁFICO 3.1.

[58] Las UL se dividen en tantas partes iguales como sean necesarias para acercarse un máximo al umbral del 3,5%. Ya que las palabras, contrariamente a los números, no son divisibles, las partes no siempre son iguales al cien por cien. Por ejemplo, los 1.408 términos económicos se reparten en 6 grupos de 201 UL y 1 grupo de 202 UL.

Es necesario incluir 1 término más por la siguiente razón. Dado que el término en la posición 804 en la lista por frecuencia corregida tiene el resultado 0,14, pero que hay 1 término más con este mismo resultado que viene después debido al orden alfabético, éste último tiene el mismo valor que el primero. Esto significa que se seleccionan, en total, 805 términos.

Por lo que se refiere a los términos auxiliares, la ganancia en cobertura disminuye considerablemente después de las 149 primeras formas –se reduce a un 2,03% entre las 149 y 178 UL para disminuir todavía más después–, punto a partir del cual la selección en base a la frecuencia corregida deja de tener sentido. El siguiente gráfico ilustra lo dicho:

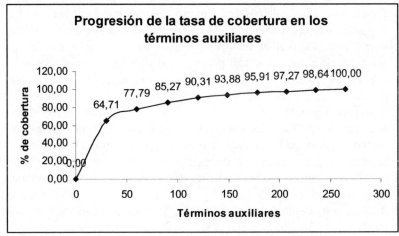

GRÁFICO 3.2.

Por las mismas razones que para los términos económicos, es necesario añadir 1 término auxiliar más a los 149 seleccionados, es decir el término que está en la posición 150 y que tiene la misma frecuencia corregida que el término en la posición anterior, pero que viene después debido al ranking alfabético.

De esta manera parece razonable fijar la frontera en 805 términos económicos y 150 términos auxiliares básicos. Por consiguiente, se omiten respectivamente 99 y 13 formas del ranking basado en la frecuencia corregida, y 504 y 102 *hapax legomena*.

5. CONCLUSIÓN

Concluimos que el ranking obtenido gracias a la fórmula de la frecuencia corregida es de una gran utilidad didáctica, ya que permite graduar la enseñanza del léxico terminológico al distinguir los términos clave del vocabulario que se estructura alrededor. También abre la puerta al aprendizaje del léxico en semi-autonomía, dado que el ranking pone al estudiante en condiciones para graduar él mismo su proceso de aprendizaje, insistiendo en las palabras de su subespecialidad y limitándose a las palabras clave para las partes que le interesan menos. No obstante, dicho ranking sólo tiene validez hasta cierto punto, es decir, para el corpus analizado, hasta los 805 primeros términos económicos y hasta los 150 primeros términos auxiliares. Después de este punto 'crítico', la tasa de cobertura ya no aumenta lo suficiente en relación con la tasa de UL nuevas por aprender, tal como lo ha postulado Hazenberg en su estudio de 1994. Asimismo, cabe observar que entre los 805 términos económicos seleccionados, ordenados por su frecuencia corregida, hay 59 términos que no figuran entre los 805 primeros ordenados por su frecuencia absoluta, o sea, que en total la diferencia entre las dos listas para los términos económicos seleccionados es de un 7,33%. Para los términos auxiliares, esta diferencia es de un 0%, o sea, que los 150 términos seleccionados son también los 150 términos con la mayor frecuencia absoluta.

En los siguientes capítulos, los términos económicos y auxiliares serán sometidos a un análisis fraseológico y onomasiológico. Estos análisis servirán para describir el léxico especializado del corpus a fin de poder ajustar la enseñanza a sus características lingüísticas.

CAPÍTULO IV: LOS TÉRMINOS A NIVEL FRASEOLÓGICO

1. INTRODUCCIÓN

En este capítulo se pretende enfocar el estudio de los términos desde la fraseología. Con la denominación 'unidad fraseológica' remitiremos a las combinaciones de los términos con otras unidades léxicas, ya sean términos o no. No obstante, son muchos los tratadistas que llaman a estas combinaciones colocaciones, reservando la etiqueta de unidad fraseológica para otros enunciados, por lo cual cabe integrar primero un paréntesis sobre el contenido de estos conceptos.

2. COLOCACIÓN Y UNIDAD FRASEOLÓGICA

La palabra 'colocación' fue introducida por Palmer, quien la eligió por su carácter internacional, ya que se compone de dos palabras latinas: *cum* y *locus* (Nation 2001: 317). Por su significado etimológico, se puede referir tanto a palabras compuestas que expresan un solo concepto y que constituyen, por lo tanto, una sola unidad léxica, como a combinaciones típicas de palabras que expresan varios conceptos y a las cuales nosotros preferimos llamar unidades fraseológicas. Etimológicamente la palabra 'colocación' es, por lo tanto, el hiperónimo de la unidad léxica compuesta así como de la unidad fraseológica, pero no todos los autores la utilizan en su sentido etimológico, lo cual puede crear confusión como afirma, por ejemplo, Fontenelle (1996: 38):

> [...] there is no such thing as a clear, non-controversial and all-embracing definition of a collocation. This very notion should be conceived as a rather fuzzy area along a cline ranging from totally free combinations on the one hand to completely fixed multi-word units on the other.

Esta confusión existe no sólo en lexicología sino también en terminología, como señala Antia (2000: 120-129) en un resumen de las principales acepciones de la palabra en terminología. Hay autores que consideran '*collocation*' como hiperónimo y que prefieren evitar el término, como por ejemplo Picht, que propone LSP '*phrase*' como alternativa. Otros utilizan '*collocation*' como hipónimo de '*phrasème*', al mismo nivel que los '*compound terms*', como por ejemplo Meyer y Mackintosh. El mismo Antia utiliza '*collocation*' en su significado hiponímico de combinación de dos unidades léxicas en el nivel fraseológico. A las formas léxicas que expresan juntas un solo concepto las llama '*multiword terms*'. No obstante, señala que la distinción entre ambas no siempre queda clara: "[...] the result of some collocates combining with certain terms/bases may not be distinguishable from multiword terms", por lo cual '*collocation*' volvería a obtener un significado hiperonímico.

En este trabajo, se considerarán como colocaciones tanto las unidades léxicas compuestas como las unidades fraseológicas, o sea, que se utilizará 'colocación' como hiperónimo de "*compound terms*" por un lado, y "*phrases*" por otro. Ésta es también la acepción más generalizada en terminología, como señala Wright en *The handbook on terminology management* (1997: 15):

> Various writers in the field of linguistics call many different kinds of multiword strings collocations, although purists argue that this term should be reserved for so-called combinatory phraseological units (Benson, Benson, e Ilson 1986).

Queda ahora por aclarar el significado de 'unidad fraseológica'. Resulta que las acepciones de 'unidad fraseológica' también son muy diversas, e incluso se solapan con las de 'colocación', sin duda porque la fraseología es una subdisciplina reciente de la lexicología y más aún de la lexicología española, como confirma Tristá Pérez (1998: 298):

> En nuestra lengua, a pesar de contar con un estudioso de la talla de Casares (1950), quien mucho aportó en su Introducción a la lexicografía moderna al desarrollo de los estudios fraseológicos, estos marchan al zaga (sic), y puede afirmarse que sólo hace pocos años comenzó su despegue.

Además, las denominaciones de este concepto son muy variadas. En la Gramática descriptiva de la lengua española, Piera y Varela (1999: 4400) manejan el término 'forma compleja' o 'combinación sintáctica de comportamiento unitario idiosincrásico'. Tercedor Sánchez (1999) encontró para la terminología en particular, las denominaciones 'locución terminológica', 'locución fraseológica', 'co-ocurrencia', 'colocación', 'expresión idiomática', y en inglés, 'terminological phrase', 'LSP (language for specific purpose) phrase', 'phraseme', 'phraseological unit', y 'phraseological term'. Cabré, Estopà y Lorente (1996: 6) destacan igualmente la gran diversidad de denominaciones.

Un autor prominente en el campo de la fraseología es Mel'cuk (1993: 83), quien introdujo el concepto de *"phrasème"* en lexicología, discerniendo en él *"le phrasème pragmatique ou pragmatème; le phrasème complet; le demi-phrasème; le quasi-phrasème"*, y utilizándolo de esta manera como hiperónimo de todos los tipos de combinaciones típicas posibles. En cuanto al término 'colocación' cabe señalar que Mel'cuk (1993: 84) lo utiliza exclusivamente como sinónimo de *"demi-phrasème"*, lo que corresponde en su taxonomía a:

> (= une expression demi-figée), qu'on peut considérer comme composé de deux constituants tels que le sens du tout inclut le sens de l'un de ces constituants mais pas de l'autre (par exemple, donner une conférence, où il s'agit bel et bien d'une conférence, mai où donner n'a pas son sens premier (1993: 84).

Mel'cuk clasifica las unidades fraseológicas según lo que denomina las 'funciones léxicas'. Estas funciones son constantes semánticas como, por ejemplo, MAGN (la expresión de una gran intensidad), CULM (la expresión del punto de culminación en la línea temporal de un proceso), INCEP (la expresión del inicio), etc. (Heid 1992: 529). No obstante, según Béjoint y Thoiron (1992: 520), las categorías propuestas por Mel'cuk se aplican sobre todo a la lengua general, y convienen menos en el caso de las lenguas especializadas.

Una especialista en fraseología española es Corpas Pastor (1996: 20), autora del *Manual de fraseología española*. Su definición de 'unidad fraseológica' es:

> [...] son unidades léxicas formadas por más de dos palabras gráficas en su límite inferior, cuyo límite superior se sitúa en el nivel de la oración compuesta. Dichas unidades se caracterizan por su alta frecuencia de uso, y de coaparición de sus elementos integrantes; por su institucionalización, entendida en términos de fijación y especialización semántica; por su idiomaticidad y variación potenciales; así como por el grado en el cual se dan todos estos aspectos en los distintos tipos.

Según Corpas Pastor, las unidades fraseológicas son composiciones de palabras de extensión variable. Reserva la etiqueta de 'unidad fraseológica' como hiperónimo de tres subcategorías: lo que ella denomina 'colocación' y lo que coincide con lo que nosotros llamamos una unidad léxica compuesta; las locuciones, que implican más bien una extensión de significado metonímico o metafórico; y los enunciados fraseológicos que son paremias (citas, refranes y proverbios) y formulaciones rutinarias como, por ejemplo, *hasta luego*, *a eso voy*, *ni hablar*, *Le saluda atentamente*, etc. Otra especialista española, Ruiz Gurillo, comparte la opinión de Corpas Pastor en el sentido de que también considera la unidad fraseológica como hiperónimo de "una categoría que se sitúa entre el lexema y el sintagma" (1997: 123), y que comprende, entre otros, las colocaciones en el significado de unidades sintagmáticas fijas, o, una vez más, lo que llamamos nosotros 'unidades léxicas compuestas'. Esto se manifiesta muy claramente en los ejemplos dados: *ponerse de acuerdo*, *agua de colonia*, *guiñar un ojo*, etc. , todas unidades léxicas que se componen de más de una forma léxica pero que remiten a un solo concepto. Encontramos la misma idea en González Rey (1998: 58), quien cita a este propósito al fraseólogo con renombre internacional Gerd Wotjak, y se basa en él cuando discierne en el ámbito de la fraseología, una fraseología colocacional, una idiomática y una paremiológica. Martínez Marín (1999: 108) percibe la definición de unidad fraseológica aún de otra manera, y distingue entre locuciones, fórmulas rutinarias y colocaciones, estas últimas no con el significado de unidades léxicas compuestas, sino con el de combinaciones libres como, por ejemplo, "*éxito clamoroso, declararse un incendio, postura recalcitrante, correr el rumor, etcétera*".

Si la lexicología no ha llegado a una acepción unánime de lo que es una unidad fraseológica, no extrañará que la terminología tenga todavía otras opiniones al respecto. Así, Tercedor Sánchez (1999), después de haber dedicado una tesis entera a la fraseología en el lenguaje biomédico, llega a la siguiente conclusión al final de su trabajo:

> Con este estudio, hemos pretendido aportar información sobre formas de llevar a cabo la descripción de la fraseología, un componente esencial para el trabajo del traductor pero cuyos límites no han sido aún trazados y cuyas definiciones y conceptos son controvertidamente opuestos en las distintas posiciones.

No obstante, nos parece que la autora misma contribuye a la complicación del asunto, ya que adopta una postura, insólita en terminología según sus propias palabras, al incluir los términos compuestos en su taxonomía de unidades fraseológicas:

En terminología, se suelen excluir del análisis fraseológico los términos compuestos, representantes de un solo concepto. [...] Nosotros, [...] abarcamos en el análisis tanto los términos compuestos como las colocaciones [...].

Y también, en la introducción a su propuesta de taxonomía:

Existe una línea o continua que va desde los términos compuestos o sintagmas transmisores de un solo concepto, hasta las colocaciones.

Nosotros, en cambio, adoptamos en este trabajo el enfoque terminológico 'tradicional' que considera a los términos compuestos parte del nivel léxico.

Según Thomas (1993: 66), una unidad fraseológica de una lengua especializada debe contener, por lo menos, un concepto representado por un término, pero los demás miembros de la unidad pueden provenir del léxico general o, incluso, ser fórmulas, símbolos o gráficos. Esto implica que en terminología el término, ya sea simple o compuesto, forma el núcleo de la unidad fraseológica, y que puede ser completado con palabras de cualquier otra categoría léxica o pictográfica. La definición de la unidad fraseológica terminológica se limita, por lo tanto, a las combinaciones típicas, fijadas entre un término y otra forma, por un lado, y a las expresiones figuradas (metafóricas o metonímicas), por otro, aunque resulta obvio que este segundo tipo no abundará en un discurso científico (Béjoint y Thoiron 1992: 516), e incluso está ausente en nuestro corpus.

Ahora bien, ¿qué características permiten reconocer concretamente las unidades fraseológicas terminológicas? A esta pregunta se intenta contestar en el siguiente apartado.

3. LA IDENTIFICACIÓN DE LAS UNIDADES FRASEOLÓGICAS TERMINOLÓGICAS

3.1. Las concordancias como instrumento de análisis

La estadística ha elaborado varias fórmulas para determinar automáticamente las colocaciones en un texto, siendo las más conocidas el *Mutual Information Index* (descrito en Church y Hanks 1990) y el T-score (Church *et al.* 1991). La noción de información mutua se refiere a la estimación estadística del grado de asociación entre dos palabras. Una técnica complementaria, que permite detectar patrones en las distintas colocaciones de una unidad léxica y, por lo tanto, revelar sus distintos significados y usos, se llama *"factor analysis"*, y se explica en Biber (1993a). Existen programas estadísticos de análisis de texto como, por ejemplo, Wordsmith Tools[59] o Wordcruncher[60], que proveen estas fórmulas como funciones estándares.

No obstante, para obtener resultados significativos basados en la estadística, es imprescindible disponer de un corpus mucho más amplio, como lo afirma Smadja, quien utilizó un corpus de 10 millones de *tokens* a fin de obtener las colocaciones típicas del lenguaje con que se decriben las fluctuaciones de los índices en el mercado de valores:

> In short, to build a lexicon for a computational linguistics application in a given domain, one should make sure that the important words in the domain are frequent enough in the corpus. For a subdomain of the stock market describing only the fluctuations of several indexes and some of the major events of the day at Wall Street, a corpus of 10 million words appeared to be sufficient (1993: 169).

Queda claro que el uso de programas estadísticos no cabe en las posibilidades del presente estudio, dado el tamaño modesto del corpus analizado. Tampoco corresponde a su objetivo, ya que éste consiste en, repitámoslo, la elaboración de una metodología para identificar y describir el léxico típico del discurso económico empresarial, y no en la confección de un glosario listo para ser utilizado en una situación de aprendizaje.

El uso del programa *Concordancer*, ya citado en este trabajo en el capítulo sobre la lematización del corpus, permite obtener un listado de los entornos sintácticos de cualquier unidad léxica del corpus, como se desprende del siguiente ejemplo que da una parte de las concordancias lematizadas de *empresa*, el término que ocupa la posición más elevada en el ranking a base de la frecuencia corregida:

---

[59] Contacto: Mike Scott y Oxford University Press, http://www.liv.ac.uk/~ms2928/wordsmit.htm.

[60] Contacto: Johnston & Company, P.O. Box 446, American Fork, UT 84003 USA.

la naturaleza de la | empresa | y su entorno introducción el término "economíadelaempresa" venir a ser la traducción de el que el anglosajón denominar businessadministration, que literalmente significar "administracióndenegocios " [CAP1.TXT].

el objeto material[2] de estudio de este disciplina ser la unidad económico fundamental: la | empresa | [CAP1.TXT].

la | empresa | también ser objeto de estudio por otro disciplina [CAP1.TXT].

él tratar[2] de estudiar la | empresa | desde el puntodevista de su administración en la práctica [CAP1.TXT].

concepto de | empresa | al ser la empresa [1] realidad social, cada persona tener[1] su idea de el que ser y poder proponer un definición distinto [CAP1.TXT].

concepto de empresa al ser la | empresa | [1] realidad social, cada persona tener[1] su idea de el que ser y poder proponer un definición distinto [CAP1.TXT].

destacar el aspecto arriesgado que comportar ponerenmarcha un | empresa | y el carácter emprendedor que él necesitar para él [CAP1.TXT].

este ser un definición que tener[1] un enfoque más económico y en la que ya aparecer alguno de el elemento que integrar el concepto de | empresa | [CAP1.TXT].

de la definición recoger en el margen izquierdo él deducir la principal[2] característica de todo | empresa |: la empresa ser un conjunto[1] de factoresdeproducción entender como tal el elemento necesario para producir[1] bien[1] natural o semielaborado, factor trabajo, maquinaria y otro bienesdecapital, factor mercadotécnico, pues el producto[1] no él vender p [CAP1.TXT].

de la definición recoger en el margen izquierdo él deducir la principal[2] característica de todo empresa: la | empresa | ser un conjunto[1] de factoresdeproducción entender como tal el elemento necesario para producir[1] bien[1] natural o semielaborado, factor trabajo, maquinaria y otro bienesdecapital, factor mercadotécnico, pues el producto[1] no él vender por sí mismo [CAP1.TXT].

todo | empresa | tener[1] fin, u objetivo[1], que constituir la propio razón de su existencia [CAP1.TXT].

en la actualidad, el abanico de objetivo[1] que él manejar ser más amplio, aunque, si haber de señalar un objetivo[1] central, ser el de la maximización del valorμ de la | empresa | [CAP1.TXT].

el distinto factor que integrar la | empresa | él encontrar coordinado para alcanzar su fin [CAP1.TXT].

sin ese coordinación la | empresa | no existir; él tratar[1] de un mero grupo de elemento sin conexión entre sí y, porlotanto, incapaz de alcanzar objetivo[1] alguno [CAP1.TXT].

la | empresa | ser un sistema [CAP1.TXT].
porconsiguiente, de él reseñar anteriormente él deducir la evidencia de que la | empresa | ser un sistema [CAP1.TXT].

pero, desde nuestro perspectiva, la | empresa | ser un sistema en el que él coordinar factoresdeproducción de producción, financiación y marketing para obtener su fin [CAP1.TXT].

tipo de | empresa | existir cierto principio[1], o ley, como la mayoría de el que él tratar[1] en este libro, que ser aplicable a todo la empresa [CAP1.TXT].

tipo de empresa existir cierto principio[1], o ley, como la mayoría de el que él tratar[1] en este libro, que ser aplicable a todo la | empresa | [CAP1.TXT].

juntoa él, evidentemente, existir peculiaridad para cada tipo de | empresa | e[1], incluso, según cada empresa, la situación en que él encontrar y la contingencia que él él presente [CAP1.TXT].

juntoa él, evidentemente, existir peculiaridad para cada tipo de empresa e[1], incluso, según cada | empresa |, la situación en que él encontrar y la contingencia que él él presente [CAP1.TXT].

la variedad de | empresa | ser ingente, como también él ser la clasificación que él poder apuntar [CAP1.TXT].

[1]) : criterio tipo de | empresa | tamaño pequeño mediano grande actividad del sectorprimario industrial[2] de servicio ámbito local[2] provincial regional nacional multinacional forma jurídico individual social según su tamaño , él distinguir entre empresapequeña, mediano y grande, sin que [CAP1.TXT].

e empresapequeña , mediano y grande, sin que existir acuerdo sobre el criterio para la medición del tamaño (volumen de activo[1], volumendeventas, tamaño del capitalpropio, número de trabajador, etcétera) ni sobre la dimensión que haber de tener[1] la | empresa | para pertenecer a un u otro clase [CAP1.TXT].

según su actividad, la | empresa | poder clasificar por sector económico: primario, secundario o industrial[2], y terciario o de servicio [CAP1.TXT].

Resulta que el término *empresa* ocurre 821 veces en el corpus, o sea, que cuenta con 821 concordancias por examinar. Claro que éstas ya son muchas concordancias como para que la mente humana logre descubrir en ellas todos los patrones significativos sin olvidos o errores. Afortunadamente, *Concordancer* prevé la posibilidad de ordenar, agrupadas por frecuencia, todas las palabras que ocurren en combinación con la palabra clave en un entorno de 18 palabras como máximo. La bibliografía indica que las combinaciones típicas se suelen encontrar en un entorno de 4 ó 5 formas delante o detrás de la palabra meta (Smadja 1991: 174; Stubbs 2001: 29). Dado que en la lematización del corpus se han tenido en cuenta las unidades léxicas compuestas, las colocaciones del nivel léxico ya son conocidas. Por lo tanto, un límite de 5 UL delante y detrás de la palabra clave nos parece un radio de análisis aceptable. Presentamos a continuación una parte de la lista de las palabras que se combinan con el término *empresa* en un radio de 10 UL en total, por orden de frecuencia decreciente:

	5	4	3	2	1	T. Clave	1	2	3	4	5	Total
la	40	121	13	19	619	Empresa	11	35	33	35	28	954
de	52	28	26	334	16	Empresa	13	38	31	46	47	631
el	38	117	16			Empresa	14	44	19	30	27	305
que	31	22	18	46		Empresa	45	11	26	18	25	242
un	10	10		1	67	Empresa	3	38	28	18	12	187
en	29	12	6	47		Empresa	31	14	16	13	18	186
ser	18	18	5	6	5	Empresa	67	14	15	12	9	169
y	17	17	19	5	1	Empresa	43	7	15	14	25	163
él	12	19	4	1		Empresa	41	14	14	18	23	146
a	12	6	5	39		Empresa	8	24	24	13	9	140
su	1	7	3		1	Empresa	3	34	18	17	22	106
por	8	7	2	16	3	Empresa	5	3	6	6	2	58
tener[1]	2	1	2	9		Empresa	17	17	6	2	2	58
poder	1	2	4			Empresa	23	5	4	4	4	47
como	7	4	1	1	1	Empresa	17	3	6	2	3	45
con	7	2		5		Empresa	7	5	7	3	7	43
para	6	2		4		Empresa	16	3	3	7	2	43
del	14	5	3			Empresa	1	7	3	3	6	42
haber	1	4	3	1	1	Empresa	19	3	5	3	2	42
S. A.	1		2		1	Empresa		35	1		1	41
no	3	6	2	1		Empresa	15	7	1	1	3	39
producto[1]	6	7	3	1		Empresa	2	1	7	7	4	38
este	2		2		27	Empresa		1	2	3		37
°	2	2	1	3		Empresa	5	5	3	7	7	35
o	2	5	2	1		Empresa	12	2	2	6	3	35
al	5	6	3			Empresa	4	6	4	1	4	33
si	3	1	3	15		Empresa	4		2	3	1	32
otro	1	1	1		14	Empresa		3	5	1	4	30

objetivo[1]	3	7	8		Empresa		3	3	1	1	26
entre	5	1	1	9	1	Empresa		5	2	1	25
[2]	1		2	1	3	Empresa	1	2	3	6	5	24
mercado[1]	1	2	3	1	1	Empresa		7	2	7	24
realizar	1	2	6	2		Empresa	1	5	3	1	1	22
actividad	1	2	7	1		Empresa		1	3	2	4	21
esdecir	1		1	1		Empresa	9		4	1	4	21
más	5	2	2		1	Empresa	1	2	4	1	2	20
beneficio	1	3	7	1		Empresa		2		4	1	19
año	1	1	2	2		Empresa			2	5	5	18
mucho		1		2	10	Empresa		1	1	3		18
valorμ	2	5	7			Empresa			2	1	1	18
todo	7		1	3	3	Empresa			1	1	1	17
cliente	1	1	2			Empresa	1		7	2	2	16
inversión	1		7			Empresa			3	4	1	16
mayor	1	5				Empresa	2	1	5		2	16
um	2		4			Empresa		1	4	1	3	15
cuando	2			10		Empresa	1		1			14
obtener	3	1	2	1		Empresa	2	1	2		2	14
porejemplo	2		5	3		Empresa	2		1		1	14
sistema	1			1		Empresa	1	2	7	1	1	14

TABLA 4.1.

Las unidades fraseológicas terminológicas se construyen alrededor de un término. Por consiguiente, resulta obvio que los términos formarán el punto de partida del análisis de las UF del corpus. No obstante, como se puede desprender del ejemplo *empresa*, son muchas las palabras que se combinan con este término en el radio adoptado: la lista completa cuenta con 1.217 casos y las más frecuentes son, sobre todo, palabras funcionales. De ahí que se necesite refinar la definición de unidad fraseológica mediante unos criterios inequívocos.

3.2. Una definición de trabajo

Hasta ahora hemos definido la UF terminológica como una combinación típica entre un término y otras palabras. Es obvio que esta definición resulta demasiado general. Sin embargo, si se consultan las definiciones formuladas en terminología, se constata que todas son iguales de vagas. Tercedor Sánchez (1999) cita entre otras:

- "le phraséologisme serait une expression formée d'une suite d'éléments linguistiques dont l'élément principal serait un terme" (Picht 1987);
- "the interphrasal combinations of terms and words in actual LSP discourse" (Pavel 1993);
- "toute entité digne d'intérêt et plus grande que l'unité terminologique standard est dite unité phraséologique" (Gouadec 1992).

Y añade la suya, no menos vaga que las anteriores:

- "una expresión de más de una palabra, con mayor o menor grado de lexicalización, aunque sí que puede ser relevante distinguir entre ellas usando distintas denominaciones".

Béjoint y Thoiron (1992) proponen varios criterios para la identificación de las unidades fraseológicas, entre los que el de la frecuencia es, sin duda, el más objetivo, ya que criterios como el grado de especialización, de fijación, de previsibilidad, de combinabilidad, etc. se dejan cuantificar menos fácilmente. No obstante, para autores como Bevilacqua (2001) y Montero Martínez y García de Quesada (2003) el criterio de la frecuencia está subordinado al criterio semántico, es decir la consideración de que una unidad fraseológica se compone de la relación semántica entre un término y un núcleo eventivo que constituye su coocurrente. En este enfoque 'ontológico' de las unidades fraseológicas se buscan, por tanto, las relaciones conceptuales a nivel ontológico que se traducen en formalizaciones en el nivel léxico. El inconveniente de esta aproximación es, por supuesto, que cualquier frase que contiene un término expresa relaciones conceptuales con respecto a este término, por lo cual se tendrían que considerar todas las frases con términos como unidades fraseológicas y se perdería la supuesta especificidad del concepto. Por ejemplo, al consultar los anexos del artículo de Bevilacqua, encontramos los siguientes ejemplos: *conseguir un almacenaje, sistemas de almacenaje, aprovechar la energía solar, convertir energía solar en energía calorífica utilizable, obtener energía solar*, etc. En nuestra opinión se trata de combinaciones con unidades léxicas generales que podrían combinarse con muchos términos más, es decir, no hay relación de exclusividad. Se puede cuestionar, por lo tanto, la utilidad de identificar estos ejemplos como unidades fraseológicas y de cargar la memoria del estudiante con ellos.

En suma, la terminología no parece aportar una solución en cuanto a la formulación de una definición objetiva y operativa del concepto de 'unidad fraseológica'. Dado que el objetivo de este trabajo es, a fin de cuentas, didáctico, no resulta más que lógico consultar las opiniones de la lingüística aplicada a la enseñanza de las lenguas extranjeras al respecto. Hoy en día, las unidades fraseológicas –que también tienen varias denominaciones en la lingüística aplicada– se consideran muy importantes en el proceso de adquisición de una lengua extranjera. Ellis (2002: 157) cita varios estudios que demuestran que una buena parte de la adquisición de una lengua consiste en el almacenamiento y la reproducción de fórmulas o partes de frases. Cuanta más fluidez y automaticidad en el alumno, tanta más idiomaticidad, ya que es imposible obtener las primeras cualidades sin la segunda. Ésta es, según Ellis (*ibíd.*), la razón por la cual abundan actualmente los estudios de corpus, ya que éstos se proponen detectar en fuentes de lenguaje auténtico las colocaciones por enseñar. Sin embargo, en lingüística aplicada se plantea el mismo problema que en terminología, como se puede leer en *Learning vocabulary in another language* (Nation 2001), un *status cuestionis* de la investigación realizada a propósito del proceso de adquisición de léxico extranjero:

A major problem in the study of collocation is determining in a consistent way what should be classified as a collocation. (Nation 2001: 317)

Y el autor formula una respuesta tan vaga y poco concreta como las terminológicas:

In this book, the term collocation will be used to **loosely** describe any **generally** accepted grouping of words into phrases or clauses. (ibíd., las negrillas son nuestras)

No obstante, Nation añade una observación que nos parece muy importante. Él sugiere que el punto de partida para la identificación de las colocaciones ha de ser el alumno y sus necesidades. Desde este ángulo, es necesario presentarle, por un lado, las colocaciones frecuentes, porque las necesitará a menudo, y, por otro, las particulares, porque poco le servirá el conocimiento del sistema morfosintáctico de la lengua extranjera para formarlas o entenderlas. Y Nation (*ibíd.*) añade:

These two criteria justify spending time on collocations because of the return in fluency and nativelike selection.

Concretamente, Nation (2001: 325) aconseja que en la enseñanza de una lengua extranjera se dedique tiempo a las colocaciones más frecuentes, por una parte, y a las colocaciones frecuentes de las palabras más frecuentes, por otra. Nation habla de las 2000 unidades léxicas más frecuentes del inglés general, y destaca la necesidad de investigación en corpus al respecto, tanto para extraer las colocaciones más frecuentes como para recoger el material necesario para la composición de un diccionario de colocaciones, que podría ser una herramienta de consulta para el alumno:

From a vocabulary learning point of view, we need research into collocation:
- *to tell us what the high-frequency collocations are;*
- *to tell us what the unpredictable collocations of high-)frequency words are;*
- *to tell us what the common patterns of collocations are –where some examples of a pattern would need special attention but where others could be predicted on the basis of previous attention;*
- *to provide dictionaries (or information for dictionaries) that help learners deal with low-frequency collocations (2001: 328).*

No obstante, para que funcione el criterio de la frecuencia, se necesita un corpus enorme. El estudio de Kjellmer de las colocaciones en el *Brown Corpus*[61], un corpus de inglés escrito de un millón de ocurrencias, incita a Kennedy a la siguiente crítica respecto del criterio de la frecuencia:

The obvious problem with this criterion is that in such a small corpus some sequences which occur only once (and therefore do not count as collocations) are nevertheless immediately recognizable as recurring in the language. An example noted by Kjellmer is yesterday evening. *On the other hand, the non-*ad hoc, *principled approach allows sequences such as* a night *or* of the night *to fit the criterion for collocation status and yet they might be considered to be so predictable as to be uninteresting (1998: 112).*

---

[61] Se trata de un corpus de inglés académico, lengua escrita. Contacto: ICAME (Norwegian Computer Center for the Humanities, icame@hd.uib.no).

También en un corpus de gran tamaño, el criterio de la frecuencia sigue planteando problemas. Kennedy (1998: 117) se refiere en este contexto a un estudio de Barkema que dejó en claro que incluso un corpus de 20 millones de ocurrencias no era lo suficientemente grande como para poder encontrar bastantes ejemplos de algunas colocaciones.

Concluimos que resulta más que obvio que, para el corpus modélico utilizado en este trabajo, un análisis exhaustivo de las unidades fraseológicas de los términos tiene poco sentido, debido a su tamaño restringido. Coincidimos con Tercedor Sánchez (1999) en que, si la terminología quiere estudiar la fraseología, necesita disponer de corpus más grandes, ya que sólo entonces puede jugar el criterio objetivo de la frecuencia:

> En terminología, en un texto corto es mucho más difícil sacar patrones significativos de frecuencia, tarea que es más sencilla en textos más largos, como los usados normalmente para el análisis lexicográfico. De hecho, el terminógrafo trabaja con corpora muy reducidos al tema de trabajo y, por consiguiente, de menor tamaño […].

No obstante, a modo de ejemplo, analizaremos en el siguiente apartado las colocaciones de los tres términos económicos más frecuentes del corpus, e intentaremos discernir las unidades fraseológicas entre ellas, así como clasificarlas según su relevancia didáctica. Se trata de los términos *empresa*, *producto*[1] y *coste*. El hecho de que se trata de tres sustantivos se justifica por ser los términos económicos más frecuentes del corpus, con una frecuencia respectiva de 821, 491 y 330 ocurrencias. El adjetivo más frecuente, *financiero*, cuenta sólo con 80 ocurrencias y ocupa la 18ª posición en el ranking por frecuencia corregida. El primer verbo, *pagar*, sigue enseguida después en la posición 19 con 89 ocurrencias, y el adverbio más frecuente, *económicamente*, no manifiesta más que 5 ocurrencias. Asimismo, debido a la mayor frecuencia de los sustantivos entre los términos, la terminología suele centrarse en el estudio fraseológico de las UL nominales.

Nation (2001: 328) menciona unos criterios que han de facilitar tanto el reconocimiento como la clasificación de las UF. Entre estos criterios, el de la frecuencia y la distribución de la colocación en el corpus es por supuesto el único cuantificable. Otros criterios, que no se dejan medir y que, por consiguiente, resultan menos objetivos, son la institucionalización, o sea, el sentimiento subjetivo del hablante de que los elementos léxicos en cuestión forman un conjunto o una unidad típica; la lexicalización, siendo una indicación de ella la compactibilidad de la colocación, lo que se manifiesta, por ejemplo, en la ausencia de determinantes; relacionada con el criterio anterior, la complejidad morfosintáctica, o sea, el hecho de que la forma de la colocación se explique difícilmente mediante la gramática normativa; la fosilización o la petrificación, lo que significa que la colocación no admite flexión ni conjugación; y la opacidad semántica, lo que implica que los elementos alrededor del núcleo cambian su significado literal y se especializan bajo la influencia del núcleo. Nos basaremos, en la medida de lo posible, en estos criterios para el análisis de las colocaciones de *empresa*, *producto*[1] y *coste*.

3.3. Análisis fraseológico de los términos *empresa, producto*[1] y *coste*

Ante todo cabe señalar que se suele distinguir entre colocaciones gramaticales y léxicas, como señala –entre otros– Suau Jiménez (2000: 9). Las primeras están formadas por una unidad léxica de contenido más una unidad léxica gramatical vacía de contenido semántico. Las segundas son exclusivamente combinaciones entre unidades léxicas de contenido.

Para el análisis nos vamos a centrar en las colocaciones léxicas. No se toman en consideración las colocaciones gramaticales, o sea, las combinaciones de los términos con palabras funcionales, a no ser que figuren dentro de una colocación léxica, lo que suele ocurrir con los artículos y las preposiciones que se intercalan a menudo entre dos términos. Tal como sugieren Fontenelle (1996: 28) y, específicamente para las lenguas especializadas, Antia (2000: 135)[62], es importante estudiar el uso de las preposiciones a nivel fraseológico.

Como ya se ha indicado, las UF se estudian en un radio de 5 unidades léxicas delante y 5 detrás del núcleo examinado. Este espacio es considerado como suficiente por la bibliografía, y tanto más cuanto

---

[62] Antia (2000: 135) subraya la importancia de las preposiciones al nivel de la fraseología en terminología y advierte de una teoría fraseológica basada únicamente en la compatibilidad de conceptos, ya que ésta no tendría en cuenta el uso de las preposiciones.

ya se han tratado las UL compuestas en el capítulo anterior. No obstante, sólo se tienen en cuenta las unidades léxicas que estén en relación sintagmática con el término analizado. Por lo tanto, como se trata de 3 sustantivos, las posibles combinaciones son:

término + sustantivo o al revés

término + adjetivo o al revés

término + verbo o al revés

Las UF se presentan en su forma canónica, o sea, lematizadas, por ejemplo *regir una empresa, liquidar una empresa.*

3.3.1. Empresa

Empresa es el término más frecuente del corpus. Ocurre en total 821 veces. Este término forma la base de 18 términos compuestos, y está presente en 29 términos compuestos en total. Las UL compuestas de los términos fueron tratadas en el análisis semasiológico del capítulo anterior. Ahora se analizan las demás colocaciones léxicas de las que *empresa* forma el núcleo. Son 200 en total.

3.3.1.1. *Empresa* + adjetivo

Sólo hay 9 colocaciones con adjetivo. Se presentan a continuación por frecuencia decreciente con mención de su frecuencia absoluta:

~ fabricante[2]	12
~ competidora	3
~ especializada en	2
~ principal[2]	1
~ aeronáutica	1
~ productora[2]	1
~ concurrente	1
~ rentable	1
~ saneada y técnicamente solvente	1

TABLA 4.2.

Resulta difícil clasificar estas colocaciones según su importancia, ya que tampoco queda claro si se pueden considerar como unidades fraseológicas. Las frecuencias son demasiado bajas, y no presentan dificultad o atipicidad morfosintáctica y/o semántica desde un punto de vista didáctico. De hecho, la expresión más hermética es *empresa saneada y técnicamente solvente*, dado que los adjetivos se especializan bajo la influencia del término *empresa*. Este tipo de opacidad semántica se considera típico de la unidad fraseológica (Heid 1992; Mel'cuk 1993, Nation 2001). Otras características, como la fosilización gramatical y/o léxica, y la lexicalización, no se presentan aquí.

Por otro lado, se podrían destacar las colocaciones exclusivamente entre términos como unidades fraseológicas, lo que es el caso de *fabricante*[2], *competidora*, *productora*[2], *concurrente*, *rentable* y *solvente*. El hecho de que está demostrado que la presentación de léxico nuevo en un contexto significativo favorece la retención (véase la Parte C), justifica la adopción de este criterio suplementario también desde el punto de vista didáctico.

3.3.1.2. *Empresa* + verbo

En total hay 92 casos en que *empresa* se combina con un verbo. En 71 de los casos desempeña la función de sujeto de un verbo transitivo, intransitivo o pronominal. En 15 casos es el complemento de objeto directo, y en 6 casos de objeto indirecto. Llama la atención que el término *empresa* es sujeto en la gran mayoría de los casos (el 77,17%). Presentamos los casos en su totalidad por orden de frecuencia decreciente con mención de su frecuencia absoluta:

Sujeto v. trans.		Sujeto v. intrans.		Sujeto v. pronom.		COD v. trans.		COI v. trans.	
tener[1]	38	crecer	9	dedicarse a	8	dirigir	6	permitir a	2
realizar (su actividad)	9	competir	4	orientarse a/hacia	6	comprometer a	4	proporcionar información	1

							a		
vender	6	cotizar en bolsa[63]	2	desarrollarse	2	mejorar	3	cobrar a	1
crear	4	concurrir	1	endeudarse	2	liquidar	3	conceder a	1
elaborar	4	cooperar	1	beneficiarse de	1	afectar a	1	exigir a	1
adquirir	3	devenir insolvente	1	clasificarse	1	concebir a	1	incumbir a	1
fijar (variable de marketing, precios)	3	estar sometido al impuesto de sociedades	1	enfrentarse a	1	definir a	1		
obtener beneficios	3	fusionar	1	financiarse	1	favorecer a la	1		
operar	3	quebrar	1	internaciona-lizarse	1	gestionar	1		
ahorrarse algo	2	tender a	1	someterse a la competencia[1]	1	informar a	1		
conseguir beneficios	2	trabajar	1			liderar	1		
establecer relaciones	2	elegir entre	1			regir	1		
financiar	2					representar a	1		
generar	2					valorar a	1		
necesitar medios financieros	2					financiar a	1		
percibir un importe	2								
precisar	2								
realizar una inversión	2								
acumular	1								

---

[63] Un ejemplo de las concordancias es *Que una empresa **cotiza en Bolsa** significa que existe un mercado organizado en el que se compran y venden las acciones de esa empresa* [cap. 5].

productos								
conquistar el mercado objetivo	1							
construir	1							
contratar empleados	1							
contribuir a	1							
decidir	1							
desarrollar estrategias	1							
diferenciar	1							
emitir acciones	1							
emitir un empréstito	1							
emplear	1							
enviar información al mercado	1							
esperar	1							
establecer su presupuesto	1							
fabricar	1							
formular un estado de inventario	1							
identificar su producto	1							
introducir nuevos productos	1							
investigar	1							
mantener políticas de precios	1							
medir	1							
obtener	1							

ofrecer servicios	1								
optimizar	1								
plantearse la decisión de	1								
prestar servicios	1								
repartir como dividendos	1								
retener u.m.	1								
segmentar su mercado[1]	1								
suspender sus pagos	1								
utilizar	1								

TABLA 4.3.

Si sólo se tiene en cuenta la frecuencia resulta imposible decidir del carácter fraseológico de estas colocaciones, ya que las más frecuentes no parecen cumplir con ninguno de los demás criterios: *tener*[1] (38), *realizar* (9), *dedicarse a* (8), etc.

Si se aplica el criterio de la combinación de términos entre sí, se pueden seleccionar las siguientes colocaciones como fraseológicas:
~ vender (6), ~ adquirir (3), ~ financiar (2), ~ optimizar (1), ~ competir (4), ~ cotizar en bolsa (2), ~ concurrir (1), ~ fusionar (1), ~ quebrar (1), ~ ahorrarse algo, ~ endeudarse (1), gestionar ~ (1), financiar a ~ (1).

Y también aquellas en que el verbo sirve para relacionar el término nuclear con otro término, como es el caso de:
fijar (variable de marketing, precios) (3), conquistar el mercado objetivo (1), emitir acciones (1), emitir un empréstito (1), establecer su presupuesto (1), introducir nuevos productos (1), mantener políticas de precios (1), segmentar su mercado[1] (1), suspender sus pagos (1), estar sometido al impuesto de sociedades (1), someterse a la competencia[1] (1) obtener (3)/conseguir (2) beneficios, contratar empleados (1), formular un estado de inventario (1), identificar su producto (1), repartir como dividendos (1).

Con motivo didáctico, subrayamos la importancia de señalar al alumno el uso un tanto especial de las preposiciones en algunas de estas UF: *cotizar **en** bolsa, someterse **a** la competencia[1]/al impuesto.*

Desde el punto de vista de la opacidad semántica, se pueden añadir las siguientes colocaciones, ya que el elemento léxico alrededor del núcleo no manifiesta un significado general, sino que se presta a expresar una acción relacionada con el ámbito económico empresarial, como por ejemplo:

percibir un importe (2), ofrecer/prestar servicios (1), crecer (9), devenir insolvente (1), beneficiarse (1), internacionalizarse (1), liquidar (3), cobrar a (1).

Aunque el grado de institucionalización de estas colocaciones parece débil, y aunque no manifiestan complejidad morfosintáctica, lexicalización o fosilización, se podría también defender su selección con el argumento de que la presentación del léxico nuevo en contexto le ofrece al alumno un apoyo para su retención.

Finalmente merece la pena señalar que los sinónimos *gestionar (1), regir (1), liderar (1)* y *dirigir (6)* una empresa; *competir (4)/concurrir (1)* no manifiestan la misma frecuencia. Se tendría que averiguar en un corpus más grande si esta constatación se puede extender al lenguaje económico empresarial en general. De todos modos, está claro que este tipo de información, o sea, la diferencia de importancia de uso entre los sinónimos, le puede ser útil al alumno.

3.3.1.3. *Empresa* + sustantivo

La mayoría de las colocaciones con *empresa*, son con un sustantivo: 99 casos en total o el 49,5%. En 95 de ellos, el término forma el complemento nominal, y, por lo tanto, no se puede considerar como el núcleo gramatical de la colocación. El sustantivo que precede a la preposición está muy a menudo acompañado de un adjetivo. La preposición que introduce el complemento suele ser *de*, pero también figuran las preposiciones *en* (1 caso), *con* (1 caso), *entre* (5 casos), *sobre* (1 caso) y *a* (4 casos). Algunos de estos casos merecen atención especial por parte del alumno como, por ejemplo, *inversión en una empresa*, y *deuda con una empresa*. El uso de la preposición *de* es más bien evidente, ya que expresa una sencilla relación de posesión.

beneficio de la	11	T
duración de la	9	

propietario de la	9	
estructura financiera de la	8	T
actividad de la	7	
objetivo de la	7	
valor² de la	7	T
crecimiento de la	6	
éxito de la	6	
riesgo de la	6	T
activo de la	5	T
objetivo financiero de la	5	
producto¹ de la	5	T
rentabilidad de la	5	T
valor global de la	5	
dimensión cultural de la	4	
dirección² de la	4	T
imagen de la	4	
la mayor parte de la	4	
acción¹ de la	3	T
adquisición de la	3	T
decisión financiera de la	3	T
estructura económico financiera de la	3	T
estructura económica de la	3	T
funcionamiento real de la	3	
interior¹ de la	3	
inversión en una	3	T
producción de la	3	T
recursos de la	3	T
representante de la	3	
valor² material² de la	3	T
asesor de la	2	T
deuda con la	2	T
el tipo de gravamen de esta ~ en el impuesto	2	T
endeudamiento de la	2	T
financiación de la	2	T

fuente financiera de la	2	T
línea de productos de la	2	T
margen bruto de la	2	T
margen de beneficio de la	2	T
medios de la	2	T
naturaleza de la	2	
organización[1] de la	2	T
orientación social de la	2	
parte tangible de la	2	
participación de la ~ en el mercado[1]	2	
productividad de la	2	T
relación entre las	2	
rentabilidad económica de la	2	T
rentabilidad financiera de la	2	T
tamaño de la	2	
teoría sobre la	2	
tipo de	2	
vinculación a la	2	
absorción de la	1	T
ámbito de actuación de la	1	
bienes y derechos de la	1	
capacidad productiva de la	1	T
cartera de productos de la	1	T
compatibilidad entre las	1	
competencia[1] entre las	1	T
comunicación entre las	1	
cooperación entre las	1	
coste de la	1	T
coste fijo de la	1	T
decisión[1] de la	1	T
demanda de la	1	T
desenvolvimiento económico de la	1	
dirección[1] de la	1	T
diversificación de la	1	T

entorno económico y social de la	1	
equilibrio económico-financiera de la	1	
estrategia de precios de la	1	T
estructura organizativa de la	1	T
exterior¹ de la	1	
fidelidad a la	1	
función productiva de la	1	T
función¹de la	1	
fundador de la	1	
fusión de las	1	T
limitación de la	1	
limitación financiera de la	1	
marketingmix de la	1	T
mercado¹ de la	1	T
necesidad financiera de la	1	
objetivo innato a la	1	
oferta de la	1	T
personal¹ clave de la	1	T
pertenencia a la empresa	1	
proveedor de la	1	T
rentabilidad operativa de la	1	T
salud de la	1	
visita a la	1	
voluntad de la	1	
plantilla de la	1	T

TABLA 4.4.

Sólo unos cuantos casos presentan alguna opacidad semántica: *duración de la* ~ (9), *crecimiento de la* ~ (6), *éxito de la* ~ (6), *riesgo de la* ~ (6), *imagen de la* ~ (4) y *salud de la* ~ (1). Los criterios de institucionalización, lexicalización, complejidad morfosintáctica y fosilización no permiten reconocer otras UF, con excepción de *tipo de* ~ (2), que no admite artículo detrás de la preposición, y *fusión de* ~ (1), que exige el uso de un plural. No obstante, en cuanto a la combinación de *empresa* con un término, se puede constatar que es el caso de más de la mitad de estas colocaciones (53 en total), como está indicado por la letra T en la tercera columna.

Sólo hay 4 casos en que el término es el núcleo gramatical y semántico de la colocación, unido a su complemento por medio de la preposición *en*:

en funcionamiento	4
en liquidación	3
en marcha	1
en competencia[1]	1

TABLA 4.5.

A nuestro modo de ver, estas 4 colocaciones se pueden considerar fraseológicas, debido al uso algo más particular de la preposición *en*, la ausencia de artículos entre la preposición y el sustantivo que sigue, lo que indica un mayor grado de lexicalización, y, sobre todo, el hecho de que el término es también el núcleo gramatical de la colocación.

3.3.2. *Producto*[1]

Producto[1] ocurre 491 veces en el corpus como término simple. Forma el núcleo de 19 términos compuestos. A continuación se muestran las demás colocaciones de las que forma parte. En total se trata de 124 casos, de los que 8 son con adjetivo, 45 con verbo y 71 con sustantivo.

3.3.2.1. *Producto*[1] + adjetivo

distintos ~	6
~ industrial	4
~ sustitutivo	3
~ conocido	2
~ desconocido	2
~ individual	2
diferentes ~	2
diversos ~	2

TABLA 4.6.

Entre las 8 combinaciones con adjetivo, se podría clasificar *producto industrial* como UF, en base al carácter terminológico de los dos elementos y, eventualmente, *producto sustitutivo* y *producto individual* con motivo de cierto grado de opacidad semántica si se admite que se necesita consultar el contexto para entender plenamente su significado:
Llega un momento, en la vida de un *producto*, en el que la venta comienza a descender, con mayor o menor celeridad, debido a los cambiantes deseos de los consumidores, a la introducción de nuevos *productos sustitutivos*, o a ambas razones [Cap. 15].
El bien almacenado es un *producto individual* que no tiene relación con otro *producto* [Cap. 11].

3.3.2.2. *Producto*[1] + verbo

Hay 45 casos en que *producto*[1] depende de un verbo: 3 veces como sujeto de un verbo transitivo, 1 vez como sujeto de un verbo intransitivo, 1 vez como sujeto de un verbo pronominal, 37 veces como complemento de objeto directo de un verbo transitivo, 1 vez como complemento de objeto indirecto, y 2 veces como complemento de un verbo intransitivo. Llama la atención que *producto*[1] es sobre todo – en el 88,89% de los casos – complemento, mientras que *empresa* rige el verbo en el 77,17% de los casos. Además, se trata casi exclusivamente de una relación entre verbo transitivo y complemento de objeto directo: 37 de los 40 casos.

Suj. v. trans.		Suj. v. intr.		Suj. v. pron.		COD v. trans.		COI v. trans.		Compl. v. intrans.	
generar beneficio bruto	7	morir	1	destinarse a	1	elaborar	21	fijar un precio alto al	2	diversificar entre	1
satisfacer	2					diferenciar	9			transfor-mar en	1
elevar la demanda de	1					almacenar	5				
						desarrollar	5				
						crear	4				
						fabricar	4				

				introducir el ~ en el mercado[1]	4				
				vender	4				
				consumir	3				
				distribuir	3				
				identificar	3				
				modificar	3				
				poner el ~ a disposición de	3				
				transportar	3				
				adquirir	2				
				comercializar	2				
				comprar	2				
				consumidor percibir el	2				
				marcar el	2				
				anunciar	1				
				demandar	1				
				destinar el ~ a	1				
				diseñar	1				
				implantar	1				
				incorporar el ~ a la cartera	1				
				inventariar	1				
				lanzar	1				
				necesitar	1				
				normalizar	1				
				obtener	1				
				ofertar	1				
				ofrecer	1				
				pagar	1				
				pedir	1				
				precisar	1				
				promocionar	1				
				terminar	1				

TABLA 4.7.

Analizando las colocaciones según su opacidad semántica o el empleo figurado de los elementos léxicos alrededor del núcleo *producto*[1], es posible distinguir las siguientes UF:

~ elevar la demanda de (1), ~ morir (1), introducir el ~ en el mercado (4), implantar ~ (1), lanzar ~ (1)

Tomando en consideración las combinaciones entre términos, por un lado, y aquéllas con un verbo general seguido de un término, por otro, se pueden añadir:

-   vender ~ (4), adquirir ~ (2), comercializar ~ (2), comprar ~ (2), inventariar ~ (1), ofertar ~ (1) y pagar ~ (1);
-   ~ generar beneficio bruto (7), fijar un precio alto al ~ (2), consumidor percibir ~ (2), incorporar ~ a la cartera (1).

En base al criterio didáctico de ofrecer al estudiante un contexto del que pueda inferir qué acciones económicas ejecuta y experimenta el término nuclear, se podrían seleccionar las siguientes colocaciones como UF:

Elaborar (21), diferenciar (9), almacenar (5), desarrollar (5), crear (4), fabricar (4), consumir (3), distribuir (3), identificar (3), modificar (3), transportar (3), marcar (1), diseñar (1), implantar (1), normalizar (1), ofertar (1), ofrecer (1), pedir (1), promocionar (1), terminar (1), diversificar entre (1), transformar en (1)

En cuanto a los sinónimos, como *elaborar* (21), *crear* (4) y *fabricar* (4), es aconsejable presentar las UF más frecuentes en primer lugar.

3.3.2.3. *Producto*[1] + sustantivo

a) Término + preposición + sustantivo

de ciclo inverso	2
de consumo	1

TABLA 4.8.

Sólo hay 2 casos en que *producto*[1] es el núcleo gramatical de la colocación. Tienen una frecuencia muy baja, por lo cual resulta imposible decidir de su posible carácter fraseológico, aunque la ausencia de artículo delante del complemento indica un avanzado grado de lexicalización.

b) Sustantivo + preposición + término

unidad (física) del	18	
precio del	10	T
venta del	9	T
creación del	7	
elaboración del	7	
tipo de	7	
atributo del	5	
conjunto de	4	
desarrollo del	4	
demanda del	3	T
diferenciación del	3	
diseño del	3	
distribución[1] del	3	T
posición del	3	
aceptación del	2	
calidad del	2	T
cantidad de	2	
característica del	2	
consumo del	2	T
disposición del	2	T
fabricación del	2	T
fijación de los precios del	2	
gama de	2	T
identificación del	2	
imagen del	2	
introducción del ~ en el mercado[1]	2	
lanzamiento del	2	
mercado del	2	T
modificación técnica del	2	
prueba del	2	

retirada del	2	
vida del	2	
adquirente del	1	T
adquisición del	1	T
asignación al	1	T
capacidad del	1	
clase de	1	
confianza en el	1	
conocimiento del	1	
coste de control del	1	T
cuota de venta del	1	T
curva de demanda del	1	T
demandante del	1	
disponibilidad del	1	
diversificación del	1	T
eliminación del	1	
embalaje del	1	T
evaluación del	1	
exposición del	1	
fracaso o éxito del	1	
generación del	1	
información sobre el	1	
intercambio del	1	
inventario del	1	T
madurez del	1	
marcado del	1	T
modificación del	1	
normalización del	1	
participación del ~ en el mercado[1]	1	T
prestigio del	1	
producción del	1	T
promoción del	1	T
proyecto del	1	
reconocimiento del	1	

suministro del	1	T
sustancia en el	1	
terminación del	1	
tipificación del	1	T
volumen de ventas del	1	T

TABLA 4.9.

En estas colocaciones, 69 en total, el término *producto*[1] es el complemento, relacionado en la mayoría de los casos al sustantivo que lo precede mediante la preposición de. Sólo en 4 casos se emplean las preposiciones *en, a* y *sobre*:

Confianza en el ~ (1)
Sustancia en el ~ (1)
Asignación al ~ (1)
Información sobre el ~ (1)

El criterio de la opacidad semántica otorga carácter fraseológico a las siguientes colocaciones:

Imagen del ~ (2), lanzamiento del ~ (2), retirada del (2), vida del (2), madurez del ~(1)

Asimismo, el término *producto*[1] se combina en 25 de los 71 casos con otro término económico, lo que, como ya se ha señalado varias veces, puede ser interesante para el proceso de aprendizaje. En la tercera columna, la letra T indica que la colocación es con término.

La colocación *tipo de* ~ (7) presenta cierto grado de lexicalización, porque no admite la intercalación de un artículo entre los dos sustantivos. Las colocaciones *conjunto de* ~ (4), *cantidad de* ~ (2), *gama de* ~ (2), *clase de* ~ (1), por ser nombres colectivos, exigen el uso del plural en el sustantivo que sigue, lo que es un caso de fosilización gramatical. Sin embargo, estas características morfosintácticas se presentarían con cualquier sustantivo de la lengua general o de otra lengua especializada, por lo cual no se pueden aceptar estas colocaciones como unidades fraseológicas típicas del discurso económico empresarial.

3.3.3. *Coste*

Coste ocurre en total 330 veces. El término se usa también en 44 UL compuestas en el corpus, y en 30 de ellas como núcleo. Entre sus restantes colocaciones distinguimos 2 con preposición, 21 con adjetivo, 45 con sustantivo y 27 con verbo, o sea, 95 en total.

3.3.3.1. *Coste* + preposición

a un ~ del x%   1
con el menor ~ posible   1
TABLA 4.10.

El término *coste* manifiesta dos colocaciones gramaticales con preposición interesantes desde un punto de vista didáctico. La primera permite la expresión correcta de la cantidad, la segunda del grado de superlativo.

3.3.3.2. *Coste* + adjetivo

Coste presenta más colocaciones con adjetivos que *empresa* y *producto*[1]: el 22,11% frente al 4,5% y 8,51 % respectivamente. En la mayoría de los casos, el adjetivo sigue:

~ total[2]	18
~ anual	17
~ medio	9
~ unitario	3
~ efectivo	3
~ explícito	2
~ correspondiente	2
~ previsto	2
~ bajo[2]	1
~ constante	1
~ creciente	1
~ empresarial	1

~ innecesario	1
~ mensual	1
~ neto de impuesto	1
~ promedio	1
a ~ mínimo	1

TABLA 4.11.

En 4 casos el adjetivo precede, todos en relación con el tamaño de los costes:

bajo^2 ~	4
alto ~	1
elevado ~	1
grandes ~	1

TABLA 4.12.

Estas colocaciones no manifiestan un grado llamativo de institucionalización, ni tampoco de lexicalización, complejidad morfosintáctica o fosilización. Sí hay algunas en que el adjetivo se utiliza metafóricamente –todos con referencia al tamaño del *coste*–, lo que indica cierto grado de opacidad semántica:

Bajo^2 ~ (4), ~ bajo^2 (1), ~ creciente (1), alto ~ (1), elevado ~ (1), grandes ~ (1).

Una combinación con otro elemento terminológico se presenta en: ~ empresarial (1), ~ neto de impuesto (1)

3.3.3.3. *Coste* + verbo

Al igual que *producto*[1], *coste* desempeña principalmente la función de complemento de objeto directo, es decir en 20 de los 27 casos.

Sujeto v. trans.		Sujeto v. intrans.		COD v. trans.		COI v. intrans.		Complem. v. intrans.	
corresponder a	1	crecer	1	tener[1]	17	valorar al[64]	2	incurrir en ~	11

---

[64] Una de las concordancias es: *De forma semejante, siendo V el volumen anual de ventas, valorado a precio de coste, y v el volumen medio de las existencias del*

	valer	1	reducir	7		basar en ~	2
			calcular	6		correr con un	1
			minimizar	5			
			conocer	3			
			analizar	2			
			cubrir	2			
			deducir	2			
			estudiar	2			
			generar	2			
			sumar	2			
			suponer	2			
			aumentar	1			
			comportar	1			
			controlar	1			
			descontar	1			
			determinar	1			
			imputar	1			
			recuperar	1			
			Sobrepasar	1			

TABLA 4.13.

Entre los verbos no hay ningún término. Los criterios propuestos por la bibliografía bien no se pueden controlar mediante los datos del corpus (frecuencia y distribución), bien no se cumplen (institucionalización, lexicalización, fosilización, etc.). Sólo resalta el uso, algo opaco semánticamente, de:

~ crecer (1), incurrir en ~ (11), basar en ~ (2) y correr con un ~ (1).

En los tres últimos casos merece también la pena destacar el uso de las preposiciones *en* y *con* desde un punto de vista didáctico.

---

*almacén de productos terminados, **valorado también al coste**, el cociente será el número de veces que, en un año, se renuevan las existencias de productos acabados* [Cap. 5] .

3.3.3.4. *Coste* + sustantivo

cálculo del	4		de la deuda	9	T
control del	2		del empréstito	7	T
estructura del	2		del crédito	6	T
minimización del	2		de la financiación	4	T
previsión del	2		del endeudamiento	4	T
reducción del	2		del préstamo	4	T
tipo de	2		de fabricación	3	T
curva del	1		de la fuente de financiación	3	T
imputación del	1	T	de realización de pedido	3	
precio del	1	T	de la recogida[2] de información	2	
valoración al[65]	1		de posesión	2	
			del capital propio	2	T
			de administración	1	T
			de adquisición	1	T
			de comprar	1	T
			de control	1	
			de coordinación	1	
			de entretenimiento	1	
			de gestión de pedido	1	T
			de la información	1	
			de la investigación	1	
			de los materiales	1	
			de los recursos ajenos	1	T
			de los recursos propios	1	T
			de obtención de información	1	
			de reaprovisionamiento	1	T
			de ruptura de stocks	1	T

[65] La concordancia es como sigue: *Los ratios de rotación más frecuentemente utilizados se han recogido en la tabla 5.3, donde V denota las ventas anuales al precio de venta, C su **valoración al coste**, y e el crédito sobre clientes y los efectos a cobrar* [Cap.5] .

		de venta	1	T
		de viaje	1	
		del deudor	1	T
		del equipo[1]	1	T
		del local[1]	1	
		del producto[1]	1	T
		del terreno	1	

TABLA 4.14.

Destaca que en las colocaciones con sustantivo, en la mayoría de los casos (34 de los 45, o sea, el 75,56%), *coste* es el núcleo gramatical del que depende el complemento nominal, una situación que no coincide del todo con la de los términos anteriores, que desempeñan muy mayoritariamente la función de complemento nominal, respectivamente en el 95,96% y el 97,18% de los casos.

Entre las colocaciones con sustantivo, se presentan algunos casos de lexicalización y fosilización:

~ de fabricación (3), ~ de realización de pedido (3), ~ de posesión (2), ~ de administración (1), ~ de adquisición (1), ~ de comprar (1), ~ de control (1), ~ de coordinación (1), ~ de entretenimiento (1), ~ de gestión de pedido (1), ~ de obtención de información (1), ~ de reaprovisionamiento (1), ~ de ruptura de stocks (1), ~ de venta (1) y ~ de viaje (1).

Estas colocaciones se pueden considerar UF, por la ausencia del artículo determinado y la imposibilidad de poner el sustantivo que forma el complemento en plural, algo que se puede hacer sin problema en las demás colocaciones.

Entre las colocaciones en que *coste* constituye el complemento, *tipo de* ~ (2) manifiesta también cierto grado de lexicalización, ya que acepta difícilmente el uso de un artículo detrás de la preposición, pero, a diferencia de las anteriores, el sustantivo que sigue se puede poner tanto en plural como en singular.

También hay bastantes colocaciones en que *coste* se combina con otro término. Éstas están marcadas con T.

4. CONCLUSIÓN

La conclusión principal que se puede extraer del análisis realizado en este capítulo es que, para estudiar las unidades fraseológicas del discurso económico empresarial, se necesita estudiar las colocaciones de los términos básicos en un corpus más grande, ya que el criterio de la frecuencia y su distribución es el más objetivo al respecto. Los demás criterios citados –la institucionalización, la lexicalización, la complejidad morfosintáctica, la fosilización o la petrificación, la opacidad semántica– son menos eficaces, pero pueden también, en combinación con la frecuencia y la dispersión, aportar pruebas del carácter fraseológico de una colocación.

Después de haber analizado el léxico económico y auxiliar en sus facetas semasiológicas y fraseológicas, continuamos en el siguiente capítulo con un análisis onomasiológico, con el objetivo de examinar en qué medida éste puede influir en la selección de los términos.

CAPÍTULO V: ANÁLISIS ONOMASIOLÓGICO DE LOS TÉRMINOS ECONÓMICOS Y AUXILIARES

El punto de partida de un análisis onomasiológico lo forman los conceptos. De ahí que en este capítulo se estudien las relaciones conceptuales entre los términos, tanto a nivel de la unidad léxica, como a nivel del campo semántico. De hecho, este capítulo intentará contestar de otra manera a la primera pregunta de investigación de este trabajo, o sea, cómo seleccionar el léxico para su enseñanza, en el sentido de que se agruparán los términos conceptualmente emparentados, cualquiera que sea su frecuencia. Esto implica que las características cuantitativas importan menos en el análisis onomasiológico, aunque nos serviremos del ranking basado en la frecuencia corregida para la presentación de los resultados.

Asimismo, la descripción de las relaciones conceptuales entre los términos influirá en la manera de presentar y enseñar el léxico seleccionado, lo que corresponde a la segunda pregunta de investigación a la que se contestará en la Parte C.

1. LAS RELACIONES PARADIGMÁTICAS ENTRE LOS TÉRMINOS

En este apartado se analizan las relaciones de sinonimia, hiponimia y antonimia entre los términos del corpus.

1.1. Sinonimia e hiponimia

El análisis de la sinonimia se limita a la sinonimia léxica entre los términos económicos y auxiliares del corpus. En lugar de dar una definición de este fenómeno polémico en lingüística, adoptamos una postura pragmática y consideraremos como sinónimos todos los términos que presenten las siguientes características, expuestas en el estudio de Irgl (1987: 275) sobre los sinónimos en el inglés económico y de los negocios:

1. They are lexical items with the same or nearly the same meaning. 2. They may be defined (wholly or almost wholly) in the same terms. 3. They may be interchangable within limits".

Entre los términos auxiliares los sinónimos son escasos. El único caso que se da es el de *bienestar social* (2)[66] y *bienestar de la sociedad* (1) que, de hecho, es más bien un ejemplo de variabilidad morfosintáctica en que el adjetivo calificativo se puede sustituir por un complemento nominal, como se explicita en Cartagena (1998: 289). Entre los términos económicos la sinonimia es algo más frecuente. En total hay 75 casos de sinonimia –sin contar los casos de variabilidad léxica comentados en el capítulo del análisis semasiológico–, que se pueden consultar exhaustivamente en el anexo I.1 por frecuencia corregida decreciente con mención de la frecuencia absoluta, y en el anexo I.1 por orden alfabético. A continuación se presentan unos ejemplos del corpus:

Activo fijo (24) – *inmovilizado*[1] (13)
El (*sic*) *activo fijo* también se le denomina *inmovilizado*, porque, a diferencia del circulante, no se mueve, o se mueve muy lentamente [Cap. 5].
Beneficio económico (27) - *beneficio operativo* (26) - *beneficio bruto* (4) - *beneficio de explotación* (3)
En cuanto al beneficio, ha de distinguirse: - El *beneficio económico* (BE): Es el generado por los activos de la empresa, es decir, por sus inversiones. También se le denomina *beneficio operativo, de explotación* o *bruto* [Cap. 5].
Coste fijo (62) - *carga de estructura* (6)
En general, los *costes fijos* dependen fundamentalmente del tamaño del inmovilizado. Por ello, a los costes fijos se les denomina también *cargas de estructura* [Cap.7].
Distribuidor (31) - *repartidor* (1)
Pero muchos *distribuidores* importantes, incluyendo minoristas como cadenas de supermercados, grandes almacenes e hipermercados, compran el producto al fabricante y le ponen su propia marca [Cap. 15]. *Repartidores*: Su función es, simplemente, entregar el producto más que efectuar su venta [Cap. 16].

---

[66] La frecuencia absoluta sigue la unidad léxica comentada entre paréntesis.

Fondo de maniobra (12) - *fondo de rotación* (4)

A la diferencia entre el activo circulante y el pasivo a corto plazo se le denomina *fondo de rotación* o *fondo de maniobra* [Cap. 5].

Modelo de colas (1) – *modelo de líneas de espera* (1)

En el análisis del flujo del proceso son especialmente aplicables los *modelos de colas* o *modelos de líneas de espera*, que se integran entre los instrumentos que la Investigación Operativa pone a disposición de la Economía de la Empresa para la optimización de las decisiones [Cap. 9].

Plazo de recuperación con descuento (5) - *pay-back con descuento* (2)

El *plazo de recuperación* o *pay-back con descuento* es el período de tiempo que tarda en recuperarse, en términos actuales, el desembolso inicial de la inversión [Cap.6.].

Punto muerto (32) - *umbral de rentabilidad* (5)

Como ya es sabido, el volumen anual de ventas a partir del cual un producto comienza a generar beneficios es su *punto muerto* o *umbral de rentabilidad* [Cap. 15].

Retroalimentación (3) – *feedback* (1) – *retroacción* (1)

Si las salidas generadas por la empresa se apartan de ciertos límites, comienza un proceso de *retroalimentación*, o *feedback*, por el cual se modifican las entradas hasta conseguir que las salidas se ajusten a los límites deseados [Cap. 1].

Principio de *retroacción*: el principio de interdependencia determina que la toma de unas decisiones obligue frecuentemente a la revisión de otras anteriores [Cap. 13].

Valor de retiro (4) - *valor residual* (4)

El *valor de retiro* o *valor residual* en el momento t, V, es el valor que tiene el bien fuera de la empresa al cabo de t períodos (lo que el mercado está dispuesto a pagar por él en ese momento) [Cap. 9].

La hiponimia está relacionada con la sinonimia en el sentido de que el hiperónimo puede funcionar como sinónimo del hipónimo, aunque el contenido semántico no coincide en la misma medida que para los sinónimos (Singleton 2000: 70). Un buen ejemplo del corpus que ilustra este fenómeno es el caso de *crédito* (40) – *préstamo* (33) – *empréstito* (16):

Si el único gasto que tiene un *crédito* (sea *préstamo* o *empréstito*) son los intereses anuales, y estos se pagan todos los años, el coste de ese crédito antes de tener en cuenta los impuestos, kj, es el tipo de interés y éste es lo que la empresa tiene que abonar cada año por cada unidad monetaria que le queda de deuda [Cap. 8].

El término *crédito* es a la vez sinónimo de *préstamo* y *empréstito*, pero tiene un significado genérico, mientras que *empréstito* es la contrapartida de un *préstamo* vista desde el beneficiario, según el *Diccionario económico y financiero* (Bernard y Colli 1985: 593). Esta diferencia tiene sus consecuencias a nivel fraseológico: se *conceden* o se *otorgan* préstamos o créditos, pero se *emiten* empréstitos, es decir, entregas por parte de entidades oficiales de obligaciones, títulos, etc. a cambio de las que reciben capital.

Otros casos de hiponimia entre los términos económicos son:

Pagar (89): abonar (22), amortizar[2] (4), reembolsar(1),   remunerar (2), desembolsar (3).

Pago (51): abono (2), amortización[2] (5), reembolso (6), remuneración (39), retribución (7), desembolso (1), salario (9), sueldo (1).

Recursos (38): capital[1] (34) , presupuesto (28), finanzas (14), fondos (14), medio financiero (6).

Mano de obra (19): empleado (28), operario (11), obrero (2).

Factores de producción (12): capital[2] (3), trabajo (117), factor humano (3), fuerza de trabajo (3), *labor* (5).

Muestreo estratificado (1): muestreo polietápico (1).

Organización[1] (45): *empresa* (821) y todos sus compuestos, *entidad financiera* (1), *entidad no lucrativa* (1), *entidad pública* (1).

Entre los términos auxiliares no se encuentran casos de hiponimia.

1.2. La antonimia

Existen varios tipos de antonimia. Gutiérrez Ordóñez (1989: 132) adopta la clasificación de Lyons, que distingue entre la oposición de complementariedad, contrariedad e inversión. En una relación de complementariedad la negación de A implica B y al revés. Algunos ejemplos son conceptos contradictorios como *macho/hembra* o *soltero/casado*. En una antonimia de contrariedad, la afirmación del primer concepto implica la negación del segundo, sin que la negación del primero implique la afirmación del segundo. Se trata, pues, de antónimos que admiten graduación, como *rico/pobre*, *grande/pequeño*, *alto/bajo*, etc. La última relación basada en el concepto de implicación, la de la inversión, no es una relación antonímica en el sentido estricto (Gutiérrez Ordóñez 1989: 131), ya que la negación de A no es B, como queda claro en los siguientes ejemplos: *padre/hijo*, *tío/sobrino* o *abuelo/nieto*.

Los términos auxiliares presentan tres casos de antonimia complementaria:

eje de abscisas (4) / *eje de ordenadas* (1)
numerador (4) / *denominador* (7)
persona física (1) / *persona jurídica* (1)

Entre los términos económicos, se producen las tres relaciones de oposición presentadas. En total se trata de 68 casos que se pueden consultar exhaustivamente en el anexo I.2 por frecuencia corregida decreciente con mención de la frecuencia absoluta, y en el anexo I.2 por orden alfabético. Damos los ejemplos más frecuentes –ordenados según su frecuencia corregida y seguidos de su frecuencia absoluta– de cada tipo:

- la antonimia complementaria es la más frecuente, con 40 casos en total. Algunos ejemplos son:

gasto	46	ingreso	35
activo	99	pasivo	56
materia prima	54	materia auxiliar	2
recursos propios	21	recursos ajenos	16
capital propio	19	capital ajeno	1

TABLA 5.1.

- la antonimia contraria manifiesta 17 casos en el corpus. Unos ejemplos:

escasez	8	riqueza	11
		Abundancia	1
tiempo early	17	tiempo *last*	14
gran empresa	6	empresa pequeña	5
bruto	4	blando	6
método estático	9	método dinámico	5

TABLA 5.2.

- hay 11 casos de oposición por inversión en el corpus. Unos ejemplos :

volumen de ventas	24	volumen de compras	3
acreedor	9	deudor	2
matricial[1]	6	filial	1
monopolio	3	monopsonio	1
oligopolio	3	oligopsonio	1

TABLA 5.3.

1.3. Conclusión

En la parte C de este libro se examinará qué papel pueden desempeñar las relaciones paradigmáticas en el proceso de adquisición de vocabulario en una lengua extranjera con fines específicos. Resulta que se está llevando una discusión en lingüística aplicada respecto de lo que la bibliografía anglosajona llama *thematic sets* y *semantic sets*, un asunto que necesita ser profundizado en el resumen de las realizaciones más importantes de la lingüística aplicada a la adquisición de las lenguas extranjeras en la Parte C. No obstante, algunas conclusiones didácticas obvias podrían ser que

- en caso de sinonimia, se estudien primero los términos más frecuentes: entre los 75 casos de sinonimia que se pueden consultar en el anexo I. 1, los elementos que tienen la mayor frecuencia corregida y que se encuentran en la primera columna, están todos entre los 805 términos seleccionados, con excepción de los 8 últimos. Entre sus sinónimos más frecuentes, en la columna al lado, sólo 37 forman parte de los términos seleccionados. La tercera y la cuarta columna contienen respectivamente 8 y 3 términos no seleccionados. Todos los no seleccionados están en itálica. Parece lógico, por lo tanto, que se estudien primero los elementos que están entre los términos seleccionados;
- en caso de hiponimia, se estudie en primer lugar el hiperónimo y en una segunda fase los hipónimos;
- en caso de antonimia, se estudien los términos correspondientes a los conceptos opuestos como conjuntos conceptuales, empezando

con los casos en que todos los elementos forman parte de los 805 términos seleccionados, que son 21 en total. En el anexo están puestos en itálica. Hay 26 casos de antonimia en los que sólo 1 de los términos antonímicos forma parte de los 805 seleccionados. Estos casos están en negrita. Cuando ninguno de los términos está entre los seleccionados, los casos de antonimia se encuentran en letra normal.

2. LOS CAMPOS LÉXICOS O LAS FAMILIAS DE PALABRAS

Adoptamos una definición didáctica del concepto de 'campo léxico', denominado "*word family*" en Nagy y Anderson (1984: 315):

> a group of morphologically related words such that if a person knows one member of the family, he or she will probably be able to figure out the meaning of any other member upon encountering it in the text.

Bauer y Nation (1993: 253) matizan la definición de Nagy y Anderson, y añaden que, para que una unidad léxica se pueda contar como miembro de una familia, no sólo ha de estar clara la relación morfológica entre el radical y el derivado, sino también la semántica:

> Clearly, the meaning of the base in the derived word must be closely related to the meaning of the base when it stands alone or occurs in other derived forms, for example, hard and hardly would not be members of the same word family[67].

Con respecto de las lenguas especializadas en particular, Kocourek (1982: 162) habla de "*familles terminologiques*" y las define como campos de términos derivados de un mismo radical con el mismo significado en todos los miembros de la familia. El ejemplo que da es el

---

[67] Bauer y Nation (1993: 258) distinguen varios niveles en las familias de palabras. El primer nivel es el de los *types*, o sea, que se considera cada forma léxica como otra palabra. Por ejemplo, *empresa* y *empresas* son dos *types* distintos. En el segundo nivel se cuentan todas las formas conjugadas o inclinadas de un lema como miembros de la misma familia. De hecho, este nivel 2 es el que se ha adaptado en este trabajo al tomar como unidad de lematización la unidad léxica. Del nivel 3 al nivel 7 se añaden entonces los afijos derivacionales: desde los más frecuentes y regulares hasta los menos frecuentes e irregulares, y los cultos. En este capítulo se examinan las familias terminológicas económicas y auxiliares en el nivel 7, o sea, hasta el nivel más elevado.

de OXYD, radical con que se pueden formar en francés los términos *oxyde, peroxyde, sous-oxyde, sesquioxyde, bioxyde, diaoxyde, hémioxyde, protoxyde,* etc.

Al aplicar esta definición a los términos económicos del corpus se pueden distinguir 109 familias terminológicas. La mayoría de ellas se compone de no más de 2 ó 3 elementos, pero las hay hasta con 8. Contienen todas, por lo menos, un sustantivo, excepto la familia *fiscal-fiscalmente*. A continuación se presentan las 109 familias de manera exhaustiva. El orden es el de la frecuencia corregida del sustantivo más frecuente de una familia, y todas las UL van seguidas de su frecuencia absoluta:

Sustantivos	Adjetivos	Adverbios	Verbos
1. empresa 821 empresario 10 empresariado 1	empresarial 34		
2. producto[1] 491 producción 143 productividad 30 productor[1]13	productivo[1] 10 productivo[2] 1 productor[2] 1		producir[1] 36
3. decisión[1]215			decidir* 32
4. venta 285 vendedor 133			vender 73
5. cliente 214 clientela 2			
6. inversión 322 inversor 7			invertir[1] 33 reinvertir 2
7. beneficio 185	beneficioso 1		
8. mercado[1] 191		para el mercado 2	
9. rentabilidad 173 renta 26	rentable 10		rentar 9
10. consumidor 160 consumo 32			consumir* 27
11. trabajo 117 trabajador 92			trabajar 32
12. pago 51 pagaré 3	pagadero 1		pagar 89

13. planificación 58			planificar* 18
14. compra 48			comprar 36
comprador 15			
15. acción¹ 96 accionista			
38 accionariado 1			
16. dirección¹ 46	directivo¹* 11		dirigir* 52
directivo² 46 dirección²			
32 director 14			
17. competencia¹52	competitivo10		competir 10
competidor 16			
competencia²* 2			
competencia³* 3			
competición 1			
competitividad 1			
18. distribución¹ 44			distribuir* 28
distribuidor 31			
19. inventario 92	inventariable 1		inventariar 3 hacer inventario1
20. almacén 74		para almacén	
21. deuda 75		3	endeudar 13
endeudamiento 34			
deudor 2			
22. promoción¹ 47	promocional* 7		promocionar* 4
promoción² 6			
23. marca 60 marcado 1			marcar¹2
24. fabricación 32	fabricante² 15		fabricar 25
fabricante¹ 29			
25. capital¹ 34 capital² 3			
capitalismo 1			
26. publicidad 48	publicitario 16		
27. financiación 31	financiero 80	financiera- mente 1	financiar 45
finanzas 14			
28. intermediario 35			
intermediación6			
29. empleado 28 empleo			

10 desempleo 2			
empleador 1			
30. cobro 28			cobrar* 25
31. tecnología 27	tecnológico 12	tecnológica-	
tecnólogo 1		mente 2	
32. préstamo 33			prestar¹ 3
empréstito 16			
33. presupuesto 28	presupuestario		presupuestar 7
34. desviación² 34	4		desviar* 3
desviación¹ 3			
35. asignación 19			asignar* 42
36. inflación 34	inflacionario 1		
37. remuneración 39			remunerar 2
38. elasticidad 32	inelástico 1		
39. óptimo¹16			optimizar 16
optimización 9			
40. instalación 24			instalar*
41. crédito 40		a crédito 2	3
42. transporte 15			
transportista 2			
43. amortización¹ 15			amortizar¹ 11
amortización² 5			amortizar² 4
44. banco 23	bancario 2		
45. gestión 17			gestionar 6
46. obligación¹ 22			obligar* 27
obligacionista 4			
47. líder 28 liderazgo¹			liderar* 1
28			
48. emisión¹17			emitir* 15
49. negocio 10			llevar el
negociación 6			negocio 2
negociador* 6			
50. escasez 8	escaso 24		
51. riqueza 11			enriquecer* 7
enriquecimiento* 2			
52. efectuabilidad* 3	efectuable 29		

53. incentivo 22			incentivar 5
54. rendimiento 15 superrendimiento 4			
55. mayorista 14		al por mayor 1	
56. autofinanciación 10			autofinanciarse 1
57. tipo de gravamen 9			gravar 2
58. retribución 7			retribuir* 2
59. oferta 9 oferente 2			ofertar 3
60. asesoramiento 7 asesor 3 asesoría* 1			asesorar* 2
61. inmovilizado[1] 13	inmovilizado[2] 3		
62. patrimonio 9	patrimonial 3		
63. diversificación 18			diversificar* 3
64. apalancamiento 10			apalancar 1
65. depreciación 4			depreciar 5
66. liquidez 6 liquidación 3	líquido[1] 2		liquidar 6
67. economía[1] 7 economicidad 3 economía[3] 2 economista 2 economía[2] 3	económico 60	económicamente 5	economizar 1
68. industria 5 industrial[1] 3	industrial[2] 13		
69. detallista 10		al detalle 1	
70. estrato 17			estratificar* 2
71. ahorro[1] 5 ahorro[2] 3			ahorrar 6
72. comercialización 3 comercio 3 comerciante 1	comercial 29		comercializar 2
73. nominal[1] 4	nominal[2] 4		
74. reserva 6			reservar* 4
75. suministro 3			suministrar 1
76. cotización 7			cotizar 5
77. repuesto 4			reponer[2]* 1

78. reembolso 6		reembolsar 1
79. capacidad adquisitiva 3	en términos de capacidad adquisitiva 1	
80. carga¹ 3		cargar¹ 4
81. tipo libre de riesgo 5	libre de riesgo 3	
82. abastecimiento 3 desabastecimiento 1		abastecer 1 desabastecer 1
83. estructura en línea y *staff* 5 línea y *staff* 2	en línea 4 en línea y *staff* 2 de línea y *staff* 1	
84. insolvencia 6	insolvente 1 solvente 1	
85. estructura en comité 4	en comité 2	
86. vicepresidente 4 presidente 2		
87. coyuntura 2	coyuntural 1	
88. mina 2 minero 2		
89. tipificación¹ 3		tipificar 3
90. abono 2		abonar 22
91. automatización 2	automático* 4	automatizar* 3
92. consultor 2 consulta* 3 consultoría* 1		consultar* 8
93. quiebra 2		quebrar 2
94. reaprovisionamiento 3		reaprovisionar 1
95. subcontratación 3 subcontratista 2		
96. agricultor 1	agrario 2 agrícola 2	
97. conglomerado* 1	conglomeral 1	
98. contabilidad 1	contable 2	contablemente

99. desembolso 1		2	desembolsar 3
100.despido 1			despedir*2
101.fusión 1			fusionar 1
102.infrautilización 1			infrautilizar 2
103.lucro 1	lucrativo 2		
104.matriz[1] 1	matricial[1] 6		
105.mecanización 1			mecanizar 5
106.mercadotécnica 1	mercado-técnico 33		
107.monopolista 1	monopolístico		
108.repartidor 1 reparto* 10	1		repartir* 30
	109. fiscal 1	fiscalmente 1	

TABLA 5.4.

Estas familias no sólo se componen de términos, sino que se han incluido todas las UL que comparten la misma raíz con el mismo contenido semántico. Se trata de 291 palabras en total. Por lo que se refiere a los términos, la mayoría está entre los 805 seleccionados (201 o el 69,07%). Son 53 los no seleccionados, lo que corresponde al 18,21% del total. Se trata de los *hapax legomena* y de los términos *subcontratación* y *subcontratista*. En total figuran 37 UL en el cuadro que no son términos (el 12,71%). Están marcadas con un asterisco. De algunas se puede preguntar si no tendrían que haber sido clasificadas como términos, como por ejemplo *despedir, consumir, cobrar* o *estratificar*. Esto demuestra que la composición de un campo léxico puede servir igualmente a completar los resultados de la identificación de los términos.

Los términos auxiliares sólo cuentan con 27 familias. Sus miembros –65 en total– son todos términos. De ellos 19 o el 29,23% no han sido seleccionados como términos auxiliares básicos en el capítulo anterior: son todos *hapax legómena* excepto *matemático*. Destacan por estar en itálica:

Sustantivos	Adjetivos	Adverbios	Verbos
1. cálculo 34			calcular 83
2. cifra 4			*cifrar* 1
3. cuadrado 15			
cuadrante 5			
	4. *cuantificable* 1		*cuantificar* 1
	5. empírico 4	*empíricamente* 1	
6. estadística 6	estadístico 9	*estadísticamente* 1	
	7. geográfico 10	*geográficamente* 1	
	8. informático 3		informatizar 3
	9. legal 6	*legalmente* 1	
10. logaritmo 3	*logarítmico* 1		
	11. *matemático* 2	*matemáticamente*1	
12. matriz² 12	*matricial²* 1		
	13. mecánico 6		
	mecanicista 1		
14. medición 11			medir 43
medida 53			
15. *multiplicación* 1	multiplicativo 3		multiplicar 23
16. número 201			numerar 5
numerador 4			
numeración 1			
17. ponderación 5			ponderar 11
18. posesión 5			poseer 6
19. probabilidad 154	probabilístico 7		
20. *psicología* 1	psicológico 5		
21. rectángulo 2	rectangular 2		
22. sociedad² 6	social 40	socialmente 5	
23. *sociólogo* 1	sociológico 2		
24. suma 52 sumando 6	sumable 4		sumar 25
sumatorio 1			
25. teoría 19	teórico7	*teóricamente* 1	
26. término 41	*terminológico* 1		
terminología 3			
27. variabilidad 13			
variable¹ 172			

TABLA 5.5.

En cuanto a los sufijos utilizados en ciertos términos, seguimos para su comentario la subdivisión propuesta por Miranda (1994) entre sufijos de nominalización, adjetivación, adverbialización y verbalización. Unos ejemplos de los sufijos de nominalización presentes en los términos de los campos léxicos son:

-ero (base nominal): *minero*
-ado (base nominal): *empresariado*
-ario (base nominal): *empresario*
-dad (base adjetival): *productividad*
-ía (base adjetival): *tecnología*
-encia/-ancia (base adjetival): *competencia*
-ez (base adjetival): *escasez*
-ción/-sión/-tión (base verbal): *producción*
-or/-dor (base verbal): *productor*
-miento (base verbal): *endeudamiento*
-ente/-ante (base verbal): *oferente*
-ado/-ido (base verbal): *marcado*

Entre los sufijos de adjetivación se encuentran:

-al (base nominal): *empresarial*
-ario (base nominal): *presupuestario*
-ico/-tico/-stico (base nominal): *económico*
-oso (base nominal): *beneficioso*
-able (base verbal): *rentable*
-ente/-ante (base verbal): *fabricante*[2]
-ivo (base verbal): *productivo*[1] y *productivo*[2]
-or (base verbal): *productor*[2]

El sufijo de los adverbios se limita a uno solo: -mente, por ejemplo, *económicamente*. Los sufijos de verbalización son:

-ar (base nominal): *promocionar*
-ecer (base nominal): *abastecer*
-izar (base nominal): *economizar*

Queda claro que Miranda (1994) cita muchos sufijos más pero, dado el tamaño limitado del corpus modélico, éstos no se presentan en las familias terminológicas descritas en este apartado.

3. LOS CAMPOS SEMÁNTICOS

3.1. Los campos semánticos en terminología

En terminología los campos semánticos se llaman campos conceptuales o nocionales (Cabré 1993: 201). Arntz y Picht (1995: 102) los definen como la ordenación sistemática de los conceptos de un área especializada. La representación gráfica se suele hacer tradicionalmente en diagramas de árbol que visualizan de manera bastante rígida las relaciones lógicas –de semejanza–, y ontológicas –de proximidad situacional– entre los conceptos. Una variante más flexible es el modelo satélite de Nuopponen (1998). Este modelo quiere ofrecer a terminólogos así como a cualquier persona que está analizando y organizando el contenido de un área especializada, una herramienta para estructurar eficazmente los distintos conceptos. La ventaja del modelo satélite es doble: se pueden continuar añadiendo nudos sin tener que volver a dibujar el diagrama y una sola forma de diagrama basta para cubrir varios tipos de relaciones, lo que no es el caso de los diagramas tradicionales. La estructura básica del modelo satélite es muy sencilla:

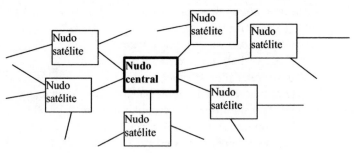

GRÁFICO 5.1.

El concepto central se pone en el nudo central. Los nudos satélites se estructuran alrededor y pueden, a su vez, funcionar como nudo central para otros conceptos satélites. También es posible que los nudos satélites se relacionen entre sí. De esta manera se ponen al descubierto las posibles relaciones lógicas, meronímicas/holonímicas u ontológicas, espaciales, temporales, etc. entre los términos. En el siguiente apartado se aplica el método satélite al campo semántico de la economía empresarial.

3.2. Aplicación: El campo semántico de la economía empresarial según el modelo satélite

Siguiendo el modelo satélite de Nuopponen, el campo conceptual de la economía empresarial, tal como está concebido en el corpus, podría representarse gráficamente de la siguiente manera (véase la siguiente página):

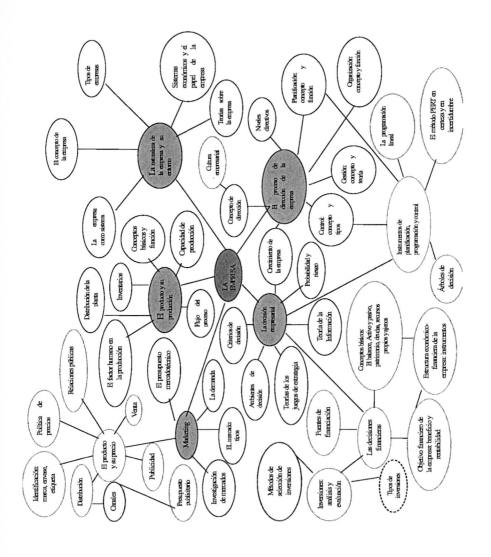

Cada subtema de la economía empresarial se puede analizar conceptualmente de la misma manera, y resulta obvio que se puede ir profundizando hasta haber clasificado todos los conceptos presentes en el corpus y las relaciones entre ellos. Asimismo, existe la posibilidad de profundizar el análisis conceptual de un solo subtema, sin tener que analizar los demás.

La relevancia didáctica del modelo satélite para la presentación y la adquisición del léxico en una lengua extranjera con fines específicos, se comentará en la Parte C.

3.3. Conclusión

En el presente capítulo y el anterior se han sometido los términos del corpus a un análisis de sus formas así como de sus conceptos. La relevancia didáctica de los resultados de este análisis será evaluada en la Parte C del libro, pero antes nos vamos a detener en el papel desempeñado por el léxico general en una lengua especializada. Recordamos que no sólo destaca su importancia en la didáctica de las lenguas extranjeras con fines específicos, sino que también llama la atención su presencia en el corpus, ya que constituye el 61,02% de las UL con una tasa de cobertura del 29,99%.

CAPÍTULO VI: EL LÉXICO GENERAL EN EL DISCURSO ECONÓMICO EMPRESARIAL Y SU IMPORTANCIA EN COMPARACIÓN CON LAS DEMÁS CATEGORÍAS LÉXICAS

1. INTRODUCCIÓN

Como ya se ha comentado en la Parte A, la didáctica de las lenguas específicas atribuye más importancia al léxico general que al léxico especializado mismo. A este respecto, ha adoptado la etiqueta ambigua de léxico subtécnico creando así confusión entre el léxico general y el léxico técnico. Nos hemos distanciado de esta postura al separar el léxico general del léxico técnico. Por otro lado, hemos podido constatar que la tasa de léxico general en el corpus es muy elevada (el 61,02% de las UL y el 29,99% de las OC), por lo cual este vocabulario merece la atención debida. El objetivo de este capítulo es examinar cómo se puede reconocer el léxico general típico del discurso económico empresarial académico. Ya se ha comentado en la Parte A que esta problemática ha sido afrontada para el español por García Hoz (1976), que, a ejemplo de Phal (1970, 1971), efectuó una comparación de varias lenguas especializadas y llegó a componer, de esta manera, una lista de 25.402 palabras comunes a 13 materias diferentes[68]. No obstante, para poder determinar el léxico general propio de una sola lengua especializada parece más apropiada la comparación con un corpus de lengua general.

Concretamente se busca confirmación de las siguientes hipótesis:

1. la existencia de un léxico subeconómico, o sea, UL con un significado orientado hacia el mundo de la economía, aunque no definidas como términos por los especialistas, por ejemplo *importe*, *suma*, *ascender*, etc. Asimismo, UL que en sí no están relacionadas con el mundo de la economía, pero que, en comparación con su presencia en el lenguaje general, sí parecen desempeñar un papel importante en la expresión de las ideas económicas. Pensamos, por

---

[68] Se trata de 13 materias del Bachillerato y Curso Preuniversitario, dejadas fuera las correspondientes a los idiomas clásicos y modernos: matemáticas, física, química, bilología, zoología, botánica, geología, literatura, gramática, historia, geografía, historia de la filosofía y filosofía (1976: 18).

ejemplo, en palabras como *rotación*, que no tiene significado económico, pero que en el corpus se utiliza en colocación con *capital*, por lo cual parece ser una palabra típica del discurso económico. En principio, este léxico subeconómico se ha de manifestar también en el análisis fraseológico de los términos, pero, dada la dificultad de tal operación (véase el capítulo IV de esta parte), la comprobación de su relación particular con el discurso económico empresarial mediante una comparación con un corpus de referencia de español general, no resulta superflua;

2. la existencia de un léxico general básico, común al lenguaje general y al lenguaje económico. Este léxico general fundamental, se denomina '*core vocabulary*' en la literatura anglosajona (por ejemplo Dollerup *et alii* 1989: 22; Stubbs 2001: 42-43), que lo define como palabras muy frecuentes con una distribución semejante en una gran variedad de textos, estilísticamente neutras, semánticamente útiles por ser hiperónimos, e imprescindibles para comentar cualquier asunto.

2. EL CORPUS DE REFERENCIA

Para que el corpus de referencia sea representativo del español en general, resulta obvio que su tamaño necesita ser superior al del corpus de base. Ahora bien, no es fácil encontrar un corpus equilibrado y representativo del español actual cuyas frecuencias estén disponibles y que además esté lematizado. Existe, por supuesto, el *Frequency dictionary of Spanish words* de Juilland y Chang Rodríguez (1964), pero los textos que constituyen el corpus datan todos de entre 1920 y 1952 y sólo cuentan con un total de 500.000 palabras. Otros *corpora*, citados por Suárez García (1996: 1), son el *Léxico fundamental del español* de Sánchez Lobato y Aguirre (1992), igualmente de tamaño demasiado limitado, o el *Diccionario de frecuencias de las unidades lingüísticas del castellano*, de Alameda y Cuetos (1995). Este diccionario se realizó a partir de un corpus de 2.000.000 de palabras, es actual (1978-1993), pero sólo es representativo de la lengua escrita (novela, ensayo, periodismo y textos científicos) y, más problemático aún, no está lematizado, lo que implica que sólo se conocen las frecuencias de las formas flexionadas y conjugadas, pero no de los lemas. No admite duda que la comparación de un corpus lematizado –como el nuestro– con uno no lematizado no puede llevar a resultados significativos.

Que sepamos, existe actualmente sólo un corpus que está lo suficientemente equilibrado y es lo suficientemente grande como para considerarse representativo de la lengua castellana, y que, además, está lematizado. Se trata del corpus Cumbre, compuesto por A. Sánchez *et alii* con vistas a la elaboración del diccionario de frecuencias *Gran diccionario de uso del español actual* (2001)[69]. El corpus se compone de 20 millones de palabras y *"es ampliamente representativo de la lengua española en España e Hispanoamérica (sin olvidar las áreas hispanohablantes de Estados Unidos), en su variedad escrita y oral, y en géneros y ámbitos variados"* (2001: 8). Sin embargo, cabe señalar que no disponemos de la totalidad del corpus Cumbre, ya que en la lista de frecuencias no figuran los *hapax legomena*. Estos fueron eliminados por los autores por considerarlos circunstanciales y no significativos. La lista, que contiene todos los lemas a partir de los *dislegomena*, cuenta en total con 54.737 UL que se realizan 19.412.588 veces.

Una segunda observación respecto del uso del corpus Cumbre como corpus de referencia, se refiere a su lematización. Dada su enorme dimensión, la lematización ha sido enteramente automática, lo que plantea varios problemas. En primer lugar, una lematización automática se limita a la reducción de las formas flexionadas y conjugadas a su forma canónica, sin tener en cuenta las homonimias, polisemias, unidades sintagmáticas[70], abreviaturas, etc., ya que la identificación de éstas requeriría una lematización manual: una tarea demasiado laboriosa para un corpus de este tamaño. Asimismo, disponemos únicamente de los lemas con su identificación gramatical y su correspondiente frecuencia absoluta, por lo cual la comprobación en contexto de los

---

[69] Le agradecemos al Prof. Dr. A. Sánchez su amabilidad de poner la lista lematizada del corpus *Cumbre* a nuestra disposición.

[70] A las UL generales que se componen de, por lo menos, dos formas léxicas separadas gráficamente, las llamamos sintagmáticas, reservándose la denominación 'compuesto' en lingüística como término genérico para las UL que se componen de más de un morfema, a no ser que contengan morfemas derivativos o flexivos (cfr. *Esbozo de una nueva gramática de la lengua española* 1982: 169).

casos problemáticos no es posible. De ahí que dichos casos no se tengan en cuenta en la comparación, sino que se comenten brevemente aquí.

2.1. Las unidades sintagmáticas en Econ[71]

Entre las UL generales hay 123 UL sintagmáticas que ocurren 1.141 veces. Esto significa que representan el 4,09% del total de las UL generales y el 3,21% de las OC. Se trata, sobre todo, de conectores de discurso, pero también hay grupos nominales y verbales. El siguiente cuadro presenta los 20 sintagmas más frecuentes y mejor repartidos, seguidos de su frecuencia corregida:

es decir	209,9577
por ejemplo	130,3425
por consiguiente	66,2036
por tanto	64,0057
sin embargo	50,6427
en general	42,29653
tener en cuenta	39,78702
en realidad	14,94537
por otra parte	14,3458
no obstante	10,98044
dar lugar	10,51615
en consecuencia	9,779719
por el contrario	8,463227
en principio	7,225392
en efecto	6,642194
punto de vista	6,585126
pues bien	6,394683
poner de manifiesto	5,219565
al menos	5,022996
en definitiva	4,536281

TABLA 6.1.

---

[71] El corpus de base se designará desde ahora en adelante como el corpus Econ, y el corpus de referencia como el corpus Cumbre.

Como se desprende del cuadro, la mayoría de estas UL sirven para estructurar el discurso académico y científico. Aunque no pueden ser sometidas a una comparación con Cumbre a fin de juzgar objetivamente su importancia para el discurso económico empresarial, sí nos parece útil presentar al estudiante estos conectores. Lo mismo vale para los sintagmas nominales y verbales de la lista: UL como *tener en cuenta, dar lugar, punto de vista, poner de manifiesto*, etc. permiten expresar las ideas económicas clave en un razonamiento. La lista completa se puede consultar en el anexo J.1 por frecuencia corregida decreciente con mención de su frecuencia absoluta y en el anexo J.1 bis por orden alfabético.

2.2. Las homonimias y polisemias

Como Cumbre no distingue entre homonimias/polisemias léxicas –por ejemplo *acción* en su significado económico y general– ni sintácticas – por ejemplo *bajo* como preposición y adjetivo–[72], este corpus no sirve como punto de referencia para las 199 formas homógrafas de Econ que, en total, se realizan 3.537 veces, o sea, el 6,61% de las UL generales y el 9,96% de las OC. No obstante, el ranking por frecuencia corregida permite constatar que también en esta lista figuran UL que consideraríamos intuitivamente como "básicas". A continuación se presentan las 20 primeras (la lista completa figura en el anexo J.2. por frecuencia corregida decreciente con mención de su frecuencia absoluta y en el anexo J.2 bis por orden alfabético):

tener[1]	515,7024
objetivo[1]	136,5036
total[2]	104,3687
principal[2]	95,29321
superior[1]	82,74566

---

[72] Hay 2 excepciones: las formas *integrador* y *contingente*. Estas formas figuran ambas en Cumbre con una frecuencia como sustantivo y otra como adjetivo. En cuanto a las demás formas ambiguas, se han adoptado las frecuencias de Cumbre si su identidad gramatical corresponde a la de Econ, por ejemplo *público*: adjetivo en Cumbre y Econ.

conjunto[1]	72,90203
medio[2]	70,98955
período	69,47819
seguir[1]	69,39389
tratar[1]	63,52991
producir[2]	63,17204
preciso[1]	53,56309
inferior[1]	46,97609
llegar[1]	46,92758
óptimo[2]	43,24757
alternativa	42,37353
constante[2]	37,0054
función[1]	35,74375
bien[2]	35,36842
característica	33,55033

TABLA 6.2.

Como se puede ver, esta lista contiene UL que comparten su forma con una UL funcional en Econ, por ejemplo *tener[1]*, *seguir[1]*, *tratar[1]* y *bajo[2]*; con otra UL general, por ejemplo *preciso[1]* y *constante[2]*; y con una UL económica, por ejemplo *bien[2]* y *óptimo[2]*. También figuran UL que en Econ desempeñan el papel de sustantivo, pero que en Cumbre se cuentan con los adjetivos, por ejemplo *alternativa* y *característica*. *Período* es un caso de ortografía doble –con o sin tilde– que en Cumbre se trata indistintamente.

2.3. Las abreviaturas y formas plurales

Las abreviaturas y formas plurales no son numerosas en el léxico general de Econ: sólo son 4 UL que ocurren en total 176 veces, o sea, el 0,13% de las UL y el 0,50% de las OC generales. Se trata de las siguientes UL (la frecuencia absoluta sigue):

etc. (etcétera)	114
u. t. (unidad de tiempo)	60
Correos	1
correo	1

TABLA 6.3.

Cumbre no reconoce las abreviaturas y reduce las formas plurales automáticamente a su forma singular, por lo cual la comparación no es posible, dado que Econ distingue entre el singular y el plural.

2.4. Conclusión

En total, el 10,83% de las UL y el 13,67% de las OC del léxico general de Econ quedan fuera de la comparación con Cumbre por las razones explicadas. Las listas exhaustivas con estas palabras se pueden consultar en el anexo J, subapartados 1, 2 y 3 por frecuencia corregida decreciente con mención de su frecuencia absoluta y en el anexo J bis por orden alfabético. A continuación se procede a la comparación de los porcentajes restantes.

3. LA COMPARACIÓN DEL LÉXICO GENERAL EN LOS DOS CORPUS

3.1. Un método de comparación

A fin de comparar las frecuencias de UL de dos *corpora* de tamaño distinto, la estadística ha elaborado varias fórmulas. La más conocida es, sin duda, el *método del χ cuadrado o de Pearson*[73], pero éste requiere para el objetivo que nos proponemos frecuencias absolutas y/o esperadas superiores a 5 (la llamada *Regla de Cochran*, Rayson *et al.* 2004: 928), lo que no es el caso de todas las UL generales en Econ. Una segunda posibilidad es el *'weirdness coefficient'* desarrollado por el terminólogo Khurshid Ahmad (2001: 831). Este método utiliza las frecuencias relativas de las UL en el corpus de base así como en el corpus de referencia. Para obtener el coeficiente se divide la frecuencia relativa de la palabra en el corpus de base por su frecuencia relativa correspondiente en el corpus de referencia. Cuanto más se distancia el

---

[73] Se encuentra más información sobre este método en un curso en Internet del Prof. J. Connor-Linton (Departamento de Lingüística de la Universidad de Georgetown):
http:/www.georgetown.edu/cball/webtools/web_chi_tut.html, julio de 2002.

resultado de cero hacia arriba, tanto más la palabra es característica del corpus de base. A las UL ausentes en el corpus de referencia, Ahmad les pone la etiqueta de '*Infinity*', y añade que son las más típicas de todas. Por el contrario, las UL para las que el coeficiente se acerca a cero son palabras que manifiestan una frecuencia semejante en ambos corpus, por lo cual no se pueden considerar características de un corpus en particular. Una variante más refinada del '*weirdness coefficient*' es la fórmula desarrollada por De Kock y Geens y comentada en De Kock (1979: 74). En vez de sencillamente dividir las frecuencias relativas, esta fórmula propone dividir la sustracción de la frecuencia relativa de la UL en el corpus de referencia de su frecuencia relativa en el corpus de base por la suma de estas dos frecuencias relativas. Los valores así calculados oscilan todos entre -1 y +1. Los valores cerca de cero indican una frecuencia parecida en ambos corpus. Un resultado cerca de +1 expresa una frecuencia superior en el corpus de base, un resultado cerca de -1 expresa lo contrario. A pesar de que tanto el '*weirdness coefficient*' como la fórmula de De Kock y Geens presentan la ventaja de no requerir frecuencias mínimas, plantean un problema en el sentido de que no poseen un criterio que indique a partir de qué punto las diferencias entre las frecuencias son estadísticamente significativas. Este requisito, que la estadística denomina '*cut-off point*' es imprescindible para la interpretación correcta de los resultados.

Una fórmula que sí cumple con todas las condiciones necesarias – o sea, la posibilidad de comparar entre *corpora* de tamaño distinto, un criterio de fiabilidad estadística, y la ausencia de un umbral de frecuencia mínima– es el denominado '*log-likelihood test*', aplicado a la comparación léxica de dos *corpora* por Rayson y Garside (2000). Este método parte de las frecuencias absolutas u observadas (O) de una palabra en dos corpus para calcular en primer lugar sus frecuencias teóricas o esperadas (E). Para ello se necesita conocer el número de formas léxicas en cada corpus (N):

$$E_i = \frac{N_i \sum_i O_i}{\sum_i N_i}$$

Las frecuencias esperadas de la palabra i corresponden al producto de N_i o el total de ocurrencias en el corpus concernido, con la suma de las frecuencias observadas dividido por la suma de la totalidad de ocurrencias en los dos corpus. Una vez que se conocen las frecuencias esperadas de la palabra, la '*log-likelihood ratio*' se calcula según la siguiente fórmula:

$$LL = 2\sum_i O_i \ln\left(\frac{O_i}{E_i}\right)$$

La '*log-likelihood ratio*' (LL) se obtiene al multiplicar por dos la suma del producto de cada frecuencia observada con el logaritmo de la división de esta misma frecuencia observada por su frecuencia esperada. El valor obtenido expresa la diferencia entre la frecuencia en el corpus de base y la del corpus de referencia. Cuanto más alta la cifra, más significativa la diferencia.

En cuanto al '*cut-off point*' se demuestra de manera convincente en Rayson *et al.* (2004) que este punto crítico es inversamente proporcional a la frecuencia esperada de la UL examinada en el corpus de base. Esto significa que, aunque no se requieren frecuencias esperadas mínimas para la aplicación del '*log-likelihood test*', el valor crítico a partir del cual los resultados se pueden considerar estadísticamente significativos será tanto mayor cuanto menor sea el valor esperado de la UL en cuestión. Concretamente Rayson *et al.* (2004: 933) proponen el siguiente '*trade-off*' entre el valor crítico y la frecuencia esperada:

Frecuencia esperada	Valor crítico o '*cut-off point*'
Igual o superior a 13	3,84 a un nivel de significación del 5%
Igual o superior a 11 e inferior a 13	6,63 a un nivel de significación del 1%
Igual o superior a 8 e inferior a 11	10,83 a un nivel de significación del 0,1%
Inferior a 8	15,13 a un nivel de significación del 0,01%

Para la comparación del léxico general entre el corpus Econ y el corpus Cumbre nos serviremos ante todo del '*log-likelihood test*'.

3.2. Aplicación

3.2.1. El léxico general típico del corpus Econ o el léxico subeconómico

Al aplicar la fórmula de *log-likelihood* a las frecuencias absolutas y esperadas de las UL generales se obtiene una cifra para las UL generales que figuran en ambos corpus. Después de someter estos resultados a los valores críticos correspondientes, se seleccionan en total se trata de 255 UL que ocurren juntas 16.585 veces en Econ (el 14,01% de todas las OC) y 648.296 veces en Cumbre (el 3,34% de las OC). Consideramos a estas 255 UL el léxico subeconómico del corpus Econ, ya que parece que está al servicio del léxico económico.

Al aplicar a estas 255 UL la fórmula de Rosengren, que tiene en cuenta no sólo la frecuencia sino también la dispersión, se obtiene un ranking que se puede consultar exhaustivamente en el anexo J, subapartado 4 por frecuencia corregida decreciente con mención de su frecuencia absoluta y en el anexo J.4 bis por orden alfabético. A continuación se presentan las 20 primeras UL del ranking:

caso	284,3227
actividad	247,892
obtener	246,2336
mayor	244,8271
realizar	242,0187
siguiente	228,2437
figura	228,0271
tabla	193,3311
tipo	188,9627
existir	183,2155
denominar	170,9958
nivel	153,8887
forma	152,6833
tiempo	151,0313
determinar	146,5571

encontrar	145,7081
utilizar	143,8192
posible	138,0799
igual	134,8947
unidad	132,9008

TABLA 6.4.

Al examinar esta lista se puede constatar que la mayoría de estas palabras parecen tan generales, con la excepción de *figura*, *tabla* y *unidad*, que resulta difícil imaginarse que son más típicas del discurso económico empresarial que de la lengua general. No obstante, esto cambia según se avanza algo más en la lista. Véanse, por ejemplo, las UL 90 a 110:

incorporar	44,36472
semejante	44,19844
alcanzar	43,51328
importe	43,45862
situar	43,37807
estudio	42,83058
elegir	42,81799
elemento	42,05842
servicio	41,97484
prever	40,42442
disponer	39,98685
referir	39,68099
capacidad	38,84271
adecuado	38,57161
corto	38,5336
comprobar	38,38351
corresponder	38,12753
frecuente	37,58808
analizar	37,44018
negativo	36,27714

TABLA 6.5.

El 45,88% o 117 de las 255 UL, son sustantivos. Los verbos constituyen la segunda categoría gramatical más importante con 32,16% o 82 UL. Los adjetivos representan con 48 UL el 18,82% de la totalidad de UL subeconómicas del corpus Econ, y los adverbios sólo el 3,14% con un total de 8 formas. Presentamos a continuación las 10 UL de cada clase gramatical con la mayor frecuencia corregida (8 para los adverbios):

caso	284,32 mayor	244,83 obtener	246,23 además	107,93
actividad	247,89 siguiente	228,24 realizar	242,02 anteriormente	67,73
figura	228,03 posible	138,08 existir	183,22 evidentemente	62,86
tabla	193,33 igual	134,89 denominar	171,00 generalmente	24,38
tipo	188,96 anterior	115,10 determinar	146,56 posteriormente	23,01
nivel	153,89 distinto	107,96 encontrar	145,71 habitualmente	9,40
forma	152,68 anual	104,59 utilizar	143,82 seguidamente	6,06
tiempo	151,03 grande	88,20 tomar	124,56 consiguiente- mente	3,01
unidad	132,90 necesario	86,43 valer	122,47	
resultado	125,46 diferente	80,03 suponer	108,67	

TABLA 6.6.

También hay una serie de UL generales en Econ que no ocurren en Cumbre. Según el '*weirdness coefficient*' de Ahmad, éstas reciben la etiqueta de '*infinity*' y son las más características del corpus de base. Se trata de 28 UL que se reproducen aquí exhaustivamente, ordenadas según su frecuencia corregida:

subapartado	5,869646
incógnita	1,160291
complementariamente	0,530583
motivado	0,479318
directiva	0,257551
jugada	0,255481
pseudoacontecimiento	0,244354
coloquialmente	0,227528
efectuabilidad	0,225421

ruta	0,162903
almacenable	0,154566
batidora	0,136409
multidoméstico	0,128399
individualizadamente	Hapax
reasignar	Hapax
calculadora	Hapax
equivalentemente	Hapax
certitud	Hapax
departamentalizar	Hapax
falso	Hapax
marginalista	Hapax
alejado	Hapax
baja	Hapax
prescriptivo	Hapax
subepígrafe	Hapax
aleatoriamente	Hapax
micromovimiento	Hapax
multivariable	Hapax

TABLA 6.7.

Resulta obvio que estas UL no se pueden considerar todas típicas del discurso económico empresarial. Como bien dicen Rayson y Garside (2000: 5), cada resultado estadístico a propósito de la comparación de frecuencias en dos *corpora* necesita evaluación e interpretación por parte del investigador:

> Given the non-random nature of words in a text, we are always likely to find frequencies of words which differ across any two texts, and the higher the frequencies, the more information the statistical test has to work with. Hence, it is at this point that the researcher must intervene and qualitatively examine examples of the significant words highlighted by this technique. We are not proposing a completely automated approach.

Destaca la presencia numerosa de adverbios: *complementariamente, coloquialmente, individualizadamente*, etc., lo que se debe, sin duda, a la lematización automática del corpus Cumbre, que ha remitido estas formas a su adjetivo correspondiente que sí figura en la lista Cumbre. Lo mismo vale para las formas sustantivales *incógnita, directiva, batidora, calculadora, jugada, baja* y los adjetivos *motivado, alejado*. No es inimaginable que una vez más la lematización automática haya hecho absorber las formas sustantivales por el adjetivo derivado, así como los adjetivos y sustantivos derivados de un verbo por este verbo mismo. *Subapartado* y *subepígrafe* pertenecen, por supuesto, al vocabulario académico de los manuales, y el hecho de que no figuren *certitud, ruta* y, sobre todo, *falso* en Cumbre es extraño, tanto más que están en el *Gran diccionario de uso del español actual*, para el cual el corpus Cumbre ha servido de base. Por consiguiente, no se pueden considerar todas las 28 UL como subeconómicas. En efecto, sólo 10 UL parecen más o menos propias del discurso económico empresarial: *pseudoacontecimiento, efectuabilidad, almacenable, multidoméstico, reasignar, departamentalizar, marginalista, prescriptivo, micromovimiento* y *multivariable*.

3.2.2. Identificación del vocabulario general básico

Después de haber encontrado un método para determinar qué léxico general es típico de una lengua especializada –en este caso la económica–, está por resolver la cuestión de encontrar un método para detectar el vocabulario general básico, es decir, el vocabulario igual de importante en la lengua especializada que en la lengua general y que además pertenezca al léxico fundamental o, a lo que se llama en inglés, el '*core vocabulary*'.

Para 2.151 UL en Econ el resultado obtenido con el '*log-likelihood test*' no se puede considerar estadísticamente significativo. Esto significa que son UL igual de frecuentes en los dos corpus. Ahora bien, para poder contar estas UL como pertenecientes al '*core vocabulary*' o léxico fundamental de la lengua española, es necesario ordenarlas por su frecuencia corregida y examinar a partir de qué punto cesa el progreso sustancial de cobertura en el corpus, tal como lo hemos hecho en el capítulo II de esta parte para determinar los términos básicos, según el criterio propuesto por Hazenberg:

UL	OC	% de cobertura	% de ganancia
0	0	0	0
108	3.949	33,76%	+ 33,76%
216	5.660	48,39%	+ 14,63%
324	6.821	58,32%	+ 9,93%
432	7.709	65,91%	+ 7,59%
540	8.430	72,08%	+ 6,16%
648	9.002	76,97%	+ 4,89%
756	9.427	80,60%	+ 3,63%
864	9.798	83,77%	+ 3,17%
972	10.096	86,32%	+ 2,55%
1.080	10.348	88,47%	+ 2,15%
1.188	10.600	90,63%	+ 2,15%
1.295	10.826	92,56%	+ 1,93%
1.402	10.947	93,60%	+ 1,03%
1.509	11.054	94,51%	+ 0,91%
1.616	11.161	95,43%	+ 0,91%
1.723	11.268	96,34%	+ 0,91%
1.830	11.375	97,26%	+ 0,91%
1.937	11.482	98,17%	+ 0,91%
2.044	11.589	99,09%	+ 0,91%
2.151	11.696	100,00%	+ 0,91%

TABLA 6.8.

El punto a partir del cual la selección del léxico ya no se puede basar en la frecuencia y la dispersión de las UL se introduce a partir de las 756 UL, cuando la progresión de la tasa de cobertura cae por debajo del umbral del 3,5% propuesto por Hazenberg, como también se puede ver en el gráfico correspondiente:

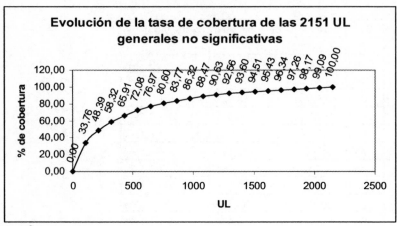

GRÁFICO 6.1.

Las primeras 108 UL cubren el 33,76% del léxico y el estudio de 108 UL más produce una ganancia del 14,63%. La ganancia por grupos de 108 UL sigue siendo bastante grande –el 9,93%, el 7,59%, el 4,89% y el 3,63% respectivamente– hasta las 756 primeras UL. A partir de este punto, la tasa de cobertura crece más difícilmente y está entre el 3,17% y el 0,89%. Las 756 UL seleccionadas como UL generales fundamentales se pueden consultar en el anexo J, subapartado 5. Están clasificadas por frecuencia corregida decreciente con mención de su frecuencia absoluta. En el anexo J.5 bis figuran por orden alfabético.

3.2.3. *La importancia del léxico típico de Cumbre en Econ*

La aplicación del '*log-likelihood test*' a las UL generales de Econ indica 250 UL como significativamente más frecuentes en Cumbre que en Econ. No obstante, al mirar estas UL, muchas de ellas –las más frecuentes– parecen intuitivamente fundamentales para la lengua en general, como se puede constatar en la siguiente lista que presenta las 30 primeras ordenadas según su frecuencia corregida:

hacer	131,4339
decir	84,32529
sólo	81,35124
dar	66,62109
saber	47,41671
sí	46,89167
quedar	46,14612
menos	42,54934
vez	37,33472
crear	35,09618
ver	34,86558
aumentar	34,72223
siempre	32,63663
general	31,86207
día	26,59884
presentar	25,63095
partir	21,26062
pasar	20,69943
dejar	19,91485
pensar	15,67769
recibir	14,18833
alto	13,06228
aparecer	10,86719
casi	9,978355
vida	9,371712
contar	8,523599
nunca	8,081165
llamar	6,858742
hecho	6,762511
realidad	6,699823

TABLA 6.9.

De ahí que, en lo que sigue, se proponga examinar en qué medida estas UL típicas de Cumbre también son importantes dentro de Econ. A este propósito aplicamos una vez más el criterio propuesto por Hazenberg. La progresión de la tasa de cobertura de las 250 UL es como sigue:

UL	OC	% de cobertura	% de ganancia
0	0	0%	0%
13	860	37,41%	+ 37,41%
26	1.250	54,37%	+ 16,96%
39	1.436	62,46%	+ 8,09%
52	1.608	69,94%	+ 7,48%
65	1.725	75,03%	+ 5,09%
78	1.826	79,43%	+ 4,39%
91	1.913	83,21%	+ 3,78%
104	1.977	85,99%	+ 2,78%
117	2.032	88,39%	+ 2,39%
130	2.077	90,34%	+ 1,96%
142	2.122	92,30%	+ 1,96%
154	2.158	93,87%	+ 1,57%
166	2.190	95,26%	+ 1,39%
178	2.215	96,35%	+ 1,09%
190	2.239	97,39%	+ 1,04%
202	2.251	97,91%	+ 0,52%
214	2.263	98,43%	+ 0,52%
226	2.275	98,96%	+ 0,52%
238	2.287	99,48%	+ 0,52%
250	2.299	100,00%	+ 0,52%

TABLA 6.10.

Resulta que la progresión sigue siendo considerable hasta las 91 primeras UL, por lo cual serán añadidas a la lista de las 756 UL generales básicas. El siguiente gráfico ilustra lo dicho:

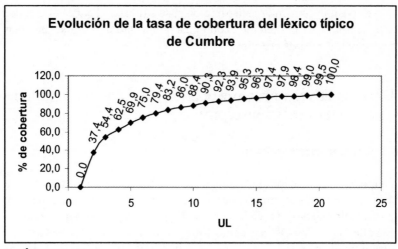

GRÁFICO 6.2.

Por consiguiente, se omiten en total 159 UL, entre ellas los 61 *hapax legomena*, a pesar de que muchas de ellas parecen tan fundamentales para la lengua en general como las 91 seleccionadas, lo cual es el caso de, por ejemplo, *verdad, joven, mujer, interesante, poblar, nación*, etc. No obstante, sin ampliar el tamaño del corpus modélico, resulta imposible incluir estas UL en el léxico general fundamental en base al criterio objetivo de la frecuencia corregida. La lista de las 91 UL seleccionadas se puede consultar en el subapartado 6 del anexo J por frecuencia corregida decreciente con mención de su frecuencia absoluta y en el anexo J.6 bis por orden alfabético.

3.2.4. El léxico general restante

Después de haber comentado las 255 UL subeconómicas, las 10 UL ausentes en Cumbre y típicas de Econ, las 756 UL fundamentales de Econ y Cumbre, y las 91 típicas de Cumbre, restan 1.554 UL generales de las que en base al resultado obtenido mediante el '*log-likelihood test*' y el criterio de Hazenberg respecto de la progresión de la tasa de cobertura, se puede decir que su presencia en el corpus Econ no es representativa para el discurso económico empresarial. No obstante, sólo es posible confirmar esta aserción si se extiende el corpus Econ con otros corpus de la lengua económica empresarial y si se analizan mediante los mismos criterios.

4. OTROS PUNTOS DE COMPARACIÓN ENTRE ECON Y CUMBRE CON RELEVANCIA DIDÁCTICA

4.1. Categorías gramaticales

Ya que la lematización de Cumbre menciona la categoría gramatical de cada UL, está a nuestro alcance comparar el reparto de las categorías gramaticales dentro de cada corpus. El siguiente cuadro presenta las tasas de UL y sus OC así como los porcentajes para Econ y Cumbre. Nos limitamos a las categorías principales de la unidad sustantival, adjetival, adverbial o verbal, lo que explica por qué los totales no corresponden a los totales de UL y OC en el corpus.

	ECON				CUMBRE			
	UL	%	OC	%	UL	%	OC	%
S	2.721	51,18	29.596	24,56	19.754	36,09	3.719.628	19,16
A	822	15,46	7.825	6,49	10.951	20,01	2.397.812	12,35
B	301	5,66	2.663	2,21	1.200	2,19	1.096.703	5,65
V	850	15,99	16.545	13,73	5.701	10,42	3.917.312	20,18
Total	**5.317**	**100**	**120.514**	**100**	**54.737**	**100**	**19.412.588**	**100**

TABLA 6.11.

Las diferencias entre las frecuencias de las UL de las distintas categorías gramaticales resultan ser estadísticamente significativas con un umbral de probabilidad del 99% (*'log-likelihood'*, α= 0.01; un nivel de significación del 1% cuando $\chi^2 \alpha [1] = 6,63$ para un test unilateral, Kanji 1993: 168). Llama la atención que el corpus Econ posee más unidades sustantivales que Cumbre: el 51,18% *versus* el 36,09% en cuanto a UL, y el 24,56% *versus* el 19,16% en cuanto a OC. Las demás categorías son todas más frecuentes en Cumbre. Esto coincide en parte con los resultados de un estudio de Hoffmann, citado en Antia (2000:

159), según el cual hay un tercio más de sustantivos en un corpus especializado que en uno general, y entre la mitad y un tercio menos de verbos. En esta comparación Econ manifiesta un 22% más de sustantivos que Cumbre[74], o sea, algo menos de la cuarta parte, y un 32% menos de verbos[75], o sea, casi la tercera parte. Siempre según Hoffmann, los adverbios suelen ser menos importantes en las lenguas especializadas que en la lengua en general, lo que se confirma en nuestra comparación. No obstante, su estudio manifiesta una mayor presencia de adjetivos. Claro que estas diferencias se pueden explicar por el hecho de que Hoffmann no estudia el español, y también, en parte, porque la lematización de Econ es más correcta que la de Cumbre.

4.2. La riqueza del léxico en Econ en comparación con Cumbre

Intuitivamente parece lógico que la lengua en general posea relativamente más UL distintas que una lengua especializada, cuyo léxico se supone más bien finito, como señala, por ejemplo, Antia (2000: 159): "*LSP vocabularies[...] tend to be more finit than those of LGP*". Si nos proponemos comprobar este supuesto mediante los corpus Econ y Cumbre, no basta con comparar las tasas de UL/OC, dado que los corpus no tienen el mismo tamaño. De ahí que resulte necesario recurrir a lo que Herdan (1960: 26) denomina "*the logarythmic type/toke ratio*":

> The logarythmic type/token ratio, i.e. the log type/log token [...], remains sensibly constant for samples of different size from a given litterary text and is, therefore, suitable to serve as a style characteristic.

Para poder aplicar esta fórmula, o sea, log UL/log OC, se necesita partir de la totalidad de UL y OC en el corpus. Esto significa que se ha de añadir la tasa de *hapax legomena* a las UL y OC del corpus Cumbre. Se obtiene entonces el siguiente resultado:

---

[74] 19,16 es el 78,01% de 24,56, o sea, que Econ contiene un 22% más de sustantivos.
[75] 13,73 es el 68,04% de 20,18, o sea, que Cumbre contiene un 32% más de verbos.

	UL	OC	UL/OC	log UL/log OC
Econ	5.317	120.514	0,044119	0,733249
Cumbre	642.149	20.000.000	0,032107	0,795454

TABLA 6.1.

Se corrobora claramente la hipótesis: con un resultado de 0,7955, Cumbre supera el resultado de 0,7332 de Econ en cuanto a la diversidad de su léxico.

CAPÍTULO VII: CONCLUSIÓN

Después de haber desarrollado un método para seleccionar las UL más relevantes de las distintas categorías léxicas en el corpus, es hora de poner su eficacia a prueba. Respecto de la tasa de cobertura necesaria para la comprensión de un texto, los resultados de la investigación experimental (Laufer 1989, 1992, Nation, 1990) sugieren que un estudiante medio necesita entender como mínimo un 95% de las ocurrencias en un texto escrito para que su comprensión de dicho texto sea aceptable, o sea, para que obtenga una nota de aprobado. Un estudio de Hirsch y Nation (1992), citado en Nation (2001: 147) sugiere un umbral más elevado aún del 98% al 99% para que la lectura sea experimentada por el alumno como una actividad agradable y para que la comprensión no sólo sea mínima sino adecuada. El umbral del 98% queda confirmado en un estudio de Hu y Nation (2000), citado también en Nation (2001: 147). Hazenberg (1994) añade que a partir de un 95% de comprensión, el alumno es capaz de inferir el significado del léxico desconocido a partir del contexto.

Examinemos a continuación a qué tasa de cobertura se llega para el corpus Econ con el vocabulario seleccionado mediante el método propuesto:

Categoría léxica	UL	OC	% de cobert.
Funcional	250	66.275	55,99%
Términos económicos	805	13.737	11,61%
Términos auxiliares	150	1.997	1,69%
Subeconómico	255	16.585	14,01%
Infinity o ausente en Cumbre =subecon.	10	17	0,01%
General común o básico '*core vocab.*'	756	9.427	7,96%
Típico en Cumbre y básico en Econ	91	1.913	1,62%
Polisemias	60	3.028	2,56%
UL compuestas	35	994	0,84%
Abreviaturas/plurales	2	174	0,15%
Total	**2.414**	**114.147**	**96,44%**
Total corpus (sin nombres propios)	**4.933**	**118.365**	**100%**

TABLA 7.1.

En todas las categorías el léxico fue seleccionado en base a su frecuencia corregida, con excepción de la primera que contiene el léxico funcional del corpus Econ en su totalidad, por ser una clase léxica finita. Supone un esfuerzo mínimo para el estudiante adquirir estas pocas palabras (250 UL) que le permiten entender más de la mitad (el 55,99%) de las ocurrencias en un texto. Además, el análisis en el capítulo I de esta parte B ha demostrado que este léxico llega a su plena saturación en el corpus modélico. En la categoría de los términos económicos y auxiliares se seleccionaron respectivamente 805 UL y 150 UL que cubren juntas el 11,61% y el 1,69% de las OC en el corpus. En cuanto a la categoría de léxico general, no sólo se integran en el cuadro el léxico subeconómico (255 UL típicas de Econ y 10 UL ausentes en Cumbre) y el léxico general fundamental (756 UL comunes a los 2 corpus + 91 UL típicos de Cumbre y fundamentales en Econ), sino que, a partir del ranking basado en la frecuencia corregida, se ha aplicado el criterio de Hazenberg también a las 199 polisemias, las 123 UL compuestas y las 4 UL abreviadas y plurales, lo que ha llevado a la selección de 97 UL más en total (60 polisemias, 35 UL compuestas y 2 abreviaturas). La siguiente tabla ilustra dicha selección:

UL polis.	% de cob.	% de gan.	UL comp.	% de cob.	% de gan.	UL abrev.	% de cob.	% de gan.
0	0	0	0	0	0	0	0	0
10	41,8%	+41,8%	7	59,2%	+59,2%	1	64,8%	+64,8%
20	59,6%	+17,8%	14	70,4%	+11,2%	1	98,9%	+34,1%
30	70,7%	+11,1%	21	78,1%	+7,7%	1	99,4%	+0,6%
40	77,8%	+7,1%	28	83,4%	+5,3%	1	100,0%	+0,6%
50	82,1%	+4,3%	35	87,1%	+3,7%			
60	85,6%	+3,5%	42	89,4%	+2,3%			
70	88,6%	+3,0%	49	91,3%	+1,9%			
80	91,2%	+2,6%	56	92,6%	+1,3%			
90	93,2%	+2,0%	63	94,2%	+1,6%			
100	94,4%	+1,2%	70	95,4%	+1,1%			
110	95,3%	+0,9%	77	96,0%	+0,6%			
120	96,3%	+0,9%	84	96,6%	+0,6%			
130	97,2%	+0,9%	91	97,2%	+0,6%			

140	97,9%	+0,7%	98	97,8%	+0,6%			
150	98,5%	+0,6%	105	98,4%	+0,6%			
160	98,9%	+0,4%	111	98,9%	+0,5%			
170	99,2%	+0,3%	117	99,5%	+0,5%			
180	99,5%	+0,3%	123	100,0%	+0,5%			
190	99,7%	+0,3%						
199	100,0%	+0,3%						

TABLA 7.2.

Juntas, las OC de las 2.414 UL seleccionadas cubren el 96,44% del corpus Econ, una tasa que supera con creces el 95% requerido según la bibliografía para asegurar una comprensión mínima e, incluso, se acerca al umbral del 98% que garantizaría una lectura fluida y agradable sin asistencia necesaria (cfr. arriba).

Ahora bien, las 2.414 UL seleccionadas se restringen, por supuesto, al corpus examinado. A fin de componer el léxico que cubra por lo menos el 95%, o mejor aun, el 98%[76] de cualquier texto de discurso económico empresarial, se necesita ampliar el presente corpus con otros textos más. No obstante, para garantizar la eficacia y la objetividad de tal operación, es aconsejable adoptar el método utilizado. Asimismo, cabe subrayar que los análisis realizados aportan pruebas empíricas que corroboran el criterio de Hazenberg que parte de la experiencia de la autora. En combinación con la frecuencia corregida y el '*log-likelihoodtest*', el criterio de Hazenberg resulta ser una herramienta que indica con exactitud qué UL deben ser seleccionadas a fin de cubrir, por lo menos, el 95% de ocurrencias en un texto.

---

[76] En publicaciones anteriores (por ejemplo, Vangehuchten 2004) se alcanza una tasa de cobertura más elevada del 98,22%, debido a una aplicación menos refinada del '*log-likelihood test*' (Rayson & Garside 2000). A raíz de la publicación de Rayson *et al.* (2004, véase el capítulo anterior de esta Parte B) en que se demuestra que cuanto menor la frecuencia esperada de una UL, tanto mayor el valor crítico o '*cut-off point*' que indica hasta qué punto los resultados son estadísticamente significativos, la nueva selección no llega a cubrir el 98% de las OC. Esto se debe principalmente al tamaño modesto del corpus modélico Econ, lo que repercute en una baja frecuencia esperada de gran parte de las UL. Es de esperar que una ampliación del corpus modélico resulte en una frecuencia esperada mayor de las UL, por lo cual podrá bajar el valor crítico y se seleccionarán más UL.

Es difícil prever en cuántas palabras consistirá un léxico representativo de cualquier texto que pertenece al discurso económico empresarial, ya que las investigaciones realizadas al respecto llegan todas a la conclusión de que el tamaño del vocabulario necesario para cubrir el 95% de un lenguaje determinado, varía en función de este lenguaje y de las necesidades del estudiante. Según Johnsson (1972: 123), la comprensión de un texto medio difícil en español requiere el conocimiento de más de 5.000 palabras altamente frecuentes. Schmitt (2000: 142) señala las 2000 palabras más frecuentes de una lengua como mínimo más citado en la bibliografía para que el alumno pueda desenvolverse en situaciones de comunicación cotidiana y como base imprescindible para estudios de continuación. Nation y Waring (1997: 10) postulan que se necesitan entre 3.000 y 5.000 familias de palabras para tener acceso a textos auténticos medio difíciles, pero si el alumno se propone alcanzar un vocabulario parecido al de un hablante nativo, es imprescindible que conozca entre 15.000 y 20.000 familias de palabras[77]. Las investigaciones realizadas por Hazenberg (1994: 145) y Hazenberg y Hulstijn (1996: 158) respecto del léxco requerido en un estudiante universitario principiante sugieren respectivamente 11.123 palabras y –como mínimo– 10.000 palabras. Picoche y Rolland (2002: 9) mencionan que con 6.707 palabras se cubre el 98% del corpus del mayor diccionario actual del francés moderno, el *Trésor de la langue française*, que está basado en un corpus de 90.000.000 ocurrencias y 70.000 palabras.

Por lo que se refiere al léxico de las lenguas especializadas en particular, Nation emite en 1993 que el léxico técnico o especializado nunca sobrepasa las 2.000 palabras por especialización (1993: 125), pero en su obra más reciente reduce esta tasa a 1.000 palabras : "If we look at technical dictionaries, such as dictionaries of economics, geography or electronics, we usually find about 1000 entries in each dictionary" (2001: 12).

Asimismo, Nation (2001: 187) subraya la necesidad de que el alumno estudie primero las 3.000 palabras más frecuentes de una

---

[77] Con 'familia de palabras' Nation se refiere a todas las palabras que comparten el mismo radical morfológico y semántico (Bauer & Nation 1993: 253). Véase también el capítulo V de esta parte B.

lengua, antes de empezar el estudio del léxico especializado. Kennedy (1998: 286) comparte esta opinión en el sentido de que, según él, el léxico general de una lengua no sirve a estudiantes de una lengua especializada más allá de las 3.000 palabras y destaca la necesidad de la investigación en corpus al respecto: "More research is needed on lexical distribution in specialized subject fields based on corpora rather than single texts. There is, of course, also a need for compilation of a wider range of such specialized corpora" (1998 : 288).

No obstante, Ward, citado en Nation (2001: 192), analizó un corpus de ingeniería, y constató que con 2000 familias de palabras se cubre el 95% de las ocurrencias. Su conclusión es, por consiguiente, que para un estudiante de una lengua extranjera con fines específicos, resulta más fructífero centrar la enseñanza de vocabulario desde el principio en el léxico de la lengua especializada, sin perder tiempo con el estudio de las 3.000 palabras más frecuentes de la lengua en general, de las que su estudio demuestra que una buena parte no figura en el lenguaje de la ingeniería.

Compartimos la opinión de Ward, en el sentido de que pensamos que un curso de lengua especializada puede centrarse desde el principio en la materia especializada, pero, en base al análisis del léxico del corpus modélico sólo, resulta difícil decir si un léxico de 2.414 UL puede ser representativo del discurso económico empresarial básico. El análisis de otros corpus más tiene que confirmar y ampliar los resultados obtenidos, tanto para el léxico general como para el económico y subeconómico.

En último lugar, resulta necesario plantear la cuestión del orden de presentación más eficaz del léxico seleccionado en una situación de aprendizaje. La bibliografía (por ejemplo Schmitt 2000, Nation 1990, 1993, Dollerup 1989) parece coincidir en que, cualquiera que sea la meta que el estudiante se proponga, el aprendizaje del '*core vocabulary*' o vocabulario básico de una lengua es primordial. Con referencia al léxico seleccionado en Econ se trataría de las siguientes categorías: el léxico funcional (250 UL), el léxico general básico (756 UL), el léxico típico de Cumbre y básico en Econ (91 UL), las polisemias básicas (60 UL), las UL sintagmáticas básicas (35 UL) y dos abreviaturas básicas (2 UL). En total, estas 1.194 UL fundamentales cubren con 81.811 OC el 69,12% de las ocurrencias en Econ. En segundo lugar es aconsejable introducir los términos, ya que es este léxico el que expresa el contenido principal. Nation (2001: 1) aconseja que los términos se traten como el léxico general fundamental : "Where possible, specialised vocabulary should be treated like high-frequency vocabulary. That is, it should be taught and studied in a variety of complementary ways".

Para el corpus Econ esto significaría, concretamente, que al estudiar 955 UL (los T y TA seleccionados) se gana un 13,3% de cobertura. Parece lógico que se presente al mismo tiempo el léxico subeconómico, ya que éste permite organizar y definir los conceptos expresados por los términos. En el corpus Econ el léxico subeconómico se compone de sólo 265 UL (255 subeconómicas y 10 UL ausentes en Cumbre con significado subeconómico), ¡pero juntas cubren el 14,02% (14,01% + 0,01%) de las OC! Claro que en una situación de enseñanza concreta no será posible separar tan radicalmente el léxico general del léxico económico y subeconómico en dos fases. Se ha de tratar más bien de un proceso graduado en que, al principio, el énfasis se pone en el léxico general, y después, cada vez más, en el léxico económico y subeconómico.

En cuanto al léxico que no pertenece a uno de estos tres grupos, la bibliografía coincide en que no merece atención especial en una situación de clase, sino que vale más que el estudiante, una vez que haya adquirido el vocabulario básico del lenguaje que quiere aprender, y que le procura una cobertura de un 95% como mínimo, continúe ampliando sus conocimientos léxicos de manera autónoma, leyendo material de su interés y estudiando el léxico que éste contiene. No es que no sean importantes, porque expresan a menudo un significado relevante dentro del texto, pero debido a su frecuencia tan baja, han de ser adquiridas cuando se presentan al alumno, como destacan Picoche y Rolland (2002: 9):

> Il est vrai que ces mots rares, sans fréquence significative, sont généralement porteurs de beaucoup d'information, mais la plupart d'entre eux s'acquièrent "en situation", quand on en a besoin dans une circonstance particulière.

Como bien dice Schmitt (2000: 3), hay demasiadas palabras en una lengua como para enseñarlas todas y la mayoría es demasiado poco frecuente como para poder hacer una selección entre ellas:

[...] we as teachers must give up the idea of ever teaching all of them to our students in a classroom situation. Only a fraction of them are likely to be acquired through formal study [...].

Por consiguiente, esta selección la tiene que efectuar cada uno en función de sus necesidades. Las UL de Econ que no han sido seleccionadas se pueden consultar en el anexo K por frecuencia corregida decreciente con mención de su frecuencia absoluta y en el anexo K bis por orden alfabético. En total se trata de 5.519 UL, que con 4.218 OC cubren sólo el 3,56% de la totalidad de ocurrencias en Econ.

En esta segunda parte, la parte B, se ha elaborado un método para identificar las distintas clases léxicas en el discurso económico empresarial y para seleccionar su vocabulario fundamental. Asimismo, se han descrito los aspectos lingüísticos (semasiológicos, fraseológicos y onomasiológicos) que caracterizan este vocabulario. De esta manera, se ha contestado a la primera pregunta de la investigación. Ahora se plantea la cuestión de cómo enseñar dicho léxico. Este asunto se profundiza en la parte C.

PARTE C:

¿Cómo enseñar el léxico del discurso económico empresarial? Los aportes de la didáctica y de la lingüística aplicada

CAPÍTULO I: LA DIDÁCTICA DEL VOCABULARIO EN UNA LENGUA EXTRANJERA CON FINES ESPECÍFICOS

A la primera pregunta de investigación, o sea, de saber qué léxico se necesita enseñar en una clase de discurso económico empresarial, se contestó en la Parte B de este trabajo, mediante la elaboración de un método de selección que se aplicó al léxico, tanto general como especializado, de un corpus modélico. Queda ahora por tratar la cuestión de cómo enseñar dicho vocabulario. A esta segunda pregunta se intenta contestar en la tercera y última parte del libro. El primer capítulo es un estado de la cuestión crítico de las principales corrientes, dentro y fuera de España, en la didáctica del vocabulario en una lengua extranjera con fines específicos. En el segundo capítulo se presenta una selección de las ideas que actualmente están en vigor en la lingüística aplicada, y que tienen relevancia para la adquisición del léxico del discurso económico empresarial.

1. UNA RESEÑA HISTÓRICA DE LAS PRINCIPALES METODOLOGÍAS

1.1. Introducción

En este primer apartado se presenta una visión de conjunto, primero en general, y después para España y la enseñanza del español como lengua extranjera en particular, de las principales metodologías desarrolladas a lo largo de la historia para enseñar las lenguas extranjeras y, específicamente, el léxico general y especializado. Destacará que, salvo unas excepciones aisladas, el interés por la enseñanza del léxico es bastante reciente. De hecho, la convicción de que el aprendizaje del vocabulario es tan importante como el de la gramática y que el vocabulario constituye, por tanto, una parte esencial en la adquisición de una lengua extranjera sólo data de hace unos veinte años. Por lo que se refiere a la didáctica del léxico especializado, quedará claro que este campo de investigación está aún menos explotado.

El orden en que se recorren las distintas metodologías no respeta rigurosamente la cronología, ya que se acepta como Mackey (1971: 151) que "most of the methods developed over the past few centuries are still in use in one form or another in various parts of the world". Decoo (2001) incluso habla de la reencarnación comercial de los métodos, o sea, la adaptación superficial –de la jerga, de los ejercicios– de manuales existentes a nuevas tendencias. De esta manera ocurre que varias metodologías coexisten, y si muchos períodos se caracterizan por su preferencia por una determinada, nunca ninguna ha obtenido el monopolio (Van Els 1987: 146). Agruparemos por tanto las distintas metodologías en base a la semejanza de sus principios básicos.

En cuanto a la terminología, seguimos la de Puren (1988: 16), que pone a todos los métodos que son "*équivalents entre eux quant aux pratiques d'enseignement /apprentissage induites*" el nombre de 'metodología'. Una metodología se sitúa pues en un nivel superior al de un método, también en el sentido de que una metodología tiene en cuenta los elementos sujetos a las variaciones históricas determinantes como los objetivos generales de la enseñanza de las lenguas extranjeras, los contenidos lingüísticos y culturales, las teorías de referencia y las situaciones de enseñanza. (Puren 1988: 17 y Mackey 1971: 139). El término 'método' se reserva en este trabajo para designar un manual, un curso, un conjunto de técnicas, un tipo determinado de ejercicios, etc. La palabra 'enfoque' se utiliza como su sinónimo (Germain 1993: 16).

1.2. La didáctica del vocabulario en una lengua extranjera con fines específicos en general

El siguiente repaso se basa principalmente en Bogaards (1994), Puren (1988, 1994), Besse (1985), Van Els *et al.* (1987), Galisson (1980), Besse y Galisson (1980), Galisson y Coste (1976) y Kelly (1976).

1.2.1. La metodología tradicional o clásica

La técnica principal que se adopta en esta metodología para entrenar a la vez la gramática y el vocabulario es la traducción de la lengua extranjera a la lengua materna y al revés. De ahí que se llame también la metodología 'gramática-traducción' (Mackey 1971: 153). El énfasis está en la lengua escrita. No se demuestra ningún interés por el componente oral: no se atiende a la pronunciación ni se estimula el empleo oral de las estructuras gramaticales o del vocabulario. La competencia comunicativa está completamente desatendida. Además, no se basa en ninguna justificación teórica, que sea lingüística, psicológica o pedagógica (Richards y Rodgers 1986: 5).

La adquisición de vocabulario en esta metodología se realiza por la memorización basada en la repetición intensiva o el *drill* de palabras sueltas, de ninguna manera sistematizadas, que figuran en los textos leídos y traducidos en clase y por el estudio de listas no temáticas de palabras y de diccionarios. Puren (1988: 67) observa, a lo largo de la aplicación de esta metodología, una evolución hacia la agrupación de las palabras por tema. Sin embargo, esta práctica desemboca en un desarrollo abusivo de los campos léxicos y en la creación de unas listas infinitas, imposibles de memorizar.

Las objeciones obvias contra esta metodología son que pone demasiado énfasis en el empleo escrito de la lengua y que se emplea exageradamente la lengua materna en clase por la continua traducción. El resultado es un mal funcionamiento del conocimiento de la gramática y del vocabulario en el empleo real de la lengua y todo eso, a pesar de la gran cantidad de energía que se invierte en el estudio. Estos métodos se desarrollaron en el siglo XVIII y fueron sobre todo populares en este mismo siglo y en el siglo XIX. Todavía se emplean hoy día aunque ya no tienen sus abogados para propagarlos (Richards y Rodgers 1986: 5).

1.2.2. La metodología directa

La metodología directa empezó a desarrollarse a finales del siglo XIX. En 1882 W. Viëtor[78] publicó un folleto afirmando que había que cambiar los métodos de enseñanza de las lenguas: "Der Sprachunterricht muss umkehren". Para él, era imposible aprender a hablar y comprender

---

[78] W. Viëtor (1850-1918) fue un profesor de fonética de la Universidad de Marburg (Alemania) que denunció la metodología tradicional que dominó en los siglos XVIII y XIX en su país. El estatuto y la formación de Viëtor y el prestigio que gozaba Alemania en aquella época en los círculos pedagógicos europeos explican la influencia internacional de su folleto y la polémica que causó (Parkinson de Saz 1981: 180).

una lengua nada más estudiando las reglas gramaticales y largas listas de vocabulario: "Durch Wörterlisten und Regeln kann man nicht sprechen und verstehen lernen".

El primer objetivo de la metodología directa es aprender la lengua de conversación en vez de la lengua escrita y aunque existen algunas diferencias entre los varios métodos directos elaborados[79], los principios básicos son los mismos para todos:

1. Evitar el empleo de la lengua materna como intermediario.
2. Evitar la forma escrita como intermediario; empezar desde el principio oralmente.
3. Evitar las reglas gramaticales explicitadas para enseñar la gramática.

El método apropiado según la metodología directa para asegurar la asimilación de las palabras enseñadas es la repetición extensiva. Esto implica que hay revisión periódica, espaciada en el tiempo. Se tiene que dar la posibilidad al alumno de repetir varias veces el mismo vocabulario en otro contexto, en otro orden, en otros ejercicios (Puren 1988: 162). No obstante, la laguna consiste en la ausencia de los medios científicos de selección y de gradación léxicos, lo que provoca en los manuales una abundancia exagerada de vocabulario, por ejemplo una clase a propósito del tema de la cocina incluye un catálogo completo de todos los utensilios posiblemente empleados en una cocina. Además, se ofrecen sobre todo palabras concretas en los textos, lo que les hace a menudo indigestos. Falta pues una gradación coherente de los contenidos léxicos de lo conocido hacia lo desconocido, de lo concreto hacia lo abstracto, de lo sencillo hacia lo complicado y de lo particular a lo general.

Algunos nombres de personas que crearon todos su propio método directo son Berlitz, de Sauzé, Thirion, Palmer y Schweitzer. Observamos que hoy día la metodología directa continúa cosechando mucho éxito en el mundo comercial para los hombres de negocios que

---

[79] Dentro de la metodología directa caben entre otras las siguientes variantes: el método 'directo', el método 'Berlitz' según el nombre de su metodólogo, el método 'natural' , el método 'psicológico', el método 'fonético, oral' o 'de Reforma' y el método ecléctico que en Francia lleva el nombre de 'método activo' y que de hecho es un compromiso entre la metodología directa y la metodología tradicional (Mackey 1971: 153).

necesitan aprender rápido un idioma extranjero, sobre todo bajo el nombre del 'método Berlitz' impartido en las 'escuelas Berlitz'.

1.2.3. *La metodología audio-oral/audiovisual*

La metodología audio-oral abarca un conglomerado de métodos que llevan los nombres de audio-oral, aural-oral, audio-lingual, mim-mem, estructura, estructuralista o *New Key* y que se desarrollaron a principios de los años 30 del siglo XX en EE.UU. Basada en la psicología behaviorista o conductista de Skinner, que ve el proceso educativo como el establecimiento de hábitos deseables y de reflejos condicionados, y en la lingüística distribucional y estructuralista de Bloomfield, que está convencida de que una lengua es una colección de estructuras, esta metodología quiere fijar y automatizar dichas estructuras en el alumno mediante la repetición ininterrumpida de los llamados "*pattern drills*" o "ejercicios estructurales" con el magnetófono.

En la metodología audio-oral/audio-lingual la fonología y la adquisición de las estructuras gramaticales prevalecen. La adquisición del vocabulario es secundaria y es tratada como un mero problema de selección y gradación. En una primera fase, la enseñanza del vocabulario se limita al aprendizaje del léxico que se presenta en los cuadros de las estructuras sintácticas y tiene como único objetivo que el estudiante pueda hacer los ejercicios estructurales. La selección del vocabulario que se introduce en una segunda fase, se hace en base a la frecuencia y la disponibilidad. Otro criterio de selección consiste en el análisis contrastivo con la lengua materna del alumno (Lado 1964).

Un experimento que cabe dentro de esta metodología estructural es el "basic English" de C. K. Ogden en los años 40. Se compone de 850 palabras básicas y no contiene verbos excepto una veintena que permiten formar otros verbos en combinación con palabras funcionales (adverbios y preposiciones como *at, before, by, to*) o con sustantivos. Por ejemplo: *keep up* en vez de *sustain, take part* por *participate, go through* en vez de *penetrate*, etc. Hay 400 sustantivos generales y 150 adjetivos, con los que es posible formar otros más, por ejemplo *small tree* en vez de *bush, without thought for others* en vez de *selfish*, etc. (Carter 1988: 40).

Aunque la metodología audio-oral gozó de gran popularidad en los años 50, sus fundamentos fueron rebatidos por las evoluciones en lingüística (Chomsky, que denuncia las deficiencias de la gramática estructural por ser demasiado superficial) y en psicología (Carroll, Rivers, Sinclair, Piaget, que critican el fundamento behaviorista de la metodología al demostrar que el desarrollo de lenguaje en un niño es independiente de los enunciados que oye y que está más bien relacionado con su desarrollo cognitivo) (Parkinson De Saz 1981: 237). Los ejercicios estructurales presentan también muchos inconvenientes: por su carácter extremadamente repetitivo aburren a los alumnos y, además, éstos no resultan capaces de reproducir las estructuras aprendidas en situaciones comunicativas reales, ya que nunca corresponden por completo a las artificiales de los ejercicios. El '*Basic English*' plantea el mismo problema: ningún nativo se limita a 850 palabras, por lo cual la comunicación con hablantes nativos queda excluida o restringida a trivialidades.

La metodología audiovisual se puede considerar como una parte o una evolución de la metodología audio-oral. Se desarrollaron más o menos en la misma época (en los años 30, a principios de los años 40) y dan ambas prioridad a la lengua hablada, que se presenta por medio de diálogos. No obstante, la metodología audiovisual se distingue de la metodología audio-oral por no conceder tanta importancia a los ejercicios estructurales. Según Besse (1985: 39), la diferencia entre las dos metodologías se debe a que los fundamentos teóricos son totalmente distintos, la metodología audiovisual teniendo como fuente de inspiración la corriente filosófica y epistemológica que al principio del siglo XX iba en contra del positivismo, y que fue conocida bajo el nombre de *Gestalttheorie*. Esta teoría postula que un fenómeno complejo nunca es la suma de varios elementos, sino que se trata de un conjunto en que cada elemento sólo existe porque forma parte de aquel conjunto.

El método estrúcturo-global-audiovisual (SGAV) es la manifestación más conocida y difundida de la metodología audiovisual que, de hecho, es una conglomeración de enfoques (Van Els 1987: 153). Este método se conoce también como el método CREDIF o *Saint-*

Cloud-Zaghreb[80]. En cuanto al vocabulario, el equipo de Saint-Cloud, bajo la dirección de Georges Gougenheim, desarrolla el "Français Fondamental": un léxico de 3.000 palabras seleccionadas en base a su frecuencia y su disponibilidad. Aunque esta lista cosecha un éxito tremendo al principio y constituye la base de la enseñanza del léxico en casi todos los manuales de aquella época, está sometida a numerosas críticas. Por un lado, se reprocha la inclusión de palabras no frecuentes o caídas en desuso, debido a la mala composición del corpus, y por otro, la exclusión de algunas palabras frecuentes, por ser consideradas demasiado coloquiales. La selección de los campos semánticos es aleatoria, con un énfasis exagerado de algunos en detrimento de otros, y se critica también la forma aislada en la que se presentan las palabras, es decir, sin ningún tipo de contexto.

1.2.4. La metodología comunicativa

Esta metodología cubre los métodos comunicativo, funcional, nocional-funcional, interaccional, etc., que surgieron en los años 60, en reacción a los métodos estructuralistas. El objetivo principal es la adquisición de una competencia comunicativa que se compone de una competencia lingüística y de una competencia pragmática, o sea, de un conocimiento gramatical de la lengua así como de la competencia de utilizarla adecuadamente en función de la situación de comunicación[81]. De ahí que se intente reproducir en el ambiente artificial de la clase las condiciones reales, auténticas de la comunicación en un ambiente natural. Por la misma razón, se intenta emplear sobre todo material auténtico.

Tanto la lingüística cognitiva como la psicología cognitiva ejercen una influencia importante en la metodología comunicativa. En cuanto al objeto de enseñanza, según la lingüística cognitiva la lengua se

---

[80] CRÉDIF es la sigla de *Centre de Recherche et d'Études pour la Diffusion du Français*, un centro de estudio en la Escuela Superior de Saint-Cloud en Francia. El equipo de G. Gougenheim y P. Rivenc de Saint-Cloud y el equipo de P. Guberina de la Universidad de Zaghreb desarrollaron juntos el método SGAV.

[81] Esta idea es de Hymes (1984), según el cual una teoría lingüística siempre forma parte de una teoría más general que engloba la cultura y la comunicación.

puede considerar como un sistema creativo que contiene los elementos y las reglas necesarias para comprender y producir infinitamente nuevos enunciados en nuevas situaciones. Por lo que se refiere al método, la psicología cognitiva define el aprendizaje como un proceso creador: aprender una lengua no se hace por imitación, como lo proclamó la psicología behaviorista, sino por la creación de nuevos enunciados. En aquel proceso de creación la reflexión desempeña un papel importante, lo que explica el calificativo "cognitivo". La psicología cognitiva tiene en cuenta la participación del individuo en su propio aprendizaje. El alumno ya no es un sujeto pasivo que recibe los estímulos exteriores. El aprendizaje es considerado como un proceso activo que se desarrolla en el interior del individuo y que es susceptible de ser influenciado ante todo por aquel individuo.

En una primera fase, la enseñanza del léxico no es la primera preocupación de la metodología comunicativa. Los manuales no le hacen mucho caso, asumiendo que la adquisición de vocabulario es un proceso que acompaña naturalmente las tareas más importantes del aprendizaje que tienen todas como objetivo la comunicación. Dicho de otro modo, el vocabulario sirve, sobre todo, para realizar los actos comunicativos, como en los métodos audiovisuales su única función era estar al servicio de las estructuras gramaticales. Eso tiene como consecuencia una selección arbitraria y subjetiva: el vocabulario es considerado como un mero instrumento de trabajo (O'Dell 1997: 259). No obstante, a partir de los años 70 surge una protesta contra este descuido del vocabulario. Entre los primeros está Wilkins, autor de los *Notional syllabuses* (1976), que convierte la siguiente frase en el lemas de la metodología comunicativa: "Without grammar very little can be conveyed, without vocabulary nothing can be conveyed[82]".

El método nocional-funcional hace hincapié en el léxico en que distingue las nociones de las funciones. Una 'noción' es una idea bastante general que puede ser expresada por varias palabras y expresiones. Existen nociones generales que se emplean en casi todos los campos semánticos y nociones específicas, que sólo se emplean en un campo particular. La 'función' corresponde a lo que queremos obtener, realizar con nuestro acto comunicativo.

---

[82] Wilkins citado por Carter (1988: 42)

Pero más importante aún es que en este período se empieza a considerar el vocabulario como una destreza que requiere la participación activa del alumno. Dado que es imposible enseñar en clase todo el vocabulario que los estudiantes necesitan, se tiene que invertir más en el desarrollo del aprendizaje autónomo que se basa en la adquisición de unas estrategias de aprendizaje esenciales. No obstante, este intento de estimular la autonomía del alumno tiene también sus desventajas. En la metodología comunicativa se insiste en que el aprendizaje del vocabulario sea implícito, siendo el razonamiento que el estudiante hará un esfuerzo para entender las palabras que necesita, y que este esfuerzo cognitivo bastará para su asimilación. No obstante, poco a poco los metodólogos se van dando cuenta de que los encuentros implícitos con las nuevas unidades léxicas no bastan como método único para adquirir vocabulario. Primero, se tiene que relativizar el éxito de la inducción del sentido de una palabra a partir de su contexto. Segundo, el proceso de adivinación a partir del contexto es muy lento e implica errores: los alumnos adivinan raramente enseguida el sentido correcto y eso les frustra y desmotiva. Tercero, aun cuando se les enseñen a los alumnos técnicas para adivinar el sentido durante la lectura, su comprensión puede ser demasiado baja debido a que su conocimiento general del vocabulario es insuficiente. Falta, pues, una graduación en la presentación del vocabulario. Cuarto, hay alumnos que adquieren su vocabulario empleando otras tácticas. Finalmente, el proceso de adivinación no siempre resulta en la retención a largo plazo, como se comentará en el segundo capítulo de esta Parte C. Sökmen (1997: 239) opina que el aprendizaje implícito es importante y a menudo eficaz (seguramente para estudiantes en niveles superiores; o para el estudio de palabras muy complicadas) y que, por supuesto, el último objetivo del aprendizaje de vocabulario es saber emplearlo en su contexto, pero que este enfoque tendría que ser completado por el aprendizaje explícito.

1.2.5. La corriente psicológica

Hablamos aquí de 'corriente' en lugar de 'metodología' porque se trata de métodos distintos que comparten, sin embargo, una justificación psicológica de su proceso de enseñanza y la convicción de que el aprendizaje de una lengua extranjera está acompañado de unos importantes procesos psicológicos en los estudiantes.

El método comunitario

Se trata de un método que quiere desarrollar la autonomía del estudiante por vía de la autoestimación. El vocabulario y las estructuras gramaticales se enseñan sin estructurar la materia. Al principio son los estudiantes los que deciden el contenido, en una segunda fase el profesor puede trabajar con un manual.

El método por el silencio

Este método insiste también en el desarrollo de la autonomía del estudiante. El profesor sólo es el coordinador de la clase, el estudiante tiene que realizar él mismo su proceso de aprendizaje. El profesor ha de intentar crear un ambiente agradable y, sobre todo, ser lo más silencioso posible. Se dedica mucho tiempo y atención a una pronunciación correcta y al dominio correcto de los elementos prosódicos de la lengua. La gramática y el vocabulario se enseñan exclusivamente por gradación progresiva y de manera implícita. No hay un curso linear, estructural, pre-elaborado. El profesor adapta sus clases en función de las necesidades de los alumnos, empezando a partir de lo que ellos ya conocen. Asimismo, la selección del vocabulario se hace en función de las necesidades.

El método por el movimiento o el enfoque receptivo-psicológico de la acción

En este método, el léxico se aprende por la ejecución de acciones o actividades físicas que tienen que llevar a la comprensión. Las palabras abstractas se explican en contextos o, si no es posible, son tratadas como palabras concretas.

El método sugestopédico

En este método se aplica la psicología de la sugerencia a la pedagogía[83]. Para estimular el aprendizaje, hace falta estimular todos nuestros sentidos y todas nuestras capacidades conscientes e inconscientes. Eso se hace por medio de música clásica, un decorado agradable con carteles, etc. La música, mientras que se lee el diálogo que sirve de base a la clase, tiene que activar los dos hemisferios del cerebro y también sirve para relajar a los alumnos.

En clase se emplean tanto la lengua materna como la lengua extranjera, para que se desarrolle una relación de confianza entre los alumnos y su profesor. La adquisición del vocabulario se fomenta mediante la memorización de palabras en listas temáticas seguidas de su traducción.

El método por la comprensión o Total Physical Response method.

En este método, la primera destreza que se entrena es la comprensión auditiva, mediante el uso de instrucciones que los alumnos tienen que ejecutar, escuchando sin más. Las estructuras gramaticales y el vocabulario se seleccionan en función de las situaciones que se producen en clase y la facilidad con que se pueden aprender.

1.2.6. La enseñanza del léxico de las lenguas extranjeras con fines específicos

Resulta que, hasta ahora, sólo se ha comentado de manera esporádica la enseñanza del léxico de las lenguas extranjeras con fines específicos, lo que corresponde a la atención casi inexistente que le conceden las metodologías presentadas: bien no tratan esta problemática, bien

---

[83] Georgi Lozanov es el creador de este método. Se desarrolló en los años 60. El principio de base es que no empleamos toda la capacidad de nuestro cerebro (sólo un cinco a un diez por ciento, pretende Lozanov, aunque este porcentaje no está fundado científicamente), y que tenemos que explotar todas nuestras reservas mentales mediante la desugerencia de nuestras limitaciones, es decir, las barreras psicológicas que nos impiden aprender.

consideran que sus métodos se aplican indistintamente a la lengua general como a las lenguas especializadas. El interés por la enseñanza de las lenguas especializadas extranjeras como una práctica que requiere un enfoque específico, se plantea por primera vez a gran escala al final de la segunda guerra mundial ya que, a partir de aquel momento, la actividad científica, técnica y económica se dispara en un contexto de una creciente internacionalización[84]. En aquel momento los metodólogos de la enseñanza de las lenguas extranjeras se ven obligados a hacer frente a los problemas específicos de unos estudiantes sin conocimientos previos de la lengua extranjera en cuestión, pero que sí necesitan poder tener acceso a documentos especializados en aquella lengua extranjera. No obstante, se tiene que esperar hasta finales de los años 60 para que la enseñanza de las lenguas extranjeras con fines específicos se convierta en una disciplina autónoma.

Como se puede leer en Hutchinson y Waters (1987), Swales (1988, 2000), Robinson (1991) o Dudley-Evans y St John (1998), la investigación metodológica se limita al principio al análisis de registros de las lenguas especializadas, el llamado '*Register analysis*', con el fin de identificar sus características gramaticales y léxicas particulares. En cuanto a la gramática se constata que no hay rasgos distintivos o formas gramaticales que no se den en la lengua general, aunque algunas estructuras gramaticales se usan con mayor frecuencia. Por eso, se intenta sobre todo satisfacer las necesidades específicas de los estudiantes mediante listas de vocabulario especializado como, por ejemplo, los vocabularios elaborados en Francia por el CREDIF: *el "Vocabulaire d'initiation à la critique et à l'explication littéraire"* (1964), *el "Vocabulaire général d'orientation scientifique"* (1971), *el "Vocabulaire d'initiation aux études géologiques"* (1971).

Dicho enfoque se revela resulta poco productivo, lo que se debe principalmente al hecho de que se limita demasiado a la enseñanza de palabras sueltas y de palabras técnicas. Además, los manuales sufren la

---

[84] Se trataba, por supuesto, casi exclusivamente de un interés por el inglés, ya que se necesitaba una lengua única para la comunicación a nivel internacional y que la lengua inglesa se encontraba en una posición privilegiada para asumir este papel, si se toma en consideración la importancia de la ayuda económica por parte de Estados Unidos en aquel momento.

influencia de la metodología audio-oral/audiovisual que hace furor en aquella época: textos artificiales, no motivadores y ejercicios repetitivos, poco variados. Crece, por lo tanto, como para la lengua general, la convicción de que no sólo importa la forma, sino que se tiene que dedicar más interés a su uso en una situación de comunicación real. Los alumnos no pueden aprender la lengua si la enseñanza queda estancada en el nivel de la oración. Se necesita analizar cómo las oraciones se utilizan en los discursos. Estas ideas dan lugar al *'Discourse analysis'* o el análisis del discurso especializado, cuyos protagonistas para el inglés son Widdowson y Trimble.

A principios de los años 80, bajo la influencia de la metodología comunicativa, la problemática de la enseñanza de un léxico funcional se convierte en la problemática de una enseñanza funcional[85] del léxico, o sea, una enseñanza cuyo contenido como su metodología, tenga en

---

[85] El término 'funcional' puede dar lugar a confusión, ya que en la lingüística y en la didáctica de las lenguas extranjeras se emplea con varios significados. En la lingüística 'función' y 'funcional' pueden referirse a las funciones del lenguaje como las describen Jakobson o Hjelmslev, pero también a la lingüística funcional de Martinet o a la gramática funcional o sistémica de Halliday. Sobre todo esta última ha tenido su influencia en la didáctica de las lenguas extranjeras y más específicamente en la metodología comunicativa. Halliday aborda el lenguaje no desde el interior por sus regularidades morfológicas o sintácticas, sino desde el exterior, a partir de las funciones que puede desempeñar en la comunicación social. Esta idea la retienen los metodólogos comunicativos y será imperativa en el sentido de que el curso ya no se elaborará en base a una selección de estructuras lingüísticas y unidades léxicas, sino que partirá de categorías funcionales y nocionales. De ahí la sinonimia de 'funcional' con 'comunicativo' como la vimos en el apartado 3.1.5. sobre la metodología comunicativa. Pero también en la didáctica de las lenguas extranjeras el término 'funcional' es polisémico, ya que puede ser además sinónimo de especializado, especial, técnico, científico, profesional... En este significado el término se emplea sobre todo durante el período comunicativo de la enseñanza de las lenguas extranjeras, para distinguir la enseñanza de las lenguas especiales a debutantes, llamada 'funcional', de la enseñanza a estudiantes que ya tienen unos conocimientos generales en la lengua extranjera antes de empezar el estudio 'profesional' o 'especializado' de la lengua extranjera en cuestión. 'Funcional' se opone en aquella época, por tanto, a 'cultural', ya que los estudiantes sin conocimientos previos pueden optar por una enseñanza cultural o general de la lengua extranjera en oposición con una enseñanza funcional. En este sentido 'funcional' designa, pues, el contenido de un curso de una lengua extranjera especializada para debutantes.

cuenta desde el principio, desde el nivel de principiante, la totalidad de los factores y, particularmente, las necesidades del alumno y la situación meta en términos de objetivos comunicativos[86]. Por necesidad se entiende "la diferencia que existe entre el estado de conocimiento actual y el estado que se desea alcanzar en el futuro" (Aguirre Beltrán 1998: 17). Para saber en qué consiste la necesidad concretamente se necesita analizar el perfil de los estudiantes, las características de la lengua especializada y la situación-meta. Algunos defensores del '*Needs y Target analysis*' son Munby y Chambers.

La noción de "necesidades lingüísticas" puede, sin embargo, plantear un problema en el sentido de que implica el peligro de una vuelta al behaviorismo si se definen las necesidades de los alumnos *a priori* sin tener en cuenta la dinámica del proceso de aprendizaje. Otro problema puede ser que el análisis de necesidades sólo enfoque el contenido, el "¿qué aprender?" sin tener en cuenta el proceso de aprendizaje, es decir el "¿cómo aprender?" (Lehmann 1990: 85).

Bajo la influencia del análisis de necesidades, se desarrolla la 'instrucción basada en el contenido' o *Content-based Second Language Instruction* de Brinton, Snow y Bingham Wesche (1989). Este enfoque propone que el contenido de un curso sea determinado tanto por las necesidades lingüísticas como por las necesidades académicas y los intereses de los estudiantes. La idea es que la presentación de información nueva respecto de la especialidad de los estudiantes, les llevará a reflexionar, sintetizar, razonar en la lengua extranjera, o sea, utilizarla de manera activa e intensiva, lo que resultará en su adquisición.

Un último enfoque que merece ser señalado, es el '*learning-centred approach*' o el enfoque centrado en el aprendizaje de Hutchinson y Waters (1987). Estos autores estiman que los enfoques anteriores bien insisten demasiado en el objetivo final, o sea, la meta por

---

[86] El contenido científico, sin embargo, no se considera una competencia del profesor de idiomas. Este prepara a los estudiantes en cuanto a la lengua, pero no se puede esperar que sea especialista en cuanto al contenido. Aunque tiene que dominar algunos principios básicos de la especialidad en cuestión, es más importante que conozca los modos de la reflexión científica para que pueda hacer las preguntas adecuadas, dejando las respuestas a los alumnos (Cortès 1976: 32).

alcanzar, bien en los análisis lingüísticos necesarios para componer el contenido de los manuales. Proclaman que se necesita dedicar más interés al proceso de aprendizaje mismo, es decir, a lo que motiva al estudiante, a sus conocimientos anteriores –lingüísticos y extralingüísticos– que le puedan ayudar con el estudio de una nueva lengua extranjera, a las diferencias que pueden existir entre los distintos estudiantes, etc. En cuanto al contenido de un curso de lengua especializada, les parece primordial la enseñanza de la lengua general. A su modo de ver, el proceso de adquisición de una lengua especializada sería más eficaz si se estructurara en función de la extensión del significado básico del léxico. Hutchinson y Waters[87] incluso pretenden que no se necesita enseñar vocabulario técnico del todo, sino que el público específico tiene que adquirir la competencia de movilizar los medios de la lengua extranjera general para solucionar los problemas especializados. El vocabulario general, por tanto, tiene que ayudar al alumno a adquirir un vocabulario específico.

1.3. La didáctica del léxico de las lenguas extranjeras con fines específicos en España

Resulta que en España el interés por la enseñanza de las lenguas extranjeras con fines específicos nace aún mucho más tarde, y que incluso la didáctica del español general como lengua extranjera, es un fenómeno bastante reciente, como se desprenderá de la siguiente reseña histórica, para la cual nos basamos en la obra de A. Sánchez Pérez (1992): *Historia de la enseñanza del español como lengua extranjera*. En este libro, que cubre el período entre los siglos XVI-XX, Sánchez Pérez demuestra que hasta bien entrado el siglo XX, el interés por la enseñanza de las lenguas extranjeras en general y del español como lengua extranjera en particular, se desarrolla fuera de España:

> España tuvo una oportunidad sin igual para haber desarrollado una brillante "política lingüística" tras el descubrimiento de América. Pero los tiempos eran otros y las ciencias del lenguaje no ocupaban el espacio que hoy día ocupan. A pesar de todo, no faltó preocupación por la enseñanza de la

---

[87] Hutchinson T. y Waters A., "Performance and competence in English for specific purposes", en: *Applied Linguistics* 2 (1): 56-69, 1981, citado por Carter (1988).

lengua a los indios: se imprimieron cartillas, vocabularios bilingües de gran relieve, se utilizaron técnicas variadas y motivadores para propiciar el aprendizaje del español. Los esfuerzos se concentraron en el continente americano y quizás pasaron desapercibidos en Europa [...] (1992 : 3).

Hasta la mitad del siglo XX, la mayor parte de los materiales didácticos para la enseñanza de ELE se publica fuera de España. En cuanto a su metodología, estos materiales siguen las tendencias de la época, o sea, que hasta el siglo XIX siguen bien la tradición gramatical, bien la tradición conversacional, y en algunos casos se produce un intento prudente de combinar las dos[88]. Así Sánchez Pérez hace referencia a la primera gramática de la lengua española para extranjeros, anónima, impresa en 1555: *Util y breve institución para aprender los principios y fundamentos de la lengua hespañola, Lovaina*. El primer manual de conversación que contiene el español había aparecido ya en 1520, en Amberes: *Vocabulario para aprender francés, español y flamini*, posiblemente de la mano de un tal Willen Westermann. De ahí para adelante proliferan las gramáticas y los manuales para aprender el español, publicados siempre fuera de España, y redactados raras veces por españoles. Una excepción es la obra de Juan de Miranda: *Osservationi della lingua Castigliana di Giovanni Miranda, divise in quatro livri: ne quali s'insegna con gran facilità la perfetta lingua Spagnuola*, publicada en 1566. Se trata de un método contrastivo con el italiano que cosecha un éxito enorme en Italia. El mérito de Miranda está en haber redactado el primer manual para el aprendizaje del español desde el punto de vista de un hablante no nativo. Los libros que se habían publicado hasta entonces, se centraban más bien en la descripción objetiva, lingüística del español, mientras que el manual de Miranda, redactado en italiano, abunda en explicaciones claras, fáciles

---

[88] Sánchez Pérez se refiere en este contexto al jesuita W. Bathe y la influencia de su obra *Ianua linguarum*, publicada en 1611 en Salamanca. Aunque es una obra elaborada para aprender latín, tendrá una gran incidencia en la metodología de la enseñanza de las lenguas extranjeras en general. La obra de Bathe supera la dialéctica que separa la metodología tradicional de la conversacional y une la soltura y la flexibilidad de la lengua de las conversaciones con el rigor y la sistematización de la gramática mediante la lectura de 1.200 frases que permiten la inducción de las reglas gramaticales y la memorización de 5.200 palabras contextualizadas contenidas en estas frases.

de entender por no lingüistas y con precisiones que tienen en cuenta las características particulares de la lengua materna de los aprendices. Su ejemplo fue pronto imitado por otros autores en toda Europa.

Por lo que se refiere a la enseñanza del léxico en particular, Sánchez Pérez menciona que "las listas de vocabulario constituyen uno de los auxiliares del aprendizaje de lenguas más antiguo e intensamente usado" (1992: 74). A partir del siglo XVI se elaboran muchísimos glosarios para aprender español según la tradición de los glosarios latinos. Estos últimos incluso se utilizaban para aprender vocabulario español, dado que el latín era la *lingua franca* de la comunidad intelectual. Los manuales de conversación iban igualmente provistos de listados léxicos.

A partir del siglo XIX la metodología tradicional y la metodología conversacional sufren la competencia de nuevas metodologías, tal como lo hemos comentado en los apartados anteriores. La creación de material para la enseñanza del español como lengua extranjera sigue estas innovaciones, lo que lleva a la publicación de obras de metodología textual, natural, directa, de traducción interlineal, según el método de las series de oraciones de Gouin, o de metodología ecléctica, como el libro de L. A. Baralt, *Harmonic Method for Learning Spanish*, publicado en Nueva York en 1899 y que intenta encontrar un equilibrio entre lo innovador y lo tradicional.

En el siglo XX, la enseñanza del español se expande debido a las relaciones comerciales crecientes con el exterior. Se publican varios manuales 'comerciales', pero no introducen nada nuevo desde el punto de vista metodológico sino que, más bien, aplican la metodología tradicional, como por ejemplo la obra de G. A. S. Oliver, publicada en Leipzig, 1913 (3ª ed.), *Grammatik für Kaufleute und Gewerbtreibende*, la metodología directa, como por ejemplo el *Vademécum español del comerciante*, publicado por P. Lourtau en 1910 en París, o la metodología textual, como por ejemplo *El español comercial*, de Ricardo Aznar de Casanova, publicado en Mons, en 1913-1914.

Sin embargo, como leemos en Sánchez Pérez (1992: 288), España y los españoles siguen quedándose al margen del interés por la enseñanza de los idiomas modernos en general y de todos los movimientos reformistas. Sólo a partir de la segunda mitad del siglo XX surge el interés por la didáctica de las lenguas extranjeras en general y del español como lengua extranjera en particular. La primera obra de ELE redactada por un español y publicada en España es la de Martín Alonso (*Español para extranjeros*, Madrid, Aguilar, 1949), que no obstante no supone "valores excepcionales, ni siquiera sobresalientes, en la enseñanza del español como segunda lengua, ni en el contexto nacional, ni en el internacional" si no fuera por interrumpir "la larga tradición de olvido que padecía esta disciplina en nuestro país" (1992: 367). España espera todavía hasta bien entrados los años 70 para interesarse de verdad por la enseñanza de ELE y esto "más por influencias del exterior que por iniciativa propia" (Sánchez Pérez 1992: 4). En 1974 se publica el método audio-oral *Español en Directo* (A. Sánchez *et al.*, Madrid, SGEL), el primer manual producido y publicado en España, específicamente orientado hacia la enseñanza del español para extranjeros y teniendo en cuenta las nuevas corrientes metodológicas. Después de la decepción que causa la metodología estructural en todas sus posibles variantes –audio, oral y visual– llega la época de la metodología nocional-funcional, a finales de los años 70 y principios de los años 80. Para el español este período se inicia con la publicación del *Nivel Umbral* de van Ek (1979), por encargo del Consejo de Europa que quería una obra parecida para todas las lenguas europeas. El *Nivel Umbral* de van Ek se basa en los principios del *Notional Syllabuses*, obra de Wilkins a la que ya nos hemos referido en este capítulo, y pretende contener las funciones lingüísticas (*speech acts*) y las nociones generales y específicas (vocabulario) más importantes del español. En 1981 se publica el primer intento de aplicación de los programas nocional-funcionales al español con el libro *Entre nosotros* de A. Sánchez *et al.*, seguido de *Para empezar* del equipo Pragma dos años después, pero estos dos manuales no logran dar satisfacción, porque por debajo de un barniz nocional-funcional, siguen estando demasiado anclados en la metodología estructural. En la década de los 80, la aplicación de los programas nocional-funcionales sigue evolucionando para desembocar, a finales de los años 80 y principios de los años 90 en la metodología comunicativa con manuales como *Antena* (A. Sánchez *et al.*, Madrid, SGEL, 1988), y *Ven* (F. Castro Viudez *et al*, Madrid, Edelsa, 1990).

2. CORRIENTES ACTUALES

Las corrientes actuales se pueden agrupar bajo la denominación de 'enfoque postcomunicativo' (Decoo, 2001). Los conceptos clave son autonomía, interactivo, *'task-based'* y *'learner-centered'*.

2.1. El enfoque autónomo: las estrategias de aprendizaje

A finales de los años 70 y, sobre todo, a partir de la mitad de los años 80, la enseñanza del léxico ocupa el lugar debido en la enseñanza de las lenguas extranjeras. Las razones por el interés creciente en la adquisición del léxico pueden encontrarse en la influencia de los avances en el estudio lingüístico del léxico, de la psicolingüística, de la metodología comunicativa y también de la tecnología moderna. El desarrollo de enormes *corpora* de datos de lengua en las últimas décadas permite a los lingüistas hacer estudios más detallados, extensivos y objetivos de cómo se emplea una lengua. Es posible estudiar la frecuencia de las palabras, sus relaciones y sus entornos de manera sistemática y profunda. Los corpus, más extensos que antes, permiten la compilación de mejores listas de palabras basadas en la frecuencia y también proveen de datos más vastos que dan las concordancias necesarias para enseñarnos cómo se emplea una palabra en la práctica (O' Dell 1997).

La importancia creciente del vocabulario se manifiesta, en primer lugar, en la organización de los cursos. Cada vez más, existe la tendencia de dedicar los manuales en primer lugar a la adquisición del léxico, en detrimento de la gramática (Carter 1988). Además, al darse cuenta de que el tiempo del que disponen los profesores en clase nunca será suficiente para enseñarle al estudiante todo el vocabulario que necesite, los metodólogos del léxico manifiestan también un interés creciente en las estrategias de aprendizaje como una parte del movimiento de autonomización en la enseñanza de las lenguas extranjeras bajo la influencia de la psicología cognitiva. El aprendizaje autónomo o la autogestión sugiere que la tarea del profesor consiste, en gran parte, en abastecer a los estudiantes de los recursos necesarios para que éstos, tanto dentro como fuera de la clase, puedan satisfacer ellos mismos sus necesidades.

Las estrategias de aprendizaje son técnicas que los estudiantes emplean para adquirir conocimientos en una lengua extranjera. Se distinguen tres categorías de estrategias (O'Malley y Chamot 1990):

a. Las estrategias cognitivas que sirven para analizar, sintetizar o transformar la materia.
b. Las estrategias metacognitivas que sirven para planificar, monitorar y evaluar el proceso de aprendizaje.
c. Las estrategias sociales y afectivas que se refieren a la interacción con otros locutores de la que se sirve el estudiante para mejorar el proceso de aprendizaje.

Una taxonomía de estrategias de aprendizaje de vocabulario se puede encontrar en Schmitt (1997: 207-208). Las principales estrategias son, por supuesto, las del descubrimiento del sentido, y las de consolidación.

Ha habido varios intentos para descubrir las estrategias más eficaces para adquirir vocabulario[89]. Con este objetivo se comparó a los 'buenos estudiantes' con los 'malos'. Resulta que el primer grupo observa tanto la forma como el significado del léxico, que es muy activo y flexible, y que emplea una gran variedad de estrategias (Cyr 1996: 79).

A pesar de la investigación realizada al respecto, sigue siendo muy difícil determinar qué estrategias dan mejor resultado, ya que su eficacia sufre la influencia de muchos otros factores más: la inteligencia del estudiante, su aptitud lingüística, su personalidad[90], su motivación, su edad[91], sus conocimientos de otras lenguas o su experiencia con la

---

[89] Pensamos por ejemplo en el célebre estudio de Naiman, Frölich, Tedesco y Stern: *The good language learner* (Clevedon, Multilingual Matters, 1995)

[90] Los factores afectivos, de carácter biográfico, pero también por ejemplo la carrera o la orientación profesional, tienen su influencia.

[91] Con edad nos referimos a la madurez cognitiva del estudiante. Se ha constatado que los estudiantes abandonan las estrategias que emplean de jóvenes a favor de otras. Así, a los niños les da menos vergüenza emplear estrategias socio-afectivas que a los adultos pero, al contrario, su nivel de conciencia metalingüística y el empleo de estrategias relacionadas con él es mucho menor que en los adolescentes y adultos. Con la edad creciente se puede, por tanto, observar una evolución hacia el empleo más

adquisición de otras lenguas[92], su cultura[93], el sexo[94], etc. Además, algunos tratadistas (por ejemplo Kellerman 1991[95] y Bialystok[96] 1990, citados en Singleton 1999: 188) opinan que resulta superfluo enseñar estrategias, ya que existen pruebas empíricas que demuestran que un hablante nativo utiliza estas mismas estrategias en su lengua materna, cuando necesita desenvolverse en un campo semántico con el que no está familiarizado.

Por lo que se refiere concretamente a la enseñanza del español como lengua extranjera, se puede constatar que salen cada vez más manuales de ELE que integran o que consisten principalmente en la enseñanza de estrategias para que el estudiante aprenda a dirigir su proceso de aprendizaje de una lengua extranjera. Un ejemplo es *Leer con tino. Estrategias de* lectura (Denyer M. *et al.*, Bruxelles, Duculot, 1998), un manual que ofrece unos ejercicios de lectura muy interesantes

---

intenso de las estrategias metacognitivas, y eso cuanto más que la lengua se hace un objeto de estudio en sí mismo (Schmitt 1997: 225).

[92] Los estudiantes que estudian una 'primera' lengua extranjera van a basarse, sobre todo, en estrategias de repetición, de traducción y de transferencia de la lengua materna, mientras que los estudiantes que ya tienen experiencia con el estudio de una lengua extranjera van a intentar apoyarse más en las técnicas de inferencia, sin dejar sin embargo las demás estrategias citadas.

[93] Schmitt (1997: 202) señala que estudiantes de distintas culturas pueden tener distintas ideas sobre la utilidad de las estrategias de aprendizaje de vocabulario, lo que puede influir en la eficacia de las estrategias. Schmitt hizo, por ejemplo, un experimento con estudiantes asiáticos que se opusieron a las estrategias propuestas a favor de su estrategia familiar de la repetición. También en otros estudios se menciona que los estudiantes asiáticos manifiestan resistencia al abandono de sus técnicas de aprendizaje tradicionales, es decir la memorización mecánica, aunque eso no significa que tengan menos éxito que los demás estudiantes que sí emplean otras estrategias, bien al contrario (Politzer & Mc Groarty en Cyr 1996: 89).

[94] Aunque este factor no ha sido el objeto de muchos estudios, sí se ha constatado en algunos que el sexo femenino usa, por lo general, más tipos de estrategias que el sexo masculino y eso de manera frecuente (Cyr 1996: 88).

[95] E. Kellerman, "Compensatory strategies in Second Language Research: a critique, a revision, and some (non)-implications for the classroom", en: Phillipson *et al.*, (eds.), 1991.

[96] E. Bialystok, *Communication strategies: a psychological analysis of second-language use*, Oxford, Blackwell, 1990.

al mismo tiempo que unas estrategias que permiten al estudiante desarrollar su competencia en comprensión escrita.

Un enfoque que responde a la tendencia actual hacia la autonomía es la Enseñanza de Lenguas Asistida por Ordenador (ELAO) y se comenta en el siguiente apartado.

2.2. El uso de las nuevas tecnologías de información y comunicación (TIC) o la Enseñanza de Lenguas Asistida por Ordenador (ELAO)

ELAO es la traducción de CALL o *Computer Assisted Language Learning*, un enfoque que actualmente está en plena expansión. No obstante, CALL no es nuevo, sino que los ordenadores se han utilizado en la enseñanza de las lenguas extranjeras desde los años 60. En cuanto al uso de las nuevas tecnologías, es necesario remontarse aún más lejos en la historia, ya que a finales del siglo XIX se inventa el disco, que casi enseguida se utiliza en la enseñanza de idiomas. Más información sobre la historia de CALL/ELAO se puede encontrar por ejemplo en M. Levy (1997), *Computer Assisted Language Learning: Context and Conceptualisation*. Hoy día, se distinguen dos campos en ELAO: los recursos de uso local y los recursos en Internet. Los recursos de uso local cuentan, por un lado, con materiales en soporte informático, destinados a ser utilizados por el alumno en plena o semi-autonomía. Proliferan para el español como lengua extranjera los paquetes multimedia y los manuales que integran en alguna medida el uso de las nuevas tecnologías. Por otro lado, los recursos de uso local contienen las herramientas lingüísticas de consulta de siempre, pero en versión electrónica como, por ejemplo, los diccionarios, y también unas nuevas, como los corpus de lengua escrita y lengua oral y los instrumentos para analizarlos.

En cuanto a los recursos en Internet, se distingue entre el correo electrónico y los *chats* por una parte, y la *World Wide Web* por otra. En la última se encuentran tanto información auténtica, que puede ser convertida en material didáctico, como actividades y tareas ya preparadas para la enseñanza de ELE. También hay revistas electrónicas que permiten a los profesores mantenerse al día. El *email* –medio de comunicación asincrónica– y los *chats* –comunicación sincrónica–, desempeñan también una doble función. A los profesores les brinda la oportunidad de ponerse en contacto mediante listas de distribución y foros, para los alumnos puede ser una manera barata y cómoda de entrar en comunicación real con hablantes nativos, eventualmente bajo la tutela de su enseñante.

Si se tiene que evaluar el enfoque ELAO tal como está ahora, sus aspectos positivos se pueden resumir de la siguiente manera. Se trata de un tipo de enseñanza:

- Motivadora: varios estudios, citados y comentados en Warschauer y Healey (1998), demuestran que a los alumnos les gusta usar el ordenador y que, incluso ejercicios del tipo *drill*, les parecen menos aburridos si tienen la oportunidad de hacerlos en el ordenador. Además, existe la posibilidad de convertir el ejercicio en un juego, como por ejemplo *La Corrida de Toros* de Gessler, para el aprendizaje de vocabulario.
- Interactiva: el uso de material audiovisual interactivo influye positivamente en la retención, según demuestran los resultados de estudios citados en Warschauer y Healey (1998).
- Autónoma o semi-autónoma: el estudiante tiene la posibilidad de trabajar solo y cuando quiere, con la seguridad de recibir retroalimentación si la necesita.
- Individualizada: el estudiante puede trabajar a su ritmo, a su nivel.
- Auténtica: sobre todo Internet permite no sólo trabajar con material auténtico, sino también acceder a situaciones de comunicación real gracias al correo eléctrónico y los *chats*. En Piñol (1999, 2001) se da un resumen de la investigación realizada respecto del papel gratificante de dichos medios de comunicación en una clase de ELE.

No obstante, también se le pueden hacer muchas críticas. Para Decoo (2001), el problema es, ante todo, que la atención se centra demasiado en el ordenador, en lugar de en la enseñanza: "*the medium makes the method*". Las posibilidades y las limitaciones del ordenador, determinan y justifican el método. Esto tiene varias consecuencias negativas:

- se necesita más investigación por parte de lingüistas y psicológos cognitivos respecto a la eficacia de ELAO. De momento, la investigación queda estancada en el nivel de la implementación técnica. (Cameron 1998: 9);

- el carácter 'mecánico' del ordenador se presta de manera excelente a la generación de ejercicios tipo *'drill'*, lo que lleva a menudo a una explotación exagerada de este tipo de ejercicios sin cuestionar su utilidad (Cameron 1998: 9);
- los materiales contenidos en los soportes informáticos son los mismos que antes. La innovación se limita a la forma, por lo cual el profesor se puede preguntar si es necesario invertir en materiales caros y sujetos a actualizaciones y reemplazamientos continuos, si el contenido es, de todos modos, el mismo (Piñol 2001: 10);
- aceptación ciega de material recogido en la Web, "por virtud de tratarse del fenómeno Internet" (Sitman 1998).

2.3. El enfoque por tareas

El enfoque por tareas (*task-based approach*) es una tendencia reciente que continúa en la línea de la metodología comunicativa. De hecho, lo que estructura las unidades de un manual de este tipo, son las tareas finales. Cada tarea final presenta una situación comunicativa en la que el estudiante, después de haber ejecutado las tareas y actividades anteriores, ha de poder desenvolverse sin que le falten el vocabulario o las estructuras gramaticales necesarios. Las unidades se redactan de manera inversa, empezando con la última tarea y trabajando hacia atrás, siendo la primera actividad de cada unidad la última que se desarrolla. El contenido léxico, gramatical, sociocultural y especializado, viene determinado por el contenido de la última tarea. De esta manera se pretende asegurar un progreso ideal entre las distintas tareas.

Después de haber comentado los dos enfoques que más continúan en la línea de la metodología comunicativa, se comentan ahora los demás enfoques actuales.

2.4. El enfoque léxico

Simultáneamente con el interés en la lingüística por los aspectos sintagmáticos del léxico, es decir, las colocaciones y las expresiones idiomáticas que antes siempre habían sido negadas debido a que no cabían en la concepción tradicional de la gramática y del léxico de una lengua, se ha desarrollado en la didáctica de las lenguas extranjeras el enfoque léxico. El fundador es M. Lewis, con su trabajo *"The lexical approach"* (1993). Su punto de partida es la constatación de que, a pesar de que existe un sistema generativo muy potente que permite generar un número infinito de frases, en la práctica los hablantes nativos se basan menos en este potencial creativo de su lengua que en un almacén de colocaciones y frases léxicas frecuentes. De ahí que reivindique la primacía del léxico sobre la gramática:

> More of the meaning [of a text] is carried by lexis than grammatical structure. Focus on communication necessarily implies increased emphasis on lexis, and decreased emphasis on structure (Lewis 1993: 33).

Ellis (1997: 128) argumenta que las colocaciones son fundamentales para la adquisición de una lengua extranjera. Si se quiere adquirir un nivel parecido al de un hablante nativo, el estudiante tiene que intentar apropiarse de lo que Ellis llama 'la selección nativa'. La enseñanza de lenguas extranjeras no sólo tiene que enseñar léxico y gramática, sino que tiene que prestar también bastante atención a la enseñanza de frases hechas, ya que son éstas las que llevarán al estudiante a una selección nativa, lo que quizás es más importante que la fluidez nativa, tanto en la expresión oral como escrita. Al tomar conciencia de la existencia de estas frases hechas, el estudiante va a concentrarse menos en la reproducción de palabras aisladas, lo que le permitirá prestar más atención a la estructura más general del discurso y a los aspectos sociales de la interacción.

Skehan (1998: 288) nos advierte, sin embargo, de un énfasis exagerado en las frases léxicas en la enseñanza de las lenguas extranjeras, en detrimento de la forma y la sintaxis. Estas reflexiones críticas a propósito del enfoque léxico han llevado al desarrollo de lo que llamaremos, el enfoque formal.

2.5. El enfoque formal

Partiendo de la constatación de que la gramática se descuida en la metodología comunicativa en detrimento de un empleo correcto de la lengua extranjera, se está desarrollando actualmente una corriente que hace hincapié en la enseñanza de la gramática, sin desviarse de los objetivos comunicativos: el *"input-based formal approach"*. Ya que el prestar atención al significado y a la forma simultáneamente les plantea problema a los estudiantes, sobre todo a los debutantes, se propone que una de estas dos tareas se ejecute 'automáticamente'. La idea básica es que se puede intervenir en el proceso de adquisición manipulando el *input* al que están expuestos los estudiantes. Skehan (1998: 26) argumenta que tanto la comprensión como la producción del lenguaje dependen de tres fuentes de conocimiento, que esquematiza en el siguiente modelo:

- Conocimiento esquemático: conocimiento de trasfondo (factual y sociocultural).
- Conocimiento contextual: conocimiento de la situación (los participantes, los datos físicos de la situación, etc. y conocimiento del contexto (lo que se ha dicho y lo que se va a decir).
- Conocimiento sistémico: sintáctico, semántico y morfológico.

Resulta que el estudiante de una lengua extranjera se basa más en sus conocimientos esquemáticos y contextuales que en sus conocimientos sistémicos para expresarse y comunicar, lo que lleva, por supuesto, al descuido de los elementos lingüísticos[97]. Para remediar esto, Skehan opina que es necesario, en el contexto de una comunicación significativa, ofrecer materiales que fijen la atención en la forma, de manera inductiva e implícita.

Un método concreto es el *input* 'enriquecido'. Esto significa que en el material utilizado, es necesario destacar la estructura o la forma meta para que llame la atención del aprendiz. Unos estudios empíricos han demostrado que, por término medio, este enfoque es tan eficaz como la enseñanza explícita de las estructuras meta, aunque se preste menos a la enseñanza de estructuras sencillas que, por lo visto, se explican mejor mediante tácticas explícitas (Ellis 1999: 69). Dado que se trata de un enfoque muy reciente, es necesario que se haga más investigación a propósito de qué técnicas de enriquecimiento son las más beneficiosas, qué estructuras gramaticales se pueden enseñar de esta manera, etc.

---

[97] El uso de los conocimientos esquemáticos y contextuales está sin embargo en relación con la edad del estudiante. Cuanto mayor es el estudiante, tanto más se aprovechará de estos tipos de conocimientos.

2.6. El enfoque cultural

Este enfoque subraya la importancia de la dimensión cultural y social en la enseñanza de las lenguas extranjeras, un aspecto de la comunicación al que se había prestado poca atención en la metodología comunicativa. El desarrollo de este enfoque se debe, en parte, a la influencia de la antropología cultural y lingüística que ha demostrado que la lengua es uno de los componentes fundamentales de la vida y de la cultura de una sociedad y que, por consiguiente, el entendimiento del contexto social y cultural de una comunidad de habla es fundamental para la interpretación de la comunicación en y con esta comunidad (Malinowski, Boas, Sapir). Se considera que el contexto sociocultural es algo dinámico, que nunca acaba construyéndose y que nunca es fijo. Existen, no obstante, algunos rasgos que constituyen la base del contexto sociocultural, como el entorno físico, el marco espacio-temporal, las normas o las tendencias de comportamiento colectivo interiorizadas en forma de guiones previsibles, etc. Cuanto más uno esté familiarizado con este contexto, tanto más fácil será la comunicación.

Tradicionalmente la lingüística considera que es el léxico el que más se ha puesto en contacto con factores culturales "debido a que las palabras sirven para nombrar aquello que se considera parte del conjunto de valores, creencias, objetos, actividades y personas que configuran una cultura" (Calsamiglia Blancfort y Tusón Valls 1999: 60). Una posible manifestación de la dimensión social y cultural en la lengua es la metáfora. El sentido central de la unidad léxica sirve a menudo como base para extensiones metafóricas, lo que nos pone en condiciones para hablar de una cosa en términos de otra. Según Lakoff y Johnson (1980), la metáfora es muy invasora en la lengua y campos cognitivos enteros pueden ser acaparados por ella. Estos campos cognitivos pueden ser distintos de una cultura a otra.

Para los estudiantes de una lengua extranjera no es evidente del todo reconocer la metáfora cultural, ya que la connotación cultural no se menciona en los diccionarios tradicionales. Eso explica la ambición de Galisson (1991) de redactar un diccionario que contenga la información sobre las palabras que él denomina "*à charge culturelle partagée*". Su hipótesis es que "ce qui manque prioritairement aux étrangers désireux de communiquer, c'est, en plus de la langue, la culture partagée des natifs" (Galisson 1991: 116).

Con *"culture partagée"* no se refiere a la cultura 'sabia' o 'cultivada', es decir, la historia, la literatura o el arte de una comunidad lingüística. Lo que los estudiantes de una lengua extranjera necesitan, es la clave para entender a los demás y para ser entendidos por ellos. Sus necesidades se sitúan, por tanto, más al nivel de la cultura de comportamiento, de las costumbres, de las tradiciones, y no tanto al nivel de la cultura enciclopédica. Ya que el léxico es el lugar donde la penetración de la cultura más se manifiesta, Galisson (1987) considera que un diccionario que integre los significados *"à charge culturelle partagée"* de las unidades léxicas, es la mejor manera para acceder a la *'culture partagée'*.

2.7. España y la didáctica de ELE

La metodología comunicativa sigue desarrollándose hoy día en España, aprovechando y enriqueciéndose con las influencias de los enfoques en boga actualmente: el léxico, el cultural, el autónomo, el enfoque por tareas, etc. Unos ejemplos de manuales actuales para la enseñanza del español general son *ELE* (V. Borobio, Madrid, SM, 1992), *Cumbre* (A. Sánchez *et al.*, Madrid, SGEL, 1995) y *Caminos* (M. Görissen *et al.*, Antwerpen, Intertaal, 1997) para la metodología comunicativa; *Gente* (E. Martín Peris, Barcelona, Difusión, 1997) para el enfoque comunicativo cultural por tareas; *Leer con tino* (M. Denyer *et al.*, Bruselas, Duculot, 1998) para el enfoque autónomo que quiere fomentar las estrategias de lectura; el método *Sueña* (Mª A. Álvarez Martínez (coord. del nivel inicial, Madrid, Anaya, 2000) para el enfoque léxico, etc. Asimismo se está desarrollando mucho material en soporte informático para la enseñanza del léxico y de la gramática. Un ejemplo para el léxico es el proyecto *Electravoc* de Delbecque *et al.* (http://wwwling.arts.kuleuven.ac.be/elektravoc/index.htm) que presenta un vocabulario básico y avanzado en listas temáticas contextualizadas con ejercicios contextualizados provistos de una función de evaluación y retroalimentación.

Aunque la mayoría de los manuales hoy día es de índole comunicativa, también siguen teniendo mucho éxito los manuales que se basan en la tradición gramatical, como *Español 2000* (N. García Fernández y J. Sánchez Lobato, Madrid, SGEL, 1981) y *Español sin fronteras* (J. Sánchez *et al.*, Madrid, SGEL, 2000). Asimismo, existen bastantes métodos más textuales, como *Avance* (C. Moreno *et al.*, Madrid, SGEL, 1995) y métodos más bien eclécticos, que intentan combinarlo todo, como por ejemplo *Abanico* (M. Chamorro Guerrero, Barcelona, Difusión, 1997) y *Rápido* (L. Miquel y N. Sans, Barcelona, Difusión, 1994).

Podemos concluir que desde hace algo más de treinta años, España está recuperando el retraso que tenía en cuanto a la difusión de su lengua y su cultura. La creación de organismos como la *Asociación Europea de Profesores de Español*, la *Asociación para la Enseñanza del Español como Lengua Extranjera* (ASELE), o de la *Asociación Europea de Lenguas para Fines Específicos* (AELFE), la posibilidad brindada a extranjeros por la *Cámara de Comercio e Industria* de España de obtener un diploma de español económico, así como en 1990 la fundación del *Instituto Cervantes*, son señales claras de este progreso. Asimismo, la enseñanza de ELE empieza a ocupar un lugar destacado en las universidades españolas. El número de universidades que imparte una maestría en la enseñanza de ELE está aumentando rápidamente.

3. EL LÉXICO ESPECIALIZADO Y LAS CORRIENTES ACTUALES

3.1. El eclecticismo

En un artículo de Aguirre Beltrán (1998: 18), autora de varios manuales de español general y con fines específicos, leemos que ningún manual de Español con Fines Específicos debería hablar de una metodología propia. Es más, según ella:

> [...] la diversidad de enfoques y la experiencia docente nos permiten decir que no hay un método mejor que otro. Es más conveniente decantarse por un enfoque ecléctico y aplicar aquellos procedimientos que hayan demostrado ser eficaces y rentables en la metodología de enseñanza de lenguas extranjeras en general, así como otras opciones procedentes de los ámbitos laborales o académicos de los alumnos.

Esta tendencia actual hacia el eclecticismo en la enseñanza de las lenguas extranjeras con fines específicos se ve confirmada en Dudley-Evans y St John (1998: 30):

> There is currently no dominating movement in ESP as there was with Register Analysis, Discourse and Rhetorical analysis, Skills-Based Approaches and the Learning-Centred Approach. As in other branches of ELT (= English Language Teaching) and many other human activities, there is now acceptance of many different approaches and a willingness to mix different types of material and methodologies.

Así pues, según estos autores, se trata de un fenómeno que caracteriza nuestra época en general.

3.2. Manuales de Español con Fines Específicos (EFE): unos ejemplos

A continuación se dan algunos ejemplos de manuales para enseñar el español económico y/o comercial, que actualmente están en el mercado. Estos manuales son todos posteriores a 1980, año que, según Aguirre Beltrán (1998: 11), coincide en España con

> el comienzo de la demanda de enseñanza del español con fines específicos –académicos y profesionales–, así como la actividad editorial en este campo y el interés de distintas instituciones docentes y profesionales por canalizar esta demanda (Universidades, Cámara de Comercio e Industria, Academias de idiomas, etcétera).

Todos los manuales comentados aplican distintas metodologías, lo que confirma la corriente de eclecticismo que atraviesa el español con fines específicos en este momento. Asimismo, se puede observar una tendencia hacia manuales que enseñan el español de los negocios desde un nivel elemental, sin que se requieran conocimientos previos por parte del alumno. Unos ejemplos son *El español de los negocios*, *Socios/Colegas* y *En equipo.es*.

3.2.1. La metodología clásica por traducción

El manual *L'espagnol économique et commercial* (J. Chapron y P. Gerboin, Paris, Pocket, 1981) trabaja exclusivamente de manera contrastiva. Los aprendices están invitados a comparar y a traducir vocabulario y estructuras gramaticales, sin que se den explicaciones al respecto.

Otros manuales de este tipo, aunque no exclusivamente basados en la traducción son, por ejemplo, *Cuestiones económicas y sociales en la prensa* (M. Albou *et al.*, Paris, Dunod, 1994) y *Spanish at work* (T. Connell y J. Kattán-Ibarra, Cheltenham, Stanley Thorns, 1989).

3.2.2. La metodología conversacional

El manual *Cuestión de negocios* (L. García Vitoria, Paris, Ophrys, 1993) empieza cada unidad con un diálogo de lengua formal, lengua coloquial o de las dos a la vez, tal como lo manifiesta el fragmento. Estos diálogos introducen el tema e insisten, sobre todo, en el léxico general, no económico. A partir de estos diálogos se desarrolla el tema en la unidad mediante la lectura de documentos auténticos y actividades que entrenan las cuatro destrezas. En unos apartados separados se repasa la gramática y se ofrecen ejercicios de revisión y perfeccionamiento.

3.2.3. El enfoque textual y cultural

En *En este país. El español de las ciencias sociales* (F. San Vicente, Bologna, Clueb, 1999), un curso multimedia, el autor toma el texto como punto de partida para ofrecer en una segunda fase tanto actividades de contenido, que repasan con el alumno algunos datos importantes del texto sobre un aspecto de la historia socio-económico-política de España, como actividades para entrenar el vocabulario clave del texto. Asimismo, cada texto va acompañado de un ejercicio de gramática que remedia algún que otro aspecto de la gramática, sin que esté en relación estrecha con la gramática del texto de base. El enfoque es exclusivamente monolingüe y no comunicativo. El manual va acompañado de una serie de herramientas, como una gramática, un glosario, un vocabulario y un corpus. Podemos concluir que este manual hace hincapié, sobre todo, en el aprendizaje del contenido y del vocabulario necesario para expresarlo. El vocabulario se presenta siempre de manera contextualizada.

Un manual que se inscribe en esta misma corriente es *Español para el comercio internacional* (A. Felices Lago y C. Ruiz López,

Madrid, Edinumen, 1998). Este manual no sólo ofrece numerosos ejercicios léxicos de varia índole para fomentar la adquisición de términos y expresiones esenciales en el mundo de los negocios, sino que además pretende, a través de estos ejercicios, poner en contacto al alumno con algunos aspectos pragmáticos, sociales y culturales del mundo empresarial español. Como los autores lo afirman en el prólogo, "En definitiva, el alumno no sólo aprenderá la terminología adecuada en español, sino que comprenderá también qué significa hacer negocios en España y, lo que más le puede interesar, cómo llegar a hacer negocios en España y con españoles". Otro ejemplo del enfoque textual y cultural es *La comunicación escrita en la empresa* (J. Gómez de Enterría y Sánchez, Madrid, Arco/Libros, 2002), en que cada tema se estructura alrededor de documentos auténticos que sirven para comentar y practicar tanto los aspectos técnicos de la comunicación empresarial como las características lingüísticas.

3.2.4. La metodología comunicativa

Como leemos en Cervero y Pichardo Castro (2000: 15):
> Basta con echar un vistazo a los índices de los manuales de E/LE para saber dentro de qué concepción didáctica se insertan. La organización de objetivos, contenidos lingüísticos, unidades, etc., no se lleva a cabo aleatoriamente, sino siguiendo los principios metodológicos del enfoque del que se parte.

Ciertamente, esto se afirma en los manuales de tendencia comunicativa. Manuales como *El español de los negocios* (A. M. Martín *et al.*, Madrid, SGEL, 1989), *Hablemos de negocios* (M. L. Sabater *et al.*, Madrid, Alhambra Longman, 1992) o *El español por profesiones: Secretariado* (B. Aguirre y J. Gómez de Enterría, Madrid, SGEL, 1992) mencionan de manera explícita su orientación comunicativa. Insisten, por tanto, en los actos de comunicación oral y escrita a fin de mejorar la competencia comunicativa del alumno.

El vocabulario se organiza por áreas temáticas y campos nocional-funcionales y se procura presentarlo únicamente de manera contextualizada, en actividades motivadoras, cercanas a la realidad profesional (futura) del alumno. En principio, la metodología comunicativa se caracteriza por el tratamiento integrado de la gramática y del vocabulario, pero constatamos que *Hablemos de negocios* y *El español de los negocios* añaden, después de cada unidad estructurada alrededor de uno o varios actos comunicativos, un apartado en que tratan la gramática de manera sistemática.

3.2.5. El enfoque comunicativo por tareas

Un ejemplo reciente de este enfoque para el español económico y comercial es el manual *Socios/Colegas* (M. González *et al.*, Barcelona, Difusión, 1999), que se dirige a principiantes. En el índice de este manual se pone la tarea final, indicada por T, a la cabeza de cada unidad, aunque en la unidad misma es la última actividad. Los contenidos se presentan y se asimilan en varios tipos de actividades, que preparan al alumno para la tarea final.

3.2.6. El enfoque ecléctico

Unos manuales que presentan claramente una estructura ecléctica por integrar varios enfoques son *Proyecto en... Español Comercial* (A. Centellas, Madrid, Edinumen, 1997), y también *Marca registrada* (M. Fajardo y S. González, Madrid, Santillana, 1995).

3.2.7. La corriente TIC/ELAO

Cabe mencionar la tendencia actual de los manuales de integrar algún componente 'multimedia', lo que es el caso de, por ejemplo, *En equipo.es*, que ofrece un apéndice con direcciones de páginas Web y un CD con grabaciones. *Socios/Colegas* tiene vídeo/DVD y CD-ROM con carpetas de audiciones y ejercicios gramaticales. En cuanto a soportes informáticos de uso local se pueden mencionar, por un lado, los materiales desarrollados como complementarios a la clase tradicional, por ejemplo, *Español de negocios*, un vídeo y CD-rom elaborados alrededor de situaciones típicas del mundo de los negocios. Por otro, se está desarrollando el proyecto DILE, el primer curso de español de los negocios en CD-ROM e Internet :
http://cvc.cervantes.es/obref/formacion_virtual/formacion_continua/gay o.htm. El CD-ROM constituye un curso de autoaprendizaje. La versión

en Internet es una fórmula de enseñanza a distancia bajo la tutela de un profesor.

4. CONCLUSIÓN

Parece que la didáctica de las lenguas extranjeras con fines específicos ha alcanzado una fase ecléctica en que no rechaza ninguna estrategia o técnica con tal de que requiera la participación activa, cognitiva del aprendiz y que incite al desarrollo de su autonomía y de su creatividad. Los criterios actuales parecen ser, por lo tanto, la variedad y la frecuencia en el empleo de las estrategias, sin excluir ninguno de los conocimientos –competencias y habilidades– del estudiante.

Decoo (2001) vaticina que esta corriente postcomunicativa/ ecléctica tocará a su fin hacia el año 2010, principalmente por un énfasis exagerado en:
- la iniciativa personal y en la autonomía del estudiante, en perjuicio de los menos talentosos;
- la comunicación real a partir de material auténtico a menudo mal seleccionado en detrimento de una enseñanza estructurada y graduada;
- el significado en detrimento de la exactitud y precisión gramatical.

La corriente que le sucederá, manifestará sin duda alguna unos rasgos opuestos, como un interés renovado en la gramática y la precisión.

Por otro lado, es verdad que la lingüística aplicada a la adquisición de las lenguas extranjeras aún es una disciplina muy joven, que hasta ahora ha influido muy poco en la didáctica. Es de esperar que esta situación cambie en el futuro, dado que, si todavía queda mucho por descubrir respecto del desarrollo del proceso de aprendizaje de una lengua extranjera, ya se ha llegado a unas constataciones muy importantes que necesitan ser implementadas en la práctica didáctica. El siguiente capítulo se dedica a un repaso de los principales resultados en lingüística aplicada respecto de la adquisición de vocabulario en una lengua extranjera.

CAPÍTULO II:
LA ADQUISICIÓN DEL LÉXICO ESPECIALIZADO: LOS APORTES DE LA LINGÜÍSTICA APLICADA

1. INTRODUCCIÓN

Según D. Johnsson[98], citada en Decoo (2001), es una ilusión pensar que la lingüística aplicada a la adquisición de las lenguas extranjeras podrá aportar la respuesta milagro a la pregunta de qué método de enseñanza es el más eficaz. La investigación sirve, más bien, para entender mejor qué factores intervienen en el proceso de aprendizaje y formular unas conclusiones pertinentes al respecto. Como bien dicen Carter y McCarthy: "How words are taught has to take into account what we know about how words are learned" (1988: 11). En este capítulo, se resumirán los resultados de investigación relacionada con la adquisición de léxico en una lengua extranjera y se comentará su importancia para la enseñanza.

2. LA LINGÜÍSTICA APLICADA A LA ADQUISICIÓN DE LENGUAS EXTRANJERAS O LAELE[99]

2.1. LAELE y sus orígenes

La LAELE es una disciplina muy joven. Según Sánchez (1992: 384), tiene algo más de 50 años: "El término de "Lingüística aplicada" aparece por vez primera en 1948, como subtítulo de la revista *Language Learning. A Quarterly Journal of Applied Linguistics*". En el mundo de la investigación anglosajón, se utiliza también la denominación *Second Language Acquisition Research* o *SLA*. En este trabajo se prefiere usar LAELE, ya que en el sistema de educación belga, el español nunca es la

---

[98] D. Johnsson, *Approaches to research in second language learning*, New York, Longman, 1992, p. 5, citada en Decoo (2001)

[99] Desde aquí en adelante, LAELE.

segunda lengua, sino la tercera o la cuarta lengua extranjera que un estudiante aprende después de su lengua materna.

A propósito de los términos 'adquisición' y 'aprendizaje' señalamos que son muchos los tratadistas que distinguen entre los dos conceptos, siguiendo en este contexto a S. Krashen. Johnson (2001: 76) resume que para Krashen la adquisición es un proceso inconsciente, mientras que el aprendizaje es consciente. No obstante, esta distinción también es muy criticada, porque Krashen apenas describe y analiza dichos procesos. De hecho, la diferencia principal es el entorno en que se desarrollan. La adquisición se haría en una situación de comunicación auténtica, mientras que el aprendizaje sería un proceso reservado para la clase. En este trabajo, los términos se utilizarán indistintamente para referir a la acción y el resultado de aprender/adquirir conocimientos lingüísticos.

2.2. Conocimiento receptivo, productivo y automaticidad

En cuanto al resultado del proceso de aprendizaje o de adquisición, cabe destacar la distinción que la LAELE hace entre el conocimiento receptivo y el productivo. Tradicionalmente, el conocimiento receptivo se percibe como la fase inicial en el aprendizaje del léxico (Schmitt 2000: 119). Según Carter y McCarthy (1988: 83) esta fase implica que se reconoce y se entiende una unidad léxica tanto en contexto como fuera de contexto. El conocimiento productivo solapa el receptivo y lo extiende al dominio fonético, ortográfico, morfológico, sintáctico y semántico. En un nivel superior aún, implica la capacidad de ver qué palabra conviene mejor en un contexto dado y el conocimiento de las colocaciones habituales (Nation 1990: 32). En el sentido inverso, parece que el conocimiento productivo de una palabra es el primero que se olvida, mientras que el conocimiento receptivo es infinito, a no ser que se trate de palabras muy poco frecuentes (Schmitt 2000: 130). Asimismo, Nation (2001) remite a los resultados de varios estudios que dejaron en claro que el vocabulario receptivo siempre es mayor que el productivo, y que resulta muy difícil integrar palabras en el léxico productivo de una persona, especialmente si se trata de palabras poco frecuentes. Nation (2001: 306) aconseja empezar con el estudio receptivo, porque es más fácil, sobre todo en una fase inicial cuando el alumno dispone de pocos conocimientos léxicos en la lengua extranjera y aún no hay una 'red' en que se puedan integrar las nuevas palabras.

Actualmente, se ha añadido una dimensión más a la distinción receptivo/productivo: la automaticidad. Para que el conocimiento receptivo y/o productivo esté completo, hace falta que sea automático, es decir, que se desarrolle sin reflexión consciente, surgiendo espontáneamente de la memoria semántica[100]. Por consiguiente, el conocimiento automático de una unidad léxica es la capacidad de entenderla y producirla mediante maneras que son consideradas apropiadas por la comunidad de habla. Queda claro que sólo una pequeña parte de los hablantes nativos de una lengua dominan su léxico de esta manera y que para no nativos es muy difícil adquirir este nivel elevado de adquisición. Laufer (1990: 295) argumenta que en el caso del aprendizaje de una lengua extranjera, el conocimiento de una unidad léxica por parte del estudiante suele ser parcial. Hulstijn (2001: 274), opina que se trata de un componente descuidado en la práctica didáctica debido a que en la corriente (post-) comunicativa, por un lado, la nueva materia se sigue ininterrumpidamente, sin que haya tiempo para explotarla a fondo ni para repasarla y, por otro, se dedica demasiado poco tiempo al estudio sistemático del vocabulario, desde la convicción —errónea como veremos en el apartado 2– de que cuantos más textos se leen, escuchan, escriben o pronuncian, tanto más vocabulario se adquiere. No obstante, Hulstijn (2002: 211) proclama también que la automaticidad verdadera sólo se puede alcanzar mediante el aprendizaje implícito, porque sólo entonces se llega a utilizar el idioma de manera inconsciente. En su opinión, el aprendizaje explícito de las reglas y del sistema de una lengua, aunque imprescindible por su eficacia, lleva a una falsa automatización si no se combina con un aprendizaje implícito:

---

[100] Para la neurología, la memoria semántica y la memoria episódica forman la esencia de la memoria. Todas las demás memorias forman parte o derivan de ellas (Wolters & Murre 2001: 149). La memoria semántica contiene lo que sabemos sin reflexionar, sin tener que hacer un esfuerzo de acordarnos de ello. Claro que lo aprendimos algún día, pero ya no sabemos cúando ni cómo. La memoria episódica contiene recuerdos de experiencias que podemos evocar pensando en ellas. Claro que estas dos memorias no constituyen dos entidades incompatibles: el conocimiento semántico nace como experiencia episódica, y para entender nuevas experiencias, se necesitan conocimientos semánticos previos.

[…] it is impossible to speak of 'the automatization of rules', as we do so often in colloquial speech. It may be possible to speed up the execution of algorythmic rules to a limited extent. But 'speeding up' is a quantitative change in the execution of a programme. It does not entail a qualitative change, the hallmark of true automatization. Mere 'speeding up' may thus be said to form 'false automatization'.

2.3. La modelización de la adquisición del léxico en LAELE

Sobre el desarrollo del proceso de aprendizaje/adquisición de una lengua extranjera en general y del léxico en particular, ya ha corrido mucha tinta en LAELE. Como afirma Ellis (1995: 73), proliferan los modelos y las hipótesis: "Since the inception of second language acquisition (SLA) […] there has been no shortage of theories to explain how people acquire a second language (L2)".

Resulta obvio que estos modelos son a menudo incompatibles, lo que se debe según Schmitt y Celce-Murcia (2002: 15) a los conocimientos aún limitados de la neurolingüística: "Until 'neurolinguistics' allows us to directly track language in a physiological manner [...], a degree of controversy and multiplicity of views seems inevitable".

Un repaso de los distintos modelos se puede encontrar en Cook (1991), Ellis (1995), Skehan (1998), Lightbown y Spada (1998), Johnson (2001), y para el léxico en particular en Singleton (1999 y 2000), Schmitt (2000) y Nation (2001).

Principalmente, se pueden distinguir dos corrientes en la modelización de los procesos cognitivos: la simbolista y la conexionista (Singleton 1999, 2000). La simbolista es la tradicional: se considera que cualquier proceso cognitivo consiste en la manipulación de símbolos almacenados en la mente mediante reglas y patrones que igualmente están almacenados. El conexionismo surgió en los años 80 y percibe el proceso cognitivo en términos de fuerza de conexión entre las neuronas que forman el cerebro (Verhallen y Verhallen 1994: 89). La hipótesis a nivel técnico es que durante el proceso de semantización se refuerzan o se debilitan las interconexiones entre los nudos, en función de los contextos en que se emplean. Resulta por tanto importante que el estudiante tenga la oportunidad de encontrar una forma léxica en un máximo de contextos posible. En el caso contrario, el estudiante estará limitado en sus posibilidades de establecer relaciones entre los nudos, por lo cual dichos nudos no podrán fijarse en la red. Por consiguiente, según el conexionismo, no hay reglas ni patrones en el léxico mental, sino que se compone de una compilación heterogénea de recuerdos asociados (Beheydt 1993: 54). Esto tiene, por supuesto, sus consecuencias para la pedagogía: si los simbolistas insisten en la necesidad de la enseñanza de las reglas y de las estructuras en un idioma, los conexionistas creen en la inducción: la experiencia de lo concreto llevará a la generalización. Además, los conexionistas están convencidos de que la adquisición de una lengua – materna o extranjera – consiste, ante todo, en el almacenamiento de partes de frases, llamadas colocaciones o 'chunks' (Nation 2001: 321).

No obstante, recientemente, la investigación neurológica (Brown y Bastiaanse 2001: 174) ha revelado que la sintaxis y la semántica están almacenadas separadamente en el cerebro. Esto va en contra de la teoría conexionista que opina que hay una sola red inseparable de conexiones entre las neuronas. Hoy en día se puede observar la actividad electrofisiológica de las neuronas. De esta manera, C. Brown y su equipo han podido constatar que el procesamiento semántico activa otros grupos de neuronas que el procesamiento sintáctico, y que dicha actividad se desarrolla en partes del cerebro que no se solapan. Esta constatación contradice los modelos conexionistas al respecto y obliga a una modelización lingüística que tenga en cuenta esta realidad neurológica. De ahí que, actualmente, se esté llegando a una síntesis de estas dos corrientes, lo que resulta en sistemas híbridos, por ejemplo Ellis 2002 y Hulstijn 2002. Hulstijn[101] formula la hipótesis de un sistema híbrido de la siguiente manera:

> Perhaps children learn language, and other forms of cognition, first as a closed system, best represented by a connectionist architecture, and later develop open, productive forms of cognition, best represented by rule systems of the symbolic type. In a similar vein, L2 acquisition may also proceed from acquisition of words and (frequent) word combinations, to be represented in architectures of the connectionist type, towards knowledge of

---

[101] J. Hulstijn, en una conferencia brindada en la Universidad de Amberes, el 4 de junio de 2002.

prototype patterns of words and phrases, which may first be represented in the form of connectionist networks but eventually take the form of rule-based networks, to account for their productivity.

Ellis (2002: 144) considera la frecuencia como factor reconciliador entre el conexionismo y el simbolismo:

> Frequency is thus a key determinant of acquisition because "rules" of language, at all levels of analysis (from phonology, through syntax, to discourse), are structural regularities that emerge from learners' lifetime analysis of the distributional characteristics of the language input.

El alumno analiza los contenidos lingüísticos que se le presentan, pero, ¡sólo la práctica hace al maestro! Por consiguiente, Ellis (2002: 175) aboga por una enseñanza que combine la instrucción explícita de las reglas y patrones recurrentes de una lengua, con un enfoque comunicativo que dé la oportunidad de practicar en un entorno motivador:

> Focus-on-form instruction, which is rich in communicative opportunities and which at the same time makes salient the association between communicative function and structure, can facilitate language acquisition (2002: 175).

3. EL PAPEL DE LA MEMORIA EN LA ADQUISICIÓN DE VOCABULARIO

3.1. Algunos aportes de la neurolingüística

Actualmente, está probado que el funcionamiento lingüístico del cerebro se desarrolla según un modelo 'interhemisférico'. Esto significa que las funciones de capacidad analítica, como la racionalidad, la lógica, la forma y la composición (fonología, gramática, semántica) se atribuyen al hemisferio izquierdo, mientras que la capacidad de síntesis, responsable del contenido, de la creatividad, la intuición y la expresividad (prosodia, metáfora, etc.), se sitúa en el hemisferio derecho. Además, el hemisferio derecho desempeña un papel crucial en el procesamiento de estímulos nuevos, debido a su estructura anatómica. Para el hemisferio izquierdo, al contrario, la asimilación de información para la cual todavía no existen categorías previas, es muy difícil. Esta constatación significa concretamente que, para que un contenido nuevo se procese, se tiene que presentar en unas condiciones que permitan a las funciones sintéticas del hemisferio derecho hacer su trabajo de interpretación. Las implicaciones didácticas son obvias: el cerebro parece interpretar toda nueva información en primer lugar en términos de sus características contextuales y relacionales (Danesi 1994: 151).

El almacenamiento de datos y contenidos nuevos tiene lugar en la memoria. A nivel neurológico, la memoria corresponde a una red de conexiones –llamadas sinapsias– entre las neuronas, los componentes del cerebro (Wolters y Murre 2001: 130). La memoria se realiza en las sinapsias y funciona mejor en caso de activación regular de la sinapsia, lo que puede resultar en una consolidación permanente. Se asume que existe también la operación inversa: si una conexión ya no se realiza, pierde su eficacia e incluso puede desaparecer. Se ha constatado que la mayor actividad entre neuronas se concentra en la parte del cerebro que se llama el *hippocampus* y que éste tiene la función de zona de tránsito: bien una conexión entre neuronas se consolida y pasa a otra parte del cerebro, bien no se refuerza lo suficiente, por lo cual desaparece del *hippocampus* después de algún tiempo que no parece sobrepasar el plazo de algunos meses (Wolters y Murre 2001: 148). No obstante, la relación entre el cerebro y la memoria está lejos de haber revelado todos sus secretos. Aunque ya se sabe mucho del funcionamiento de la memoria, gracias al estudio en laboratorio de personas con trastornos de la memoria, por un lado, y de los 'milagros' de la memoria, por otro, estos conocimientos están limitados porque se desconoce a qué actividades físicas corresponden en el cerebro (Schmitt 2000: 116).

Una hipótesis que encuentra aceptación general es la de la existencia de, por lo menos, dos memorias: una a corto y otra a largo plazo, un modelo básico que tiene muchas variantes. La memoria a corto plazo tiene una pequeña capacidad y una duración limitada: la retención de 7 elementos o 7 grupos de 35 elementos en total durante algunos segundos es el máximo (Reed 1988: 79). Actualmente, a la memoria a corto plazo se le pone también el nombre de 'memoria de trabajo', un término propuesto por A. Baddeley, quien estima que su función no se limita a la retención temporal de la información, sino también a la manipulación y el procesamiento de esta misma. La memoria a largo plazo tiene una capacidad ilimitada, pero es relativamente lenta. El objetivo del aprendizaje de vocabulario es que la información léxica se traslade de la memoria de trabajo a la memoria a largo plazo. Para realizar tal operación, es imprescindible la repetición, cualquiera que sea el método de aprendizaje. Sin embargo, no vale cualquier tipo de repetición. Varios estudios demuestran que la repetición interrumpida o repartida en el tiempo rinde más que la repetición seguida o continua (Nation 2001: 76). La retención será óptima si al principio el vocabulario nuevo se repite con intervalos frecuentes, separándolos cada vez más, hasta el plazo de un mes (Hulstijn 2001: 272). Claro que esta regla no vale para todas las palabras, ya que su grado de dificultad puede variar en función de características tanto lingüísticas como extralingüísticas. Por lo tanto, Schmitt (2000: 130) sugiere que el estudiante mismo ha de controlar regularmente si todavía conoce las palabras nuevas que ha estudiado. Si no logra retenerlas, necesita reducir el intervalo entre dos momentos de repetición; en el caso contrario, puede incrementarlo. En este contexto, un soporte informático a medida podría significar una gran ayuda, no sólo para seguir los progresos del alumno y clasificar las palabras de bien conocidas a desconocidas, sino también para generar automáticamente ejercicios con ellas, respetando el equilibrio entre ejercicios de morfología, de semántica y de fluidez (Hulstijn 2001: 272).

En cualquier caso, también en clase es imprescindible prever momentos de repaso. Sin repetición, las palabras que sólo son parcialmente conocidas, serán completamente olvidadas (Schmitt 2000: 137). Los experimentos realizados en el campo de la psicolingüística han demostrado que el 55% de toda la información que retenemos, se pierde en el breve plazo de 2 horas, y el 80% durante las 22 horas después (Cervero y Pichardo Castro 2000: 99). Esto implica la necesidad de ofrecer a los estudiantes ejercicios que estimulen la integración de la materia en la memoria a largo plazo, mediante una revisión periódica. No obstante, es difícil predecir cuántas veces se necesita repetir una palabra, ya que esto depende de muchos factores y, en primer lugar, de la palabra en cuestión. En promedio, los resultados de los estudios sugieren entre 6 y 20 repeticiones (Nation 2001: 81). Además, se aconseja no presentar más de 20 formas nuevas por clase, porque la memoria media no es capaz de asimilar más.

3.2. El proceso de aprendizaje

3.2.1. El aprendizaje intencional

El aprendizaje intencional centra la atención del alumno directa y conscientemente en la materia por aprender, contrariamente al aprendizaje incidental que se tratará en el siguiente subapartado (Schmitt 2000: 120). En Reed (1988: 83) se postula que existen, fundamentalmente, tres tipos de aprendizaje intencional, que todos tienen sus variantes: el aprendizaje por memorización (*rehearsal*), por contextualización (*coding*) y por visualización (*imaging*). El aprendizaje por memorización consiste en la repetición mecánica de la materia, desconectada de todo contexto. Se puede hacer en voz alta o en silencio, hasta que uno piensa haber adquirido la materia. La contextualización intenta poner la información nueva en un contexto significativo, como una frase mnemónica. La visualización se sirve de la creación de imágenes visuales para retener la nueva información. La comparación experimental de estos tres tipos de aprendizaje ha revelado que la memorización es, de lejos, el menos fructífero[102]. La contextualización y, sobre todo, la visualización resultan ser considerablemente más eficaces (Mondria y Wit-De Boer 1991; Mondria 1996; Reed 1988: 141, 151). Existen pruebas experimentales de sobra que corroboran la eficacia de una técnica mnemónica visual como '*the Keyword method*', en la que una palabra de la lengua extranjera se relaciona con una palabra fonéticamente parecida de la lengua materna del estudiante mediante una imagen en que se combinan los dos conceptos, preferiblemente de manera grotesca y exagerada (Singleton 1999: 273, Schmitt 2000: 121, Nation 2001: 304, 312). El método de '*loci*' es otra técnica visual que fue inventada por los grandes oradores de la

---

[102] No obstante, a pesar del éxito probado experimentalmente de los métodos de contextualización y visualización, muchos aprendices prefieren la memorización mecánica (Schmitt 2000: 132). Incluso existen estudios que demuestran la eficacia de esta estrategia en caso de familiarización elevada de los estudiantes con ella. La memorización mecánica también resulta beneficiosa con principiantes, mientras que la contextualización se presta mejor para alumnos avanzados. De ahí que Schmitt (2000: 138) proponga presentar una variedad de estrategias a los alumnos - ¡él mismo propone 58 estrategias distintas! - y dejarles que elijan las que más les convengan.

Antigüedad y que ahora lleva más de dos milenios probando su utilidad (Reed 1988: 144). El resultado del aprendizaje se mejora al combinar la contextualización y la visualización. Paivio (1991: 76) elaboró esta constatación en su '*dual coding theory*': almacenar una palabra de manera verbal y visual aumenta las posibilidades de retención, porque las dos estrategias operan independientemente.

Resulta, por consiguiente, que la calidad, la fuerza o la riqueza del proceso de aprendizaje, son muy importantes para su éxito. Queda claro que el aprendizaje por contextualización o por visualización requiere más esfuerzo cognitivo y creativo por parte del alumno que la mera memorización. La teoría de los niveles o profundidad de procesamiento (*Levels/depth of processing*, Craik y Lockhart 1972[103]) sugiere que cuanto más las estrategias lleven a un tratamiento profundo de la información, tanto más rentable será la retención a largo plazo. La idea de base de esta teoría es que cada información tratada deja una huella en la memoria y que esta huella será más duradera si el tratamiento de la información tiene lugar a un nivel profundo. Por ejemplo, un tratamiento que sólo implica la forma es superficial y no tendrá un efecto tan duradero como un procesamiento en que interviene también el significado. Otro ejemplo es que lo concreto se aprende mejor que lo abstracto, por lo cual se tiene que intentar concretar la nueva materia. Esta concretización puede realizarse por medio de ejemplos precisos o personales, relaciones con acontecimientos reales[104], aplicaciones a la vida de cada estudiante, representaciones visuales o

---

[103] La teoría de Craik y Lockhart (1972) fue criticada duramente en los años siguientes a su publicación, principalmente porque no ofrecía una respuesta a la pregunta de saber cómo se podía medir la profundidad del procesamiento, como se puede leer en Reed (1988: 110). Siguieron entonces los intentos de formular 'la profundidad' de otra manera, llamándola 'grado de riqueza', 'grado de elaboración', 'grado de distinción', 'esfuerzo cognitivo', etc. (Hulstijn 2001: 266), pero el problema de expresar este fenómeno en términos cuantitativos persistió, por lo cual hoy día se utiliza de nuevo el concepto de 'niveles o profundidad de procesamiento' (por ejemplo Schmitt 2000).

[104] Sökmen constató que las palabras parecen almacenarse junto con imágenes de pasadas experiencias. Una enseñanza de léxico que relaciona el vocabulario nuevo a una experiencia en el pasado tiene, por tanto, la capacidad de activar la memoria. (Sökmen 1997: 244).

pictográficas, etc. También se ha probado experimentalmente que la retención de una nueva palabra es mayor si el aprendiz infiere él mismo su significado del contexto, que cuando lo recibe sin ningún tipo de esfuerzo mental (Hulstijn 1992). Para evitar que infiera un significado erróneo, es aconsejable proporcionarle pistas al alumno, algo que se podría realizar fácilmente en un programa informático en que cada 'clic' revelara más información. Hulstijn (1992: 123) sugiere las siguientes posibilidades: dar un sinónimo, dar otros contextos ejemplarios, redactar un test de elección múltiple o dar la traducción. Asimismo, Nation (2001: 239) cita un estudio de Fraser que constató experimentalmente que la combinación de la técnica de inferir con la consulta en un diccionario casi dobla la retención.

No obstante, cualquiera que sea su grado de elaboración o riqueza, ninguno de los métodos mencionados funciona si no se combina con el factor de la repetición deliberada (Mondria y Wit-De Boer 1991: 262-263; Mondria 1996: 49, 51; Hulstijn 2001: 270). No se puede llegar a un estado de automaticidad receptiva ni productiva sin repetir la materia. Una técnica que ya ha probado su eficacia en más de un experimento es la ficha en que se apunta la forma ortográfica de la palabra en el anverso, y toda la información que se conoce al respecto (pronunciación y prosodia, morfología, significado (¡también la traducción![105]), ejemplos típicos, asociaciones personales y de todo tipo) al dorso. Estas fichas se pueden ordenar alfabéticamente o semánticamente, y pueden ser complementadas o actualizadas en cualquier momento[106]. De todos modos, lo que importa es que el

---

[105] Decoo 2001 menciona varios estudios que demuestran la utilidad de la traducción en el aprendizaje de una lengua extranjera, a pesar de que la práctica pedagógica actual continúa rechazándola radicalmente. Nation (2001: 66) cita un estudio suyo que demuestra que el aprendizaje del léxico es más rápido si el significado se da por traducción a la lengua materna.

[106] Nation (2001: 77) menciona el ordenador manual o *hand computer*, una idea de Mondria & Mondria-De Vries. Se trata de un fichero con 5 secciones, teniendo cada sección más capacidad que la anterior. Las nuevas palabras se ponen en la 1ª sección. Si una palabra parece ser conocida, se pone en la 2ª sección. Cuando ésta está llena, se revisa todo el contenido. Las palabras que todavía son conocidas, se ponen en la siguiente sección, las demás vuelven a ponerse en la 1ª. Lo mismo ocurre para las secciones 3, 4 y 5, poniendo cada vez las palabras desconocidas en la 1ª. Una alternativa

propietario las repase con regularidad, dando prioridad a las que menos domine. Siguiendo la misma línea de razonamiento, Hulstijn (2001: 273) defiende la memorización de vocabulario en listas, bajo la condición de que el léxico se repita con comprensión de su significado y que la tarea de memorización sea seguida por un ejercicio comunicativo en que las palabras memorizadas se puedan utilizar de manera significativa. También Nation (1990, 2001) menciona la lista léxica como una manera eficaz y rápida para asimilar formas léxicas nuevas y su significado.

Para evitar que la repetición aburra y mate la motivación, Hulstijn (2001: 275) considera que es importante crear, dentro de un mismo capítulo, otros textos, otros ejercicios, pero con el mismo vocabulario (*i minus 1 level*). De esta manera, el estudiante se sentirá progresar, mientras que en el caso contrario el *input* continuo de material nuevo le desanimará, llevándolo inevitablemente a dejar el curso (*i plus 1 level*, Krashen).

3.2.2. El aprendizaje incidental

El aprendizaje incidental es un proceso de aprendizaje indirecto, sin que aprender sea la intención del alumno. El aprendizaje incidental siempre es implícito, mientras que el aprendizaje intencional es principalmente explícito, pero posiblemente al mismo tiempo implícito, ya que un alumno nunca controla todo el proceso de aprendizaje, sino que intervienen factores de los que no es consciente. El ejemplo por excelencia de un proceso de aprendizaje incidental es la adquisición de la lengua materna, por lo menos en los años preescolares de un individuo. Pero también en cuanto al aprendizaje del léxico de una lengua extranjera, existe la creencia generalizada –tanto en didáctica como en LAELE– de que la mayoría del léxico se adquiere inconscientemente como resultado de un acto comunicativo, ya sea leer, hablar, escuchar o escribir, y que el léxico adquirido de manera intencional forma una cantidad inapreciable. No obstante, Hulstijn

---

es la base de datos electrónica, que además permite la integración de relaciones mutuas entre los distintos elementos y la posibilidad de encontrar la palabra de más de una manera.

(1992, 2001) aporta una cantidad de pruebas experimentales que rebaten esta convicción, y que demuestran que, tanto el aprendizaje incidental como el intencional, sólo pueden tener éxito si combinan la calidad (el grado o la profundidad de elaboración) de la operación realizada con la frecuencia de la exposición a la palabra en cuestión. En este sentido, el hecho de que el alumno sea consciente o no de su proceso de aprendizaje, no cambia el resultado en absoluto (Hulstijn 2001: 269). Sin embargo, resulta obvio que la retención de nuevas palabras en una tarea incidental siempre será inferior a la que se produce en una situación intencional, ya que resulta difícil repetir la información varias veces, sin que el estudiante se percate de la intención del ejercicio. De ahí que también Nation proclame que:

> There are also studies comparing incidental learning with intentional learning which invariably show that a deliberate, intentional approach results in much more learning in a set time than incidental learning (2001: 302).

A fin de aumentar la eficacia del aprendizaje incidental, Nation (2001: 262) estima que es imprescindible entrenar en clase la capacidad del alumno para inferir el significado a partir del contexto, eventualmente con la ayuda de un diccionario. Después de haber adquirido de manera directa el léxico que constituye el 95% de las ocurrencias en un texto, el alumno tendría que ser capaz de adivinar el significado de las demás palabras utilizando las estrategias adecuadas, es decir analizando la frase gramaticalmente, consultando el contexto inmediato y más amplio, o consultando el diccionario. El entrenamiento activo de estas técnicas equipará a los alumnos con las herramientas necesarias para poder entender el vocabulario (poco frecuente) que no se puede estudiar en clase por falta de tiempo.

3.2.3. Conclusión

Si se compara el aprendizaje intencional con el incidental, los resultados de la investigación experimental no admiten duda de que el primero es más eficaz desde un punto de vista cuantitativo: se aprenden más rápido más palabras con el primer enfoque que con el segundo (Singleton 1999: 160). La posibilidad de que uno retenga una palabra en una situación incidental, o sea, de manera inconsciente, sólo es del 5% al

14% según Schmitt (2000: 137), y del 5% al 10% según Nation (2001: 237).

No obstante, el consenso actual es que los dos tipos de aprendizaje son eficaces y complementarios, en función del tipo de léxico que se tiene que estudiar (Hulstijn 2001: 269, Nation 2001: 232, Schmitt 2000: 121). Este último propone el siguiente reparto:

Certain important words make excellent targets for explicit attention, for example, the most frequent words in a language and technical vocabulary. [...] On the other hand, infrequent words in general English are probably best left to incidental learning.

Además, Schmitt (2000: 137) sugiere que, después de un primer contacto intencional con una palabra, puede ser útil volver a encontrarla en un contexto incidental, a fin de aprender otras de sus características (colocacionales, otros significados), ya que no se pueden cubrir todos los aspectos léxicos en un solo encuentro.

Las condiciones psicológicas que favorecen la adquisición de una palabra, tanto incidental como intencionalmente, se encuentran resumidas en Nation (2001: 63-74): el prestar atención (*noticing*), el reencuentro (*retrieval*) y el uso creativo (*creative or generative use*). Para que se realice el proceso de aprendizaje, es imprescindible que el alumno se percate de la nueva palabra. Nation sugiere algunas técnicas para estimular este proceso, como la negociación y la definición. La negociación se refiere a la conversación entre estudiantes, o entre un estudiante y su profesor, a propósito del significado de una palabra desconocida[107]. La definición es una técnica que consiste en la explicación del significado de una nueva palabra mediante, por ejemplo, la consulta en un diccionario traductivo o explicativo. Con el reencuentro o *retrieval* se designa el hecho de que el contacto con una nueva palabra durante una tarea se reitere. Finalmente, el uso creativo es el uso de la palabra, receptivo o productivo, en un nuevo contexto. Nation sugiere que cada curso de lengua tendría que basarse en la realización de estas tres condiciones.

---

[107] Existe prueba experimental de que los alumnos que observan la negociación aprenden tanto como los estudianten que la llevan a cabo. Esta es una constatación muy importante para la enseñanza en grandes grupos (Nation 2001: 65).

4. LA ORGANIZACIÓN DEL LÉXICO MENTAL

4.1. El rechazo de la hipótesis conexionista

El léxico que una persona conoce, tanto en su lengua materna como en una lengua extranjera, está almacenado en la memoria a largo plazo y se suele denominar el 'léxico mental'. El léxico mental contiene unas entradas infinitas que combinan representaciones fonológicas, gráficas, morfológicas, sintácticas y semánticas. Estas representaciones forman la base de la comprensión y producción del lenguaje. La psicolingüística[108] es el estudio de las estructuras mentales y de los procesos implicados en la adquisición y el empleo de la lengua. En cuanto a la adquisición del léxico mental, la psicolingüística reflexiona, entre otras, sobre las siguientes cuestiones:

- ¿Existe una estructura, una organización dentro del léxico mental? ¿En qué consiste?
- ¿Hasta qué punto hay paralelismo entre la lengua materna de un estudiante y las lenguas extranjeras que ha adquirido o que está adquiriendo?
- ¿Hasta qué punto influyen las características personales?

El hecho de que un hablante nativo puede encontrar, en milisegundos, la unidad léxica adecuada entre las miles de posibilidades que están a su disposición y también la exactitud con la que logra expresar el significado adecuado, lleva a suponer que tiene que haber estructura y organización en el léxico mental. Gracias al hecho de que los seres humanos no son infalibles en su producción de léxico, producen regularmente errores que revelan algo de los principios de organización del léxico. Se ha constatado en experimentos que dos unidades léxicas que presentan semejanzas gráficas y/o morfológicas y/o semánticas se confunden fácilmente. Otra indicación interesante es la introducción de palabras intermediarias entre la definición y el término requerido, parecidas fonológica y/o semánticamente al término

---

[108] Skehan (1998: 1) opina que la psicolingüística ha influido demasiado poco en el estudio de la adquisición de lenguas extranjeras en comparación con la lingüística y la sociolingüística. Insiste en la importancia de la psicolingüística como disciplina fundadora de la lingüística aplicada a la enseñanza de las lenguas extranjeras.

requerido, para facilitar su hallazgo. Por lo tanto, parece que el léxico se almacena según estos criterios: la forma y/o la representación gráfica y/o las asociaciones de significado. Según esta hipótesis la misma unidad léxica se almacena más de una vez y hay varias maneras de acceder a ella. Por esta redundancia, el léxico mental no está organizado de la manera más compacta posible, pero sí es eficaz por su facilidad de empleo.

Semánticamente, Aitchinson (1987: 74-75) supone que existen cinco tipos de relaciones entre las unidades léxicas en el léxico mental:

1. la coordinación: palabras que suelen emplearse juntas, sin que exista relación jerárquica entre ellas, por ejemplo *diente-cepillo-pasta dentífrica-agua*;

2. la colocación: grupos de palabras sueltas (nivel de la unidad léxica) o de palabras compuestas (nivel de la unidad compuesta);

3. la hiperonimia e hiponimia: palabras unidas por una relación jerárquica, por ejemplo *mamífero* y *hombre, gato, perro, caballo,* etc.;

4. la sinonimia;

5. la antonimia.

En la literatura anglosajona, los grupos de unidades léxicas juntadas por el principio de la coordinación, se denominan también '*thematic sets*', lo que corresponde al concepto del campo semántico. El término de '*semantic set*' se reserva para las palabras que manifiestan relaciones de hiponimia, antonimia o sinonimia, y corresponde a lo que llamamos campo léxico.

En cuanto a las características formales de las unidades léxicas, hay pruebas experimentales de que las formas flexionadas y derivadas se almacenan bajo la misma entrada y que, por consiguiente, están relacionadas en el léxico mental (Nation 2001: 269).

4.2. Implicaciones didácticas

Aunque todavía no está demostrado qué asociaciones son las más rentables para la retención –las gráficas, fonológicas, semánticas o todas juntas– sí queda claro que el hecho de establecer relaciones entre las distintas unidades léxicas ayuda a la retención y a la producción del nuevo léxico. Como leemos en Cervero y Pichardo Castro (2000: 95):

> Cuantas más asociaciones se hayan establecido, más fácil resultará almacenar y recuperar las palabras, y cuantas más palabras se conozcan, más fácil resultará establecer asociaciones y, por tanto, aprender vocabulario.

Carter y McCarthy (1988: 32) sugieren que la enseñanza se beneficie también de la estructuración del léxico tomando como base la colocación, una idea que se confirma en Nation (2001: 318): "Thus each word in the language is likely to be stored many times, once as a single item and many times in memorised chunks".

Singleton (1999: 152) cita una investigación realizada por N. Ellis *et al.* cuyos resultados indican que tanto la forma como el significado importan en el proceso de aprendizaje de léxico, pero la forma más en una fase inicial, y los rasgos semánticos en una segunda fase: "On the question of form, we have noted that establishing accurate internal representations of formal attributes is especially important in the early stages of dealing with new items". (1999: 272) Asimismo, Schmitt (2000: 126) comprueba científicamente que el conocimiento de un radical facilita el aprendizaje de sus formas derivadas. Nation (2001) subraya, igualmente, la importancia de la toma de conciencia de las relaciones semánticas y morfológicas entre las unidades léxicas para su retención:

> Knowing a range of associations for a word helps understand its full meaning and helps recall the word form or its meaning in appropriate contexts. To a large degree the associations of a word are a result of the various meaning systems that the word fits into. These include, for example, synonyms, opposites, family members of the same general headword, words in a part-whole relationship, and superordinate and subordinate words (2001: 104).

No obstante, el mismo Nation previene del peligro de la interferencia entre palabras semántica y/o morfológicamente emparentadas, si se presentan o comentan al mismo tiempo. Por consiguiente, cuando se introducen nuevas formas léxicas, o en una fase inicial del aprendizaje, más vale evitar la introducción de léxico semejante:

> Avoid interference from related words. [...] When explaining and defining words, it is not helpful to draw attention to other unfamiliar or poorly established words of similar form, or words which are opposites, synonyms,

> free associates or members of the same lexical sets such as parts of the
> body, fruit or articles of clothing. The similarity between related items
> makes it difficult for the learner to remember which was which. […] In the
> early stages of learning it is not helpful to use the opportunity to teach a
> word as the opportunity to teach other related words (2001: 92).

Asimismo, Nation (2001: 274) aconseja introducir primero los afijos y
sufijos más frecuentes, para que el esfuerzo de memorización sea
remunerado. En el caso de que un rasgo morfológico no sea productivo,
le parece que es mejor presentar la unidad léxica como un conjunto:

> When giving attention to stems and affixes some thought should be given to
> their frequency, so that the learning and teaching effort is well repaid by
> many opportunities for use. Finally, it needs to be realised that many
> complex words are not based on regular, frequent patterns and are best
> learned as unanalysed wholes.

5. FACTORES INTRÍNSECOS QUE COMPLICAN EL PROCESO DE ADQUISICIÓN DE LÉXICO

Algunas formas léxicas son más difíciles que otras desde un punto de
vista fonológico. Eso depende, por supuesto, de la distancia entre el
sistema fonológico de la lengua materna del estudiante y de la lengua
meta. Si el estudiante es incapaz de discriminar entre los fonemas de la
lengua extranjera, tendrá problemas para clasificar las formas en su
memoria de trabajo y, por lo tanto, de almacenarlas en su memoria a
largo plazo. Hulstijn (2001: 260) da el ejemplo de un estudiante que
empieza a estudiar una lengua que fonológica y fonéticamente no se
parece a ninguno de los idiomas que conoce, y comenta que las primeras
15 formas le exigirán varias horas, pero que, una vez que se haya
familiarizado con los fonemas, morfemas, sílabas y patrones prosódicos
más regulares, podrá asimilar fácilmente 100 palabras en una hora.
Asimismo, Hulstijn (2001: 261) cita varios estudios que demuestran que
nada más la facultad de poder retener una forma léxica en la memoria de
trabajo, es una buena indicación del éxito o del fracaso posterior del
proceso de aprendizaje en un alumno.

Un problema relacionado puede ser la ortografía, que en algunas
lenguas es muy distinta de la pronunciación. Una morfología irregular o

falsamente transparente también provoca errores. El estudiante intenta aplicar las reglas morfológicas y deduce, de esta manera, un significado erróneo. La similitud entre formas léxicas es una variante de este problema. Cuanto más se parecen dos formas, más se prestan a confusión. Las propiedades semánticas, como la especificidad o las restricciones de registro, la idiomaticidad y la multiplicidad de significado, también pueden plantear un problema al estudiante (Laufer 1990).

Queda claro que la enseñanza del léxico extranjero debe tener en cuenta estos factores a la hora de elaborar su metodología: no introducir demasiadas palabras 'difíciles' desde el punto de vista de los criterios mencionados arriba; evitar la confusión entre nuevas palabras durante su presentación; ofrecer las técnicas mnemónicas apropiadas a la unidad léxica en cuestión, etc. También podemos decir que los factores que facilitan el aprendizaje de una palabra –basta con invertir los factores descritos– necesitan ser explotados al máximo.

6. LA APTITUD LINGÜÍSTICA: UNA INTERPRETACIÓN PSICOLINGÜÍSTICA DEL 'DON DE LENGUAS'

A menudo se oye decir en la enseñanza de cualquier disciplina que una buena didáctica es importante, pero que al fin y al cabo lo que determina el resultado de manera más decisiva es la aptitud individual que cada aprendiz tiene para la disciplina en cuestión. Intentamos ahora analizar, dentro de un marco psicolingüístico, en qué puede consistir este 'don de lenguas' que influye, por lo visto, tan profundamente en el proceso de adquisición. Skehan (1998: 203) se basa en Carroll (1990)[109] y distingue

---

[109] Carroll (1990) pretende que la aptitud consiste en cuatro componentes: la capacidad de codificación fonémica, la sensibilidad gramatical, la capacidad de análisis inductivo y la memoria. La capacidad de codificación fonémica no sólo se refiere a la capacidad de discriminar sonidos, sino que es la capacidad de codificar sonidos extranjeros de tal manera que después puedan ser recordados. La sensibilidad gramatical es la capacidad de entender la combinación de las palabras en frases. La capacidad de análisis inductivo significa que el estudiante es capaz de notar e identificar patrones de correspondencia y relaciones en un corpus de material lingüístico. Se refiere a un análisis explícito. Esta capacidad sirve de base para la fase posterior de producción

tres componentes en la aptitud de los que cada vez uno acompaña una fase en el proceso de adquisición, como se puede ver en la siguiente tabla:

Aptitud	Fase	Operaciones
Capacidad de codificación fonémica	*Input*	*Noticing*
Capacidad de análisis lingüístico	Procesamiento central	Identificación de patrones; generalización; restructuración; organización de duocodificación
Memoria	*Output*	Recuperación: -'*computed*' *performance* - *exemplar-based performance*

TABLA 2.1.

La capacidad de codificación auditiva, es decir, la capacidad de codificar sonidos extranjeros de manera que puedan ser recordados después, es muy importante porque va a determinar la cantidad y la calidad de la información por procesar. La capacidad de análisis lingüístico, es decir, la capacidad de inducir reglas gramaticales y de hacer generalizaciones o extrapolaciones lingüísticas, influye en la fase central del procesamiento de la información. No está claro qué estructuras o procesos operan en esta fase. Si la Gramática Universal todavía es activa, se tratará de influencias lingüísticas generales. En el caso contrario, esta fase se constituye de unos procesos cognitivos generales de inducción y deducción. El tercer componente de la aptitud es la memoria. La memoria desempeña el papel preponderante en la fase del *output*. Dentro de esta aptitud caben todas las capacidades que influyen en la codificación, el almacenamiento y el recobro del material. Se ha examinado y constatado en experimentos que la memoria funciona de dos maneras: algunas personas manejan un enfoque 'computacional', o sea, que se basan en reglas; otras prefieren un

---

de lengua en base a los patrones identificados. La memoria consiste en la capacidad de asociar, de hacer relaciones entre estímulos y respuestas de todo tipo, pero se refiere también, sencillamente, a la capacidad de memorizar el *input*.

sistema basado en el significado. La mayoría de la gente, sin embargo, combina probablemente los dos enfoques. Eso implica que la codificación dual es la base del lenguaje. Un primer sistema de codificación se basa en la formación de reglas y es creativo y flexible, aunque más lento debido a que pide más procesamiento. El otro sistema de codificación se basa en la memoria, es decir que se basa en un almacén redundante que es menos flexible pero que, gracias a sus unidades 'listas para emplear', constituye la base para una selección y una fluidez semejantes a las de un hablante nativo. El componente 'recobro de la memoria' es, por tanto, capital en la fase del *output*.

Todos somos capaces de aprender una lengua extranjera en mayor o menor medida y, por tanto, todos disponemos de la aptitud que acabamos de describir. Sin embargo, no sólo esta aptitud no está desarrollada de la misma manera en cada uno de nosotros, sino que la tasa de los tres componentes de los que suponemos que constituyen la aptitud, tampoco es la misma en cada hablante. Existe material empírico que sugiere que se puede distinguir entre los estudiantes orientados hacia el análisis y los estudiantes orientados hacia la memoria (Skehan 1998). Los primeros desarrollan unas representaciones organizadas, diferenciadas y basadas en las reglas de la lengua, y reestructuran o complican regularmente el sistema diseñado del que quieren que sea muy preciso. Para ellos la forma es muy importante. Los últimos conciben la adquisición de una lengua extranjera como el almacenamiento de unidades léxicas, constituyendo de esta manera una redundancia considerable en su memoria para que los elementos léxicos estén instantáneamente disponibles para la comunicación. Estos estudiantes no necesitan un sistema analítico complejo para comunicar y consideran que la forma es menos importante que el significado. Por lo tanto, sacrifican a menudo la exactitud y la complejidad a la facilidad de acceso. Estas dos dimensiones de la adquisición de una lengua extranjera –memoria y análisis– no tienen que ser independientes: también es posible que el estudiante combine las dos dimensiones, poniendo más énfasis en alguna de las dos o compartiendo la atención entre las dos, lo que, por supuesto, dará el mejor resultado ya que entonces puede operar tanto al nivel del lenguaje como sistema como al nivel del lenguaje como instrumento de comunicación.

La LAELE considera que hay otros elementos más que determinan la aptitud de un alumno, como su estilo de aprendizaje, su actitud ante el idioma, su motivación y su inteligencia (Sparks y Ganschow 2001). Para Schmidt (1990), el concepto de *'readiness'* también forma parte de la aptitud de una persona. Con este último término, Schmidt quiere indicar la medida en la que el estudiante está listo para asimilar el *input* que recibe. Además, se supone que el grado de *'readiness'* es pronosticable, o sea, que se puede predecir cuándo o después de qué fases, el estudiante será capaz de procesar el *input* dado.

7. **LA RELACIÓN ENTRE LA ADQUISICIÓN DE LA LENGUA MATERNA Y DE UNA LENGUA EXTRANJERA**

El proceso de adquisición de una lengua cambia de naturaleza al final de la edad crítica[110] y es, por consiguiente, esta edad crítica la que marca la diferencia entre lo que se denomina 'lengua materna' y 'lengua extranjera'. La neurolingüística aporta pruebas a favor de la existencia de una edad crítica en cuanto a, entre otras destrezas cognitivas, la adquisición de una lengua extranjera (Wolters y Murre 2001: 135). Una posible explicación es que, después de la pubertad, el cerebro pierde su plasticidad y el proceso de lateralización se completa, lo que significa que, tanto en el hemisferio izquierdo como en el derecho, las áreas que contienen las facultades lingüísticas, están delimitadas. Esto contrasta con otras competencias cognitivas para las que el potencial cerebral

---

[110] Aunque la hipótesis de que existe una edad crítica para el aprendizaje de lenguas extranjeras es una opinión generalizada, no todos los investigadores de la adquisición de una lengua extranjera están convencidos de ella, como está resumido en Singleton (2001). Algunos argumentan que la causalidad entre las diferencias neurológicas y lingüísticas no está probada y que los datos empíricos no son suficientes, ya que también existen pruebas en contra de adultos que sí han adquirido un dominio lingüístico parecido al de un hablante nativo. Estos autores sugieren que es, sobre todo, la situación de aprendizaje en combinación con factores afectivos (¡la motivación!) y cognitivos los que son responsables de la variación en el aprendizaje entre niños y adultos. Singleton (2001: 85) opina que la verdad está, sin duda, en el medio y que no se puede negar la realidad neurológica, como tampoco se puede descartar la influencia de otros factores al respecto.

sigue aumentando durante todo el período de aprendizaje. Otra hipótesis es que para algunas neuronas, las sinapsias deben realizarse antes de una edad determinada, para evitar que dichas neuronas se mueran. Este proceso se caracteriza en inglés con el lema: "*Use it or lose it*". También es importante mencionar que la edad crítica es selectiva: afecta, sobre todo, las áreas fonológicas y el núcleo sintáctico-morfológico del lenguaje. El declive de la aptitud para aprender una lengua extranjera no es súbito sino gradual. A pesar de hacerse menos eficaz, es una capacidad que nunca desaparece, aunque la naturaleza del proceso de adquisición sí cambia. El fin de la edad crítica indica el cambio de un proceso automático en uno que implica una actividad cognitiva, basada en aptitudes cognitivas.

Por lo tanto, la adquisición de la lengua materna, que se realiza antes, no conoce el mismo desarrollo que el de las lenguas extranjeras que se estudian una vez pasada la edad crítica. No obstante, eso no significa que no haya contacto entre la lengua materna y las lenguas extranjeras que una persona conoce. Unas investigaciones recientes[111] confirman lo que los profesores intuyen desde hace mucho tiempo: la lengua materna tiene una influencia considerable en la adquisición y en el empleo de una lengua extranjera y eso tanto de manera positiva como negativa (Swan 1997: 160)[112]. En base a estos resultados se está abandonando actualmente tanto la clásica teoría contrastiva –que considera al idioma materno como único obstáculo para el aprendizaje de una lengua extranjera al hacer hincapié en las interferencias– como la convicción de que la enseñanza de una lengua extranjera tiene que excluir tajantemente la lengua materna.

En cuanto al léxico, se ha constatado que los estudiantes de una lengua extranjera intentan generar de manera consciente asociaciones entre el léxico de su lengua materna y el léxico extranjero a fin de retenerlo mejor. Se trata de asociaciones de los siguientes tipos: a)

---

[111] También en la neurolingüística se ha constatado que en el cerebro de una persona que conoce dos lenguas hay espacios que las dos lenguas comparten, y otros que están reservados a una sola (Danesi 1994: 156).

[112] También se ha constatado el fenómeno inverso: estudiantes de una lengua extranjera que estudian esta lengua de manera intensiva modifican su empleo de la lengua materna bajo influencia de la lengua extranjera. Este fenómeno es muy usual en contextos de bilingüismo.

fonológicas y semánticas entre la lengua materna y la lengua extranjera, b) fonológicas dentro de la lengua extranjera[113], c) fonológicas y semánticas en la lengua extranjera[114]. Sin embargo, sería demasiado sencillo decir que un estudiante de una L2 aprende nada más etiquetas nuevas para conceptos ya conocidos bajo otra etiqueta[115]. En la realidad resulta que es difícil encontrar en dos lenguas distintas dos unidades léxicas que signifiquen exactamente lo mismo. El concepto que corresponde a una etiqueta en una lengua nunca es enteramente el mismo que el que corresponde a la etiqueta traducida a otra lengua, aunque tampoco son completamente distintos. Se pueden sugerir tres

---

[113] Resulta que la capacidad de repetición/retención de la forma en la memoria fonológica a corto plazo permite predecir si el estudiante tendrá éxito en la adquisición del léxico o no (Ellis y Beaton 1995: 111). Esta capacidad puede ser influida por los factores fonológicos de la forma en cuestión. Se ha averiguado que cuanta más semejanza exista entre los sonidos fonológicos de la lengua materna del estudiante y de la lengua extranjera, más fáciles serán la repetición y la retención de nuevas formas. Lo mismo vale para la semejanza fonológica entre la forma en la lengua extranjera y su equivalente en la lengua materna del estudiante. Es, por tanto, importante que, durante la fase del primer contacto con la nueva unidad léxica, el profesor tenga en cuenta estas constataciones cognitivas. Tiene que ayudar a analizar el nuevo léxico de manera que la forma ya quede absorta en la memoria fonológica a corto plazo, lo que, como hemos visto, es capital para la retención a largo plazo.

[114] Se ha comprobado que los buenos estudiantes no sólo se basan en sus conocimientos anteriores en la lengua extranjera sino que también recurren a sus conocimientos lingüísticos de la lengua materna en el sentido de que tienen una intuición, a menudo no errónea sobre qué características semánticas de una unidad léxica son posiblemente transferibles o no. Un experimento de Kellerman (1978) demostró que los estudiantes de una lengua extranjera tienen, por lo general, una intuición bastante correcta a propósito de la posibilidad de transferencia de una expresión idiomática o de un significado metafórico de su lengua materna a la lengua que están aprendiendo.

[115] Aunque, según la hipótesis de equivalencia, eso es exactamente la actitud principal de la mayoría de los estudiantes de una lengua extranjera. Parten de la convicción de que van a aprender nuevas formas que podrán utilizar tal como lo hacen en su lengua materna hasta que descubran que no es el caso. Swan (1997: 167) opina que algo de esta equivalencia es indispensable en el proceso de adquisición de una lengua extranjera, a pesar de los muchos errores que puede causar. Si el estudiante no puede basarse en ninguna correspondencia, aprender una lengua extranjera resultaría en un regreso al mundo infantil y le obligaría a volver a categorizar el mundo.

tipos de relaciones en el almacenamiento del léxico de la lengua materna y de una lengua extranjera:

- la coordinación: los conceptos y las formas de la lengua materna y de la lengua extranjera se almacenan separadamente;
- la composición: los conceptos de las dos se han fundido en un solo concepto;
- la subordinación: la nueva forma de la lengua extranjera se fija al concepto de la lengua materna.

Se ha constatado que ninguno de estos modelos es el único válido. La naturaleza de la influencia de la lengua materna en el aprendizaje del léxico extranjero depende de muchos factores. Un primer factor es la distancia lingüística entre las dos lenguas que claramente tiene su efecto: cuanto más estrechas sean las relaciones entre las dos lenguas, más influencia habrá y al revés. Las ventajas, pero también los errores, se sitúan al nivel fonológico, léxico y sintáctico. También puede ser importante la distancia cultural entre las dos lenguas, es decir, la percepción de distancia que tiene el estudiante. Si el mundo de la lengua extranjera le parece familiar, tendrá más tendencia a identificar nuevas etiquetas a conceptos ya conocidos –o sea, de hacer una transferencia semántica con o sin éxito– que en el caso contrario.

Dada la importancia de la influencia de la lengua materna en el proceso de adquisición y en el empleo de la lengua extranjera, no se puede negar que cuanta más conciencia tengan los estudiantes de las similitudes y de las diferencias entre su lengua materna y la lengua meta, tanto más fácil les parecerá estudiar de manera eficaz. Eso implica concretamente que la enseñanza debe ayudar a los estudiantes a formular hipótesis realistas sobre posibles correspondencias entre las dos lenguas y a prestar más atención a las categorías importantes en la lengua extranjera que no tengan equivalente en su lengua materna. Desde este punto de vista se debe, pues, conceder el debido lugar al análisis contrastivo y a la traducción. Un solo enfoque no basta. No es necesario evitar la traducción como tampoco es útil traducirlo todo. Si se trata de una palabra cuyo concepto corresponde al de la lengua materna de los estudiantes, la traducción puede ser útil; en el caso contrario, por ejemplo para colocaciones o expresiones idiomáticas (*multi-word items*), más vale evitar la traducción. De todos modos, queda claro que la adquisición del léxico en una lengua extranjera no consiste en el mero amontonamiento de palabras, sino que se trata tanto de la integración de palabras en una estructura, una red ya existente, como de la extensión de esta red.

Se puede concluir que la investigación realizada hasta ahora respecto de las relaciones existentes entre el léxico de la lengua materna y de la lengua extranjera deja entrever que los dos léxicos están almacenados separadamente, pero que están en comunicación, sea mediante conexiones directas entre unidades léxicas individuales en ambos léxicos, por ejemplo una semejanza morfológica y/o semántica, sea mediante un almacén conceptual común (Singleton 1999: 190). También está demostrado que dichas relaciones son muy individuales, en función de cómo se desarrolla la adquisición en el aprendiz y en qué medida se realiza, porque cuanto más se domina el léxico de la lengua extranjera, tanto más se separan los dos léxicos (Singleton 2000: 183).

8. EL PAPEL DE LA MOTIVACIÓN

La motivación del alumno desempeña un papel muy importante en el proceso de aprendizaje. Según Decoo (2001), es el factor del que más depende su éxito, en combinación con la dedicación, sea cual sea el método utilizado:

> [...] the final key to successful language learning is tied to two variables that the method does not have in hand: the motivation of the students and the intensity of their personal work. Motivated people nowadays learn a foreign language just as successfully as 2000 years ago.

También Schmitt (2000: 133) cita pruebas experimentales de que el éxito de un método depende de la cooperación de los alumnos, y Laufer y Hulstijn (2001: 14) integran la motivación como uno de los tres factores clave en su *Involvement Load Hypothesis*, según la cual el éxito del proceso de aprendizaje depende del grado de compromiso del alumno, algo que se puede medir analizando su motivación, y su participación en la búsqueda de la información y en la evaluación del resultado obtenido.

Se suele distinguir entre la motivación instrumental (por una razón funcional), la integrativa (para pertenecer al grupo de personas que habla la L2), la resultativa (cuanto mejor el resultado, tanto mayor la motivación y al revés) y la intrínseca (por el contenido de las clases y las tareas de aprendizaje, por el proceso mismo de adquisición). Estos cuatro tipos de motivación son complementarios (Ellis 1997: 73). En relación con la motivación influyen también otros factores de la personalidad como la extro- o introversión y la empatía de una persona. Actualmente, la motivación es un tema muy popular en LAELE, como se puede leer en el *status questionis* de Dörnyei (2001).

CAPÍTULO III: CONCLUSIÓN

En el capítulo VII de la Parte B se comentaron las conclusiones del análisis del léxico del corpus modélico con respecto a la primera pregunta de investigación de este trabajo: ¿qué léxico enseñar? En este último capítulo de la Parte C nos toca hacer lo mismo para la segunda pregunta: ¿cómo enseñar el léxico seleccionado? Contestaremos a esta pregunta siguiendo el guión propuesto por Nation (2001) para la elaboración de un curso de vocabulario. Según este guión, que se basa esencialmente en la realización de las condiciones psicológicas de *noticing, retrieval* y *creative or generative use* (el prestar atención, el reencuentro y el uso creativo o generativo, véase el capítulo II.3), cada clase se tiene que componer de cuatro fases: la fase inicial del *input* comprensible centrado en el significado mediante actividades de comprensión escrita y auditiva; la fase centrada en la forma o la fase de la enseñanza directa; la fase del *output* centrado en el significado mediante actividades de expresión oral y escrita; la última fase que sirve para entrenar la fluidez, o sea, para practicar los aspectos del vocabulario aprendidos en las tres primeras fases sin añadir otros nuevos. En cada curso de vocabulario se debe repartir el tiempo de manera equitativa entre estas cuatro fases, o sea, reservar un 25% del tiempo disponible para cada una de ellas. Este reparto equilibrado es tanto más importante cuanto se sabe que hay alumnos que aprenden mejor si entienden y memorizan el significado y la forma, y otros que necesitan analizar y elaborar reglas (*cfr.* el capítulo II.6 a propósito del 'don de lenguas' o la aptitud lingüística).

Comentamos a continuación más en detalle cada una de estas fases, poniéndolas en relación, donde sea posible, con los resultados del análisis léxico-terminológico del vocabulario del corpus modélico.

1. La fase del input centrado en el significado

En esta primera fase se da la oportunidad al alumno de descubrir el léxico nuevo en actividades de comprensión escrita y auditiva. Esta fase crea, por lo tanto, el marco adecuado para que el *noticing* o la condición psicológica de prestar atención pueda ocurrir. Cabe subrayar que es muy importante que el alumno entienda por lo menos el 95% del texto que lee o escucha, porque, en el caso contrario, no será capaz de notar las palabras que no conoce. Por lo tanto, es imprescindible graduar la presentación del vocabulario nuevo y no sobrepasar el límite del 5% de vocabulario nuevo por clase. Además, no se pueden presentar más de 20 unidades léxicas nuevas por clase, ya que la memoria media no es capaz de asimilar más (capítulo II.3). En cuanto a las palabras cognadas, vale más contarlas como palabras desconocidas, ya que el reconocimiento de los paralelismos morfológicos entre la lengua materna y la lengua extranjera no es un procedimiento automático y espontáneo en el alumno. No obstante, resulta importante explotar las semejanzas entre las dos lenguas, ya que está probado que esto influye positivamente en la adquisición, como se indicó en el capítulo II.7.

También es en esta fase en la que se debe entrenar la estrategia de inferir el significado a partir del contexto. Si, a pesar de haber respetado la norma del 5%, alguna palabra no se entiende, se tiene que incitar al alumno a buscar elementos en el contexto lingüístico y extralingüístico que le permitan descubrir el significado. Asimismo, se debe promover una actitud de autocontrol al incitar al alumno a comprobar el significado en un diccionario, en un glosario que viene al final del manual, con el profesor, etc. Este autocontrol es muy importante ya que varios estudios demuestran que el proceso de inducción del significado requiere un nivel lingüístico muy elevado si se quiere realizarlo sin errores (por ejemplo, Nagy *et al.* 1997: 447). En este contexto se han de mencionar las posibilidades que brinda la ELAO: no resulta demasiado difícil cambiar un texto del que se dispone en versión electrónica en un hipertexto que contiene hiperenlaces con glosas de las palabras nuevas. La ventaja es, ante todo, que se puede excluir de esta manera el riesgo de inferir un significado erróneo. Otros aspectos positivos del uso de glosas son el ahorro de tiempo en comparación con la consulta de un diccionario o un glosario, el hecho de que de esta manera se interrumpe menos el proceso de lectura y la concentración inmediata del alumno en las nuevas palabras, lo que también estimula su aprendizaje, como lo demuestran varios estudios citados en Nation (2001: 176). Desde luego, las glosas no han de ser digitalizadas: se pueden también añadir en el margen del texto[116], pero, el uso de un hipertexto ofrece la posibilidad de conectar las palabras con un diccionario electrónico, por lo cual el estudiante tiene la posibilidad de consultar cualquier palabra que no entiende, aparte de las palabras 'nuevas' seleccionadas (*hypermarked*) por el profesor, ya que el conocimiento teórico de una palabra no implica su conocimiento real.

Para un curso de español económico empresarial, esta primera fase podría consistir concretamente en una toma de contacto con el tema que explotar. Por ejemplo, si el capítulo trata de "El producto y su precio", un texto sacado de la página web de una empresa española sobre el concepto de su producto, la diferenciación y el posicionamiento de la marca, el ciclo de vida del producto, el coste y el precio, etc. podría servir perfectamente a los objetivos de la primera fase, pero también un artículo de un periódico o revista especializados, un documento audio o audiovisual sobre un producto español (grabado de la televisión o descargado de Internet), una comparación entre marcas y precios por parte de una asociación de consumidores respectiva, etc. Queda claro que estos documentos pueden requerir manipulación a fin de cumplir con la norma del 5% máximo de vocabulario desconocido y un máximo de 20 palabras nuevas por clase. Esta manipulación puede consistir en la sustitución de algunas palabras específicas por otras más generales, o sencillamente en la omisión de ciertas partes del original. Manipular un texto es privarlo, en parte, de su autenticidad, pero lo que ha de primar es la comprensibilidad para el alumno. En el caso contrario la adquisición de vocabulario nuevo se hace imposible, y, peor aún, el estudiante pierde su interés y motivación, elementos clave de cualquier proceso de aprendizaje (véase el capítulo II.8).

2. La fase de la enseñanza directa

En esta fase se dedica atención explícita al estudio directo del vocabulario, lo cual se ha corroborado ser muy favorable para la retención del vocabulario encontrado en la primera fase (capítulo II.3).

---

[116] A propósito de las glosas escritas o no digitalizadas, Nation (2001: 175) menciona varios estudios que demuestran que las glosas marginales manifiestan el mejor resultado.

No obstante, cabe subrayar que aquí también vale la regla del 95%-98%, en el sentido de que, como hemos destacado en el capítulo de conclusión VII de la Parte B, es imprescindible determinar antes de la elaboración del curso qué palabras los estudiantes necesitan conocer. Dicho de otro modo, partiendo de los criterios de la frecuencia y la dispersión, se ha de examinar, para el género enseñado, qué palabras forman parte del 95%-98% de vocabulario más utilizado, y qué palabras se utilizan demasiado poco como para poder ser tenidas en cuenta en la enseñanza directa. Esto implica que tampoco se pueden evaluar los conocimientos léxicos de los alumnos en base a palabras que forman parte del porcentaje resultante, sino sólo en base al vocabulario que forma parte del 95%-98%, así como en base a la destreza de aplicar las estrategias de inducción a partir del contexto, la consulta correcta de un diccionario, etc.

La segunda fase es claramente intencional. La condición psicológica que se ha de realizar ante todo es la que Nation llama *retrieval* o el reencuentro con el vocabulario encontrado por primera vez en la fase anterior. Esta condición implica más que la mera repetición: se trata de estudiar y analizar el léxico nuevo de tal manera que se creen puntos de referencia en la mente del alumno (cfr. la teoría comentada en el capítulo II.3 de *Depth y levels of processing)*. Para alcanzar este objetivo se proponen varias estrategias de contextualización y/o visualización. Entre las estrategias mnemotécnicas probaron su utilidad el *key-word method*, el método de *loci*, y, sobre todo, el método con las fichas de palabras o *word cards*, eventualmente asistido en el ordenador. Es importante explicar en clase el funcionamiento de estas estrategias y preparar la actividad, para que el alumno pueda llevarla enseguida a la práctica fuera de la clase.

La estrategia de las fichas de palabras se puede realizar manualmente, apuntando los contextos en que apareció el léxico en la primera fase, pero también puede ser interesante –si se dispone de más tiempo y del equipo informático–, buscar concordancias en fuentes en Internet. Estos contextos necesitan ser completados con la traducción del léxico por un lado, y la información morfosintáctica correspondiente por otro. Es aquí donde puede desempeñar un papel importante la estrategia de las *word parts* o partes de palabras. Tal como se indicó en el análisis onomasiológico de los términos (Parte B), el conocimiento de los sufijos más recurrentes puede permitir al estudiante estructurar el léxico que comparte la misma base semántica en campos léxicos o familias de palabras (*word families*). Aunque se desaconseja introducir todas estas palabras juntas en la fase de la toma de contacto –debido al problema potencial de la interferencia formal y/o semántica–, sí resulta una estrategia muy valiosa en la segunda fase de enseñanza directa, ya que está probado que la presentación por campos léxicos estimula la retención, como se puede leer en Nation (2001: 269):

> Nagy *et al.* found that both inflected and derivational relationships significantly affected speed of recognition, suggesting that inflected and derived forms are stored under the same entry or are linked to each other in the mental lexicon. This underlines the importance of making learners aware of morphological relationships and of considering words to be members of word families when teaching or testing.

Le toca, por lo tanto, al profesor entrenar la capacidad del alumno de establecer relaciones derivacionales entre las palabras que aprende. En este contexto cabe mencionar también la importancia del conocimiento de los distintos prefijos en español y sus valores semánticos principales. Los prefijos no se comentaron en el análisis onomasiológico, ya que los términos que comparten el mismo prefijo no son necesariamente derivaciones de la misma base semántica. No obstante, siguiendo la taxonomía de Miranda (1994: 80), se pueden distinguir los siguientes prefijos en los términos del corpus modélico, con los siguientes valores semánticos:

Valor semántico	Prefijo	Ejemplo
negación	des-	desviación[2] 34
	in-	inmovilizado[1] 13
	de-	depreciar 5
	anti-	antipolítico 1
locación	en-	endeudamiento 34
	sub-	subcontratación 3
	infra-	infrautilizar 2
	inter-	intermediario 35
	retro-	retroalimentación 3
	trans-	transporte 15
	vice-	vicepresidente 4

temporalidad	pre- pos- post-	presupuesto 28 poscompra 1 postventa 1
intensificación y repetición	re- super- hiper-	reembolso 6 superrendimiento 4 hipermercado 3
cantidad y tamaño	auto- mono- multi- semi-	autofinanciación 10 monopolio 3 multiplicar 23 semimayorista 2

TABLA 3.1.

El análisis de los prefijos y sus significados puede contribuir considerablemente a la comprensión y la retención del léxico, ya que se profundiza y enriquece de esta manera el procesamiento de la nueva forma. Pero, para un estudiante –sobre todo un principiante– la composición no siempre resulta transparente y es necesario explicitarla. El mismo principio se aplica, desde luego, a las palabras cognadas, como se defendió en el capítulo IV de la Parte A (Moss 1994, Hancin-Bhatt y Nagy 1994). La semejanza morfológica entre el léxico de la lengua materna del estudiante y el de la lengua extranjera constituye un potencial de aprendizaje enorme, pero no evidente. El reconocimiento de palabras cognadas no es automático, sino una competencia que se debe entrenar activamente en clase.

Por lo que se refiere a la enseñanza del léxico económico empresarial en particular, es obvio que el análisis de la estructura morfosintáctica de los términos compuestos no puede faltar, ya que el estudio del corpus modélico ha mostrado que la composición es ante todo una característica del léxico especializado. Recordamos que la mayoría de los compuestos en el corpus o el 82,26% son términos económicos (el 72,81%) y auxiliares (el 9,45%), y que éstos constituyen además el 66,19% de los términos económicos y el 45,66% de los auxiliares, a pesar de que las tasas de cobertura son menos elevadas (el 29,05% y el 20,42%). La media ponderada es respectivamente de 3 y 2,91 formas, pero la mayoría se compone de 2 formas (el 42,38% y el 47,11%). Los tipos de compuestos más frecuentes son las disyunciones y sinapsias nominales, o sea, que la enseñanza directa de los términos compuestos se ha de centrar en la formación de estos dos tipos, que se realizan a menudo a partir de un término simple hiperonímico.

Una tercera estrategia de enseñanza directa de vocabulario consiste en la explotación de las relaciones semánticas entre las unidades léxicas aprendidas. Vale más no aplicar esta estrategia en cada clase de vocabulario, sino esperar hasta que se termine una unidad temática, en primer lugar porque se podrán establecer más vínculos entre el léxico aprendido y en segundo porque se reduce el riesgo de que se produzcan interferencias. Esta estrategia se puede realizar a nivel de las relaciones paradigmáticas de sinonimia, antonimia e hiperonimia/hiponimia, por ejemplo al añadir esta información a las fichas de palabras, lo que contribuirá a un procesamiento más profundo de los conocimientos léxicos del alumno (cfr. *Levels* o *depth of processing*). Otros ejercicios que caben en esta estrategia son los que aprovechan las definiciones de los términos para la generación de ejercicios léxicos contextualizados como, por ejemplo, rellenar la definición con el *definiendum* o el *definiens*, completar la descripción o la enumeración, dar el hiperónimo, el hipónimo, el sinónimo o el antónimo, etc. Desde un enfoque onomasiológico más amplio, ha demostrado su utilidad la organización del léxico en campos semánticos, o lo que Cervero y Pichardo Castro 2000: 155) llaman asociogramas. La combinación de la representación visual con la elaboración de una red asociativa entre las palabras promueve la retención a largo plazo (capítulo II.3). En cuanto a la estructura preferimos la flexibilidad del modelo satélite de Nuopponen (1998) a los árboles estáticos de la terminología tradicional (capítulo V de la Parte B). El asociograma puede ser de confección libre e individual, pero también es posible guiar su elaboración a nivel conceptual bajo la forma de un asociograma vacío que explota las relaciones causales, temporales y espaciales que existen entre las unidades léxicas, como se comenta en Cabré, Morel y Tebé (2001). A nivel léxico, un marco prefabricado puede obligar al estudiante a apuntar también las combinaciones sintagmáticas entre las palabras como, por ejemplo, el uso de las preposiciones o las unidades fraseológicas más recurrentes de las palabras clave del campo semántico.

A propósito de la enseñanza directa de las unidades fraseológicas, resulta obvio que la información fraseológica necesita añadirse a las fichas sea como contexto auténtico y significativo, lo que influye positivamente en la retención, sea con la demás información al dorso de la ficha o en la base de datos. Asimismo, el estudio del entorno fraseológico de los términos permite identificar qué palabras generales son típicas para el discurso especializado, o sea, que es otra manera para encontrar el léxico subeconómico. Como dice Nation, el estudio directo de las unidades fraseológicas se debe limitar a las unidades más frecuentes de las palabras más frecuentes. Ahora bien, se ha podido constatar en el capítulo IV de la Parte B que la identificación de las unidades fraseológicas más relevantes no es factible en el corpus modélico, debido a su modesto tamaño. No obstante, cabe observar que, al haber identificado y analizado los términos compuestos del corpus, se ha tratado una parte de las colocaciones a las que algunos autores llaman también unidades fraseológicas.

En cuanto a la polisemia/homonimia del léxico, es mejor evitar la introducción de formas polisémicas/homónimas en una misma clase, ya que en un entorno lingüístico auténtico dos formas polisémicas/homónimas tampoco suelen coincidir en un mismo contexto. ¡La polisemia y la homonimia no son sinónimos de la ambigüedad! El análisis de la polisemia de las unidades terminológicas en el corpus demuestra que sólo el 6,58% es polisémico, y además, nunca en el mismo contexto. Es cierto que los 100 primeros términos de la lista por frecuencia corregida contienen 21 términos que comparten su forma con otro significado en el corpus. No obstante, estos 21 UL cubren el 51,81% de las OC polisémicas en el corpus. Esto significa que, si se aprenden los términos del corpus en el orden que propone la lista por frecuencia corregida, se soluciona ya más de la mitad de los posibles problemas. Pero, aun así, no se puede descartar que la polisemia/homonimia constituye una característica intrínseca de la lengua, también de las lenguas especializadas. Cualquier estudiante de una lengua extranjera necesita aprender a enfrentar este problema, por lo cual se deben entrenar activamente estrategias de control de significado como la consulta de un diccionario, el uso del contexto (extra)lingüístico o la identificación gramatical (*colligation*).

3. La fase del output *centrado en el significado*

En la tercera fase el proceso de aprendizaje se vuelve incidental, pero con el énfasis en el desarrollo de las destrezas productivas: la expresión oral y escrita, mientras que en la primera fase del *input* centrado en el significado se entrena sobre todo la comprensión oral y escrita. Con esta fase se pretende realizar, por lo tanto, la tercera condición psicológica: el uso creativo o generativo (*creative or generative use*). El objetivo es que el alumno realice actividades productivas que le permitan profundizar sus conocimientos léxicos adquiridos en las fases anteriores.

Un método que obliga a los estudiantes a centrarse en el significado, que entrena las destrezas productivas, y que además fomenta la activación de las tres condiciones psicológicas, es el que se describe en *Dictoglos* (Kuiken y Vedder 2000). Se trata de una forma de trabajo en equipo (3 ó 4 alumnos). Primero el profesor lee dos veces en voz alta un texto, a un ritmo normal. Los alumnos toman apuntes sólo la segunda vez y después se dedican, en equipo, a la reconstrucción del texto, con la instrucción de reproducir el mismo contenido pero no necesariamente el mismo texto. Por lo tanto, no se trata de un dictado en que se exige una reproducción literal, sino de un proceso creativo. Este método conviene a la tercera fase porque da la oportunidad a los estudiantes de centrarse en el significado, en el contenido, pero de practicar a la vez activamente la lengua. La investigación de Kuiken y Vedder demuestra cómo, durante la fase de reconstrucción, se desarrolla un proceso de negociación entre los alumnos del que todos se benefician. En primer lugar, el ejercicio de comprensión auditiva les obliga a sacar la información y las palabras relevantes (*noticing*). Después, al poner sus apuntes en común, fijan su atención no sólo en lo que cada uno ha oído, sino en la totalidad (*noticing* reforzado). Durante la fase de reproducción, que en sí es una fase de expresión oral y escrita creativa (*creative or generative use*), se sirven de los recursos léxicos y gramaticales que ya conocen, lo que refuerza y profundiza sus conocimientos (*retrieval*).

Las ventajas del método *Dictoglos* son múltiples: además de estar centrado en el significado, entrenar varias destrezas y estimular las tres condiciones de aprendizaje necesarias, el método se ha revelado ser muy motivador. A los alumnos les gusta esta forma de trabajo porque contiene un desafío y porque no están solos para realizar la tarea. Asimismo, permite una corrección en clase, en la que se pueden comentar los aspectos léxicos (morfología, morfosintaxis, fraseología) no acertados. No obstante, existen otros ejercicios aptos a cumplir con los objetivos de la tercera fase, como, por ejemplo, resumir un texto (con o sin la ayuda de un marco prefabricado, en función del nivel lingüístico general del estudiante); contestar a preguntas de comprensión respecto de un documento textual o (audio)visual; preparar una disertación a partir de dos textos con contenidos opuestos; preparar y realizar un debate; etc.

4. *El desarrollo de la fluidez o automaticidad*

Un curso de vocabulario, y de lengua en general, carece a menudo de esta última fase. Sin embargo, resulta fundamental para la consolidación del proceso de aprendizaje. En esta fase no se pueden introducir aspectos nuevos del léxico aprendido, sino que se deben practicar los aprendidos en las fases anteriores a un ritmo más elevado. El énfasis ha de estar en el contenido y en el dominio de la lengua en su conjunto. Las unidades fraseológicas desempeñan un papel importante en esta fase, ya que el saber producir partes de frases o fórmulas es un síntoma de la realización de la automaticidad en el alumno. En la fase de fluidez se entrena, por lo tanto, lo que se denomina la 'lexicogramática', como se puede leer en Schmitt y Celce-Murcia (2002: 12):

> [...] one of the most interesting developments in applied linguistics today is the realization that vocabulary and grammar are two separate things, but may be viewed as two elements of a single language system referred to as 'lexico-grammar'.

En esta fase conviene organizar tareas receptivas y productivas completamente adaptadas al nivel del alumno (*cfr. i minus 1 level* de Hulstijn, capítulo II.3). Para ganar tiempo, éstas se pueden realizar en parte fuera de la clase bajo la forma de lecturas, tareas de comprensión auditiva, ejercicios de redacción, con un control posterior en clase. Resulta, por consiguiente, muy importante dedicar tiempo en clase al entrenamiento de las estrategias mencionadas de autocontrol y autoaprendizaje. Por falta de tiempo, esto se "olvida" a menudo, pero se ha de considerar como una inversión que rinde a largo plazo. Las tareas de expresión oral son, por supuesto, las que más problemas plantean, ya que falta a menudo el tiempo en clase –sobre todo en grupos grandes– para dar a cada persona la oportunidad de expresarse. De ahí que sea imprescindible planificar el contenido del curso detalladamente y con suficiente antelación, así como organizar cada clase con la mayor eficacia posible.

Otra dificultad con las tareas de expresión oral es que la situación clasical obstruye la autenticidad y la espontaneidad de la comunicación. Nos parece que el enfoque por tareas (*task-based approach*) y el enfoque basado en el contenido (*content-based approach*), comentados en el capítulo I, ofrecen una solución a este problema ya que proponen que los estudiantes, en lugar de copiar diálogos, realicen tareas reales y motivadoras. Una posible tarea es que los alumnos preparan, en parejas, una ponencia a propósito de un tema elaborado en el curso. Para volver al tema de "El producto y su precio", introducido en la primera fase, la tarea final podría consistir en la presentación de un producto español con relación a todos los aspectos tratados en clase: el concepto, la marca, el ciclo de vida, el coste, etc. Si el nivel lingüístico de los alumnos no es muy elevado, es mejor que el profesor busque y aporte la información necesaria (eventualmente adaptada), en el caso contrario la cosechan los alumnos mismos. Con esta tarea, los estudiantes enfocan un nuevo contenido, pero dentro del mismo campo léxico y semántico tratado en las fases anteriores.

Concluimos que el método propuesto es, de hecho, un método ecléctico que combina en sus cuatro fases lo mejor de los métodos desarrollados a lo largo de la historia (capítulo I) con los descubrimientos actuales de la lingüística aplicada (capítulo II). Sin embargo, pensamos poder escapar al declive de la corriente postcomunicativa y ecléctica vaticinado por Decoo (capítulo I.4), dado que el método propuesto se basa en un reparto equilibrado de interés por la forma y por el significado, de enseñanza y autoaprendizaje, de comunicación real y ejercicios de estructura.

CONCLUSIONES GENERALES

En 1998 Felices Lago denuncia la escasez de material para la enseñanza del español económico y empresarial:

> La enseñanza del EEE (Español Económico y Empresarial) en España ha carecido de una bibliografía amplia y diversa. No se han escrito en las dos últimas décadas más allá de 15 manuales especializados.

Este hecho, y la constatación de que el contenido léxico del material existente se basa en una selección meramente subjetiva (véase la Introducción), han constituido el punto de partida del presente trabajo. En nuestro intento de encontrar criterios objetivos para la identificación del léxico típico del discurso económico empresarial, hemos recurrido en primer lugar a la didáctica de las lenguas con fines específicos (Parte A, capítulo I). Resulta que esta disciplina no ofrece una definición clara y unívoca de lo que es el léxico especializado, sino que confunde el léxico general con el terminológico e incita, de esta manera, a la arbitrariedad y la intuición en el momento de la selección del léxico. La confusión es tanto mayor cuanto la didáctica utiliza el concepto ambiguo de léxico subtécnico, lo cual se ha demostrado en el capítulo IV de la primera parte. Por un lado, se ha rebatido la creencia generalizada de que no se necesita enseñar los términos por ser monosémicos y universales, ya que se ha podido constatar que la extensión de significado o la motivación semántica predomina en el léxico especializado, y que sólo el 4,31% de los términos se puede considerar como universales y el 33,33% como cognados con el neerlandés desde un punto de vista sincrónico, lo cual queda lejos de constituir la mayoría. Por otro, hemos probado que resulta erróneo tratar los términos metafóricos, metonímicos, especializados y homónimos como léxico subtécnico bajo el pretexto de que plantean más problemas de comprensión al alumno que los supuestos monosémicos y universales. En primer lugar, la tasa de cognados de este léxico con el neerlandés –el 31,47%– es parecida a la de los términos cognados, por lo cual éstos últimos no se pueden considerar más universales que el supuesto léxico subtécnico; segundo, el significado general en la mayoría de los casos bien no tiene sentido, bien es menos frecuente que el técnico, por lo cual es improbable que el alumno sea despistado por él; por último, la polisemia, que lleva posiblemente a la ambigüedad, no es un privilegio de las lenguas especializadas, sino que es una característica de la lengua en general. Cualquier estudiante que aprende un idioma extranjero se ve confrontado con ella. Por lo tanto, a pesar de que se ha demostrado tanto en el capítulo IV de la Parte A como en el capítulo II de la Parte B que la probabilidad de que el alumno sea despistado por una forma polisémica es bastante limitada, es importante que el alumno sea consciente de la existencia de polisemias y aprenda a beneficiarse de unas estrategias metacognitivas, como la consulta del contexto lingüístico y extralingüístico, de sus conocimientos del mundo, de un diccionario, de un especialista, de un compañero de clase, etc.

Si bien la didáctica no dispone de una definición objetiva y unívoca del concepto de léxico técnico, especializado o científico, hemos encontrado una en la corriente lingüística de la terminología descriptiva (véase el capítulo V de la Parte A). Esta corriente, en oposición con la prescriptiva y la descriptiva tradicional, adopta una postura semasiológica al tomar como punto de partida la forma léxica misma en lugar del concepto. Se trata, por consiguiente, de un enfoque empírico que parte de *corpora* reales, y no de un marco conceptual preestablecido que implica el riesgo de que no se identifiquen todos los términos del texto. La terminología descriptiva considera que sólo el especialista puede decidir del carácter terminológico de una palabra. De ahí que considere como término cada unidad léxica con definición especializada, aunque tenga también un significado general (capítulo VI de la Parte A).

Equipados con un criterio objetivo y científico para la identificación de los términos, nos hemos enfrentado al desafío de elaborar un método que permita seleccionar el léxico típico del español económico empresarial –o sea, tanto el técnico como el general– y describir sus rasgos lingüísticos más llamativos con vistas a su enseñanza. A este propósito hemos compuesto un corpus modélico de discurso económico empresarial medianamente especializado (capítulo II de la Parte A). Este corpus, que cuenta 136.932 ocurrencias en total, desempeña una función de experimentación en el sentido de que brinda el material para el desarrollo del método a través de un procedimiento empírico. Por lo tanto, los resultados de los análisis no se han de considerar representativos sino más bien indicativos. La norma de lematización ha sido la unidad léxica, lo que es una norma terminológica y no lexicológica (capítulo III de la Parte A). De hecho, también es una norma didáctica, ya que una nueva palabra se adquiere con un significado a la vez, por lo menos cuando el proceso de adquisición se desarrolla de manera natural.

El análisis léxico-terminológico del léxico del corpus modélico ha dado lugar a la repartición en cinco categorías léxicas: los nombres propios, el léxico funcional, el general, los términos económicos y los auxiliares (Parte B, capítulo I). Juntos, los términos constituyen el 33,91% de las unidades léxicas y sólo el 14,02% de las ocurrencias, por lo cual, numéricamente, no son la categoría más importante. No obstante, como también dice Gustafsson (1993) en base a su comparación de un corpus de inglés marítimo (1.691 *types* y 14.413 *tokens*) con uno de inglés general de un tamaño parecido, para la comprensión del contenido es imprescindible entender en primer lugar los términos, ya que expresan la información capital:

> The proportion of special terms seems to be amazingly small, only 15%. These terms are, however, extremely important as they carry the central information load in the texts. [...] For the understanding of the texts, it is absolutely necessary to know the central terms (1993: 225, 231).

Asimismo, se ha podido constatar que los términos económicos y auxiliares forman las categorías léxicas más ricas, ya que la evolución de los términos nuevos en el corpus no alcanza su punto de estancamiento, sino que cada subtema requiere su propio léxico técnico, mientras que el léxico general y funcional es más recurrente y sí alcanza su punto de saturación (Parte B, capítulo I).

Dada su importancia, los términos económicos y auxiliares han sido sometidos, respectivamente, a un análisis semasiológico (Parte B, capítulo II), fraseológico (Parte B, capítulo IV) y onomasiológico (Parte B, capítulo V). Además, el léxico del corpus modélico ha sido el objeto de un análisis léxico-estadístico a fin de encontrar un método objetivo para seleccionar las unidades léxicas más típicas (capítulo III de la Parte B). En primer lugar, se han ordenado los términos según la frecuencia corregida de Rosengren (1971), una fórmula que calcula la media geométrica en base a la frecuencia absoluta y la dispersión de cada unidad léxica. En el ranking obtenido, los *hapax legomena* vienen al final, dado que no pueden manifestar dispersión. En segundo lugar, la lista por frecuencia corregida ha sido examinada en cuanto a la progresión de la tasa de cobertura de los términos (criterio de Hazenberg 1994). De esta manera, se han seleccionado 805 términos económicos y 150 auxiliares como típicos de la lengua del corpus modélico.

En el capítulo VI de la Parte B se ha examinado cómo se puede identificar el léxico general característico del discurso económico empresarial, por un lado, así como el léxico general fundamental, común a la lengua general y a la lengua económica, por otro. A este propósito hemos buscado un corpus de referencia de español general: el corpus Cumbre (19.412.588 ocurrencias). Para la comparación del léxico hemos utilizado el '*log-likelihood test*' en combinación con la fórmula de la frecuencia corregida y el criterio de Hazenberg. De esta manera, se han seleccionado:

-   265 unidades léxicas generales típicas de la lengua del corpus modélico o subeconómicas.
-   944 unidades léxicas generales fundamentales o '*core vocabulary*'.

Al sumar las tasas de cobertura de estas dos categorías a las del léxico funcional, que por descontado necesita ser conocido exhaustivamente ya que se trata de sólo 250 unidades léxicas con una frecuencia muy elevada, y a las de los 805 y 150 términos económicos y auxiliares seleccionados, se llega a cubrir con un total de 2.414 unidades léxicas el 96,44% de las ocurrencias léxicas en el corpus modélico (capítulo VII de la Parte B). Según la bibliografía, un alumno es capaz de inferir el significado del léxico desconocido en un texto si entiende entre el 95% y el 98% de las ocurrencias. Por consiguiente, podemos concluir que la eficacia del método desarrollado para seleccionar el léxico típico del corpus modélico se ve corroborada en la tasa de cobertura del 96,44%.

Sin embargo, persiste la cuestión de la representatividad. Si con 2.414 unidades léxicas un alumno es capaz de entender el corpus modélico entero, es necesario preguntarse cuántas tendría que conocer para poder entender entre el 95% y el 98% del discurso económico empresarial en general, de manera que fuera capaz de inferir las demás palabras desconocidas. Dado que la bibliografía no da una respuesta unívoca a esta pregunta, es necesario aplicar el método desarrollado a un corpus más amplio. No obstante, resulta difícil prever su tamaño definitivo. Como dice Biber (1993b: 256, citado en Pearson 1998: 51), es imposible determinar el tamaño adecuado de un corpus al principio de la investigación, ya que se trata de un proceso cíclico:

> The bottom-line in corpus design, however, is that the parameters of a fully representative corpus cannot be determined at the outset. Rather, corpus work proceeds in a cyclical fashion that can be schematically presented as follows:
> Pilot empirical investigation and theoretical analysis
> → Corpus design → Compile portion of corpus → Empirical investigation

Una indicación posible es la de la fraseología: mientras no sea posible fijar las unidades fraseológicas más importantes de los términos clave, el corpus necesita ampliación. Por otro lado, cabe señalar que cualquier selección hecha a partir de criterios objetivos necesita una evaluación subjetiva, lo que se llama entonces la selección objetiva corregida (Martín Martín 1999: 158; Hazenberg y Hulstijn 1996: 159; Picoche y Rolland 2002: 11).

Por lo que se refiere a la enseñanza del léxico del discurso económico empresarial (Parte C), la lingüística aplicada a la enseñanza de las lenguas extranjeras (capítulo II) parece coincidir actualmente en que hay demasiado léxico como para enseñarlo todo en clase. Existen, no obstante, dos tendencias sobre qué léxico enseñar primero en una clase de lengua extranjera con fines específicos. A unos les parece mejor empezar con el léxico básico general (unas 3000 unidades léxicas), otros prefieren enseñar enseguida el léxico de la lengua especializada en cuestión. Nosotros seguimos el razonamiento de que el léxico frecuente –general o especializado– que cubre el 95% de la lengua examinada necesita ser enseñado de manera directa, mientras que el léxico poco frecuente, que constituye el 5% restante, cae bajo la responsabilidad del alumno mismo, quien ha de decidir si vale la pena estudiárselo para extender su conocimiento al nivel productivo o no.

En cuanto a la enseñanza directa o explícita del léxico existe una discrepancia entre, por un lado, la vigente corriente postcomunicativa (capítulo II de la Parte B), que cree en la adquisición incidental del léxico por medio de su presentación en contextos significativos y la técnica de adivinación, y, por otro, los resultados recientes de la investigación en lingüística aplicada, que obligan a relativizar la importancia de la adquisición incidental en contexto (Mondria 1996, Nation 2001, Hulstijn 2002). Si no se puede negar el hecho de que el vocabulario presentado en un contexto –y cuanto más largo y significativo mejor– se retiene más fácilmente, tampoco se puede omitir que la rentabilidad del aprendizaje intencional es muy superior a la del aprendizaje incidental. Según la bibliografía, ¡sólo un 5% del léxico de una lengua extranjera se adquiriría de manera incidental! De ahí que la lingüística aplicada aconseje un método que combine los dos enfoques, con la calidad del procesamiento (*depth of processing*) y la repetición continua como elementos clave del éxito. En este contexto, el proceso de adquisición léxica puede beneficiarse de los desarrollos en la enseñanza de lenguas asistida por ordenador, ya que las nuevas tecnologías permiten, por un lado, la sustitución de las fichas por una base de datos electrónica con fichas contextualizadas para cada palabra, y, por otro, la creación de relaciones de todo tipo entre ellas, lo cual ofrece al alumno la posibilidad de repasar el vocabulario de varias maneras (por ortografía, por campos léxicos, por campos semánticos, por rasgos morfológicos, etc.).

Por lo que se refiere al léxico que, por falta de tiempo, no puede ser enseñado en clase y que forma parte del 5% de léxico poco frecuente, resulta necesario equipar al alumno con las estrategias adecuadas para que pueda afrontarlo de manera autónoma. En primer lugar, ha de ser capaz de entenderlo, por lo cual es útil practicar en clase la técnica de inducción a partir del contexto así como la consulta de un diccionario monolingüe o bilingüe, u otra fuente de información (por ejemplo una enciclopedia, bases de términos especializados en Internet, etc.). Segundo, le corresponde al alumno decidir si necesita adquirir –de manera receptiva y, eventualmente, productiva– la palabra o no, si es que todavía no la ha adquirido incidentalmente por haber realizado las tareas de inducción y consulta.

Esperamos que este trabajo haya dejado en claro que la investigación en corpus tiene mucho que ofrecer en cuanto a la selección objetiva de un contenido léxico para un curso de español económico y empresarial como lengua extranjera, así como respecto de la descripción de los rasgos lingüísticos del léxico técnico. No obstante, a fin de poder componer un léxico representativo, haría falta extender el corpus en cuanto a su tamaño, género (prensa) y temática (economía general y español de negocios). Además, cabe subrayar que el objetivo del aprendizaje de una lengua extranjera es, en primer lugar, la adquisición de una competencia comunicativa. De ahí la importancia de invertir, por lo menos, el 25% del tiempo en el entrenamiento de la fluidez y la automaticidad, como se explicó en el capítulo III de la Parte C en que se expusieron unos principios básicos para la composición y el desarrollo de un curso de español económico empresarial y su léxico.

REFERENCIAS BIBLIOGRÁFICAS

1. OBRAS, ARTÍCULOS Y DICCIONARIOS CITADOS

Adelstein, A. (2004): *Unidad léxica y valor especializado: estado de la cuestión y observaciones sobre su representación.* Barcelona: IULA.

Adelstein, A. / Cabré, M. T. (mayo de 2000): "¿Es la terminología lingüística aplicada?", XVII Congrès Nacional d'AESLA (inédito).

Aguirre Beltrán, B. (1998): "Enfoque, metodología y orientaciones didácticas de la enseñanza del español con fines específicos", en: *Carabela* 44, 5-29.

Ahmad, K. / Rogers, M. (2001): "Corpus Linguistics and Terminology Extraction", en: Wright, S. / Budin, G. (eds.): *Handbook of Terminology Management*, vol. 2. Amsterdam/Philadelphia: John Benjamins Publishing Company, 725-760.

Ahmad, K. (2001): "The role of specialist terminology in artificial intelligence and knowledge acquisition", en: Wright, S. / Budin, G. (eds.): *Handbook of Terminology Management*, vol. 2. Amsterdam/Philadelphia: John Benjamins Publishing Company, 809-844.

Aitchinson, J. (1987): *Words in the mind.* Oxford-New York: Basil Blackwell.

Alameda, J. R. / Cuetos, F. (1995): *Diccionario de frecuencias de las unidades lingüísticas del castellano.* Oviedo: Universidad de Oviedo.

Alcina Caudet, M. (2001): "Automatización de tareas en la elaboración de un diccionario terminológico", en: Cabré, M. T. *et al.* (eds.): *Terminologia i documentació.* Barcelona: IULA, 51-59.

Alvar Ezquerra, M. (1993): *La formación de palabras en español.* Madrid: Arco/Libros.

Alvar Ezquerra, M. (1999): "El neologismo: caracterización, formación y aceptabilidad", en: González Calvo, J. M. *et al.* (eds.): *Actas V Jornadas de metodología y didáctica de la lengua española. El neologismo.* Cáceres: Universidad de Extremadura, 39-66.

Ambadiang, Th. (1999): "La flexión nominal. Género y número", en: Bosque, I. y Demonte, V. (dir.): *Gramática descriptiva de la lengua española.* Madrid: Espasa Calpe, 4843-4913.

Antia, B. E. (2000): *Terminology and language planning.*
Amsterdam/Philadelphia: John Benjamins Publishing Company.
Arntz, R. / Picht, H. (1995): *Introducción a la terminología.* Madrid:
Fundación Germán Sánchez Ruipérez. (traducción de *Einführung in die*
Terminologiearbeit, Zürich/New York: Georg Olms Verlag Hildesheim,
1989).
Baayen, R. (2001): *Word Frequency Distributions.*
Dordrecht/Boston/London: Kluwer Academic Publishers.
Bauer, L. / Nation, P. (1993): "Word families", en: *International*
Journal of Lexicography 6, 4, 253-279.
Beheydt, L. (1993): "Lexical memory: a linguist's point of view", en:
Chapelle, J. / Claes, M. Th. (eds.): *Memory and memorization in*
acquiring and learning languages. Louvain-la-Neuve: C. L. L., 41-58.
Béjoint, H. / Thoiron, Ph. (2000): "Le sens des termes", en: Béjoint, H.
/ Thoiron, Ph. (dir.): *Le sens en terminologie.* Lyon: Presses
Universitaires de Lyon, 6-19.
Béjoint, H. / Thoiron, Ph. (1992) : "Macrostructure et microstructure
dans un dictionnaire de collocations en langue de spécialité", en:
Terminologie et traduction 2/3, 513-522.
Bernard, Y. / Colli, J. C. (1985): *Diccionario económico y financiero.*
Madrid: Asociación para el progreso de la dirección, 4ª ed.
Bessé, B. de (1997): "Terminological definitions", en: Wright, S. /
Budin, G. (eds.): *Handbook of Terminology Management,* vol. 1.
Amsterdam/Philadelphia: John Benjamins Publishing Company, 63-74.
Besse, H. (1985): *Méthodes et pratiques des manuels de langue.* Paris:
Crédif.
Besse, H. / Galisson, R. (1980): *Polémique en didactique, du*
renouveau en question. Paris: CLE International.
Bevilacqua, C. R. (2001): "Unidades fraseológicas especializadas:
elementos para su identificación y descripción", en: Cabré, M. T. /
Feliu, J. (eds.): *La terminología científico-técnica: reconocimiento,*
análisis y extracción de información formal y semántica. Barcelona:
IULA, 113-141.
Biber, D. / Conrad, S. / Reppen, R. (1998): *Corpus linguistics.*
Cambridge: Cambridge University Press.
Biber, D. (1993a): "Co-occurrence patterns among collocations: a tool
for corpus-based lexical knowledge acquisition", en: *Computational*
Linguistics 19, 3, 531-538.
Biber, D. (1993b): "Representatives in corpus design", en *Literary and*
linguistic computing 8, 4, 243-257.

Bicchieri, C. (1988): "Should a scientist abstain from metaphor?", en: Klamer, J. *et al.* (eds.): *The consequences of economic rethoric.* Cambridge: Cambridge University Press, 100-116.

Binon, J. / Verlinde, S. (2000): *Dictionnaire d'apprentissage du français des affaires.* Paris: Didier.

Binon, J. / Verlinde, S. / Van Dyck, J. (1993): *Dictionnaire contextuel du français économique.* Kessel-Lo: Garant.

Blondel, A. *et al.* (1998): *Que voulez-vous dire? Compétence culturelle et stratégies didactiques. Guide pédagogique.* Bruxelles: Duculot.

Bogaards, P. (1994): *Le vocabulaire dans l'apprentissage des langues étrangères.* Paris: Hatier.

Bowker, L. / Pearson, J. (2002): *Working with Specialized Language. A practical guide to using corpora.* London/New York: Routledge.

Brinton, D. M. / Snow, M. A. / Bingham Wesche, M. (1989): *Content-based Second Language Instruction.* New York: Newbury House.

Brown, C. / Bastiaanse, R. (2001): "Taal en het brein: fysiologie en anatomie van gesproken taalverwerking", en: Wijnen, F. / Verstraten, F. (eds.): *Het brein te kijk: verkenning van de cognitieve neurowetenschappen.* Lisse: Swets y Zeitlinger, 155-185.

Budin, G. (2001): "A critical evaluation of the state-of-the-art of terminology theory", en: *Terminology Science y Research. Journal of the International Institute for Terminology Research* 12 (1-2), 7-23.

Bustos Gisbert, E. (1986): *La composición nominal en español.* Salamanca: Universidad de Salamanca.

Cabré, M. T. / Morel, J. / Tebé, C. (2001): "Propuesta metodológica sobre cómo detectar las relaciones conceptuales en los textos a través de una experimentación sobre la relación causa-efecto", en: Cabré, M. T. / Feliu, J. (eds.): *La terminología científico-técnica: reconocimiento, análisis y extracción de información formal y semántica.* Barcelona: IULA, 165-170.

Cabré, M. T. (2000): "Sur la représentation mentale des concepts: bases pour une tentative de modélisation", en : Béjoint, H. / Thoiron, Ph. (dir.) : *Le sens en terminologie.* Lyon : Presses Universitaires de Lyon, 20-39.

Cabré, M. T. / Domenèch, M. (mayo de 2000): "Terminologie i tipologia textual: com establir el nivell d'especialització d'un text cientificotècnic", *XVII Congrés Nacional d'AESLA* (inédito).

Cabré, M. T. (1999): *La terminología. Representación y comunicación.* Barcelona: IULA.

Cabré, M. T. / Estopá, R. / Lorente, M. (1996): "Terminología y fraseología",

Actas del V Simposio Iberoamericano de Terminología RITERM, publicación en Internet: http://www.unilat.org/dtil/MEXICO/cabreloe.html (setiembre de 2001).

Cabré, M. T. (1993): *La terminología. Teoría, metodología, aplicaciones.* Barcelona: Antártida/Empúries.

Calsamiglia Blancfort, H. / Tusón Valls, A. (1999): *Las cosas del decir. Manual de análisis del discurso.* Barcelona: Ariel.

Cameron, K. (1998): "CALL, Culture and the language curriculum: an important issue?", en: Calvi, L. / Geerts, W. (eds.): *CALL, Culture and the Language Curriculum.* Berlin/Heidelberg/New York: Springer.

Carroll, J. B. (1990): "Cognitive abilities in foreign language aptitude: then and now", en: Parry, T. / Stansfield, C. (eds.): *Language Aptitude Reconsidered.* Englewood Cliffs: Prentice Hall, 11-29.

Carroll, J. B. (1970): "An alternative to Juilland's usage coefficient for lexical frequencies, and a proposal for a standard frequency index (SFI)", en: *Computer studies in the humanities and verbal behavior* 3, 61-65.

Cartagena, N. (1998): "Acerca de la variabilidad de los términos sintagmáticos en textos españoles especializados", en: Wotjak, G. (ed.): *Estudios de fraseología y fraseografía del español actual.* Madrid: Iberoamericana, 281-296.

Carter, R. / McCarthy, M. (1988): *Vocabulary and language teaching.* Essex: Longman.

Carter, R. (1987): *Vocabulary.* London: Allan y Unwin.

Centro de Información y Documentación Científica (1995): *Tesauro ISOC de Economía.* Madrid: Sección de Reprografía del CINDOC.

Cervero, M. J. / Pichardo Castro, F. (2000): *Aprender y enseñar vocabulario.* Madrid: Edelsa.

Charteris-Black, J. / Ennis, T. (2001): "A comparative study of metaphor in Spanish and English financial reporting", en: *English for Specific Purposes* 20, 249-266.

Charteris-Black, J. (2000): "Metaphor and vocabulary teaching in ESP economics", en: *English for Specific Purpose* 19, 149-165.

Church, K. W. *et al.* (1994): "Lexical substitutability", en: Atkins, B. T. S. / Zampolli, A. (eds.): *Computational approaches to the lexicon.* Oxford: Oxford University Press, 153-177.

Church, K. W. / Hanks, P. (1990): "Word association norms, mutual information, and lexicography", en: *Computational Linguistics* 16, 1, 22-29.

Clijsters, W. (1990): *Mille lettres d'affaires en chiffres.* Paris/Genève: Champion/Slatkine.

Connor-Linton, J.: *Chi Square Tutorial*. Publicación en
   Internet http://www.georgetown.edu/cball/webtools/web_chi_tut.html
   (julio de 2002).
Cook, V. (1991): *Second language learning and language teaching*. New
   York: Oxford University Press.
Corminas, J. (1980): *Breve diccionario etimológico de la lengua castellana*.
   Madrid: Gredos, 3ª ed.
Corpas Pastor, G. (1996): *Manual de fraseología española*. Madrid: Gredos.
Cortès, J. (1976): "Français, langue étrangère et objet technique", en: *Études
   de linguistique appliquée* 23, 29-46.
Coste, D. (ed.) (1994): *Vingt ans dans l'évolution de la didactique des langues
   (1968-1988)*. Paris: Didier.
Cowan, J. R. (1974): "Lexical and syntactic research for the design of EFL
   reading materials", en: *TESOL Quarterly* 8, 389-399.
Craik, F. I. M. / Lockhart, R. S. (1972): "Levels of processing: A framework
   for memory research", en: *Journal of Verbal Learning and Verbal
   Behavior* 11, 671-684.
Cyr, P. (1996): *Le point sur... les stratégies d'apprentissage d' une langue
   Seconde*. Anjou (Canada): Les Éditions du Centre Educatif et Culturel.
Danesi, M. (1994): "The neuroscientific perspective in second language
   acquisition research: A critical synopsis", en: *Lenguas modernas* 21,
   145-168.
Decoo, W. (2001): *On the mortality of language learning methods*, given as
   the James L. Barker lecture on November 8th 2001 at Brigham Young
   University, en línea: http://www.didascalia.be/mortality.htm (julio de
   2002)
De Haan, P. (1992): "The Optimum Corpus Sample Size?", en: Leitner, G.
   (ed.): *New Directions in English Language Corpora*. Berlin/New York:
   Mouton de Gruyter.
De Kock, J. (1979): *Para una estilística lingüística cuantitativa y automática*.
   Leuven: Acco.
Díaz, L. / Hernández, J. J. / Martínez, R. (2000): "Emisor y responsabilidad
   informativa en artículos de economía: estudio comparativo de distintos
   periódicos", en: Bordoy, M. / Van Hooft, A. / Sequeros, A. (eds.):
   Español para Fines Específicos: Actas del I CIEFE. Amsterdam:
   Consejería de Educación y Ciencia, 114-120.
Dirven, R. / Verspoor, M. (1999): *Cognitieve inleiding tot taal en
   taalwetenschap*. Leuven: Acco.
Dollerup, C. *et al.* (1989): "Vocabularies in the reading process", en: *AILA
   Review* 6, 21-33.

Dörnyei, Z. (2001): "New themes and approaches in second language motivation research", en: *Annual Review of Applied Linguistics* 21, 43-59.

Douglas, D. (2000): *Assessing language for Specific Purposes*. Cambridge: Cambridge University Press.

Drouin, P. (1997): "Une méthodologie d'identification automatique des syntagmes terminologiques: l'apport de la description du non-terme", en: *Meta: journal des traducteurs* 42, 1, 45-54.

Dudley-Evans, T. / St. John, M.-J. (1998): *Developments in ESP. A multidisciplinary approach*. Cambridge: Cambridge University Press.

Eatwell, J. / Milgate, M. / Newman, P. (eds.) (1987): *The new Palgrave. A dictionary of Economics*. London/Basingstoke: The Macmillan Press, vol. 3.

Ellis, N. C. (2002): "Frequency effects on language acquisition", en: *Studies in second language acquisition* 24, 2, 143-188.

Ellis, N. C. (1997): "Vocabulary acquisition: word structure, collocation, word-class and meaning", en: Schmitt, N. y McCarthy, M. (eds.): *Vocabulary: Description, Acquisition and Pedagogy*. Cambridge: Cambridge University Press, 122 – 139.

Ellis, N. C. / Beaton, A. (1995): "Psycholinguistic Determinants of Foreign Language Vocabulary Learning", en: Harley, B. (ed.): *Lexical Issues in Language Learning*. Michigan: Research Club in Language Learning, 107-165.

Ellis, R. (1999): "Input-based approach to teaching grammar", en: *Annual Review of Applied Linguistics* 19, 64-80.

Ellis, R. (1995): "Appraising second language acquisition theory in relation to language pedagogy", en: Cook, G. / Seidlhofer, B. (eds.): *Principle and Practice in Applied Linguistics*. Oxford: Oxford University Press, 73-89.

Engwall, G. (1974): *Fréquence et distribution du vocabulaire dans un choix de romans français*. Stockholm: Skriptor.

Felber, H. / Budin, G. (1989): *Terminologie in Theorie und Praxis*. Tübingen: G. Narr Verlag.

Felices Lago, A. (1998): "Claves sociales y culturales para comprender y enseñar la terminología de la economía sectorial española", *Primer Simposio Internacional: El Español, Lengua Universal, Multicultural y Multifuncional,* celebrado en Bratislava entre el 20 y el 21 de julio de 1998, publicación en Internet, http://www.ucm.es/info/especulo/ele/felices.html (julio de 2002).

Fontenelle, Th. (1996) : *Turning a bilingual dictionary into a lexical-semantic database*, Tesis doctoral. Université de Liège.

Galisson, R. (1991): *De la langue à la culture par les mots*. Paris: CLE International.

Galisson, R. (1987): "Accéder a la culture partagée par des mots à CCP", en: *Études de linguistique appliquée* 67, 119-140.

Galisson, R. (1980): *D'hier à aujourd'hui la didactique générale des langues étrangères: du structuralisme au fonctionnalisme*. Paris: CLE International.

Galisson, R. / Coste, D. (dir.) (1976): *Dictionnaire de didactique des langues*. Paris: Hachette.

Gambier, Y. (1993): "Présupposés de la terminologie: vers une remise en cause", en: *TextconText*. Heidelberg: Julius Gros Verlag. 155-176.

García Hoz, V. (1976): *El vocabulario general de orientación científica y sus estratos*. Madrid: Consejo Superior de Investigaciones Científicas.

Gaudin, F. (1993): *Pour une socioterminologie: des problèmes sémantiques aux pratiques institutionnelles*. Rouen: Publications de l'Université de Rouen.

Gaultier, M.-Th. (1968): "Quand le professeur de français doit jouer à l'apprenti-sorcier...", en: *Le Français dans le Monde* 61, 20-26.

Geeraerts, D. (dir.) (2001): *Groot woordenboek der Nederlandse taal*, versión electrónica 1.1. Utrecht/Antwerpen: Van Dale Lexicografie.

Geeraerts, D. *et al.* (1994): *The structure of lexical variation*. Berlin/New York: Mouton De Gruyter.

Geeraerts, D. (1989): *Wat er in een woord zit. Facetten van de lexicale semantiek*. Leuven: Peeters.

Gerbert, M. (1989): "The Production and Comprehension of Scientific Texts", en: Laurén, C. / Nordman, M. (eds.): *Special Language: from humans thinking to thinking machines*. Clevedon/Philadelphia: Multilingual Matters, 309-315.

Germain, Cl. (1993): *Évolution de l'enseignement des langues: 5000 ans d'histoire*. Paris: CLE International.

Gómez de Enterría, J. (2000): "Últimas tendencias neológicas en la prensa económica", en: *La neología en el tombant del segle*. Barcelona: IULA, 75-83.

Gómez de Enterría, J. (1998): "El lenguaje científico-técnico y sus aplicaciones didácticas", en: *Carabela* 44, 30-39.

González Rey, M. (1998): "Estudio de la idiomaticidad en las unidades fraseológicas", en: Wotjak, G. (ed.): *Estudios de fraseología y fraseografía del español actual*. Madrid: Iberoamericana, 57-74.

Gougenheim, G. *et al.* (1964): *L'élaboration du français fondamental*. Paris:

Didier.
Guespin, L. (1995): "La circulation terminologique et les rapports entre science, technique et production", en: *META Journal des traducteurs* 40, 2, 206-215.
Gustafsson, M. (1993): "How special is special language? A study on vocabulary", en: Hiltunen, R. *et al.* (eds.): *English far and wide. A Festschrift for Inna Koskenniemi.* Turku: Turun Yliopisto, 221-232.
Gutiérrez Ordóñez, S. (1989): *Introducción a la semántica funcional.* Madrid: Síntesis.
Haensch, G. (1981): "El vocabulario económico español, un problema de lenguas en contacto", en: Pöckl, W. (ed.): *Europäische Mehrsprachigkeit.* Tübingen: Max Niemeyer Verlag, 135-147.
Hancin-Bhatt, B. / Nagy, W. (1994): "Lexical transfer and second language morphological development", en: *Applied psycholinguistics* 15, 289-310.
Hazenberg, S. / Hulstijn, J. (1996): "Defining a minimal receptive second language vocabulary for non-native university students: an empirical investigation", en: *Applied Linguistics* 17, 2, 145-163.
Hazenberg, S. (1994): *Een keur van woorden.* Ridderkerk: Ridderprint.
Heid, U. (1992): "Décrire les collocations: deux approches lexicographiques et leur application dans un outil informatisé", en: *Terminologie et traduction* 2/3, 523-548.
Herdan, G. (1960): *Type-token Mathematics.* 'S-Gravenhage: Mouton & Co.
Hirsch, D. y Nation, P. (1992): "What vocabulary size is needed to read unsimplified texts for pleasure", en: *Reading in a Foreign Language* 8, 689-696.
Hoffmann, L. (1985): *Kommunikationsmittel Fachsprache. Eine Einführung.* Tübingen: G. Narr Verlag.
Hu, M. / Nation, I.S.P. (2000): "Vocabulary density and reading comprehension", en: *Reading in a Foreign Language* 13, 1, 403-430.
Hulstijn, J. (2002): "Towards a unified account of the representation, processing and acquisition of second-language knowledge", en: *Second Language Research* 18, 3, 193-223.
Hulstijn, J. (2001): "Intentional and incidental second language vocabulary learning: A reappraisal of elaboration, rehearsal and automaticity", en: Robinson, P. (ed.): *Cognition and second language instruction.* Cambridge: Cambridge University Press, 258-286.
Hulstijn, J. (1992): "Retention of inferred and given word meanings:

experiments in incidental vocabulary learning", en: Arnaud, P. J. L y Béjoint, H. (eds.): *Vocabulary and Applied Linguistics.* London: MacMillan, 113-125.

Hutchinson, T. / Waters, A. (1987): *English for specific purposes. A learning Centred Approach.* Cambridge: Cambridge University Press.

Hymes, D. (1984): *Vers la compétence de communication.* Paris: Crédif-Hatier.

Irgl, V. (1989): "Synonymy in the language of business and economics", en: Laurén, C. y Nordman, M. (eds.): *Special language: From humans thinking to thinking machines.* Clevedon/Philadelphia: Multilingual Matters, 275-282.

Johnson, K. (2001): *An introduction to foreign language learning and teaching.* Essex: Pearson Education.

Johnsson, D. B. (1972): "Computer frequency control of vocabulary in language learning reading materials", en: *Instructional Science,* 121-131.

Juilland, A. / Chang-Rodríguez, E. (1964): *Frequency dictionary of Spanish words.* London/The Hague/Paris: Mouton & Co.

Kanji, G. K. (1993): *100 statistical tests.* London: Sage Publications.

Kellerman, E. (1978): "Giving the learners a break: native language intuitions as a source of predictions about transferability", en: *Working Papers on Bilingualism* 15, 59-72.

Kelly, L.G. (1976): *25 Centuries of Language Teaching.* Rowley: Newbury House Publishers, 2ª impresión de la 1ª ed.

Kennedy, C. / Bolitho, C. (1984): *English for Specific Purposes.* London: MacMillan.

Kennedy, G. (1998): *An Introduction to Corpus Linguistics.* Harlow: Addison Wesley Longman.

Kocourek, R. (1982): *La langue française de la technique et de la science.* Wiesbaden: Oscar Brandstetter Verlag.

Kuiken, F. / Vedder, I. (2000): *Dictoglos.* Bussum: Coutinho.

Lafon, P. (1984): *Dépouillements et statistiques en lexicométrie.* Genève/Paris: Slatkine/Champion.

Lakoff, G. (1987): *Women, fire and dangerous things. What categories reveal about the mind.* Chicago/London: University of Chicago Press.

Lakoff, G. / Johnson, M. (1980): *Metaphors we live by.* Chicago/London: University of Chicago Press.

Lang, M. F. (1990): *Spanish word formation.* London: Routledge.

Laufer, B. / Hulstijn, J. (2001): "Incidental Vocabulary Acquisition in a

Second Language: The Construct of Task-Induced Involvement", en: *Applied Linguistics* 22, 1, 1-26.

Laufer, B. (1997): "What's in a word that makes it hard or easy: some intralexical factors that affect the learning of words", en: Schmitt, N. / McCarthy, M. (eds.): *Vocabulary: Description, Acquisition and Pedagogy*. Cambridge: Cambridge University Press, 140-155.

Laufer, B. (1992): "How much lexis is necessary for reading comprehension?", en: Béjoint, H. / Arnaud, P. (eds.): *Vocabulary and Applied Linguistics*. London: MacMillan, 126-132.

Laufer, B. (1990): "Why are some words more difficult than others? Some intralexical factors that affect the learning of words", en: *International Review of Applied Linguistics* 28, 293-207.

Laufer, B. (1989): "What percentage of text-lexis is essential for comprehension?", en: Laurén, C. / Nordman, M. (eds.): *Special Language: From Humans Thinking to Thinking Machines*. Clevedon: Multilingual Matters, 316-323.

Laurén, C. / Myking, J. / Picht, H. (1998): *Terminologie unter der Lupe*. Wien: Termnet.

Leech, G. / Rayson, P. / Wilson, A. (2001): *Word Frequencies in Written and Spoken English*, Harlow/London: Pearson Education.

Leech, G. (1997), "Teaching and Language Corpora: a Convergence", en: Wichmann, A. *et al.* (eds.): *Teaching and Language Corpora*. Harlow: Longman, 1-23.

Leech, G. (1991): "The State-of-the-Art in Corpus Linguistics", en: Aijmer, K. / Altenberg, B. (eds.): English Corpus Linguistics, Studies in honour of Jan Svartvik. London/New York: Longman, 8-29.

Lehmann, D. (1990): "Avons-nous toujours besoin des besoins langagiers?", en: Beacco, J. C. / Lehmann, D. (coord.): *Le français dans le monde: Publics spécifiques et communication spécialisée*. Paris: Edicef, 81-87.

Lehmann, D. (1983): "Français fonctionnel, enseignement fonctionnel du français", en: Galisson R. (dir.): Lignes de force du renouveau actuel en D. L. E. Paris: CLE International, 117-143.

Lerat, P. (1997): *Las lenguas especializadas*. Barcelona: Ariel (traducción de Albert Ribas, *Les langues spécialisées*, PUF, 1995).

Lerot, J. (1986): *Analyse grammaticale*. Paris/Gembloux: Duculot.

Lewis, M. (2000): "Materials and Ressources for Teaching Collocation", en: Lewis, M. (ed.): *Teaching Collocations*. Hove: Language Teaching Publications.

Lewis, M. (1993): *The lexical approach*. Hove: Language Teaching Publications.

Lightbown, P. M. / Spada, N. (1998): *How languages are learned*. Oxford: Oxford University Press.

Lyne, A. (1985): *The vocabulary of French business correspondence*. Genève/Paris: Slatkine/Champion.

Mackey, W. F. (1971): *Language Teaching Analysis*. London: Longman, 4ª impresión de la 1ª ed.

Mankiw, N. G. (1998): *Principles of Economics*. USA: The Dryden Press.

Martín Martín, S. (1999): "La revisión del concepto de vocabulario en la gramática de ELE", en: Miquel, L. / Sans, N. (coord.): *Didáctica del español como lengua extranjera*. Madrid: Fundación Actilibre, 157-163.

Martínez Marín, J. (1999): "Unidades léxicas complejas y unidades fraseológicas. Implicaciones didácticas", en: González Clavo, J. M. *et al.* (eds.): *El neologismo. Actas de V Jornadas de Metodología y Didáctica de la Lengua Española*. Cáceres: Universidad de Extremadura, 97-116.

McCarthy, M. (1990): *Vocabulary*. Oxford: Oxford University Press.

Mel'cuk, I. (1993): "La phraséologie et son rôle dans l'enseignement/ apprentissage d'une langue étrangère", en: *Études de linguistique appliquée* 92, 82-113.

Michéa, R. (1964): "Basic vocabularies", en: *Research and techniques for the benefit of modern language teaching*. Strasbourg: Council for Cultural Cooperation of the Council of Europe, 21-36.

Moliner, M. (1983): *Diccionario de uso del español*. Madrid: Gredos.

Mondria, J.-A. (1996): *Vocabulaireverwerving in het vreemde-talenonderwijs. De effecten van context en raden op retentie*. Groningen: Universiteitsdrukkerij.

Mondria, J.-A. / Wit-De Boer, M. (1991): "The Effects of Contextual Richness on the Guessability and the Retention of Words in a Foreign Language", en: *Applied Linguistics* 12, 3, 249-267.

Montero Martínez, S. / García de Quesada, M. (2003): "Los frasemas terminológicos del discurso oncológico: estructuración conceptual en Ontoterm", en: Durán Escribano, P. *et al.* (eds.): *Las lenguas para fines específicos y la sociedad del conocimiento*. Madrid: Universidad Politécnica de Madrid, 221-236.

Morgenroth, K. (1994): *Le terme technique*. Tübingen: Max Niemeyer Verlag.

Mortureux, M.-F. (1995): "Les vocabulaires scientifiques et techniques", en: *Carnets du Cediscor* 3, 13-25.

Moss, G. (1992): "Cognate recognition: Its importance in the teaching of ESP reading courses to Spanish Speakers", en: *English for Specific Purposes* 11, 141-158.

Muller, Ch. (1977): *Principes et méthodes de statistique lexicale*. Paris: Hachette.

Muñoz Nuñéz, M.-D. (1999): *La polisemia léxica*. Cadiz: Universidad de Cádiz, Servicio de Publicaciones.

Myking, J. (1989): "Complex noun phrases as a problem of terminological practice", en: Laurén, C. / Nordman, M. (eds.): *Special Language: from humans thinking to thinking machines*. Clevedon/Philadelphia: Multilingual Matters, 265-274.

Myking, J. (2001): "Against prescriptivism? The socio-critical challenge to terminology", en: *Terminology Science & Research. Journal of the International Institute for Terminology Research* 12 (1-2), 49-64.

Nagy, W. / Mc Clure, E. / Mir, M. (1997): "Linguistics transfer and the use of context by Spanish-English bilinguals", en: *Applied psycholinguistics*, 18, 431-452.

Nagy, W. / Anderson, R. (1984): "How many words are there in printed school English?", en: *Reading Research Quarterly* 19, 304-330.

Nation, I. S. P. (2001): *Learning vocabulary in another language*. Cambridge: Cambridge University Press.

Nation, P. / Waring R. (1997): "Vocabulary size, text coverage and word lists", en: Schmitt, N. / McCarthy, M. (eds.): *Vocabulary: Description, acquisition and pedagogy*. Cambridge: Cambridge University Press, 6-19.

Nation, P. (1993): "Vocabulary Size, Growth and Use", en Schreuder, R. / Weltens, B. (eds.): *The bilingual lexicon*. Amsterdam/Philadelphia: John Benjamins Publishing Company, 115-134.

Nation, I. S. P. (1990): *Teaching and learning vocabulary*. New York: Newbury House.

Nelson, M. (2000): *A Corpus-Based Study of Business English and Business English Teaching Materials*, tesis doctoral, en línea: http://www.kielikanava.com/thesis.html (enero de 2001).

Nuopponen, A. (1998): "A model for systematic terminological analysis", en: Lundqvist, L. / Picht, H. / Qvistgaard, J. (eds.): *LSP – Identity and Interface Research, Knowledge and Society*. Copenhagen: Copenhagen Business School, 363-372.

O'Dell, F. (1997): "Incorporating vocabulary into the syllabus", en: Schmitt, N. / McCarthy, M. (eds*.): Vocabulary. Description, Acquisition and Pedagogy*. Cambridge: Cambridge University Press, 258-278.

O'Malley, J. M. / Chamot, A.U. (1990): *Learning Strategies in Second Language Acquisition*. Cambridge: Cambridge University Press.

Paivio, A. (1991): *Images in Mind*. London: Harvester Wheatsheaf.

Parkinson de Saz, S. M. (1981): *La lingüística y la enseñanza de las lenguas. Teoría y práctica.* Madrid: Empeño.

Pérez Gorostegui, E. (1997): *Introducción a la administración de empresas.* Madrid: Editorial Centro de Estudios Ramón Areces.

Pearson, J. (1998): *Terms in Context.* Amsterdam/Philadelphia: John Benjamins Publishing Company.

Phal, A. (1971): *Le vocabulaire général d'orientation scientifique.* Paris: Crédif.

Phal A. (1970): "Le vocabulaire général d'orientation scientifique, essai de définition et méthode d'enquête", en: Les langues de spécialité. Analyse linguistique et recherche pédagogique, Actes du stage de Saint-Cloud. Strasbourg: Aidela, 94-115.

Picht, H. / Draskau, J. (1985): *Terminology: an introduction.* Surrey: The University of Surrey.

Picoche, J. / Rolland, J. C. (2002): *Dictionnaire du français usuel.* Bruxelles: De Boeck/Duculot.

Piera, C. / Varela, S. (1999): "Relaciones entre morfología y sintaxis", en: Bosque, I. / Demonte, V. (dir.): *Gramática Descriptiva de la Lengua Española.* Madrid: Espasa Calpe, 4367-4422.

Piñol, M. C. (2001): "La enseñanza presencial del ELE en la era de Internet. ¿Tendrá límites el aula del siglo XXI?", en: *Mosaico* 7, 10-17.

Piñol, M. C. (1999), "La red hispanohablante. La Internet y la enseñanza del español como lengua extranjera", en: *Espéculo* 13, revista en Internet: http://www.ucm.es/info/especulo/numero13/int_hisp.html (enero de 2002).

Powers, S. (2001): "Children's semi-lexical heads", en: Corver, N. / van Riemsdijk, H. (eds.): *Semi-lexical Categories. The Function of Content Words and the Content of Function Words.* Berlin/New York: Mouton de Gruyter, 97-126.

Puren, Ch. (1994): *La didactique des langues étrangères à la croisée des méthodes. Essai sur l'eclectisme.* Paris: Didier.

Puren, Ch. (1988): *Histoire des méthodologies de l'enseignement des langues.* Paris: CLE International.

Rayson, P. / Berridge D. / Francis B. (2004): "Extending the Cochran rule for the comparison between corpora", en: Purnelle, G. *et al.* (eds.): *Le poids des mots.* Louvain-la-Neuve/ Presses universitaires de Louvain, 926-936.

Rayson, P. / Garside, R. (2000): "*Comparing corpora using frequency profiling*", en: *Proceedings of the workshop on Comparing Corpora, held in conjunction with the 38 annual meeting of the Association for*

Computational Linguistics (ACL 2000), 1-8 October 2000, Hong Kong, 1-6, en línea: http://www.comp.lancs.ac.uk/computing/users/paul/publications/rg_acl2 000.pdf (julio de 2002).

Real Academia Española: *Diccionario de la Lengua Española*, en línea: http://www.rae.es (2004).

Real Academia Española (1999): *Ortografía de la Lengua Española*. Madrid: Espasa Calpe.

Real Academia Española (1982): *Esbozo de una nueva gramática de la lengua española*. Madrid: Espasa Calpe.

Reed, S. K. (1988): *Cognition Theory and Applications*. Pacific Grove California: Brooks/Cole.

Richards, J. C. / Rodgers, Th. S. (1986): *Approaches and Methods in Language Teaching*. Cambridge, Cambridge University Press.

Richards, I. A. (1943): *Basic English and its uses*. New York, W.W. Norton & Co.

Riggs, F. (1993): "Social science terminology: basic problems and proposed solutions", en: Sonneveld, H. B. / Koenig, K. L. (eds.): *Terminology*, Amsterdam/Philadelphia, John Benjamins Publishing Company, 195-222.

Robinson, P.C. (1991): *ESP today: a practitioner's guide*. London: Prentice Hall.

Roldán Riejos, A.-M. (1998): "Applications of Cognitive Theory to Interdisciplinary Work in Languages for Specific Purposes", en: *Ibérica Revista de la Asociación Española de Lenguas para Fines Específicos* 1, 29-38.

Rondeau, G. (1983): *Introduction à la terminologie*. Québec: Gaëtan Morin.

Rosch, E. (1978): "Principles of categorization", en: Rosch, E. y Lloyd, B. (eds.): *Cognition and categorization*. Hillsdale: Lawrence Erlbaum, 27-48.

Rosengren, I. (1971): "The quantitative concept of language and its relation to the structure of frequency dictionaries", en: *Études de Linguistique Appliquée* 1, 103-127.

Ruiz Gurillo, L. (1997): *Aspectos de fraseología teórica española*. Valencia: Universitat de València.

Sager, J. C. (1997): "Term Formation", en: Wright, S. E. / Budin, G. (eds.): *Handbook of Terminology Management, Vol. I: Basic Aspects of Terminology Management*. Amsterdam/Philadelphia: John Benjamins Publishing Company, 25-41.

Sager, J. C. (1990): *A practical course in terminology processing*.

Amsterdam/Philadelphia: John Benjamins Publishing Company.

Sager, J. C. *et al.* (1980): *English Special Languages: principles and practice in science and technology*. Wiesbaden: Oscar Brandstetter Verlag.

Sánchez Lobato, J. / Aguirre, B. (1992): *Léxico fundamental del español*. Madrid: SGEL.

Sánchez, A. (dir.) (2001): *Gran diccionario de uso del español actual*. Madrid: SGEL.

Sánchez Pérez, A. (1992): *Historia de la enseñanza del español como lengua extranjera*. Madrid: SGEL.

Schmidt, R. (1990): "The role of consciousness in second language learning", en: *Applied Linguistics* 11, 17-46.

Schmitt, N. / Celce-Murcia, M. (2002): "An overview of Applied Linguistics" , en: Schmitt, N. (ed.): *An introduction to Applied Linguistics*. Arnold: London, 1-16.

Schmitt, N. (2000): *Vocabulary and Language Teaching*. Cambridge: Cambridge University Press.

Schmitt, N. (1997): "Vocabulary learning strategies", en Schmitt, N. / McCarthy, M. (eds.): *Vocabulary. Description, Acquisition and Pedagogy*. Cambridge: Cambridge University Press, 199-227.

Schmitt, N. / McCarthy, M. (eds.) (1997): *Vocabulary. Description, Acquisition and Pedagogy*. Cambridge: Cambridge University Press.

Schouten-Van Parreren, C. (1985): *Woorden leren in het vreemde-talen onderwijs*. Apeldoorn: Van Walraven.

Sciarone, A.G. (1979): *Woordjes leren in het vreemde talenonderwijs*. Muiderberg: Coutinho.

Sinclair, J. (1991): *Corpus Concordance Collocation*. Oxford: Oxford University Press.

Singleton, D. (2001): "Age and second language acquisition", en: *Annual Review of Applied Linguistics* 21, 77-89.

Singleton, D. (2000): *Language and the lexicon. An introduction*. London: Arnold.

Singleton, D. (1999): *Exploring the second language lexicon*. Cambridge: Cambridge University Press.

Sitman, R. (1998): "Divagaciones de una internauta. Algunas reflexiones sobre el uso y abuso de la Internet en la enseñanza del E/LE", en: *Espéculo* 10, revista en Internet: http://www.ucm.es/info/especulo/numero10/sitman.html (enero de 2002).

Skehan, P. (1998): *A cognitive approach to language learning*. Oxford: Oxford University Press.

Smadja, F. (1993): "Retrieving collocations from text: Xtract", en: *Computational linguistics* 19, 1, 143-177.

Smadja, F. (1991): "Macrocoding the lexicon with co-occurrence knowledge", en: Zernik, U. (ed.): *Lexical acquisition: exploiting on-line resources to build a lexicon.* Hillsdale/New Jersey/Hove/London: Lawrence Erlbaum Associates, 165-189.

Smith, G. (1995): "How high can a dead cat bounce?: Metaphor and the Hong Kong Stock Market", en: *Hong Kong Papers in Linguistics and Language Teaching* 18, 43-57.

Sökmen, A. J. (1997): "Current trends in teaching second language vocabulary", en: Schmitt, N. / McCarthy, M. (eds.): *Vocabulary. Description, Acquisition and Pedagogy.* Cambridge: Cambridge University Press, 237-257.

Sparks, R. / Ganschow, L. (2001): "Aptitude for learning a foreign language", en: *Annual Review of Applied Linguistics* 21, 90-111.

Stubbs, M. (2001): *Words and phrases. Corpus studies of lexical semantics.* Oxford/Massachusetts: Blackwell Publishers.

Suárez García, J. (1996): "*Review: J. R. Alameda and F. Cuetos,* Diccionario de frecuencias de las unidades lingüísticas del castellano. *Universidad de Oviedo. 1995*", publicación en Internet: http://www.swan.ac.uk/cals/calsres/vlibrary/jsg99a.htm (julio de 2002).

Suau Jiménez, F. (2000): "El género y el registro en la traducción del discurso profesional: un enfoque funcional aplicable a cualquier lengua de especialidad". Universitat de València, publicación en Internet: http://www.ub.es/filhis/culturele/tinasuau.html (enero de 2002).

Sutarsyah, C. / Nation, P. / Kennedy, G. (1994): "How useful is EAP vocabulary for ESP? A corpus-based study", en: *RELC Journal* 25, 2, 34-50.

Swales, J. M. (2000): "Languages for specific purposes", en: *Annual Review of Applied Linguistics* 20, 59-76.

Swales, J. M. (1988): *Episodes in ESP.* Hemel Hempstead: Prentice Hall International.

Swales, J. (1985): "English as the International Language of Research", en: *The* RELC Journal 16, 1-7.

Swan, M. (1997): "The influence of the mother tongue on second language vocabulary acquisition and use", en: Schmitt, N. / McCarthy, M. (eds.): *Vocabulary. Description, Acquisition and Pedagogy.* Cambridge: Cambridge University Press, 156-180.

Temmerman, M. (1994): *Definities in schooltaal.* Tesis doctoral. Antwerpen: Universitaire Instelling Antwerpen.

Temmerman, R. (2001): "Sociocognitive Terminology Theory", en Cabré, M. T. / Feliu, J. (eds.): *Terminologia y cognición*. Barcelona: IULA, 75-92.

Temmerman, R. (2000): *Towards new ways of terminology description. The sociocognitive approach*. Amsterdam/Philadelphia: John Benjamins Publishing Company.

Tercedor Sánchez, M. (1999): "La fraseología en el lenguaje biomédico: análisis desde las necesidades del traductor", en: *Estudios de Lingüística Española* 6, publicación en Internet: http://elies.rediris.es/ (julio de 2002).

Thomas, P. (1993): "Choosing headwords from language-for-special-purposes (LSP) collocations for entry into a terminology data bank (term bank)", en: Sonneveld, H.B. / Loenig, K. (eds.): *Terminology. Applications in interdisciplinary communication*. Amsterdam/Philadelphia: John Benjamins Publishing Company, 43-68.

Toft, B. (1998): "Terminologi og leksikografi: nye synsvinkler p°a fagene", en: *LexicoNordica* 5, 91-105.

Trimble, L. (1989): *English for science and technology. A discourse approach*. Cambridge: Cambridge University Press.

Tristá Pérez, A. M. (1998): "La fraseología y la fraseografía", en: Wotjak, G. (ed.): *Estudios de fraseología y fraseografía del español actual*. Madrid: Iberoamericana, 297-306.

Trocmé-Fabre, H. (1988): "Pédagogie et fonctionnement cérébral", en: *Études de linguistique appliquée* 72, 95-113.

Van Els, Th. *et al.* (1987): *Applied Linguistics and the Learning and Teaching of Foreign Languages*. London: Edward Arnold.

Vangehuchten, L. (2000): "En busca de un enfoque apropiado del español económico: lexicología o terminología", en: Bordoy, M. / Van Hooft, A. / Sequeros, A. (eds.): *Español para Fines Específicos: Actas del I CIEFE*. Amsterdam: Consejería de Educación y Ciencia, 92-97.

Vangehuchten, L. (2004): "El uso de la estadística en la didáctica de las lenguas extranjeras con fines específicos: descripción del proceso de selección del léxico típico del discurso económico empresarial en español", en: Purnelle, G. *et al.* (eds.): *Le poids des mots*. Louvain-la-Neuve/ Presses universitaires de Louvain, 1128-1135.

Verhallen, M. / Verhallen, S. (1994): *Woorden leren, woorden onderwijzen*. Hoevelaken: Christelijk Pedagogisch Studiecentrum.

Verlinde, S. (1993): "L'enseignement de la vie professionnelle à partir d'un corpus de textes journalistiques", en: *Review of Applied Linguistics* 99-100, 1-30.

Ward, J. (1999): "How large a vocabulary do EAP engineering students need?", en: *Reading in a foreign language* 12 (2), 309-323.

Warschauer, M. / Healey, D. (1998): "Computers and Language Learning: An overview", en: *Language Teaching* 31, 57-71.

West, M. (1953): *A general service list of English words*. London: Longmans Green.

Wolters, G. / Murre, J. (2001): "Het geheugen: veranderingen in het brein door ervaring", en: Wijnen, F. / Verstraten, F. (eds.): *Het brein te kijk: verkenning van de cognitieve neurowetenschappen*. Lisse: Swets & Zeitlinger, 127-154.

Wright, S. E. (1997): "Term selection: the initial phase of terminology management", en: Wright, S. E. / Budin, G. (eds.): *Handbook of Terminology Management*, vol. I. Amsterdam/Philadelphia: John Benjamins Publishing Company, 13-23.

Wüster, E. (1970): *Die internationale Sprachnormung in der Technik, besonders in der Elektronik: die nationale Sprachnormung und ihre Verallgemeinung*. Bonn: Bouvier, 3ª ed.

2. MANUALES, LÉXICOS Y DICCIONARIOS DE ELE CITADOS

1000 palabras de negocios (1994), D. Horner / I. Azaola-Blamont. Barcelona: Difusión.

36 actividades para mejorar el español de los negocios (1998), M. de Prada Segovia *et al*. Navarra: Eunsa.

Abanico (1997), M. Chamorro Guerrero. Barcelona: Difusión.

Albarán. Español para la empresa (1997), C. Matellanes Marcos. Navarra: Eunsa.

Antena (1988), A. Sánchez *et al*. Madrid: SGEL.

Avance (1995), C. Moreno *et al*. Madrid: SGEL.

Caminos (1997), M. Görissen *et al*. Antwerpen: Intertaal.

Correspondencia comercial en español (1990), J. Gómez de Enterría. Madrid: SGEL.

Cuestión de negocios (1993), L. García Vitoria. Paris: Ophrys.

Cuestiones económicas y sociales en la prensa (1994), M. Albou *et al*. Paris: Dunod.

Cumbre (1995), A. Sánchez *et al*. Madrid: SGEL.

Diccionario comercial inglés-español español-inglés (1940), A. Frías Sucre Giraud. Barcelona: Juventud.

Diccionario de economía y comercio. Francés-Español/Español-Francés (1987), P. Y. Garnot. Madrid: Paraninfo.

Diccionario de términos usados en informes financieros. Español-Inglés/Inglés-Español (1983), P. J. Donaghy / J. Laidler. Bilbao : Ed. Deusto.

Dictionnaire économique, commercial & financier. EspagnolFrançais /Français-Espagnol (1988), J. Chapron y P. Gerboin. Paris: Presses Pocket.

Dictionnaire de l'espagnol des affaires (1988), G. de la Rocque y Y. Bernard. Paris: Librairie Générale Française.

El español de los negocios (1989), A. M. Martín *et al.* Madrid: SGEL.

El español por profesiones: Secretariado (1992), B. Aguirre y J. Gómez de Enterría. Madrid: SGEL.

ELE (1992), V. Borobio. Madrid: SM.

El mundo de los negocios. Léxico inglés-español, español-inglés (1977), I. De Renty. Madrid: SGEL.

En este país. El espãnol de las ciencias sociales (1999), F. San Vicente. Bologna: Clueb.

En equipo.es (2001), O. Juan *et al.* Madrid: Edinumen.

Español 2000 (1981), N. García Fernández / J. Sánchez Lobato. Madrid: SGEL.

Español de negocios (vídeo y/o cd-rom) (1996), Instituto Cervantes – Universidad de Barcelona. Barcelona: Difusión.

Español en Directo (1974), A. Sánchez *et al.* Madrid: SGEL.

Español para el comercio internacional (1998), A. Felices Lago / C. Ruiz López. Madrid: Edinumen.

Español sin fronteras (2000), J. Sánchez *et al.* Madrid: SGEL.

Exposiciones de negocios en español (2002), A. M. Brenes García. Madrid: Arco/Libros.

Gente (1997), E. Martín Peris *et al.* Barcelona: Difusión.

Hablando de negocios (1992), M. de Prada y M. Bovet. Madrid: Edelsa.

Hablemos de negocios (1992), M.L. Sabater *et al.* Madrid: Alhambra Longman.

Informes y proyectos del mundo empresarial (2002), M. Franciulli y C. Vega Carney. Madrid: Arco/Libros.

La comunicación escrita en la empresa (2002), J. Gómez de Enterría y Sánchez, Madrid: Arco/Libros.

La comunicación informal en los negocios (2002), A. M. Brenes García y W. Lauterborn. Madrid: Arco/Libros.

L'espagnol économique et commercial (1981), J. Chapron y P. Gerboin. Paris:

Pocket.

Le mot pour dire (1991), J. P.Vidal. Paris: Bordas.

Leer con tino (1998), M. Denyer *et al.* Bruxelles: Duculot.

Lexique de termes économiques et commerciaux (1984), S. Blavier-Paquot. Louvain-la-Neuve: Cabay.

Marca registrada (1995), M. Fajardo y S. González. Madrid: Santillana.

Proyecto DILE (en desarrollo, enero de 2002), http://cvc.cervantes.es/obref/formacion_virtual/formacion_continua/gay o.htm

Proyecto en... Español Comercial (1997), A. Centellas. Madrid: Edinumen.

Rápido (1994), L. Miquel y N. Sans. Barcelona: Difusión.

Routledge Spanish Dictionary of Business, Commerce and Finance. Spanish-English/English-Spanish (1998), London/New York: Routledge.

Satzlexikon der Handelskorrespondenz (1973), E. Weis *et al.* Wiesbaden: Oscar Brandstetter Verlag.

Socios/Colegas (1999), M. González *et al.* Barcelona: Difusión.

Spanish at work. (1989), T. Connell / J. Kattán-Ibarra. Cheltenham: Stanley Thorns.

Spanischer Grundwortschatz Wirtschaft (1984), A. Schick-Wagner. München: Hueber.

Sueña (Libro del alumno, nivel inicial) (2000), M. A. Álvarez Martínez *et al.* Madrid: Anaya.

Terminologie de l'économie. Terminología económica (1992), B. Foucault. Louvain-la-Neuve: De Boeck.

Thematische woordenschat Spaans (1995), H. De Vries y F. G. Egas Repáraz. Amsterdam/Antwerpen: Intertaal.

Thematische woordenschat Spaans voor handel en economie (1997), H. De Vries y F. G. Egas Repáraz Amsterdam/Antwerpen: Intertaal.

Trato hecho. Español de los negocios. Nivel elemental (2001), B. Aguirre *et al.* Madrid: SGEL.

Ven (1990), F. Castro Viudez *et al.* Madrid: Edelsa.

Vocabulaire de base espagnol-français (1991), H. Labarde y F. Pau. Paris: Hachette.

Vocabulario básico del español (1993), K. Buyse y N. Delbecque. Leuven: Wolters.

ÍNDICE

Avisos preliminares:

1. *En los anexos D, E, F, G, H, I, J y K las unidades léxicas están ordenadas según su frecuencia absoluta o corregida decreciente. En los anexos D, E, F, G, H, I, J y K bis se encuentran clasificadas por orden alfabético.*
2. *En los anexos D, E, F y D, E, F bis figura el léxico técnico y subtécnico según la aproximación didáctica (cfr. capítulo IV de la Parte A). Dado que la identificación de este léxico está basada en un criterio meramente intuitivo, su contenido no corresponde al de los anexos G, H, I, J, K y G, H, I, J, K bis, que contienen el léxico del corpus identificado según la aproximación lingüística (cfr. Capítulo V de la Parte A). Esto se manifiesta no sólo en la diferencia en cuanto al número total de unidades léxicas por categoría, sino también en la frecuencia individual de algunas unidades léxicas así como en el reconocimiento de algunas formas polisémicas/homónimas.*

Anexo A: 1-6
Índice del corpus modélico.

Anexo B: 7-12
Textos y ejercicios del experimento descrito en Vangehuchten 2000, respecto de la comprensión del léxico de un texto económico de doctrina y otro de prensa, y respecto de la comprensión de estos textos en su totalidad.

Anexo C: 13-18
Identificación de las formas polisémicas/homónimas en el corpus modélico después de haber identificado el léxico según la aproximación lingüística (véase el capítulo V de la Parte A): 279 UL.

Anexo D: 19-34
El léxico técnico y subtécnico en el corpus modélico según la aproximación didáctica (cfr. Capítulo IV de la Parte A).
D.1. : Léxico técnico: 765 UL.
D.2. : Léxico subtécnico según el criterio didáctico, acepción *a*: 680 UL.

Anexo E: 35-44
Resultados del análisis del léxico técnico según el criterio didáctico: 511 UL que son universales, cognadas o falsas cognadas con el neerlandés y/o el francés (cfr. Capítulo IV, apartado 1 de la Parte A).

Anexo F: 45-58
Resultados del análisis del léxico subtécnico según la acepción didáctica *a* (cfr. Capítulo IV, apartado 2 de la Parte A):
F.1. Las metáforas: 252 UL.
F.2. Las UL subtécnicas de especialización y metonímicas: 370 UL.
F.3. Las homonimias: 58 UL.

Anexo G: 59-118
Las categorías léxicas según la aproximación lingüística (véase el capítulo I de la Parte B).
G.1. El léxico funcional: 250 UL.
G.2. Los términos económicos: 1.408 UL.
G.3. Los términos auxiliares: 265 UL.
G.4. El léxico general: 3.010 UL.

Anexo H: 119-138
Los términos con mención de la frecuencia corregida y de la frecuencia absoluta (véase el capítulo III de la Parte B).
H.1. Términos económicos: 904 UL (no figuran los *hapax legomena*).
H.2. Términos auxiliares: 163 UL (no figuran los *hapax legomena*).

Anexo I: 139-146
Las relaciones de sinonimia y antonimia entre los términos del corpus (véase el capítulo V de la Parte B).

J.4. El léxico subeconómico de Econ: 255 UL.

J.5. El léxico general básico de Econ: 756 UL.

J.6. El léxico típico de Cumbre y básico en Econ: 91 UL.

Anexo K bis: 319-338
Léxico no seleccionado: 2.519 UL (véase el capítulo VII de la Parte B).

K.1. De los términos económicos: 603 UL.

K.2. De los términos auxiliares: 115 UL.

K.3. De las UL generales: 1.395 UL.

K.4. De las UL típicas de Cumbre: 159 UL.

K.5. De las UL ausentes en Cumbre: 18 UL.

K.6. De las UL polisémicas/homónimas: 139 UL.

K.7. De las UL compuestas: 88 UL.

K.8. De las UL abreviadas y plurales: 2 UL.

Anexo A: Índice del corpus: *Introducción a la Administración de Empresas*, E. Pérez Gorostegui, Madrid, Ed. Centro de Estudios Ramón Areces, 1997

Anexo B: Textos y ejercicios del experimento descrito en Vangehuchten 2000, respecto de la comprensión del léxico de un texto económico de doctrina y otro de prensa, y respecto de la comprensión de estos textos en su totalidad.

I. Doctrina
Nombre y apellido: ....
Facultad y año: ....

1. **Lee este texto y dale un título que sea la síntesis de su contenido, o sea que contenga el mensaje principal.**

....

El Banco de España es un organismo autónomo, con personalidad jurídica propia, siendo su capital propiedad del Estado.

El Banco de España es el asesor del gobierno en materias monetarias y crediticias. A través del Ministerio de Economía y Hacienda señala las directrices que han de seguirse en cada etapa, orientando en definitiva, la política monetaria y crediticia. El Banco de España inspecciona y controla todas las instituciones financieras y, en especial, las operaciones crediticias. Junto a estas operaciones de asesoramiento e inspección realiza otras funciones de naturaleza típicamente bancaria.

Las funciones del Banco de España

Las funciones estrictamente bancarias que desempeña el Banco de España pueden agruparse en cinco bloques:

1. Administrador y custodiador de las reservas de oro y divisas.
2. Banco del Estado.
3. Responsable de la política monetaria.
4. Banco de bancos.
5. Suministrador de dinero legal.

Administrador y custodiador de las reservas de oro y divisas

El Banco de España custodia y administra las reservas oficiales exteriores del país, es decir, centraliza las reservas exteriores de oro y monedas extranjeras (divisas) acumuladas. Los demás bancos, así como los particulares y empresas suelen vender la mayor parte de las tenencias de divisas al Banco de España. Debe señalarse que, siendo las divisas una deuda de las instituciones bancarias extranjeras, esta partida equivale a un crédito concedido por el Banco de España al país extranjero.

El concepto de divisa es más amplio que el de billete de banco extranjero ya que, por ejemplo, un efecto a cobrar en Francia o un depósito en libras en un banco británico también son divisas.

Banco del Estado

El Banco de España es el "banco del Estado" y para él realiza operaciones de cobro y pago. Asimismo, si se produce un déficit en el sector público, el Banco de España puede suministrarle efectivo para atender sus necesidades. La partida *cuentas corrientes del Tesoro* del Esquema 1 recoge el crédito sin interés otorgado al Tesoro cuando éste tiene un exceso de gastos sobre ingresos.

Responsable de la política monetaria

El Banco de España es responsable de controlar la cantidad de dinero y, para ello, regula el comportamiento de los bancos comerciales. Por otra parte, puede actuar comprando y vendiendo *títulos públicos* en el mercado con la finalidad de regular el mercado monetario.

Banco de bancos

El Banco de España actúa como banco de bancos y financia marginalmente a la Banca, es decir, que los bancos acuden a él cuando están necesitados de efectivo, lo que les permite ajustar sus reservas al mínimo exigido y ampliar al máximo sus activos rentables. La partida *créditos al sistema bancario* es, como se verá más adelante, la más importante desde el punto de vista de la política monetaria. La partida de *redescuento* consiste en la concesión de crédito a los bancos con la garantía de los efectos que ellos han descontado a los particulares. El Banco de España también actúa como prestamista, en última instancia, ante los bancos en dificultades.

Dentro de su cometido como banco de bancos, el Banco de España supervisa el sistema bancario, controla las prácticas crediticias y la posesión de reservas y fija los requisitos de reservas de todos los bancos.

Suministrador de dinero legal

Con relación a las operaciones de pasivo, el Banco de España *emite el dinero legal o efectivo*, es decir, que es el suministrador de billetes y monedas a la economía.

Asimismo, es el cajero del sistema bancario, esto es, los bancos mantienen depósitos en el Banco de España, lo que facilita a estas entidades la realización de pagos entre ellos y relacionarse con el gobierno y con los gobiernos y bancos extranjeros. Estos depósitos son parte de sus reservas y les permite disponer de efectivo cuando se les agota.

Balance del Banco de España: (Esquema 1)

Activo	Pasivo
Reservas exteriores de oro y divisas **Crédito neto al sector público** - créditos - títulos públicos - cuentas corrientes del tesoro **Crédito al sistema bancario** - préstamos de regulación monetaria - redescuento Otras cuentas de activo	**Efectivo** - en manos del público - en poder de los bancos* **Depósitos de los bancos comerciales** **Depósitos del Tesoro** Otras cuentas de pasivo <hr> *El efectivo en los bancos más los depósitos de los bancos comerciales en el Banco de España constituyen los activos de caja del sistema bancario

2. **Vuelve a leer el texto y subraya las palabras que no entiendas**
3. **Traduce las palabras subrayadas al neerlandés**

1. El Banco de España es <u>el asesor</u> del gobierno en materias monetarias y crediticias.
2. A través del Ministerio de Economía y Hacienda señala <u>las directrices</u> que han de seguirse en cada etapa, orientando en definitiva, la política monetaria y crediticia.
3. El Banco de España es el administrador y <u>custodiador</u> de las reservas de oro y divisas.
4. Siendo las divisas una deuda de las instituciones bancarias extranjeras, <u>esta partida</u> equivale a un crédito concedido por el Banco de España al país extranjero.
5. El concepto de divisa es más amplio que el de billete de banco extranjero ya que, por ejemplo, <u>un efecto</u> a cobrar en Francia o un depósito en libras en un banco británico también son divisas.
6. El Banco de España es el "banco del Estado" y para él realiza <u>operaciones de cobro y pago</u>.
7. <u>Asimismo</u>, si se produce un déficit en el sector público, el Banco de España puede <u>suministrarle</u> efectivo para <u>atender</u> sus necesidades.
8. La partida *cuentas corrientes del Tesoro* del Esquema 1 <u>recoge</u> el crédito sin interés <u>otorgado</u> al Tesoro cuando éste tiene un exceso de gastos sobre ingresos.
9. El Banco de España actúa como banco de bancos y financia marginalmente a <u>la Banca</u>, es decir, que los bancos acuden a él cuando están necesitados de efectivo, lo que les permite <u>ajustar</u> sus reservas al mínimo exigido y ampliar al máximo sus activos rentables.

10. La partida de *redescuento* consiste en la concesión de crédito a los bancos con la garantía de los efectos que ellos han <u>descontado</u> a los particulares.
11. El Banco de España también actúa como <u>prestamista</u>, en última instancia, ante los bancos en dificultades.
12. Dentro de su <u>cometido</u> como banco de bancos, el Banco de España supervisa el sistema bancario, controla las prácticas crediticias y la posesión de reservas y fija <u>los requisitos</u> de reservas de todos los bancos.
13. El Banco de España es <u>el cajero</u> del sistema bancario.
14. Los depósitos de los bancos en el Banco de España les permiten disponer de efectivo cuando se les <u>agota</u>.

4. ¿Verdadero o falso? Si te parece falso, corrige la frase.

1. Las divisas constituyen un crédito concedido por los países extranjeros a España.   V   F

2. La tarea del Banco de España se limita al asesoramiento y a la inspección.   V   F

3. Un depósito de propiedad española en francos belgas en un banco belga son divisas para España.   V   F

4. Para el Banco de España es muy importante que los bancos tengan un máximo de reservas posible.   V   F

5. En un redescuento, los efectos de los clientes privados constituyen la garantía para el Banco de España.   V   F

6. Todas las reservas de los bancos están en el Banco de España .   V   F

II. Prensa
Nombre y Apellido: ....
Facultad y Año: ....

1. Lee este texto y dale un título que sea la síntesis de su contenido, o sea un título que contenga el mensaje principal.

....

El subgobernador del Banco de España, Miguel Martín, volvió a pedir ayer a los gobiernos de las comunidades autónomas que se "autocontrolen" para que las cajas de ahorros no se conviertan en un terreno de "lucha" y no sean utilizadas como medios para ejecutar sus planes políticos.

Martín, que participó en una jornada sobre los retos de las cajas de ahorros, organizada por el Instituto de Fomento Empresarial con la colaboración de *La Gaceta de los Negocios* y el patrocinio de la Confederación Española de Cajas de Ahorros (CECA), pidió a las comunidades autónomas que mantengan "la independencia y autonomía" de las cajas y que "no modifiquen el pluralismo de sus órganos rectores", para que sigan siendo una "representación de los poderes". El responsable del organismo supervisor del sistema financiero solicitó también a los órganos de gobierno de estas entidades que se "autolimiten" para que no se vulnere su naturaleza jurídica (fundaciones de carácter privado), informe Efe.

Requirió, asimismo, que el autocontrol de los órganos de gobierno se practique "activamente" para que "no concentren un poder excesivo que vaya en contra de la sociedad a la que sirven".

El subgobernador defendió la necesidad de que los responsables de las cajas se controlen para que "no se separen del modelo" legal que las regula. En este sentido, Martín alabó las declaraciones del ministro de Economía en funciones, Rodrigo Rato, quien hace unas semanas zanjó durante la asamblea de la CECA el debate abierto en los últimos años sobre la naturaleza jurídica de las cajas, porque "es una magnífica intención de que se mantenga su estatuto". En esta línea se expresó el director general adjunto de la CECA, Manuel Lagares. Por ello, Martín habló de la necesidad de separar los órganos de gobierno de las cajas de los órganos gestores, por lo que incidió en el respeto de la "temporalidad del mandato de los órganos políticos de las cajas". El presidente de la CECA, Manuel Pizarro, defendió el papel de las cajas para "luchar contra la exclusión social" en el mundo, sobre todo ahora que se produce una diferenciación social en la sociedad de la información.

Por otra parte, Economía ha aprobado una orden que permitirá mejorar las condiciones para calcular el grado de solvencia de los bancos y sociedades de inversión (*El País*, 27 abril 2000, Madrid).

2. **Vuelve a leer el texto y subraya las palabras que no entiendas.**
3. **Busca en el texto un sinónimo de:**
1. El organismo supervisor del sistema financiero español: ....
2. Los órganos rectores: ....
3. Estas entidades: ....
4. **Traduce las palabras subrayadas al neerlandés.**
1. El subgobernador del Banco de España participó en una jornada sobre <u>los retos</u> de las Cajas de Ahorros.
2. La jornada fue organizada por <u>el Instituto de Fomento Empresarial</u> con la colaboración de *La Gaceta de los Negocios* y <u>el patrocinio</u> de la Confederación Española de Cajas de Ahorros (CECA).

3. Se solicitó también a las Cajas de Ahorros que se "autolimiten" para que no se <u>vulnere</u> su naturaleza jurídica (fundaciones de carácter privado).

4. Martín <u>requirió</u> que el autocontrol de los órganos de gobierno se practique activamente.

5. Martín <u>alabó</u> las declaraciones del <u>ministro de Economía en funciones</u>, Rodrigo Rato, quien hace unas semanas <u>zanjó</u> durante la asamblea de la CECA el debate abierto en los últimos años sobre la naturaleza jurídica de las cajas, porque "es una magnífica intención de que se mantenga su estatuto".

6. Martín <u>incidió</u> en el respeto de la "temporalidad del mandato de los órganos políticos de las cajas".

7. El presidente de la CECA, Manuel Pizarro, defendió el <u>papel</u> de las cajas para "luchar contra la exclusión social" en el mundo.

8. <u>Economía</u> ha aprobado <u>una orden</u> que permitirá mejorar las condiciones para calcular el grado de <u>solvencia</u> de los bancos y sociedades de inversión.

5. ¿Verdadero o falso? Si te parece falso, corrige la frase.

1. Según el Subgobernador del Banco de España las Comunidades Autónomas se sirven de las Cajas de Ahorros para realizar sus planes políticos.   V   F

2. El Subgobernador opina que es necesario que se cambie la identidad de los órganos de gobierno de las Cajas de Ahorros.   V   F

3. El patrocinio de la Confederación Española de las Cajas de Ahorros contribuyó a la jornada.   V   F

4. Si las Cajas de Ahorros se autolimitan, su naturaleza jurídica se vulnerará.   V   F

5. Las Cajas de Ahorros necesitan luchar contra la exclusión social en el mundo.   V   F

6. El Subgobernador del Banco de España no está de acuerdo con el ministro de Economía en funciones sobre la naturaleza jurídica de las Cajas de Ahorros.   V   F

7. El Subgobernador del Banco de España insiste en la importancia del caracter transitorio del mandato de los órganos políticos de las Cajas de Ahorros.   V   F

8. El gobierno está elaborando una propuesta para mejorar las condiciones para calcular el grado de solvencia de los bancos y sociedades de inversión.   V   F

Anexo C: Identificación de las formas polisémicas/homónimas en el corpus modélico

En esta lista se pueden consultar por orden alfabético las unidades léxicas polisémicas/homónimas identificadas según la aproximación lingüística (véase el capítulo V de la Parte A). Son 279 en total. En la segunda columna se menciona la frecuencia absoluta de cada unidad; en la tercera la categoría léxica a la que pertenece según el criterio de la terminología (véase el capítulo V de la Parte A); en la cuarta se menciona la categoría gramatical y en la quinta se proporcionan unas informaciones suplementarias sobre el contenido, si es que todavía hace falta.

3ª columna	4ª columna
T: término económico	S: sintagma nominal
TA: término auxiliar	A: sintagma adjetival
F: léxico funcional	B: sintagma adverbial
G: léxico general	V: sintagma verbal
NP: nombre propio	P: preposición
	C: conjunción

1.	acción[1]	96	t	s	valor
2.	acción[2]	26	g	s	significado general
3.	ahorro[1]	5	t	s	recorte (financiero)
4.	ahorro[2]	3	t	s	cantidad ahorrada
5.	amortización[1]	15	t	s	expresión contable de la distribución en el tiempo de las inversiones en inmovilizado
6.	amortización[2]	5	t	s	desembolso de un crédito
7.	amortizar[1]	11	t	v	realizar dicha expresión contable
8.	amortizar[2]	4	t	v	desembolsar un crédito
9.	amplitud[1]	2	t	s	número de líneas de productos (marketing)
10.	amplitud[2]	2	g	s	significado general
11.	aportación[1]	9	t	s	aportación de capital
12.	aportación[2]	4	g	s	significado general
13.	árbol[1]	1	g	s	significado general
14.	árbol[2]	4	t	s	árbol de decisión
15.	artículo[1]	10	t	s	bien, mercancía
16.	artículo[2]	2	g	s	publicación
17.	bajo[1]	32	f	p	
18.	bajo[2]	43	g	a	
19.	balance[1]	20	t	s	término contable
20.	balance[2]	2	g	s	significado general
21.	base[1]	2	t	s	término contable
22.	base[2]	15	g	s	significado general
23.	base[3]	1	g	s	base de datos
24.	bien[1]	70	t	s	
25.	bien[2]	43	g	b	
26.	cambio[1]	1	t	s	término bursátil

27.	cambio²	20	g	s	significado general
28.	capital¹	34	t	s	dinero, caudal
29.	capital²	3	t	s	factor de producción
30.	carga¹	3	t	s	gravamen, tributo
31.	carga²	2	g	s	acción de cargar
32.	carga³	1	g	s	cantidad de trabajo
33.	carga4	1	g	s	carga figurativa
34.	cargar¹	4	t	v	imponer (un gravamen, un interés) a
35.	cargar²	4	g	v	llevar, portar
36.	cartera¹	1	t	s	cartera de productos
37.	cartera²	1	t	s	cartera de clientes
38.	colaborador¹	2	g	s	
39.	colaborador²	1	g	a	
40.	colectivo¹	1	g	s	
41.	colectivo²	3	g	a	
42.	competencia¹	52	t	s	concurrencia
43.	competencia²	2	g	s	la capacidad
44.	competencia³	3	g	s	la autorización
45.	compromiso¹	3	g	s	acuerdo con consentimiento mutuo
46.	compromiso²	3	g	s	obligación
47.	compromiso³	1	g	s	toma de partido
48.	conjunto¹	83	g	s	
49.	conjunto²	12	g	a	
50.	consignar¹	2	g	v	adjudicar
51.	consignar²	1	g	v	estipular
52.	constante¹	9	g	s	
53.	constante²	74	g	a	
54.	continuar¹	17	g	v	
55.	continuar²	7	f	v	
56.	contratación¹	3	g	s	el hecho de contratar a alguien
57.	contratación²	3	ta	s	realización de un contrato
58.	corriente¹	4	g	s	
59.	corriente²	1	g	a	
60.	cuenta¹	1	t	s	término bancario
61.	cuenta²	4	g	s	significado general
62.	decisión¹	215	t	s	decisión empresarial
63.	decisión²	18	g	s	significado general
64.	derecho¹	23	ta	s	
65.	derecho²	1	g	a	
66.	desviación¹	3	ta	s	término estadístico
67.	desviación²	34	t	s	
68.	dirección¹	46	t	s	acción de dirigir
69.	dirección²	32	t	s	el conjunto de directivos
70.	dirección³	1	g	s	sentido
71.	directivo¹	11	g	a	
72.	directivo²	46	t	s	staff
73.	disposición¹	8	t	s	término de la distribución
74.	disposición²	5	g	s	significado general
75.	distribución¹	44	t	s	término de la distribución
76.	distribución²	24	ta	s	término estadístico
77.	distribución³	13	g	s	significado general
78.	distribución4	4	g	s	acción y efecto de colocar
79.	divergencia¹	4	ta	s	término estadístico
80.	divergencia²	2	g	s	significado general
81.	e¹	86	f	c	conjunción coordinativa
82.	e²	50	np		símbolo en una formula

83.	economía[1]	7	t	s	sistema
84.	economía[2]	3	t	s	parsimonia
85.	economía[3]	2	t	s	ciencia
86.	efecto[1]	3	t	s	documento de crédito
87.	efecto[2]	39	g	s	significado general
88.	eje[1]	1	ta	s	término geométrico
89.	eje[2]	1	g	s	cosa esencial
90.	ejercicio[1]	3	t	s	término contable
91.	ejercicio[2]	2	g	s	significado general
92.	ejercicio[3]	4	g	s	el hecho de ejercer
93.	emisión[1]	17	t	s	puesta en circulación de valores
94.	emisión[2]	4	g	s	transmisión por ondas hertzianas
95.	encargar[1]	1	g	v	pedir
96.	encargar[2]	7	g	v	ordenar
97.	encargar[3]	4	g	v	encargarse de
98.	equipo[1]	65	t	s	maquinaria
99.	equipo[2]	9	g	s	conjunto de personas
100.	estado[1]	4	g	s	unidad política superior
101.	estado[2]	38	g	s	situación
102.	experto[1]	7	g	s	
103.	experto[2]	2	g	a	
104.	extender[1]	9	g	v	ampliar
105.	extender[2]	1	g	v	emitir, librar
106.	exterior[1]	9	g	s	
107.	exterior[2]	3	g	a	
108.	extranjero[1]	1	g	s	
109.	extranjero[2]	1	g	a	
110.	extremo[1]	7	g	s	
111.	extremo[2]	4	g	a	
112.	fabricante[1]	29	t	s	
113.	fabricante[2]	15	t	a	
114.	firma[1]	1	t	s	empresa
115.	firma[2]	1	g	s	acción y resultado de firmar
116.	flujo[1]	31	t	s	término contable
117.	flujo[2]	1	g	s	significado general
118.	fuente[1]	12	t	s	financiación
119.	fuente[2]	17	g	s	significado general
120.	función[1]	67	g	s	significado general
121.	función[2]	31	ta	s	término matemático
122.	futuro[1]	20	g	s	
123.	futuro[2]	15	g	a	
124.	ganancia[1]	5	t	s	beneficio
125.	ganancia[2]	2	g	s	significado general
126.	ganar[1]	12	g	v	conseguir dinero
127.	ganar[2]	15	g	v	conseguir una cosa
128.	gráfico[1]	6	ta	s	
129.	gráfico[2]	5	ta	a	
130.	importar[1]	1	t	v	exportar de un país a otro
131.	importar[2]	18	g	v	ascender a
132.	importar[3]	5	g	v	tener importancia
133.	industrial[1]	3	t	s	
134.	industrial[2]	13	t	a	
135.	inferior[1]	70	g	a	
136.	inferior[2]	3	g	s	
137.	inmovilizado[1]	13	t	s	activo fijo
138.	inmovilizado[2]	3	t	a	fijo

139. interés[1]	71	t	s	renta
140. interés[2]	26	g	s	valor de una cosa para alguien
141. interior[1]	8	g	s	
142. interior[2]	2	g	a	
143. intersección[1]	5	ta	s	término geométrico
144. intersección[2]	1	g	s	significado general
145. invertir[1]	33	t	v	aportar dinero
146. invertir[2]	1	g	v	significado general
147. ir[1]	11	g	v	
148. ir[2]	69	f	v	
149. liderazgo[1]	28	t	s	gestión
150. liderazgo[2]	2	g	s	el hecho de ser el primero en un ranking
151. línea[1]	9	t	s	término de la producción
152. línea[2]	8	g	s	significado general
153. línea[3]	2	t	s	término de la gestión
154. líquido[1]	2	t	a	término financiero: disponible
155. líquido[2]	1	g	a	
156. llegar[1]	60	g	v	
157. llegar[2]	18	f	v	
158. llevar[1]	2	g	v	
159. llevar[2]	2	f	v	
160. local[1]	4	g	s	
161. local[2]	5	g	a	
162. longitud[1]	2	t	s	número total de productos de la empresa
163. longitud[2]	1	g	s	significado general
164. marcar[1]	2	t	v	ponerle una marca a un producto
165. marcar[2]	1	g	v	indicar
166. material[1]	38	g	s	
167. material[2]	9	g	a	
168. matricial[1]	6	t	a	principal, en oposición con filial
169. matricial[2]	1	ta	a	término matemático
170. matriz[1]	1	t	s	empresa principal
171. matriz[2]	12	ta	s	término matemático
172. máximo[1]	15	g	s	
173. máximo[2]	31	g	a	
174. medio[1]	24	g	s	instrumento
175. medio[2]	118	g	a	del centro
176. medio[3]	5	g	s	la mitad
177. medio4	3	g	s	medio de comunicación
178. medios5	9	t	s	recursos financieros
179. mercado[1]	191	t	s	mercado de bienes
180. mercado[2]	14	t	s	mercado de valores
181. mínimo[1]	10	g	s	
182. mínimo[2]	29	g	a	
183. muestra[1]	2	g	s	un ejemplo
184. muestra[2]	32	t	s	término de marketing (estadística)
185. nominal[1]	4	t	s	importe sobre el que gira el porcentaje de interés
186. nominal[2]	4	t	a	antónimo: real, efectivo
187. objetivo[1]	170	g	s	
188. objetivo[2]	4	g	a	
189. obligación[1]	22	t	s	valor
190. obligación[2]	3	g	s	significado general
191. óptimo[1]	16	t	s	el valor del precio para el cual el ingreso marginal y el coste marginal coinciden
192. óptimo[2]	68	g	a	
193. orden[1]	13	g	s	mandato

194. orden^2	13	g	s	antónimo: desorden
195. organización^1	45	t	s	empresa
196. organización^2	49	t	s	manera de organizar la empresa
197. paciente^1	2	g	s	
198. paciente^2	1	g	a	
199. palanca^1	13	np		nombre ficticio de una empresa
200. palanca^2	2	g	s	significado general
201. participación^1	8	g	s	significado general
202. participación^2	4	t	s	valor
203. particular^1	3	g	s	
204. particular^2	10	g	a	
205. partida^1	4	t	s	término contable
206. partida^2	6	g	s	inicio
207. partida^3	4	g	s	lote
208. personal^1	20	t	s	
209. personal^2	15	g	a	
210. planta^1	7	t	s	edificio dedicado a fines industriales
211. planta^2	1	g	s	organismo vivo con raíz
212. poder^1	11	g	s	
213. poder^2	764	f	v	
214. potencial^1	4	g	s	
215. potencial^2	19	g	a	
216. precedente^1	2	g	s	
217. precedente^2	3	g	a	
218. preciso^1	65	g	a	necesario
219. preciso^2	1	g	a	riguroso y exacto
220. prestar^1	3	t	v	conceder un préstamo
221. prestar^2	6	g	v	conceder en general
222. principal^1	12	t	s	suma o importe principal
223. principal^2	105	g	a	
224. principal^3	8	t	s	en una relación de agencia el agente está al servicio del principal
225. principio^1	30	g	s	idea fundamental
226. principio^2	4	g	s	inicio
227. producir^1	36	t	v	fabricar
228. producir^2	70	g	v	dar como resultado
229. productivo^1	10	t	a	de la producción
230. productivo^2	1	t	a	que produce mucho
231. producto^1	491	t	s	resultado de la producción
232. producto^2	11	ta	s	término matemático
233. productor^1	13	t	s	fabricante
234. productor^2	1	t	a	que produce
235. promoción^1	47	t	s	publicidad
236. promoción^2	6	t	s	subida de salario o rango
237. recogida^1	1	g	s	cosecha
238. recogida^2	6	g	s	el hecho de reunir o recoger por ejemplo información
239. regular^1	3	g	v	
240. regular^2	4	g	a	
241. reponer^1	1	g	v	volver a poner
242. reponer^2	1	g	v	reparar
243. resolución^1	4	ta	s	representación gráfica
244. resolución^2	6	g	s	solución
245. resolución^3	1	g	s	decisión
246. restar^1	3	g	v	significado general
247. restar^2	1	ta	v	término matemático
248. retirar^1	1	g	v	retirarse o jubilarse

249. retirar²	2	g	s	quitar
250. seguir¹	78	g	v	
251. seguir²	8	f	v	
252. seguro¹	5	t	s	contrato de seguro
253. seguro²	7	g	a	
254. sociedad¹	3	t	s	empresa
255. sociedad²	6	ta	s	el conjunto de los seres humanos
256. superior¹	103	g	a	
257. superior²	15	g	s	
258. técnico¹	1	g	s	
259. técnico²	39	g	a	
260. tener¹	524	g	v	
261. tener²	60	f	v	
262. tipificación¹	3	t	s	término de la producción
263. tipificación²	1	ta	s	término estadístico
264. total¹	42	g	s	
265. total²	116	g	a	
266. tratar¹	69	g	v	
267. tratar²	85	f	v	
268. útil¹	1	g	s	herramienta
269. útil²	20	g	a	
270. utilidad¹	9	t	s	la capacidad de satisfacer deseos y necesidades
271. utilidad²	10	g	s	significado general
272. valor¹	1	g	s	significado general
273. valor²	229	t	s	valor financiero
274. variable¹	172	ta	s	término matemático
275. variable²	15	g	a	
276. vía¹	2.	g	s	
277. vía²	1	f	p	
278. volver¹	4	g	v	
279. volver²	5	f	v	

Anexo D: El léxico técnico y subtécnico según la aproximación didáctica

D.1.: El léxico técnico según la aproximación didáctica por orden de frecuencia absoluta decreciente (765 UL)

1.	empresa	821	45.	proveedor	39
2.	producto[1]	491	46.	accionista	38
3.	u. m.	375	47.	empresarial	38
4.	coste	330	48.	material[1]	38
5.	venta	285	49.	producto terminado	38
6.	precio	228	50.	comprar	36
7.	cliente	214	51.	unidad monetaria	36
8.	mercado[1]	191	52.	coste variable unitario	34
9.	beneficio	185	53.	endeudamiento	34
10.	rentabilidad	173	54.	mercadotécnico	33
11.	consumidor	160	55.	préstamo	33
12.	valer	159	56.	rentabilidad económica	33
13.	producción	143	57.	consumo	32
14.	vendedor	133	58.	fabricación	32
15.	trabajo	117	59.	financiación	31
16.	inventario	92	60.	productividad	30
17.	trabajador	92	61.	comercial	29
18.	pagar	89	62.	fabricante[1]	29
19.	S. A.	86	63.	máquina	29
20.	financiero	80	64.	cobro	28
21.	calidad	77	65.	empleado	28
22.	deuda	75	66.	presupuesto	28
23.	almacén	74	67.	beneficio económico	27
24.	vender	73	68.	consumir	27
25.	bien	70	69.	coste variable	27
26.	dividendo	66	70.	tecnología	27
27.	valor actual neto	66	71.	valor actual	27
28.	importe	62	72.	proceso de producción	26
29.	pedido	62	73.	renta	26
30.	económico	60	74.	TIR	26
31.	VAN	54	75.	cobrar	25
32.	competencia	52	76.	fabricar	25
33.	marketing	52	77.	fuerza de ventas	25
34.	pago	51	78.	propietario	25
35.	compra	48	79.	valorar	25
36.	publicidad	48	80.	volumen de ventas	24
37.	promoción[1]	47	81.	almacenar	22
38.	rentabilidad financiera	47	82.	maquinaria	22
39.	directivo[2]	46	83.	envase	21
40.	gasto	46	84.	rentabilidad esperada	21
41.	financiar	45	85.	grafo	20
42.	rentabilidad requerida	43	86.	ratio	20
43.	tasa	40	87.	capital propio	19
44.	impuesto	39	88.	PERT	19

89.	almacenamiento	18	141.	negocio	10
90.	descuento	18	142.	precio unitario	10
91.	desviación total	18	143.	prima de riesgo	10
92.	nivel de renta	18	144.	productivo[1]	10
93.	valor global	18	145.	rentable	10
94.	automóvil	17	146.	staff	10
95.	capacidad de producción	17	147.	acreedor	9
96.	rentabilidad real	17	148.	coste de la financiación	9
97.	tiempo early	17	149.	cuota de mercado	9
98.	empréstito	16	150.	ensamblaje	9
99.	precio de venta	16	151.	material[2]	9
100.	publicitario	16	152.	rentar	9
101.	taller	16	153.	salario	9
102.	amortización[1]	15	154.	tesorería	9
103.	comprador	15	155.	coste real	8
104.	fabricante[2]	15	156.	decisión estratégica	8
105.	promoción de ventas	15	157.	estructura organizativa	8
106.	rendimiento	15	158.	fijación de precios	8
107.	transporte	15	159.	minorista	8
108.	estructura financiera	14	160.	producto semielaborado	8
109.	finanzas	14	161.	volumen de producción	8
110.	mayorista	14	162.	autocrático	7
111.	mercado[2]	14	163.	ciclo de explotación	7
112.	tiempo last	14	164.	costar	7
113.	endeudar	13	165.	coste de producción	7
114.	industrial[2]	13	166.	coste directo	7
115.	productor[1]	13	167.	coste financiero	7
116.	puesto de trabajo	13	168.	crédito bancario	7
117.	venta personal	13	169.	curva de demanda	7
118.	bien de equipo	12	170.	dirección de la producción	7
119.	dinero	12			
120.	factores de producción	12	171.	dirección de marketing	7
121.	propiedad	12	172.	economía[1]	7
122.	valoración	12	173.	economía de la empresa	7
123.	amortizar[1]	11	174.	enriquecer	7
124.	contrato	11	175.	estudio de tiempos	7
125.	coste del capital	11	176.	gráfico de Gantt	7
126.	directivo[1]	11	177.	inversor	7
127.	estructura económica	11	178.	lote	7
128.	marketingmix	11	179.	mensaje publicitario	7
129.	operario	11	180.	método de trabajo	7
130.	saldo	11	181.	presupuestar	7
131.	socio	11	182.	presupuesto mercadotécnico	7
132.	valor de rendimiento	11			
133.	autofinanciación	10	183.	promocional	7
134.	contratar	10	184.	rentabilidad operativa	7
135.	C. P. M.	10	185.	segmentación de mercados	7
136.	desviación en cantidades	10			
137.	detallista	10	186.	stock	7
138.	empresario	10	187.	ahorrar	6
139.	fábrica	10	188.	barato	6
140.	grafo parcial	10	189.	coste de distribución	6

190. costes de transacción	6	
191. costoso	6	
192. desviación en precios	6	
193. dirección de empresas	6	
194. estructura económico financiera	6	
195. grafo PERT	6	
196. insolvencia	6	
197. liderazgo en costes	6	
198. materia	6	
199. plantilla	6	
200. política de precios	6	
201. primera materia	6	
202. producto semiterminado	6	
203. promoción²	6	
204. reembolso	6	
205. resolución de problemas	6	
206. sondeo	6	
207. tiempo de trabajo	6	
208. valor de mercado	6	
209. ahorro¹	5	
210. amortización²	5	
211. bien final	5	
212. coste de la autofinanciación	5	
213. decisión financiera	5	
214. destajo	5	
215. económicamente	5	
216. energía	5	
217. en serie	5	
218. experimentación comercial	5	
219. factoría	5	
220. ganancia¹	5	
221. ganancia de capital	5	
222. gastar	5	
223. gasto financiero	5	
224. impuesto sobre el beneficio	5	
225. industria	5	
226. ingeniero	5	
227. investigación comercial	5	
228. labor	5	
229. laboral	5	
230. cecanizar	5	
231. mercancía	5	
232. merchandising	5	
233. montante	5	
234. población objetivo	5	
235. por lotes	5	
236. tasa de valor actual	5	
237. tiempo estándar	5	

238. tiempo normal	5	
239. tiempo normalizado	5	
240. valor de reposición	5	
241. amortizar²	4	
242. badwill	4	
243. beneficio financiero	4	
244. bursátil	4	
245. CAD	4	
246. CAM	4	
247. coste de la materia prima	4	
248. coste de mantenimiento	4	
249. crédito comercial	4	
250. decisión táctica	4	
251. depreciación	4	
252. dirección estratégica	4	
253. empresa privada	4	
254. ensamblar	4	
255. estado de inventario	4	
256. estrategia de precios	4	
257. explotación	4	
258. goodwill	4	
259. hora hombre	4	
260. índice de rentabilidad	4	
261. investigación de mercados	4	
262. materializar	4	
263. obligacionista	4	
264. organización empresarial	4	
265. payback	4	
266. plazo de entrega	4	
267. plusvalía	4	
268. precio mínimo	4	
269. precio técnico	4	
270. presupuestario	4	
271. productividad global	4	
272. producto acabado	4	
273. producto en curso de fabricación	4	
274. promocionar	4	
275. ratio de endeudamiento	4	
276. rentabilidad esperada requerida	4	
277. riesgo financiero	4	
278. sinergia	4	
279. sistema de cuotas constantes	4	
280. sistema de inventarios	4	
281. sistema empresarial	4	
282. superrendimiento	4	
283. unidad organizativa	4	
284. valor esperado de la información	4	

285. valor residual	4
286. vicepresidente	4
287. abastecimiento	3
288. ahorro²	3
289. alimentación	3
290. alquiler	3
291. autogestión	3
292. automatizar	3
293. base temporal homogénea finita	3
294. beneficio de explotación	3
295. bit	3
296. capacidad productiva	3
297. centro comercial	3
298. coeficiente de endeudamiento	3
299. comercialización	3
300. comercio	3
301. compra-venta	3
302. contratación	3
303. coste de almacenamiento	3
304. coste de la mano de obra	3
305. coste del inventario	3
306. coste de transporte	3
307. coste indirecto	3
308. coyuntura económica	3
309. desarrollo del producto	3
310. desembolsar	3
311. desviación económica	3
312. desviación en cuotas	3
313. desviación técnica	3
314. detentar	3
315. determinación de precios	3
316. director de producción	3
317. director financiero	3
318. economía²	3
319. economicidad	3
320. encargo	3
321. fuerza de trabajo	3
322. hipermercado	3
323. hora de trabajo	3
324. industrial¹	3
325. inventariar	3
326. last	3
327. liquidación	3
328. maximin	3
329. mercadería	3
330. mercado financiero	3
331. minimax	3
332. monopolio	3
333. oligopolio	3
334. pagaré	3

335. para almacén	3
336. patrimonial	3
337. peseta	3
338. plazo de amortización	3
339. poder no coercitivo	3
340. precio de adquisición	3
341. precio de coste	3
342. precio flexible	3
343. precio promocional	3
344. precio psicológico	3
345. presupuesto de tesorería	3
346. producción múltiple	3
347. producción para almacén	3
348. producción para el mercado	3
349. producción por encargo	3
350. ratio de tesorería	3
351. reaprovisionamiento	3
352. referencia geográfica	3
353. sindicato	3
354. sistema de economía de mercado	3
355. sistema de precios	3
356. sistema económico	3
357. sistema OPR	3
358. subcontratación	3
359. suministro	3
360. superbeneficio	3
361. tasa de rendimiento contable	3
362. tasa de rentabilidad	3
363. tasa de rentabilidad interna	3
364. tasa interna de rendimiento	3
365. tiempo observado	3
366. valoración en liquidación	3
367. volumen de compras	3
368. abaratar	2
369. a crédito	2
370. agrario	2
371. agrícola	2
372. almacenable	2
373. almacenista	2
374. análisis coste volumen beneficio	2
375. astillero	2
376. automatización	2
377. bancario	2
378. bien de consumo duradero	2
379. bienes manufacturados	2

473.	supermercado	2	520.	ciudad experimento	1
474.	tabla de control de costes	2	521.	coeficiente beneficio	1
475.	tasa de productividad global	2	522.	coeficiente de leverage	1
			523.	combustible	1
476.	tasa interna de rentabilidad	2	524.	comerciante	1
			525.	comercio exterior	1
477.	tecnocrático	2	526.	comisionista	1
478.	test de recuerdo	2	527.	comparación de costes	1
479.	tiempo predeterminado	2	528.	competitividad	1
480.	tiempo suplementario	2	529.	computer aided design	1
481.	trabajador de temporada	2	530.	computer aided manufacturing	1
482.	trabajo a comisión	2			
483.	transportista	2	531.	contabilidad	1
484.	tributo	2	532.	contrato de compra	1
485.	valoración en funcionamiento	2	533.	cooperativa	1
			534.	coste de inventarios	1
486.	valor en funcionamiento	2	535.	coste social	1
487.	variación cíclica	2	536.	coyuntural	1
488.	venta a crédito	2	537.	crecimiento financiero	1
489.	ventaja competitiva	2	538.	crecimiento patrimonial	1
490.	ventaja en costes	2	539.	cuenta	1
491.	abastecer	1	540.	decisión de capacidad de producción	1
492.	accionariado	1			
493.	agricultor	1	541.	decisión de producir o comprar	1
494.	agropecuario	1			
495.	asegurado	1	542.	desabastecer	1
496.	asegurador	1	543.	desabastecimiento	1
497.	a tiempo parcial	1	544.	descuento por pronto pago	1
498.	auditoría interna	1			
499.	autodirigir	1	545.	desembolso	1
500.	autofinanciarse	1	546.	despido	1
501.	autopista	1	547.	dinero en caja	1
502.	autorregularse	1	548.	dirección de finanzas	1
503.	autoservicio	1	549.	dirección de supervisión	1
504.	avión de carga	1	550.	directivo intermedio	1
505.	base temporal homogénea	1	551.	director de distribución	1
			552.	director de fábrica	1
506.	beneficioso	1	553.	director de investigación	1
507.	bien de consumo inmediato	1	554.	director de marketing	1
			555.	director general	1
508.	bienes Giffen	1	556.	disminución de precios	1
509.	bien inicial	1	557.	distribución de la renta	1
510.	calidad de vida	1	558.	diversificación de productos y mercados	1
511.	campaña de publicidad	1			
512.	campaña publicitaria	1	559.	dividendo extraordinario	1
513.	capataz	1	560.	dólar	1
514.	capital ajeno	1	561.	economía de mercado	1
515.	capitalismo	1	562.	economizar	1
516.	carbón	1	563.	ejes centrales del trabajo	1
517.	ciclo de amortizaciones	1	564.	empresa líder	1
518.	ciclo de depreciación	1	565.	empresa multinacional	1
519.	ciencias de la gestión	1	566.	empresa pública	1

567. empresariado	1	sus previsiones de venta	
568. empresa seguidora	1	611. liderazgo total en costes	1
569. encargar¹	1	612. lucro	1
570. en masa	1	613. management	1
571. en régimen de alquiler	1	614. manutención	1
572. en staff	1	615. marítimo	1
573. en términos de capacidad	1	616. marketingmix de	1
adquisitiva		promoción	
574. entidad financiera	1	617. materialmente	1
575. entidad no lucrativa	1	618. mayorista de servicio	1
576. entidad pública	1	completo	
577. envasar	1	619. mecanismo	1
578. escaparate	1	620. mecanización	1
579. establecimiento	1	621. medio de transporte	1
farmacéutico		622. mercado actual	1
580. estatal	1	623. mercado de	1
581. estrategia de desarrollo	1	consumidores	
582. factores motivacionales	1	624. mercado de mayoristas	1
583. feedback	1	625. mercado de minoristas	1
584. ferroviario	1	626. mercado de productos	1
585. fijación del precio	1	627. mercado de productos	1
586. financieramente	1	primarios	
587. fiscalmente	1	628. mercado de prueba	1
588. free on board	1	629. mercado futuro	1
589. fuerza de venta	1	630. mercado industrial	1
590. gasto de transporte	1	631. mercado pasado	1
591. gestión de la producción	1	632. mercado potencial	1
592. gestión económica de	1	633. mercado presente	1
stocks		634. mercado prueba	1
593. grafo completo	1	635. mercadotécnica	1
594. hacer inventario	1	636. mercado testigo	1
595. handmade	1	637. mineral	1
596. hard	1	638. monopolio bilateral	1
597. hecho a mano	1	639. monopolista	1
598. hierro	1	640. monopolístico	1
599. hora extra	1	641. monopsonio	1
600. hostelería	1	642. monopsonio limitado	1
601. impuesto de sociedades	1	643. neto patrimonial	1
602. índice de cantidades de	1	644. nit	1
Laspeyres		645. Nobel de economía	1
603. índice de cantidades de	1	646. oligopsonio	1
producción		647. orientación a la	1
604. índice de evolución de la	1	competencia	
cantidad de producción		648. orientación a la	1
de Laspeyres		producción	
605. ingeniero de ventas	1	649. orientación a las ventas	1
606. insolvente	1	650. orientación al	1
607. inventariable	1	consumidor	
608. jefe	1	651. orientación a los	1
609. jefe de división	1	consumidores	
610. las primas a los	1	652. pagadero	1
vendedores en función de		653. país desarrollado	1

654. patrimonio neto	1
655. patrocinio	1
656. pesquero	1
657. petróleo	1
658. plan de marketing	1
659. pleno empleo	1
660. poder de compensación económica	1
661. política de producto	1
662. política de productos	1
663. política de promoción	1
664. política de promoción y publicidad	1
665. poner a la venta	1
666. por pronto pago	1
667. poscompra	1
668. postventa	1
669. posventa	1
670. precio de lista	1
671. precio máximo	1
672. prestación de servicios	1
673. presupuesto de caja	1
674. presupuesto de ingresos y gastos	1
675. prima de productividad	1
676. prima por riesgo	1
677. producción de energía	1
678. producción en serie	1
679. producción individualizada	1
680. producción intermitente	1
681. producción por órdenes	1
682. producción por órdenes de fabricación	1
683. producción simple	1
684. productivo²	1
685. producto agrícola	1
686. producto ampliado	1
687. producto de artesanía	1
688. producto diferenciado	1
689. producto elaborado	1
690. producto en curso	1
691. producto farmacéutico	1
692. producto financiero	1
693. producto genérico	1
694. producto primario	1
695. producto químico	1
696. productor²	1
697. producto tangible	1
698. promotor de ventas	1
699. prueba de mercado	1
700. pts.	1

701. publicidad difusiva	1
702. publicidad mixta	1
703. publicidad persuasiva	1
704. ratio de actividad	1
705. ratio de solvencia	1
706. reaprovisionar	1
707. rebaja	1
708. reclamo	1
709. recursos económicos	1
710. recursos financieros externos	1
711. reembolsar	1
712. rendimiento unitario	1
713. rentabilidad en términos de capacidad adquisitiva esperada	1
714. rentabilidad en términos reales	1
715. rentabilidad media	1
716. representante mercantil	1
717. revolución industrial	1
718. robot	1
719. robotizar	1
720. rural	1
721. salario mínimo	1
722. semielaborado	1
723. siderometalúrgico	1
724. simultaneous motion	1
725. sindical	1
726. sistema de economía centralizada	1
727. sistema de intervalo fijo de pedido	1
728. sistema de inventario continuo	1
729. sistema de inventario justo a tiempo	1
730. sistema de libre empresa	1
731. sistema de revisión periódica	1
732. sistema de volumen de pedido constante	1
733. sistema de volumen económico de pedido	1
734. sistema periódico	1
735. skills	1
736. solvente	1
737. stock en curso de fabricación	1
738. strategy	1
739. structure	1
740. style	1

741.	sueldo	1
742.	super ordinate goals	1
743.	tayloriano	1
744.	técnico de venta	1
745.	teoría de contenidos o causas	1
746.	teoría de la motivación	1
747.	teoría de los procesos	1
748.	teoría motivacional	1
749.	test de reconocimiento	1
750.	tomador externo de pedidos	1
751.	tomador interno de pedidos	1
752.	unidad departamental	1
753.	unidad operativa	1
754.	valiosísimo	1
755.	valorativo	1
756.	valor del almacén	1
757.	valor económico	1
758.	valor en liquidación	1
759.	variación accidental	1
760.	variación estacional	1
761.	vendedor a domicilio	1
762.	vendedor de plantilla	1
763.	ventaja comparativa	1
764.	volumen de negocio	1
765.	volumen económico de pedido	1

D.2.: Léxico subtécnico según el criterio didáctico, acepción *a* por orden de frecuencia absoluta decreciente (680 UL)

1.	inversión	322
2.	valor[2]	229
3.	decisión[1]	215
4.	demanda	138
5.	información	130
6.	factor	125
7.	nudo	109
8.	activo	99
9.	acción[1]	96
10.	flujo de caja	87
11.	interés[1]	71
12.	equipo[1]	65
13.	coste fijo	62
14.	marca	60
15.	planificación	58
16.	pasivo	56

17.	materia prima	54
18.	organización[2]	49
19.	adquirir	48
20.	distribución[1]	47
21.	dirección[1]	46
22.	organización[1]	45
23.	tipo de descuento	42
24.	crédito	40
25.	desembolso inicial	40
26.	remuneración	39
27.	recursos	38
28.	capital[1]	34
29.	producir[1]	36
30.	cuota	35
31.	ingreso	35
32.	intermediario	35
33.	segmento	35
34.	desviación[2]	34
35.	inflación	34
36.	muestra	34
37.	invertir	33
38.	beneficio neto	32
39.	departamento	32
40.	dirección[2]	32
41.	elasticidad	32
42.	punto muerto	32
43.	adquisición	31
44.	distribuidor	31
45.	flujo[1]	31
46.	fondo de comercio	30
47.	efectuable	29
48.	existencias	28
49.	líder	28
50.	liderazgo[1]	28
51.	plazo de recuperación	28
52.	fuente de financiación	27
53.	activo circulante	26
54.	beneficio operativo	26
55.	valores	26
56.	activo fijo	24
57.	distribución[2]	24
58.	instalación	24
59.	banco	23
60.	decisor	23
61.	neto	23
62.	abonar	22
63.	incentivo	22
64.	obligación[1]	22
65.	prima	22
66.	recursos propios	21
67.	balance[1]	20
68.	personal[1]	20

69.	tipo de interés	20	120.	equipo[2]	9
70.	asignación	19	121.	equipo de producción	9
71.	departamentación	19	122.	línea[1]	9
72.	mano de obra	19	123.	medios	9
73.	diversificación	18	124.	método estático	9
74.	importar[2]	18	125.	oferta	9
75.	tipo de rendimiento interno	18	126.	patrimonio	9
76.	toma de decisiones	18	127.	tipo de gravamen	9
77.	valor sustancial	18	128.	utilidad	9
78.	emisión[1]	17	129.	alta dirección	8
79.	gestión	17	130.	apalancamiento financiero	8
80.	segmentación	17	131.	camino crítico	8
81.	competidor	16	132.	inversión simple	8
82.	óptimo[1]	16	133.	margen bruto unitario	8
83.	recursos ajenos	16	134.	método directo	8
84.	agente	15	135.	pequeña empresa	8
85.	al contado	15	136.	principal[3]	8
86.	relaciones públicas	15	137.	stock de seguridad	8
87.	apalancamiento operativo	14	138.	adquirente	7
88.	canal de distribución	14	139.	asesoramiento	7
89.	director	14	140.	capital social	7
90.	fondos	14	141.	ciclo de vida	7
91.	informar	14	142.	coeficiente de	7
92.	mercado de factores	14		apalancamiento financiero	
93.	pérdidas	14	143.	coeficiente de optimismo	7
94.	capital permanente	13	144.	cotización	7
95.	inmovilizado[1]	13	145.	demora	7
96.	título	13	146.	estructura lineal	7
97.	fondo de maniobra	12	147.	función de producción	7
98.	fuente[1]	12	148.	gráfico de Gantt	7
99.	ganar[1]	12	149.	hora extraordinaria	7
100.	principal[1]	12	150.	nudo decisional	7
101.	rama	12	151.	planta[1]	7
102.	recursos humanos	12	152.	rentabilidad neta de riesgo	7
103.	función de demanda	11	153.	retribución	7
104.	margen de beneficio	11	154.	sueldo fijo	7
105.	precedencia	11	155.	teoría x	7
106.	riqueza	11	156.	árbol de decisión	6
107.	apalancamiento	10	157.	audiencia neta	6
108.	artículo[1]	10	158.	blando	6
109.	competir	10	159.	capacidad discriminante	6
110.	competitivo	10	160.	capital total	6
111.	empleo	10	161.	carga de estructura	6
112.	fuente financiera	10	162.	compañía	6
113.	holgura	10	163.	crecimiento externo	6
114.	rentabilidad aparente	10	164.	cuantía	6
115.	ruptura	10	165.	diagrama	6
116.	aportación[1]	9	166.	entrega	6
117.	coeficiente de	9	167.	gestionar	6
	apalancamiento operativo		168.	grandes almacenes	6
118.	coste de oportunidad	9	169.	gran empresa	6
119.	decisional	9	170.	indiferente	6

171. intermediación	6	219. cartera de productos	4
172. inversión productiva	6	220. coste marginal	4
173. liquidar	6	221. criterio pesimista	4
174. liquidez	6	222. dirección operativa	4
175. matricial[1]	6	223. discriminación de precios	4
176. medio financiero	6	224. enfoque sociotécnico	4
177. negociación	6	225. en línea	4
178. pedido constante	6	226. estructura en comité	4
179. período medio de	6	227. expansión	4
maduración económico		228. flujo de información	4
180. planificación estratégica	6	229. flujo del proceso	4
181. puesto	6	230. fondo	4
182. reserva	6	231. fondo de rotación	4
183. ruptura de stocks	6	232. gama	4
184. segmentar	6	233. holgura total	4
185. tasa de inflación	6	234. incertidumbre estructurada	4
186. utilidad de forma	6	235. informativo	4
187. cotizar	5	236. intersección de Fisher	4
188. deducible	5	237. inversión efectuable	4
189. demandante	5	238. inversión mutuamente	4
190. depreciarse	5	excluyente	
191. desviación en márgenes	5	239. línea de productos	4
192. empresas medianas y	5	240. mano invisible	4
grandes		241. margen unitario	4
193. encuesta	5	242. matriz de decisión	4
194. estructura en línea y staff	5	243. matriz de pagos	4
195. estructura matricial	5	244. matriz de transición	4
196. horizonte	5	245. método indirecto	4
197. incentivar	5	246. método Roy	4
198. input	5	247. modelo de Wilson	4
199. margen bruto	5	248. nominal[1]	4
200. margen bruto total	5	249. nominal[2]	4
201. método de Belson	5	250. nudo aleatorio	4
202. método dinámico	5	251. partida[1]	4
203. modelo determinista	5	252. partida[3]	4
204. penetración	5	253. prescriptor	4
205. penetración neta	5	254. ratio de rotación	4
206. período medio de	5	255. relación de agencia	4
maduración financiera		256. repuesto	4
207. plazo de recuperación con	5	257. satisfacción de las	4
descuento		necesidades	
208. ratio de situación	5	258. sistema mixto	4
209. seguro[1]	5	259. tasa de crecimiento	4
210. tipo libre de riesgo	5	260. valor de retiro	4
211. umbral de rentabilidad	5	261. valor nominal	4
212. afijación óptima	4	262. actividad productiva	3
213. análisis de la varianza	4	263. afijación óptima con costes	3
214. árbol[2]	4	variables	
215. arista	4	264. afijación proporcional	3
216. beneficio bruto	4	265. agente social	3
217. beneficio líquido	4	266. apalancamiento total	3
218. bruto	4	267. a plazo	3

268.	asesor	3
269.	capacidad adquisitiva	3
270.	capital²	3
271.	carga¹	3
272.	coeficiente de apalancamiento total	3
273.	compactibilidad	3
274.	contable	3
275.	coste del pasivo	3
276.	creación de nichos	3
277.	crecimiento interno	3
278.	criterio optimista	3
279.	cuantitativo	3
280.	cuenta corriente	3
281.	cuota constante	3
282.	diagrama de actividades	3
283.	dirección intermedia	3
284.	efecto¹	3
285.	ejecutivo	3
286.	ejercicio¹	3
287.	factor humano	3
288.	flujo de caja medio anual por unidad monetaria comprometida	3
289.	flujo de materiales	3
290.	flujo neto de caja	3
291.	holgura independiente	3
292.	holgura libre	3
293.	imputación	3
294.	ingreso marginal	3
295.	inmovilizado²	3
296.	integración vertical	3
297.	inversión financiera	3
298.	inversión mixta	3
299.	investigación operativa	3
300.	jornada reducida	3
301.	línea de precios	3
302.	mano visible	3
303.	mantenimiento preventivo	3
304.	matriz de pesares	3
305.	método de los números dígitos crecientes	3
306.	modelo aditivo	3
307.	modelo probabilístico	3
308.	ofertar	3
309.	organización científica	3
310.	panel	3
311.	particular	3
312.	prestar¹	3
313.	principio de designación unívoca	3
314.	quebranto de emisión	3

315.	red de distribución	3
316.	rentabilidad bruta de las ventas	3
317.	respuesta al estímulo	3
318.	retroalimentación	3
319.	sociedad¹	3
320.	tanto fijo	3
321.	teoría contractual	3
322.	teoría de la información	3
323.	teoría y	3
324.	tipificación¹	3
325.	tipificar	3
326.	utilidad de lugar	3
327.	utilidad de tiempo	3
328.	vencer	3
329.	vértice	3
330.	vida técnica	3
331.	abono	2
332.	administración de empresas	2
333.	afijación	2
334.	afijación por igual	2
335.	agrupación dicotómica	2
336.	alto directivo	2
337.	amortización constante	2
338.	amplitud¹	2
339.	apalancamiento combinado	2
340.	asesorar	2
341.	atributo de posicionamiento	2
342.	base¹	2
343.	base amortizable	2
344.	capacidad sostenida	2
345.	capital inmovilizado	2
346.	ciclo de vida del producto	2
347.	ciclo largo	2
348.	comunicación externa	2
349.	concepción frecuencial	2
350.	concurrente	2
351.	consultor	2
352.	contablemente	2
353.	coyuntura	2
354.	criterio de Hurwicz	2
355.	criterio de Laplace	2
356.	criterio del flujo de caja medio annual por unidad monetaria comprometida	2
357.	criterio de Savage	2
358.	criterio de Wald	2
359.	cualificación	2
360.	cuota fija	2
361.	decisión de proceso	2

362.	dejar hacer	2	411.	muestreo del trabajo	2
363.	designación unívoca	2	412.	nave industrial	2
364.	desviación en el tamaño	2	413.	nicho	2
	global del mercado		414.	nivel de realización	2
365.	diagrama de equipo	2	415.	nuevo liderazgo	2
366.	diagrama de operaciones	2	416.	oferente	2
367.	disposición combinada	2	417.	organización informal	2
368.	disposición de punto fijo	2	418.	penetración en el mercado	2
369.	disposición por procesos	2	419.	pequeña y mediana	2
370.	disposición por productos	2		empresa	
371.	elasticidad de la demanda	2	420.	periodo constante	2
372.	elástico	2	421.	periodo medio de	2
373.	emprendedor	2		maduración económico	
374.	empresa pequeña	2	422.	política de cero defectos	2
375.	en comité	2	423.	política de distribución	2
376.	en línea y staff	2	424.	prelación lineal	2
377.	equipo de trabajo	2	425.	presidente	2
378.	etiqueta de la marca	2	426.	principio de designación	2
379.	flujo físico	2		sucesiva	
380.	función lagrangiana	2	427.	principio de	2
381.	función productiva	2		interdependencia	
382.	grandes superficies	2	428.	principio de Pareto	2
383.	gravar	2	429.	profundidad	2
384.	guerra de precios	2	430.	quebrar	2
385.	hacienda	2	431.	quiebra	2
386.	incertidumbre no	2	432.	ratio de liquidez	2
	estructurada		433.	remunerar	2
387.	índice de Laspeyres	2	434.	rentabilidad neta	2
388.	inversión de renovación o	2	435.	sociedad anónima	2
	reemplazo		436.	teoría de la agencia	2
389.	libre de riesgo	2	437.	teoría z	2
390.	liderazgo^2	2	438.	utilidad de propiedad	2
391.	límite de la dirección	2	439.	absorbente	1
392.	límite del control	2	440.	absorber	1
393.	línea^3	2	441.	absorción	1
394.	línea de precio	2	442.	acción liberada	1
395.	línea y staff	2	443.	administración de negocios	1
396.	líquido^1	2	444.	administración pública	1
397.	longitud^1	2	445.	agente comercial	1
398.	mantenimiento correctivo	2	446.	agente económico	1
399.	mantenimiento predictivo	2	447.	agrupación matricial	1
400.	marca de familia	2	448.	ajuste	1
401.	marca individual	2	449.	al detalle	1
402.	marca nacional	2	450.	al por mayor	1
403.	marcar^1	2	451.	al por menor	1
404.	materia auxiliar	2	452.	alta segmentación	1
405.	mercado tendencial	2	453.	amortización acelerada	1
406.	método del tanto fijo	2	454.	análisis de viabilidad	1
407.	método Dupont	2	455.	apalancar	1
408.	mezcla comercial	2	456.	arqueo de caja	1
409.	modelo de distribución	2	457.	asesoría	1
410.	modelo multiplicativo	2	458.	asignación de recursos	1

548.	inelástico	1	585.	método abc de control de	1
549.	inflacionario	1		inventarios	
550.	información de canal	1	586.	método del brainstorming	1
551.	información de salida	1	587.	método del caminocrítico	1
552.	ingreso financiero	1	588.	método del mínimo	1
553.	interés acumulado	1		adverso	
554.	inversión de activo fijo	1	589.	método de los prácticos	1
555.	inversión de ampliación a	1	590.	método de los números	1
	nuevos productos o			dígitos en sentido	
	mercados			decreciente	
556.	inversión de ampliación de	1	591.	método de los potenciales	1
	los productos o mercados		592.	método lineal	1
	existentes		593.	mezcla promocional	1
557.	inversión de	1	594.	mínimo adverso	1
	mantenimiento		595.	modelo de colas	1
558.	inversión de	1	596.	modelo de hitchkock	1
	reemplazamiento para el		597.	modelo del íneas de espera	1
	mantenimiento de la		598.	modelo de programación	1
	empresa			lineal	
559.	inversión de	1	599.	muestreo estratificado	1
	reemplazamiento para		600.	muestreo polietápico	1
	reducir costes o para		601.	muestreo por	1
	mejorar tecnológicamente			conglomerados o áreas	
560.	inversión en activo	1	602.	muestreo por cuotas	1
	circulante		603.	necesidades de inversión	1
561.	inversión fraccionable	1	604.	nicho del mercado	1
562.	inversión impuesta	1	605.	Nobel de economía	1
563.	inversión no simple	1	606.	nombre de marca	1
564.	inversión pura	1	607.	nominalmente	1
565.	letra de cambio	1	608.	organización formal	1
566.	libre mercado	1	609.	penetración del mercado	1
567.	liderar	1	610.	penetración de un soporte	1
568.	línea ejecutiva	1	611.	pequeña y mediana	1
569.	mando intermedio	1	612.	perecedero	1
570.	marca de distribuidor	1	613.	período de maduración	1
571.	marcado	1	614.	período de maduración	1
572.	marca registrada	1		económico	
573.	margen de beneficio bruto	1	615.	período medio de	1
	unitario			maduración	
574.	margen de seguridad	1	616.	perturbación aleatoria	1
575.	margen neto sobre ventas	1	617.	plan de estudios	1
576.	margen unitario sobre	1	618.	planificación de las	1
	costes variables			actividades productivas	
577.	matriz[1]	1	619.	planificación de proyectos	1
578.	matriz de cambios de	1	620.	plan operativo	1
	estado		621.	poder de experiencia	1
579.	matriz de decisiones	1	622.	poder de reconocimiento	1
580.	mayorista de contado	1	623.	política de acertar a la	1
581.	mediana y gran empresa	1		primera	
582.	medios de producción	1	624.	posición de la marca	1
583.	mercado de valores	1	625.	precio al contado	1
584.	método abc	1	626.	precio de contado	1

627. prelación de convergencia 1
628. prelación de divergencia 1
629. prima de inflación 1
630. prima de producción 1
631. principio de control 1
632. principio de restricción en 1
la toma de decisiones
633. principio de retroacción 1
634. principio de secuencia 1
635. principio de unicidad del 1
estado final
636. principio de unicidad del 1
estado inicial y del estado
final
637. proceso intermitente 1
638. programación reticular 1
639. programa productivo 1
640. ratio de síntesis 1
641. recursos externos 1
642. recursos internos 1
643. rentabilidad neta de 1
inflación
644. rentabilidad neta de las 1
ventas
645. repartidor 1
646. reponer[1] 1
647. representante de zona 1
648. retirar[1] 1
649. retroacción 1
650. rival 1
651. ruptura del inventario 1
652. ruptura del stock 1
653. saldo a la vista 1
654. sanear 1
655. sano 1
656. satisfacción de necesidades 1
657. sector primario 1
658. semielaboración 1
659. sociedad colectiva 1
660. sociedad comanditaria 1
661. sociedad cooperativa 1
662. sociedad de 1
responsabilidad limitada
663. suspensión de pagos 1
664. tasa de interés 1
665. tasa de retorno 1
666. teoría de grafos 1
667. teoría de la decisión 1
668. teoría de la personalidad 1
669. teoría situacional 1
670. test de concepto 1
671. tiempo más alto de 1

iniciación
672. tiempo más bajo de 1
iniciación
673. toma de decisión 1
674. toma de las decisiones 1
675. tormenta de ideas 1
676. unicidad del estado inicial 1
y del estado final
677. útil[1] 1
678. vector de existencias 1
679. vencimiento 1
680. vida económica 1

Anexo E: El léxico técnico según el criterio didáctico: resultados de su análisis

Este anexo contiene 511 UL técnicas, identificadas según la aproximación didáctica, y universales, cognadas o falsas cognadas con el neerlandés y/o el francés (cfr. Capítulo IV, apartado 1 de la Parte A). Se trata de 33 universales, 3 falsas cognadas con el neerlandés o cognadas con el francés y/o inglés, 474 cognadas con el neerlandés y/o el francés /inglés, 1 cognada con el neerlandés.

En la segunda columna se menciona la frecuencia absoluta (FA) de cada unidad léxica. En la tercera columna se indica si se trata de una cognada (c), una falsa cognada (fc) o una universal (u) respecto del neerlandés (N). En la quinta columna se dan las mismas informaciones respecto del inglés y/o francés (F/I).

		FA	N	I/F
1.	empresa	821		c
2.	producto[1]	491	c	c
3.	coste	330	c	c
4.	venta	285		c
5.	cliente	214		c
6.	beneficio	185		c
7.	rentabilidad	173	c	c
8.	consumidor	160		c
9.	valer	159		c
10.	producción	143	c	c
11.	vendedor	133		c
12.	inventario	92	c	c
13.	S. A.	86		c
14.	financiero	80	c	c
15.	calidad	77	c	c
16.	vender	73		c
17.	bien	70		c
18.	dividendo	66	c	c
19.	valor actual neto	66		c
20.	económico	60	c	c
21.	competencia	52	c	c
22.	marketing	52	u	u
23.	publicidad	48	c	c
24.	promoción[1]	47	c	c
25.	rentabilidad financiera	47	c	c
26.	directivo[2]	46		c
27.	financiar	45	c	c
28.	rentabilidad requerida	43		c
29.	impuesto	39		c
30.	accionista	38		c
31.	material[1]	38	c	c
32.	producto terminado	38		c
33.	unidad monetaria	36		c

34.	coste variable unitario	34 c	c
35.	rentabilidad económica	33 c	c
36.	consumo	32	c
37.	fabricación	32 c	c
38.	financiación	31 c	c
39.	productividad	30 c	c
40.	comercial	29 c	c
41.	fabricante[1]	29 c	c
42.	máquina	29 c	c
43.	empleado	28	c
44.	beneficio económico	27	c
45.	consumir	27 c	c
46.	coste variable	27 c	c
47.	tecnología	27 c	c
48.	valor actual	27	c
49.	proceso de producción	26 c	c
50.	renta	26 c	c
51.	fabricar	25 c	c
52.	fuerza de ventas	25	c
53.	propietario	25	c
54.	valorar	25	c
55.	volumen de ventas	24	c
56.	maquinaria	22 c	c
57.	rentabilidad esperada	21	c
58.	grafo	20	c
59.	ratio	20 c	c
60.	capital propio	19	c
61.	PERT	19 u	u
62.	descuento	18	c
63.	desviación total	18	c
64.	nivel de renta	18	c
65.	valor global	18	c
66.	automóvil	17 c	c
67.	capacidad de producción	17 c	c
68.	rentabilidad real	17 c	c
69.	tiempo early	17	c
70.	publicitario	16 c	c
71.	amortización[1]	15	c
72.	fabricante[2]	15 c	c
73.	promoción de ventas	15	c
74.	rendimiento	15 c	c
75.	transporte	15 c	c
76.	estructura financiera	14 c	c
77.	finanzas	14 c	c
78.	tiempo last	14	c
79.	industrial[2]	13 c	c
80.	productor[1]	13 c	c
81.	venta personal	13	c
82.	bien de equipo	12	c
83.	factores de producción	12 c	c
84.	propiedad	12	c
85.	valoración	12	c
86.	amortizar[1]	11	c
87.	contrato	11 c	c
88.	coste del capital	11 c	c
89.	directivo[1]	11	c

90.	estructura económica	11 c	c
91.	marketingmix	11 u	u
92.	saldo	11 c	
93.	valor de rendimiento	11	c
94.	autofinanciación	10 c	c
95.	C. P. M.	10 u	u
96.	desviación en cantidades	10	c
97.	detallista	10	c
98.	empresario	10 fc	fc
99.	fábrica	10 c	c
100.	grafo parcial	10	c
101.	negocio	10	c
102.	productivo[1]	10 c	c
103.	rentable	10 c	c
104.	staff	10 u	u
105.	coste de la financiación	9 c	c
106.	ensamblaje	9	c
107.	material[2]	9 c	c
108.	rentar	9	c
109.	salario	9 c	c
110.	tesorería	9	c
111.	coste real	8 c	c
112.	decisión estratégica	8	c
113.	estructura organizativa	8 c	c
114.	producto semielaborado	8	c
115.	volumen de producción	8 c	c
116.	autocrático	7 c	c
117.	ciclo de explotación	7 c	c
118.	costar	7 c	c
119.	coste de producción	7 c	c
120.	coste directo	7 c	c
121.	coste financiero	7 c	c
122.	crédito bancario	7 c	c
123.	curva de demanda	7	c
124.	dirección de la producción	7 c	c
125.	dirección de marketing	7 c	c
126.	economía[1]	7 c	c
127.	enriquecer	7 c	c
128.	estudio de tiempos	7	c
129.	gráfico de Gantt	7 c	c
130.	lote	7 c	c
131.	mensaje publicitario	7	c
132.	promocional	7 c	c
133.	rentabilidad operativa	7 c	c
134.	segmentación de mercados	7 c	c
135.	stock	7 u	u
136.	coste de distribución	6 c	c
137.	costes de transacción	6 c	c
138.	costoso	6	c
139.	desviación en precios	6	c
140.	estructura económico financiera	6 c	c
141.	grafo PERT	6	c
142.	materia	6	c
143.	primera materia	6	c
144.	producto semiterminado	6	c
145.	promoción[2]	6 c	c

146.	resolución de problemas	6	c
147.	amortización²	5	c
148.	bien final	5	c
149.	coste de la autofinanciación	5 c	c
150.	decisión financiera	5	c
151.	económicamente	5 c	c
152.	energía	5 c	c
153.	en serie	5 c	c
154.	experimentación comercial	5 c	c
155.	factoría	5	c
156.	impuesto sobre el beneficio	5	c
157.	industria	5 c	c
158.	ingeniero	5 c	c
159.	investigación comercial	5	c
160.	labor	5	c
161.	laboral	5	c
162.	mecanizar	5 c	c
163.	montante	5	c
164.	población objetivo	5	c
165.	por lotes	5 c	c
166.	tiempo estándar	5	c
167.	tiempo normal	5	c
168.	tiempo normalizado	5	c
169.	amortizar²	4	c
170.	badwill	4 u	u
171.	beneficio financiero	4	c
172.	bursátil	4	c
173.	CAD	4 u	u
174.	CAM	4 u	u
175.	coste de la materia prima	4	c
176.	coste de mantenimiento	4	c
177.	crédito comercial	4 c	c
178.	decisión táctica	4	c
179.	depreciación	4 c	c
180.	dirección estratégica	4 c	c
181.	ensamblar	4	c
182.	estado de inventario	4	c
183.	explotación	4	c
184.	goodwill	4 u	u
185.	hora hombre	4	c
186.	índice de rentabilidad	4 c	c
187.	materializar	4 c	c
188.	obligacionista	4	c
189.	payback	4 u	u
190.	plusvalía	4	c
191.	productividad global	4 c	c
192.	producto en curso de fabricación	4	c
193.	promocionar	4 c	c
194.	rentabilidad esperada requerida	4 c	c
195.	sinergia	4 c	c
196.	sistema de cuotas constantes	4 c	c
197.	sistema de inventarios	4 c	c
198.	superrendimiento	4 c	c
199.	unidad organizativa	4	c
200.	valor esperado de la información	4	c
201.	valor residual	4	c

202.	vicepresidente	4 c	c
203.	alimentación	3 fc	c
204.	autogestión	3	c
205.	automatizar	3 c	c
206.	base temporal homogénea finita	3 c	c
207.	beneficio de explotación	3	c
208.	bit	3 u	u
209.	capacidad productiva	3 c	c
210.	centro comercial	3 c	c
211.	comercialización	3 c	c
212.	comercio	3	c
213.	coste del inventario	3 c	c
214.	coste de transporte	3 c	c
215.	coste indirecto	3 c	c
216.	coyuntura económica	3 c	c
217.	desviación económica	3	c
218.	desviación en cuotas	3	c
219.	desviación técnica	3	c
220.	determinación de precios	3	c
221.	director de producción	3 c	c
222.	director financiero	3 c	c
223.	economía²	3 c	c
224.	economicidad	3 c	c
225.	fuerza de trabajo	3	c
226.	hipermercado	3	c
227.	industrial¹	3 c	c
228.	inventariar	3 c	c
229.	last	3 u	u
230.	liquidación	3	c
231.	maximin	3 c	c
232.	minimax	3 u	u
233.	monopolio	3 c	c
234.	oligopolio	3 c	c
235.	patrimonial	3	c
236.	peseta	3 c	c
237.	producción múltiple	3 c	c
238.	ratio de tesorería	3	c
239.	referencia geográfica	3 c	c
240.	sindicato	3 c	c
241.	sistema económico	3 c	c
242.	subcontratación	3	c
243.	superbeneficio	3	c
244.	tiempo observado	3	c
245.	valoración en liquidación	3	c
246.	a crédito	2	c
247.	agrario	2 c	c
248.	agrícola	2	c
249.	análisis coste volumen beneficio	2	c
250.	automatización	2 c	c
251.	bancario	2	c
252.	bien de consumo duradero	2	c
253.	bienes manufacturados	2	c
254.	clientela	2 c	c
255.	coeficiente de costes	2 c	c
256.	comercializar	2 c	c
257.	contractual	2 c	c

258. coste de la producción	2 c	c
259. costes estándares	2 c	c
260. crecimiento económico	2	c
261. crédito hipotecario	2 c	c
262. decisión de producción	2	c
263. desviación en costes	2	c
264. dirección de producción	2 c	c
265. director comercial	2 c	c
266. distribución física	2 c	c
267. econométrico	2 c	c
268. economía³	2 c	c
269. economista	2 c	c
270. embalaje	2	c
271. etiqueta informativa	2 c	c
272. euro	2 u	u
273. factor productivo	2 c	c
274. fiscal	2 c	c
275. fullcosting	2 u	u
276. gestión financiera	2	c
277. hora laborable	2	c
278. impuesto sobre la renta de las sociedades	2	c
279. impuesto sobre sociedades	2	c
280. índice de Laspeyres	2 c	c
281. índice de productividad global	2 c	c
282. jubilación	2	c
283. lucrativo	2 c	c
284. materialización	2 c	c
285. mercantil	2	c
286. mina	2	c
287. minero	2	c
288. minusvalía	2	c
289. multinacional	2 c	c
290. nutrición	2	c
291. objetivo de ventas	2	c
292. payback con descuento	2	c
293. PERT tiempo	2	c
294. por órdenes	2	c
295. por órdenes de fabricación	2	c
296. proceso productivo	2 c	c
297. producción en masa	2 c	c
298. producto de alimentación	2 fc	c
299. producto en curso de elaboración	2	c
300. recursos financieros propios	2	c
301. reinvertir	2	fc
302. renta anual equivalente	2 c	c
303. renta nacional	2 c	c
304. retribuir	2	c
305. simograma	2 c	c
306. sindicato bancario	2 c	c
307. sistema de período constante	2 c	c
308. soft	2 u	u
309. subcontratista	2	c
310. subcontrato	2	c
311. subvencionar	2	c
312. supermercado	2	c
313. tabla de control de costes	2 c	c

314. tecnocrático	2 c	c
315. tiempo predeterminado	2	c
316. tiempo suplementario	2	c
317. transportista	2 c	c
318. tributo	2	c
319. valoración en funcionamiento	2	c
320. valor en funcionamiento	2	c
321. variación cíclica	2 c	c
322. venta a crédito	2	c
323. accionariado	1	c
324. agricultor	1	c
325. agropecuario	1	c
326. auditoría interna	1 c	c
327. autodirigir	1 c	c
328. autofinanciarse	1 c	c
329. autopista	1 c	c
330. autorregularse	1	c
331. autoservicio	1	c
332. avión de carga	1	c
333. base temporal homogénea	1 c	c
334. beneficioso	1	c
335. bien de consumo inmediato	1	c
336. bienes Giffen	1	c
337. bien inicial	1	c
338. calidad de vida	1	c
339. campaña de publicidad	1 c	c
340. campaña publicitaria	1 c	c
341. capitalismo	1 c	c
342. carbón	1	c
343. ciclo de amortizaciones	1	c
344. ciclo de depreciación	1 c	c
345. ciencias de la gestión	1	c
346. coeficiente beneficio	1	c
347. coeficiente de leverage	1 u	u
348. combustible	1	c
349. comerciante	1 c	c
350. comercio exterior	1	c
351. comisionista	1 c	c
352. comparación de costes	1	c
353. competitividad	1 c	c
354. computer aided design	1 u	u
355. computer aided manufacturing	1 u	u
356. contabilidad	1	c
357. cooperativa	1 c	c
358. coste de inventarios	1 c	c
359. coste social	1 c	c
360. coyuntural	1 c	c
361. crecimiento financiero	1	c
362. crecimiento patrimonial	1	c
363. decisión de capacidad de producción	1	c
364. decisión de producir o comprar	1	c
365. dirección de finanzas	1 c	c
366. dirección de supervisión	1 c	c
367. directivo intermedio	1	c
368. director de distribución	1 c	c
369. director de fábrica	1 c	c

370. director de investigación	1	c
371. director de marketing	1 c	c
372. director general	1 c	c
373. disminución de precios	1	c
374. distribución de la renta	1 c	c
375. diversificación de productos y mercados	1 c	c
376. dividendo extraordinario	1 c	c
377. dólar	1 c	c
378. economizar	1 c	c
379. en masa	1	c
380. en staff	1 u	u
381. en términos de capacidad adquisitiva	1	c
382. entidad financiera	1 c	c
383. entidad no lucrativa	1	c
384. entidad pública	1	c
385. establecimiento farmacéutico	1	c
386. factores motivacionales	1 c	c
387. feedback	1 u	u
388. ferroviario	1	c
389. financieramente	1 c	c
390. fiscalmente	1 c	c
391. free on board	1 u	u
392. fuerza de venta	1	c
393. gestión de la producción	1	c
394. gestión económica de stocks	1	c
395. grafo completo	1	c
396. handmade	1 u	u
397. hard	1 u	u
398. hora extra	1	c
399. hostelería	1	c
400. impuesto de sociedades	1	c
401. índice de cantidades de Laspeyres	1 c	c
402. índice de cantidades de producción	1 c	c
403. índice de evolución de la cantidad de producción de Laspeyres	1 c	c
404. ingeniero de ventas	1	c
405. inventariable	1 c	c
406. jefe de división	1	c
407. las primas a los vendedores en función de sus previsiones de venta	1	c
408. management	1 u	u
409. manutención	1	fc
410. marítimo	1 c	c
411. marketingmix de promoción	1 c	c
412. materialmente	1 c	c
413. mecanismo	1 c	c
414. mecanización	1 c	c
415. medio de transporte	1 c	c
416. mineral	1 c	c
417. monopolio bilateral	1 c	c
418. monopolista	1 c	c
419. monopolístico	1 c	c
420. monopsonio	1 c	c
421. monopsonio limitado	1 c	c
422. neto patrimonial	1 c	c
423. nit	1 u	u
424. Nobel de economía	1 c	c
425. oligopsonio	1 c	c

426. orientación a la competencia	1 c	c
427. orientación a la producción	1 c	c
428. orientación a las ventas	1	c
429. orientación al consumidor	1 c	c
430. orientación a los consumidores	1 c	c
431. patrimonio neto	1 c	c
432. petróleo	1 c	c
433. plan de marketing	1 c	c
434. pleno empleo	1	c
435. política de producto	1 c	c
436. política de productos	1 c	c
437. política de promoción	1 c	c
438. política de promoción y publicidad	1 c	c
439. postventa	1	c
440. posventa	1	c
441. prestación de servicios	1	c
442. prima de productividad	1	c
443. producción de energía	1 c	c
444. producción en serie	1 c	c
445. producción individualizada	1 c	c
446. producción intermitente	1 c	c
447. producción por órdenes	1 c	c
448. producción por órdenes de fabricación	1 c	c
449. producción simple	1 c	c
450. productivo^2	1 c	c
451. producto agrícola	1	c
452. producto ampliado	1	c
453. producto de artesanía	1 c	c
454. producto diferenciado	1 c	c
455. producto elaborado	1	c
456. producto en curso	1	c
457. producto farmacéutico	1 c	c
458. producto financiero	1 c	c
459. producto genérico	1 c	c
460. producto primario	1 c	c
461. producto químico	1 c	c
462. productor^2	1 c	c
463. producto tangible	1	c
464. promotor de ventas	1	c
465. publicidad difusiva	1 c	c
466. publicidad mixta	1 c	c
467. publicidad persuasiva	1 c	c
468. ratio de actividad	1 c	c
469. reclamo	1 c	c
470. recursos económicos	1	c
471. recursos financieros externos	1	c
472. rendimiento unitario	1 c	c
473. rentabilidad en términos de capacidad adquisitiva esperada	1	c
474. rentabilidad en términos reales	1 c	c
475. representante mercantil	1	c
476. revolución industrial	1 c	c
477. robot	1 c	c
478. robotizar	1 c	c
479. rural	1 c	c
480. salario mínimo	1 c	c
481. semielaborado	1	c

482. siderometalúrgico	1 c	c
483. simultaneous motion	1 u	u
484. sindical	1 c	c
485. sistema de economía centralizada	1 c	c
486. sistema de inventario continuo	1 c	c
487. sistema de inventario justo a tiempo	1	c
488. sistema de revisión periódica	1	c
489. sistema periódico	1 c	c
490. skills	1 u	u
491. stock en curso de fabricación	1	c
492. strategy	1 u	u
493. structure	1 u	u
494. style	1 u	u
495. super ordinate goals	1 u	u
496. tayloriano	1 c	c
497. técnico de venta	1	c
498. teoría de contenidos o causas	1	c
499. teoría de la motivación	1 c	c
500. teoría de los procesos	1 c	c
501. teoría motivacional	1 c	c
502. test de reconocimiento	1	c
503. unidad departamental	1	c
504. unidad operativa	1	c
505. valiosísimo	1	c
506. valorativo	1	c
507. valor económico	1	c
508. valor en liquidación	1	c
509. variación accidental	1 c	c
510. vendedor a domicilio	1	c
511. volumen de negocio	1	c

Anexo F: El léxico subtécnico según la acepción didáctica *a*: resultados de su análisis

F.1. Las metáforas: 252 UL

La segunda columna menciona la frecuencia absoluta. La tercera indica si se trata de una cognada (c) o una falsa cognada (fc) con el neerlandés. En la cuarta columna se señala si se trata de una cognada (c) con el francés y/o inglés. En la última columna la (s) indica que la extensión semántica es la misma en neerlandés, mientras que la (n) expresa lo contrario.

1.	inversión	322 fc		n
2.	nudo	109	c	s
3.	activo	99 c	c	s
4.	flujo de caja	87		s
5.	coste fijo	62		s
6.	pasivo	56 c	c	s
7.	crédito	40 c	c	s
8.	ingreso	35		s
9.	desviación²	34	c	s
10.	inflación	34 c	c	s
11.	invertir	33 fc		n
12.	elasticidad	32 c	c	s
13.	punto muerto	32	c	n
14.	flujo¹	31		s
15.	existencias	28	c	n
16.	fuente de financiación	27		s
17.	activo circulante	26 c	c	s
18.	activo fijo	24	c	s
19.	obligación¹	22 c	c	s
20.	balance¹	20 c	c	s
21.	toma de decisiones	18		s
22.	al contado	15		s
23.	apalancamiento operativo	14		s
24.	canal de distribución	14 c	c	s
25.	inmovilizado¹	13	c	n
26.	título	13 c	c	s
27.	fondo de maniobra	12		n
28.	fuente¹	12		s
29.	rama	12		s
30.	recursos humanos	12 c	c	s
31.	margen de beneficio	11	c	s
32.	apalancamiento	10		s
33.	fuente financiera	10		s
34.	holgura	10		n
35.	rentabilidad aparente	10	c	n
36.	ruptura	10	c	n
37.	aportación¹	9	c	s
38.	coeficiente de apalancamiento operativo	9		s
39.	línea¹	9	c	s

40.	utilidad	9	c	s
41.	alta dirección	8		s
42.	apalancamiento financiero	8		s
43.	camino crítico	8		s
44.	inversión simple	8 fc		n
45.	margen bruto unitario	8	c	n
46.	capital social	7 c	c	s
47.	ciclo de vida	7	c	s
48.	coeficiente de apalancamiento financiero	7		s
49.	estructura lineal	7 c	c	s
50.	nudo decisional	7	c	s
51.	árbol de decisión	6		s
52.	blando	6		s
53.	carga de estructura	6	c	n
54.	crecimiento externo	6		s
55.	inversión productiva	6 fc		n
56.	liquidez	6	c	s
57.	período medio de maduración económico	6	c	s
58.	puesto	6		s
59.	ruptura del stock	6	c	n
60.	tasa de inflación	6	c	s
61.	utilidad de forma	6	c	s
62.	desviación en márgenes	5	c	s
63.	estructura en línea y staff	5 c	c	s
64.	estructura matricial	5 c	c	n
65.	horizonte	5 c	c	s
66.	margen bruto	5	c	s
67.	margen bruto total	5	c	s
68.	penetración	5	c	s
69.	penetración neta	5	c	s
70.	período medio de maduración financiera	5	c	s
71.	umbral de rentabilidad	5		n
72.	afijación óptima	4		n
73.	árbol^2	4		n
74.	beneficio líquido	4	c	n
75.	cartera de productos	4		s
76.	coste marginal	4 c	c	s
77.	en línea	4	c	s
78.	flujo del proceso	4		n
79.	fondo de rotación	4	c	n
80.	holgura total	4		n
81.	inversión efectuable	4 fc		n
82.	inversión mutuamente excluyente	4 fc		n
83.	línea de productos	4 c	c	s
84.	mano invisible	4	c	s
85.	margen unitario	4	c	s
86.	nudo aleatorio	4	c	s
87.	ratio de rotación	4	c	n
88.	sistema mixto	4 c	c	s
89.	tasa de crecimiento	4	c	s
90.	afijación óptima con costes variables	3		n
91.	afijación proporcional	3 c	c	n
92.	apalancamiento total	3		s
93.	carga^1	3	c	s
94.	coeficiente de apalancamiento total	3		s
95.	coste del activo	3 c	c	n

96.	creación de nichos	3		n
97.	crecimiento interno	3		s
98.	cuenta corriente	3		s
99.	factores de mantenimiento	3 c	c	s
100.	flujo de caja medio anual por unidad monetaria comprometida	3		n
101.	flujo de materiales	3		s
102.	flujo neto de caja	3		s
103.	holgura independiente	3		n
104.	holgura libre	3		n
105.	ingreso marginal	3		s
106.	inmovilizado[2]	3	c	n
107.	inversión financiera	3 fc		n
108.	inversión mixta	3 fc		n
109.	línea de precios	3	c	s
110.	mano visible	3	c	s
111.	quebranto de emisión	3		n
112.	red de distribución	3		s
113.	retroalimentación	3	c	s
114.	sociedad[1]	3	c	s
115.	utilidad de lugar	3	c	s
116.	utilidad de tiempo	3	c	s
117.	vida técnica	3	c	s
118.	afijación	2		n
119.	afijación por igual	2		n
120.	alto directivo	2		n
121.	amortización constante	2	c	s
122.	amplitud[1]	2	c	n
123.	apalancamiento combinado	2		s
124.	base amortizable	2	c	n
125.	base[1]	2 c	c	n
126.	capital inmovilizado	2 c	c	s
127.	ciclo de vida de un producto	2	c	s
128.	criterio de optimismo parcial de Hurwicz	2		n
129.	cuota fija	2		n
130.	desviación en el tamaño global del mercado	2		n
131.	elasticidad de la demanda	2	c	s
132.	elástico	2 c	c	s
133.	en línea y staff	2	c	s
134.	flujo físico	2		s
135.	gravar	2		s
136.	guerra de precios	2	c	s
137.	inversión de renovación o reemplazo	2 fc		n
138.	límite de la dirección	2 c	c	n
139.	límite del control	2 c	c	n
140.	línea de precio	2	c	s
141.	línea y staff	2	c	s
142.	línea[3]	2 c	c	s
143.	líquido[1]	2	c	s
144.	longitud[1]	2	c	s
145.	materia auxiliar	2	c	s
146.	mezcla comercial	2		n
147.	nicho	2	c	n
148.	penetración en el mercado	2		s
149.	periodo medio de maduración económico	2	c	s
150.	profundidad	2	c	s
151.	quebrar	2		n

152.	quiebra	2		n
153.	ratio de liquidez	2 c	c	s
154.	sociedad anónima	2	c	s
155.	utilidad de propiedad	2	c	s
156.	absorbente	1 c	c	s
157.	absorber	1 c	c	s
158.	absorción	1	c	s
159.	acción liberada	1	c	n
160.	al detalle	1 c	c	n
161.	al por mayor	1		s
162.	al por menor	1		s
163.	alta segmentación	1		n
164.	amortización acelerada	1	c	s
165.	apalancar	1		s
166.	arqueo de caja	1		n
167.	capacidad punta	1	c	s
168.	capital humano	1 c	c	s
169.	carga³	1	c	s
170.	cartera¹	1		s
171.	cartera²	1		s
172.	ciclo de vida del producto	1	c	s
173.	coeficiente de elasticidad	1 c	c	s
174.	coeficiente de elasticidad de la demanda	1 c	c	s
175.	coste aparente	1 c	c	n
176.	coste de oportunidad	1 c	c	s
177.	criterio de Savage	1		n
178.	cuello de botella	1		s
179.	de línea y staff	1	c	s
180.	desviación en el mercado	1		n
181.	directivo de línea	1		s
182.	economía de escala	1		s
183.	empresa mixta	1		s
184.	filial	1 c	c	s
185.	flotante	1	c	s
186.	flujo de caja total por unidad monetaria comprometida	1		n
187.	flujo de información de salida	1		s
188.	flujo de los materiales	1		s
189.	flujo financiero	1		s
190.	flujo neto de caja medio anual	1		s
191.	flujo real	1		s
192.	flujo total por unidad monetaria comprometida	1		s
193.	fusión	1 c	c	s
194.	fusionar	1 c	c	s
195.	guerra publicitaria	1	c	s
196.	inelástico	1 c	c	s
197.	inflacionario	1	c	s
198.	información de canal	1	c	s
199.	información de salida	1	c	s
200.	ingreso financiero	1		s
201.	interés acumulado	1 c	c	n
202.	inversión de activo fijo	1 fc		n
203.	inversión de ampliación a nuevos productos o mercados	1 fc		n
204.	inversión de ampliación de los productos o mercados existentes	1 fc		n
205.	inversión de mantenimiento	1 fc		n
206.	inversión de reemplazamiento para el mantenimiento de la empresa	1 fc		n

207.	inversión de reemplazamiento para reducir costes o para mejorar tecnológicamente	1 fc		n
208.	inversión en activo circulante	1 fc		n
209.	inversión fraccionable	1 fc		n
210.	inversión impuesta	1 fc		n
211.	inversión no simple	1 fc		n
212.	inversión pura	1 fc		n
213.	letra de cambio	1		s
214.	libre mercado	1		s
215.	línea ejecutiva	1	c	s
216.	margen de beneficio bruto unitario	1	c	s
217.	margen de seguridad	1	c	s
218.	margen neto sobre ventas	1	c	s
219.	margen unitario sobre costes variables	1	c	n
220.	método de los números dígitos crecientes	1	c	s
221.	método de los números dígitos en sentido decreciente	1		s
222.	mezcla promocional	1		n
223.	modelo de colas	1		s
224.	modelo de líneas de espera	1		s
225.	necesidades de inversión	1		n
226.	nicho del mercado	1		n
227.	penetración de un soporte	1		s
228.	penetración del mercado	1		s
229.	período de maduración	1	c	s
230.	período de maduración económico	1	c	s
231.	período medio de maduración	1	c	s
232.	prima de inflación	1	c	s
233.	principio de retroacción	1	c	n
234.	rentabilidad neta de inflación	1 c	c	s
235.	retroacción	1	c	n
236.	ruptura de stocks	1	c	s
237.	ruptura del inventario	1	c	s
238.	sanear	1		s
239.	sano	1	c	s
240.	sociedad colectiva	1	c	s
241.	sociedad comanditaria	1	c	s
242.	sociedad cooperativa	1	c	s
243.	sociedad de responsabilidad limitada	1	c	s
244.	suspensión de pagos	1	c	n
245.	tasa de retorno	1	c	n
246.	tiempo más alto de iniciación	1	c	s
247.	tiempo más bajo de iniciación	1	c	s
248.	toma de decisión	1		s
249.	toma de las decisiones	1		s
250.	tormenta de ideas	1		s
251.	vector de existencias	1	c	n
252.	vida económica	1	c	s

F.2. Las UL subtécnicas de especialización y metonímicas: 370 UL

La segunda columna menciona la frecuencia absoluta. La tercera indica si se trata de una cognada (c) o una falsa cognada (fc) con el neerlandés. En la cuarta columna se señala si se trata de una cognada (c) con el francés y/o inglés. En la última columna la (s) indica que la extensión semántica es la misma en neerlandés, mientras que la (n) expresa lo contrario.

1.	valor^2	229	c	s
2.	decisión^1	215	c	s
3.	demanda	138	c	s
4.	información	130 c	c	s
5.	factor	125 c	c	s
6.	marca	60 c	c	s
7.	plan operativo	58 c	c	s
8.	materia prima	54	c	n
9.	organización^2	49 c	c	s
10.	adquirir	48	c	s
11.	distribución^1	47 c	c	s
12.	dirección^1	46	c	s
13.	organización^1	45 c	c	s
14.	tipo de descuento	42		n
15.	desembolso inicial	40		n
16.	remuneración	39	c	n
17.	recursos	38	c	s
18.	cuota	35 c	c	s
19.	intermediario	35	c	s
20.	segmento	35 c	c	s
21.	muestra	34		n
22.	beneficio neto	32	c	n
23.	departamento	32 c	c	s
24.	dirección^2	32 c	c	s
25.	adquisición	31	c	s
26.	distribuidor	31 c	c	s
27.	efectuable	29	c	s
28.	líder	28	c	s
29.	liderazgo^1	28		s
30.	plazo de recuperación	28		n
31.	beneficio operativo	26	c	n
32.	valores	26	c	s
33.	distribución^2	24 c	c	s
34.	instalación	24 c	c	s
35.	decisor	23	c	s
36.	neto	23 c	c	s
37.	incentivo	22	c	s
38.	recursos propios	21	c	s
39.	tipo de interés	20		n
40.	asignación	19	c	s
41.	departamentación	19 c	c	s
42.	mano de obra	19	c	s
43.	diversificación	18 c	c	s

44.	tipo de rendimiento interno	18		n
45.	valor sustancial	18	c	n
46.	emisión[1]	17 c	c	s
47.	gestión	17	c	n
48.	segmentación	17 c	c	s
49.	competidor	16		s
50.	óptimo[1]	16 c	c	n
51.	recursos ajenos	16		s
52.	agente	15 c	c	s
53.	relaciones públicas	15 c	c	s
54.	director	14 c	c	s
55.	informar	14 c	c	s
56.	mercado de factores	14		s
57.	pérdidas	14		s
58.	ganar[1]	12		n
59.	precedencia	11	c	s
60.	riqueza	11	c	s
61.	competir	10		s
62.	competitivo	10 c	c	s
63.	coste del pasivo	9 c	c	s
64.	decisional	9	c	s
65.	equipo[2]	9	c	s
66.	método estático	9 c	c	s
67.	oferta	9	c	s
68.	patrimonio	9 c	c	s
69.	tipo de gravamen	9		n
70.	método directo	8 c	c	s
71.	pequeña empresa	8		s
72.	principal[3]	8	c	n
73.	stock de seguridad	8	c	s
74.	adquirente	7	c	n
75.	asesoramiento	7	c	s
76.	coeficiente de optimismo	7 c	c	s
77.	demora	7	c	s
78.	gráfico de Gantt	7		s
79.	hora extraordinaria	7	c	s
80.	rentabilidad neta de riesgo	7		n
81.	retribución	7	c	s
82.	sueldo fijo	7		s
83.	teoría x	7		s
84.	audiencia neta	6	c	s
85.	capacidad discriminante	6 c	c	s
86.	compañía	6	c	n
87.	cuantía	6		n
88.	diagrama	6 c	c	s
89.	entrega	6		s
90.	gestionar	6	c	s
91.	gran empresa	6		s
92.	grandes almacenes	6		s
93.	indiferente	6	c	n
94.	intermediación	6	c	s
95.	liquidar	6 c	c	s
96.	matricial[1]	6	c	n
97.	negociación	6	c	s
98.	pedido constante	6		s
99.	planificación de proyectos	6 c	c	s

100. reserva	6 c	c	s
101. segmentar	6 c	c	s
102. cotizar	5	c	n
103. deducible	5		s
104. demandante	5	c	s
105. depreciarse	5	c	n
106. empresa social	5		s
107. encuesta	5		s
108. incentivar	5	c	s
109. input	5		s
110. método de Belson	5		s
111. método dinámico	5 c	c	s
112. modelo determinista	5 c	c	s
113. plazo de recuperación con descuento	5		n
114. ratio de situación	5 c	c	s
115. tipo libre de riesgo	5		n
116. análisis de la varianza	4	c	s
117. beneficio bruto	4	c	n
118. bruto	4 c	c	s
119. criterio pesimista	4 c	c	s
120. dirección operativa	4 c	c	n
121. discriminación de precios	4	c	s
122. enfoque sociotécnico	4		s
123. estructura en comité	4 c	c	s
124. expansión	4 c	c	s
125. flujo de información	4		s
126. gama	4 c	c	s
127. incertidumbre estructurada	4		s
128. informativo	4 c	c	s
129. intersección de Fisher	4		n
130. matriz de decisión	4	c	s
131. matriz de pagos	4	c	s
132. matriz de transición	4	c	n
133. método indirecto	4 c	c	s
134. método Roy	4		s
135. modelo de Wilson	4		s
136. nominal[1]	4	c	n
137. nominal[2]	4	c	n
138. prescriptor	4	c	n
139. relación de agencia	4	c	s
140. repuesto	4		s
141. satisfacción de las necesidades	4	c	s
142. valor de retiro	4	c	n
143. valor nominal	4	c	n
144. a plazo	3		s
145. actividad productiva	3 c	c	s
146. agente social	3 c	c	s
147. asesor	3	c	s
148. capacidad adquisitiva	3	c	n
149. compactibilidad	3 c	c	s
150. contable	3	c	n
151. criterio optimista	3 c	c	s
152. cuantitativo	3 c	c	s
153. cuota constante	3 c	c	s
154. diagrama de actividades	3 c	c	s
155. dirección intermedia	3 c	c	n

156.	ejecutivo	3	c	n
157.	imputación	3	c	s
158.	integración vertical	3 c	c	s
159.	investigación operativa	3	c	s
160.	jornada reducida	3		n
161.	mantenimiento preventivo	3	c	s
162.	matriz de pesares	3		s
163.	método del brainstorming	3	c	s
164.	modelo aditivo	3 c	c	s
165.	modelo probabilístico	3 c	c	s
166.	ofertar	3	c	s
167.	organización científica	3	c	n
168.	panel	3 c	c	s
169.	principio de designación unívoca	3	c	s
170.	rentabilidad bruta de las ventas	3	c	n
171.	respuesta al estímulo	3	c	n
172.	tanto fijo	3		s
173.	teoría contractual	3 c	c	s
174.	teoría de la información	3 c	c	s
175.	teoría y	3		s
176.	tipificación[1]	3 c	c	s
177.	tipificar	3 c	c	s
178.	vértice	3		n
179.	administración de empresas	2		n
180.	agrupación dicotómica	2		s
181.	asesorar	2	c	s
182.	atributo de posicionamiento	2	c	s
183.	capacidad sostenida	2	c	n
184.	ciclo largo	2		s
185.	comunicación externa	2 c	c	s
186.	concepción frecuencial	2 c	c	n
187.	concurrente	2 c	c	s
188.	consultor	2 c	c	n
189.	contablemente	2	c	n
190.	coyuntura	2 c	c	n
191.	criterio de Hurwicz	2		s
192.	criterio de Laplace	2		s
193.	criterio del flujo total por unidad monetaria comprometida	2		s
194.	criterio del mínimo pesar	2		s
195.	cualificación	2 c	c	s
196.	decisión de proceso	2	c	s
197.	dejar hacer	2		n
198.	designación unívoca	2	c	s
199.	diagrama de equipo	2 c	c	s
200.	diagrama de operaciones	2 c	c	n
201.	disposición combinada	2	c	n
202.	disposición de punto fijo	2		n
203.	disposición por procesos	2	c	n
204.	disposición por productos	2	c	n
205.	emprendedor	2		s
206.	empresa pequeña	2		s
207.	en comité	2 c	c	s
208.	etiqueta de la marca	2 c	c	s
209.	grandes superficies	2	c	n
210.	incertidumbre no estructurada	2		s
211.	índice de Laspeyres	2		s

212. libre de riesgo	2		s
213. liderazgo[2]	2		s
214. mantenimiento correctivo	2	c	n
215. mantenimiento predictivo	2	c	
216. marca de familia	2 c	c	s
217. marca individual	2 c	c	s
218. marca nacional	2 c	c	s
219. marcar[1]	2	c	s
220. mercado tendencial	2		s
221. método del tanto fijo	2		s
222. método Dupont	2		s
223. modelo de distribución	2 c	c	s
224. modelo multiplicativo	2 c	c	s
225. muestreo del trabajo	2		n
226. nivel de realización	2 c	c	s
227. nuevo liderazgo	2		s
228. oferente	2	c	s
229. organización informal	2 c	c	s
230. pequeña y mediana empresa	2		s
231. periodo constante	2 c	c	s
232. política de cero defectos	2		s
233. política de distribución	2 c	c	s
234. prelación lineal	2		s
235. presidente	2 c	c	s
236. principio de designación sucesiva	2	c	s
237. principio de interdependencia	2	c	s
238. principio de Pareto	2		s
239. remunerar	2	c	n
240. rentabilidad neta	2 c	c	s
241. teoría de la agencia	2	c	s
242. teoría z	2		s
243. administración de negocios	1	c	n
244. administración pública	1 c	c	n
245. agente comercial	1 c	c	s
246. agente económico	1 c	c	s
247. agrupación matricial	1		n
248. ajuste	1	c	s
249. análisis de viabilidad	1	c	s
250. asesoría	1	c	s
251. asignación de recursos	1	c	s
252. bienes Giffen	1		s
253. cambio[1]	1		n
254. capacidad de discriminación	1 c	c	s
255. centro organizativo	1 c	c	s
256. ciclo corto	1 c	c	s
257. cifra de negocios	1	c	s
258. coeficiente de pesimismo	1 c	c	s
259. coeficiente de retención	1	c	n
260. competición	1 c	c	s
261. concurrir	1 c	c	s
262. conglomeral	1 c	c	s
263. consultoría	1	c	n
264. contraproducente	1 c	c	s
265. convenio colectivo	1		n
266. corredor de plaza	1		n
267. crisis	1 c	c	s

268. criterio aproximado	1	c	n
269. criterio de igual verosimilitud	1	c	n
270. criterio de Wald	1		s
271. criterio del flujo de caja medio anual por unidad monetaria comprometida	1		s
272. criterio racionalista	1 c	c	s
273. cualificado	1 c	c	s
274. cualitativamente	1 c	c	s
275. cualitativo	1 c	c	s
276. cultura estratégica	1 c	c	s
277. decisión cualitativa	1	c	s
278. decisión cuantitativa	1	c	s
279. decisión secuencial	1	c	s
280. definición de Laplace	1		s
281. demanda dependiente	1	c	s
282. demanda independiente	1	c	s
283. depositario	1	c	s
284. designación sucesiva	1	c	s
285. destinatario	1	c	s
286. dirección de primera línea	1 c	c	s
287. distintivo de marca	1	c	s
288. empresa grande	1		s
289. empresas medianas y grandes	1		n
290. enfoque contingencial	1		s
291. especulación	1 c	c	s
292. expedición	1 c	c	n
293. extensión de la marca	1	c	n
294. factor humano	1	c	n
295. firma[1]	1	c	n
296. gráfico de control	1 c	c	s
297. incentivación	1	c	s
298. índice de cantidades de Laspeyres	1		s
299. índice de evolución de la cantidad de producción de Laspeyres	1		s
300. liderar	1		s
301. mando intermedio	1		n
302. marca de distribuidor	1 c	c	s
303. marca registrada	1	c	n
304. marcado	1		n
305. matriz de cambios de estado	1		n
306. matriz de decisiones	1	c	n
307. mayorista de contado	1		n
308. mediana y gran empresa	1		s
309. mercado de valores	1		n
310. método abc	1		s
311. método abc de control de inventarios	1		s
312. método de los potenciales	1	c	s
313. método de los prácticos	1	c	n
314. método del caminocrítico	1	c	s
315. método del mínimo adverso	1	c	n
316. método lineal	1 c	c	s
317. mínimo adverso	1	c	s
318. modelo de hitchkock	1		s
319. modelo de programación lineal	1 c	c	s
320. muestreo estratificado	1		s
321. muestreo polietápico	1		s
322. muestreo por conglomerados o áreas	1		s

323. muestreo por cuotas	1		n
324. Nobel de economía	1		s
325. nombre de marca	1	c	s
326. nominalmente	1 c	c	n
327. organización formal	1 c	c	s
328. pequeña y mediana	1		s
329. perecedero	1		s
330. perturbación aleatoria	1	c	n
331. plan de estudios	1 c	c	s
332. planificación	1 c	c	s
333. planificación de las actividades productivas	1 c	c	s
334. planificación estratégica	1 c	c	s
335. poder de experiencia	1		s
336. poder de reconocimiento	1		s
337. política de acertar a la primera	1		s
338. posición de la marca	1 c	c	n
339. precio al contado	1	c	n
340. precio de contado	1	c	n
341. prelación de convergencia	1		s
342. prelación de divergencia	1		s
343. principio de control	1 c	c	s
344. principio de restricción en la toma de decisiones	1		s
345. principio de secuencia	1 c	c	s
346. principio de unicidad del estado final	1	c	s
347. principio de unicidad del estado inicial y del estado final	1	c	s
348. proceso intermitente	1	c	s
349. programa productivo	1	c	s
350. programación reticular	1 c	c	s
351. ratio de síntesis	1 c	c	s
352. recursos externos	1	c	s
353. recursos internos	1	c	s
354. rentabilidad neta de las ventas	1	c	s
355. repartidor	1	c	s
356. reponer[1]	1		s
357. representante de zona	1	c	s
358. retirar[1]	1	c	n
359. rival	1 c	c	s
360. saldo a la vista	1		n
361. satisfacción de necesidades	1	c	s
362. sector primario	1 c	c	s
363. semielaboración	1	c	s
364. tasa de interés	1	c	n
365. teoría de grafos	1	c	s
366. teoría de la decisión	1	c	s
367. teoría de la personalidad	1 c	c	s
368. teoría situacional	1 c	c	s
369. test de concepto	1 c	c	s
370. unicidad del estado inicial y del estado final	1	c	s

F.3. Las homonimias: 58 UL

La segunda columna menciona la frecuencia absoluta. La tercera indica si se trata de una cognada (c) o una falsa cognada (fc) con el neerlandés. En la cuarta columna se señala si se trata de una cognada (c) con el francés y/o inglés.

1.	acción[1]	96		c	30.	capital[2]	3 c		c
2.	interés[1]	71 c		c	31.	efecto[1]	3 c		c
3.	equipo[1]	65		c	32.	ejercicio[1]	3		c
4.	producir[1]	36 c		c	33.	particular	3 c		c
5.	capital[1]	34 c		c	34.	prestar[1]	3		c
6.	fondo de comercio	30 c		c	35.	vencer	3		
7.	banco	23 c		c	36.	abono	2		
8.	abonar	22			37.	equipo de trabajo	2		c
9.	prima	22		c	38.	función lagrangiana	2 c		c
10.	personal[1]	20 c		c	39.	función productiva	2 c		c
11.	importar[2]	18		c	40.	hacienda	2		
12.	fondos	14 c		c	41.	nave industrial	2		
13.	capital permanente	13 c		c	42.	bienes de capital	1		c
14.	principal[1]	12		c	43.	capital de trabajo	1		
15.	función de demanda	11 c		c	44.	coste de capital	1 c		c
16.	artículo[1]	10 c		c	45.	empleador	1		c
17.	empleo	10		c	46.	equipo productivo	1		c
18.	equipo de producción	9		c	47.	firma de consultores	1 c		c
19.	medios	9			48.	fondo interno	1 c		c
20.	cotización	7		c	49.	fondo propio	1 c		c
21.	función de producción	7 c		c	50.	fondos de dinero	1 c		c
22.	planta[1]	7			51.	función de marketing	1 c		c
23.	capital total	6 c		c	52.	función de rendimiento	1 c		c
24.	medio financiero	6			53.	importar[1]	1 c		c
25.	seguro[1]	5			54.	matriz[1]	1 c		c
26.	arista	4			55.	medios de producción	1		
27.	fondo	4 c		c	56.	prima de producción	1		c
28.	partida[1]	4		c	57.	útil[1]	1		c
29.	partida[3]	4			58.	vencimiento	1		

Anexo G: Las categorías léxicas según la aproximación lingüística

En este anexo las unidades léxicas de cada categoría se presentan por orden de frecuencia absoluta decreciente. La tercera columna especifica si se trata de:
- s: un sustantivo o sintagma nominal;
- a: un adjetivo o un sintagma adjetival;
- v: un verbo o un sintagma verbal;
- b: un adverbio o un sintagma adverbial.

Otras categorías léxicas no se identifican. En la cuarta columna se indica si se trata de una unidad léxica compuesta (c) o simple (espacio blanco).

G.1. El léxico funcional: 250 UL

1.	el	9591		36.	sobre	177		
2.	de	9219		37.	deber	163	v	
3.	la	7748		38.	cierto	146		
4.	que	3792		39.	aquel	140		
5.	él	3681		40.	tanto	128		
6.	ser	3370	v	41.	tal	127		
7.	y	2884		42.	pues	126	b	
8.	en	2831		43.	segundo	124		
9.	a	2574		44.	estar	121	v	
10.	un	2311		45.	cuyo	114		
11.	del	1409		46.	mucho	112		
12.	su	1057		47.	según	109		
13.	por	940		48.	muy	101		
14.	para	789		49.	éste	100		
15.	poder²	764	v	50.	donde	95		
16.	haber	760	v	51.	así	90	b	
17.	o	736		52.	e¹	86		
18.	no	677	b	53.	tratar²	85	v	
19.	con	666		54.	soler	79	v	
20.	este	638		55.	ya	77	b	
21.	como	634		56.	millón	71		
22.	si	516		57.	sin	71		
23.	entre	451		58.	cuál	69		
24.	más	396	b	59.	ir²	69	v	
25.	otro	396		60.	cuanto	67		
26.	cada	373		61.	aunque	64		
27.	mismo	300		62.	desde	64		
28.	cuando	295		63.	cualquiera	62		
29.	todo	230		64.	dado que	61		c
30.	ese	221		65.	tener²	60	v	
31.	uno	201		66.	en cuanto a	59		c
32.	pero	198		67.	tercero	57		
33.	primero	192		68.	ambos	56		
34.	cual	181		69.	cero	54		
35.	alguno	180		70.	hasta	53		

71. mediante	52		
72. ni	51		
73. respecto a	51	c	
74. ninguno	50		
75. qué	49		
76. para que	47	c	
77. varios	47		
78. durante	46		
79. quien	45		
80. sino	45		
81. en tanto que	40	c	
82. dentro de	39	c	
83. al final de	38	c	
84. cuánto	37		
85. poco	36		
86. bajo[1]	32		
87. sino que	32	c	
88. a medida que	31	c	
89. demás	31		
90. tras	29		
91. u	29		
92. una vez	29	c	
93. antes de	28	c	
94. aquél	28		
95. porque	28	c	
96. tan	27		
97. esto	26		
98. en relación a	25	c	
99. venir	24	v	
100. ahora	23	b	
101. nuestro	23		
102. ante	22		
103. de modo que	22	c	
104. luego	22	b	
105. así como	21	c	
106. hacia	20		
107. algo	18		
108. llegar[2]	18	v	
109. después de	17	c	
110. a partir de	16	c	
111. cómo	16		
112. aquí	14		
113. en lugar de	14	c	
114. en material de	13	c	
115. hasta que	13	c	
116. yo	13		
117. a diferencia de	12	c	
118. apenas	12		
119. con arreglo a	11	c	
120. frente a	11	c	
121. si bien	11	c	
122. al cabo de	10	c	
123. a lo largo de	10	c	
124. entonces	10		
125. puesto que	10	c	
126. bastante	9		

127. como si	9	c	
128. en función de	9	c	
129. junto a	9	c	
130. junto con	9	c	
131. nada	9		
132. conforme a	8	c	
133. cuarto	8		
134. gracias a	8	c	
135. seguir[2]	8	v	
136. alguien	7		
137. continuar[2]	7	v	
138. de acuerdo con	7	c	
139. al igual que	6	c	
140. a menos que	6	c	
141. de manera que	6	c	
142. en base a	6	c	
143. por cuenta de	6	c	
144. siempre que	6	c	
145. además de	5	c	
146. a través de	5	c	
147. fuera de	5	c	
148. mientras	5		
149. por parte de	5	c	
150. salvo	5		
151. volver[2]	5	v	
152. a comienzos de	4	c	
153. a la vista de	4	c	
154. contra	4		
155. por debajo de	4	c	
156. quién	4		
157. sin que	4	c	
158. acabar	3	v	
159. a cambio de	3	c	
160. a costa de	3	c	
161. aquello	3		
162. con objeto de	3	c	
163. con referencia a	3	c	
164. con sometimiento a	3	c	
165. cuándo	3		
166. dado	3		
167. de forma que	3	c	
168. desde que	3	c	
169. doble	3		
170. enésimo	3		
171. en torno a	3	c	
172. en virtud de	3	c	
173. excepto	3		
174. mientras que	3	c	
175. nadie	3		
176. quinto	3		
177. respecto de	3	c	
178. sexto	3		
179. una vez que	3	c	
180. ya que	3	c	
181. ahí	2		
182. a la espera de	2	c	

183.	al frente de	2	c	217.	a mediados de	1	c
184.	allí	2		218.	aparte de	1	c
185.	al servicio de	2	c	219.	a pesar de que	1	c
186.	conforme	2		220.	a semejanza de	1	c
187.	con relación a	2	c	221.	cerca de	1	c
188.	de ahí que	2	c	222.	ciento	1	
189.	debido a	2	c	223.	como que	1	c
190.	demasiado	2		224.	con excepción de	1	c
191.	de vez en cuando	2	c	225.	con sujeción a	1	c
192.	dónde	2		226.	con vistas a	1	c
193.	en ausencia de	2	c	227.	correspondiente a	1	c
194.	en caso de	2	c	228.	cualquier	1	
195.	en concepto de	2	c	229.	de bien	1	c
196.	en detrimento de	2	c	230.	delante	1	
197.	en lo relativo a	2	c	231.	dentro	1	
198.	en manos de	2	c	232.	de tal manera que	1	c
199.	ésimo	2		233.	devenir	1	
200.	llevar²	2	v	234.	dos	1	
201.	tal y como	2	c	235.	en lo concerniente a	1	c
202.	tercio	2		236.	en orden a	1	c
203.	a bordo de	1	c	237.	entretanto	1	
204.	a cargo de	1	c	238.	mil	1	
205.	acaso	1		239.	milésimo	1	
206.	a comienzo de	1	c	240.	noveno	1	
207.	acorde	1		241.	octavo	1	
208.	adelante	1		242.	por doquier	1	c
209.	a efectos de	1	c	243.	por encima de	1	c
210.	a favor de	1	c	244.	por medio de	1	c
211.	a finales de	1	c	245.	quinquenal	1	
212.	ahora que	1	c	246.	respecto	1	
213.	a la izquierda de	1	c	247.	según que	1	c
214.	al comienzo de	1	c	248.	suyo	1	
215.	al principio de	1	c	249.	tres	1	
216.	alrededor de	1	c	250.	vía²	1	

G. 2. Los términos económicos: 1.408 UL

La quinta columna proporciona información respecto de la naturaleza de los términos simples y compuestos al especificar si se trata de una sigla (sig), un acrónimo (acrón), una abreviatura (abrev), una sinapsia (sinap), una disyunción (disyun), una contraposición (contra), un préstamo (prést) o un compuesto con epónimo (epón).

1.	empresa	821	s	
2.	producto¹	491	s	
3.	u. m.	375	s c	sig
4.	coste	330	s	
5.	inversion	322	s	
6.	venta	285	s	
7.	valor²	229	s	
8.	precio	228	s	
9.	decisión¹	215	s	

10.	cliente	214	s		
11.	mercado[1]	191	s		
12.	beneficio	185	s		
13.	rentabilidad	173	s		
14.	consumidor	160	s		
15.	producción	143	s		
16.	demanda	138	s		
17.	vendedor	133	s		
18.	trabajo	117	s		
19.	riesgo	110	s		
20.	nudo	109	s		
21.	activo	99	s		
22.	acción[1]	96	s		
23.	inventario	92	s		
24.	trabajador	92	s		
25.	pagar	89	v		
26.	flujo de caja	87	s	c	sinap
27.	S. A.	86	s	c	sig
28.	financiero	80	a		
29.	calidad	77	s		
30.	deuda	75	s		
31.	almacén	74	s		
32.	vender	73	v		
33.	interés[1]	71	s		
34.	bien[1]	70	s		
35.	dividendo	66	s		
36.	valor actual neto	66	s	c	disyun
37.	equipo[1]	65	s		
38.	coste fijo	62	s	c	disyun
39.	pedido	62	s		
40.	económico	60	a		
41.	marca	60	s		
42.	planificación	58	s		
43.	pasivo	56	s		
44.	materia prima	54	s	c	disyun
45.	VAN	54	s	c	sig
46.	competencia[1]	52	s		
47.	marketing	52	s		prést
48.	pago	51	s		
49.	organización[2]	49	s		
50.	adquirir	48	v		
51.	compra	48	s		
52.	publicidad	48	s		
53.	promoción[1]	47	s		
54.	rentabilidad financiera	47	s	c	disyun
55.	dirección[1]	46	s		
56.	directivo[2]	46	s		
57.	gasto	46	s		
58.	financiar	45	v		
59.	organización[1]	45	s		
60.	distribución[1]	44	s		
61.	rentabilidad requerida	43	s	c	disyun
62.	tipo de descuento	42	s	c	sinap
63.	impuesto	41	s		
64.	crédito	40	s		
65.	desembolso inicial	40	s	c	disyun

66.	tasa	40	s	
67.	proveedor	39	s	
68.	remuneración	39	s	
69.	accionista	38	s	
70.	producto terminado	38	s	c disyun
71.	recursos	38	s	
72.	comprar	36	v	
73.	producir[1]	36	v	
74.	unidad monetaria	36	s	c disyun
75.	cuota	35	s	
76.	ingreso	35	s	
77.	intermediario	35	s	
78.	segmento	35	s	
79.	capital[1]	34	s	
80.	coste variable unitario	34	s	c disyun
81.	desviación[2]	34	s	
82.	empresarial	34	a	
83.	endeudamiento	34	s	
84.	inflación	34	s	
85.	invertir[1]	33	v	
86.	mercadotécnico	33	a	
87.	préstamo	33	s	
88.	rentabilidad económica	33	s	c disyun
89.	beneficio neto	32	s	c disyun
90.	consumo	32	s	
91.	departamento	32	s	
92.	dirección[2]	32	s	
93.	elasticidad	32	s	
94.	fabricación	32	s	
95.	muestra[2]	32	s	
96.	punto muerto	32	s	c disyun
97.	trabajar	32	v	
98.	adquisición	31	s	
99.	distribuidor	31	s	
100.	financiación	31	s	
101.	flujo[1]	31	s	
102.	fondo de comercio	30	s	c sinap
103.	productividad	30	s	
104.	comercial	29	a	
105.	efectuable	29	a	
106.	fabricante[1]	29	s	
107.	cobro	28	s	
108.	empleado	28	s	
109.	existencias	28	s	
110.	líder	28	s	prést
111.	liderazgo[1]	28	s	
112.	plazo de recuperación	28	s	c sinap
113.	presupuesto	28	s	
114.	beneficio económico	27	s	c disyun
115.	coste variable	27	s	c disyun
116.	fuente de financiación	27	s	c sinap
117.	tecnología	27	s	
118.	valor actual	27	s	c disyun
119.	activo circulante	26	s	c disyun
120.	beneficio operativo	26	s	c disyun
121.	incertidumbre	26	s	

122. proceso de producción	26	s	c	sinap
123. renta	26	s		
124. TIR	26	s	c	sig
125. valores	26	s		
126. fabricar	25	v		
127. fuerza de ventas	25	s	c	sinap
128. activo fijo	24	s	c	disyun
129. escaso	24	a		
130. instalación	24	s		
131. volumen de ventas	24	s	c	sinap
132. banco	23	s		
133. neto	23	a		
134. abonar	22	v		
135. almacenar	22	v		
136. incentivo	22	s		
137. maquinaria	22	s		
138. obligación[1]	22	s		
139. prima	22	s		
140. envase	21	s		
141. recursos propios	21	s	c	disyun
142. rentabilidad esperada	21	s	c	disyun
143. balance[1]	20	s		
144. grafo	20	s		prést
145. personal[1]	20	s		
146. ratio	20	s		prést
147. tipo de interés	20	s	c	sinap
148. transportar	20	v		
149. asignación	19	s		
150. capital propio	19	s	c	disyun
151. departamentación	19	s		
152. mano de obra	19	s	c	sinap
153. PERT	19	s	c	prést
154. almacenamiento	18	s		
155. descuento	18	s		
156. desviación total	18	s	c	disyun
157. diversificación	18	s		
158. nivel de renta	18	s	c	sinap
159. tipo de rendimiento interno	18	s	c	sinap
160. toma de decisiones	18	s	c	sinap
161. valor global	18	s	c	disyun
162. valor sustancial	18	s	c	disyun
163. capacidad de producción	17	s	c	sinap
164. emisión[1]	17	s		
165. estrato	17	s		
166. gestión	17	s		
167. rentabilidad real	17	s	c	disyun
168. segmentación	17	s		
169. tiempo early	17	s	c	prést
170. competidor	16	s		
171. empréstito	16	s		
172. optimizar	16	v		
173. óptimo[1]	16	s		
174. precio de venta	16	s	c	sinap
175. publicitario	16	a		
176. recursos ajenos	16	s	c	disyun
177. taller	16	s		

178. agente	15	s		
179. al contado	15	b	c	
180. amortización[1]	15	s		
181. comprador	15	s		
182. fabricante[2]	15	a		
183. promoción de ventas	15	s	c	sinap
184. relaciones públicas	15	s	c	disyun
185. rendimiento	15	s		
186. transporte	15	s		
187. apalancamiento operativo	14	s	c	disyun
188. canal de distribución	14	s	c	sinap
189. director	14	s		
190. estructura financiera	14	s	c	disyun
191. finanzas	14	s		
192. fondos	14	s		
193. mayorista	14	s		
194. mercado[2]	14	s		
195. pérdidas	14	s		
196. tiempo last	14	s	c	prést
197. capital permanente	13	s	c	disyun
198. endeudar	13	v		
199. industrial[2]	13	a		
200. inmovilizado[1]	13	s		
201. productor[1]	13	s		
202. puesto de trabajo	13	s	c	sinap
203. título	13	s		
204. venta personal	13	s	c	disyun
205. bien de equipo	12	s	c	sinap
206. dinero	12	s		
207. factores de producción	12	s	c	sinap
208. fondo de maniobra	12	s	c	sinap
209. fuente[1]	12	s		
210. principal[1]	12	s		
211. propiedad	12	s		
212. rama	12	s		
213. recursos humanos	12	s	c	disyun
214. tecnológico	12	a		
215. amortizar[1]	11	v		
216. comisión	11	s		
217. coste del capital	11	s	c	sinap
218. estructura económica	11	s	c	disyun
219. función de demanda	11	s	c	sinap
220. margen de beneficio	11	s	c	sinap
221. marketing mix	11	s	c	prést
222. método PERT	11	s	c	prést
223. operario	11	s		
224. precedencia	11	s		
225. riqueza	11	s		
226. saldo	11	s		prést
227. socio	11	s		
228. valor de rendimiento	11	s	c	sinap
229. apalancamiento	10	s		
230. artículo[1]	10	s		
231. autofinanciación	10	s		
232. competir	10	v		
233. competitivo	10	a		

234.	CPM	10	s c	prést
235.	desviación en cantidades	10	s c	sinap
236.	detallista	10	s	
237.	empleo	10	s	
238.	empresario	10	s	
239.	fábrica	10	s	
240.	fuente financiera	10	s c	disyun
241.	grafo parcial	10	s c	prést
242.	holgura	10	s	
243.	negocio	10	s	
244.	precio unitario	10	s c	disyun
245.	prima de riesgo	10	s c	sinap
246.	productivo[1]	10	a	
247.	programación lineal	10	s c	disyun
248.	rentabilidad aparente	10	s c	disyun
249.	rentable	10	a	
250.	ruptura	10	s	
251.	staff	10	s	prést
252.	acreedor	9	s	
253.	administración	9	s	
254.	aportación[1]	9	s	
255.	coeficiente de apalancamiento operativo	9	s c	sinap
256.	coste de la financiación	9	s c	sinap
257.	coste de oportunidad	9	s c	sinap
258.	cuota de mercado	9	s c	sinap
259.	ensamblaje	9	s	
260.	equipo de producción	9	s c	sinap
261.	línea[1]	9	s	
262.	medios	9	s	
263.	medios	9	s	
264.	método estático	9	s c	disyun
265.	moneda	9	s	
266.	oferta	9	s	
267.	optimización	9	s	
268.	patrimonio	9	s	
269.	prelación	9	s	
270.	rentar	9	v	
271.	salario	9	s	
272.	tesorería	9	s	
273.	tipo de gravamen	9	s c	sinap
274.	utilidad[1]	9	s	
275.	alta dirección	8	s c	disyun
276.	apalancamiento financiero	8	s c	disyun
277.	camino crítico	8	s c	disyun
278.	coste real	8	s c	disyun
279.	decision estratégica	8	s c	disyun
280.	disposición[1]	8	s	
281.	escasez	8	s	
282.	estructura organizativa	8	s c	disyun
283.	fijación de precios	8	s c	sinap
284.	inversion simple	8	s c	disyun
285.	margen bruto unitario	8	s c	disyun
286.	método directo	8	s c	disyun
287.	minorista	8	s	
288.	pequeña empresa	8	s c	disyun
289.	principal[3]	8	s	

290. producto semielaborado	8	s	c	disyun
291. stock de seguridad	8	s	c	prést
292. volumen de producción	8	s	c	sinap
293. adquirente	7	s		
294. asesoramiento	7	s		
295. autocrático	7	a		
296. capital social	7	s	c	disyun
297. ciclo de explotación	7	s	c	sinap
298. ciclo de vida	7	s	c	sinap
299. coeficiente de apalancamiento financiero	7	s	c	sinap
300. coeficiente de optimismo	7	s	c	sinap
301. coste de producción	7	s	c	sinap
302. coste directo	7	s	c	disyun
303. coste financiero	7	s	c	disyun
304. cotización	7	s		
305. crédito bancario	7	s	c	disyun
306. curva de demanda	7	s	c	sinap
307. demora	7	s		
308. dirección de la producción	7	s	c	sinap
309. dirección de marketing	7	s	c	prést
310. economía de la empresa	7	s	c	sinap
311. economía[1]	7	s		
312. estructura lineal	7	s	c	disyun
313. estudio de tiempos	7	s	c	sinap
314. función de producción	7	s	c	sinap
315. gráfico de Gantt	7	s	c	epón
316. hora extraordinaria	7	s	c	disyun
317. inversor	7	s		
318. mensaje publicitario	7	s	c	disyun
319. método de trabajo	7	s	c	sinap
320. nudo decisional	7	s	c	disyun
321. planta[1]	7	s		
322. presupuestar	7	v		
323. presupuesto mercadotécnico	7	s	c	disyun
324. rentabilidad neta de riesgo	7	s	c	sinap
325. rentabilidad operativa	7	s	c	disyun
326. retribución	7	s		
327. segmentación de mercados	7	s	c	sinap
328. stock	7	s		prést
329. sueldo fijo	7	s	c	disyun
330. teoría X	7	s	c	epón
331. ahorrar	6	v		
332. árbol de decisión	6	s	c	sinap
333. audiencia neta	6	s	c	disyun
334. blando	6	a		
335. capacidad discriminante	6	s	c	disyun
336. capital total	6	s	c	disyun
337. carga de estructura	6	s	c	sinap
338. compañía	6	s		
339. coste de distribución	6	s	c	sinap
340. costes de transacción	6	s	c	sinap
341. crecimiento externo	6	s	c	disyun
342. desviación en precios	6	s	c	sinap
343. diagrama	6	s		
344. dirección de empresas	6	s	c	sinap
345. estructura económicofinanciera	6	s	c	disyun

346.	gestionar	6	v	
347.	grafo PERT	6	s	c	prést
348.	gran empresa	6	s	c	disyun
349.	grandes almacenes	6	s	c	disyun
350.	indiferente	6	a	
351.	insolvencia	6	s	
352.	intermediación	6	s	
353.	inversion productiva	6	s	c	disyun
354.	liderazgo en costes	6	s	c	sinap
355.	liquidar	6	v	
356.	liquidez	6	s	
357.	matricial[1]	6	a	
358.	medio financiero	6	s	c	disyun
359.	negociación	6	s	
360.	pedido constante	6	s	c	disyun
361.	período medio de maduración económica	6	s	c	sinap
362.	planificación estratégica	6	s	c	disyun
363.	plantilla	6	s	
364.	política de precios	6	s	c	sinap
365.	primera materia	6	s	c	disyun
366.	producto semiterminado	6	s	c	disyun
367.	promoción[2]	6	s	
368.	puesto	6	s	
369.	reembolso	6	s	
370.	reserva	6	s	
371.	resolución de problemas	6	s	c	sinap
372.	ruptura de stocks	6	s	c	prést
373.	sondeo	6	s	
374.	tasa de inflación	6	s	c	sinap
375.	teoría de los costes de transacción	6	s	c	sinap
376.	tiempo de trabajo	6	s	c	sinap
377.	utilidad de forma	6	s	c	sinap
378.	valor de Mercado	6	s	c	sinap
379.	ahorro[1]	5	s	
380.	amortización[2]	5	s	
381.	bien final	5	s	c	disyun
382.	campaña	5	s	
383.	coste de la autofinanciación	5	s	c	sinap
384.	cotizar	5	v	
385.	decision financiera	5	s	c	disyun
386.	depreciar	5	v	
387.	destajo	5	s	
388.	desviación en márgenes	5	s	c	sinap
389.	económicamente	5	b	
390.	empresa pequeña	5	s	c	disyun
391.	en serie	5	b	c	
392.	encuesta	5	s	
393.	escuela de la dirección científica	5	s	c	sinap
394.	estructura en línea y staff	5	s	c	prést
395.	estructura matricial	5	s	c	disyun
396.	experimentación comercial	5	s	c	disyun
397.	factoría	5	s	
398.	ganancia de capital	5	s	c	sinap
399.	ganancia[1]	5	s	
400.	gastar	5	v	
401.	gasto financiero	5	s	c	disyun

402. horizonte	5	s	
403. impuesto sobre el beneficio	5	s	c	sinap
404. incentivar	5	v	
405. industria	5	s	
406. ingeniero	5	s	
407. input	5	s		prést
408. investigación comercial	5	s	c	disyun
409. labor	5	s	
410. laboral	5	a	
411. margen bruto	5	s	c	disyun
412. margen bruto total	5	s	c	disyun
413. mecanizar	5	v	
414. mercancía	5	s	
415. merchandising	5	s		prést
416. método de Belson	5	s	c	epón
417. método dinámico	5	s	c	disyun
418. modelo determinista	5	s	c	disyun
419. output	5	s		prést
420. penetración	5	s	
421. penetración neta	5	s	c	disyun
422. período medio de maduración financiera	5	s	c	sinap
423. plazo de recuperación con descuento	5	s	c	sinap
424. población objetivo	5	s	c	contra
425. por lotes	5	b	c	
426. ratio de situación	5	s	c	prést
427. seguro[1]	5	s	
428. tasa de valor actual	5	s	c	sinap
429. teoría de los derechos de propiedad	5	s	c	sinap
430. tiempo estándar	5	s	c	disyun
431. tiempo normal	5	s	c	disyun
432. tiempo normalizado	5	s	c	disyun
433. tipo libre de riesgo	5	s	c	sinap
434. umbral de rentabilidad	5	s	c	sinap
435. valor de reposición	5	s	c	sinap
436. afijación óptima	4	s	c	disyun
437. amortizar[2]	4	v	
438. análisis de la varianza	4	s	c	sinap
439. árbol[2]	4	s	
440. arista	4	s	
441. badwill	4	s		prést
442. beneficio bruto	4	s	c	disyun
443. beneficio financiero	4	s	c	disyun
444. beneficio líquido	4	s	c	disyun
445. bruto	4	a	
446. bursátil	4	a	
447. CAD	4	s	c	prést
448. CAM	4	s	c	prést
449. cargar[1]	4	v	
450. cartera de productos	4	s	c	sinap
451. coste de la materia prima	4	s	c	sinap
452. coste de mantenimiento	4	s	c	sinap
453. coste marginal	4	s	c	disyun
454. crédito comercial	4	s	c	disyun
455. criterio pesimista	4	s	c	disyun
456. cultura empresarial	4	s	c	disyun
457. decision táctica	4	s	c	disyun

458. depreciación	4	s	
459. dirección estratégica	4	s	c	disyun
460. dirección operativa	4	s	c	disyun
461. discriminación de precios	4	s	c	sinap
462. empresa privada	4	s	c	disyun
463. en línea	4	b	c	
464. enfoque sociotécnico	4	s	c	disyun
465. ensamblar	4	v	
466. estado de inventario	4	s	c	sinap
467. estrategia de precios	4	s	c	sinap
468. estructura en comité	4	s	c	sinap
469. expansión	4	s	
470. flujo de información	4	s	c	sinap
471. flujo del proceso	4	s	c	sinap
472. fondo	4	s	
473. fondo de rotación	4	s	c	sinap
474. gama	4	s	
475. goodwill	4	s		prést
476. holgura total	4	s	c	disyun
477. hora hombre	4	s	c	disyun
478. incertidumbre estructurada	4	s	c	disyun
479. índice de rentabilidad	4	s	c	sinap
480. intersección de Fisher	4	s	c	epón
481. inversion efectuable	4	s	c	disyun
482. inversion mutuamente excluyente	4	s	c	disyun
483. investigación de mercados	4	s	c	sinap
484. laissez faire	4	s	c	prést
485. línea de productos	4	s	c	sinap
486. mano invisible	4	s	c	disyun
487. margen unitario	4	s	c	disyun
488. matriz de decisión	4	s	c	sinap
489. matriz de pagos	4	s	c	sinap
490. matriz de transición	4	s	c	sinap
491. método indirecto	4	s	c	disyun
492. método Roy	4	s	c	epón
493. modelo de Wilson	4	s	c	epón
494. muestreo	4	s	
495. nominal[1]	4	s	
496. nominal[2]	4	a	
497. nudo aleatorio	4	s	c	disyun
498. obligacionista	4	s	
499. organización empresarial	4	s	c	disyun
500. participación[2]	4	s	
501. partida[1]	4	s	
502. payback	4	s		prést
503. plazo de entrega	4	s	c	sinap
504. plusvalía	4	s		prést
505. precio mínimo	4	s	c	disyun
506. precio técnico	4	s	c	disyun
507. prescriptor	4	s	
508. presupuestario	4	a	
509. productividad global	4	s	c	disyun
510. producto acabado	4	s	c	disyun
511. producto en curso de fabricación	4	s	c	sinap
512. ratio de endeudamiento	4	s	c	prést
513. ratio de rotación	4	s	c	prést

514. relación de agencia	4	s c	sinap
515. rentabilidad esperada requerida	4	s c	disyun
516. repuesto	4	s	
517. riesgo financiero	4	s c	disyun
518. satisfacción de las necesidades	4	s c	sinap
519. sinergia	4	s	
520. sistema de cuotas constantes	4	s c	sinap
521. sistema de inventarios	4	s c	sinap
522. sistema empresarial	4	s c	disyun
523. sistema mixto	4	s c	disyun
524. superrendimiento	4	s	
525. tasa de crecimiento	4	s c	sinap
526. técnica AIDA	4	s c	prést
527. teoría neoclásica	4	s c	disyun
528. unidad organizativa	4	s c	disyun
529. valor de retiro	4	s c	sinap
530. valor esperado de la información	4	s c	sinap
531. valor nominal	4	s c	disyun
532. valor residual	4	s c	disyun
533. valoración de empresas	4	s c	sinap
534. vicepresidente	4	s	
535. a plazo	3	b c	
536. abastecimiento	3	s	
537. actividad productiva	3	s c	disyun
538. afijación optima con costes variables	3	s c	sinap
539. afijación proporcional	3	s c	disyun
540. agente social	3	s c	disyun
541. ahorro^2	3	s	
542. alimentación	3	s	
543. apalancamiento total	3	s c	disyun
544. asesor	3	s	
545. autogestión	3	s	
546. base temporal homogénea finita	3	s c	disyun
547. beneficio de explotación	3	s c	sinap
548. bit	3	s c	prést
549. capacidad adquisitiva	3	s c	disyun
550. capacidad productiva	3	s c	disyun
551. capital^2	3	s	
552. carga^1	3	s	
553. centro comercial	3	s c	disyun
554. coeficiente de apalancamiento total	3	s c	sinap
555. coeficiente de endeudamiento	3	s c	sinap
556. comercialización	3	s	
557. comercio	3	s	
558. compactibilidad	3	s	
559. compra-venta	3	s c	contra
560. coste de almacenamiento	3	s c	sinap
561. coste de la mano de obra	3	s c	sinap
562. coste de transporte	3	s c	sinap
563. coste del inventario	3	s c	sinap
564. coste del pasivo	3	s c	sinap
565. coste indirecto	3	s c	disyun
566. coyuntura económica	3	s c	disyun
567. creación de nichos	3	s c	sinap
568. crecimiento interno	3	s c	disyun
569. criterio optimista	3	s c	disyun

570. cuenta corriente	3	s	c	disyun
571. cuota constante	3	s	c	disyun
572. desarrollo del producto	3	s	c	sinap
573. desembolsar	3	v		
574. desviación económica	3	s	c	disyun
575. desviación en cuotas	3	s	c	sinap
576. desviación técnica	3	s	c	disyun
577. determinación de precios	3	s	c	sinap
578. diagrama de actividades	3	s	c	sinap
579. dirección intermedia	3	s	c	disyun
580. director de producción	3	s	c	sinap
581. director financiero	3	s	c	disyun
582. economía²	3	s		
583. economicidad	3	s		
584. efecto¹	3	s		
585. ejercicio¹	3	s		
586. factor humano	3	s	c	disyun
587. flujo de caja medio anual por unidad monetaria comprometida	3	s	c	sinap
588. flujo de materiales	3	s	c	sinap
589. flujo neto de caja	3	s	c	sinap
590. fuerza de trabajo	3	s	c	sinap
591. hipermercado	3	s		
592. holgura independiente	3	s	c	disyun
593. holgura libre	3	s	c	disyun
594. hora de trabajo	3	s	c	sinap
595. imputación	3	s		
596. industrial¹	3	s		
597. ingreso marginal	3	s	c	disyun
598. inmovilizado²	3	a		
599. integración vertical	3	s	c	disyun
600. inventariar	3	v		
601. inversion financiera	3	s	c	disyun
602. inversion mixta	3	s	c	disyun
603. investigación operativa	3	s	c	disyun
604. jornada reducida	3	s	c	disyun
605. last	3	a		prést
606. libre de riesgo	3	a	c	
607. línea de precios	3	s	c	sinap
608. liquidación	3	s		
609. mano visible	3	s	c	disyun
610. mantenimiento preventivo	3	s	c	disyun
611. matriz de pesares	3	s	c	sinap
612. maxi-min	3	a	c	acrón
613. mercado financiero	3	s	c	disyun
614. método de los números dígitos crecientes	3	s	c	sinap
615. método de los superrendimientos	3	s	c	sinap
616. mini-max	3	a	c	acrón
617. modelo aditivo	3	s	c	disyun
618. modelo probabilístico	3	s	c	disyun
619. monopolio	3	s		
620. ofertar	3	v		
621. oligopolio	3	s		
622. organización científica	3	s	c	disyun
623. pagaré	3	s		
624. panel	3	s		
625. para almacén	3	b	c	

626. patrimonial	3	a	
627. plazo de amortización	3	s c	sinap
628. poder no coercitivo	3	s c	disyun
629. precio de adquisición	3	s c	sinap
630. precio de coste	3	s c	sinap
631. precio flexible	3	s c	disyun
632. precio promocional	3	s c	disyun
633. precio psicológico	3	s c	disyun
634. prestar[1]	3	v	
635. presupuesto de tesorería	3	s c	sinap
636. principio de designación unívoca	3	s c	sinap
637. procedimiento de los superrendimientos	3	s c	sinap
638. producción múltiple	3	s c	disyun
639. producción para almacén	3	s c	sinap
640. roducción para el mercado	3	s c	sinap
641. producción por encargo	3	s c	sinap
642. quebranto de emisión	3	s c	sinap
643. ratio de tesorería	3	s c	prést
644. reaprovisionamiento	3	s	
645. red de distribución	3	s c	sinap
646. referencia geográfica	3	s c	disyun
647. rentabilidad bruta de las ventas	3	s c	sinap
648. respuesta al estímulo	3	s c	sinap
649. retroalimentación	3	s	
650. sindicato	3	s	
651. sistema de economía de mercado	3	s c	sinap
652. sistema de precios	3	s c	sinap
653. sistema económico	3	s c	disyun
654. sistema OPR	3	s c	prést
655. sociedad[1]	3	s	
656. subcontratación	3	s	
657. suministro	3	s	
658. superbeneficio	3	s	
659. tanto fijo	3	s c	disyun
660. tasa de rendimiento contable	3	s c	sinap
661. tasa de rentabilidad	3	s c	sinap
662. tasa de rentabilidad interna	3	s c	sinap
663. tasa interna de rendimiento	3	s c	sinap
664. teoría contractual	3	s c	disyun
665. teoría de la información	3	s c	sinap
666. teoría Y	3	s c	epón
667. tiempo observado	3	s c	disyun
668. tipificación[1]	3	s	
669. tipificar	3	v	
670. utilidad de lugar	3	s c	sinap
671. utilidad de tiempo	3	s c	sinap
672. valoración en liquidación	3	s c	sinap
673. vértice	3	s	
674. vida técnica	3	s c	disyun
675. volumen de compras	3	s c	sinap
676. a crédito	2	b c	
677. abono	2	s	
678. administración de empresas	2	s c	sinap
679. afijación	2	s	
680. afijación por igual	2	s c	sinap
681. agrario	2	a	

682. agrícola	2	a	
683. agrupación dicotómica	2	s	c disyun
684. almacenista	2	s	
685. alto directivo	2	s	c disyun
686. amortización constante	2	s	c disyun
687. amplitud[1]	2	s	
688. análisis coste volumen beneficio	2	s	c disyun
689. apalancamiento combinado	2	s	c disyun
690. astillero	2	s	
691. atributo de posicionamiento	2	s	c sinap
692. automatización	2	s	
693. bancario	2	a	
694. base amortizable	2	s	c disyun
695. base[1]	2	s	
696. bien de consumo duradero	2	s	c sinap
697. bienes manufacturados	2	s	c disyun
698. bienestar	2	s	
699. capacidad sostenida	2	s	c disyun
700. capital inmovilizado	2	s	c disyun
701. ciclo de vida del producto	2	s	c sinap
702. ciclo largo	2	s	c disyun
703. ciudad testigo	2	s	c contra
704. clientela	2	s	
705. coeficiente de costes	2	s	c sinap
706. comercializar	2	v	
707. comunicación externa	2	s	c disyun
708. concepción frecuencial	2	s	c disyun
709. concurrente	2	a	
710. consultor	2	s	
711. contable	2	a	
712. contablemente	2	b	
713. coste de la producción	2	s	c sinap
714. costes estándares	2	s	c disyun
715. coyuntura	2	s	
716. crecimiento económico	2	s	c disyun
717. crédito hipotecario	2	s	c disyun
718. criterio de Hurwicz	2	s	c epón
719. criterio de Laplace	2	s	c epón
720. criterio de Savage	2	s	c epón
721. criterio de Wald	2	s	c epón
722. criterio del flujo de caja medio anual por unidad monetaria comprometida	2	s	c sinap
723. cuota fija	2	s	c disyun
724. decision de proceso	2	s	c sinap
725. decision de producción	2	s	c sinap
726. decision empresarial	2	s	c disyun
727. dejar hacer	2	s	c disyun
728. desempleo	2	s	
729. designación unívoca	2	s	c disyun
730. desviación en costes	2	s	c sinap
731. desviación en el tamaño global del mercado	2	s	c sinap
732. deudor	2	s	
733. diagrama de equipo	2	s	c sinap
734. diagrama de operaciones	2	s	c sinap
735. dirección de la empresa	2	s	c sinap
736. dirección de producción	2	s	c sinap

737. director comercial	2	s c	disyun
738. disposición combinada	2	s c	disyun
739. disposición de punto fijo	2	s c	sinap
740. disposición por procesos	2	s c	sinap
741. disposición por productos	2	s c	sinap
742. distribución circular	2	s c	disyun
743. distribución física	2	s c	disyun
744. econométrico	2	a	
745. economía³	2	s	
746. economista	2	s	
747. elasticidad de la demanda	2	s c	sinap
748. elástico	2	a	
749. embalaje	2	s	
750. empresa consultora	2	s c	disyun
751. empresa cooperativa	2	s c	disyun
752. empresa local	2	s c	disyun
753. empresa mediana y grande	2	s c	disyun
754. en comité	2	b c	
755. en línea y staff	2	b c	prést
756. enfoque del enriquecimiento del puesto de trabajo	2	s c	sinap
757. enriquecimiento del trabajo	2	s c	sinap
758. envasado	2	s	
759. equipo de trabajo	2	s c	sinap
760. estado mayor	2	s c	disyun
761. estrategia empresarial	2	s c	disyun
762. estudio de mercado	2	s c	sinap
763. estudio del trabajo	2	s c	sinap
764. etiqueta de la marca	2	s c	sinap
765. etiqueta informativa	2	s c	disyun
766. euro	2	s	
767. factor productivo	2	s c	disyun
768. fijación de los precios	2	s c	sinap
769. flujo físico	2	s c	disyun
770. full costing	2	s c	prést
771. función lagrangiana	2	s c	disyun
772. función productiva	2	s c	disyun
773. gestión financiera	2	s c	disyun
774. grandes superficies	2	s c	disyun
775. gravar	2	v	
776. guerra de precios	2	s c	sinap
777. hacienda	2	s	
778. hora laborable	2	s c	disyun
779. huelga	2	s	
780. impuesto sobre la renta de las sociedades	2	s c	sinap
781. impuesto sobre sociedades	2	s c	sinap
782. incertidumbre no estructurada	2	s c	disyun
783. índice de Laspeyres	2	s c	epón
784. índice de productividad global	2	s c	sinap
785. infrautilizar	2	v	
786. inversion de renovación o reemplazo	2	s c	sinap
787. jubilación	2	s	
788. límite de la dirección	2	s c	sinap
789. límite del control	2	s c	sinap
790. línea de precio	2	s c	sinap
791. línea y staff	2	s c	prést
792. línea³	2	s	

793. líquido[1]	2	a	
794. llevar el negocio	2	v	c
795. longitud[1]	2	s	
796. lucrativo	2	a	
797. mantenimiento correctivo	2	s	c disyun
798. mantenimiento predictivo	2	s	c disyun
799. marca de familia	2	s	c sinap
800. marca individual	2	s	c disyun
801. marca nacional	2	s	c disyun
802. marcar[1]	2	v	
803. material auxiliar	2	s	c disyun
804. mercado de consumo	2	s	c sinap
805. mercado de valores	2	s	c sinap
806. mercado objetivo	2	s	c contra
807. mercantil	2	a	
808. método CPM	2	s	c prést
809. método de la comparación de costes	2	s	c sinap
810. método del tanto fijo	2	s	c sinap
811. método Dupont	2	s	c epón
812. método PERT en incertidumbre	2	s	c prést
813. método probabilístico	2	s	c disyun
814. método VAN	2	s	c sig
815. mezcla comercial	2	s	c disyun
816. mina	2	s	
817. minero	2	s	
818. minusvalía	2	s	prést
819. modelo de distribución	2	s	c sinap
820. modelo marginalista	2	s	c disyun
821. modelo multiplicativo	2	s	c disyun
822. muestreo aleatorio sistemático	2	s	c disyun
823. muestreo del trabajo	2	s	c sinap
824. multinacional	2	s	
825. nicho	2	s	
826. nivel de realización	2	s	c sinap
827. nuevo liderazgo	2	s	c prést
828. nutrición	2	s	
829. objetivo de ventas	2	s	c sinap
830. obrero	2	s	
831. oferente	2	s	
832. organización informal	2	s	c disyun
833. para el mercado	2	b	c
834. payback con descuento	2	s	c prést
835. penetración en el mercado	2	s	c sinap
836. pequeña y mediana empresa	2	s	c disyun
837. pérdidas de capital	2	s	c sinap
838. periodo constante	2	s	c disyun
839. periodo medio de maduración económica	2	s	c sinap
840. PERT tiempo	2	s	c prést
841. poder coercitivo	2	s	c disyun
842. política de cero defectos	2	s	c sinap
843. política de distribución	2	s	c sinap
844. política de precio	2	s	c sinap
845. por encargo	2	b	c
846. por órdenes	2	b	c
847. por órdenes de fabricación	2	b	c
848. precio estándar	2	s	c disyun

849. prelación lineal	2	s c	disyun
850. presidente	2	s	
851. prima de reembolso	2	s c	sinap
852. principio de designación sucesiva	2	s c	sinap
853. principio de interdependencia	2	s c	sinap
854. principio de Pareto	2	s c	epón
855. proceso productivo	2	s c	disyun
856. producción en masa	2	s c	sinap
857. producto de alimentación	2	s c	sinap
858. producto en curso de elaboración	2	s c	sinap
859. profundidad	2	s	
860. PYME	2	s c	sig
861. quebrar	2	v	
862. quiebra	2	s	
863. ratio de liquidez	2	s c	prést
864. recursos financieros propios	2	s c	disyun
865. reinvertir	2	v	
866. remunerar	2	v	
867. renta anual equivalente	2	s c	disyun
868. renta nacional	2	s c	disyun
869. rentabilidad neta	2	s c	disyun
870. semimayorista	2	s	
871. simograma	2	s	prést
872. sindicato bancario	2	s c	disyun
873. sistema de empresa privada	2	s c	sinap
874. sistema de libre mercado	2	s c	sinap
875. sistema de período constante	2	s c	sinap
876. sociedad anónima	2	s c	disyun
877. soft	2	a	prést
878. subcontratista	2	s	
879. subida de precios	2	s c	sinap
880. supermercado	2	s	
881. tabla de control de costes	2	s c	sinap
882. tasa de productividad global	2	s c	sinap
883. tasa interna de rentabilidad	2	s c	sinap
884. técnica del direct costing	2	s c	prést
885. técnica PERT	2	s c	prést
886. técnica PERT CPM	2	s c	prést
887. tecnológicamente	2	b	
888. teoría de la agencia	2	s c	sinap
889. teoría de la firma	2	s c	sinap
890. teoría Z	2	s c	epón
891. test de recuerdo	2	s c	sinap
892. tiempo predeterminado	2	s c	disyun
893. tiempo suplementario	2	s c	disyun
894. trabajador de temporada	2	s c	sinap
895. trabajo a comisión	2	s c	sinap
896. transportista	2	s	
897. tributo	2	s	
898. utilidad de propiedad	2	s c	sinap
899. valor en funcionamiento	2	s c	sinap
900. valoración en funcionamiento	2	s c	sinap
901. variación cíclica	2	s c	disyun
902. venta a crédito	2	s c	sinap
903. ventaja competitiva	2	s c	disyun
904. ventaja en costes	2	s c	sinap

905. muestreo estratificado	1 s	c	disyun
906. abastecer	1 v		
907. absorción	1 s		
908. abundancia	1 s		
909. acción liberada	1 s	c	
910. accionariado	1 s		
911. administración de negocios	1 s	c	sinap
912. administración pública	1 s	c	disyun
913. agente comercial	1 s	c	disyun
914. agente económico	1 s	c	disyun
915. agricultor	1 s		
916. agropecuario	1 a		
917. agrupación matricial	1 s	c	disyun
918. ajuste	1 s		
919. al detalle	1 b	c	
920. al por mayor	1 b	c	
921. al por menor	1 b	c	
922. alta segmentación	1 s	c	disyun
923. amortización acelerada	1 s	c	disyun
924. análisis de viabilidad	1 s	c	sinap
925. apalancar	1 v		
926. arqueo de caja	1 s	c	sinap
927. asignación de recursos	1 s	c	sinap
928. auditoria interna	1 s	c	disyun
929. autodirigir	1 v		
930. autofinanciarse	1 v		
931. autorregularse	1 v		
932. autoservicio	1 s		
933. base temporal homogénea	1 s	c	disyun
934. beneficio fiscal	1 s	c	disyun
935. beneficioso	1 a		
936. bien de consumo inmediato	1 s	c	sinap
937. bien inicial	1 s	c	disyun
938. bienes de capital	1 s	c	sinap
939. bienes Giffen	1 s	c	epón
940. calidad de vida	1 s	c	sinap
941. cambio[1]	1 s		
942. campaña de publicidad	1 s	c	sinap
943. campaña publicitaria	1 s	c	disyun
944. capacidad de discriminación	1 s	c	sinap
945. capacidad punta	1 s	c	contra
946. capital ajeno	1 s	c	disyun
947. capital de trabajo	1 s	c	sinap
948. capital humano	1 s	c	disyun
949. capitalismo	1 s		
950. carbón	1 s		
951. cartera[1]	1 s		
952. cartera[2]	1 s		
953. centro organizativo	1 s	c	disyun
954. ciclo corto	1 s	c	disyun
955. ciclo de amortizaciones	1 s	c	sinap
956. ciclo de depreciación	1 s	c	sinap
957. ciclo de vida de un producto	1 s	c	sinap
958. ciencias de la gestión	1 s	c	sinap
959. cifra de negocios	1 s	c	sinap
960. ciudad experimento	1 s	c	contra

961. coeficiente beneficio	1 s	c	contra
962. coeficiente de elasticidad	1 s	c	sinap
963. coeficiente de elasticidad de la demanda	1 s	c	sinap
964. coeficiente de leverage	1 s	c	prést
965. coeficiente de pesimismo	1 s	c	sinap
966. coeficiente de retención	1 s	c	sinap
967. combustible	1 s		
968. comerciante	1 s		
969. comercio exterior	1 s	c	disyun
970. comisionista	1 s		
971. comparación de costes	1 s	c	sinap
972. competición	1 s		
973. competitividad	1 s		
974. computer aided design	1 s	c	prést
975. computer aided manufacturing	1 s	c	prést
976. concurrir	1 v		
977. conglomeral	1 a		
978. contabilidad	1 s		
979. contrato de compra	1 s	c	sinap
980. convenio colectivo	1 s	c	disyun
981. cooperativa	1 s		
982. coste aparente	1 s	c	disyun
983. coste de capital	1 s	c	sinap
984. coste de inventarios	1 s	c	sinap
985. coste del activo	1 s	c	sinap
986. coste social	1 s	c	disyun
987. coyuntural	1 a		
988. crecimiento financiero	1 s	c	disyun
989. crecimiento patrimonial	1 s	c	disyun
990. crisis	1 s		
991. criterio aproximado	1 s	c	disyun
992. criterio de igual verosimilitud	1 s	c	sinap
993. criterio de la comparación de costes	1 s	c	sinap
994. criterio de optimismo parcial de Hurwicz	1 s	c	epón
995. criterio del flujo total por unidad monetaria comprometida	1 s	c	sinap
996. criterio del mínimo pesar	1 s	c	sinap
997. criterio maxi-max	1 s	c	acrón
998. criterio maxi-min	1 s	c	acrón
999. criterio mini-max	1 s	c	acrón
1000.criterio mini-min	1 s	c	acrón
1001.criterio racionalista	1 s	c	disyun
1002.critical path method	1 s	c	prést
1003.cuello de botella	1 s	c	sinap
1004.cuenta[1]	1 s		
1005.cultura estratégica	1 s	c	disyun
1006.de línea y staff	1 b	c	prést
1007.decision cualitativa	1 s	c	disyun
1008.decision cuantitativa	1 s	c	disyun
1009.decision de capacidad de producción	1 s	c	sinap
1010.decision de producir o comprar	1 s	c	sinap
1011.decision secuencial	1 s	c	disyun
1012.definición de Laplace	1 s	c	epón
1013.demanda dependiente	1 s	c	disyun
1014.demanda independiente	1 s	c	disyun
1015.depositario	1 s		
1016.desabastecer	1 v		

1017.desabastecimiento	1 s		
1018.descuento por pronto pago	1 s	c	sinap
1019.desembolso	1 s		
1020.designación sucesiva	1 s	c	disyun
1021.despido	1 s		
1022.desviación en el mercado	1 s	c	sinap
1023.determinismo tecnológico	1 s	c	disyun
1024.dinero en caja	1 s	c	sinap
1025.dirección de finanzas	1 s	c	sinap
1026.dirección de primera línea	1 s	c	sinap
1027.dirección de supervisión	1 s	c	sinap
1028.direct costing	1 s	c	prést
1029.directivo de línea	1 s	c	sinap
1030.directivo intermedio	1 s	c	disyun
1031.director de distribución	1 s	c	sinap
1032.director de fábrica	1 s	c	sinap
1033.director de investigación	1 s	c	sinap
1034.director de marketing	1 s	c	sinap
1035.director general	1 s	c	disyun
1036.disminución de precios	1 s	c	sinap
1037.distintivo de marca	1 s	c	sinap
1038.distribución de la renta	1 s	c	sinap
1039.distribución en cuña	1 s	c	sinap
1040.diversificación de productos y mercados	1 s	c	sinap
1041.dividendo extraordinario	1 s	c	disyun
1042.documento contable	1 s	c	disyun
1043.dólar	1 s		prést
1044.economía de escala	1 s	c	sinap
1045.economía de los costes de transacción	1 s	c	sinap
1046.economía de mercado	1 s	c	sinap
1047.economizar	1 v		
1048.ejes centrales del trabajo	1 s	c	sinap
1049.empleador	1 s		
1050.empresa grande	1 s	c	disyun
1051.empresa líder	1 s	c	prést
1052.empresa mixta	1 s	c	disyun
1053.empresa multinacional	1 s	c	disyun
1054.empresa pública	1 s	c	disyun
1055.empresa seguidora	1 s	c	disyun
1056.empresa social	1 s	c	disyun
1057.empresariado	1 s		
1058.en masa	1 b	c	
1059.en staff	1 b	c	prést
1060.en términos de capacidad adquisitiva	1 b	c	
1061.enfoque contingencial	1 s	c	disyun
1062.entidad financiera	1 s	c	disyun
1063.entidad no lucrativa	1 s	c	disyun
1064.entidad pública	1 s	c	disyun
1065.envasar	1 v		
1066.equipo productivo	1 s	c	disyun
1067.especulación	1 s		
1068.estrategia de desarrollo	1 s	c	sinap
1069.estrechar	1 v		
1070.extensión de la marca	1 s	c	sinap
1071.factores de mantenimiento	1 s	c	sinap
1072.factores motivacionales	1 s	c	disyun

1073.feedback	1 s		prést
1074.fijación del precio	1 s	c	sinap
1075.filial	1 s		
1076.financieramente	1 b		
1077.firma de consultores	1 s	c	sinap
1078.firma¹	1 s		
1079.fiscal	1 a		
1080.fiscalmente	1 b		
1081.flotante	1 s		
1082.flujo de caja total por unidad monetaria comprometida	1 s	c	sinap
1083.flujo de información de salida	1 s	c	sinap
1084.flujo de los materiales	1 s	c	sinap
1085.flujo financiero	1 s	c	disyun
1086.flujo neto de caja medio anual	1 s	c	sinap
1087.flujo real	1 s	c	disyun
1088.flujo total por unidad monetaria comprometida	1 s	c	sinap
1089.FOB	1 b	c	sig
1090.fondos de dinero	1 s	c	sinap
1091.fondos internos	1 s	c	sinap
1092.fondos propios	1 s	c	disyun
1093.free on board	1 b	c	prést
1094.fuerza de venta	1 s	c	sinap
1095.función de marketing	1 s	c	prést
1096.función de rendimiento	1 s	c	sinap
1097.fusión	1 s		
1098.fusionar	1 v		
1099.gasto de transporte	1 s	c	sinap
1100.gestión de la producción	1 s	c	sinap
1101.gestión económica de stocks	1 s	c	prést
1102.globalización	1 s		
1103.gráfico de control	1 s	c	sinap
1104.grafo completo	1 s	c	prést
1105.guerra publicitaria	1 s	c	disyun
1106.hacer inventario	1 v	c	
1107.handmade	1 a		Prést
1108.hard	1 a		Prést
1109.hecho a mano	1 a	c	
1110.hora extra	1 s	c	disyun
1111.hostelería	1 s		
1112.importar¹	1 v		
1113.impuesto de sociedades	1 s	c	sinap
1114.incentivación	1 s		
1115.índice de cantidades de Laspeyres	1 s	c	epón
1116.índice de cantidades de producción	1 s	c	sinap
1117.índice de evolución de la cantidad de producción de Laspeyres	1 s	c	epón
1118.inelástico	1 a		
1119.inflacionario	1 a		
1120.información de canal	1 s	c	sinap
1121.información de salida	1 s	c	sinap
1122.infrautilización	1 s		
1123.ingeniero de ventas	1 s	c	sinap
1124.ingreso financiero	1 s	c	disyun
1125.insolvente	1 a		
1126.interés acumulado	1 s	c	disyun
1127.inventariable	1 a		
1128.inversión de activo fijo	1 s	c	sinap

1129.inversión de ampliación a nuevos productos o mercados	1 s	c	sinap
1130.inversión de ampliación de los productos o mercados existentes	1 s	c	sinap
1131.inversión de mantenimiento	1 s	c	sinap
1132.inversión de reemplazamiento para el mantenimiento de la empresa	1 s	c	sinap
1133.inversión de reemplazamiento para reducir costes o para mejorar tecnológicamente	1 s	c	sinap
1134.inversión en activo circulante	1 s	c	sinap
1135.inversión fraccionable	1 s	c	disyun
1136.inversión impuesta	1 s	c	disyun
1137.inversión no simple	1 s	c	disyun
1138.inversión pura	1 s	c	disyun
1139.jefe de división	1 s	c	sinap
1140.just in time inventory	1 s	c	prést
1141.letra de cambio	1 s	c	sinap
1142.libre mercado	1 s	c	disyun
1143.liderazgo total en costes	1 s	c	sinap
1144.línea ejecutiva	1 s	c	disyun
1145.lucro	1 s		
1146.management	1 s		Prést
1147.mando intermedio	1 s	c	disyun
1148.marca de distribuidor	1 s	c	sinap
1149.marcado	1 s		
1150.marca registrada	1 s	c	disyun
1151.margen de beneficio bruto unitario	1 s	c	sinap
1152.margen de seguridad	1 s	c	sinap
1153.margen neto sobre ventas	1 s	c	sinap
1154.margen unitario sobre costes variables	1 s	c	sinap
1155.marketingmix de promoción	1 s	c	prést
1156.matriz de cambios de estado	1 s	c	sinap
1157.matriz de decisiones	1 s	c	sinap
1158.matriz¹	1 s		
1159.mayorista de contado	1 s	c	sinap
1160.mayorista de servicio completo	1 s	c	sinap
1161.mecanización	1 s		
1162.mediana y gran empresa	1 s	c	disyun
1163.medios de producción	1 s	c	sinap
1164.mercado actual	1 s	c	disyun
1165.mercado de consumidores	1 s	c	sinap
1166.mercado de factores	1 s	c	sinap
1167.mercado de mayoristas	1 s	c	sinap
1168.mercado de minoristas	1 s	c	sinap
1169.mercado de productos	1 s	c	sinap
1170.mercado de productos primarios	1 s	c	sinap
1171.mercado de prueba	1 s	c	sinap
1172.mercado futuro	1 s	c	disyun
1173.mercado industrial	1 s	c	disyun
1174.mercado pasado	1 s	c	disyun
1175.mercado potencial	1 s	c	disyun
1176.mercado presente	1 s	c	disyun
1177.mercado prueba	1 s	c	contra
1178.mercado tendencial	1 s	c	disyun
1179.mercado testigo	1 s	c	contra
1180.mercadotécnica	1 s		
1181.método ABC	1 s	c	epón
1182.método ABC de control de inventarios	1 s	c	epón
1183.método alemán	1 s	c	disyun

1184.método de la diferencia respecto al valor material	l s	c	sinap
1185.método de la diferencia respecto al valor total	l s	c	sinap
1186.método de los números dígitos en sentido decreciente	l s	c	sinap
1187.método de los potenciales	l s	c	sinap
1188.método de los prácticos	l s	c	sinap
1189.método del brainstorming	l s	c	prést
1190.método del camino crítico	l s	c	sinap
1191.método del direct costing	l s	c	prést
1192.método del mínimo adverso	l s	c	sinap
1193.método del tanto fijo sobre una base amortizable decreciente	l s	c	sinap
1194.método del VAN	l s	c	sig
1195.método lineal	l s	c	disyun
1196.método MAPI	l s	c	prést
1197.método PERT en riesgo	l s	c	prést
1198.mezcla promocional	l s	c	disyun
1199.mínimo adverso	l s	c	disyun
1200.modelo de colas	l s	c	sinap
1201.modelo de Hitchkock	l s	c	epón
1202.modelo de líneas de espera	l s	c	sinap
1203.modelo de programación lineal	l s	c	sinap
1204.modelo de transporte	l s	c	sinap
1205.monopolio bilateral	l s	c	disyun
1206.monopolista	l s		
1207.monopolístico	l s		
1208.monopsonio	l s		
1209.monopsonio limitado	l s	c	disyun
1210.muestreo aleatorio estratificado	l s	c	disyun
1211.muestreo aleatorio por itinerarios	l s	c	sinap
1212.muestreo aleatorio simple	l s	c	disyun
1213.muestreo polietápico	l s	c	disyun
1214.muestreo por conglomerados o áreas	l s	c	sinap
1215.muestreo por cuotas	l s	c	sinap
1216.necesidades de inversión	l s	c	sinap
1217.neto patrimonial	l s	c	disyun
1218.nicho del mercado	l s	c	sinap
1219.nit	l s	c	prést
1220.Nobel de economía	l s	c	epón
1221.nombre de marca	l s	c	sinap
1222.oficio	l s		
1223.oligopsonio	l s		
1224.organización formal	l s	c	disyun
1225.orientación a la competencia	l s	c	sinap
1226.orientación a la producción	l s	c	sinap
1227.orientación a las ventas	l s	c	sinap
1228.orientación a los consumidores	l s	c	sinap
1229.orientación al consumidor	l s	c	sinap
1230.pagadero	l a		
1231.país desarrollado	l s	c	disyun
1232.patrimonio neto	l s	c	disyun
1233.penetración de un soporte	l s	c	sinap
1234.penetración del mercado	l s	c	sinap
1235.pequeña y mediana	l s	c	disyun
1236.perecedero	l a		
1237.período de maduración	l s	c	sinap
1238.período de maduración económica	l s	c	sinap
1239.período medio de maduración	l s	c	sinap

1240.perturbación aleatoria	1 s	c	disyun
1241.petróleo	1 s		
1242.plan de estudios	1 s	c	sinap
1243.plan de marketing	1 s	c	prést
1244.plan operativo	1 s	c	disyun
1245.planificación de las actividades productivas	1 s	c	sinap
1246.planificación de proyectos	1 s	c	sinap
1247.pleno empleo	1 s	c	disyun
1248.poder de compensación económica	1 s	c	sinap
1249.poder de experiencia	1 s	c	sinap
1250.poder de reconocimiento	1 s	c	sinap
1251.política de acertar a la primera	1 s	c	sinap
1252.política de producto	1 s	c	sinap
1253.política de productos	1 s	c	sinap
1254.política de promoción	1 s	c	sinap
1255.política de promoción y publicidad	1 s	c	sinap
1256.por pronto pago	1 b	c	
1257.poscompra	1 s		
1258.posición de la marca	1 s	c	sinap
1259.postventa	1 s		
1260.posventa	1 s		
1261.precio al contado	1 s	c	disyun
1262.precio de contado	1 s	c	disyun
1263.precio de lista	1 s	c	sinap
1264.precio máximo	1 s	c	disyun
1265.prelación de convergencia	1 s	c	sinap
1266.prelación de divergencia	1 s	c	sinap
1267.prestación de servicios	1 s	c	sinap
1268.presupuesto de caja	1 s	c	sinap
1269.presupuesto de ingresos y gastos	1 s	c	sinap
1270.prima de inflación	1 s	c	sinap
1271.prima de producción	1 s	c	sinap
1272.prima de productividad	1 s	c	sinap
1273.prima por riesgo	1 s	c	sinap
1274.principio de control	1 s	c	sinap
1275.principio de restricción en la toma de decisiones	1 s	c	sinap
1276.principio de retroacción	1 s	c	sinap
1277.principio de secuencia	1 s	c	sinap
1278.principio de unicidad del estado final	1 s	c	sinap
1279.principio de unicidad del estado inicial y del estado final	1 s	c	sinap
1280.proceso intermitente	1 s	c	disyun
1281.producción de energía	1 s	c	sinap
1282.producción en serie	1 s	c	sinap
1283.producción individualizada	1 s	c	disyun
1284.producción intermitente	1 s	c	disyun
1285.producción por órdenes	1 s	c	sinap
1286.producción por órdenes de fabricación	1 s	c	sinap
1287.producción simple	1 s	c	disyun
1288.productivo²	1 a		
1289.producto agrícola	1 s	c	disyun
1290.producto ampliado	1 s	c	disyun
1291.producto de artesanía	1 s	c	sinap
1292.producto diferenciado	1 s	c	disyun
1293.producto elaborado	1 s	c	disyun
1294.producto en curso	1 s	c	sinap
1295.producto farmacéutico	1 s	c	disyun

1296.producto financiero	1 s	c	disyun
1297.producto genérico	1 s	c	disyun
1298.producto primario	1 s	c	disyun
1299.producto químico	1 s	c	disyun
1300.producto tangible	1 s	c	disyun
1301.productor[2]	1 a		
1302.profesión	1 s		
1303.profesional	1 a		
1304.program evaluation and technique	1 s	c	prést
1305.program evaluation procedure	1 s	c	prést
1306.programa productivo	1 s	c	disyun
1307.programación reticular	1 s	c	disyun
1308.promotor de ventas	1 s	c	sinap
1309.prueba de mercado	1 s	c	sinap
1310.pts.	1 s		abrev
1311.publicidad difusiva	1 s	c	disyun
1312.publicidad mixta	1 s	c	disyun
1313.publicidad persuasiva	1 s	c	disyun
1314.ratio de actividad	1 s	c	prést
1315.ratio de síntesis	1 s	c	prést
1316.ratio de solvencia	1 s	c	prést
1317.reaprovisionar	1 v		
1318.rebaja	1 s		
1319.recursos económicos	1 s	c	disyun
1320.recursos externos	1 s	c	disyun
1321.recursos financieros externos	1 s	c	disyun
1322.recursos internos	1 s	c	disyun
1323.reembolsar	1 v		
1324.rendimiento unitario	1 s	c	disyun
1325.rentabilidad en términos de capacidad adquisitiva esperada	1 s	c	sinap
1326.rentabilidad en términos reales	1 s	c	sinap
1327.rentabilidad media	1 s	c	disyun
1328.rentabilidad neta de inflación	1 s	c	sinap
1329.rentabilidad neta de las ventas	1 s	c	sinap
1330.repartidor	1 s		
1331.representante de zona	1 s	c	sinap
1332.representante mercantil	1 s	c	disyun
1333.retroacción	1 s		
1334.revolución industrial	1 s	c	disyun
1335.robot	1 s		prést
1336.ruptura del inventario	1 s	c	sinap
1337.ruptura del stock	1 s	c	prést
1338.salario mínimo	1 s	c	disyun
1339.saldo a la vista	1 s	c	sinap
1340.satisfacción de necesidades	1 s	c	sinap
1341.sector primario	1 s	c	disyun
1342.semielaboración	1 s		
1343.semielaborado	1 a		
1344.simultaneous motion	1 s	c	prést
1345.sistema de economía centralizada	1 s	c	sinap
1346.sistema de intervalo fijo de pedido	1 s	c	sinap
1347.sistema de inventario continuo	1 s	c	sinap
1348.sistema de inventario justo a tiempo	1 s	c	sinap
1349.sistema de libre empresa	1 s	c	sinap
1350.sistema de revisión periódica	1 s	c	sinap
1351.sistema de volumen de pedido constante	1 s	c	sinap

1352.sistema de volumen económico de pedido	1 s	c	sinap
1353.sistema periódico	1 s	c	disyun
1354.skills	1 s		Prést
1355.sociedad colectiva	1 s	c	disyun
1356.sociedad cooperativa	1 s	c	disyun
1357.sociedad de responsabilidad limitada	1 s	c	sinap
1358.sociedad comanditaria	1 s	c	disyun
1359.solvente	1 a		
1360.stock en curso de fabricación	1 s	c	prést
1361.strategy	1 s		Prést
1362.structure	1 s		Prést
1363.style	1 s		Prést
1364.subvencionar	1 v		
1365.sueldo	1 s		
1366.suministrar	1 v		
1367.superordinate goals	1 s	c	prést
1368.suspensión de pagos	1 s	c	sinap
1369.tasa de interés	1 s	c	sinap
1370.tasa de retorno	1 s	c	sinap
1371.tayloriano	1 a		prést
1372.técnico de venta	1 s	c	sinap
1373.tecnólogo	1 s		
1374.teoría de contenido o causas	1 s	c	sinap
1375.teoría de grafos	1 s	c	prést
1376.teoría de la decisión	1 s	c	sinap
1377.teoría de la motivación	1 s	c	sinap
1378.teoría de la personalidad	1 s	c	sinap
1379.teoría de los procesos	1 s	c	sinap
1380.teoría ecológica de las organizaciones	1 s	c	sinap
1381.teoría económica clásica	1 s	c	disyun
1382.teoría económica de la contabilidad	1 s	c	sinap
1383.teoría motivacional	1 s	c	disyun
1384.teoría situacional	1 s	c	disyun
1385.test de concepto	1 s	c	sinap
1386.test de reconocimiento	1 s	c	sinap
1387.tiempo más alto de iniciación	1 s	c	sinap
1388.tiempo más bajo de iniciación	1 s	c	sinap
1389.toma de decisión	1 s	c	sinap
1390.toma de las decisiones	1 s	c	sinap
1391.tomador externo de pedidos	1 s	c	sinap
1392.tomador interno de pedidos	1 s	c	sinap
1393.tormenta de ideas	1 s	c	sinap
1394.unicidad del estado inicial y del estado final	1 s	c	sinap
1395.unidad departamental	1 s	c	disyun
1396.unidad operativa	1 s	c	disyun
1397.valor del almacén	1 s	c	sinap
1398.valor económico	1 s	c	disyun
1399.valor en liquidación	1 s	c	sinap
1400.variación accidental	1 s	c	disyun
1401.variación estacional	1 s	c	disyun
1402.vector de existencias	1 s	c	sinap
1403.vendedor a domicilio	1 s	c	sinap
1404.vendedor de plantilla	1 s	c	sinap
1405.ventaja comparativa	1 s	c	disyun
1406.vida económica	1 s	c	disyun
1407.volumen de negocio	1 s	c	sinap

1408. volumen económico de pedido   1 s   c   sinap

G.3. Los términos auxiliares: 265 UL

La cuarta columna proporciona la misma información que para los términos económicos.

1.	número	201 s	
2.	variable[1]	172 s	
3.	probabilidad	154 s	
4.	calcular	83 v	
5.	medida	53 s	
6.	suma	52 s	
7.	cociente	45 s	
8.	medir	43 v	
9.	término	41 s	
10.	social	40 a	
11.	ecuación	38 s	
12.	media	38 s	
13.	varianza	37 s	
14.	cálculo	34 s	
15.	función[2]	31 s	
16.	desviación típica	27 s	disyun
17.	esperanza matemática	26 s	disyun
18.	porcentaje	25 s	
19.	propietario	25 s	
20.	sumar	25 v	
21.	distribución[2]	24 s	
22.	valor esperado	24 s	disyun
23.	derecho[1]	23 s	
24.	multiplicar	23 v	
25.	por término medio	21 b	
26.	coeficiente	19 s	
27.	teoría	19 s	
28.	variable explicativa	18 s	disyun
29.	distribución de probabilidad	16 s	sinap
30.	cuadrado	15 s	
31.	recta	15 s	
32.	curva	14 s	
33.	distribución normal	14 s	disyun
34.	promedio	14 s	
35.	variabilidad	13 s	
36.	matriz[2]	12 s	
37.	contrato	11 s	
38.	dispersión factorial	11 s	disyun
39.	medición	11 s	
40.	ponderar	11 v	
41.	producto[2]	11 s	
42.	geográfico	10 a	
43.	parámetro	10 s	
44.	valor probable	10 s	disyun
45.	estadístico	9 a	
46.	función objetivo	9 s	contrapos

47.	media aritmética	9 s	disyun
48.	variable aleatoria	9 s	disyun
49.	vector de estado	9 s	sinap
50.	mutuamente excluyente	8 a	
51.	denominador	7 s	
52.	derivada	7 s	
53.	probabilístico	7 a	
54.	teórico	7 a	
55.	coeficiente de variación	6 s	sinap
56.	coordenada	6 s	
57.	democrático	6 a	
58.	dispersión residual	6 s	disyun
59.	dispersión total	6 s	disyun
60.	estadística	6 s	
61.	gráfico[1]	6 s	
62.	jurídico	6 a	
63.	legal	6 a	
64.	mecánico	6 a	
65.	nivel de significación	6 s	sinap
66.	poseer	6 v	
67.	probabilidad a posteriori	6 s	prést
68.	probabilidad a priori	6 s	prést
69.	raíz cuadrada	6 s	disyun
70.	sociedad[2]	6 s	
71.	sumando	6 s	
72.	convergencia	5 s	
73.	cuadrante	5 s	
74.	gráfico[2]	5 a	
75.	intersección[1]	5 s	
76.	límite superior	5 s	disyun
77.	numerar	5 v	
78.	ponderación	5 s	
79.	posesión	5 s	
80.	psicológico	5 a	
81.	socialmente	5 b	
82.	aritmético	4 a	
83.	cifra	4 s	
84.	descontar	4 v	
85.	distribución normal estandarizada	4 s	disyun
86.	divergencia[1]	4 s	
87.	eje de abscisas	4 s	sinap
88.	empírico	4 a	
89.	límite inferior	4 s	disyun
90.	método del análisis de la varianza	4 s	sinap
91.	numerador	4 s	
92.	punto de silla	4 s	sinap
93.	resolución[1]	4 s	
94.	suceso compuesto	4 s	disyun
95.	sumable	4 a	
96.	tabular	4 v	
97.	teorema de Bayes	4 s	epón
98.	variabilidad total	4 s	disyun
99.	variable controlada	4 s	disyun
100.	variable explicada	4 s	disyun
101.	alquiler	3 s	
102.	análisis bayesiano	3 s	disyun

103.	bondad del ajuste	3 s	sinap
104.	cadena de Markov	3 s	epón
105.	campana	3 s	
106.	contratación[2]	3 s	
107.	desviación[1]	3 s	
108.	diagnóstico	3 s	
109.	diferencial	3 s	
110.	distribución de probabilidad normal	3 s	sinap
111.	entropía	3 s	
112.	exponencial	3 a	
113.	grado de libertad	3 s	sinap
114.	histograma	3 s	
115.	informático	3 a	
116.	informatizar	3 v	
117.	juego rectangular	3 s	disyun
118.	ley	3 s	
119.	logaritmo	3 s	
120.	logaritmo neperiano	3 s	disyun
121.	método de la x^2	3 s	sinap
122.	multiplicativo	3 a	
123.	nivel de confianza	3 s	sinap
124.	poder público	3 s	disyun
125.	teorema central del límite	3 s	sinap
126.	terminología	3 s	
127.	universalista	3 a	
128.	variabilidad factorial	3 s	disyun
129.	variable residual	3 s	disyun
130.	bienestar social	2 s	disyun
131.	cláusula	2 s	
132.	coeficiente de regresión	2 s	sinap
133.	covarianza	2 s	
134.	decimal	2 a	
135.	demográfico	2 a	
136.	dígito	2 s	
137.	ente público	2 s	disyun
138.	juego de estrategia	2 s	sinap
139.	matemático	2 a	
140.	mediano	2 a	
141.	medios de comunicación	2 s	sinap
142.	método de los mínimos cuadrados	2 s	sinap
143.	método de prueba y error	2 s	sinap
144.	mínimo común múltiplo	2 s	disyun
145.	ordenador personal	2 s	disyun
146.	organismo público	2 s	disyun
147.	plaza milla	2 s	disyun
148.	rectangular	2 a	
149.	rectángulo	2 s	
150.	recuento	2 s	
151.	regresión lineal	2 s	disyun
152.	servicio público	2 s	disyun
153.	sistema ecológico	2 s	disyun
154.	sociológico	2 a	
155.	subcontrato	2 s	
156.	tecnocrático	2 a	
157.	teorema fundamental del límite	2 s	sinap
158.	valor real	2 s	disyun

159.	variabilidad de los residuos	2 s	sinap
160.	variable continua	2 s	disyun
161.	variable de acción	2 s	sinap
162.	variable exógena	2 s	disyun
163.	variable normal estandarizada	2 s	disyun
164.	abogado	1 s	
165.	aeronaútica	1 s	
166.	algebraico	1 a	
167.	algoritmo	1 s	
168.	análisis de regresión	1 s	sinap
169.	análisis de regresión simple	1 s	sinap
170.	antipolítico	1 a	
171.	asegurado	1 s	
172.	asegurador	1 s	
173.	asíntota	1 s	
174.	asintóticamente ergódico	1 a	
175.	bienestar de la sociedad	1 s	sinap
176.	cálculo de máximos y mínimos	1 s	sinap
177.	cálculo de probabilidades	1 s	sinap
178.	cámara de representantes	1 s	sinap
179.	campana de Gauss	1 s	epón
180.	casuística	1 s	
181.	cifrar	1 v	
182.	coeficiente de correlación simple	1 s	sinap
183.	coeficiente de determinación	1 s	sinap
184.	coeficiente de determinación simple	1 s	sinap
185.	coeficiente de ponderación	1 s	sinap
186.	computar	1 v	
187.	comunicación en masa	1 s	sinap
188.	cuantificable	1 a	
189.	cuantificar	1 v	
190.	cuasivarianza factorial	1 s	disyun
191.	cuasivarianza residual	1 s	disyun
192.	curva de Gompertz	1 s	epón
193.	de interés público	1 b	
194.	defensa nacional	1 s	disyun
195.	derecho de propiedad	1 s	sinap
196.	derecho de propiedad privada	1 s	sinap
197.	distribución beta	1 s	disyun
198.	distribución normal cero uno	1 s	disyun
199.	eje de ordenadas	1 s	sinap
200.	eje[1]	1 s	
201.	empíricamente	1 b	
202.	en régimen de alquiler	1 b	
203.	estadísticamente	1 b	
204.	estocástico	1 a	
205.	función exponencial	1 s	disyun
206.	geográficamente	1 b	
207.	gubernamental	1 a	
208.	hiperbólico	1 a	
209.	homeostasis	1 s	
210.	juego con punto de silla	1 s	sinap
211.	juego de azar	1 s	sinap
212.	juego de dos personas de suma nula	1 s	sinap
213.	juego de estrategia mixta	1 s	sinap
214.	juego de estrategia pura	1 s	sinap

215.	juego de suma no nula	1 s	sinap
216.	legalmente	1 b	
217.	logarítmico	1 a	
218.	matemáticamente	1 b	
219.	matricial²	1 a	
220.	mecanicista	1 a	
221.	medias móviles	1 s	disyun
222.	medios de comunicación de masas	1 s	sinap
223.	método de las medias móviles	1 s	sinap
224.	multiplicación	1 s	
225.	neperiano	1 a	prést
226.	numeración	1 s	
227.	operador	1 s	
228.	opinión pública	1 s	disyun
229.	ordenada	1 s	
230.	parabólico	1 a	
231.	parte alícuota	1 s	disyun
232.	parte factorial	1 s	disyun
233.	persona física	1 s	disyun
234.	persona jurídica	1 s	disyun
235.	poder legítimo	1 s	disyun
236.	postulado de Bayes	1 s	epón
237.	propiedad conmutativa	1 s	disyun
238.	propiedad privada	1 s	disyun
239.	prorratear	1 v	
240.	psicográfico	1 a	
241.	psicología	1 s	
242.	psicosociopolítico	1 a	
243.	redondeo	1 s	
244.	relación funcional	1 s	disyun
245.	restar²	1 v	
246.	senado	1 s	
247.	sistema de ecuaciones normales	1 s	sinap
248.	sistema filosófico	1 s	disyun
249.	sociólogo	1 s	
250.	sociotécnicamente	1 b	
251.	sumatorio	1 s	
252.	teorema	1 s	
253.	teorema del suceso compuesto	1 s	sinap
254.	teoría de juegos	1 s	sinap
255.	teoría de los juegos	1 s	sinap
256.	teoría de los juegos de estrategia	1 s	sinap
257.	teóricamente	1 b	
258.	terminológico	1 a	
259.	tipificación²	1 s	
260.	variabilidad explicada	1 s	disyun
261.	variabilidad no explicada	1 s	disyun
262.	variable normal	1 s	disyun
263.	variable normal tipificada	1 s	disyun
264.	variable tipificada	1 s	disyun
265.	vector	1 s	

G.4. El léxico general: 3.010 unidades léxicas

1.	tener[1]	524	v		54.	período	113	s
2.	actividad	327	s		55.	estrategia	112	s
3.	caso	311	s		56.	considerar	110	v
4.	año	289	s		57.	grande	107	a
5.	obtener	277	v		58.	diferencia	105	s
6.	realizar	272	v		59.	principal[2]	105	a
7.	mayor	266	a		60.	superior[1]	103	a
8.	siguiente	243	a		61.	desear	101	v
9.	figura	242	s		62.	control	100	s
10.	es decir	225	b	C	63.	generar	100	v
11.	tabla	215	s		64.	necesario	99	a
12.	también	215	b		65.	proceso	99	s
13.	tipo	211	s		66.	resultar	99	v
14.	existir	193	v		67.	necesidad	97	s
15.	denominar	180	v		68.	último	94	a
16.	anual	178	a		69.	conocer	92	v
17.	tiempo	178	s		70.	decir	92	v
18.	nivel	177	s		71.	reducir	92	v
19.	igual	174	a		72.	esperar	91	v
20.	unidad	171	s		73.	sólo	91	b
21.	objetivo[1]	170	s		74.	aplicar	90	v
22.	posible	161	a		75.	expresión	89	s
23.	valer	159	v		76.	mejor	89	a
24.	determinar	158	v		77.	conseguir	87	v
25.	utilizar	156	v		78.	diferente	87	a
26.	encontrar	155	v		79.	elevado	87	a
27.	forma	155	s		80.	problema	87	s
28.	sistema	155	s		81.	cantidad	86	s
29.	tomar	151	v		82.	depender	86	v
30.	resultado	147	s		83.	diverso	86	a
31.	hacer	143	v		84.	capacidad	83	s
32.	por ejemplo	138	b	C	85.	conjunto[1]	83	s
33.	persona	137	s		86.	grupo	83	s
34.	proyecto	137	s		87.	por tanto	83	b	C
35.	anterior	135	a		88.	método	82	s
36.	criterio	133	s		89.	señalar	81	v
37.	duración	133	s		90.	tamaño	81	s
38.	requerir	133	v		91.	modelo	80	s
39.	información	130	s		92.	resolver	80	v
40.	factor	125	s		93.	punto	78	s
41.	nuevo	124	a		94.	seguir[1]	78	v
42.	plazo	124	s		95.	selección	78	s
43.	suponer	124	v		96.	correspondiente	77	a
44.	representar	121	v		97.	permitir	77	v
45.	medio[2]	118	a		98.	por consiguiente	76	b	C
46.	relación	118	s		99.	constante[2]	74	a
47.	distinto	116	a		100.	existente	74	a
48.	total[2]	116	a		101.	tarea	74	s
49.	parte	115	s		102.	elemento	73	s
50.	además	114	b		103.	servicio	73	s
51.	etc.	114	b		104.	basar	72	v
52.	momento	114	s		105.	largo	72	a
53.	modo	113	s		106.	día	71	s

107.	propio	71 a		163.	general	52 a	
108.	suceso	71 s		164.	característica	51 s	
109.	anteriormente	70 b		165.	final	51 a	
110.	dar	70 v		166.	previsión	51 s	
111.	inferior[1]	70 a		167.	situación	51 s	
112.	observar	70 v		168.	adecuado	50 a	
113.	producir[2]	70 v		169.	desarrollar	50 v	
114.	estudio	69 s		170.	menos	50 b	
115.	evidentemente	69 b		171.	elaborar	49 v	
116.	tratar[1]	69 v		172.	estimar	49 v	
117.	óptimo[2]	68 a		173.	modificar	49 v	
118.	análisis	67 s		174.	tener en cuenta	49 v	C
119.	corto	67 a		175.	variación	49 s	
120.	deducir	67 v		176.	establecer	48 v	
121.	elegir	67 v		177.	maximizar	48 v	
122.	función[1]	67 s		178.	en general	47 b	C
123.	mantener	67 v		179.	pequeño	47 a	
124.	procedimiento	66 s		180.	analizar	46 v	
125.	ejemplo	65 s		181.	crecer	46 v	
126.	preciso[1]	65 a		182.	disponer	46 v	
127.	prever	65 v		183.	comprobar	45 v	
128.	importante	64 a		184.	plan	45 s	
129.	saber	63 v		185.	solución	45 s	
130.	importancia	62 s		186.	aumentar	44 v	
131.	importe	62 s		187.	capítulo	44 s	
132.	alternativa	61 s		188.	posibilidad	44 s	
133.	cumplir	61 v		189.	preferible	44 a	
134.	dato	61 s		190.	tender	44 v	
135.	menor	61 a		191.	territorio	44 s	
136.	constituir	60 v		192.	ver	44 v	
137.	llegar[1]	60 v		193.	área[2]	43 s	
138.	u. t.	60 s		194.	bajo[2]	43 a	
139.	formar	59 v		195.	bien[2]	43 b	
140.	situar	59 v		196.	frecuente	43 a	
141.	alcanzar	58 v		197.	siempre	43 b	
142.	estudiar	58 v		198.	asignar	42 v	
143.	físico	58 a		199.	derivar	42 v	
144.	sí	58 b		200.	esfuerzo	42 s	
145.	fase	57 s		201.	grado	42 s	
146.	ocasión	57 s		202.	operación	42 s	
147.	sin embargo	57 b	C	203.	recoger	42 v	
148.	denominado	56 a		204.	total[1]	42 s	
149.	lugar	56 s		205.	razón	41 s	
150.	distinguir	55 v		206.	sencillo	41 a	
151.	incorporar	55 v		207.	utilización	41 s	
152.	quedar	55 v		208.	condición	40 s	
153.	corresponder	54 v		209.	fijar	40 v	
154.	efectuar	54 v		210.	concepto	39 s	
155.	negativo	54 a		211.	efecto[2]	39 s	
156.	política	54 s		212.	enfoque	39 s	
157.	vez	54 s		213.	idea	39 s	
158.	crear	53 v		214.	real	39 a	
159.	proporción	53 s		215.	satisfacer	39 v	
160.	referir	53 v		216.	técnico[2]	39 a	
161.	semejante	53 a		217.	alternativo	38 a	
162.	dirigir	52 v		218.	definir	38 v	

219.	estado²	38 s		275.	estándar	30 s
220.	inconveniente	38 s		276.	evitar	30 v
221.	material¹	38 s		277.	introducción	30 s
222.	restricción	38 s		278.	principio¹	30 s
223.	autoridad	37 s		279.	repartir	30 v
224.	diferenciar	37 v		280.	agrupación	29 s
225.	generalmente	37 b		281.	demostrar	29 v
226.	partir	37 v		282.	diseño	29 s
227.	posteriormente	37 b		283.	favorable	29 a
228.	realización	37 s		284.	incluso	29 b
229.	sentido	37 s		285.	instrumento	29 s
230.	componente	36 s		286.	máquina	29 s
231.	seleccionar	36 v		287.	mínimo²	29 a
232.	comenzar	35 v		288.	pasar	29 v
233.	evidente	35 a		289.	perspectiva	29 s
234.	independiente	35 a		290.	soporte	29 s
235.	integrar	35 v		291.	comportamiento	28 s
236.	presentar	35 v		292.	conocimiento	28 s
237.	provocar	35 v		293.	distribuir	28 v
238.	único	35 a		294.	efectivo	28 a
239.	ventaja	35 s		295.	finalizar	28 v
240.	consistir	34 v		296.	identificar	28 v
241.	dividir	34 v		297.	serie	28 s
242.	práctica	34 s		298.	superar	28 v
243.	relativo	34 a		299.	comparar	27 v
244.	supuesto	34 s		300.	comunicación	27 s
245.	técnica	34 s		301.	consumir	27 v
246.	volumen	34 s		302.	desarrollo	27 s
247.	canal	33 s		303.	durar	27 v
248.	controlar	33 v		304.	emplear	27 v
249.	determinación	33 s		305.	minimizar	27 v
250.	dificultad	33 s		306.	obligar	27 v
251.	elevar	33 v		307.	pensar	27 v
252.	establecimiento	33 s		308.	acción²	26 s
253.	exigir	33 v		309.	actuar	26 v
254.	normal	33 a		310.	afectar	26 v
255.	comprender	32 v		311.	alterar	26 v
256.	crecimiento	32 s		312.	carácter	26 s
257.	decidir	32 v		313.	coincidir	26 v
258.	infinito	32 a		314.	diferenciación	26 s
259.	perder	32 v		315.	edad	26 s
260.	positivo	32 a		316.	estructura	26 s
261.	subsistema	32 s		317.	existencia	26 s
262.	suficiente	32 a		318.	exponer	26 v
263.	aspecto	31 s		319.	extracción	26 s
264.	deseo	31 s		320.	incurrir	26 v
265.	dimensión	31 s		321.	interés²	26 s
266.	entorno	31 s		322.	jugador	26 s
267.	éxito	31 s		323.	límite	26 s
268.	investigación	31 s		324.	localización	26 s
269.	mantenimiento	31 s		325.	posterior	26 a
270.	máximo²	31 a		326.	significar	26 v
271.	precisar	31 v		327.	alto	25 a
272.	responsabilidad	31 s		328.	bola	25 s
273.	actual	30 a		329.	categoría	25 s
274.	dedicar	30 v		330.	ciudad	25 s

331.	cobrar	25 v		387.	mayoría	22 s	
332.	cultura	25 s		388.	motivación	22 s	
333.	cultural	25 a		389.	movimiento	22 s	
334.	dejar	25 v		390.	negro	22 a	
335.	determinado	25 a		391.	objeto	22 s	
336.	habitual	25 a		392.	origen	22 s	
337.	incrementar	25 v		393.	recuperar	22 v	
338.	limitación	25 s		394.	relacionar	22 v	
339.	naturaleza	25 s		395.	semana	22 s	
340.	nulo	25 a		396.	sustituir	22 v	
341.	preguntar	25 v		397.	aumento	21 s	
342.	ritmo	25 s		398.	básico	21 a	
343.	suceder	25 v		399.	confianza	21 s	
344.	valorar	25 v		400.	global	21 a	
345.	comportar	24 v		401.	introducir	21 v	
346.	conducir	24 v		402.	mes	21 s	
347.	cubrir	24 v		403.	oscilación	21 s	
348.	humano	24 a		404.	por otra parte	21 b	C
349.	incluir	24 v		405.	previsto	21 a	
350.	limitar	24 v		406.	relevante	21 a	
351.	margen	24 s		407.	respuesta	21 s	
352.	medio[1]	24 s		408.	surgir	21 v	
353.	necesitar	24 v		409.	asegurar	20 v	
354.	plantear	24 v		410.	asociar	20 v	
355.	recibir	24 v		411.	cambio[2]	20 s	
356.	recordar	24 v		412.	conclusión	20 s	
357.	representación	24 s		413.	creación	20 s	
358.	someter	24 v		414.	ejecución	20 s	
359.	temporal	24 a		415.	especialmente	20 b	
360.	ajustar	23 v		416.	futuro[1]	20 s	
361.	amplio	23 a		417.	paso	20 s	
362.	consecución	23 s		418.	población	20 s	
363.	decisor	23 s		419.	proporcionar	20 v	
364.	evolución	23 s		420.	referencia	20 s	
365.	facilitar	23 v		421.	solamente	20 b	
366.	interesar	23 v		422.	tardar	20 v	
367.	modificación	23 s		423.	útil[2]	20 a	
368.	responder	23 v		424.	añadir	19 s	
369.	unitario	23 a		425.	aplicable	19 a	
370.	zona	23 s		426.	centro	19 s	
371.	actualizar	22 v		427.	certeza	19 s	
372.	acudir	22 v		428.	cuestión	19 s	
373.	ambiente	22 s		429.	dar lugar	19 v	C
374.	aplicación	22 s		430.	destino	19 s	
375.	atender	22 v		431.	externo	19 a	
376.	autor	22 s		432.	pasado	19 s	
377.	combinar	22 v		433.	potencial[2]	19 a	
378.	elaboración	22 s		434.	próximo	19 a	
379.	en realidad	22 b	C	435.	satisfacción	19 s	
380.	estilo	22 s		436.	terminar	19 v	
381.	estratégico	22 a		437.	apartado	18 s	
382.	etapa	22 s		438.	centrar	18 v	
383.	explicar	22 v		439.	compartir	18 v	
384.	flecha	22 s		440.	conflicto	18 s	
385.	influir	22 v		441.	conocido	18 a	
386.	intervenir	22 v		442.	correcto	18 a	

443. decisión[2]	18 s		499. realmente	16 b
444. diario	18 a		500. referente	16 a
445. disponible	18 a		501. reflejar	16 v
446. división	18 s		502. rotación	16 s
447. en efecto	18 b	C	503. totalizar	16 v
448. entrada	18 s		504. base[2]	15 s
449. etcétera	18 b		505. cadena	15 s
450. habitualmente	18 b		506. cambiar	15 v
451. hora	18 s		507. camino	15 s
452. importar[2]	18 v		508. colocar	15 v
453. ítem	18 s		509. emitir	15 v
454. lineal	18 a		510. error	15 s
455. mensaje	18 s		511. exceso	15 s
456. no obstante	18 b	C	512. fundamental	15 a
457. nunca	18 b		513. futuro[2]	15 a
458. ofrecer	18 v		514. ganar[2]	15 v
459. orientar	18 v		515. imagen	15 s
460. percibir	18 v		516. llamar	15 v
461. perfecto	18 a		517. máximo[1]	15 s
462. planificar	18 v		518. módulo	15 s
463. por el contrario	18 b	C	519. personal[2]	15 a
464. salida	18 s		520. previo	15 a
465. simple	18 a		521. respectivamente	15 b
466. subordinado	18 s		522. subapartado	15 s
467. aleatorio	17 a		523. superior[2]	15 s
468. ámbito	17 s		524. variable[2]	15 a
469. aparecer	17 v		525. vida	15 s
470. atención	17 s		526. causa	14 s
471. atributo	17 s		527. clasificar	14 v
472. automóvil	17 s		528. común	14 a
473. casi	17 b		529. concluir	14 v
474. clasificación	17 s		530. concretamente	14 b
475. consecuencia	17 s		531. condicionar	14 v
476. continuar[1]	17 v		532. consistente	14 a
477. en consecuencia	17 b	C	533. continuo	14 a
478. especialización	17 s		534. coordinación	14 s
479. expresar	17 v		535. describir	14 v
480. finalmente	17 b		536. dispersión	14 s
481. fuente[2]	17 s		537. equivalente	14 a
482. hombre	17 s		538. expectativa	14 s
483. ilimitado	17 a		539. experiencia	14 s
484. preferir	17 v		540. falta	14 s
485. prueba	17 s		541. funcionamiento	14 s
486. reducción	17 s		542. herramienta	14 s
487. contar	16 v		543. idéntico	14 a
488. demandar	16 v		544. informar	14 v
489. destinar	16 v		545. interno	14 a
490. directamente	16 b		546. mejorar	14 v
491. figurar	16 v		547. norma	14 s
492. fuerte	16 a		548. periodo	14 s
493. incidencia	16 s		549. preferencia	14 s
494. inicial	16 a		550. previamente	14 b
495. miembro	16 s		551. regla	14 s
496. programación	16 s		552. servir	14 v
497. punto de vista	16 s	C	553. simplificar	14 v
498. realidad	16 s		554. aceptar	13 v

555.	agradar	13 v		611.	repetir	12 v	
556.	asumir	13 v		612.	significativo	12 a	
557.	buen	13 a		613.	tampoco	12 b	
558.	claro	13 a		614.	uso	12 s	
559.	complejo	13 a		615.	valoración	12 s	
560.	distribución[3]	13 s		616.	variar	12 v	
561.	elección	13 s		617.	aceptación	11 s	
562.	en principio	13 b	C	618.	actualmente	11 b	
563.	evaluación	13 s		619.	acuerdo	11 s	
564.	hecho	13 s		620.	al menos	11 b	C
565.	inicialmente	13 b		621.	ampliar	11 v	
566.	juego	13 s		622.	analítico	11 a	
567.	libertad	13 s		623.	apéndice	11 s	
568.	libro	13 s		624.	aproximadamente	11 b	
569.	mencionar	13 v		625.	caber	11 v	
570.	motivo	13 a		626.	científico	11 a	
571.	obvio	13 a		627.	circunstancia	11 s	
572.	orden[1]	13 s		628.	combinación	11 s	
573.	orden[2]	13 s		629.	cooperación	11 s	
574.	organizativo	13 a		630.	desfavorable	11 a	
575.	preceder	13 v		631.	directivo[1]	11 a	
576.	provenir	13 v		632.	diseñar	11 v	
577.	pues bien	13 b	C	633.	entender	11 v	
578.	puntuación	13 s		634.	escribir	11 v	
579.	rapidez	13 s		635.	especial	11 a	
580.	restante	13 a		636.	específico	11 a	
581.	sector	13 s		637.	excesivo	11 a	
582.	transformar	13 v		638.	frecuentemente	11 b	
583.	anuncio	12 v		639.	igualdad	11 s	
584.	compensar	12 v		640.	iniciar	11 v	
585.	conducta	12 s		641.	ir[1]	11 v	
586.	conjunto[2]	12 a		642.	llevar a cabo	11 v	C
587.	conveniente	12 a		643.	magnitud	11 s	
588.	derecha	12 s		644.	maximización	11 s	
589.	directo	12 a		645.	mero	11 a	
590.	eficacia	12 s		646.	numeroso	11 a	
591.	en cuestión	12 b	C	647.	ocurrir	11 v	
592.	estimación	12 s		648.	operar	11 v	
593.	fácilmente	12 b		649.	planteamiento	11 s	
594.	frecuencia	12 s		650.	poder[1]	11 s	
595.	fuerza	12 s		651.	poner de manifiesto	11 v	C
596.	ganar[1]	12 v		652.	programa	11 s	
597.	homogéneo	12 a		653.	razonable	11 a	
598.	informe	12 s		654.	respectivo	11 a	
599.	inmediato	12 a		655.	retraso	11 s	
600.	innovación	12 s		656.	revisión	11 s	
601.	intervalo	12 s		657.	seguidamente	11 b	
602.	ocupar	12 v		658.	semanal	11 a	
603.	parecer	12 v		659.	signo	11 s	
604.	poner	12 v		660.	todavía	11 b	
605.	posición	12 s		661.	transcurrir	11 v	
606.	precisión	12 s		662.	variedad	11 s	
607.	pretender	12 v		663.	adaptar	10 v	
608.	proceder	12 v		664.	ajeno	10 a	
609.	proporcional	12 a		665.	antes	10 b	
610.	renovación	12 s		666.	aprovechar	10 v	

667. ciclo	10 s	723. buscar	9 v
668. clase	10 s	724. cara	9 s
669. columna	10 s	725. conceder	9 v
670. consideración	10 s	726. concerniente	9 a
671. contener	10 v	727. conjuntamente	9 b
672. contenido	10 s	728. constante[1]	9 s
673. contratar	10 v	729. construcción	9 s
674. cualidad	10 s	730. contribuir	9 v
675. definición	10 s	731. convenir	9 v
676. descripción	10 s	732. convertir	9 v
677. despejar	10 v	733. coordinar	9 v
678. destacar	10 v	734. crítico	9 a
679. detalle	10 s	735. decisional	9 a
680. devolver	10 v	736. desplazamiento	9 s
681. en definitiva	10 b C	737. detallar	9 v
682. equilibrio	10 s	738. devolución	9 s
683. especificar	10 v	739. dicho	9 s
684. estimular	10 v	740. difícil	9 a
685. estímulo	10 s	741. distancia	9 s
686. fijación	10 s	742. documento	9 s
687. fijo	10 a	743. ejecutar	9 v
688. fin	10 s	744. en concreto	9 b C
689. flexibilidad	10 s	745. en ocasiones	9 b C
690. formación	10 s	746. entidad	9 s
691. fracaso	10 s	747. equipo[2]	9 s
692. garantizar	10 v	748. equivaler	9 v
693. indicar	10 v	749. especialista	9 a
694. individual	10 a	750. extender[1]	9 v
695. individuo	10 a	751. exterior[1]	9 s
696. intercambio	10 s	752. extrapolación	9 s
697. inverso	10 a	753. fila	9 s
698. lanzamiento	10 s	754. formal	9 a
699. limitado	10 a	755. funcional	9 a
700. mínimo[1]	10 s	756. funcionar	9 v
701. minuto	10 s	757. generación	9 s
702. mitad	10 s	758. hablar	9 v
703. mostrar	10 v	759. hacer frente a	9 v C
704. obtención	10 s	760. igualar	9 v
705. organizar	10 v	761. incidir	9 v
706. papel	10 s	762. influencia	9 s
707. particular[2]	10 a	763. intervención	9 s
708. permanecer	10 v	764. material[2]	9 a
709. pesar	10 v	765. motivar	9 v
710. reparto	10 s	766. observación	9 s
711. resto	10 s	767. obviamente	9 b
712. resultante	10 a	768. país	9 s
713. retener	10 v	769. palabra	9 s
714. solo	10 a	770. parcial	9 a
715. tema	10 s	771. por lo tanto	9 b C
716. utilidad[2]	10 s	772. proveniente	9 a
717. absoluto	9 a	773. responsable	9 a
718. actitud	9 s	774. símbolo	9 s
719. actuación	9 s	775. sistemático	9 a
720. advertir	9 v	776. subjetivo	9 a
721. anualmente	9 b	777. sucesivo	9 a
722. aproximación	9 s	778. suficientemente	9 b

779. territorial	9 a	
780. totalidad	9 s	
781. visita	9 s	
782. acertar	8 v	
783. adecuar	8 v	
784. antiguo	8 a	
785. aportar	8 v	
786. capaz	8 a	
787. carecer	8 v	
788. centralizar	8 v	
789. circular	8 v	
790. color	8 s	
791. comienzo	8 s	
792. complementario	8 a	
793. comprometer	8 v	
794. concreto	8 a	
795. condicionado	8 a	
796. consiguientemente	8 b	
797. construir	8 v	
798. consultar	8 v	
799. diferir	8 v	
800. dinámico	8 a	
801. disciplina	8 s	
802. dominar	8 v	
803. duro	8 a	
804. entrar	8 v	
805. estabilidad	8 s	
806. familia	8 s	
807. fiabilidad	8 s	
808. hoy	8 b	
809. identificación	8 s	
810. imponer	8 v	
811. inspección	8 s	
812. integración	8 s	
813. interior[1]	8 s	
814. investigador	8 a	
815. línea[2]	8 s	
816. manera	8 s	
817. mensual	8 a	
818. nombre	8 s	
819. ocioso	8 a	
820. operativo	8 a	
821. opinión	8 s	
822. participación[1]	8 s	
823. participar	8 v	
824. pedir	8 v	
825. pérdida	8 s	
826. perseguir	8 v	
827. práctico	8 a	
828. presentación	8 s	
829. primario	8 a	
830. prolongado	8 a	
831. prolongar	8 v	
832. renovar	8 v	
833. retrasar	8 v	
834. simplemente	8 b	
835. solicitar	8 v	
836. técnicamente	8 b	
837. tienda	8 s	
838. acompañar	7 v	
839. actualidad	7 s	
840. actualización	7 s	
841. afirmar	7 v	
842. agrupar	7 v	
843. arreglo	7 s	
844. autocontrol	7 s	
845. aversión	7 s	
846. ayudar	7 v	
847. bastar	7 v	
848. blanco	7 s	
849. campo	7 s	
850. caro	7 a	
851. círculo	7 s	
852. composición	7 s	
853. comunicar	7 v	
854. concepción	7 s	
855. congruente	7 a	
856. costar	7 v	
857. defecto	7 s	
858. demostración	7 s	
859. denominación	7 s	
860. deseable	7 a	
861. disponibilidad	7 s	
862. eficiencia	7 s	
863. eliminar	7 v	
864. encargar[2]	7 v	
865. enriquecer	7 v	
866. enviar	7 v	
867. equivocar	7 v	
868. escala	7 s	
869. español	7 s	
870. evaluar	7 v	
871. experto[1]	7 s	
872. exposición	7 s	
873. extremo[1]	7 s	
874. flexible	7 a	
875. hacer referencia	7 v	C
876. heterogéneo	7 a	
877. imposible	7 a	
878. imputar	7 v	
879. inactividad	7 s	
880. índice	7 s	
881. informal	7 a	
882. intentar	7 v	
883. lámpara	7 s	
884. lector	7 a	
885. lógico	7 a	
886. lote	7 s	
887. optimista	7 a	
888. ordenador	7 a	
889. organigrama	7 s	
890. orientación	7 s	

891.	percepción	7 s		947.	eficaz	6 a	
892.	perfectamente	7 b		948.	entrega	6 s	
893.	pesimista	7 a		949.	esperanza	6 s	
894.	por regla general	7 b	C	950.	espontáneo	6 a	
895.	por supuesto	7 b	C	951.	estable	6 a	
896.	posiblemente	7 b		952.	evolucionar	6 v	
897.	presente	7 a		953.	excesivamente	6 b	
898.	probar	7 v		954.	experimentación	6 s	
899.	promocional	7 a		955.	experimentar	6 v	
900.	quizá	7 b		956.	favorecer	6 v	
901.	recepción	7 s		957.	ficticio	6 a	
902.	reconocimiento	7 s		958.	finito	6 a	
903.	reducido	7 a		959.	fórmula	6 s	
904.	redundar	7 v		960.	formular	6 v	
905.	reseñar	7 v		961.	ignorar	6 v	
906.	residuo	7 s		962.	igualmente	6 b	
907.	secuencia	7 s		963.	impedir	6 v	
908.	seguro²	7 a		964.	imprescindible	6 a	
909.	sexo	7 s		965.	innecesario	6 a	
910.	simulación	7 s		966.	innovador	6 a	
911.	simultáneo	7 a		967.	instante	6 s	
912.	sugerir	7 v		968.	intermedio	6 a	
913.	tangible	7 a		969.	interpretación	6 s	
914.	tendencia	7 s		970.	introductorio	6 a	
915.	totalmente	7 b		971.	intuición	6 s	
916.	vertical	7 a		972.	investigar	6 v	
917.	a priori	6 b	C	973.	ladrillo	6 s	
918.	acaecimiento	6 s		974.	lanzar	6 v	
919.	acceder	6 v		975.	lealtad	6 s	
920.	acceso	6 s		976.	lento	6 a	
921.	administrativo	6 a		977.	localidad	6 s	
922.	ampliación	6 s		978.	localizar	6 v	
923.	anticipar	6 v		979.	madurez	6 s	
924.	aplazamiento	6 s		980.	mal	6 a	
925.	apoyo	6 s		981.	manejar	6 v	
926.	aproximado	6 a		982.	manifestar	6 v	
927.	atraer	6 v		983.	materia	6 s	
928.	avión	6 s		984.	mejora	6 s	
929.	barato	6 a		985.	nacional	6 a	
930.	beneficiar	6 v		986.	negociador	6 a	
931.	bueno	6 a		987.	obra	6 s	
932.	comparación	6 s		988.	olvidar	6 v	
933.	completar	6 v		989.	ordenación	6 s	
934.	comprensión	6 s		990.	ordenar	6 a	
935.	constantemente	6 b		991.	partida²	6 s	
936.	constar	6 v		992.	peculiaridad	6 s	
937.	contrario	6 a		993.	pintura	6 s	
938.	contribución	6 s		994.	poner a disposición	6 v	C
939.	costoso	6 a		995.	pregunta	6 s	
940.	creciente	6 a		996.	preparar	6 v	
941.	cuantía	6 s		997.	prestación	6 s	
942.	defensa	6 s		998.	prestar²	6 v	
943.	desempeñar	6 v		999.	primordial	6 a	
944.	detener	6 v		1000.	probable	6 a	
945.	difusión	6 s		1001.	procurar	6 v	
946.	discrepancia	6 s		1002.	proteger	6 v	

1003.reacción	6 s	
1004.recogida²	6 s	
1005.reemplazar	6 v	
1006.regulador	6 a	
1007.relativamente	6 b	
1008.resolución²	6 s	
1009.restringir	6 v	
1010.retención	6 s	
1011.revisar	6 v	
1012.segmentar	6 v	
1013.sensibilidad	6 s	
1014.sentir	6 v	
1015.simultáneamente	6 b	
1016.sintetizar	6 v	
1017.test	6 s	
1018.vincular	6 v	
1019.adecuadamente	5 b	
1020.admitir	5 v	
1021.afrontar	5 v	
1022.agrado	5 s	
1023.al final	5 b	C
1024.alteración	5 s	
1025.americano	5 a	
1026.animal	5 s	
1027.aproximar	5 v	
1028.aptitud	5 s	
1029.audiencia	5 s	
1030.avería	5 s	
1031.barra	5 s	
1032.básicamente	5 b	
1033.breve	5 a	
1034.cambiante	5 a	
1035.centralización	5 s	
1036.claramente	5 b	
1037.clave	5 s	
1038.conveniencia	5 s	
1039.corregir	5 v	
1040.creatividad	5 s	
1041.cumplimiento	5 s	
1042.de nuevo	5 b	C
1043.deducible	5 a	
1044.definido	5 a	
1045.demandante	5 s	
1046.desaparecer	5 v	
1047.descentralizar	5 v	
1048.descomponer	5 v	
1049.designar	5 v	
1050.dicotómico	5 a	
1051.disminuir	5 v	
1052.disposición²	5 s	
1053.efectivamente	5 b	
1054.en gran medida	5 b	C
1055.energía	5 s	
1056.enfocar	5 v	
1057.enfrentar	5 v	
1058.es más	5 b	C

1059.especializado	5 a	
1060.espera	5 s	
1061.estático	5 a	
1062.estrecho	5 a	
1063.estructurar	5 v	
1064.experimento	5 s	
1065.explicación	5 s	
1066.extraer	5 v	
1067.factible	5 a	
1068.formalmente	5 b	
1069.ganador	5 a	
1070.genérico	5 a	
1071.gusto	5 s	
1072.hipótesis	5 s	
1073.ideal	5 a	
1074.identidad	5 s	
1075.implantar	5 v	
1076.implicar	5 v	
1077.importar³	5 v	
1078.incierto	5 a	
1079.incógnita	5 s	
1080.independientemente	5 b	
1081.individualizar	5 v	
1082.instrucción	5 s	
1083.intangible	5 a	
1084.interrelación	5 s	
1085.izquierda	5 s	
1086.local²	5 a	
1087.mano	5 s	
1088.manual	5 a	
1089.masa	5 s	
1090.mediar	5 v	
1091.medio³	5 s	
1092.montante	5 s	
1093.motor	5 a	
1094.negatividad	5 s	
1095.normalmente	5 b	
1096.noticia	5 s	
1097.obsolescencia	5 s	
1098.obsoleto	5 a	
1099.ocurrencia	5 s	
1100.otro tanto	5 b	C
1101.paralelo	5 a	
1102.pensamiento	5 s	
1103.perdedor	5 a	
1104.pieza	5 s	
1105.prestigio	5 s	
1106.problemática	5 s	
1107.programar	5 v	
1108.progresión	5 s	
1109.prohibir	5 v	
1110.proponer	5 v	
1111.proporcionalmente	5 b	
1112.puesta en marcha	5 s	C
1113.rápidamente	5 b	
1114.realizable	5 a	

1115.recorrer	5 v		
1116.red	5 s		
1117.reemplazamiento	5 s		
1118.región	5 s		
1119.registrar	5 v		
1120.registro	5 s		
1121.reparación	5 s		
1122.repetitivo	5 a		
1123.representante	5 s		
1124.respetar	5 v		
1125.rígido	5 a		
1126.ropa	5 s		
1127.semestre	5 a		
1128.sensible	5 a		
1129.similar	5 a		
1130.sistema cultural	5 s	C	
1131.soldadura	5 s		
1132.sólido	5 a		
1133.soportar	5 v		
1134.subjetividad	5 s		
1135.sucesivamente	5 b		
1136.sustancialmente	5 b		
1137.texto	5 s		
1138.ulterior	5 a		
1139.unir	5 v		
1140.urna	5 s		
1141.visitar	5 v		
1142.abandonar	4 v		
1143.abarcar	4 v		
1144.acaecer	4 v		
1145.acometer	4 v		
1146.acumular	4 v		
1147.adaptación	4 s		
1148.adecuación	4 s		
1149.adelanto	4 s		
1150.admisible	4 a		
1151.adoptar	4 v		
1152.altura	4 s		
1153.anglosajón	4 a		
1154.anunciar	4 v		
1155.aplazar	4 v		
1156.aportación[2]	4 s		
1157.apuntar	4 v		
1158.automático	4 a		
1159.autonomía	4 s		
1160.caja negra	4 s	C	
1161.cámara	4 s		
1162.captar	4 v		
1163.cargar[2]	4 v		
1164.central	4 a		
1165.ciencia	4 s		
1166.circulante	4 a		
1167.clásico	4 a		
1168.clima	4 s		
1169.coexistencia	4 s		
1170.comité	4 s		

1171.completo	4 a
1172.concernir	4 v
1173.conformar	4 v
1174.confundir	4 v
1175.considerable	4 a
1176.contacto	4 s
1177.continuación	4 s
1178.continuidad	4 s
1179.corriente[1]	4 s
1180.cosa	4 s
1181.creativo	4 a
1182.cruz	4 s
1183.cuenta[2]	4 s
1184.década	4 s
1185.denotar	4 v
1186.dependiente	4 a
1187.descubrir	4 v
1188.desplazar	4 v
1189.determinante	4 s
1190.diariamente	4 b
1191.distribución[4]	4 s
1192.eficiente	4 a
1193.ejercicio[3]	4 s
1194.elemental	4 a
1195.emergencia	4 s
1196.emisión[2]	4 s
1197.encargar[3]	4 v
1198.encuestar	4 v
1199.enorme	4 a
1200.época	4 s
1201.esencial	4 a
1202.esporádico	4 a
1203.esquema	4 s
1204.estado[1]	4 s
1205.etiqueta	4 s
1206.exacto	4 a
1207.explicativo	4 a
1208.explotación	4 s
1209.extraordinario	4 a
1210.extremo[2]	4 a
1211.fecha	4 s
1212.firme	4 a
1213.físicamente	4 b
1214.gráficamente	4 b
1215.gratuito	4 a
1216.homogeneidad	4 s
1217.horario	4 a
1218.impacto	4 s
1219.impreso	4 s
1220.incompatible	4 a
1221.incompleto	4 a
1222.incremento	4 s
1223.inferioridad	4 s
1224.informativo	4 a
1225.inmovilización	4 s
1226.innovar	4 v

1227.insuficiente	4 a	1283.resaltar	4 v
1228.íntegramente	4 b	1284.reservar	4 v
1229.interacción	4 s	1285.retirada	4 s
1230.interdependiente	4 a	1286.reunir	4 v
1231.intermitente	4 a	1287.sección	4 s
1232.internacional	4 a	1288.seguimiento	4 s
1233.internacionalización	4 s	1289.seguridad	4 s
1234.internacionalizar	4 v	1290.semestralmente	4 b
1235.interpretar	4 v	1291.sobrevivir	4 v
1236.interrelacionado	4 a	1292.somero	4 a
1237.jugada	4 s	1293.sostener	4 v
1238.juicio	4 s	1294.subdividir	4 v
1239.justificar	4 v	1295.subíndice	4 s
1240.libre	4 a	1296.supervisión	4 s
1241.local¹	4 s	1297.supervivencia	4 s
1242.más o menos	4 b C	1298.sustancia	4 s
1243.materializar	4 v	1299.sustancial	4 a
1244.mental	4 a	1300.sustitución	4 s
1245.merecer	4 v	1301.terreno	4 a
1246.moderno	4 a	1302.transferir	4 v
1247.motivador	4 a	1303.transmitir	4 v
1248.múltiple	4 a	1304.trasladar	4 v
1249.multitud	4 s	1305.trato	4 s
1250.natural	4 a	1306.trimestre	4 a
1251.objetivo²	4 a	1307.usar	4 v
1252.oficina	4 s	1308.verdadero	4 b
1253.opción	4 s	1309.viable	4 a
1254.organizado	4 a	1310.visión	4 s
1255.original	4 a	1311.volver¹	4 v
1256.participante	4 a	1312.a la izquierda	3 b C
1257.particularmente	4 b	1313.a menudo	3 b C
1258.partida³	4 s	1314.aceptable	3 a
1259.peor	4 a	1315.aconsejar	3 v
1260.pertenecer	4 v	1316.acontecer	3 v
1261.posterioridad	4 s	1317.acristalado	3 a
1262.potencial¹	4 s	1318.acto	3 s
1263.precisamente	4 b	1319.acumulación	3 s
1264.predicción	4 s	1320.acusar	3 v
1265.premio	4 s	1321.adicional	3 a
1266.prescindir	4 v	1322.adopción	3 s
1267.previsible	4 a	1323.afín	3 a
1268.primar	4 v	1324.agotar	3 v
1269.principio²	4 s	1325.aislado	3 a
1270.promocionar	4 v	1326.al azar	3 b C
1271.pronto	4 a	1327.al principio	3 b C
1272.prototipo	4 s	1328.alcance	3 s
1273.prudente	4 a	1329.alejar	3 v
1274.publicar	4 v	1330.amenaza	3 s
1275.rápido	4 a	1331.analizable	3 a
1276.rasgo	4 s	1332.anticipación	3 s
1277.rechazo	4 s	1333.antigüedad	3 s
1278.reconocer	4 v	1334.aparentemente	3 b
1279.regular²	4 a	1335.aparición	3 s
1280.relevancia	4 s	1336.apoyar	3 v
1281.remitir	4 v	1337.aprendizaje	3 s
1282.requisito	4 s	1338.argumento	3 s

1339.armonizar	3 v		1395.detentar	3 v	
1340.asociación	3 s		1396.difundir	3 v	
1341.autocontrolar	3 v		1397.disminución	3 s	
1342.automatizar	3 v		1398.distinción	3 s	
1343.auxiliar	3 a		1399.disyuntiva	3 s	
1344.avanzado	3 a		1400.diversificar	3 v	
1345.ayuda	3 s		1401.dulce	3 a	
1346.barrio	3 s		1402.edificio	3 s	
1347.batidora	3 s		1403.editar	3 v	
1348.bebida	3 s		1404.editorial	3 a	
1349.bolsa	3 s		1405.efectuabilidad	3 s	
1350.caja	3 s		1406.ejecutivo	3 a	
1351.caracterizar	3 v		1407.ejercer	3 v	
1352.celeridad	3 s		1408.en total	3 b	C
1353.circulación	3 s		1409.encargo	3 s	
1354.coger	3 v		1410.énfasis	3 s	
1355.colectivo²	3 a		1411.entregar	3 v	
1356.compensación	3 s		1412.entrevistador	3 s	
1357.competencia³	3 s		1413.enumeración	3 s	
1358.complementariamente	3 b		1414.enumerar	3 v	
1359.compromiso¹	3 s		1415.envío	3 s	
1360.compromiso²	3 s		1416.escuela	3 s	
1361.condicionamiento	3 s		1417.espacio	3 s	
1362.conferir	3 v		1418.especializar	3 v	
1363.confiar	3 v		1419.esquemático	3 a	
1364.congruencia	3 s		1420.estabilizar	3 v	
1365.consciente	3 a		1421.estar de acuerdo	3 v	C
1366.conservación	3 s		1422.estrictamente	3 b	
1367.considerablemente	3 b		1423.estructural	3 a	
1368.consulta	3 s		1424.estudiante	3 s	
1369.contestar	3 v		1425.ético	3 a	
1370.contexto	3 s		1426.evidencia	3 s	
1371.contrastación	3 s		1427.exactitud	3 s	
1372.contratación¹	3 s		1428.excluir	3 v	
1373.copia	3 s		1429.exclusividad	3 s	
1374.corchete	3 s		1430.exclusivo	3 a	
1375.corrección	3 s		1431.experimental	3 a	
1376.correlación	3 s		1432.explícitamente	3 b	
1377.cortar	3 v		1433.explícito	3 a	
1378.cotidiano	3 a		1434.extensión	3 s	
1379.crítica	3 s		1435.exterior²	3 s	
1380.cruce	3 s		1436.fácil	3 a	
1381.cuadro	3 s		1437.facilidad	3 s	
1382.cuantitativo	3 a		1438.farmacéutico	3 a	
1383.cuestionario	3 s		1439.formar parte	3 v	C
1384.cuidadosamente	3 b		1440.formulación	3 s	
1385.de momento	3 b	C	1441.fracasar	3 v	
1386.decreciente	3 a		1442.fuera	3 b	
1387.derivado	3 a		1443.generalizar	3 v	
1388.desacuerdo	3 s		1444.geométrico	3 a	
1389.descuidar	3 v		1445.habilidad	3 s	
1390.desfase	3 s		1446.hallar	3 v	
1391.después	3 b		1447.hangar	3 s	
1392.desventaja	3 s		1448.helado	3 a	
1393.desviar	3 v		1449.histórico	3 a	
1394.detención	3 s		1450.horizontal	3 a	

1451.horizontalmente	3 b	
1452.hospital	3 s	
1453.idóneo	3 a	
1454.imperfecto	3 a	
1455.imposibilidad	3 s	
1456.incorrecto	3 a	
1457.independencia	3 s	
1458.indirecto	3 a	
1459.índole	3 s	
1460.inercia	3 s	
1461.inexistencia	3 s	
1462.inferior²	3 a	
1463.infinitesimal	3 a	
1464.ingente	3 a	
1465.inmaterial	3 a	
1466.inmediatamente	3 b	
1467.insatisfecho	3 a	
1468.instalar	3 v	
1469.institución	3 s	
1470.interrelacionar	3 v	
1471.interrumpir	3 v	
1472.intuitivo	3 a	
1473.invierno	3 s	
1474.japonés	3 a	
1475.jerarquía	3 s	
1476.jerárquico	3 a	
1477.lado	3 s	
1478.ligar	3 v	
1479.llevar a efecto	3 v	C
1480.madera	3 s	
1481.mandar	3 v	
1482.mando	3 s	
1483.manejo	3 s	
1484.marginal	3 a	
1485.más bien	3 b	C
1486.médico	3 a	
1487.medio⁴	3 s	
1488.memorización	3 s	
1489.mercadería	3 s	
1490.minimización	3 s	
1491.mobiliario	3 a	
1492.motivacional	3 a	
1493.motivado	3 a	
1494.mover	3 v	
1495.muerto	3 a	
1496.multidoméstico	3 a	
1497.mundo	3 s	
1498.ni siquiera	3 b	C
1499.noche	3 s	
1500.normalización	3 s	
1501.normalizar	3 v	
1502.notable	3 a	
1503.notación	3 s	
1504.obligación²	3 s	
1505.oportunidad	3 s	
1506.oscilar	3 v	

1507.paréntesis	3 s	
1508.particular¹	3 s	
1509.pendiente	3 a	
1510.periódicamente	3 b	
1511.periódico	3 a	
1512.permanencia	3 s	
1513.permanente	3 a	
1514.perteneciente	3 a	
1515.peseta	3 s	
1516.pesimismo	3 s	
1517.peso	3 s	
1518.pirámide	3 s	
1519.piso	3 s	
1520.plaza	3 s	
1521.político	3 a	
1522.potencia	3 s	
1523.prácticamente	3 b	
1524.precedente²	3 a	
1525.preparación	3 s	
1526.principalmente	3 b	
1527.profesor	3 s	
1528.pronunciar	3 v	
1529.propósito	3 s	
1530.proximidad	3 s	
1531.pseudoacontecimiento	3 s	
1532.puramente	3 b	
1533.querer	3 v	
1534.radicar	3 v	
1535.rechazar	3 v	
1536.refresco	3 s	
1537.regir	3 v	
1538.regresión	3 s	
1539.regular¹	3 v	
1540.residual	3 a	
1541.resistir	3 v	
1542.responsabilizar	3 v	
1543.restar¹	3 v	
1544.reunión	3 s	
1545.rigidez	3 s	
1546.rueda	3 s	
1547.rutinario	3 a	
1548.salud	3 s	
1549.satisfecho	3 a	
1550.secundario	3 a	
1551.seguidor	3 a	
1552.semestral	3 a	
1553.sencillez	3 s	
1554.sig	3 s	
1555.silla	3 s	
1556.simétrico	3 a	
1557.simular	3 v	
1558.sin duda	3 b	C
1559.sintético	3 a	
1560.sobrante	3 a	
1561.sobrepasar	3 v	
1562.subjetivamente	3 b	

1563.sucesión	3 s	1619.armonizador	2 a
1564.supervisar	3 v	1620.arriesgado	2 a
1565.susceptible	3 a	1621.artículo²	2 s
1566.suscribir	3 v	1622.asesorar	2 v
1567.suspender	3 v	1623.así pues	2 b C
1568.sustitutivo	3 a	1624.asistencia	2 s
1569.sutil	3 a	1625.asistir	2 v
1570.táctica	3 s	1626.asociado	2 a
1571.táctico	3 a	1627.aspiración	2 s
1572.televisión	3 s	1628.atañer	2 s
1573.tornillo	3 s	1629.atribuir	2 v
1574.tradicionalmente	3 b	1630.auténtico	2 a
1575.traducción	3 s	1631.avance	2 s
1576.tráfico	3 s	1632.avanzar	2 v
1577.transacción	3 s	1633.aventurar	2 v
1578.transcurso	3 s	1634.balance²	2 s
1579.transitoriamente	3 b	1635.bebé	2 s
1580.trazar	3 v	1636.binario	2 a
1581.ubicar	3 v	1637.bloque	2 s
1582.vencer	3 v	1638.bolo	2 s
1583.verano	3 s	1639.burbuja	2 s
1584.vertiente	3 s	1640.búsqueda	2 s
1585.vinculación	3 s	1641.cadencia	2 s
1586.visualización	3 s	1642.calentar	2 v
1587.vivienda	3 s	1643.cama	2 s
1588.vivir	3 v	1644.camión	2 s
1589.a la derecha	2 b C	1645.característico	2 a
1590.a su cargo	2 b C	1646.carga²	2 s
1591.abaratar	2 v	1647.catálogo	2 s
1592.abierto	2 a	1648.ceder	2 v
1593.abogar	2 v	1649.cesar	2 v
1594.abrumar	2 v	1650.claridad	2 s
1595.abstracción	2 s	1651.colaborador¹	2 s
1596.acatar	2 v	1652.colaborar	2 v
1597.acelerar	2 v	1653.colegio	2 s
1598.aceptante	2 s	1654.coloquialmente	2 b
1599.acercar	2 v	1655.compatibilidad	2 s
1600.acontecimiento	2 s	1656.competencia²	2 s
1601.adaptable	2 a	1657.complejidad	2 s
1602.adolecer	2 v	1658.completamente	2 b
1603.agencia	2 s	1659.comprensible	2 a
1604.agregar	2 v	1660.concebir	2 v
1605.ahora bien	2 b C	1661.concentración	2 s
1606.aisladamente	2 b	1662.conceptual	2 a
1607.al comienzo	2 b C	1663.concertar	2 v
1608.alemán	2 a	1664.concurso	2 s
1609.alianza	2 s	1665.condicionante	2 s
1610.almacenable	2 a	1666.conferencia	2 s
1611.amplitud²	2 s	1667.confirmar	2 v
1612.anormal	2 a	1668.congruentemente	2 b
1613.anteceder	2 v	1669.connotación	2 s
1614.aparato	2 s	1670.conservador	2 a
1615.aparente	2 a	1671.consignar¹	2 v
1616.apariencia	2 s	1672.consiguiente	2 a
1617.apropiado	2 a	1673.constancia	2 s
1618.armonización	2 s	1674.contemplar	2 v

1675.contingente	2 s	
1676.continuamente	2 b	
1677.contractual	2 a	
1678.contrapuesto	2 a	
1679.controlable	2 a	
1680.convenio	2 s	
1681.cooperante	2 a	
1682.cooperar	2 v	
1683.correlacionar	2 v	
1684.correspondencia	2 s	
1685.creador	2 a	
1686.creer	2 v	
1687.creíble	2 a	
1688.cruzar	2 v	
1689.cualificación	2 s	
1690.cuantioso	2 a	
1691.cuidadoso	2 a	
1692.cupón	2 s	
1693.de hecho	2 b	C
1694.declive	2 s	
1695.defectuoso	2 a	
1696.defender	2 v	
1697.delegación	2 s	
1698.delegar	2 v	
1699.dependencia	2 s	
1700.desafortunadamente	2 v	
1701.desagregación	2 s	
1702.descartar	2 v	
1703.descender	2 v	
1704.descentralización	2 s	
1705.descomposición	2 s	
1706.desconocido	2 a	
1707.desempeño	2 s	
1708.desestabilizar	2 v	
1709.desgastar	2 v	
1710.despedir	2 v	
1711.detectar	2 v	
1712.diente	2 s	
1713.difícilmente	2 b	
1714.dilucidar	2 v	
1715.directiva	2 s	
1716.discontinuo	2 a	
1717.discreto	2 a	
1718.discriminación	2 s	
1719.discusión	2 s	
1720.discutir	2 v	
1721.distanciar	2 v	
1722.distante	2 a	
1723.divergencia²	2 s	
1724.divulgación	2 s	
1725.documentar	2 v	
1726.dominio	2 s	
1727.dotar	2 v	
1728.educación	2 s	
1729.efectividad	2 s	
1730.eficientemente	2 b	

1731.ejercicio²	2 s	
1732.eléctrico	2 a	
1733.electrónico	2 a	
1734.eliminación	2 s	
1735.emprendedor	2 a	
1736.en absoluto	2 b	C
1737.en parte	2 b	C
1738.en particular	2 b	C
1739.encaminar	2 v	
1740.encomendar	2 v	
1741.englobar	2 v	
1742.enriquecimiento	2 s	
1743.ente	2 s	
1744.enteramente	2 b	
1745.entrenar	2 v	
1746.entretenimiento	2 s	
1747.equilibrar	2 v	
1748.equivalencia	2 s	
1749.escapar	2 v	
1750.especificación	2 s	
1751.esquematizar	2 v	
1752.estacional	2 a	
1753.estratificar	2 v	
1754.excepción	2 s	
1755.exclusión	2 s	
1756.exclusivamente	2 b	
1757.exigente	2 a	
1758.exigibilidad	2 s	
1759.experto²	2 a	
1760.faltar	2 v	
1761.fama	2 s	
1762.famoso	2 a	
1763.fatiga	2 s	
1764.fenómeno	2 s	
1765.fidelidad	2 s	
1766.finalización	2 s	
1767.folleto	2 s	
1768.fotograma	2 s	
1769.funcionalmente	2 b	
1770.fundamentalmente	2 b	
1771.ganancia²	2 s	
1772.garantía	2 s	
1773.girar	2 v	
1774.hacer frente	2 v	C
1775.hacer hincapié en	2 v	C
1776.historia	2 s	
1777.hoja	2 s	
1778.idear	2 v	
1779.ilimitadamente	2 a	
1780.imaginación	2 s	
1781.implantación	2 s	
1782.implicación	2 s	
1783.imposición	2 s	
1784.inalcanzable	2 a	
1785.indefinidamente	2 b	
1786.indispensable	2 a	

1787.inferir	2 v	1843.notificar	2 v
1788.insatisfacción	2 s	1844.noviembre	2 s
1789.insertar	2 v	1845.obedecer	2 v
1790.insistir	2 v	1846.objetivista	2 a
1791.inspeccionar	2 v	1847.observable	2 a
1792.instruir	2 v	1848.octubre	2 s
1793.integrador	2 a	1849.oficial	2 a
1794.intención	2 s	1850.oponer	2 v
1795.intensidad	2 s	1851.oportuno	2 a
1796.intento	2 s	1852.optar	2 v
1797.interior[2]	2 a	1853.optimismo	2 s
1798.interrupción	2 s	1854.oriental	2 a
1799.involucrar	2 v	1855.oro	2 s
1800.irrupción	2 s	1856.ostensiblemente	2 b
1801.itinerario	2 a	1857.otorgar	2 v
1802.izquierdo	2 a	1858.paciente[1]	2 s
1803.joven	2 a	1859.padre	2 s
1804.joya	2 s	1860.palanca[2]	2 s
1805.jugar	2 v	1861.paliar	2 v
1806.kilogramo	2 s	1862.papeleo	2 s
1807.lejano	2 a	1863.papilla	2 s
1808.lentamente	2 b	1864.par	2 a
1809.lentitud	2 a	1865.paralela	2 s
1810.letra	2 s	1866.paralización	2 s
1811.librero	2 s	1867.pauta	2 s
1812.liderazgo[2]	2 s	1868.pena	2 s
1813.llevar[1]	2 v	1869.penúltimo	2 s
1814.logístico	2 a	1870.perfeccionar	2 v
1815.maduración	2 s	1871.perfumería	2 s
1816.mañana	2 a	1872.periodicidad	2 s
1817.maniobra	2 s	1873.perjudicar	2 v
1818.manipulación	2 s	1874.permiso	2 s
1819.más aún	2 b C	1875.perpetuo	2 a
1820.materialización	2 s	1876.personalidad	2 s
1821.mente	2 s	1877.persuasión	2 s
1822.meramente	2 b	1878.pertenencia	2 s
1823.mérito	2 s	1879.polémica	2 s
1824.mermar	2 v	1880.poner en marcha	2 v C
1825.meta	2 s	1881.popularizar	2 v
1826.militar	2 a	1882.por otro lado	2 b C
1827.milla	2 s	1883.por un lado	2 b C
1828.mixto	2 a	1884.potenciar	2 v
1829.modelización	2 s	1885.precedente[1]	2 s
1830.moderado	2 a	1886.predecir	2 v
1831.modernamente	2 b	1887.predictivo	2 a
1832.modesto	2 a	1888.predisposición	2 s
1833.montaje	2 s	1889.predominante	2 a
1834.morir	2 v	1890.predominar	2 v
1835.muestra[1]	2 s	1891.prenda	2 s
1836.mujer	2 s	1892.prioritario	2 a
1837.música	2 s	1893.procedencia	2 s
1838.mutuamente	2 b	1894.procesador	2 s
1839.nave industrial	2 s C	1895.propiamente	2 b
1840.necesariamente	2 b	1896.provincial	2 a
1841.nocturno	2 a	1897.próximamente	2 b
1842.nombrar	2 v	1898.público	2 a

1899.puente	2 s	1955.tabaco	2 s
1900.puro	2 a	1956.tarde	2 a
1901.racional	2 a	1957.tardío	2 a
1902.racionalidad	2 s	1958.teja	2 s
1903.radical	2 a	1959.televisor	2 s
1904.raíz	2 s	1960.temor	2 s
1905.rango	2 s	1961.temporada	2 s
1906.razonamiento	2 s	1962.terminación	2 s
1907.realista	2 a	1963.tomar en consideración	2 v C
1908.rebelar	2 v	1964.tonelada	2 s
1909.reciente	2 a	1965.tradición	2 s
1910.recíproco	2 a	1966.tradicional	2 a
1911.recomendar	2 v	1967.tramo	2 s
1912.recompensa	2 s	1968.transcendencia	2 s
1913.recurrir	2 v	1969.transferencia	2 s
1914.reforzar	2 v	1970.transformación	2 s
1915.regional	2 a	1971.traslación	2 s
1916.regulación	2 s	1972.tratadista	2 s
1917.relegar	2 v	1973.trimestral	2 a
1918.reparar	2 v	1974.turístico	2 a
1919.repentino	2 a	1975.ubicación	2 s
1920.repetición	2 s	1976.uniforme	2 a
1921.repetidamente	2 b	1977.unión	2 s
1922.represivo	2 a	1978.universidad	2 s
1923.reputación	2 s	1979.vagón	2 s
1924.restaurante	2 a	1980.válido	2 a
1925.retardo	2 s	1981.varón	2 s
1926.retirar²	2 s	1982.vehículo	2 s
1927.retribuir	2 v	1983.velocidad	2 s
1928.riguroso	2 a	1984.verdad	2 s
1929.ritual	2 a	1985.vía¹	2 s
1930.rivalidad	2 s	1986.viaje	2 s
1931.rodear	2 v	1987.vídeo	2 s
1932.rol	2 s	1988.visionado	2 s
1933.rotar	2 v	1989.visualmente	2 b
1934.ruta	2 s	1990.vital	2 a
1935.salir	2 v	1991.vivo	2 a
1936.saltar	2 v	1992.voluntad	2 s
1937.salvar	2 v	1993.a la inversa	1 b C
1938.secuencial	2 a	1994.a la vez	1 b C
1939.seno	2 s	1995.a tiempo parcial	1 b C
1940.sensiblemente	2 b	1996.a veces	1 b C
1941.sentimiento	2 s	1997.abanico	1 s
1942.separación	2 s	1998.abatimiento	1 s
1943.separadamente	2 b	1999.abordar	1 v
1944.separar	2 v	2000.abrir	1 v
1945.sierra	2 s	2001.absorbente	1 a
1946.siglo	2 s	2002.absorber	1 v
1947.significativamente	2 b	2003.abstracto	1 a
1948.sitio	2 s	2004.acabado	1 a
1949.sofisticado	2 a	2005.acampanado	1 a
1950.subdivisión	2 s	2006.accesible	1 a
1951.sujeto	2 a	2007.accesorio	1 a
1952.sumo	2 a	2008.accidental	1 a
1953.supervisor	2 a	2009.aceituna	1 s
1954.suplementario	2 a	2010.acentuar	1 v

2011.acero	1 s	2067.arbitrario	1 a
2012.aclaración	1 s	2068.árbol[1]	1 s
2013.aclarar	1 v	2069.archivo	1 s
2014.acorazado	1 s	2070.arduo	1 a
2015.acostumbrado	1 v	2071.argumentación	1 s
2016.acotar	1 v	2072.armado	1 a
2017.acumulativo	1 a	2073.armonía	1 s
2018.ad infinitum	1 b C	2074.arquitecto	1 s
2019.adaptativo	1 a	2075.arrepentirse	1 v
2020.adentrar	1 v	2076.arriesgar	1 v
2021.adiestrar	1 v	2077.artificio	1 s
2022.aditivo	1 a	2078.aserto	1 s
2023.administrar	1 v	2079.asesoría	1 s
2024.aéreo	1 a	2080.asiático	1 a
2025.aerolínea	1 s	2081.asiduo	1 a
2026.aeropuerto	1 s	2082.asiento	1 s
2027.afeitar	1 v	2083.asimetría	1 s
2028.aficionado	1 a	2084.asimilar	1 v
2029.afinar	1 v	2085.asimismo	1 b
2030.ágil	1 a	2086.asistemático	1 a
2031.agilización	1 s	2087.asunto	1 s
2032.aglutinar	1 v	2088.atacar	1 v
2033.agotamiento	1 s	2089.atento	1 a
2034.agua	1 s	2090.atómico	1 a
2035.aislar	1 v	2091.atracción	1 s
2036.al cien por cien	1 b C	2092.atrincherar	1 v
2037.aleatoriamente	1 b	2093.aún	1 b
2038.alejado	1 a	2094.ausencia	1 s
2039.aliado	1 a	2095.auspiciar	1 v
2040.alojamiento	1 s	2096.auto	1 s
2041.alza	1 s	2097.autónomo	1 a
2042.amable	1 a	2098.autopista	1 s
2043.ambición	1 s	2099.autoritario	1 a
2044.ambulancia	1 s	2100.autoritarismo	1 s
2045.amoldar	1 v	2101.averiguar	1 v
2046.amortiguar	1 v	2102.avión de carga	1 s C
2047.ampliamente	1 b	2103.avisar	1 v
2048.analista	1 s	2104.baja	1 s
2049.anchura	1 s	2105.balístico	1 a
2050.anexo	1 a	2106.barco	1 s
2051.anillo	1 s	2107.barrera	1 v
2052.anotar	1 v	2108.barril	1 s
2053.ansiedad	1 s	2109.base[3]	1 s
2054.antecedente	1 a	2110.batir	1 v
2055.anular	1 a	2111.béisbol	1 s
2056.apartar	1 v	2112.bélico	1 a
2057.apellido	1 s	2113.belleza	1 s
2058.aplicado	1 a	2114.bestseller	1 s
2059.aportante	1 s	2115.bilateral	1 a
2060.apreciación	1 s	2116.billete	1 s
2061.apreciar	1 v	2117.boga	1 s
2062.aprender	1 v	2118.bombero	1 s
2063.aprensión	1 s	2119.bombo	1 s
2064.aprobar	1 v	2120.bucle	1 s
2065.aprovechamiento	1 s	2121.burocracia	1 s
2066.arbitrariedad	1 s	2122.burocrático	1 a

2123.caballero	1 a		
2124.caballo	1 s		
2125.caducidad	1 s		
2126.calculadora	1 s		
2127.calculadora de bolsillo	1 s	C	
2128.calificativo	1 a		
2129.camello	1 s		
2130.caminar	1 v		
2131.cansar	1 v		
2132.capataz	1 s		
2133.capitán	1 s		
2134.captador	1 a		
2135.carente	1 a		
2136.carga³	1 s		
2137.carga⁴	1 s		
2138.caridad	1 s		
2139.carretera	1 s		
2140.casa	1 s		
2141.casco	1 s		
2142.castaña	1 s		
2143.cauce	1 s		
2144.cautela	1 s		
2145.célula	1 s		
2146.cercano	1 a		
2147.ceremonial	1 a		
2148.certitud	1 s		
2149.ciclo de conferencias	1 s	C	
2150.científicamente	1 b		
2151.ciertamente	1 b		
2152.ciudadano	1 a		
2153.clásicamente	1 b		
2154.clasificable	1 a		
2155.cobertura	1 s		
2156.coexistir	1 v		
2157.cola	1 s		
2158.colaborador²	1 a		
2159.colectivo¹	1 s		
2160.colega	1 s		
2161.colocación	1 s		
2162.coloquial	1 a		
2163.coloquio	1 s		
2164.comandante	1 s		
2165.combativo	1 a		
2166.comentario	1 s		
2167.comité de encuesta	1 s	C	
2168.como mucho	1 b	C	
2169.cómodamente	1 b		
2170.comodidad	1 s		
2171.comparativamente	1 b		
2172.comparecer	1 v		
2173.compatible	1 a		
2174.complemento	1 s		
2175.componer	1 v		
2176.compromiso³	1 s		
2177.compuesto	1 a		
2178.comúnmente	1 b		
2179.concatenar	1 v		
2180.concentrado	1 a		
2181.concéntrico	1 a		
2182.conceptualmente	1 b		
2183.conciso	1 a		
2184.concretar	1 v		
2185.condena	1 s		
2186.conectar	1 v		
2187.conexión	1 s		
2188.confección	1 s		
2189.configurar	1 v		
2190.conflictividad	1 s		
2191.confrontación	1 s		
2192.confusión	1 s		
2193.confusionismo	1 s		
2194.congestionamiento	1 s		
2195.conglomerado	1 s		
2196.congreso	1 s		
2197.conjugar	1 v		
2198.conllevar	1 v		
2199.conminar	1 v		
2200.conquista	1 s		
2201.conquistar	1 v		
2202.conscientemente	1 b		
2203.consecuente	1 a		
2204.consenso	1 s		
2205.conserva	1 s		
2206.conservadurismo	1 s		
2207.conservar	1 v		
2208.consignar²	1 v		
2209.consistencia	1 s		
2210.consolidación	1 s		
2211.constatar	1 v		
2212.constreñir	1 v		
2213.consultoría	1 s		
2214.contemporáneo	1 a		
2215.contiguo	1 a		
2216.contingencia	1 s		
2217.contradictorio	1 a		
2218.contraposición	1 s		
2219.contraproducente	1 a		
2220.contrastar	1 v		
2221.contratiempo	1 s		
2222.convencional	1 a		
2223.conversión	1 s		
2224.convexo	1 a		
2225.convicción	1 s		
2226.convivencia	1 s		
2227.cooperativo	1 a		
2228.coordinado	1 a		
2229.coronel	1 s		
2230.correctamente	1 b		
2231.correctivo	1 a		
2232.corrector	1 a		
2233.corredor de plaza	1 s	C	
2234.correo	1 s		

2235.correos	l s		2291.desglosar	l v	
2236.correr	l v		2292.designación	l s	
2237.correr el riesgo	l v	C	2293.desinformar	l v	
2238.corriente²	l a		2294.desintegración	l s	
2239.corroborar	l v		2295.desorbitar	l v	
2240.corrupto	l a		2296.desorden	l s	
2241.cosechar	l v		2297.desorientar	l v	
2242.cosmético	l a		2298.despliegue	l s	
2243.credibilidad	l s		2299.destinatario	l v	
2244.crédulo	l a		2300.destruir	l v	
2245.criticar	l v		2301.desvincular	l v	
2246.cronológico	l a		2302.detección	l s	
2247.cronómetro	l s		2303.determinista	l a	
2248.cualificado	l a		2304.detractor	l a	
2249.cualitativamente	l b		2305.detraer	l v	
2250.cualitativo	l a		2306.diamante	l s	
2251.cuidado	l s		2307.dibujo	l s	
2252.cultivo	l s		2308.diccionario	l s	
2253.cuña	l s		2309.diciembre	l s	
2254.cúspide	l s		2310.dictar	l v	
2255.dañar	l s		2311.dieta	l s	
2256.daño	l s		2312.dificultoso	l a	
2257.de antemano	l b	C	2313.dilación	l s	
2258.debatir	l v		2314.diluir	l v	
2259.debido	l a		2315.dirección³	l s	
2260.débil	l a		2316.discernir	l v	
2261.debilidad	l s		2317.discrecional	l a	
2262.declarar	l v		2318.discriminar	l v	
2263.declinar	l v		2319.diseñador	l v	
2264.decoración	l s		2320.disfrutar	l v	
2265.decrecer	l v		2321.disipar	l v	
2266.deducción	l s		2322.disjunto	l v	
2267.defensor	l a		2323.disolución	l s	
2268.definitivo	l a		2324.dispersar	l v	
2269.defraudar	l v		2325.distintivo	l a	
2270.del todo	l b	C	2326.diurno	l a	
2271.delegado	l a		2327.divisa	l s	
2272.deliberar	l v		2328.doctrina	l s	
2273.demorar	l v		2329.dogmático	l a	
2274.densidad	l s		2330.doméstico	l a	
2275.departamentalizar	l v		2331.dominante	l a	
2276.deportivo	l a		2332.dosis	l s	
2277.derecho²	l a		2333.dual	l a	
2278.desaparición	l s		2334.duplicar	l v	
2279.desastre	l s		2335.duradero	l a	
2280.desastroso	l a		2336.edición	l s	
2281.descanso	l s		2337.edificar	l v	
2282.descenso	l s		2338.editor	l a	
2283.desconfianza	l s		2339.efímero	l a	
2284.desconocer	l v		2340.eje²	l s	
2285.descontrolarse	l v		2341.ejército	l s	
2286.descriptivo	l a		2342.elevación	l s	
2287.desde luego	l b	C	2343.embutido	l s	
2288.desdoblar	l v		2344.emprender	l v	
2289.desenvolver	l v		2345.en cierto modo	l b	C
2290.desenvolvimiento	l s		2346.en común	l b	C

2347.en esencia	1 b	C
2348.en exceso	1 b	C
2349.en puridad	1 b	C
2350.en rigor	1 b	C
2351.en teoría	1 b	C
2352.enajenar	1 v	
2353.encajar	1 v	
2354.encargar¹	1 v	
2355.encuadrar	1 v	
2356.enfatizar	1 v	
2357.enfermo	1 a	
2358.enigma	1 s	
2359.enlace	1 s	
2360.ensayar	1 v	
2361.enseñar	1 v	
2362.entrañar	1 v	
2363.entrevista	1 s	
2364.entrevistar	1 v	
2365.entusiasmo	1 s	
2366.enunciado	1 s	
2367.enunciar	1 v	
2368.epígrafe	1 s	
2369.equivalentemente	1 b	
2370.erróneamente	1 b	
2371.escaparate	1 s	
2372.escisión	1 s	
2373.escrito	1 a	
2374.esencialmente	1 b	
2375.esforzar	1 v	
2376.eslabón	1 s	
2377.especie	1 s	
2378.espectacular	1 a	
2379.espíritu	1 s	
2380.esposo	1 s	
2381.espuma	1 s	
2382.esqueleto	1 s	
2383.establecimiento farmacéutico	1 s	C
2384.estación	1 s	
2385.estacionario	1 a	
2386.estado civil	1 s	C
2387.estandarizar	1 v	
2388.estante	1 a	
2389.estatal	1 a	
2390.estatura	1 s	
2391.estimulante	1 a	
2392.estricto	1 a	
2393.estropear	1 v	
2394.estructuralmente	1 a	
2395.estudioso	1 a	
2396.ética	1 s	
2397.euforia	1 s	
2398.europeo	1 a	
2399.evocación	1 s	
2400.evocar	1 v	
2401.exceder	1 v	

2402.excluyente	1 a
2403.exigencia	1 s
2404.exigible	1 a
2405.exógeno	1 a
2406.expedición	1 s
2407.experimentable	1 a
2408.exploración	1 s
2409.expositor	1 a
2410.extender²	1 v
2411.extinción	1 s
2412.extinguir	1 v
2413.extranjero¹	1 s
2414.extranjero²	1 a
2415.extraordinariamente	1 b
2416.extremadamente	1 b
2417.extremado	1 a
2418.fachada	1 s
2419.fallo	1 s
2420.falseamiento	1 s
2421.falsedad	1 s
2422.falsificación	1 s
2423.falso	1 a
2424.familiar	1 a
2425.farmacia	1 s
2426.fechar	1 v
2427.feria	1 s
2428.ferroviario	1 a
2429.fiable	1 a
2430.filmación	1 s
2431.filosofía	1 s
2432.fino	1 a
2433.firma²	1 s
2434.firmar	1 v
2435.flexibilizar	1 v
2436.fluctuar	1 v
2437.fluido	1 a
2438.flujo²	1 s
2439.formalismo	1 s
2440.formalización	1 s
2441.formalizar	1 v
2442.formulario	1 s
2443.fortuito	1 a
2444.fotografía	1 s
2445.fotográfico	1 a
2446.frente	1 s
2447.frigorífico	1 a
2448.frontera	1 s
2449.frustración	1 s
2450.frustrante	1 a
2451.frustrar	1 v
2452.fundador	1 a
2453.fundición	1 s
2454.galleta	1 s
2455.generador	1 a
2456.generalidad	1 s
2457.generoso	1 a

2458.globalmente	1 b		
2459.gozar	1 v		
2460.griego	1 a		
2461.guía	1 s		
2462.hábito	1 s		
2463.hacer acopio de	1 v	C	
2464.hacerse cargo de	1 v	C	
2465.hacha	1 s		
2466.harina	1 s		
2467.héroe	1 s		
2468.heterogeneidad	1 s		
2469.hierro	1 s		
2470.homogeneizar	1 v		
2471.honesto	1 a		
2472.honorífico	1 a		
2473.hostilidad	1 s		
2474.hotel	1 s		
2475.húmedo	1 a		
2476.ideas fuerza	1 s	C	
2477.identificador	1 a		
2478.ignorancia	1 s		
2479.iluminación	1 s		
2480.ilustración	1 s		
2481.ilustrar	1 v		
2482.ilustrativo	1 a		
2483.imaginario	1 a		
2484.imbuir	1 v		
2485.imitación	1 s		
2486.imparcial	1 a		
2487.impedimento	1 s		
2488.imperar	1 v		
2489.imperativo	1 a		
2490.imperfección	1 s		
2491.implementar	1 v		
2492.implícito	1 a		
2493.imprenta	1 s		
2494.impresión	1 s		
2495.improbable	1 a		
2496.impulsar	1 v		
2497.impulso	1 s		
2498.imputable	1 a		
2499.inadecuado	1 a		
2500.inagotable	1 a		
2501.inalterable	1 a		
2502.incapaz	1 a		
2503.inclinación	1 s		
2504.inclinar	1 v		
2505.inclusive	1 b		
2506.inconscientemente	1 b		
2507.incontrolado	1 a		
2508.incorporación	1 s		
2509.incumbir	1 v		
2510.incumplimiento	1 s		
2511.incumplir	1 v		
2512.indefinido	1 a		
2513.indeterminación	1 s		

2514.indicación	1 s
2515.indicador	1 a
2516.indicio	1 s
2517.indistintamente	1 b
2518.individualizadamente	1 b
2519.individualmente	1 b
2520.indivisible	1 a
2521.inducir	1 v
2522.indudablemente	1 b
2523.ineficaz	1 a
2524.inerte	1 a
2525.inesperado	1 a
2526.inevitable	1 a
2527.inevitablemente	1 b
2528.inexactitud	1 s
2529.infalible	1 a
2530.infinidad	1 s
2531.infinitamente	1 b
2532.infructuoso	1 a
2533.inglés	1 a
2534.ingrediente	1 s
2535.inherente	1 a
2536.iniciación	1 s
2537.iniciado	1 a
2538.iniciativa	1 a
2539.inicio	1 s
2540.ininterrumpido	1 a
2541.inmerso	1 a
2542.inmóvil	1 a
2543.inmovilizar	1 v
2544.inmutable	1 a
2545.innato	1 a
2546.innumerable	1 a
2547.insostenible	1 a
2548.inspector	1 a
2549.inspirar	1 v
2550.instantáneo	1 a
2551.integrante	1 a
2552.intensificar	1 v
2553.intensivamente	1 b
2554.intenso	1 a
2555.interactivo	1 a
2556.intercambiar	1 v
2557.interdependencia	1 s
2558.interesado	1 a
2559.interesante	1 a
2560.interferencia	1 s
2561.internamente	1 b
2562.intersección²	1 s
2563.inutilizar	1 v
2564.invalidar	1 v
2565.inversamente	1 b
2566.invertir²	1 v
2567.inviable	1 a
2568.irrealizable	1 a
2569.irregularidad	1 s

2570.irrelevante	1 a	
2571.irreversible	1 a	
2572.jefe	1 s	
2573.jerarquizar	1 v	
2574.junto	1 a	
2575.kilo	1 s	
2576.lácteo	1 a	
2577.lastre	1 s	
2578.lego	1 a	
2579.lejos	1 b	
2580.lema	1 s	
2581.libremente	1 b	
2582.librería	1 s	
2583.liderar	1 v	
2584.limitativo	1 a	
2585.líneas aéreas	1 s	C
2586.líquido^2	1 a	
2587.literalmente	1 b	
2588.literatura	1 s	
2589.llamado	1 s	
2590.llevar a la práctica	1 v	C
2591.loable	1 a	
2592.lograr	1 v	
2593.longitud^2	1 s	
2594.lúdico	1 a	
2595.lugar de residencia	1 s	C
2596.lujo	1 s	
2597.maestro	1 a	
2598.malestar	1 s	
2599.malo	1 a	
2600.manipular	1 v	
2601.manutención	1 a	
2602.manzana	1 a	
2603.máquina de afeitar	1 s	C
2604.marcar^2	1 v	
2605.marcha	1 s	
2606.marco	1 s	
2607.marginalista	1 a	
2608.marina	1 s	
2609.marítimo	1 a	
2610.marzo	1 s	
2611.masivo	1 a	
2612.materialmente	1 b	
2613.mecanismo	1 s	
2614.mediación	1 s	
2615.mediato	1 a	
2616.medicamento	1 s	
2617.medio de transporte	1 s	C
2618.memorizar	1 v	
2619.mensualmente	1 b	
2620.mentalidad	1 s	
2621.mentir	1 v	
2622.mentiroso	1 a	
2623.mercurio	1 s	
2624.merma	1 s	
2625.metodología	1 s	

2626.micromovimiento	1 s	
2627.milímetro	1 s	
2628.mineral	1 a	
2629.mínimamente	1 b	
2630.minoría	1 s	
2631.minuciosamente	1 b	
2632.minucioso	1 a	
2633.misil	1 s	
2634.misión	1 s	
2635.misión espacial	1 s	C
2636.mito	1 s	
2637.moderar	1 v	
2638.modular	1 v	
2639.molestar	1 v	
2640.momentáneo	1 a	
2641.monótono	1 a	
2642.montar	1 v	
2643.moral	1 s	
2644.movilizar	1 v	
2645.multivariable	1 a	
2646.municipio	1 s	
2647.músculo	1 s	
2648.museo	1 s	
2649.mutuo	1 a	
2650.nación	1 s	
2651.nadar	1 v	
2652.negar	1 v	
2653.negativa	1 s	
2654.neoclásico	1 a	
2655.nexo	1 s	
2656.ni aun	1 b	C
2657.ni más ni menos	1 b	C
2658.nicotina	1 s	
2659.nieto	1 s	
2660.niño	1 a	
2661.noción	1 s	
2662.nominalmente	1 b	
2663.normativo	1 a	
2664.norteamericano	1 a	
2665.nota	1 s	
2666.notablemente	1 b	
2667.notar	1 v	
2668.notoriedad	1 s	
2669.notorio	1 a	
2670.novedad	1 s	
2671.novedoso	1 a	
2672.nuevamente	1 b	
2673.objeción	1 s	
2674.objetivamente	1 b	
2675.obligatoriamente	1 b	
2676.obrar	1 v	
2677.occidente	1 s	
2678.oculto	1 a	
2679.oír	1 v	
2680.ojeada	1 s	
2681.ojo	1 s	

2682.olvido	1 s		
2683.operatividad	1 s		
2684.oposición	1 s		
2685.ordenador de sobremesa	1 s	C	
2686.ordinario	1 a		
2687.organismo	1 s		
2688.órgano	1 s		
2689.originar	1 v		
2690.originariamente	1 b		
2691.paciente²	1 a		
2692.página	1 s		
2693.palidecer	1 v		
2694.panadería	1 s		
2695.pantalla	1 s		
2696.papeleta	1 s		
2697.parada	1 s		
2698.parcialmente	1 b		
2699.parte integrante	1 s	C	
2700.patrocinio	1 s		
2701.paulatinamente	1 b		
2702.pelear	1 v		
2703.película	1 s		
2704.peligro	1 s		
2705.peluquero	1 s		
2706.penalización	1 s		
2707.penalizar	1 v		
2708.peninsular	1 a		
2709.perceptible	1 a		
2710.perdurabilidad	1 s		
2711.perfección	1 s		
2712.perjudicial	1 a		
2713.perro	1 s		
2714.persistencia	1 s		
2715.persistir	1 v		
2716.pesquero	1 a		
2717.peticionario	1 a		
2718.plano	1 s		
2719.planta²	1 s		
2720.poblar	1 v		
2721.poco a poco	1 b	C	
2722.poderoso	1 a		
2723.policía	1 s		
2724.polietápico	1 s		
2725.poner a la venta	1 v	C	
2726.poner en acción	1 v	C	
2727.poner en juego	1 v	C	
2728.popular	1 a		
2729.popularidad	1 s		
2730.por escrito	1 b	C	
2731.por lo demás	1 b	C	
2732.por una parte	1 b	C	
2733.porción	1 s		
2734.posicionamiento	1 s		
2735.posicionar	1 v		
2736.positivamente	1 b		
2737.preciso²	1 a		
2738.preconizar	1 v		
2739.predeterminar	1 v		
2740.predisponer	1 v		
2741.prejuicio	1 s		
2742.premisa	1 a		
2743.premura	1 s		
2744.prensa	1 s		
2745.prescripción	1 s		
2746.prescriptivo	1 a		
2747.presencia	1 s		
2748.presidir	1 v		
2749.presión	1 s		
2750.presionar	1 v		
2751.presumible	1 a		
2752.presumir	1 v		
2753.presuponer	1 v		
2754.prevalecer	1 v		
2755.prevenir	1 v		
2756.preventivo	1 a		
2757.primavera	1 s		
2758.primordialmente	1 b		
2759.prioridad	1 s		
2760.privado	1 a		
2761.probablemente	1 b		
2762.procedente	1 a		
2763.progresivamente	1 b		
2764.progresivo	1 a		
2765.progreso	1 s		
2766.prolijo	1 a		
2767.promover	1 v		
2768.pronunciación	1 s		
2769.propiciador	1 a		
2770.propiciar	1 v		
2771.protocolo	1 s		
2772.provisión	1 s		
2773.proyectil	1 s		
2774.prudencia	1 s		
2775.puesto callejero	1 s	C	
2776.punta	1 s		
2777.punto de partida	1 s	C	
2778.puntualización	1 s		
2779.quebrantar	1 v		
2780.quejar	1 v		
2781.quincena	1 a		
2782.racionalización	1 s		
2783.racionalizar	1 v		
2784.radicalmente	1 b		
2785.radio	1 s		
2786.rayar	1 v		
2787.raza	1 s		
2788.razonablemente	1 b		
2789.reaccionar	1 v		
2790.reasignación	1 s		
2791.reasignar	1 v		
2792.rebasar	1 v		
2793.recaer	1 v		

2794.receptor	1 a		2850.ruido	1 s	
2795.recientemente	1 b		2851.rumbo	1 s	
2796.reclamar	1 v		2852.rural	1 a	
2797.reclamo	1 s		2853.rutina	1 s	
2798.recogida[1]	1 s		2854.sacrificar	1 v	
2799.recomendable	1 a		2855.sacrificio	1 s	
2800.recomendación	1 s		2856.sagitario	1 s	
2801.recompensar	1 v		2857.salvaguardar	1 v	
2802.reconsideración	1 s		2858.sancioso	1 a	
2803.recopilación	1 s		2859.sanear	1 v	
2804.recreo	1 s		2860.sano	1 a	
2805.recto	1 a		2861.sargento	1 s	
2806.recuperación	1 s		2862.satisfactorio	1 a	
2807.rediseñar	1 v		2863.saturar	1 v	
2808.refinamiento	1 s		2864.seco	1 a	
2809.reflexivo	1 a		2865.secreto	1 s	
2810.reformulación	1 s		2866.secuencialmente	1 b	
2811.regalar	1 v		2867.seguramente	1 b	
2812.reglamento	1 s		2868.selecto	1 a	
2813.reglar	1 v		2869.semanalmente	1 b	
2814.regularmente	1 b		2870.seminario	1 s	
2815.reiteradamente	1 b		2871.señal	1 s	
2816.reiterativo	1 a		2872.señalización	1 s	
2817.relatividad	1 s		2873.sencillamente	1 b	
2818.relevar	1 v		2874.señora	1 s	
2819.religión	1 s		2875.sensación	1 s	
2820.rellenar	1 v		2876.sensor	1 s	
2821.remanente	1 s		2877.sentar	1 v	
2822.renunciar	1 v		2878.sentar las bases de	1 v	C
2823.reorganización	1 s		2879.sentido común	1 s	C
2824.repasar	1 v		2880.servicio civil	1 s	C
2825.reponer[1]	1 v		2881.sesgo	1 s	
2826.reponer[2]	1 v		2882.severamente	1 b	
2827.reportar	1 v		2883.siderometalúrgico	1 a	
2828.reposición	1 s		2884.significado	1 s	
2829.representatividad	1 s		2885.simbolizar	1 v	
2830.representativo	1 a		2886.simplificador	1 a	
2831.reprogramable	1 a		2887.sincero	1 a	
2832.requerimiento	1 s		2888.sindical	1 a	
2833.resentirse	1 v		2889.singular	1 a	
2834.residir	1 v		2890.sinónimo	1 a	
2835.resolución[3]	1 s		2891.síntesis	1 s	
2836.retirar[1]	1 v		2892.síntoma	1 s	
2837.retocar	1 v		2893.siquiera	1 b	
2838.reverendo	1 a		2894.sistemáticamente	1 b	
2839.revestir	1 v		2895.sobrar	1 v	
2840.revista	1 s		2896.sobre todo	1 b	C
2841.revitalizar	1 v		2897.sobrecargar	1 v	
2842.rezagar	1 v		2898.soldado	1 s	
2843.rigurosamente	1 b		2899.solicitud	1 s	
2844.rito	1 s		2900.sólidamente	1 b	
2845.rival	1 s		2901.solidaridad	1 s	
2846.robotizar	1 v		2902.sombrear	1 v	
2847.romper	1 v		2903.sorpresa	1 s	
2848.rótulo	1 s		2904.status	1 s	
2849.rúbrica	1 s		2905.suavizar	1 v	

2906.subalterno	1 a	
2907.subepígrafe	1 s	
2908.subir	1 v	
2909.súbitamente	1 b	
2910.súbito	1 a	
2911.submarino	1 a	
2912.subobjetivo	1 s	
2913.subrayar	1 v	
2914.subyacer	1 v	
2915.suerte	1 s	
2916.sujeción	1 s	
2917.superación	1 s	
2918.superado	1 a	
2919.superfluo	1 a	
2920.superioridad	1 s	
2921.superposición	1 s	
2922.suplantación	1 s	
2923.suplemento	1 s	
2924.supuestamente	1 b	
2925.sur	1 s	
2926.suscitar	1 v	
2927.suscripción	1 s	
2928.sustentar	1 v	
2929.tácitamente	1 b	
2930.talado	1 s	
2931.talar	1 v	
2932.talla	1 s	
2933.técnico[1]	1 s	
2934.tedioso	1 a	
2935.telefónicamente	1 b	
2936.telefónico	1 a	
2937.televidente	1 s	
2938.temporalmente	1 b	
2939.tendencial	1 a	
2940.tensión	1 v	
2941.tentativa	1 s	
2942.terciario	1 a	
2943.tesón	1 s	
2944.típico	1 a	
2945.tipología	1 s	
2946.titularidad	1 s	
2947.tolerable	1 a	
2948.tolerancia	1 s	
2949.toma	1 s	
2950.tomavistas	1 s	
2951.traducir	1 v	
2952.trámite	1 s	
2953.transmisor	1 a	
2954.transnacional	1 a	
2955.transparente	1 a	
2956.trasmitir	1 v	
2957.tratamiento	1 s	
2958.turrón	1 s	
2959.una a una	1 b	C
2960.unánime	1 a	
2961.unánimemente	1 b	
2962.unanimidad	1 s	
2963.únicamente	1 b	
2964.unificar	1 v	
2965.unilateral	1 a	
2966.unilateralmente	1 b	
2967.universal	1 a	
2968.universitario	1 a	
2969.uno a otro	1 b	C
2970.urbano	1 a	
2971.urbe	1 s	
2972.urgencia	1 s	
2973.útil[1]	1 s	
2974.vacaciones	1 a	
2975.vaciar	1 v	
2976.valentía	1 s	
2977.valerosamente	1 b	
2978.valiosísimo	1 a	
2979.valor[1]	1 s	
2980.valorativo	1 a	
2981.vegetal	1 a	
2982.vencimiento	1 s	
2983.vengar	1 v	
2984.ventajoso	1 a	
2985.ventilador	1 s	
2986.verdaderamente	1 b	
2987.verificación	1 s	
2988.verificar	1 v	
2989.verter	1 v	
2990.verticalmente	1 b	
2991.vestir	1 v	
2992.viabilidad	1 s	
2993.viajante	1 a	
2994.viajar	1 v	
2995.vibración	1 s	
2996.vice versa	1 b	C
2997.vigilancia	1 s	
2998.virtual	1 a	
2999.visionario	1 a	
3000.visitador	1 a	
3001.vista	1 s	
3002.vistazo	1 s	
3003.vocación	1 s	
3004.volar	1 v	
3005.volcar	1 v	
3006.voluntario	1 a	
3007.vulnerable	1 a	
3008.vulnerar	1 v	
3009.zapatería	1 s	
3010.zapato	1 s	

Anexo H: Los términos con mención de la frecuencia corregida y de la frecuencia absoluta

Los términos están ordenados según su frecuencia corregida decreciente.

H.1. Términos económicos: 904 UL

		FC	FA
1.	empresa	686.7391	821
2.	producto[1]	319.8035	491
3.	coste	260.8548	330
4.	u. m.	214.4551	375
5.	decisión[1]	188.6877	215
6.	valor[2]	186.2765	229
7.	venta	147.3354	285
8.	cliente	140.2658	214
9.	precio	133.2377	228
10.	inversion	120.8071	322
11.	beneficio	111.6004	185
12.	mercado[1]	106.832	191
13.	producción	80.72179	143
14.	rentabilidad	77.733	173
15.	consumidor	65.22496	160
16.	riesgo	65.12165	110
17.	demanda	55.66112	138
18.	financiero	53.42527	80
19.	pagar	48.58437	89
20.	vender	47.16116	73
21.	económico	42.01681	60
22.	S. A.	41.84001	86
23.	calidad	35.12589	77
24.	vendedor	34.69396	133
25.	bien[1]	32.56584	70
26.	trabajo	32.49762	117
27.	adquirir	29.63824	48
28.	gasto	28.9195	46
29.	activo	27.61408	99
30.	pago	25.61862	51
31.	planificación	25.08683	58
32.	compra	23.87711	48
33.	marketing	23.79609	52
34.	empresarial	23.61962	34
35.	unidad monetaria	22.19916	36
36.	acción[1]	21.81592	96
37.	dirección[1]	21.41936	46
38.	competencia[1]	21.24844	52
39.	comprar	20.92116	36
40.	recursos	19.9185	38
41.	inventario	19.30368	92
42.	almacén	19.28361	74
43.	interés[1]	19.27059	71

44.	distribución[1]	19.04397	44
45.	adquisición	18.87421	31
46.	flujo de caja	18.70803	87
47.	deuda	18.54334	75
48.	coste fijo	18.00784	62
49.	trabajar	17.73608	32
50.	promoción[1]	17.46864	47
51.	producir[1]	17.21612	36
52.	materia prima	17.03658	54
53.	marca	16.91076	60
54.	fabricación	16.59112	32
55.	capital[1]	15.90946	34
56.	financiar	15.77752	45
57.	directivo[2]	15.46428	46
58.	valor actual neto	15.21943	66
59.	trabajador	14.89926	92
60.	consumo	14.8564	32
61.	publicidad	14.85287	48
62.	comercial	14.24382	29
63.	escaso	14.03677	24
64.	financiación	13.90081	31
65.	organización[2]	13.8328	49
66.	organización[1]	13.66398	45
67.	renta	13.25164	26
68.	invertir[1]	12.9352	33
69.	flujo[1]	12.91233	31
70.	producto terminado	12.87173	38
71.	mercado técnico	12.66266	33
72.	ingreso	11.87045	35
73.	impuesto	11.82703	41
74.	proveedor	11.44444	39
75.	segmento	11.09451	35
76.	accionista	11.01353	38
77.	neto	10.92182	23
78.	coste variable unitario	10.61932	34
79.	intermediario	10.51778	35
80.	dividendo	10.23036	66
81.	equipo[1]	10.145	65
82.	empleado	10.05569	28
83.	yoma de decisiones	10.00627	18
84.	maquinaria	9.705369	22
85.	cuota	9.538635	35
86.	abonar	9.523161	22
87.	rentabilidad requerida	9.122898	43
88.	cobro	8.744123	28
89.	fabricar	8.694421	25
90.	tipo de descuento	8.356886	42
91.	proceso de producción	8.21195	26
92.	incertidumbre	7.931735	26
93.	tecnología	7.922279	27
94.	tasa	7.862416	40
95.	nudo	7.829325	109
96.	VAN	7.820875	54
97.	fabricante[2]	7.618155	15
98.	fabricante[1]	7.504596	29
99.	coste variable	7.387227	27

100. volumen de ventas	7.383979	24
101. dirección[2]	7.380317	32
102. préstamo	7.369049	33
103. rentabilidad financiera	7.317808	47
104. distribuidor	7.244555	31
105. prima	7.171826	22
106. presupuesto	6.931936	28
107. pedido	6.818752	62
108. desviación[2]	6.757472	34
109. rentabilidad económica	6.675477	33
110. transportar	6.531534	20
111. asignación	6.344773	19
112. inflación	6.259083	34
113. optimizar	6.234541	16
114. pasivo	6.135977	56
115. desembolso inicial	6.047734	40
116. remuneración	5.905954	39
117. mano de obra	5.892232	19
118. activo fijo	5.874253	24
119. beneficio neto	5.703125	32
120. productividad	5.59112	30
121. personal[1]	5.569289	20
122. elasticidad	5.532457	32
123. al contado	5.49654	15
124. descuento	5.477579	18
125. endeudamiento	5.4745	34
126. valor actual	5.470476	27
127. óptimo[1]	5.456852	16
128. instalación	5.414008	24
129. precio de venta	5.297013	16
130. canal de distribución	5.283763	14
131. recursos propios	5.219261	21
132. fuente de financiación	5.19694	27
133. rentabilidad esperada	5.195956	21
134. departamento	5.161476	32
135. muestra[2]	5.154554	32
136. crédito	5.134158	40
137. fondos	5.079708	14
138. tecnológico	5.0731	12
139. transporte	4.854111	15
140. almacenar	4.818589	22
141. amortización[1]	4.712789	15
142. banco	4.706297	23
143. tipo de interés	4.702123	20
144. gestión	4.402711	17
145. industrial[2]	4.395825	13
146. rentable	4.395593	10
147. taller	4.393765	16
148. dinero	4.356666	12
149. obligación[1]	4.26958	22
150. beneficio económico	4.263667	27
151. capacidad de producción	4.237612	17
152. comprador	4.154357	15
153. fuerza de ventas	4.059763	25
154. líder	3.997208	28
155. margen de beneficio	3.989513	11

156. capital propio	3.914219	19
157. almacenamiento	3.820192	18
158. pérdidas	3.728562	14
159. existencias	3.651961	28
160. empresario	3.635985	10
161. TIR	3.62722	26
162. tipo de rendimiento interno	3.505309	18
163. empleo	3.408045	10
164. emisión[1]	3.299687	17
165. liderazgo[1]	3.14357	28
166. negocio	3.13221	10
167. valores	3.110164	26
168. medios	3.081594	9
169. activo circulante	3.079183	26
170. rentabilidad real	3.04655	17
171. finanzas	3.030272	14
172. punto muerto	2.991534	32
173. escasez	2.972475	8
174. riqueza	2.968989	11
175. productor[1]	2.94727	13
176. comisión	2.937367	11
177. efectuable	2.925319	29
178. competidor	2.900659	16
179. incentivo	2.848771	22
180. envase	2.838082	21
181. rendimiento	2.825838	15
182. ratio	2.616838	20
183. coste de la financiación	2.579565	9
184. desviación total	2.517015	18
185. productivo[1]	2.476085	10
186. precio unitario	2.474277	10
187. coste de oportunidad	2.455987	9
188. promoción de ventas	2.434872	15
189. balance[1]	2.415092	20
190. saldo	2.412338	11
191. optimización	2.410045	9
192. competir	2.39684	10
193. mayorista	2.314237	14
194. factores de producción	2.25144	12
195. fondo de comercio	2.23267	30
196. recursos humanos	2.196986	12
197. publicitario	2.179253	16
198. marketing mix	2.156415	11
199. estructura financiera	2.134314	14
200. beneficio operativo	2.11948	26
201. plazo de recuperación	2.103933	28
202. artículo[1]	2.088674	10
203. fuente[1]	2.08438	12
204. aportación[1]	2.080835	9
205. minorista	2.046751	8
206. propiedad	2.033285	12
207. agente	1.973094	15
208. utilidad[1]	1.943848	9
209. disposición[1]	1.876859	8
210. principal[1]	1.864446	12
211. socio	1.841533	11

212. venta personal	1.828598	13
213. mercado[2]	1.820395	14
214. negociación	1.814979	6
215. función de demanda	1.810472	11
216. título	1.788824	13
217. producto semielaborado	1.773367	8
218. función de producción	1.76071	7
219. estructura económica	1.723651	11
220. autofinanciación	1.718967	10
221. recursos ajenos	1.718039	16
222. medio financiero	1.700876	6
223. equipo de producción	1.695151	9
224. coste de producción	1.686934	7
225. coste del capital	1.678094	11
226. empréstito	1.651774	16
227. staff	1.636074	10
228. administración	1.620389	9
229. programación lineal	1.600774	10
230. tipo de gravamen	1.546093	9
231. acreedor	1.519277	9
232. bien de equipo	1.517928	12
233. grafo	1.436573	20
234. retribución	1.422033	7
235. desviación en cantidades	1.418408	10
236. ensamblaje	1.385178	9
237. oferta	1.381272	9
238. puesto de trabajo	1.379616	13
239. estructura organizativa	1.371373	8
240. economía de la empresa	1.369293	7
241. tesorería	1.365454	9
242. PERT	1.364745	19
243. margen bruto unitario	1.363275	8
244. coste financiero	1.362065	7
245. hora extraordinaria	1.359589	7
246. volumen de producción	1.358074	8
247. valor global	1.339602	18
248. valor sustancial	1.339602	18
249. labor	1.339314	5
250. rama	1.328457	12
251. nivel de renta	1.322162	18
252. departamentación	1.321244	19
253. asesoramiento	1.31758	7
254. endeudar	1.309049	13
255. inversor	1.306634	7
256. laboral	1.293727	5
257. inmovilizado[1]	1.286416	13
258. patrimonio	1.275791	9
259. coste real	1.261712	8
260. ingeniero	1.259486	5
261. crédito bancario	1.255115	7
262. mercancía	1.253239	5
263. diversificación	1.247009	18
264. capital permanente	1.233582	13
265. fuente financiera	1.222517	10
266. relaciones públicas	1.221772	15
267. tiempo early	1.221087	17

268. operario	1.21902	11
269. rentabilidad aparente	1.19937	10
270. apalancamiento	1.190223	10
271. salario	1.162541	9
272. sondeo	1.155966	6
273. gran empresa	1.139001	6
274. rentabilidad operativa	1.135947	7
275. medio[5]	1.104637	9
276. cuota de mercado	1.096758	9
277. margen bruto	1.09311	5
278. depreciación	1.087445	4
279. carga de estructura	1.084634	6
280. intermediación	1.082591	6
281. precedencia	1.076998	11
282. plantilla	1.076088	6
283. liquidez	1.072309	6
284. seguro[1]	1.045391	5
285. coste de distribución	1.042285	6
286. línea[1]	1.041213	9
287. economía[1]	1.016329	7
288. rentar	1.007951	9
289. tiempo last	1.005601	14
290. empresa pequeña	0.992899	5
291. fondo de maniobra	0.988423	12
292. fábrica	0.987566	10
293. margen bruto total	0.983423	5
294. producto semiterminado	0.973979	6
295. director	0.973548	14
296. pequeña empresa	0.966464	8
297. grandes almacenes	0.965511	6
298. económicamente	0.956576	5
299. demora	0.951567	7
300. incentivar	0.943347	5
301. horizonte	0.938085	5
302. ahorrar	0.925483	6
303. campaña	0.923341	5
304. adquirente	0.921785	7
305. amortizar[1]	0.917619	11
306. moneda	0.906685	9
307. presupuestar	0.900125	7
308. planta[1]	0.876321	7
309. inversion productiva	0.875012	6
310. competitivo	0.864757	10
311. industria	0.852571	5
312. desviación en precios	0.851045	6
313. utilidad de forma	0.851045	6
314. ciclo de vida	0.849949	7
315. valor de rendimiento	0.818646	11
316. detallista	0.814514	10
317. dirección de la producción	0.805939	7
318. dstrato	0.792084	17
319. segmentación	0.792084	17
320. ahorro[1]	0.791143	5
321. método PERT	0.790115	11
322. alta dirección	0.788471	8
323. tasa de inflación	0.781681	6

324. flujo de información	0.761678	4
325. compañía	0.752959	6
326. prima de riesgo	0.751405	10
327. política de precios	0.750765	6
328. margen unitario	0.743468	4
329. árbol de decisión	0.738135	6
330. apalancamiento operativo	0.731906	14
331. capital social	0.729784	7
332. CPM	0.718287	10
333. grafo parcial	0.718287	10
334. holgura	0.718287	10
335. liquidar	0.718076	6
336. gráfico de Gantt	0.716988	7
337. resolución de problemas	0.707362	6
338. gastar	0.704083	5
339. bruto	0.70084	4
340. penetración	0.68999	5
341. stock	0.682554	7
342. puesto	0.682411	6
343. método estático	0.676264	9
344. decision estratégica	0.667359	8
345. depreciar	0.664281	5
346. expansión	0.658562	4
347. prelación	0.646458	9
348. promoción²	0.644637	6
349. investigación operativa	0.641003	3
350. organización empresarial	0.640397	4
351. libre de riesgo	0.638423	3
352. precio de adquisición	0.638423	3
353. línea de productos	0.637232	4
354. cotizar	0.635153	5
355. gestionar	0.634473	6
356. participación²	0.633981	4
357. impuesto sobre el beneficio	0.633402	5
358. coyuntura económica	0.622603	3
359. ejercicio¹	0.617908	3
360. en serie	0.609229	5
361. inversion simple	0.601124	8
362. comercialización	0.598929	3
363. tasa de crecimiento	0.598248	4
364. método directo	0.595379	8
365. factoría	0.591881	5
366. umbral de rentabilidad	0.582974	5
367. primera materia	0.5815	6
368. tiempo de trabajo	0.580959	6
369. camino crítico	0.574629	8
370. mensaje publicitario	0.57016	7
371. sueldo fijo	0.57016	7
372. dirección de marketing	0.569848	7
373. hipermercado	0.559714	3
374. inversion mutuamente excluyente	0.558891	4
375. nominal¹	0.557455	4
376. valor residual	0.557455	4
377. reserva	0.553307	6
378. red de distribución	0.5418	3
379. suministro	0.540999	3

380. fijación de precios	0.540227	8
381. gasto financiero	0.533041	5
382. dirección de empresas	0.527516	6
383. rentabilidad neta de riesgo	0.525983	7
384. cargar[1]	0.522583	4
385. coste marginal	0.522583	4
386. cotización	0.520956	7
387. ganancia[1]	0.516511	5
388. muestreo	0.509403	4
389. fondo	0.503951	4
390. coste directo	0.502801	7
391. nudo decisional	0.502801	7
392. modelo determinista	0.50241	5
393. producto en curso de fabricación	0.48998	4
394. audiencia neta	0.488709	6
395. autocrático	0.486774	7
396. estructura lineal	0.486774	7
397. teoría X	0.486774	7
398. repuesto	0.48355	4
399. tiempo normal	0.482303	5
400. actividad productiva	0.479318	3
401. asesor	0.474613	3
402. sindicato	0.474583	3
403. curva de demanda	0.472699	7
404. coeficiente de apalancamiento operativo	0.470511	9
405. coste de transporte	0.460424	3
406. compra-venta	0.45754	3
407. experimentación commercial	0.456302	5
408. indiferente	0.450843	6
409. coeficiente de optimismo	0.447092	7
410. reembolso	0.446534	6
411. valor de mercado	0.446534	6
412. ensamblar	0.445004	4
413. capacidad adquisitiva	0.436215	3
414. desembolsar	0.436215	3
415. enfoque sociotécnico	0.433175	4
416. grafo PERT	0.430972	6
417. alimentación	0.426275	3
418. presupuestario	0.42368	4
419. output	0.421764	5
420. flujo neto de caja	0.419286	3
421. tasa de rentabilidad	0.419286	3
422. apalancamiento financiero	0.418232	8
423. tipificar	0.417617	3
424. matricial[1]	0.417235	6
425. planificación estratégica	0.417235	6
426. mecanizar	0.4171	5
427. director financiero	0.416976	3
428. presupuesto mercadotécnico	0.416044	7
429. encuesta	0.415954	5
430. ruptura	0.411608	10
431. cartera de productos	0.410063	4
432. merchandising	0.407257	5
433. penetración neta	0.407257	5
434. población objetivo	0.407257	5
435. investigación de mercados	0.4065	4

436. retroalimentación	0.406193	3
437. capacidad productiva	0.405904	3
438. análisis de la varianza	0.401618	4
439. beneficio líquido	0.401209	4
440. utilidad de lugar	0.397116	3
441. utilidad de tiempo	0.397116	3
442. ciclo de explotación	0.394458	7
443. teoría de la información	0.391146	3
444. precio de coste	0.390046	3
445. prestar[1]	0.388363	3
446. carga[1]	0.379248	3
447. método dinámico	0.375702	5
448. plazo de recuperación con descuento	0.375702	5
449. tasa de valor actual	0.375702	5
450. tipo libre de riesgo	0.375702	5
451. costes de transacción	0.372165	6
452. amortización[2]	0.372112	5
453. coste de la autofinanciación	0.372112	5
454. ganancia de capital	0.372112	5
455. valor de reposición	0.372112	5
456. coeficiente de apalancamiento financiero	0.365953	7
457. ofertar	0.365586	3
458. abastecimiento	0.360035	3
459. producción múltiple	0.358475	3
460. estructura en línea y staff	0.347696	5
461. estructura matricial	0.347696	5
462. bien final	0.343474	5
463. economicidad	0.340958	3
464. capital total	0.338107	6
465. estructura económico financiera	0.338107	6
466. período medio de maduración económica	0.338107	6
467. CAD	0.33368	4
468. CAM	0.33368	4
469. decision táctica	0.33368	4
470. flujo del proceso	0.33368	4
471. hora hombre	0.33368	4
472. productividad global	0.33368	4
473. valor de retiro	0.33368	4
474. valor residual	0.33368	4
475. agrícola	0.329731	2
476. jubilación	0.329731	2
477. stock de seguridad	0.329287	8
478. segmentación de mercados	0.326152	7
479. prescriptor	0.325806	4
480. satisfacción de las necesidades	0.325806	4
481. sistema mixto	0.325806	4
482. técnica AIDA	0.325806	4
483. estudio de tiempos	0.318287	7
484. método de trabajo	0.318287	7
485. amortización constante	0.315428	2
486. cuota fija	0.315428	2
487. ahorro[2]	0.315196	3
488. panel	0.314305	3
489. insolvencia	0.313674	6
490. coste del pasivo	0.313289	3
491. hora de trabajo	0.311256	3

492.	autogestión	0.309444	3
493.	línea³	0.305287	2
494.	grandes superficies	0.301511	2
495.	índice de rentabilidad	0.300562	4
496.	intersección de Fisher	0.300562	4
497.	inversion efectuable	0.300562	4
498.	payback	0.300562	4
499.	contablemente	0.299124	2
500.	amortizar²	0.297689	4
501.	badwill	0.297689	4
502.	bursátil	0.297689	4
503.	crédito comercial	0.297689	4
504.	goodwill	0.297689	4
505.	método indirecto	0.297689	4
506.	nominal²	0.297689	4
507.	obligacionista	0.297689	4
508.	plusvalía	0.297689	4
509.	rentabilidad esperada requerida	0.297689	4
510.	sistema de cuotas constantes	0.297689	4
511.	superrendimiento	0.297689	4
512.	valoración de empresas	0.297689	4
513.	desviación en márgenes	0.297174	5
514.	sistema empresarial	0.292618	4
515.	inmovilizado²	0.290082	3
516.	gestión financiera	0.289251	2
517.	árbol²	0.287315	4
518.	arista	0.287315	4
519.	holgura total	0.287315	4
520.	método Roy	0.287315	4
521.	nudo aleatorio	0.287315	4
522.	valor esperado de la información	0.287315	4
523.	coste de la materia prima	0.283486	4
524.	decision financiera	0.281756	5
525.	período medio de maduración financiera	0.281756	5
526.	ratio de situación	0.281756	5
527.	comercio	0.279778	3
528.	capacidad discriminante	0.279559	6
529.	técnica PERT	0.278648	2
530.	dirección estratégica	0.278157	4
531.	dirección operativa	0.278157	4
532.	en línea	0.278157	4
533.	estructura en comité	0.278157	4
534.	laissez faire	0.278157	4
535.	unidad organizativa	0.278157	4
536.	vicepresidente	0.278157	4
537.	coste de la producción	0.276896	2
538.	inventariar	0.274892	3
539.	supermercado	0.27412	2
540.	contable	0.2733	2
541.	diagrama	0.272817	6
542.	discriminación de precios	0.270114	4
543.	estrategia de precios	0.270114	4
544.	gama	0.270114	4
545.	precio mínimo	0.270114	4
546.	precio técnico	0.270114	4
547.	sociedad¹	0.265072	3

548. coyuntura	0.26424	2
549. líquido[1]	0.261634	2
550. gravar	0.260292	2
551. mercado de valores	0.260292	2
552. principal[3]	0.260077	8
553. estado mayor	0.257551	2
554. blando	0.256799	6
555. crecimiento externo	0.256799	6
556. liderazgo en costes	0.256799	6
557. criterio pesimista	0.255481	4
558. incertidumbre estructurada	0.255481	4
559. matriz de decisión	0.255481	4
560. matriz de pagos	0.255481	4
561. concurrente	0.253668	2
562. estudio de mercado	0.253668	2
563. a crédito	0.252771	2
564. mina	0.252065	2
565. política de cero defectos	0.252065	2
566. base temporal homogénea finita	0.25026	3
567. desviación económica	0.25026	3
568. desviación técnica	0.25026	3
569. flujo de materiales	0.25026	3
570. imputación	0.25026	3
571. mantenimiento preventivo	0.25026	3
572. método de los números dígitos crecientes	0.25026	3
573. para almacén	0.25026	3
574. producción para almacén	0.25026	3
575. producción para el mercado	0.25026	3
576. producción por encargo	0.25026	3
577. tanto fijo	0.25026	3
578. tipificación[1]	0.25026	3
579. vida técnica	0.25026	3
580. embalaje	0.248635	2
581. pedido constante	0.246965	6
582. ruptura de stocks	0.246965	6
583. decision empresarial	0.24653	2
584. compactibilidad	0.244354	3
585. poder no coercitivo	0.244354	3
586. respuesta al estímulo	0.244354	3
587. sistema OPR	0.244354	3
588. material auxiliar	0.241775	2
589. por órdenes	0.241775	2
590. proceso productivo	0.241775	2
591. abono	0.238788	2
592. transportista	0.238416	2
593. beneficio bruto	0.237739	4
594. matriz de transición	0.237739	4
595. remunerar	0.236235	2
596. investigación commercial	0.232966	5
597. método de Belson	0.232966	5
598. empresa consultora	0.230098	2
599. equipo de trabajo	0.22747	2
600. destajo	0.227348	5
601. escuela de la dirección científica	0.227348	5
602. tiempo estándar	0.227348	5
603. tiempo normalizado	0.227348	5

604. objetivo de ventas	0.226256	2
605. flujo de caja medio anual por unidad monetaria comprometida	0.225421	3
606. inversion financiera	0.225421	3
607. inversion mixta	0.225421	3
608. pagaré	0.225421	3
609. tasa de rendimiento contable	0.225421	3
610. tasa de rentabilidad interna	0.225421	3
611. tasa interna de rendimiento	0.225421	3
612. estado de inventario	0.225404	4
613. fondo de rotación	0.225404	4
614. partida[1]	0.225404	4
615. producto acabado	0.225404	4
616. ratio de endeudamiento	0.225404	4
617. ratio de rotación	0.225404	4
618. a plazo	0.223267	3
619. cuota constante	0.223267	3
620. industrial[1]	0.223267	3
621. liquidación	0.223267	3
622. mercado financiero	0.223267	3
623. método de los superrendimientos	0.223267	3
624. plazo de amortización	0.223267	3
625. procedimiento de los superrendimientos	0.223267	3
626. quebranto de emisión	0.223267	3
627. superbeneficio	0.223267	3
628. valoración en liquidación	0.223267	3
629. recursos financieros propios	0.217184	2
630. venta a crédito	0.217184	2
631. agrario	0.216878	2
632. flujo físico	0.216878	2
633. mercantil	0.216878	2
634. coste indirecto	0.215486	3
635. holgura independiente	0.215486	3
636. holgura libre	0.215486	3
637. last	0.215486	3
638. principio de designación unívoca	0.215486	3
639. vértice	0.215486	3
640. técnica PERT CPM	0.210017	2
641. beneficio financiero	0.209116	4
642. riesgo financiero	0.209116	4
643. dirección intermedia	0.208617	3
644. director de producción	0.208617	3
645. teoría Y	0.208617	3
646. alto directivo	0.206089	2
647. por lotes	0.205804	5
648. minero	0.205308	2
649. desarrollo del producto	0.202585	3
650. determinación de precios	0.202585	3
651. ingreso marginal	0.202585	3
652. línea de precios	0.202585	3
653. precio flexible	0.202585	3
654. precio promocional	0.202585	3
655. precio psicológico	0.202585	3
656. referencia geográfica	0.202585	3
657. volumen de compras	0.202585	3
658. dirección de la empresa	0.197142	2
659. lucrativo	0.197142	2

660. teoría de los costes de transacción	0.195058	6
661. capital inmovilizado	0.193833	2
662. bit	0.191611	3
663. criterio optimista	0.191611	3
664. matriz de pesares	0.191611	3
665. maxi-min	0.191611	3
666. mini-max	0.191611	3
667. afijación óptima	0.186373	4
668. economía[3]	0.179858	2
669. desviación en cuotas	0.178304	3
670. monopolio	0.178304	3
671. oligopolio	0.178304	3
672. automatización	0.175488	2
673. consultor	0.17534	2
674. bancario	0.174463	2
675. sociedad anónima	0.174463	2
676. huelga	0.173153	2
677. cultura empresarial	0.171199	4
678. sinergia	0.171199	4
679. cuenta corriente	0.169053	3
680. efecto[1]	0.169053	3
681. patrimonial	0.169053	3
682. ratio de tesorería	0.169053	3
683. rentabilidad bruta de las ventas	0.169053	3
684. base[1]	0.16684	2
685. base amortizable	0.16684	2
686. costes estándares	0.16684	2
687. decision de proceso	0.16684	2
688. decision de producción	0.16684	2
689. dirección de producción	0.16684	2
690. disposición combinada	0.16684	2
691. disposición de punto fijo	0.16684	2
692. disposición por procesos	0.16684	2
693. disposición por productos	0.16684	2
694. full costing	0.16684	2
695. función productiva	0.16684	2
696. índice de Laspeyres	0.16684	2
697. índice de productividad global	0.16684	2
698. inversion de renovación o reemplazo	0.16684	2
699. mantenimiento correctivo	0.16684	2
700. mantenimiento predictivo	0.16684	2
701. método del tanto fijo	0.16684	2
702. para el mercado	0.16684	2
703. por encargo	0.16684	2
704. por órdenes de fabricación	0.16684	2
705. precio estándar	0.16684	2
706. producción en masa	0.16684	2
707. renta anual equivalente	0.16684	2
708. tabla de control de costes	0.16684	2
709. tasa de productividad global	0.16684	2
710. técnica del direct costing	0.16684	2
711. tecnológicamente	0.16684	2
712. coste de mantenimiento	0.164643	4
713. modelo de Wilson	0.164643	4
714. plazo de entrega	0.164643	4
715. sistema de inventarios	0.164643	4

716.	almacenista	0.162903	2
717.	ciudad testigo	0.162903	2
718.	comunicación externa	0.162903	2
719.	distribución circular	0.162903	2
720.	distribución física	0.162903	2
721.	econométrico	0.162903	2
722.	modelo de distribución	0.162903	2
723.	modelo marginalista	0.162903	2
724.	poder coercitivo	0.162903	2
725.	semimayorista	0.162903	2
726.	test de recuerdo	0.162903	2
727.	trabajo a comisión	0.162903	2
728.	input	0.162548	5
729.	teoría de los derechos de propiedad	0.162548	5
730.	infrautilizar	0.157727	2
731.	apalancamiento total	0.156837	3
732.	beneficio de explotación	0.156837	3
733.	coeficiente de apalancamiento total	0.156837	3
734.	coeficiente de endeudamiento	0.156837	3
735.	presupuesto de tesorería	0.156837	3
736.	criterio del flujo de caja medio anual por unidad monetaria comprometida	0.150281	2
737.	método de la comparación de costes	0.150281	2
738.	método VAN	0.150281	2
739.	payback con descuento	0.150281	2
740.	tasa interna de rentabilidad	0.150281	2
741.	economista	0.149913	2
742.	empresa local	0.149913	2
743.	euro	0.149913	2
744.	pequeña y mediana empresa	0.149913	2
745.	PYME	0.149913	2
746.	clientela	0.148845	2
747.	deudor	0.148845	2
748.	impuesto sobre la renta de las sociedades	0.148845	2
749.	impuesto sobre sociedades	0.148845	2
750.	minusvalía	0.148845	2
751.	pérdidas de capital	0.148845	2
752.	prima de reembolso	0.148845	2
753.	quebrar	0.148845	2
754.	quiebra	0.148845	2
755.	reinvertir	0.148845	2
756.	renta nacional	0.148845	2
757.	sindicato bancario	0.148845	2
758.	tributo	0.148845	2
759.	valor en funcionamiento	0.148845	2
760.	valoración en funcionamiento	0.148845	2
761.	coeficiente de costes	0.143657	2
762.	designación unívoca	0.143657	2
763.	método CPM	0.143657	2
764.	método PERT en incertidumbre	0.143657	2
765.	PERT tiempo	0.143657	2
766.	prelación lineal	0.143657	2
767.	principio de designación sucesiva	0.143657	2
768.	afijación optima con costes variables	0.139779	3
769.	afijación proporcional	0.139779	3
770.	dejar hacer	0.139078	2
771.	director comercial	0.139078	2

772. empresa mediana y grande	0.139078	2
773. en comité	0.139078	2
774. en línea y staff	0.139078	2
775. límite de la dirección	0.139078	2
776. límite del control	0.139078	2
777. línea y staff	0.139078	2
778. organización informal	0.139078	2
779. presidente	0.139078	2
780. producto de alimentación	0.139078	2
781. teoría Z	0.139078	2
782. desempleo	0.137323	2
783. diagrama de actividades	0.136409	3
784. economía²	0.136409	3
785. factor humano	0.136409	3
786. fuerza de trabajo	0.136409	3
787. organización científica	0.136409	3
788. tiempo observado	0.136409	3
789. amplitud¹	0.135057	2
790. atributo de posicionamiento	0.135057	2
791. ciclo de vida del producto	0.135057	2
792. comercializar	0.135057	2
793. elástico	0.135057	2
794. envasado	0.135057	2
795. etiqueta de la marca	0.135057	2
796. etiqueta informativa	0.135057	2
797. fijación de los precios	0.135057	2
798. guerra de precios	0.135057	2
799. línea de precio	0.135057	2
800. longitud¹	0.135057	2
801. marca de familia	0.135057	2
802. marca individual	0.135057	2
803. marca nacional	0.135057	2
804. marcar¹	0.135057	2
805. profundidad	0.135057	2
806. empresa privada	0.130038	4
807. mano invisible	0.130038	4
808. relación de agencia	0.130038	4
809. teoría neoclásica	0.130038	4
810. creación de nichos	0.128399	3
811. crecimiento interno	0.128399	3
812. integración vertical	0.128399	3
813. concepción frecuencial	0.12774	2
814. criterio de Hurwicz	0.12774	2
815. criterio de Laplace	0.12774	2
816. criterio de Savage	0.12774	2
817. criterio de Wald	0.12774	2
818. incertidumbre no estructurada	0.12774	2
819. coste de almacenamiento	0.123482	3
820. coste de transporte	0.123482	3
821. modelo probabilístico	0.123482	3
822. reaprovisionamiento	0.123482	3
823. bien de consumo duradero	0.11887	2
824. bienes manufacturados	0.11887	2
825. bienestar	0.11887	2
826. desviación en costes	0.11887	2
827. desviación en el tamaño global del mercado	0.11887	2

828. elasticidad de la demanda	0.11887	2
829. función lagrangiana	0.11887	2
830. mercado de consumo	0.11887	2
831. mercado objetivo	0.11887	2
832. mezcla comercial	0.11887	2
833. oferente	0.11887	2
834. política de distribución	0.11887	2
835. política de precio	0.11887	2
836. principio de interdependencia	0.11887	2
837. utilidad de propiedad	0.11887	2
838. variación cíclica	0.11887	2
839. ciclo largo	0.112702	2
840. crédito hipotecario	0.112702	2
841. Hacienda	0.112702	2
842. método Dupont	0.112702	2
843. periodo medio de maduración económica	0.112702	2
844. producto en curso de elaboración	0.112702	2
845. ratio de liquidez	0.112702	2
846. rentabilidad neta	0.112702	2
847. centro comercial	0.108605	3
848. coste de la mano de obra	0.108605	3
849. jornada reducida	0.108605	3
850. modelo aditivo	0.108605	3
851. subcontratación	0.108605	3
852. análisis coste volumen beneficio	0.104558	2
853. apalancamiento combinado	0.104558	2
854. agente social	0.097529	3
855. capital[2]	0.097529	3
856. mano visible	0.097529	3
857. sistema de economía de mercado	0.097529	3
858. sistema de precios	0.097529	3
859. sistema económico	0.097529	3
860. teoría contractual	0.097529	3
861. afijación	0.093186	2
862. afijación por igual	0.093186	2
863. agrupación dicotómica	0.093186	2
864. método probabilístico	0.093186	2
865. muestreo aleatorio sistemático	0.093186	2
866. nutrición	0.093186	2
867. astillero	0.090939	2
868. diagrama de equipo	0.090939	2
869. diagrama de operaciones	0.090939	2
870. enfoque del enriquecimiento del puesto de trabajo	0.090939	2
871. enriquecimiento del trabajo	0.090939	2
872. estudio del trabajo	0.090939	2
873. hora laborable	0.090939	2
874. muestreo del trabajo	0.090939	2
875. obrero	0.090939	2
876. simograma	0.090939	2
877. tiempo predeterminado	0.090939	2
878. tiempo suplementario	0.090939	2
879. estrategia empresarial	0.0856	2
880. llevar el negocio	0.0856	2
881. nicho	0.0856	2
882. nuevo liderazgo	0.0856	2
883. penetración en el mercado	0.0856	2

884. soft	0.0856	2
885. ventaja competitiva	0.0856	2
886. ventaja en costes	0.0856	2
887. periodo constante	0.082322	2
888. principio de Pareto	0.082322	2
889. sistema de período constante	0.082322	2
890. subida de precios	0.082322	2
891. capacidad sostenida	0.072403	2
892. modelo multiplicativo	0.072403	2
893. nivel de realización	0.072403	2
894. subcontratista	0.072403	2
895. trabajador de temporada	0.072403	2
896. administración de empresas	0.065019	2
897. crecimiento económico	0.065019	2
898. empresa cooperativa	0.065019	2
899. factor productivo	0.065019	2
900. multinacional	0.065019	2
901. sistema de empresa privada	0.065019	2
902. sistema de libre mercado	0.065019	2
903. teoría de la agencia	0.065019	2
904. teoría de la firma	0.065019	2

H.2. Términos auxiliares: 163 UL

		FC	FA				FC	FA
1.	número	173.26	201		28.	curva	4.27	14
2.	variable[1]	95.18	172		29.	distribución[2]	3.82	24
3.	calcular	56.99	83		30.	distribución normal	3.78	14
4.	probabilidad	44.77	154		31.	promedio	3.74	14
5.	medida	38.27	53		32.	teoría	3.56	19
6.	cociente	27.13	45		33.	cuadrado	3.02	15
7.	término	26.31	41		34.	media aritmética	2.69	9
8.	medir	25.64	43		35.	recta	2.52	15
9.	suma	21.78	52		36.	producto[2]	2.49	11
10.	cálculo	21.42	34		37.	ponderar	2.35	11
11.	ecuación	19.78	38		38.	distribución de probabilidad	2.32	16
12.	social	17.88	40					
13.	sumar	15.19	25		39.	estadístico	1.95	9
14.	multiplicar	14.88	23		40.	matriz[2]	1.81	12
15.	función[2]	12.30	31		41.	variable explicativa	1.81	18
16.	porcentaje	11.61	25		42.	medición	1.68	11
17.	coeficiente	10.23	19		43.	mutuamente excluyente	1.63	8
18.	media	10.06	38					
19.	varianza	8.96	37		44.	sumando	1.55	6
20.	desviación típica	8.67	27		45.	variable aleatoria	1.52	9
21.	por término medio	7.01	21		46.	gráfico[1]	1.49	6
22.	propietario	6.95	25		47.	poseer	1.44	6
23.	esperanza matemática	5.75	26		48.	legal	1.41	6
24.	derecho[1]	5.27	23		49.	parámetro	1.40	10
25.	valor esperado	4.45	24		50.	denominador	1.39	7
26.	geográfico	4.36	10		51.	contrato	1.39	11
27.	variabilidad	4.28	13		52.	gráfico[2]	1.15	5
					53.	intersección[1]	1.12	5

54.	cifra	1.08	4
55.	sumable	1.05	4
56.	descontar	1.02	4
57.	derivada	1.01	7
58.	función objetivo	0.90	9
59.	psicológico	0.87	5
60.	raíz cuadrada	0.86	6
61.	distribución normal estandarizada	0.84	4
62.	límite superior	0.81	5
63.	coeficiente de variación	0.78	6
64.	probabilidad a priori	0.78	6
65.	eje de abscisas	0.78	4
66.	probabilístico	0.76	7
67.	mecánico	0.74	6
68.	cuadrante	0.73	5
69.	probabilidad a posteriori	0.69	6
70.	socialmente	0.67	5
71.	tabular	0.64	4
72.	valor probable	0.64	10
73.	numerador	0.60	4
74.	jurídico	0.58	6
75.	empírico	0.58	4
76.	teórico	0.57	7
77.	numerar	0.57	5
78.	informatizar	0.54	3
79.	sociedad[2]	0.54	6
80.	vector de estado	0.53	9
81.	estadística	0.53	6
82.	aritmético	0.52	4
83.	dispersión factorial	0.51	11
84.	multiplicativo	0.50	3
85.	teorema de Bayes	0.50	4
86.	distribución de probabilidad normal	0.49	3
87.	límite inferior	0.48	4
88.	diagnóstico	0.47	3
89.	informático	0.47	3
90.	coordenada	0.43	6
91.	resolución[1]	0.43	4
92.	ponderación	0.43	5
93.	variable explicada	0.42	4
94.	democrático	0.42	6
95.	análisis bayesiano	0.40	3
96.	logaritmo neperiano	0.40	3
97.	terminología	0.39	3
98.	posesión	0.39	5
99.	alquiler	0.37	3
100.	convergencia	0.36	5
101.	logaritmo	0.36	3

102.	teorema central del límite	0.34	3
103.	diferencial	0.32	3
104.	valor real	0.32	2
105.	contratación[2]	0.31	3
106.	desviación[1]	0.31	3
107.	variabilidad factorial	0.30	3
108.	dígito	0.30	2
109.	poder público	0.29	3
110.	rectangular	0.29	2
111.	divergencia[1]	0.29	4
112.	ley	0.28	3
113.	dispersión residual	0.28	6
114.	dispersión total	0.28	6
115.	nivel de significación	0.28	6
116.	tecnocrático	0.26	2
117.	punto de silla	0.26	4
118.	suceso compuesto	0.26	4
119.	demográfico	0.25	2
120.	variable normal estandarizada	0.23	2
121.	subcontrato	0.23	2
122.	ordenador personal	0.21	2
123.	universalista	0.21	3
124.	servicio público	0.19	2
125.	campana	0.19	3
126.	entropía	0.19	3
127.	histograma	0.19	3
128.	juego rectangular	0.19	3
129.	método del análisis de la varianza	0.19	4
130.	variabilidad total	0.19	4
131.	variable controlada	0.19	4
132.	sociológico	0.18	2
133.	bondad del ajuste	0.18	3
134.	cadena de Markov	0.18	3
135.	exponencial	0.18	3
136.	variable residual	0.18	3
137.	recuento	0.18	2
138.	mínimo común múltiplo	0.17	2
139.	medios de comunicación	0.16	2
140.	organismo público	0.16	2
141.	método de prueba y error	0.15	2
142.	grado de libertad	0.14	3
143.	método de la x^2	0.14	3
144.	nivel de confianza	0.14	3
145.	cláusula	0.14	2
146.	decimal	0.13	2
147.	juego de estrategia	0.13	2

148.	rectángulo	0.13	2		residuos	
149.	teorema fundamental del límite	0.13	2	156.	variable de acción	0.12	2
				157.	variable exógena	0.12	2
150.	variable continua	0.13	2	158.	matemático	0.09	2
151.	coeficiente de regresión	0.12	2	159.	plaza milla	0.07	2
				160.	bienestar social	0.07	2
152.	covarianza	0.12	2	161.	ente público	0.07	2
153.	método de los mínimos cuadrados	0.12	2	162.	mediano	0.07	2
				163.	sistema ecológico	0.07	2
154.	regresión lineal	0.12	2				
155.	variabilidad de los	0.12	2				

Anexo I: Las relaciones de sinonimia y antonimia entre los términos del corpus

Anexo I.1.: Los sinónimos[1]

Los casos de sinonimia se presentan por frecuencia corregida decreciente del elemento de la relación sinonímica con la mayor frecuencia corregida. Cada elemento va seguido de su frecuencia absoluta y los términos que no están entre los 805 seleccionados están en itálica:

empresa	821	compañía	6	cociedad[1]	3	firma[1]	1
beneficio	186	ganancia[1]	5	lucro	1	
compra	48	adquisición	31		
dirección[1]	46	gestión	17	liderazgo[1]	28
bien[1]	70	artículo[1]	10	mercancía	5
trabajo	117	labor	5		
adquirir	48	comprar	36		
dirección[1]	46	gestión	17	administración	9
coste fijo	62	carga de estructura	6		
producir[1]	36	fabricar	25		
materia prima	54	primera materia	6		
marca	60	*marcado*	1		
comercial	29	mercantil	2		
renta	26	ingreso	36		
impuesto	41	carga[1]	3	tributo	2
segmento	35	*nicho*	2	*nicho de mercado*	1

---

[1] Los casos polisémicos, indicados con [1], [2], [3], etc. se explican en este anexo por sus sinónimos o antónimos respectivos. Una explicación suplementaria se puede encontrar en el anexo C.

Término	N		N		N		N
equipo[1]	65	bien de equipo	12	maquinaria	22		
fabricante[2] (= adjetivo)	15	*productor[2]*	1				
fabricante[1] (= sustantivo)	29	*productor[1]*	13				
volumen de ventas	24	*volumen de negocio*	1				
rentabilidad financiera	47	*rentabilidad neta*	2				
distribuidor	31	*repartidor*	1				
activo fijo	24	inmovilizado[1]	13				
personal[1]	20	plantilla	6				
descuento	18	*rebaja*	1				
tipo de interés	20	*tasa de interés*	1				
beneficio económico	27	beneficio operativo	26	beneficio bruto	4	beneficio de explotación	3
comprador	15	adquirente	7				
rentabilidad real	17	*rentabilidad en términos reales*	1				
punto muerto	32	umbral de rentabilidad	5				
incentivo	22	*incentivación*	1				
envase	21	*embalaje*	2				
marketing mix	11	*mezcla comercial*	2	*marketing mix de promoción*	1	*mezcla promocional*	1
economía de la empresa	7	dirección de empresas	6	*administración de empresas*	2	*administración de negocios*	1
capital permanente	13	*capital de trabajo*	1				
cuota de mercado	9	participación[2]	4				
precedencia	11	prelación	9				
fondo de maniobra	12	fondo de rotación	4				
fábrica	10	factoría	5				
grandes almacenes	6	grandes superficies	2	supermercado	2		
segmentación	17	segmentación de mercados	7	creación de nichos	3		
gestionar	6	*llevar el negocio*	2				
suministro	3	abastecimiento	3	reaprovisionamiento	3		
cargar[1]	4	gravar	2				
asesor	3	consultor	2				
alimentación	3	*nutrición*	2				
retroalimentación	3	*feedback*	1	*retroacción*	1		
plazo de recuperación con descuento	5	payback con descuento	2				

Anexo I.2.: Los antónimos

Los casos de antonimia se presentan por frecuencia corregida decreciente del elemento de la relación antonímica con la mayor frecuencia corregida. Cada elemento va seguido de su frecuencia absoluta. Los casos de antonimia en que todos los elementos están entre los 805 seleccionados van en itálica (22 en total); en los que uno o más no están entre los términos seleccionados, van en negrita (28 en total); en los que ninguno está, se ponen en letra normal (17 en total).

1. Antonimia de complementariedad

gasto	46	*ingreso*	35				
activo	99	*pasivo*	56				
materia prima	54	*materia auxiliar*	2				
recursos propios	21	*recursos ajenos*	16				
capital propio	19	**capital ajeno**	1				
pérdidas	14	*ganancia*[1]	5				
mayorista	14	minorista	8	detallista	10		
programacón lineal	10	**programación reticular**	1				
inversión simple	8	inversión no simple	1				
método directo	8	*método indirecto*	4				
coste directo	7	*coste indirecto*	3				
valor de mercado	6	**valor del almacén**	1				
producción múltiple	3	**producción simple**	1				
coste del pasivo	3	*coste del activo*	1				
mercado de valores	2	*mercado de productos*	1				
para almacén	3	*para el mercado*	2				
producción para almacén	3	*producción para el mercado*	3				
producto acabado	4	**producto en curso de elaboración**	2	**producto en curso**	1	**producto en curso de fabricación**	1

valoración en liquidación 3
recursos financieros propios 2
principio de designación unívoca 3
sociedad anónima 2
producción en masa 2
valor en funcionamiento 2
designación unívoca 2
empresa privada 4
mano invisible 4
variación cíclica 2
criterio maxi-max 1
criterio maxi-min 1
demanda dependiente 1
empresa líder 1
insolvente 1
mercado de mayoristas 1
prelación de convergencia 2
producción en serie 1
producto elaborado 1
recursos externos 1
sistema de inventario continuo 1
tomador externo de pedidos 1

valoración en funcionamiento 2
recursos financieros externos 1
principio de designación sucesiva 2
sociedad colectiva 1
producción individualizada 1
valor en liquidación 1
designación sucesiva 1
empresa mixta 1
mano visible 3
variación accidental 1
criterio mini-min 1
criterio mini-max 1
demanda independiente 1
empresa seguidora 1
solvente 1
mercado de minoristas 1
prelación lineal 2
producción individualizada 1
producto en curso de elaboración 2
recursos internos 1
sistema de inventario justo a tiempo 1
tomador interno pedidos 1

sociedad comanditaria 1
empresa pública 1
prelación de divergencia 1
producto en curso 1

sociedad cooperativa 1
producto en curso de fabricación 1

sociedad de responsabilidad limitada 1
producto primario 1

2. Antonimia de contrariedad

escasez 8	riqueza 11	abundancia 1
tiempo early 17	*tiempo last* 14	
gran empresa 6	**empresa pequeña** 5	*pequeña empresa* 8	*pequeña y mediana empresa* 2	**PYME** 2	**empresa mediana y grande** 2	**empresa grande** 1	**mediana y gran empresa** 1	**pequeña y mediana** 1

bruto 4	*blando* 6
método estático 9	*método dinámico* 5
coeficiente de optimismo 7	**coeficiente de pesimismo** 1
bien final 5	**bien inicial** 1
plusvalía 4	*minusvalía* 2
precio mínimo 4	**precio máximo** 1
criterio pesimista 4	*criterio optimista* 3
método de los números dígitos crecientes 3	**método de los números dígitos en sentido decreciente** 1
poder no coercitivo 3	*poder coercitivo* 2
inversión mixta 3	**inversión pura** 1
bien de consumo duradero 2	bien de consumo inmediato 1
capacidad sostenida 2	capacidad punta 1	mercado tendencial 1
mercado actual 1	mercado potencial 1
tiempo más alto iniciación 1	tiempo más bajo de iniciación 1

3. Oposición por inversión

volumen de ventas	24	*volumen de compras*	3		
acreedor	9	*deudor*	2		
matricial[1]	6	**filial**	1		
monopolio	3	**monopsonio**	1		
oligopolio	3	**oligopsonio**	1		
inversión de renovación o reemplazo	2	**inversión de mantenimiento**	1		
mantenimiento correctivo	2	*mantenimiento preventivo*	3	*mantenimiento predictivo*	2
agente comercial	1	agente social	3	agente económico	1
decisión cualitativa	1	decisión cuantitativa	1		
inversión de ampliación a nuevos productos o mercados	1	inversión de ampliación de los productos o mercados existentes	1		
mercado futuro	1	mercado pasado	1	mercado presente	1

Anexo J: La comparación del corpus modélico Econ con el corpus de lengua general Cumbre

Las unidades léxicas se presentan por frecuencia corregida decreciente con mención de su frecuencia absoluta.

J.1. Las UL compuestas: 123 UL

1.	es decir	225
2.	por ejemplo	138
3.	por consiguiente	76
4.	por tanto	83
5.	sin embargo	57
6.	en general	47
7.	tener en cuenta	49
8.	en realidad	22
9.	por otra parte	21
10.	no obstante	18
11.	dar lugar	19
12.	en consecuencia	17
13.	por el contrario	18
14.	en principio	13
15.	en efecto	18
16.	punto de vista	16
17.	pues bien	13
18.	poner de manifiesto	11
19.	al menos	11
20.	en definitiva	10
21.	en concreto	9
22.	en cuestión	12
23.	llevar a cabo	11
24.	por lo tanto	9
25.	hacer frente a	9
26.	hacer referencia	7
27.	por supuesto	7
28.	a priori	6
29.	en ocasiones	9
30.	en gran medida	5
31.	poner a disposición	6
32.	por regla general	7
33.	al final	5
34.	es más	5
35.	de nuevo	5
36.	más o menos	4
37.	puesta en marcha	5
38.	más bien	3
39.	otro tanto	5
40.	ni siquiera	3
41.	al principio	3
42.	estar de acuerdo	3
43.	sin duda	3
44.	a la izquierda	3
45.	a menudo	3
46.	caja negra	4
47.	formar parte	3
48.	de momento	3
49.	en total	3
50.	al azar	3
51.	por otro lado	2
52.	por un lado	2
53.	de hecho	2
54.	nave industrial	2
55.	hacer frente	2
56.	así pues	2
57.	en particular	2
58.	en absoluto	2
59.	al comienzo	2
60.	sistema cultural	5
61.	llevar a efecto	3
62.	poner en marcha	2
63.	a la derecha	2
64.	ahora bien	2
65.	hacer hincapié en	2
66.	más aún	2
67.	a su cargo	2
68.	tomar en consideración	2
69.	en parte	2
70.	a la inversa	1
71.	a la vez	1
72.	a tiempo parcial	1
73.	a veces	1
74.	ad infinitum	1
75.	al cien por cien	1
76.	avión de carga	1
77.	calculadora de bolsillo	1
78.	ciclo de conferencias	1
79.	comité de encuesta	1
80.	como mucho	1
81.	corredor de plaza	1
82.	correr el riesgo	1
83.	de antemano	1
84.	del todo	1
85.	desde luego	1
86.	en cierto modo	1
87.	en común	1
88.	en esencia	1
89.	en exceso	1
90.	en puridad	1

91.	en rigor	1
92.	en teoría	1
93.	establecimiento farmacéutico	1
94.	estado civil	1
95.	hacer acopio de	1
96.	hora extra	1
97.	ideas fuerza	1
98.	líneas aéreas	1
99.	llevar a la práctica	1
100.	lugar de residencia	1
101.	máquina de afeitar	1
102.	medio de transporte	1
103.	misión espacial	1
104.	ni aun	1
105.	ni más ni menos	1
106.	ordenador de sobremesa	1
107.	parte integrante	1
108.	poco a poco	1
109.	poner a la venta	1
110.	poner en acción	1
111.	poner en juego	1
112.	por escrito	1
113.	por lo demás	1
114.	por una parte	1
115.	puesto callejero	1
116.	punto de partida	1
117.	sentar las bases de	1
118.	sentido común	1
119.	servicio civil	1
120.	sobre todo	1
121.	una a una	1
122.	uno a otro	1
123.	vice versa	1

J.2. Las polisemias: 199 UL

Aquí se mencionan todas las UL del corpus Econ que no se pueden comparar con el corpus Cumbre porque no están desambiguadas en Cumbre. Se trata, por lo tanto, de algunas formas reconocidas como polisémicas en Econ, por ejemplo tener[1], objetivo[1], etc., pero también de formas nuevas, como por ejemplo, *alternativa/alternativo*, *característica/característico*, etc.

1.	tener[1]	524	9.	seguir[1]	78	17.	constante[2]	74
2.	objetivo[1]	170	10.	tratar[1]	69	18.	función[1]	67
3.	total[2]	116	11.	producir[2]	70	19.	bien[2]	43
4.	principal[2]	105	12.	preciso[1]	65	20.	característica	51
5.	superior[1]	103	13.	inferior[1]	70	21.	bajo[2]	43
6.	conjunto[1]	83	14.	llegar[1]	60	22.	total[1]	42
7.	medio[2]	118	15.	óptimo[2]	68	23.	alternativo	38
8.	período	113	16.	alternativa	61	24.	política	54

25. efecto² 39	81. prestar² 6	137. consignar¹ 2
26. sentido 37	82. ganar² 15	138. precedente² 3
27. técnico² 39	83. subordinado 18	139. cargar² 4
28. práctica 34	84. importar³ 5	140. izquierdo 2
29. material¹ 38	85. volver¹ 4	141. muestra¹ 2
30. mínimo² 29	86. principio² 4	142. amplitud² 2
31. máximo² 31	87. disposición² 5	143. vía¹ 2
32. interés² 26	88. problemática 5	144. tarde 2
33. principio¹ 30	89. izquierda 5	145. experto² 2
34. útil² 20	90. corriente¹ 4	146. bebida 3
35. estado² 38	91. partida² 6	147. ganancia² 2
36. futuro¹ 20	92. cuenta² 4	148. palanca² 2
37. continuar¹ 17	93. extremo² 4	149. balance² 2
38. cambio² 20	94. local² 5	150. carga² 2
39. acción² 26	95. restar¹ 3	151. colaborador¹ 2
40. medio¹ 24	96. aportación² 4	152. liderazgo² 2
41. variable² 15	97. regular² 4	153. paciente¹ 2
42. apartado 18	98. recogida² 6	154. artículo² 2
43. máximo¹ 15	99. ejercicio³ 4	155. divergencia² 2
44. base² 15	100. retirada 4	156. árbol¹ 1
45. futuro² 15	101. derivado 3	157. colectivo¹ 1
46. potencial² 19	102. político 3	158. encargar¹ 1
47. restante 13	103. disyuntiva 3	159. extranjero¹ 1
48. distribución³ 13	104. táctica 3	160. recogida¹ 1
49. personal² 15	105. táctico 3	161. reponer¹ 1
50. periodo 14	106. compromiso² 3	162. retirar¹ 1
51. conjunto² 12	107. competencia³ 3	163. técnico¹ 1
52. orden² 13	108. objetivo² 3	164. útil¹ 1
53. orden¹ 13	109. obligación² 3	165. valor¹ 1
54. superior² 15	110. encargar³ 4	166. colaborador² 1
55. salida 18	111. compromiso¹ 3	167. consignar² 1
56. utilidad² 10	112. exterior² 3	168. corriente² 1
57. ganar¹ 12	113. medio⁴ 3	169. derecho² 1
58. ir¹ 11	114. paralelo 5	170. eje² 1
59. particular² 10	115. inferior² 3	171. extender² 1
60. extender¹ 9	116. pendiente 3	172. extranjero² 1
61. importar² 18	117. colectivo² 3	173. firma² 1
62. decisión² 18	118. partida³ 4	174. flujo² 1
63. experto¹ 7	119. distribución⁴ 4	175. intersección² 1
64. poder¹ 11	120. interior² 2	176. invertir² 1
65. constante¹ 9	121. potencial¹ 4	177. líquido² 1
66. práctico 8	122. medio³ 5	178. longitud² 1
67. contenido 10	123. llevar¹ 2	179. marcar² 1
68. exterior¹ 9	124. retirar² 2	180. paciente² 1
69. participación¹ 8	125. condicionante 2	181. planta² 1
70. encargar² 7	126. emisión² 4	182. preciso² 1
71. fuente² 17	127. contratación¹ 3	183. reponer² 1
72. directivo¹ 11	128. característico 2	184. base³ 1
73. material² 9	129. local¹ 4	185. carga³ 1
74. mínimo¹ 10	130. estado¹ 4	186. compromiso³ 1
75. seguro² 7	131. ejercicio² 2	187. dirección³ 1
76. equipo² 9	132. regular¹ 3	188. resolución³ 1
77. interior¹ 8	133. paralela 2	189. carga⁴ 1
78. resolución² 6	134. precedente¹ 2	190. bombo 1
79. extremo¹ 7	135. competencia² 2	191. castaña 1
80. línea² 8	136. particular¹ 3	192. compuesto 1

193. frontera	1	196. señora	1	199. tentativa	1
194. plano	1	197. sesgo	1		
195. revista	1	198. significado	1		

J.3. Abreviaturas y formas plurales: 4 UL

1.	etc.	114
2.	u. t.	60
3.	correos	1
4.	correo	1

J.4. El léxico subeconómico: 255 UL

1.	caso	311	41.	necesario	99
2.	actividad	327	42.	información	130
3.	obtener	277	43.	plazo	124
4.	mayor	266	44.	diferente	87
5.	realizar	272	45.	proceso	99
6.	siguiente	243	46.	reducir	92
7.	figura	242	47.	diverso	86
8.	tabla	215	48.	factor	125
9.	tipo	211	49.	depender	86
10.	existir	193	50.	necesidad	97
11.	denominar	180	51.	señalar	81
12.	nivel	177	52.	permitir	77
13.	forma	155	53.	aplicar	90
14.	tiempo	178	54.	criterio	133
15.	determinar	158	55.	elevado	87
16.	encontrar	155	56.	generar	100
17.	utilizar	156	57.	esperar	91
18.	posible	161	58.	anteriormente	70
19.	igual	174	59.	cantidad	86
20.	unidad	171	60.	control	100
21.	resultado	147	61.	existente	74
22.	tomar	151	62.	expresión	89
23.	valer	159	63.	evidentemente	69
24.	anterior	135	64.	conseguir	87
25.	suponer	124	65.	duración	133
26.	distinto	116	66.	observar	70
27.	además	114	67.	análisis	67
28.	parte	115	68.	resolver	80
29.	anual	178	69.	correspondiente	77
30.	modo	113	70.	mantener	67
31.	requerir	133	71.	basar	72
32.	relación	118	72.	menor	61
33.	considerar	110	73.	selección	78
34.	persona	137	74.	método	82
35.	desear	101	75.	proyecto	137
36.	representar	121	76.	deducir	67
37.	resultar	99	77.	estudiar	58
38.	sistema	155	78.	largo	72
39.	grande	107	79.	ocasión	57
40.	diferencia	105	80.	cumplir	61

81.	punto	78	137.	solución	45
82.	distinguir	55	138.	condición	40
83.	denominado	56	139.	operación	42
84.	tamaño	81	140.	generalmente	37
85.	procedimiento	66	141.	realización	37
86.	constituir	60	142.	determinación	33
87.	importancia	62	143.	fijar	40
88.	modelo	80	144.	posteriormente	37
89.	efectuar	54	145.	satisfacer	39
90.	incorporar	55	146.	consistir	34
91.	semejante	53	147.	idea	39
92.	alcanzar	58	148.	esfuerzo	42
93.	importe	62	149.	integrar	35
94.	situar	59	150.	elevar	33
95.	estudio	69	151.	dividir	34
96.	elegir	67	152.	provocar	35
97.	elemento	73	153.	seleccionar	36
98.	servicio	73	154.	variación	49
99.	prever	65	155.	precisar	31
100.	disponer	46	156.	positivo	32
101.	referir	53	157.	tarea	74
102.	capacidad	83	158.	ventaja	35
103.	adecuado	50	159.	diferenciar	37
104.	corto	67	160.	enfoque	39
105.	comprobar	45	161.	superar	28
106.	corresponder	54	162.	instrumento	29
107.	frecuente	43	163.	controlar	33
108.	analizar	46	164.	independiente	35
109.	negativo	54	165.	obligar	27
110.	sencillo	41	166.	inconveniente	38
111.	físico	58	167.	suficiente	32
112.	recoger	42	168.	normal	33
113.	elaborar	49	169.	técnica	34
114.	grado	42	170.	plan	45
115.	dato	61	171.	supuesto	34
116.	utilización	41	172.	infinito	32
117.	fase	57	173.	volumen	34
118.	capítulo	44	174.	comparar	27
119.	estimar	49	175.	asignar	42
120.	estrategia	112	176.	relevante	21
121.	definir	38	177.	incurrir	26
122.	derivar	42	178.	alterar	26
123.	concepto	39	179.	crecimiento	32
124.	maximizar	48	180.	perspectiva	29
125.	dirigir	52	181.	distribuir	28
126.	evidente	35	182.	temporal	24
127.	relativo	34	183.	mantenimiento	31
128.	área	43	184.	deseo	31
129.	proporción	53	185.	minimizar	27
130.	tender	44	186.	restricción	38
131.	modificar	49	187.	elaboración	22
132.	previsión	51	188.	repartir	30
133.	preferible	44	189.	combinar	22
134.	introducción	30	190.	comportar	24
135.	crecer	46	191.	componente	36
136.	dificultad	33	192.	favorable	29

193.	consecución	23	225.	subsistema	32
194.	exigir	33	226.	soporte	29
195.	limitación	25	227.	atributo	17
196.	entorno	31	228.	destino	19
197.	establecimiento	33	229.	motivación	22
198.	aplicable	19	230.	maximización	11
199.	unitario	23	231.	lineal	18
200.	durar	27	232.	finalizar	28
201.	ritmo	25	233.	diferenciación	26
202.	nulo	25	234.	garantizar	10
203.	responsabilidad	31	235.	decisional	9
204.	habitualmente	18	236.	ilimitado	17
205.	éxito	31	237.	consiguientemente	8
206.	suceso	71	238.	localización	26
207.	diseño	29	239.	analítico	11
208.	territorio	44	240.	organizativo	13
209.	estándar	30	241.	dispersión	14
210.	canal	33	242.	derecha	12
211.	oscilación	21	243.	desfavorable	11
212.	actualizar	22	244.	apéndice	11
213.	consistente	14	245.	jugador	26
214.	certeza	19	246.	ítem	18
215.	planificar	18	247.	bola	25
216.	dimensión	31	248.	módulo	15
217.	totalizar	16	249.	extracción	26
218.	autoridad	37	250.	flecha	22
219.	seguidamente	11	251.	rotación	16
220.	decisor	23	252.	acaecimiento	6
221.	especialización	17	253.	cara	9
222.	aleatorio	17	254.	extrapolación	9
223.	estratégico	22	255.	reemplazamiento	5
224.	agrupación	29			

J.5. El léxico general básico: 756 UL

1.	año	289	19.	pequeño	47	37.	plantear	24
2.	también	215	20.	desarrollar	50	38.	relacionar	22
3.	nuevo	124	21.	razón	41	39.	coincidir	26
4.	momento	114	22.	único	35	40.	serie	28
5.	último	94	23.	comenzar	35	41.	suceder	25
6.	conocer	92	24.	incluso	29	42.	conducir	24
7.	problema	87	25.	decidir	32	43.	determinado	25
8.	mejor	89	26.	dedicar	30	44.	actuar	26
9.	propio	71	27.	demostrar	29	45.	perder	32
10.	grupo	83	28.	afectar	26	46.	identificar	28
11.	ejemplo	65	29.	emplear	27	47.	exponer	26
12.	importante	64	30.	real	39	48.	amplio	23
13.	formar	59	31.	comprender	32	49.	influir	22
14.	lugar	56	32.	evitar	30	50.	aspecto	31
15.	final	51	33.	limitar	24	51.	comportamiento	28
16.	situación	51	34.	carácter	26	52.	posterior	26
17.	posibilidad	44	35.	existencia	26	53.	responder	23
18.	establecer	48	36.	significar	26	54.	habitual	25

55.	conclusión	20	107.	etcétera	18	159.	experiencia	14
56.	interesar	23	108.	global	21	160.	fundamental	15
57.	necesitar	24	109.	modificación	23	161.	complejo	13
58.	introducir	21	110.	reflejar	16	162.	mencionar	13
59.	ajustar	23	111.	mes	21	163.	disponible	18
60.	atender	22	112.	preferir	17	164.	incidencia	16
61.	autor	22	113.	respectivamente	15	165.	prueba	17
62.	incluir	24	114.	naturaleza	25	166.	motivo	13
63.	límite	26	115.	añadir	19	167.	colocar	15
64.	sustituir	22	116.	idéntico	14	168.	inicialmente	13
65.	aplicación	22	117.	correcto	18	169.	consecuencia	17
66.	referencia	20	118.	concretamente	14	170.	realmente	16
67.	recordar	24	119.	clasificar	14	171.	creación	20
68.	facilitar	23	120.	ámbito	17	172.	imagen	15
69.	aumento	21	121.	clasificación	17	173.	pretender	12
70.	cubrir	24	122.	percibir	18	174.	concluir	14
71.	someter	24	123.	simple	18	175.	frecuentemente	11
72.	representación	24	124.	previsto	21	176.	caber	11
73.	básico	21	125.	figurar	16	177.	variedad	11
74.	acudir	22	126.	fuerte	16	178.	reducción	17
75.	desarrollo	27	127.	estructura	26	179.	variar	12
76.	investigación	31	128.	satisfacción	19	180.	transformar	13
77.	explicar	22	129.	ambiente	22	181.	ejecución	20
78.	cuestión	19	130.	expresar	17	182.	previamente	14
79.	especialmente	20	131.	inicial	16	183.	tardar	20
80.	efectivo	28	132.	causa	14	184.	planteamiento	11
81.	surgir	21	133.	error	15	185.	mero	11
82.	solamente	20	134.	destinar	16	186.	compensar	12
83.	margen	24	135.	rapidez	13	187.	estimación	12
84.	actual	30	136.	norma	14	188.	proporcional	12
85.	intervenir	22	137.	referente	16	189.	condicionar	14
86.	evolución	23	138.	previo	15	190.	fácilmente	12
87.	proporcionar	20	139.	atención	17	191.	respectivo	11
88.	próximo	19	140.	conocido	18	192.	informar	14
89.	conocimiento	28	141.	cobrar	25	193.	uso	12
90.	objeto	22	142.	provenir	13	194.	obtención	10
91.	mayoría	22	143.	obvio	13	195.	conveniente	12
92.	incrementar	25	144.	mejorar	14	196.	división	18
93.	asegurar	20	145.	exceso	15	197.	aceptar	13
94.	valorar	25	146.	inmediato	12	198.	comunicación	27
95.	asociar	20	147.	directamente	16	199.	recuperar	22
96.	finalmente	17	148.	común	14	200.	limitado	10
97.	confianza	21	149.	ampliar	11	201.	describir	14
98.	centrar	18	150.	centro	19	202.	advertir	9
99.	zona	23	151.	etapa	22	203.	homogéneo	12
100.	orientar	18	152.	humano	24	204.	externo	19
101.	respuesta	21	153.	diario	18	205.	perfecto	18
102.	terminar	19	154.	semana	22	206.	conflicto	18
103.	ofrecer	18	155.	automóvil	17	207.	miembro	16
104.	máquina	29	156.	falta	14	208.	repetir	12
105.	paso	20	157.	regla	14	209.	precisión	12
106.	origen	22	158.	consumir	27	210.	entrada	18

211. aproximada-		
mente	11	
212. funcionamiento	14	
213. categoría	25	
214. numeroso	11	
215. evaluación	13	
216. pasado	19	
217. asumir	13	
218. coordinación	14	
219. actualmente	11	
220. resultante	10	
221. adaptar	10	
222. inverso	10	
223. operar	11	
224. diseñar	11	
225. contener	10	
226. concerniente	9	
227. aceptación	11	
228. detalle	10	
229. mitad	10	
230. excesivo	11	
231. circunstancia	11	
232. interno	14	
233. totalidad	9	
234. proceder	12	
235. directo	12	
236. detallar	9	
237. permanecer	10	
238. entidad	9	
239. equivalente	14	
240. revisión	11	
241. cultural	25	
242. posición	12	
243. preferencia	14	
244. perseguir	8	
245. elección	13	
246. fijo	10	
247. comprometer	8	
248. signo	11	
249. proveniente	9	
250. absoluto	9	
251. mensaje	18	
252. aproximación	9	
253. prolongado	8	
254. cadena	15	
255. conceder	9	
256. científico	11	
257. funcional	9	
258. transcurrir	11	
259. frecuencia	12	
260. concreto	8	
261. indicar	10	

262. población	20
263. simplemente	8
264. coordinar	9
265. continuo	14
266. descripción	10
267. iniciar	11
268. suficientemente	9
269. combinación	11
270. buen	13
271. imponer	8
272. generación	9
273. igualdad	11
274. complementario	8
275. eficacia	12
276. fuerza	12
277. aprovechar	10
278. emitir	15
279. individuo	10
280. flexibilidad	10
281. intervalo	12
282. herramienta	14
283. magnitud	11
284. programación	16
285. contribuir	9
286. fijación	10
287. valoración	12
288. retraso	11
289. símbolo	9
290. fracaso	10
291. solicitar	8
292. consideración	10
293. estilo	22
294. convenir	9
295. conjuntamente	9
296. expectativa	14
297. equivaler	9
298. sucesivo	9
299. condicionado	8
300. ocupar	12
301. bastar	7
302. posiblemente	7
303. observación	9
304. reparto	10
305. actuación	9
306. ajeno	10
307. heterogéneo	7
308. distancia	9
309. defecto	7
310. demandar	16
311. sistemático	9
312. razonable	11
313. igualar	9

314. específico	11
315. individual	10
316. informe	12
317. dinámico	8
318. despejar	10
319. circular	8
320. vertical	7
321. subjetivo	9
322. columna	10
323. influencia	9
324. innovación	12
325. carecer	8
326. lógico	7
327. pérdida	8
328. cultura	25
329. enviar	7
330. formación	10
331. presente	7
332. devolver	10
333. libertad	13
334. secuencia	7
335. estabilidad	8
336. imputar	7
337. equivocar	7
338. creciente	6
339. responsable	9
340. obviamente	9
341. contratar	10
342. deseable	7
343. congruente	7
344. totalmente	7
345. relativamente	6
346. operativo	8
347. prolongar	8
348. costar	7
349. movimiento	22
350. concepción	7
351. impedir	6
352. anualmente	9
353. investigar	6
354. formal	9
355. construcción	9
356. compartir	18
357. diferir	8
358. actualización	7
359. aportar	8
360. cualidad	10
361. adecuar	8
362. revisar	6
363. reseñar	7
364. territorial	9
365. lanzamiento	10

366. especificar	10	417. peculiaridad	6	469. flexible	7
367. identificación	8	418. aproximado	6	470. cuantía	6
368. simultánea-mente	6	419. técnicamente	8	471. respetar	5
		420. evolucionar	6	472. presentación	8
369. documento	9	421. investigador	8	473. preceder	13
370. mejora	6	422. designar	5	474. especializado	5
371. funcionar	9	423. eliminar	7	475. escala	7
372. redundar	7	424. favorecer	6	476. índice	7
373. ordenar	6	425. comparación	6	477. organizar	10
374. intervención	9	426. evaluar	7	478. conducta	12
375. renovación	12	427. parcial	9	479. independiente-mente	5
376. acompañar	7	428. orientación	7	
377. esperanza	6	429. edad	26	480. aproximar	5
378. resto	10	430. devolución	9	481. reducido	7
379. primario	8	431. estable	6	482. tendencia	7
380. vincular	6	432. acceso	6	483. similar	5
381. reconocimiento	7	433. manejar	6	484. cooperación	11
382. imposible	7	434. cumplimiento	5	485. significativo	12
383. pregunta	6	435. lento	6	486. restringir	6
384. definición	10	436. ampliación	6	487. participar	8
385. procurar	6	437. ignorar	6	488. juego	13
386. introductorio	6	438. localizar	6	489. reparación	5
387. consultar	8	439. soportar	5	490. experimentar	6
388. ejecutar	9	440. efectivamente	5	491. claramente	5
389. actualidad	7	441. manifestar	6	492. acceder	6
390. intercambio	10	442. acertar	8	493. interpretación	6
391. equilibrio	10	443. percepción	7	494. normalmente	5
392. construir	8	444. incidir	9	495. atraer	6
393. excesivamente	6	445. retrasar	8	496. estimular	10
394. fiabilidad	8	446. sustancialmente	5	497. madurez	6
395. anuncio	12	447. fila	9	498. proporcional-mente	5
396. prestación	6	448. implantar	5	
397. barato	6	449. comprensión	6	499. cambiante	5
398. tienda	8	450. imprescindible	6	500. interrelación	5
399. capaz	8	451. primordial	6	501. afrontar	5
400. mensual	8	452. administrativo	6	502. disminuir	5
401. igualmente	6	453. probable	6	503. retener	10
402. constar	6	454. probar	7	504. comienzo	8
403. crítico	9	455. incierto	5	505. estrecho	5
404. exposición	7	456. comunicar	7	506. sucesivamente	5
405. arreglo	7	457. motivar	9	507. conveniencia	5
406. disponibilidad	7	458. desplazamiento	9	508. admitir	5
407. detener	6	459. centralizar	8	509. alteración	5
408. destacar	10	460. especialista	9	510. instante	6
409. constantemente	6	461. completar	6	511. factible	5
410. lector	7	462. ordenador	7	512. sugerir	7
411. reemplazar	6	463. adecuadamente	5	513. obsolescencia	5
412. perfectamente	7	464. negro	22	514. lanzar	6
413. agrupar	7	465. tangible	7	515. breve	5
414. rígido	5	466. eficiencia	7	516. formalmente	5
415. denominación	7	467. simultáneo	7	517. informal	7
416. camino	15	468. demostración	7	518. sintetizar	6

519. rápidamente	5	
520. aplazamiento	6	
521. reacción	6	
522. apoyo	6	
523. renovar	8	
524. inactividad	7	
525. semanal	11	
526. posterioridad	4	
527. innecesario	6	
528. intermedio	6	
529. disciplina	8	
530. costoso	6	
531. eficaz	6	
532. finito	6	
533. entrega	6	
534. test	6	
535. composición	7	
536. fórmula	6	
537. acometer	4	
538. corregir	5	
539. opción	4	
540. múltiple	4	
541. requisito	4	
542. relevancia	4	
543. repetitivo	5	
544. círculo	7	
545. avión	6	
546. creatividad	5	
547. contribución	6	
548. ideal	5	
549. prestigio	5	
550. básicamente	5	
551. determinante	4	
552. íntegramente	4	
553. inspección	8	
554. lealtad	6	
555. montante	5	
556. considerable	4	
557. manual	5	
558. altura	4	
559. intangible	5	
560. actitud	9	
561. enfrentar	5	
562. clásico	4	
563. red	5	
564. promocional	7	
565. justificar	4	
566. completo	4	
567. captar	4	
568. implicar	5	
569. formular	6	
570. experimenta-	6	

	ción	
571. pesimista	7	
572. optimista	7	
573. instrucción	5	
574. subjetividad	5	
575. multitud	4	
576. agradar	13	
577. gusto	5	
578. desempeñar	6	
579. recorrer	5	
580. integración	8	
581. representante	5	
582. enfocar	5	
583. extraordinario	4	
584. espontáneo	6	
585. centralización	5	
586. físicamente	4	
587. supervivencia	4	
588. sensibilidad	6	
589. estático	5	
590. experimento	5	
591. realizable	5	
592. desplazar	4	
593. ciclo	10	
594. incompleto	4	
595. merecer	4	
596. negatividad	5	
597. puntuación	13	
598. pintura	6	
599. primar	4	
600. apuntar	4	
601. creativo	4	
602. sustancial	4	
603. seguimiento	4	
604. confundir	4	
605. insuficiente	4	
606. explotación	4	
607. somero	4	
608. abarcar	4	
609. definido	5	
610. estructurar	5	
611. dominar	8	
612. impacto	4	
613. homogeneidad	4	
614. pensamiento	5	
615. proteger	6	
616. difusión	6	
617. recepción	7	
618. adecuación	4	
619. adoptar	4	
620. estímulo	10	
621. transmitir	4	

622. descomponer	5	
623. esporádico	4	
624. negociador	6	
625. clima	4	
626. simulación	7	
627. innovador	6	
628. continuación	4	
629. oficina	4	
630. localidad	6	
631. incremento	4	
632. aplazar	4	
633. autocontrol	7	
634. contacto	4	
635. aptitud	5	
636. exacto	4	
637. particularmente	4	
638. viable	4	
639. interpretar	4	
640. visita	9	
641. espera	5	
642. anglosajón	4	
643. libre	4	
644. anticipar	6	
645. organigrama	7	
646. obsoleto	5	
647. intuición	6	
648. aversión	7	
649. predicción	4	
650. retención	6	
651. sostener	4	
652. eficiente	4	
653. prescindir	4	
654. sobrevivir	4	
655. duro	8	
656. exactitud	3	
657. identidad	5	
658. exclusivo	3	
659. década	4	
660. premio	4	
661. esquema	4	
662. noticia	5	
663. conformar	4	
664. concernir	4	
665. esencial	4	
666. extensión	3	
667. susceptible	3	
668. remitir	4	
669. inmovilización	4	
670. diariamente	4	
671. independencia	3	
672. progresión	5	
673. semestre	5	

674.	enriquecer	7	703.	intuitivo	3	732.	circulación	3
675.	responsabilizar	3	704.	sustitución	4	733.	ayuda	3
676.	elemental	4	705.	interrelacionado	4	734.	descentralizar	5
677.	trimestre	4	706.	infinitesimal	3	735.	facilidad	3
678.	sobrepasar	3	707.	propósito	3	736.	ropa	5
679.	cruce	3	708.	descuidar	3	737.	vinculación	3
680.	adopción	3	709.	sutil	3	738.	auxiliar	3
681.	pieza	5	710.	caracterizar	3	739.	admisible	4
682.	mobiliario	3	711.	motor	5	740.	hipótesis	5
683.	autonomía	4	712.	ocioso	8	741.	adicional	3
684.	crítica	3	713.	promocionar	4	742.	considerable-	
685.	explicación	5	714.	subíndice	4		mente	3
686.	materializar	4	715.	exclusividad	3	743.	resaltar	4
687.	original	4	716.	aparentemente	3	744.	informativo	4
688.	registrar	5	717.	barra	5	745.	urna	5
689.	explícitamente	3	718.	rechazar	3	746.	refresco	3
690.	desviar	3	719.	aceptable	3	747.	excluir	3
691.	lote	7	720.	reservar	4	748.	inmediatamente	3
692.	transcurso	3	721.	inferioridad	4	749.	beneficiar	6
693.	encuestar	4	722.	extraer	5	750.	interrelacionar	3
694.	previsible	4	723.	subdividir	4	751.	vivienda	3
695.	regulador	6	724.	trato	4	752.	ladrillo	6
696.	alcance	3	725.	idóneo	3	753.	adaptación	4
697.	americano	5	726.	acusar	3	754.	editorial	3
698.	segmentar	6	727.	prototipo	4	755.	sustancia	4
699.	prohibir	5	728.	ligar	3	756.	incompatible	4
700.	permanente	3	729.	enumerar	3			
701.	difundir	3	730.	acumulación	3			
702.	distinción	3	731.	confiar	3			

J.6. El léxico típico de Cumbre y básico en Econ: 91 UL

1.	hacer	143	21.	recibir	24	41.	cambiar	15
2.	decir	92	22.	alto	25	42.	simplificar	14
3.	sólo	91	23.	aparecer	17	43.	poner	12
4.	dar	70	24.	casi	17	44.	especial	11
5.	saber	63	25.	vida	15	45.	servir	14
6.	sí	58	26.	contar	16	46.	parecer	12
7.	quedar	55	27.	nunca	18	47.	clase	10
8.	menos	50	28.	llamar	15	48.	acuerdo	11
9.	vez	54	29.	hecho	13	49.	ocurrir	11
10.	crear	53	30.	realidad	16	50.	hombre	17
11.	ver	44	31.	entender	11	51.	ciudad	25
12.	aumentar	44	32.	escribir	11	52.	tema	10
13.	siempre	43	33.	todavía	11	53.	antiguo	8
14.	general	52	34.	libro	13	54.	claro	13
15.	día	71	35.	hora	18	55.	dicho	9
16.	presentar	35	36.	solo	10	56.	buscar	9
17.	partir	37	37.	preguntar	25	57.	papel	10
18.	pasar	29	38.	sector	13	58.	programa	11
19.	dejar	25	39.	tampoco	12	59.	hablar	9
20.	pensar	27	40.	antes	10	60.	color	8

61.	difícil	9	72.	quizá	7	83.	mal	6
62.	afirmar	7	73.	convertir	9	84.	ayudar	7
63.	campo	7	74.	palabra	9	85.	país	9
64.	mostrar	10	75.	contrario	6	86.	español	7
65.	caro	7	76.	opinión	8	87.	mediar	5
66.	hoy	8	77.	materia	6	88.	unir	5
67.	manera	8	78.	olvidar	6	89.	intentar	7
68.	familia	8	79.	sentir	6	90.	preparar	6
69.	entrar	8	80.	minuto	10	91.	nacional	6
70.	fin	10	81.	pedir	8			
71.	nombre	8	82.	energía	5			

Anexo K: Léxico no seleccionado (2.519 UL)

Este léxico se presenta por frecuencia corregida decreciente con mención de su frecuencia absoluta.

K.1. 603 términos económicos no seleccionados

1.	empresa privada	4	40.	ratio de liquidez	2
2.	mano invisible	4	41.	rentabilidad neta	2
3.	relación de agencia	4	42.	centro comercial	3
4.	teoría neoclásica	4	43.	coste de la mano de obra	3
5.	creación de nichos	3	44.	jornada reducida	3
6.	crecimiento interno	3	45.	modelo aditivo	3
7.	integración vertical	3	46.	subcontratación	3
8.	concepción frecuencial	2	47.	análisis coste volumen beneficio	2
9.	criterio de Hurwicz	2	48.	apalancamiento combinado	2
10.	criterio de Laplace	2	49.	agente social	3
11.	criterio de Savage	2	50.	capital²	3
12.	criterio de Wald	2	51.	mano visible	3
13.	incertidumbre no estructurada	2	52.	sistema de economía de mercado	3
14.	coste de almacenamiento	3	53.	sistema de precios	3
15.	coste de transporte	3	54.	sistema económico	3
16.	modelo probabilístico	3	55.	teoría contractual	3
17.	reaprovisionamiento	3	56.	afijación	2
18.	bien de consumo duradero	2	57.	afijación por igual	2
19.	bienes manufacturados	2	58.	agrupación dicotómica	2
20.	bienestar	2	59.	método probabilístico	2
21.	desviación en costes	2	60.	muestreo aleatorio sistemático	2
22.	desviación en el tamaño global del mercado	2	61.	nutrición	2
			62.	astillero	2
23.	elasticidad de la demanda	2	63.	diagrama de equipo	2
24.	función lagrangiana	2	64.	diagrama de operaciones	2
25.	mercado de consumo	2	65.	enfoque del enriquecimiento del puesto de trabajo	2
26.	mercado objetivo	2			
27.	mezcla comercial	2	66.	enriquecimiento del trabajo	2
28.	oferente	2	67.	estudio del trabajo	2
29.	política de distribución	2	68.	hora laborable	2
30.	política de precio	2	69.	muestreo del trabajo	2
31.	principio de interdependencia	2	70.	obrero	2
32.	utilidad de propiedad	2	71.	simograma	2
33.	variación cíclica	2	72.	tiempo predeterminado	2
34.	ciclo largo	2	73.	tiempo suplementario	2
35.	crédito hipotecario	2	74.	estrategia empresarial	2
36.	hacienda	2	75.	llevar el negocio	2
37.	método Dupont	2	76.	nicho	2
38.	periodo medio de maduración económica	2	77.	nuevo liderazgo	2
			78.	penetración en el mercado	2
39.	producto en curso de elaboración	2	79.	soft	2
			80.	ventaja competitiva	2

81.	ventaja en costes	2	133.	bienes de capital	1
82.	periodo constante	2	134.	bienes Giffen	1
83.	principio de Pareto	2	135.	calidad de vida	1
84.	sistema de período constante	2	136.	cambio[1]	1
85.	subida de precios	2	137.	campaña de publicidad	1
86.	capacidad sostenida	2	138.	campaña publicitaria	1
87.	modelo multiplicativo	2	139.	capacidad de discriminación	1
88.	nivel de realización	2	140.	capacidad punta	1
89.	subcontratista	2	141.	capital ajeno	1
90.	trabajador de temporada	2	142.	capital de trabajo	1
91.	administración de empresas	2	143.	capital humano	1
92.	crecimiento económico	2	144.	capitalismo	1
93.	empresa cooperativa	2	145.	carbón	1
94.	factor productivo	2	146.	cartera[1]	1
95.	multinacional	2	147.	cartera[2]	1
96.	sistema de empresa privada	2	148.	centro organizativo	1
97.	sistema de libre mercado	2	149.	ciclo corto	1
98.	teoría de la agencia	2	150.	ciclo de amortizaciones	1
99.	teoría de la firma	2	151.	ciclo de depreciación	1
100.	muestreo estratificado	1	152.	ciclo de vida de un producto	1
101.	abastecer	1	153.	ciencias de la gestión	1
102.	absorción	1	154.	cifra de negocios	1
103.	abundancia	1	155.	ciudad experimento	1
104.	acción liberada	1	156.	coeficiente beneficio	1
105.	accionariado	1	157.	coeficiente de elasticidad	1
106.	administración de negocios	1	158.	coeficiente de elasticidad de la	1
107.	administración pública	1		demanda	
108.	agente comercial	1	159.	coeficiente de leverage	1
109.	agente económico	1	160.	coeficiente de pesimismo	1
110.	agricultor	1	161.	coeficiente de retención	1
111.	agropecuario	1	162.	combustible	1
112.	agrupación matricial	1	163.	comerciante	1
113.	ajuste	1	164.	comercio exterior	1
114.	al detalle	1	165.	comisionista	1
115.	al por mayor	1	166.	comparación de costes	1
116.	al por menor	1	167.	competición	1
117.	alta segmentación	1	168.	competitividad	1
118.	amortización acelerada	1	169.	computer aided design	1
119.	análisis de viabilidad	1	170.	computer aided manufacturing	1
120.	apalancar	1	171.	concurrir	1
121.	arqueo de caja	1	172.	conglomeral	1
122.	asignación de recursos	1	173.	contabilidad	1
123.	auditoria interna	1	174.	contrato de compra	1
124.	autodirigir	1	175.	convenio colectivo	1
125.	autofinanciarse	1	176.	cooperativa	1
126.	autorregularse	1	177.	coste aparente	1
127.	autoservicio	1	178.	coste de capital	1
128.	base temporal homogénea	1	179.	coste de inventarios	1
129.	beneficio fiscal	1	180.	coste del activo	1
130.	beneficioso	1	181.	coste social	1
131.	bien de consumo inmediato	1	182.	coyuntural	1
132.	bien inicial	1	183.	crecimiento financiero	1

184. crecimiento patrimonial 1
185. crisis 1
186. criterio aproximado 1
187. criterio de igual verosimilitud 1
188. criterio de la comparación de 1
    costes
189. criterio de optimismo parcial de 1
    Hurwicz
190. criterio del flujo total por unidad 1
    monetaria comprometida
191. criterio del mínimo pesar 1
192. criterio maxi-max 1
193. criterio maxi-min 1
194. criterio mini-max 1
195. criterio mini-min 1
196. criterio racionalista 1
197. critical path method 1
198. cuello de botella 1
199. cuenta[1] 1
200. cultura estratégica 1
201. de línea y staff 1
202. decision cualitativa 1
203. decision cuantitativa 1
204. decision de capacidad de 1
    producción
205. decision de producir o comprar 1
206. decision secuencial 1
207. definición de Laplace 1
208. demanda dependiente 1
209. demanda independiente 1
210. depositario 1
211. desabastecer 1
212. desabastecimiento 1
213. descuento por pronto pago 1
214. desembolso 1
215. designación sucesiva 1
216. despido 1
217. desviación en el mercado 1
218. determinismo tecnológico 1
219. dinero en caja 1
220. dirección de finanzas 1
221. dirección de primera línea 1
222. dirección de supervisión 1
223. direct costing 1
224. directivo de línea 1
225. directivo intermedio 1
226. director de distribución 1
227. director de fábrica 1
228. director de investigación 1
229. director de marketing 1
230. director general 1
231. disminución de precios 1

232. distintivo de marca 1
233. distribución de la renta 1
234. distribución en cuña 1
235. diversificación de productos y 1
    mercados
236. dividendo extraordinario 1
237. documento contable 1
238. dólar 1
239. economía de escala 1
240. economía de los costes de 1
    transacción
241. economía de mercado 1
242. economizar 1
243. ejes centrales del trabajo 1
244. empleador 1
245. empresa grande 1
246. empresa líder 1
247. empresa mixta 1
248. empresa multinacional 1
249. empresa pública 1
250. empresa seguidora 1
251. empresa social 1
252. empresariado 1
253. en masa 1
254. en staff 1
255. en términos de capacidad 1
    adquisitiva
256. enfoque contingencial 1
257. entidad financiera 1
258. entidad no lucrativa 1
259. entidad pública 1
260. envasar 1
261. equipo productivo 1
262. especulación 1
263. estrategia de desarrollo 1
264. estrechar 1
265. extensión de la marca 1
266. factores de mantenimiento 1
267. factores motivacionales 1
268. feedback 1
269. fijación del precio 1
270. filial 1
271. financieramente 1
272. firma de consultores 1
273. firma[1] 1
274. fiscal 1
275. fiscalmente 1
276. flotante 1
277. flujo de caja total por unidad 1
    monetaria comprometida
278. flujo de información de salida 1
279. flujo de los materiales 1

556.	strategy	1	580.	test de concepto
557.	structure	1	581.	test de reconocimiento
558.	style	1	582.	tiempo más alto de iniciación

556. strategy 1
557. structure 1
558. style 1
559. subvencionar 1
560. sueldo 1
561. suministrar 1
562. superordinate goals 1
563. suspensión de pagos 1
564. tasa de interés 1
565. tasa de retorno 1
566. tayloriano 1
567. técnico de venta 1
568. tecnólogo 1
569. teoría de contenido o causas 1
570. teoría de grafos 1
571. teoría de la decisión 1
572. teoría de la motivación 1
573. teoría de la personalidad 1
574. teoría de los procesos 1
575. teoría ecológica de las 1
    organizaciones
576. teoría económica clásica 1
577. teoría económica de la 1
    contabilidad
578. teoría motivacional 1
579. teoría situacional 1

580. test de concepto 1
581. test de reconocimiento 1
582. tiempo más alto de iniciación 1
583. tiempo más bajo de iniciación 1
584. toma de decisión 1
585. toma de las decisiones 1
586. tomador externo de pedidos 1
587. tomador interno de pedidos 1
588. tormenta de ideas 1
589. unicidad del estado inicial y del 1
    estado final
590. unidad departamental 1
591. unidad operativa 1
592. valor del almacén 1
593. valor económico 1
594. valor en liquidación 1
595. variación accidental 1
596. variación estacional 1
597. vector de existencias 1
598. vendedor a domicilio 1
599. vendedor de plantilla 1
600. ventaja comparativa 1
601. vida económica 1
602. volumen de negocio 1
603. volumen económico de pedido 1

K.2. 115 términos auxiliares no seleccionados

1. coeficiente de regresión 2
2. covarianza 2
3. método de los mínimos 2
cuadrados
4. regresión lineal 2
5. variabilidad de los residuos 2
6. variable de acción 2
7. variable exógena 2
8. matemático 2
9. plaza milla 2
10. bienestar social 2
11. ente público 2
12. mediano 2
13. sistema ecológico 2
14. abogado 1
15. aeronaútica 1
16. algebraico 1
17. algoritmo 1
18. análisis de regresión 1
19. análisis de regresión simple 1
20. antipolítico 1
21. asegurado 1

22. asegurador 1
23. asíntota 1
24. asintóticamente ergódico 1
25. bienestar de la sociedad 1
26. cálculo de máximos y mínimos 1
27. cálculo de probabilidades 1
28. cámara de representantes 1
29. campana de Gauss 1
30. casuística 1
31. cifrar 1
32. coeficiente de correlación simple 1
33. coeficiente de determinación 1
34. coeficiente de determinación 1
simple
35. coeficiente de ponderación 1
36. computar 1
37. comunicación en masa 1
38. cuantificable 1
39. cuantificar 1
40. cuasivarianza factorial 1
41. cuasivarianza residual 1
42. curva de Gompertz 1

43.	de interés público	1	79.	ordenada	1
44.	defensa nacional	1	80.	parabólico	1
45.	derecho de propiedad	1	81.	parte alícuota	1
46.	derecho de propiedad privada	1	82.	parte factorial	1
47.	distribución beta	1	83.	persona física	1
48.	distribución normal cero uno	1	84.	persona jurídica	1
49.	eje de ordenadas	1	85.	poder legítimo	1
50.	eje[1]	1	86.	postulado de Bayes	1
51.	empíricamente	1	87.	propiedad conmutativa	1
52.	en régimen de alquiler	1	88.	propiedad privada	1
53.	estadísticamente	1	89.	prorratear	1
54.	estocástico	1	90.	psicográfico	1
55.	función exponencial	1	91.	psicología	1
56.	geográficamente	1	92.	psicosociopolítico	1
57.	gubernamental	1	93.	redondeo	1
58.	hiperbólico	1	94.	relación funcional	1
59.	homeostasis	1	95.	restar[2]	1
60.	juego con punto de silla	1	96.	senado	1
61.	juego de azar	1	97.	sistema de ecuaciones normales	1
62.	juego de dos personas de suma nula	1	98.	sistema filosófico	1
			99.	sociólogo	1
63.	juego de estrategia mixta	1	100.	sociotécnicamente	1
64.	juego de estrategia pura	1	101.	sumatorio	1
65.	juego de suma no nula	1	102.	teorema	1
66.	legalmente	1	103.	teorema del suceso compuesto	1
67.	logarítmico	1	104.	teoría de juegos	1
68.	matemáticamente	1	105.	teoría de los juegos	1
69.	matricial[2]	1	106.	teoría de los juegos de estrategia	1
70.	mecanicista	1	107.	teóricamente	1
71.	medias móviles	1	108.	terminológico	1
72.	medios de comunicación de masas	1	109.	tipificación[2]	1
			110.	variabilidad explicada	1
73.	método de las medias móviles	1	111.	variabilidad no explicada	1
74.	multiplicación	1	112.	variable normal	1
75.	neperiano	1	113.	variable normal tipificada	1
76.	numeración	1	114.	variable tipificada	1
77.	operador	1	115.	vector	1
78.	opinión pública	1			

K.3. 1.395 UL generales no seleccionadas

1.	ulterior	5	11.	circulante	4	21.	visión	4
2.	principalmente	3	12.	manejo	3	22.	habilidad	3
3.	organizado	4	13.	sólido	5	23.	corrección	3
4.	normalizar	3	14.	clave	5	24.	anticipación	3
5.	envío	3	15.	tradicionalmente	3	25.	discrepancia	6
6.	normalización	3	16.	minimización	3	26.	argumento	3
7.	subjetivamente	3	17.	horizontalmente	3	27.	cuidadosamente	3
8.	condicionamiento	3	18.	sigla	3	28.	estudiante	3
9.	invierno	3	19.	paréntesis	3	29.	innovar	4
10.	ordenación	6	20.	ejercer	3	30.	coexistencia	4

31.	memorización	3	83.	dulce	3	135.	aconsejar	3
32.	farmacéutico	3	84.	insatisfecho	3	136.	perdedor	5
33.	antigüedad	3	85.	estructural	3	137.	ocurrencia	5
34.	motivacional	3	86.	oscilar	3	138.	ganador	5
35.	supervisar	3	87.	acontecer	3	139.	aprendizaje	3
36.	resistir	3	88.	simular	3	140.	necesariamente	2
37.	generalizar	3	89.	notación	3	141.	desgastar	2
38.	decreciente	3	90.	transitoriamente	3	142.	entretenimiento	2
39.	editar	3	91.	participante	4	143.	ostensiblemente	2
40.	semestral	3	92.	puramente	3	144.	suspender	3
41.	corchete	3	93.	sucesión	3	145.	hoja	2
42.	suscribir	3	94.	trasladar	4	146.	intento	2
43.	denotar	4	95.	deducible	5	147.	apariencia	2
44.	rutinario	3	96.	vencer	3	148.	mixto	2
45.	desacuerdo	3	97.	bolsa	3	149.	cuantitativo	3
46.	consulta	3	98.	proximidad	3	150.	realista	2
47.	autocontrolar	3	99.	terreno	4	151.	reparar	2
48.	traducción	3	100.	agrado	5	152.	consciente	3
49.	demandante	5	101.	satisfecho	3	153.	difícilmente	2
50.	ficticio	6	102.	dependiente	4	154.	tradicional	2
51.	congruencia	3	103.	tráfico	3	155.	polémica	2
52.	sencillez	3	104.	preparación	3	156.	discontinuo	2
53.	adelanto	4	105.	énfasis	3	157.	sofisticado	2
54.	encargo	3	106.	formulación	3	158.	descentralización	2
55.	contexto	3	107.	inexistencia	3	159.	sustitutivo	3
56.	ingente	3	108.	firme	4	160.	diversificar	3
57.	verano	3	109.	compensación	3	161.	permanencia	3
58.	aislado	3	110.	seguidor	3	162.	recompensa	2
59.	prácticamente	3	111.	mando	3	163.	oportuno	2
60.	imposibilidad	3	112.	desventaja	3	164.	insertar	2
61.	aparición	3	113.	sensible	5	165.	residual	3
62.	avería	5	114.	fracasar	3	166.	sintético	3
63.	soldadura	5	115.	conferir	3	167.	reciente	2
64.	individualizar	5	116.	japonés	3	168.	predictivo	2
65.	residuo	7	117.	radicar	3	169.	inspeccionar	2
66.	hallar	3	118.	afín	3	170.	reputación	2
67.	imperfecto	3	119.	notable	3	171.	tramo	2
68.	celeridad	3	120.	intermitente	4	172.	eliminación	2
69.	desfase	3	121.	automático	4	173.	semestralmente	4
70.	horizontal	3	122.	agotar	3	174.	rechazo	4
71.	ético	3	123.	detención	3	175.	trimestral	2
72.	indirecto	3	124.	estabilizar	3	176.	paliar	2
73.	audiencia	5	125.	acontecimiento	2	177.	papilla	2
74.	tornillo	3	126.	puente	2	178.	colaborar	2
75.	automatizar	3	127.	fidelidad	2	179.	bebé	2
76.	helado	3	128.	interdependiente	4	180.	catálogo	2
77.	potencia	3	129.	periódicamente	3	181.	estrictamente	3
78.	motivador	4	130.	sexo	7	182.	girar	2
79.	interacción	4	131.	gratuito	4	183.	continuidad	4
80.	índole	3	132.	mental	4	184.	mutuamente	2
81.	enumeración	3	133.	transferir	4	185.	sumo	2
82.	alejar	3	134.	acumular	4	186.	enteramente	2

187.	transacción	3	238.	inferir	2	290.	transformación	2
188.	racional	2	239.	prenda	2	291.	repetidamente	2
189.	puro	2	240.	predominar	2	292.	lentamente	2
190.	comprensible	2	241.	televisor	2	293.	agregar	2
191.	lámpara	7	242.	defectuoso	2	294.	cruzar	2
192.	excepción	2	243.	abogar	2	295.	subdivisión	2
193.	pertenencia	2	244.	interrupción	2	296.	insistir	2
194.	gráficamente	4	245.	procedencia	2	297.	atañer	2
195.	sensiblemente	2	246.	rodear	2	298.	paralización	2
196.	aparente	2	247.	itinerario	2	299.	continuamente	2
197.	ente	2	248.	conservador	2	300.	acatar	2
198.	transferencia	2	249.	acristalado	3	301.	encomendar	2
199.	saltar	2	250.	hangar	3	302.	búsqueda	2
200.	englobar	2	251.	cotidiano	3	303.	periodicidad	2
201.	masa	5	252.	interrumpir	3	304.	perjudicar	2
202.	retardo	2	253.	conservación	3	305.	cualificación	2
203.	conceptual	2	254.	avanzado	3	306.	lejano	2
204.	tardío	2	255.	desempeño	2	307.	creador	2
205.	comité	4	256.	instruir	2	308.	optar	2
206.	sección	4	257.	aspiración	2	309.	analizable	3
207.	rasgo	4	258.	meramente	2	310.	geométrico	3
208.	congruentemente	2	259.	escapar	2	311.	vídeo	2
209.	indefinidamente	2	260.	repetición	2	312.	atribuir	2
210.	disminución	3	261.	modernamente	2	313.	predisposición	2
211.	electrónico	2	262.	inercia	3	314.	vagón	2
212.	pertenecer	4	263.	especializar	3	315.	montaje	2
213.	sujeto	2	264.	inalcanzable	2	316.	vertiente	3
214.	razonamiento	2	265.	cuantioso	2	317.	evidencia	3
215.	transcendencia	2	266.	sentimiento	2	318.	muerto	3
216.	colegio	2	267.	discusión	2	319.	inmaterial	3
217.	dotar	2	268.	compatibilidad	2	320.	esquemático	3
218.	desafortunada-		269.	conferencia	2	321.	incorrecto	3
	mente	2	270.	racionalidad	2	322.	hospital	3
219.	meta	2	271.	complejidad	2	323.	par	2
220.	retribuir	2	272.	escuela	3	324.	vehículo	2
221.	reforzar	2	273.	sierra	2	325.	dependencia	2
222.	etiqueta	4	274.	equilibrar	2	326.	mañana	2
223.	cuestionario	3	275.	distante	2	327.	adaptable	2
224.	caja	3	276.	manipulación	2	328.	armonización	2
225.	distanciar	2	277.	adolecer	2	329.	imaginación	2
226.	experimental	3	278.	confirmar	2	330.	irrupción	2
227.	secuencial	2	279.	fundamentalmente	2	331.	permiso	2
228.	pena	2	280.	intensidad	2	332.	cuidadoso	2
229.	kilogramo	2	281.	riguroso	2	333.	indispensable	2
230.	desestabilizar	2	282.	explicativo	4	334.	encaminar	2
231.	cruz	4	283.	separadamente	2	335.	rol	2
232.	acaecer	4	284.	documentar	2	336.	eficientemente	2
233.	prudente	4	285.	secundario	3	337.	recurrir	2
234.	anteceder	2	286.	ubicar	3	338.	consiguiente	2
235.	convenio	2	287.	dicotómico	5	339.	detentar	3
236.	terminación	2	288.	completamente	2	340.	mente	2
237.	apropiado	2	289.	asociado	2	341.	imposición	2

342.	famoso	2	394.	supervisión	4	445.	cupón	2
343.	popularizar	2	395.	horario	4	446.	penúltimo	2
344.	correspondencia	2	396.	implicación	2	447.	equivalencia	2
345.	letra	2	397.	regresión	3	448.	tratadista	2
346.	recíproco	2	398.	correlación	3	449.	alemán	2
347.	moderado	2	399.	marginal	3	450.	vivo	2
348.	contemplar	2	400.	cooperante	2	451.	esquematizar	2
349.	ilimitadamente	2	401.	recomendar	2	452.	constancia	2
350.	divulgación	2	402.	exclusivamente	2	453.	regulación	2
351.	propiamente	2	403.	seno	2	454.	emergencia	4
352.	visualización	3	404.	fama	2	455.	visionado	2
353.	sobrante	3	405.	implantación	2	456.	finalización	2
354.	trazar	3	406.	oriental	2	457.	acelerar	2
355.	perteneciente	3	407.	desagregación	2	458.	nocturno	2
356.	aisladamente	2	408.	contrapuesto	2	459.	válido	2
357.	genérico	5	409.	anormal	2	460.	barrio	3
358.	explícito	3	410.	internacionalizar	4	461.	contrastación	3
359.	regir	3	411.	internacionaliza-		462.	entrevistador	3
360.	relegar	2		ción	4	463.	contingente	2
361.	visualmente	2	412.	piso	3	464.	papeleo	2
362.	aventurar	2	413.	mercadería	3	465.	perfumería	2
363.	ejecutivo	3	414.	cadencia	2	466.	vital	2
364.	jerárquico	3	415.	asistir	2	467.	concentración	2
365.	pirámide	3	416.	calentar	2	468.	claridad	2
366.	copia	3	417.	aparato	2	469.	abrumar	2
367.	arriesgado	2	418.	teja	2	470.	obedecer	2
368.	auténtico	2	419.	cesar	2	471.	rebelar	2
369.	otorgar	2	420.	próximamente	2	472.	delegación	2
370.	registro	5	421.	especificación	2	473.	mérito	2
371.	controlable	2	422.	avance	2	474.	represivo	2
372.	dominio	2	423.	perpetuo	2	475.	lentitud	2
373.	descomposición	2	424.	viaje	2	476.	asesorar	2
374.	velocidad	2	425.	persuasión	2	477.	involucrar	2
375.	temporada	2	426.	asistencia	2	478.	perfeccionar	2
376.	pronunciar	3	427.	logístico	2	479.	turístico	2
377.	dilucidar	2	428.	creíble	2	480.	rigidez	3
378.	instalar	3	429.	efectividad	2	481.	burbuja	2
379.	mermar	2	430.	folleto	2	482.	descender	2
380.	abierto	2	431.	concertar	2	483.	declive	2
381.	discutir	2	432.	tabaco	2	484.	desconocido	2
382.	potenciar	2	433.	concurso	2	485.	aceptante	2
383.	delegar	2	434.	modesto	2	486.	discriminación	2
384.	maduración	2	435.	sitio	2	487.	rango	2
385.	observable	2	436.	despedir	2	488.	armonizar	3
386.	camión	2	437.	oponer	2	489.	amenaza	3
387.	simétrico	3	438.	tonelada	2	490.	objetivista	2
388.	pesimismo	3	439.	descartar	2	491.	modelización	2
389.	emprendedor	2	440.	silla	3	492.	materialización	2
390.	impreso	4	441.	madera	3	493.	bolo	2
391.	raíz	2	442.	detectar	2	494.	binario	2
392.	personalidad	2	443.	suplementario	2	495.	optimismo	2
393.	garantía	2	444.	estacional	2	496.	discreto	2

497.	rueda	3	549.	ceder	2	601.	apreciar	1
498.	voluntad	2	550.	concebir	2	602.	cuidado	1
499.	intención	2	551.	contractual	2	603.	esposo	1
500.	correlacionar	2	552.	procesador	2	604.	marco	1
501.	predominante	2	553.	agencia	2	605.	vista	1
502.	predecir	2	554.	hotel	1	606.	sorpresa	1
503.	prioritario	2	555.	perro	1	607.	estación	1
504.	exigibilidad	2	556.	enseñar	1	608.	promover	1
505.	oro	2	557.	apartar	1	609.	impresión	1
506.	exclusión	2	558.	museo	1	610.	misión	1
507.	maniobra	2	559.	carretera	1	611.	destruir	1
508.	rotar	2	560.	marzo	1	612.	aclarar	1
509.	joya	2	561.	presión	1	613.	dañar	1
510.	librero	2	562.	órgano	1	614.	talar	1
511.	jerarquía	3	563.	norteamericano	1	615.	marcha	1
512.	estratificar	2	564.	sensación	1	616.	contemporáneo	1
513.	varón	2	565.	caballo	1	617.	únicamente	1
514.	significativamente	2	566.	religión	1	618.	gozar	1
515.	exigente	2	567.	componer	1	619.	tensión	1
516.	temor	2	568.	mecanismo	1	620.	desconocer	1
517.	supervisor	2	569.	secreto	1	621.	ausencia	1
518.	radical	2	570.	montar	1	622.	barco	1
519.	insatisfacción	2	571.	concretar	1	623.	novedad	1
520.	fotograma	2	572.	disfrutar	1	624.	regalar	1
521.	separación	2	573.	llamado	1	625.	intenso	1
522.	enriquecimiento	2	574.	presencia	1	626.	rural	1
523.	fatiga	2	575.	prensa	1	627.	capitán	1
524.	bloque	2	576.	oposición	1	628.	renunciar	1
525.	abstracción	2	577.	edición	1	629.	pantalla	1
526.	entrenar	2	578.	deportivo	1	630.	poderoso	1
527.	tradición	2	579.	urbano	1	631.	recuperación	1
528.	armonizador	2	580.	atacar	1	632.	telefónico	1
529.	alianza	2	581.	debido	1	633.	célula	1
530.	integrador	2	582.	debatir	1	634.	caballero	1
531.	cooperar	2	583.	asimismo	1	635.	dibujo	1
532.	rivalidad	2	584.	estatal	1	636.	abordar	1
533.	connotación	2	585.	esforzar	1	637.	vacaciones	1
534.	pauta	2	586.	universal	1	638.	traducir	1
535.	ritual	2	587.	comentario	1	639.	experimentable	1
536.	diente	2	588.	impulsar	1	640.	intensivamente	1
537.	traslación	2	589.	filosofía	1	641.	robotizar	1
538.	abaratar	2	590.	seguramente	1	642.	tendencial	1
539.	notificar	2	591.	vengar	1	643.	griego	1
540.	repentino	2	592.	enfermo	1	644.	típico	1
541.	uniforme	2	593.	probablemente	1	645.	nota	1
542.	eléctrico	2	594.	cercano	1	646.	toma	1
543.	restaurante	2	595.	ruido	1	647.	vaciar	1
544.	milla	2	596.	acostumbrado	1	648.	presuponer	1
545.	ubicación	2	597.	belleza	1	649.	peligro	1
546.	regional	2	598.	armado	1	650.	asistemático	1
547.	funcionalmente	2	599.	volar	1	651.	entrevistar	1
548.	provincial	2	600.	reclamar	1	652.	molestar	1

653. arquitecto	1	705. voluntario	1	757. espectacular	1
654. reaccionar	1	706. ilustrar	1	758. simplificador	1
655. zapato	1	707. mediato	1	759. visitador	1
656. dictar	1	708. residir	1	760. vocación	1
657. criticar	1	709. consenso	1	761. señal	1
658. solidaridad	1	710. detraer	1	762. señalización	1
659. quejar	1	711. billete	1	763. acorazado	1
660. exigencia	1	712. daño	1	764. homogeneizar	1
661. débil	1	713. aeropuerto	1	765. reconsideración	1
662. acampanado	1	714. presionar	1	766. ingrediente	1
663. valerosamente	1	715. soldado	1	767. defensor	1
664. inclinar	1	716. interesado	1	768. impulso	1
665. conquistar	1	717. rumbo	1	769. prevenir	1
666. emprender	1	718. cansar	1	770. diluir	1
667. avisar	1	719. convivencia	1	771. quincena	1
668. captador	1	720. bestseller	1	772. conexión	1
669. premisa	1	721. desinformar	1	773. hierro	1
670. propiciador	1	722. polietápico	1	774. cronómetro	1
671. talado	1	723. raza	1	775. determinista	1
672. cola	1	724. revestir	1	776. presumible	1
673. aéreo	1	725. mineral	1	777. reasignación	1
674. kilo	1	726. masivo	1	778. aislar	1
675. presidir	1	727. agilización	1	779. inexactitud	1
676. verdaderamente	1	728. clásicamente	1	780. reformulación	1
677. falseamiento	1	729. subobjetivo	1	781. urgencia	1
678. originar	1	730. suplantación	1	782. singular	1
679. seco	1	731. húmedo	1	783. ensayar	1
680. conectar	1	732. nieto	1	784. inevitable	1
681. punta	1	733. integrante	1	785. normativo	1
682. doméstico	1	734. incapaz	1	786. prioridad	1
683. solicitud	1	735. adaptativo	1	787. entrevista	1
684. inspirar	1	736. indeterminación	1	788. ordinario	1
685. sindical	1	737. peticionario	1	789. confusión	1
686. recientemente	1	738. secuencialmente	1	790. auto	1
687. reglar	1	739. tomavistas	1	791. medicamento	1
688. diccionario	1	740. contrastar	1	792. discrecional	1
689. subrayar	1	741. mito	1	793. tácitamente	1
690. pelear	1	742. hábito	1	794. ciertamente	1
691. coronel	1	743. vegetal	1	795. progreso	1
692. recto	1	744. colega	1	796. incorporación	1
693. nuevamente	1	745. fechar	1	797. propiciar	1
694. procedente	1	746. héroe	1	798. convicción	1
695. primavera	1	747. anotar	1	799. desaparición	1
696. aportante	1	748. representativo	1	800. concatenar	1
697. confusionismo	1	749. editor	1	801. desorbitar	1
698. limitativo	1	750. fotografía	1	802. municipio	1
699. nominalmente	1	751. intercambiar	1	803. absorber	1
700. perdurabilidad	1	752. antecedente	1	804. barrera	1
701. siderometalúrgico	1	753. rediseñar	1	805. configurar	1
702. síntoma	1	754. trámite	1	806. sacrificio	1
703. músculo	1	755. cultivo	1	807. frustrante	1
704. archivo	1	756. inicio	1	808. valiosísimo	1

809.	amable	1	861. ojeada	1	913. semanalmente	1
810.	harina	1	862. verter	1	914. sólidamente	1
811.	descontrolarse	1	863. convexo	1	915. perfección	1
812.	exógeno	1	864. incumbir	1	916. inesperado	1
813.	iniciativa	1	865. remanente	1	917. tesón	1
814.	inutilizar	1	866. rúbrica	1	918. densidad	1
815.	irrealizable	1	867. unilateralmente	1	919. manzana	1
816.	merma	1	868. acentuar	1	920. delegado	1
817.	dominante	1	869. asimetría	1	921. absorbente	1
818.	occidente	1	870. atrincherar	1	922. concéntrico	1
819.	decoración	1	871. comparativamente	1	923. dificultoso	1
820.	estricto	1	872. premura	1	924. imputable	1
821.	abstracto	1	873. administrar	1	925. averiguar	1
822.	comandante	1	874. fino	1	926. embutido	1
823.	minoría	1	875. verificar	1	927. heterogeneidad	1
824.	amoldar	1	876. conglomerado	1	928. inversamente	1
825.	aserto	1	877. conminar	1	929. manutención	1
826.	estandarizar	1	878. lastre	1	930. superposición	1
827.	desastre	1	879. unánimemente	1	931. inducir	1
828.	síntesis	1	880. suscitar	1	932. loable	1
829.	sano	1	881. fallo	1	933. predisponer	1
830.	receptor	1	882. mutuo	1	934. feria	1
831.	dieta	1	883. oculto	1	935. indicador	1
832.	mentir	1	884. dosis	1	936. conciso	1
833.	credibilidad	1	885. guía	1	937. honorífico	1
834.	sencillamente	1	886. inmóvil	1	938. interdependencia	1
835.	vigilancia	1	887. inspector	1	939. palidecer	1
836.	conceptualmente	1	888. acumulativo	1	940. ventilador	1
837.	cualitativamente	1	889. dilación	1	941. viajante	1
838.	estructuralmente	1	890. jerarquizar	1	942. casco	1
839.	crédulo	1	891. sustancioso	1	943. inclusive	1
840.	estacionario	1	892. zapatería	1	944. conscientemente	1
841.	reverendo	1	893. posicionar	1	945. imperfección	1
842.	telefónicamente	1	894. expedición	1	946. indivisible	1
843.	reiterativo	1	895. generoso	1	947. penalizar	1
844.	convencional	1	896. atracción	1	948. preconizar	1
845.	boga	1	897. abatimiento	1	949. apellido	1
846.	lego	1	898. enajenar	1	950. béisbol	1
847.	originariamente	1	899. balístico	1	951. dual	1
848.	descenso	1	900. erróneamente	1	952. formalización	1
849.	recomendación	1	901. extremado	1	953. lujo	1
850.	debilidad	1	902. notoriedad	1	954. rival	1
851.	constreñir	1	903. posicionamiento	1	955. ilustración	1
852.	correctivo	1	904. sagitario	1	956. volcar	1
853.	penalización	1	905. valorativo	1	957. adiestrar	1
854.	tolerable	1	906. fundador	1	958. imaginario	1
855.	verticalmente	1	907. negativa	1	959. libremente	1
856.	batir	1	908. globalmente	1	960. encajar	1
857.	reglamento	1	909. imbuir	1	961. repasar	1
858.	progresivo	1	910. operatividad	1	962. contradictorio	1
859.	seminario	1	911. infructuoso	1	963. evocar	1
860.	armonía	1	912. nicotina	1	964. contratiempo	1

965.	anular	1	1017.moderar	1	1069.protocolo	1
966.	combativo	1	1018.aplicado	1	1070.movilizar	1
967.	conflictividad	1	1019.mentalidad	1	1071.racionalización	1
968.	fluctuar	1	1020.sustentar	1	1072.racionalizar	1
969.	comparecer	1	1021.aditivo	1	1073.rezagar	1
970.	cobertura	1	1022.conservadurismo	1	1074.acabado	1
971.	farmacia	1	1023.detractor	1	1075.diseñador	1
972.	mensualmente	1	1024.disolución	1	1076.entusiasmo	1
973.	sargento	1	1025.tolerancia	1	1077.discernir	1
974.	aprensión	1	1026.sacrificar	1	1078.ineficaz	1
975.	bucle	1	1027.cautela	1	1079.panadería	1
976.	consultoría	1	1028.hacha	1	1080.doctrina	1
977.	desvincular	1	1029.inviable	1	1081.expositor	1
978.	identificador	1	1030.adentrar	1	1082.conserva	1
979.	inalterable	1	1031.inmutable	1	1083.esencialmente	1
980.	invalidar	1	1032.sujeción	1	1084.innumerable	1
981.	primordialmente	1	1033.caducidad	1	1085.predeterminar	1
982.	tedioso	1	1034.congestionamiento	1	1086.subyacer	1
983.	ansiedad	1	1035.desdoblar	1	1087.librería	1
984.	cosechar	1	1036.cuña	1	1088.puntualización	1
985.	ética	1	1037.incontrolado	1	1089.conversión	1
986.	noción	1	1038.irregularidad	1	1090.parcialmente	1
987.	cúspide	1	1039.rellenar	1	1091.correctamente	1
988.	obligatoriamente	1	1040.indicación	1	1092.atento	1
989.	manipular	1	1041.atómico	1	1093.aerolínea	1
990.	arriesgar	1	1042.cauce	1	1094.patrocinio	1
991.	virtual	1	1043.insostenible	1	1095.popularidad	1
992.	diurno	1	1044.materialmente	1	1096.ventajoso	1
993.	flexibilizar	1	1045.memorizar	1	1097.ceremonial	1
994.	sobrecargar	1	1046.sanear	1	1098.dogmático	1
995.	turrón	1	1047.cómodamente	1	1099.saturar	1
996.	indudablemente	1	1048.cualificado	1	1100.suscripción	1
997.	asiento	1	1049.desenvolvimiento	1	1101.descanso	1
998.	conquista	1	1050.quebrantar	1	1102.autoritarismo	1
999.	revitalizar	1	1051.asimilar	1	1103.coloquial	1
1000.televidente		1	1052.extinción	1	1104.relatividad	1
1001.anillo		1	1053.internamente	1	1105.rutina	1
1002.constatar		1	1054.reiteradamente	1	1106.satisfactorio	1
1003.iniciado		1	1055.frustrar	1	1107.estante	1
1004.corrector		1	1056.autopista	1	1108.representatividad	1
1005.prolijo		1	1057.coloquio	1	1109.analista	1
1006.presumir		1	1058.marítimo	1	1110.conllevar	1
1007.indistintamente		1	1059.falsificación	1	1111.exceder	1
1008.desglosar		1	1060.irrelevante	1	1112.asiduo	1
1009.severamente		1	1061.minuciosamente	1	1113.capataz	1
1010.ignorancia		1	1062.subalterno	1	1114.decrecer	1
1011.ambición		1	1063.visionario	1	1115.exigible	1
1012.formalismo		1	1064.arrepentirse	1	1116.imparcial	1
1013.fortuito		1	1065.demorar	1	1117.infalible	1
1014.mínimamente		1	1066.rayar	1	1118.peluquero	1
1015.sombrear		1	1067.contraproducente	1	1119.proyectil	1
1016.fachada		1	1068.consolidación	1	1120.transnacional	1

1121.compatible	1	1173.recopilación	1	1225.calificativo	1
1122.implícito	1	1174.terciario	1	1226.evocación	1
1123.persistir	1	1175.iluminación	1	1227.inmovilizar	1
1124.enunciado	1	1176.prejuicio	1	1228.reflexivo	1
1125.recreo	1	1177.súbito	1	1229.epígrafe	1
1126.aficionado	1	1178.urbe	1	1230.reposición	1
1127.ampliamente	1	1179.porción	1	1231.discriminar	1
1128.desorden	1	1180.acero	1	1232.radicalmente	1
1129.indicio	1	1181.aliado	1	1233.titularidad	1
1130.escisión	1	1182.exploración	1	1234.tipología	1
1131.ilustrativo	1	1183.lema	1	1235.unilateral	1
1132.perceptible	1	1184.destinatario	1	1236.desintegración	1
1133.prevalecer	1	1185.misil	1	1237.individualmente	1
1134.asiático	1	1186.recaer	1	1238.apreciación	1
1135.desconfianza	1	1187.desastroso	1	1239.transparente	1
1136.enlace	1	1188.impedimento	1	1240.colocación	1
1137.mediación	1	1189.inerte	1	1241.submarino	1
1138.arbitrariedad	1	1190.objetivamente	1	1242.agotamiento	1
1139.eslabón	1	1191.persistencia	1	1243.generador	1
1140.filmación	1	1192.requerimiento	1	1244.inevitablemente	1
1141.fundición	1	1193.estropear	1	1245.interferencia	1
1142.ininterrumpido	1	1194.frustración	1	1246.temporalmente	1
1143.olvido	1	1195.auspiciar	1	1247.defraudar	1
1144.despliegue	1	1196.pronunciación	1	1248.extraordinaria-	
1145.refinamiento	1	1197.inconscientemente	1	mente	
1146.reorganización	1	1198.nexo	1	1249.estatura	1
1147.retocar	1	1199.condena	1	1250.frigorífico	1
1148.sensor	1	1200.imprenta	1	1251.corrupto	1
1149.estudioso	1	1201.reportar	1	1252.notorio	1
1150.amortiguar	1	1202.deliberar	1	1253.alza	1
1151.coordinado	1	1203.descriptivo	1	1254.lácteo	1
1152.improbable	1	1204.desorientar	1	1255.popular	1
1153.innato	1	1205.imperar	1	1256.modular	1
1154.prescripción	1	1206.lúdico	1	1257.enunciar	1
1155.razonablemente	1	1207.momentáneo	1	1258.progresivamente	1
1156.científicamente	1	1208.caridad	1	1259.escaparate	1
1157.cooperativo	1	1209.novedoso	1	1260.deducción	1
1158.supuestamente	1	1210.mentiroso	1	1261.incumplir	1
1159.comúnmente	1	1211.rigurosamente	1	1262.bélico	1
1160.salvaguardar	1	1212.preventivo	1	1263.edificar	1
1161.duplicar	1	1213.camello	1	1264.incumplimiento	1
1162.indefinido	1	1214.regularmente	1	1265.recomendable	1
1163.aglutinar	1	1215.rótulo	1	1266.fiable	1
1164.autoritario	1	1216.bombero	1	1267.monótono	1
1165.inclinación	1	1217.implementar	1	1268.imitación	1
1166.rebasar	1	1218.contraposición	1	1269.excluyente	1
1167.coexistir	1	1219.vulnerar	1	1270.prudencia	1
1168.superfluo	1	1220.malestar	1	1271.reprogramable	1
1169.extinguir	1	1221.comodidad	1	1272.esqueleto	1
1170.fotográfico	1	1222.confección	1	1273.sincero	1
1171.metodología	1	1223.extremadamente	1	1274.valentía	1
1172.contingencia	1	1224.unificar	1	1275.vibración	1

1276.mercurio	1	1316.complemento	1	1356.carente	1
1277.designación	1	1317.distintivo	1	1357.unánime	1
1278.confrontación	1	1318.minucioso	1	1358.generalidad	1
1279.entrañar	1	1319.afinar	1	1359.transmisor	1
1280.pesquero	1	1320.desenvolver	1	1360.divisa	1
1281.talla	1	1321.liderar	1	1361.provisión	1
1282.inmerso	1	1322.vistazo	1	1362.superación	1
1283.aprovechamiento	1	1323.objeción	1	1363.verificación	1
1284.duradero	1	1324.peninsular	1	1364.vulnerable	1
1285.sinónimo	1	1325.burocracia	1	1365.acotar	1
1286.ambulancia	1	1326.interactivo	1	1366.corroborar	1
1287.inagotable	1	1327.positivamente	1	1367.disipar	1
1288.enfatizar	1	1328.accesible	1	1368.disjunto	1
1289.accidental	1	1329.honesto	1	1369.euforia	1
1290.cosmético	1	1330.reclamo	1	1370.enigma	1
1291.trasmitir	1	1331.ágil	1	1371.alojamiento	1
1292.abanico	1	1332.imperativo	1	1372.selecto	1
1293.parada	1	1333.inherente	1	1373.viabilidad	1
1294.arbitrario	1	1334.galleta	1	1374.perjudicial	1
1295.diamante	1	1335.infinitamente	1	1375.estimulante	1
1296.unanimidad	1	1336.status	1	1376.relevar	1
1297.afeitar	1	1337.marina	1	1377.papeleta	1
1298.notablemente	1	1338.conjugar	1	1378.paulatinamente	1
1299.burocrático	1	1339.ferroviario	1	1379.efímero	1
1300.declinar	1	1340.aclaración	1	1380.consistencia	1
1301.detección	1	1341.argumentación	1	1381.fluido	1
1302.bilateral	1	1342.infinidad	1	1382.asesoría	1
1303.formulario	1	1343.elevación	1	1383.consecuente	1
1304.instantáneo	1	1344.vencimiento	1	1384.sistemáticamente	1
1305.intensificar	1	1345.iniciación	1	1385.concentrado	1
1306.dispersar	1	1346.inadecuado	1	1386.irreversible	1
1307.arduo	1	1347.suplemento	1	1387.recompensar	1
1308.espuma	1	1348.barril	1	1388.aceituna	1
1309.súbitamente	1	1349.hostilidad	1	1389.contiguo	1
1310.cualitativo	1	1350.suavizar	1	1390.falsedad	1
1311.superado	1	1351.literalmente	1	1391.milímetro	1
1312.neoclásico	1	1352.superioridad	1	1392.anexo	1
1313.resentirse	1	1353.encuadrar	1	1393.rito	1
1314.simbolizar	1	1354.accesorio	1	1394.cronológico	1
1315.anchura	1	1355.artificio	1	1395.formalizar	1

K.4. 159 UL típicas de Cumbre no seleccionadas

1.	cortar	3	9.	médico	3	17.	entender	11
2.	subir	1	10.	acercar	2	18.	época	4
3.	pesar	10	11.	todavía	11	19.	programar	5
4.	ciudadano	1	12.	jefe	1	20.	salud	3
5.	poblar	1	13.	policía	1	21.	reconocer	4
6.	apoyar	3	14.	obra	6	22.	caro	7
7.	notar	1	15.	faltar	2	23.	especie	1
8.	seguridad	4	16.	viajar	1	24.	aprender	1

25.	televisión	3	70.	realidad	16	115.	acuerdo	11
26.	nación	1	71.	ciudad	25	116.	nombre	8
27.	ejército	1	72.	declarar	1	117.	asociación	3
28.	intentar	7	73.	aprobar	1	118.	opinión	8
29.	blanco	7	74.	plaza	3	119.	aparecer	17
30.	fuera	3	75.	olvidar	6	120.	moderno	4
31.	firmar	1	76.	proponer	5	121.	tema	10
32.	familiar	1	77.	región	5	122.	abandonar	4
33.	quizá	7	78.	dicho	9	123.	aumentar	44
34.	pronto	4	79.	avanzar	2	124.	cuadro	3
35.	inglés	1	80.	descubrir	4	125.	libro	13
36.	profesor	3	81.	salvar	2	126.	peso	3
37.	menos	50	82.	música	2	127.	sólo	91
38.	institución	3	83.	color	8	128.	reunir	4
39.	oficial	2	84.	fecha	4	129.	afirmar	7
40.	asunto	1	85.	cama	2	130.	crear	53
41.	jugar	2	86.	animal	5	131.	tampoco	12
42.	página	1	87.	defender	2	132.	energía	5
43.	natural	4	88.	servir	14	133.	preparar	6
44.	siquiera	1	89.	difícil	9	134.	presentar	35
45.	unión	2	90.	espacio	3	135.	recibir	24
46.	quedar	55	91.	idear	2	136.	visitar	5
47.	ciencia	4	92.	precisamente	4	137.	programa	11
48.	maestro	1	93.	fácil	3	138.	defensa	6
49.	congreso	1	94.	verdadero	4	139.	cámara	4
50.	ayudar	7	95.	mostrar	10	140.	desaparecer	5
51.	mover	3	96.	alto	25	141.	campo	7
52.	texto	5	97.	publicar	4	142.	enorme	4
53.	acto	3	98.	noviembre	2	143.	peor	4
54.	preguntar	25	99.	reunión	3	144.	juicio	4
55.	organismo	1	100.	antiguo	8	145.	minuto	10
56.	lejos	1	101.	coger	3	146.	rápido	4
57.	ocurrir	11	102.	materia	6	147.	universitario	1
58.	moral	1	103.	fenómeno	2	148.	diciembre	1
59.	histórico	3	104.	entregar	3	149.	literatura	1
60.	suerte	1	105.	general	52	150.	interesante	1
61.	negar	1	106.	mandar	3	151.	definitivo	1
62.	papel	10	107.	contrario	6	152.	tratamiento	1
63.	romper	1	108.	contestar	3	153.	privado	1
64.	separar	2	109.	anunciar	4	154.	espíritu	1
65.	radio	1	110.	especial	11	155.	clasificable	1
66.	central	4	111.	sector	13	156.	conservar	1
67.	sur	1	112.	edificio	3	157.	escrito	1
68.	octubre	2	113.	periódico	3	158.	autónomo	1
69.	clase	10	114.	oportunidad	3	159.	simplificar	14

K.5. 18 UL ausentes en Cumbre no seleccionadas

1.	subapartado	15	8.	ruta	2
2.	incógnita	5	9.	batidora	3
3.	complementariamente	3	10.	individualizadamente	1
4.	motivado	3	11.	calculadora	1
5.	directiva	2	12.	equivalentemente	1
6.	jugada	4	13.	certitud	1
7.	coloquialmente	2	14.	falso	1

15.	alejado	1	17.	subepígrafe	1
16.	baja	1	18.	aleatoriamente	1

K.6. 139 UL polisémicas/homónimas no seleccionadas

1.	importar^2	18
2.	decisión^2	18
3.	experto^1	7
4.	poder^1	11
5.	constante^1	9
6.	práctico	8
7.	contenido	10
8.	exterior^1	9
9.	participación^1	8
10.	encargar^2	7
11.	fuente^2	17
12.	directivo^1	11
13.	material^2	9
14.	mínimo^1	10
15.	seguro^2	7
16.	equipo^2	9
17.	interior^1	8
18.	resolución^2	6
19.	extremo^1	7
20.	línea^2	8
21.	prestar^2	6
22.	ganar^2	15
23.	subordinado	18
24.	importar^3	5
25.	volver^1	4
26.	principio^2	4
27.	disposición^2	5
28.	problemática	5
29.	izquierda	5
30.	corriente^1	4
31.	partida^2	6
32.	cuenta^2	4
33.	extremo^2	4
34.	local^2	5
35.	restar^1	3
36.	aportación^2	4
37.	regular^2	4
38.	recogida^2	6
39.	ejercicio^3	4
40.	retirada	4
41.	derivado	3
42.	político	3
43.	disyuntiva	3
44.	táctica	3
45.	táctico	3
46.	compromiso^2	3
47.	competencia^3	3

48.	objetivo^2	4
49.	obligación^2	3
50.	encargar^3	4
51.	compromiso^1	3
52.	exterior^2	3
53.	medio^4	3
54.	paralelo	5
55.	inferior^2	3
56.	pendiente	3
57.	colectivo^2	3
58.	distribución^4	4
59.	partida^3	4
60.	interior^2	2
61.	potencial^1	4
62.	medio^3	5
63.	condicionante	2
64.	llevar^1	2
65.	retirar^2	2
66.	emisión^2	4
67.	contratación^1	3
68.	característico	2
69.	local^1	4
70.	estado^1	4
71.	ejercicio^2	2
72.	regular^1	3
73.	paralela	2
74.	precedente^1	2
75.	competencia^2	2
76.	particular^1	3
77.	consignar^1	2
78.	precedente^2	3
79.	cargar^2	4
80.	izquierdo	2
81.	amplitud^2	2
82.	muestra^1	2
83.	vía^1	2
84.	tarde	2
85.	experto^2	2
86.	bebida	3
87.	ganancia^2	2
88.	palanca^2	2
89.	balance^2	2
90.	carga^2	2
91.	colaborador^1	2
92.	liderazgo^2	2
93.	paciente^1	2
94.	artículo^2	2

95.	divergencia^2	2
96.	árbol^1	1
97.	base^3	1
98.	bombo	1
99.	carga$_4$	1
100.	carga^3	1
101.	castaña	1
102.	colaborador^2	1
103.	colectivo^1	1
104.	compromiso^3	1
105.	compuesto	1
106.	consignar^2	1
107.	corriente^2	1
108.	derecho^2	1
109.	dirección^3	1
110.	eje^2	1
111.	encargar^1	1
112.	extender^2	1
113.	extranjero^1	1
114.	extranjero^2	1
115.	firma^2	1
116.	flujo^2	1
117.	frontera	1
118.	intersección^2	1
119.	invertir^2	1
120.	líquido^2	1
121.	longitud^2	1
122.	marcar^2	1
123.	paciente^2	1
124.	plano	1
125.	planta^2	1
126.	preciso^2	1
127.	recogida^1	1
128.	reponer^1	1
129.	reponer^2	1
130.	resolución^3	1
131.	retirar^1	1
132.	revista	1
133.	señora	1
134.	sesgo	1
135.	significado	1
136.	técnico^1	1
137.	tentativa	1
138.	útil^1	1
139.	valor^1	1

K.7. 88 UL compuestas no seleccionadas

1.	más o menos	4
2.	puesta en marcha	5
3.	más bien	3
4.	otro tanto	5
5.	ni siquiera	3
6.	al principio	3
7.	estar de acuerdo	3
8.	sin duda	3
9.	a la izquierda	3
10.	a menudo	3
11.	caja negra	4
12.	formar parte	3
13.	fe momento	3
14.	en total	3
15.	al azar	3
16.	por otro lado	2
17.	por un lado	2
18.	de hecho	2
19.	nave industrial	2
20.	hacer frente	2
21.	así pues	2
22.	en particular	2
23.	en absoluto	2
24.	al comienzo	2
25.	sistema cultural	5
26.	llevar a efecto	3
27.	poner en marcha	2
28.	a la derecha	2
29.	ahora bien	2
30.	hacer hincapié en	2
31.	más aún	2
32.	a su cargo	2
33.	tomar en consideración	2
34.	en parte	2
35.	ad infinitum	1
36.	a la inversa	1
37.	a la vez	1
38.	al cien por cien	1
39.	a tiempo parcial	1
40.	a veces	1
41.	avión de carga	1
42.	calculadora de bolsillo	1
43.	ciclo de conferencias	1
44.	comité de encuesta	1

45.	como mucho	1
46.	corredor de plaza	1
47.	correr el riesgo	1
48.	de antemano	1
49.	del todo	1
50.	desde luego	1
51.	en cierto modo	1
52.	en común	1
53.	en esencia	1
54.	en exceso	1
55.	en puridad	1
56.	en rigor	1
57.	en teoría	1
58.	establecimiento farmacéutico	1
59.	estado civil	1
60.	hacer acopio de	1
61.	hacerse cargo de	1
62.	ideas fuerza	1
63.	líneas aéreas	1
64.	llevar a la práctica	1
65.	lugar de residencia	1
66.	máquina de afeitar	1
67.	medio de transporte	1
68.	misión espacial	1
69.	ni aun	1
70.	ni más ni menos	1
71.	ordenador de sobremesa	1
72.	parte integrante	1
73.	poco a poco	1
74.	poner a la venta	1
75.	poner en acción	1
76.	poner en juego	1
77.	por escrito	1
78.	por lo demás	1
79.	por una parte	1
80.	puesto callejero	1
81.	punto de partida	1
82.	sentar las bases de	1
83.	sentido común	1
84.	servicio civil	1
85.	sobre todo	1
86.	una a una	1
87.	uno a otro	1
88.	vice versa	1

K.8. 2 UL abreviadas y plurales no seleccionadas

1.	correos	1
2.	correo	1

Anexo D bis: El léxico técnico y subtécnico según la aproximación didáctica

D.1. bis: El léxico técnico según la aproximación didáctica por orden alfabético (765 UL)

1.	abaratar	2
2.	abastecer	1
3.	abastecimiento	3
4.	accionariado	1
5.	accionista	38
6.	a crédito	2
7.	acreedor	9
8.	agrario	2
9.	agrícola	2
10.	agricultor	1
11.	agropecuario	1
12.	ahorrar	6
13.	ahorro[1]	5
14.	ahorro[2]	3
15.	alimentación	3
16.	almacén	74
17.	almacenable	2
18.	almacenamiento	18
19.	almacenar	22
20.	almacenista	2
21.	alquiler	3
22.	amortización[1]	15
23.	amortización[2]	5
24.	amortizar[1]	11
25.	amortizar[2]	4
26.	análisis coste volumen beneficio	2
27.	asegurado	1
28.	asegurador	1
29.	astillero	2
30.	a tiempo parcial	1
31.	auditoría interna	1
32.	autocrático	7
33.	autodirigir	1
34.	autofinanciación	10
35.	autofinanciarse	1
36.	autogestión	3
37.	automatización	2
38.	automatizar	3
39.	automóvil	17
40.	autopista	1
41.	autorregularse	1
42.	autoservicio	1
43.	avión de carga	1

44.	badwill	4
45.	bancario	2
46.	barato	6
47.	base temporal homogénea	1
48.	base temporal homogénea finita	3
49.	beneficio	185
50.	beneficio de explotación	3
51.	beneficio económico	27
52.	beneficio financiero	4
53.	beneficioso	1
54.	bien	70
55.	bien de consumo duradero	2
56.	bien de consumo inmediato	1
57.	bien de equipo	12
58.	bienes Giffen	1
59.	bienes manufacturados	2
60.	bienestar	2
61.	bien final	5
62.	bien inicial	1
63.	bit	3
64.	bursátil	4
65.	CAD	4
66.	calidad	77
67.	calidad de vida	1
68.	CAM	4
69.	campaña de publicidad	1
70.	campaña publicitaria	1
71.	capacidad de producción	17
72.	capacidad productiva	3
73.	capataz	1
74.	capital ajeno	1
75.	capitalismo	1
76.	capital propio	19
77.	carbón	1
78.	centro comercial	3
79.	ciclo de amortizaciones	1
80.	ciclo de depreciación	1
81.	ciclo de explotación	7
82.	ciencias de la gestión	1
83.	ciudad experimento	1
84.	ciudad testigo	2
85.	cliente	214
86.	clientela	2

87.	cobrar	25
88.	cobro	28
89.	coeficiente beneficio	1
90.	coeficiente de costes	2
91.	coeficiente de endeudamiento	3
92.	coeficiente de leverage	1
93.	combustible	1
94.	comercial	29
95.	comercialización	3
96.	comercializar	2
97.	comerciante	1
98.	comercio	3
99.	comercio exterior	1
100.	comisionista	1
101.	comparación de costes	1
102.	competencia	52
103.	competitividad	1
104.	compra	48
105.	comprador	15
106.	comprar	36
107.	compra-venta	3
108.	computer aided design	1
109.	computer aided manufacturing	1
110.	consumidor	160
111.	consumir	27
112.	consumo	32
113.	contabilidad	1
114.	contractual	2
115.	contratación	3
116.	contratar	10
117.	contrato	11
118.	contrato de compra	1
119.	cooperativa	1
120.	costar	7
121.	coste	330
122.	coste de almacenamiento	3
123.	coste de distribución	6
124.	coste de inventarios	1
125.	coste de la autofinanciación	5
126.	coste de la financiación	9
127.	coste de la mano de obra	3
128.	coste de la materia prima	4
129.	coste de la producción	2
130.	coste del capital	11
131.	coste del inventario	3
132.	coste de mantenimiento	4
133.	coste de producción	7
134.	coste de transporte	3
135.	coste directo	7
136.	coste financiero	7

137.	coste indirecto	3
138.	coste real	8
139.	costes de transacción	6
140.	costes estándares	2
141.	coste social	1
142.	coste variable	27
143.	coste variable unitario	34
144.	costoso	6
145.	coyuntura económica	3
146.	coyuntural	1
147.	C. P. M.	10
148.	crecimiento económico	2
149.	crecimiento financiero	1
150.	crecimiento patrimonial	1
151.	crédito bancario	7
152.	crédito comercial	4
153.	crédito hipotecario	2
154.	cuenta	1
155.	cuota de mercado	9
156.	curva de demanda	7
157.	decisión de capacidad de producción	1
158.	decisión de producción	2
159.	decisión de producir o comprar	1
160.	decisión empresarial	2
161.	decisión estratégica	8
162.	decisión financiera	5
163.	decisión táctica	4
164.	depreciación	4
165.	desabastecer	1
166.	desabastecimiento	1
167.	desarrollo del producto	3
168.	descuento	18
169.	descuento por pronto pago	1
170.	desembolsar	3
171.	desembolso	1
172.	desempleo	2
173.	despedir	2
174.	despido	1
175.	destajo	5
176.	desviación económica	3
177.	desviación en cantidades	10
178.	desviación en costes	2
179.	desviación en cuotas	3
180.	desviación en precios	6
181.	desviación técnica	3
182.	desviación total	18
183.	detallista	10
184.	detentar	3
185.	determinación de precios	3
186.	deuda	75

187.	deudor	2
188.	dinero	12
189.	dinero en caja	1
190.	dirección de empresas	6
191.	dirección de finanzas	1
192.	dirección de la empresa	2
193.	dirección de la producción	7
194.	dirección de marketing	7
195.	dirección de producción	2
196.	dirección de supervisión	1
197.	dirección estratégica	4
198.	directivo[1]	11
199.	directivo[2]	46
200.	directivo intermedio	1
201.	director comercial	2
202.	director de distribución	1
203.	director de fábrica	1
204.	director de investigación	1
205.	director de marketing	1
206.	director de producción	3
207.	director financiero	3
208.	director general	1
209.	disminución de precios	1
210.	distribución de la renta	1
211.	distribución física	2
212.	diversificación de productos y mercados	1
213.	dividendo	66
214.	dividendo extraordinario	1
215.	dólar	1
216.	econométrico	2
217.	economía[1]	7
218.	economía[2]	3
219.	economía[3]	2
220.	economía de la empresa	7
221.	economía de mercado	1
222.	económicamente	5
223.	economicidad	3
224.	económico	60
225.	economista	2
226.	economizar	1
227.	ejes centrales del trabajo	1
228.	embalaje	2
229.	empleado	28
230.	empresa	821
231.	empresa consultora	2
232.	empresa cooperativa	2
233.	empresa líder	1
234.	empresa local	2
235.	empresa multinacional	1
236.	empresa privada	4
237.	empresa pública	1

238.	empresariado	1
239.	empresarial	38
240.	empresario	10
241.	empresa seguidora	1
242.	empréstito	16
243.	encargar[1]	1
244.	encargo	3
245.	endeudamiento	34
246.	endeudar	13
247.	energía	5
248.	enfoque del enriquecimiento del puesto de trabajo	2
249.	en masa	1
250.	en régimen de alquiler	1
251.	enriquecer	7
252.	enriquecimiento	2
253.	enriquecimiento del trabajo	2
254.	ensamblaje	9
255.	ensamblar	4
256.	en serie	5
257.	en staff	1
258.	en términos de capacidad adquisitiva	1
259.	entidad financiera	1
260.	entidad no lucrativa	1
261.	entidad pública	1
262.	envasado	2
263.	envasar	1
264.	envase	21
265.	escaparate	1
266.	establecimiento farmacéutico	1
267.	estado de inventario	4
268.	estatal	1
269.	estrategia de desarrollo	1
270.	estrategia de precios	4
271.	estrategia empresarial	2
272.	estructura económica	11
273.	estructura económico financiera	6
274.	estructura financiera	14
275.	estructura organizativa	8
276.	estudio del trabajo	2
277.	estudio de mercado	2
278.	estudio de tiempos	7
279.	etiqueta informativa	2
280.	euro	2
281.	experimentación comercial	5
282.	explotación	4
283.	fábrica	10
284.	fabricación	32

380.	marketing	52
381.	marketingmix	11
382.	marketingmix de promoción	1
383.	materia	6
384.	material[1]	38
385.	material[2]	9
386.	materialización	2
387.	materializar	4
388.	materialmente	1
389.	maximin	3
390.	mayorista	14
391.	mayorista de servicio completo	1
392.	mecanismo	1
393.	mecanización	1
394.	mecanizar	5
395.	medio de transporte	1
396.	mensaje publicitario	7
397.	mercadería	3
398.	mercado[1]	191
399.	mercado[2]	14
400.	mercado actual	1
401.	mercado de consumidores	1
402.	mercado de consumo	2
403.	mercado de mayoristas	1
404.	mercado de minoristas	1
405.	mercado de productos	1
406.	mercado de productos primarios	1
407.	mercado de prueba	1
408.	mercado financiero	3
409.	mercado futuro	1
410.	mercado industrial	1
411.	mercado objetivo	2
412.	mercado pasado	1
413.	mercado potencial	1
414.	mercado presente	1
415.	mercado prueba	1
416.	mercadotécnica	1
417.	mercadotécnico	33
418.	mercado testigo	1
419.	mercancía	5
420.	mercantil	2
421.	merchandising	5
422.	método de trabajo	7
423.	mina	2
424.	mineral	1
425.	minero	2
426.	minimax	3
427.	minorista	8
428.	minusvalía	2

429.	monopolio	3
430.	monopolio bilateral	1
431.	monopolista	1
432.	monopolístico	1
433.	monopsonio	1
434.	monopsonio limitado	1
435.	montante	5
436.	multinacional	2
437.	negocio	10
438.	neto patrimonial	1
439.	nit	1
440.	nivel de renta	18
441.	Nobel de economía	1
442.	nutrición	2
443.	objetivo de ventas	2
444.	obligacionista	4
445.	obrero	2
446.	oligopolio	3
447.	oligopsonio	1
448.	operario	11
449.	organización empresarial	4
450.	orientación a la competencia	1
451.	orientación a la producción	1
452.	orientación a las ventas	1
453.	orientación al consumidor	1
454.	orientación a los consumidores	1
455.	pagadero	1
456.	pagar	89
457.	pagaré	3
458.	pago	51
459.	país desarrollado	1
460.	para almacén	3
461.	para el mercado	2
462.	patrimonial	3
463.	patrimonio neto	1
464.	patrocinio	1
465.	payback	4
466.	payback con descuento	2
467.	pedido	62
468.	pérdidas de capital	2
469.	PERT	19
470.	PERT tiempo	2
471.	peseta	3
472.	pesquero	1
473.	petróleo	1
474.	plan de marketing	1
475.	plantilla	6
476.	plazo de amortización	3
477.	plazo de entrega	4
478.	pleno empleo	1

479.	plusvalía	4
480.	población objetivo	5
481.	poder coercitivo	2
482.	poder de compensación económica	1
483.	poder no coercitivo	3
484.	política de precio	2
485.	política de precios	6
486.	política de producto	1
487.	política de productos	1
488.	política de promoción	1
489.	política de promoción y publicidad	1
490.	poner a la venta	1
491.	por encargo	2
492.	por lotes	5
493.	por órdenes	2
494.	por órdenes de fabricación	2
495.	por pronto pago	1
496.	poscompra	1
497.	postventa	1
498.	posventa	1
499.	precio	228
500.	precio de adquisición	3
501.	precio de coste	3
502.	precio de lista	1
503.	precio de venta	16
504.	precio estándar	2
505.	precio flexible	3
506.	precio máximo	1
507.	precio mínimo	4
508.	precio promocional	3
509.	precio psicológico	3
510.	precio técnico	4
511.	precio unitario	10
512.	prestación de servicios	1
513.	préstamo	33
514.	presupuestar	7
515.	presupuestario	4
516.	presupuesto	28
517.	presupuesto de caja	1
518.	presupuesto de ingresos y gastos	1
519.	presupuesto de tesorería	3
520.	presupuesto mercadotécnico	7
521.	prima de productividad	1
522.	prima de reembolso	2
523.	prima de riesgo	10
524.	prima por riesgo	1
525.	primera materia	6
526.	proceso de producción	26

527.	proceso productivo	2
528.	producción	143
529.	producción de energía	1
530.	producción en masa	2
531.	producción en serie	1
532.	producción individualizada	1
533.	producción intermitente	1
534.	producción múltiple	3
535.	producción para almacén	3
536.	producción para el mercado	3
537.	producción por encargo	3
538.	producción por órdenes	1
539.	producción por órdenes de fabricación	1
540.	producción simple	1
541.	productividad	30
542.	productividad global	4
543.	productivo[1]	10
544.	productivo[2]	1
545.	producto[1]	491
546.	producto acabado	4
547.	producto agrícola	1
548.	producto ampliado	1
549.	producto de alimentación	2
550.	producto de artesanía	1
551.	producto diferenciado	1
552.	producto elaborado	1
553.	producto en curso	1
554.	producto en curso de elaboración	2
555.	producto en curso de fabricación	4
556.	producto farmacéutico	1
557.	producto financiero	1
558.	producto genérico	1
559.	producto primario	1
560.	producto químico	1
561.	productor[1]	13
562.	productor[2]	1
563.	producto semielaborado	8
564.	producto semiterminado	6
565.	producto tangible	1
566.	producto terminado	38
567.	promoción[1]	47
568.	promoción[2]	6
569.	promocional	7
570.	promocionar	4
571.	promoción de ventas	15
572.	promotor de ventas	1
573.	propiedad	12
574.	propietario	25
575.	proveedor	39

576. prueba de mercado	1
577. Ppts.	1
578. publicidad	48
579. publicidad difusiva	1
580. publicidad mixta	1
581. publicidad persuasiva	1
582. publicitario	16
583. puesto de trabajo	13
584. PYME	2
585. ratio	20
586. ratio de actividad	1
587. ratio de endeudamiento	4
588. ratio de solvencia	1
589. ratio de tesorería	3
590. reaprovisionamiento	3
591. reaprovisionar	1
592. rebaja	1
593. reclamo	1
594. recursos económicos	1
595. recursos financieros externos	1
596. recursos financieros propios	2
597. reembolsar	1
598. reembolso	6
599. referencia geográfica	3
600. reinvertir	2
601. rendimiento	15
602. rendimiento unitario	1
603. renta	26
604. renta annual equivalente	2
605. rentabilidad	173
606. rentabilidad económica	33
607. rentabilidad en términos de capacidad adquisitiva esperada	1
608. rentabilidad en términos reales	1
609. rentabilidad esperada	21
610. rentabilidad esperada requerida	4
611. rentabilidad financiera	47
612. rentabilidad media	1
613. rentabilidad operativa	7
614. rentabilidad real	17
615. rentabilidad requerida	43
616. rentable	10
617. renta nacional	2
618. rentar	9
619. representante mercantil	1
620. resolución de problemas	6
621. retribuir	2

622. revolución industrial	1
623. riesgo financiero	4
624. robot	1
625. robotizar	1
626. rural	1
627. S. A.	86
628. salario	9
629. salario mínimo	1
630. saldo	11
631. segmentación de mercados	7
632. semielaborado	1
633. semimayorista	2
634. siderometalúrgico	1
635. simograma	2
636. simultaneous motion	1
637. sindical	1
638. sindicato	3
639. sindicato bancario	2
640. sinergia	4
641. sistema de cuotas constantes	4
642. sistema de economía centralizada	1
643. sistema de economía de mercado	3
644. sistema de empresa privada	2
645. sistema de intervalo fijo de pedido	1
646. sistema de inventario continuo	1
647. sistema de inventario justo a tiempo	1
648. sistema de inventarios	4
649. sistema de libre empresa	1
650. sistema de libre mercado	2
651. sistema de período constante	2
652. sistema de precios	3
653. sistema de revisión periódica	1
654. sistema de volumen de pedido constante	1
655. sistema de volumen económico de pedido	1
656. sistema económico	3
657. sistema empresarial	4
658. sistema OPR	3
659. sistema periódico	1
660. skills	1
661. socio	11
662. soft	2
663. solvente	1

664.	sondeo	6
665.	staff	10
666.	stock	7
667.	stock en curso de fabricación	1
668.	strategy	1
669.	structure	1
670.	style	1
671.	subcontratación	3
672.	subcontratista	2
673.	subcontrato	2
674.	subida de precios	2
675.	subvencionar	2
676.	sueldo	1
677.	suministro	3
678.	superbeneficio	3
679.	supermercado	2
680.	super ordinate goals	1
681.	superrendimiento	4
682.	tabla de control de costes	2
683.	taller	16
684.	tasa	40
685.	tasa de productividad global	2
686.	tasa de rendimiento contable	3
687.	tasa de rentabilidad	3
688.	tasa de rentabilidad interna	3
689.	tasa de valor actual	5
690.	tasa interna de rendimiento	3
691.	tasa interna de rentabilidad	2
692.	tayloriano	1
693.	técnico de venta	1
694.	tecnocrático	2
695.	tecnología	27
696.	teoría de contenidos o causas	1
697.	teoría de la motivación	1
698.	teoría de los procesos	1
699.	teoría motivacional	1
700.	tesorería	9
701.	test de reconocimiento	1
702.	test de recuerdo	2
703.	tiempo de trabajo	6
704.	tiempo early	17
705.	tiempo estándar	5
706.	tiempo last	14
707.	tiempo normal	5
708.	tiempo normalizado	5
709.	tiempo observado	3
710.	tiempo predeterminado	2
711.	tiempo suplementario	2

712.	TIR	26
713.	tomador externo de pedidos	1
714.	tomador interno de pedidos	1
715.	trabajador	92
716.	trabajador de temporada	2
717.	trabajo	117
718.	trabajo a comisión	2
719.	transporte	15
720.	transportista	2
721.	tributo	2
722.	u. m.	375
723.	unidad departamental	1
724.	unidad monetaria	36
725.	unidad operativa	1
726.	unidad organizativa	4
727.	valer	159
728.	valiosísimo	1
729.	valoración	12
730.	valoración en funcionamiento	2
731.	valoración en liquidación	3
732.	valor actual	27
733.	valor actual neto	66
734.	valorar	25
735.	valorativo	1
736.	valor del almacén	1
737.	valor de mercado	6
738.	valor de rendimiento	11
739.	valor de reposición	5
740.	valor económico	1
741.	valor en funcionamiento	2
742.	valor en liquidación	1
743.	valor esperado de la información	4
744.	Valor global	18
745.	valor residual	4
746.	VAN	54
747.	variación accidental	1
748.	variación cíclica	2
749.	variación estacional	1
750.	vendedor	133
751.	vendedor a domicilio	1
752.	vendedor de plantilla	1
753.	vender	73
754.	venta	285
755.	venta a crédito	2
756.	ventaja comparativa	1
757.	ventaja competitiva	2
758.	ventaja en costes	2
759.	venta personal	13
760.	vicepresidente	4
761.	volumen de compras	3

762. volumen de negocio	1	
763. volumen de producción	8	
764. volumen de ventas	24	

765. volumen económico de pedido	1	

D.2. bis: Léxico subtécnico según el criterio didáctico, acepción *a*, por orden alfabético (680 UL)

1.	abonar	22
2.	abono	2
3.	absorbente	1
4.	absorber	1
5.	absorción	1
6.	acción[1]	96
7.	acción liberada	1
8.	actividad productiva	3
9.	activo	99
10.	activo circulante	26
11.	activo fijo	24
12.	administración de empresas	2
13.	administración de negocios	1
14.	administración pública	1
15.	adquirente	7
16.	adquirir	48
17.	adquisición	31
18.	afijación	2
19.	afijación óptima	4
20.	afijación óptima con costes variables	3
21.	afijación por igual	2
22.	afijación proporcional	3
23.	agente	15
24.	agente comercial	1
25.	agente económico	1
26.	agente social	3
27.	agrupación dicotómica	2
28.	agrupación matricial	1
29.	ajuste	1
30.	al contado	15
31.	al detalle	1
32.	al por mayor	1
33.	al por menor	1
34.	alta dirección	8
35.	alta segmentación	1
36.	alto directivo	2
37.	amortización acelerada	1
38.	amortización constante	2
39.	amplitud[1]	2
40.	análisis de la varianza	4
41.	análisis de viabilidad	1
42.	apalancamiento	10

43.	apalancamiento combinado	2
44.	apalancamiento financiero	8
45.	apalancamiento operativo	14
46.	apalancamiento total	3
47.	apalancar	1
48.	a plazo	3
49.	aportación[1]	9
50.	árbol[2]	4
51.	árbol de decisión	6
52.	arista	4
53.	arqueo de caja	1
54.	artículo[1]	10
55.	asesor	3
56.	asesoramiento	7
57.	asesorar	2
58.	asesoría	1
59.	asignación	19
60.	asignación de recursos	1
61.	atributo de posicionamiento	2
62.	audiencia neta	6
63.	balance[1]	20
64.	banco	23
65.	base[1]	2
66.	base amortizable	2
67.	beneficio bruto	4
68.	beneficio líquido	4
69.	beneficio neto	32
70.	beneficio operativo	26
71.	bienes de capital	1
72.	bienes Giffen	1
73.	blando	6
74.	bruto	4
75.	cambio[1]	1
76.	camino crítico	8
77.	canal de distribución	14
78.	capacidad adquisitiva	3
79.	capacidad de discriminación	1
80.	capacidad discriminante	6
81.	capacidad punta	1
82.	capacidad sostenida	2
83.	capital[1]	34
84.	capital[2]	3

85.	capital de trabajo	1
86.	capital humano	1
87.	capital inmovilizado	2
88.	capital permanente	13
89.	capital social	7
90.	capital total	6
91.	carga[1]	3
92.	carga[3]	1
93.	carga de estructura	6
94.	cartera[1]	1
95.	cartera[2]	1
96.	cartera de productos	4
97.	centro organizativo	1
98.	ciclo corto	1
99.	ciclo de vida	7
100.	ciclo de vida del producto	2
101.	ciclo de vida de un producto	1
102.	ciclo largo	2
103.	cifra de negocios	1
104.	coeficiente de apalancamiento financiero	7
105.	coeficiente de apalancamiento operativo	9
106.	coeficiente de apalancamiento total	3
107.	coeficiente de elasticidad	1
108.	coeficiente de elasticidad de la demanda	1
109.	coeficiente de optimismo	7
110.	coeficiente de pesimismo	1
111.	coeficiente de retención	1
112.	compactibilidad	3
113.	compañía	6
114.	competición	1
115.	competidor	16
116.	competir	10
117.	competitivo	10
118.	comunicación externa	2
119.	concepción frecuencial	2
120.	concurrente	2
121.	concurrir	1
122.	conglomeral	1
123.	consultor	2
124.	consultoría	1
125.	contable	3
126.	contablemente	2
127.	contraproducente	1
128.	convenio colectivo	1
129.	corredor de plaza	1
130.	coste aparente	1
131.	coste de capital	1

132.	coste del activo	1
133.	coste del pasivo	3
134.	coste de oportunidad	9
135.	coste fijo	62
136.	coste marginal	4
137.	cotización	7
138.	cotizar	5
139.	coyuntura	2
140.	creación de nichos	3
141.	crecimiento externo	6
142.	crecimiento interno	3
143.	crédito	40
144.	crisis	1
145.	criterio aproximado	1
146.	criterio de Hurwicz	2
147.	criterio de igual verosimilitud	1
148.	criterio de Laplace	2
149.	criterio del flujo de caja medio annual por unidad monetaria comprometida	2
150.	criterio del flujo total por unidad monetaria comprometida	1
151.	criterio del mínimo pesar	1
152.	criterio de optimismo parcial de Hurwicz	1
153.	criterio de Savage	2
154.	criterio de Wald	2
155.	criterio optimista	3
156.	criterio pesimista	4
157.	criterio racionalista	1
158.	cualificación	2
159.	cualificado	1
160.	cualitativamente	1
161.	cualitativo	1
162.	cuantía	6
163.	cuantitativo	3
164.	cuello de botella	1
165.	cuenta corriente	3
166.	cultura estratégica	1
167.	cuota	35
168.	cuota constante	3
169.	cuota fija	2
170.	decisión[1]	215
171.	decisional	9
172.	decisión cualitativa	1
173.	decisión cuantitativa	1
174.	decisión de proceso	2
175.	decisión secuencial	1
176.	decisor	23
177.	deducible	5

178.	definición de Laplace	1	229.	empleo	10
179.	dejar hacer	2	230.	emprendedor	2
180.	de línea y staff	1	231.	empresa grande	1
181.	demanda	138	232.	empresa mixta	1
182.	demanda dependiente	1	233.	empresa pequeña	2
183.	demanda independiente	1	234.	empresas medianas y grandes	5
184.	demandante	5			
185.	demora	7	235.	empresa social	1
186.	departamentación	19	236.	en comité	2
187.	departamento	32	237.	encuesta	5
188.	depositario	1	238.	enfoque contingencial	1
189.	depreciarse	5	239.	enfoque sociotécnico	4
190.	desembolso inicial	40	240.	en línea	4
191.	designación sucesiva	1	241.	en línea y staff	2
192.	designación unívoca	2	242.	entrega	6
193.	destinatario	1	243.	equipo[1]	65
194.	desviación[2]	34	244.	equipo[2]	9
195.	desviación en el mercado	1	245.	equipo de producción	9
196.	desviación en el tamaño global del mercado	2	246.	equipo de trabajo	2
			247.	equipo productivo	1
197.	desviación en márgenes	5	248.	especulación	1
198.	diagrama	6	249.	estructura en comité	4
199.	diagrama de actividades	3	250.	estructura en línea y staff	5
200.	diagrama de equipo	2	251.	estructura lineal	7
201.	diagrama de operaciones	2	252.	estructura matricial	5
202.	dirección[1]	46	253.	etiqueta de la marca	2
203.	dirección[2]	32	254.	existencias	28
204.	dirección de primera línea	1	255.	expansión	4
205.	dirección intermedia	3	256.	expedición	1
206.	dirección operativa	4	257.	extensión de la marca	1
207.	directivo de línea	1	258.	factor	125
208.	director	14	259.	factores de mantenimiento	1
209.	discriminación de precios	4	260.	factor humano	3
210.	disposición combinada	2	261.	filial	1
211.	disposición de punto fijo	2	262.	firma[1]	1
212.	disposición por procesos	2	263.	firma de consultores	1
213.	disposición por productos	2	264.	flotante	1
214.	distintivo de marca	1	265.	flujo[1]	31
215.	distribución[1]	47	266.	flujo de caja	87
216.	distribución[2]	24	267.	flujo de caja medio annual por unidad monetaria comprometida	3
217.	distribuidor	31			
218.	diversificación	18			
219.	economía de escala	1	268.	flujo de caja total por unidad monetaria comprometida	1
220.	efecto[1]	3			
221.	efectuable	29			
222.	ejecutivo	3	269.	flujo de información	4
223.	ejercicio[1]	3	270.	flujo de información de salida	1
224.	elasticidad	32			
225.	elasticidad de la demanda	2	271.	flujo de los materiales	1
226.	elástico	2	272.	flujo del proceso	4
227.	emisión[1]	17	273.	flujo de materiales	3
228.	empleador	1	274.	flujo financiero	1

361.	inversión financiera	3
362.	inversión fraccionable	1
363.	inversión impuesta	1
364.	inversión mixta	3
365.	inversión mutuamente excluyente	4
366.	inversión no simple	1
367.	inversión productiva	6
368.	inversión pura	1
369.	inversión simple	8
370.	invertir	33
371.	investigación operativa	3
372.	jornada reducida	3
373.	letra de cambio	1
374.	libre de riesgo	2
375.	libre mercado	1
376.	líder	28
377.	liderar	1
378.	liderazgo[1]	28
379.	liderazgo[2]	2
380.	límite de la dirección	2
381.	límite del control	2
382.	línea[1]	9
383.	línea[3]	2
384.	línea de precio	2
385.	línea de precios	3
386.	línea de productos	4
387.	línea ejecutiva	1
388.	línea y staff	2
389.	liquidar	6
390.	liquidez	6
391.	líquido[1]	2
392.	longitud[1]	2
393.	mando intermedio	1
394.	mano de obra	19
395.	mano invisible	4
396.	mano visible	3
397.	mantenimiento correctivo	2
398.	mantenimiento predictivo	2
399.	mantenimiento preventivo	3
400.	marca	60
401.	marca de distribuidor	1
402.	marca de familia	2
403.	marcado	1
404.	marca individual	2
405.	marca nacional	2
406.	marcar[1]	2
407.	marca registrada	1
408.	margen bruto	5
409.	margen bruto total	5
410.	margen bruto unitario	8
411.	margen de beneficio	11

412.	margen de beneficio bruto unitario	1
413.	margen de seguridad	1
414.	margen neto sobre ventas	1
415.	margen unitario	4
416.	margen unitario sobre costes variables	1
417.	materia auxiliar	2
418.	materia prima	54
419.	matricial[1]	6
420.	matriz[1]	1
421.	matriz de cambios de estado	1
422.	matriz de decisión	4
423.	matriz de decisiones	1
424.	matriz de pagos	4
425.	matriz de pesares	3
426.	matriz de transición	4
427.	mayorista de contado	1
428.	mediana y gran empresa	1
429.	medio financiero	6
430.	medios	9
431.	medios de producción	1
432.	mercado de factores	14
433.	mercado de valores	1
434.	mercado tendencial	2
435.	método abc	1
436.	método abc de control de inventarios	1
437.	método de Belson	5
438.	método del brainstorming	1
439.	método del caminocrítico	1
440.	método del mínimo adverso	1
441.	método de los prácticos	1
442.	método de los números dígitos crecientes	3
443.	método de los números dígitos en sentido decreciente	1
444.	método de los potenciales	1
445.	método del tanto fijo	2
446.	método dinámico	5
447.	método directo	8
448.	método Dupont	2
449.	método estático	9
450.	método indirecto	4
451.	método lineal	1
452.	método Roy	4
453.	mezcla comercial	2
454.	mezcla promocional	1
455.	mínimo adverso	1
456.	modelo aditivo	3

457.	modelo de colas	1
458.	modelo de distribución	2
459.	modelo de hitchkock	1
460.	modelo del íneas de espera	1
461.	modelo de programación lineal	1
462.	modelo determinista	5
463.	modelo de Wilson	4
464.	modelo multiplicativo	2
465.	modelo probabilístico	3
466.	muestra	34
467.	muestreo del trabajo	2
468.	muestreo estratificado	1
469.	muestreo polietápico	1
470.	muestreo por conglomerados o áreas	1
471.	muestreo por cuotas	1
472.	nave industrial	2
473.	necesidades de inversión	1
474.	negociación	6
475.	neto	23
476.	nicho	2
477.	nicho del mercado	1
478.	nivel de realización	2
479.	Nobel de economía	1
480.	nombre de marca	1
481.	nominal[1]	4
482.	nominal[2]	4
483.	nominalmente	1
484.	nudo	109
485.	nudo aleatorio	4
486.	nudo decisional	7
487.	nuevo liderazgo	2
488.	obligación[1]	22
489.	oferente	2
490.	oferta	9
491.	ofertar	3
492.	óptimo[1]	16
493.	organización[1]	45
494.	organización[2]	49
495.	organización científica	3
496.	organización formal	1
497.	organización informal	2
498.	panel	3
499.	particular	3
500.	partida[1]	4
501.	partida[3]	4
502.	pasivo	56
503.	patrimonio	9
504.	pedido constante	6
505.	penetración	5
506.	penetración del mercado	1

507.	penetración de un soporte	1
508.	penetración en el mercado	2
509.	penetración neta	5
510.	pequeña empresa	8
511.	pequeña y mediana	1
512.	pequeña y mediana empresa	2
513.	pérdidas	14
514.	perecedero	1
515.	periodo constante	2
516.	período de maduración	1
517.	período de maduración económico	1
518.	período medio de maduración	1
519.	periodo medio de maduración económico	2
520.	período medio de maduración económico	6
521.	período medio de maduración financiera	5
522.	perturbación aleatoria	1
523.	personal[1]	20
524.	plan de estudios	1
525.	planificación	58
526.	planificación de las actividades productivas	1
527.	planificación de proyectos	1
528.	planificación estratégica	6
529.	plan operativo	1
530.	planta[1]	7
531.	plazo de recuperación	28
532.	plazo de recuperación con descuento	5
533.	poder de experiencia	1
534.	poder de reconocimiento	1
535.	política de acertar a la primera	1
536.	política de cero defectos	2
537.	política de distribución	2
538.	posición de la marca	1
539.	precedencia	11
540.	precio al contado	1
541.	precio de contado	1
542.	prelación de convergencia	1
543.	prelación de divergencia	1
544.	prelación lineal	2
545.	prescriptor	4
546.	presidente	2
547.	prestar[1]	3
548.	prima	22
549.	prima de inflación	1

Anexo E bis: El léxico técnico según el criterio didáctico: resultados de su análisis

Este anexo contiene 511 UL técnicas, identificadas según la aproximación didáctica, y universales, cognadas o falsas cognadas con el neerlandés y/o el francés (cfr. Capítulo IV, apartado 1 de la Parte A). Se trata de 33 universales, 3 falsas cognadas con el neerlandés o cognadas con el francés y/o inglés, 474 cognadas con el neerlandés y/o el francés /inglés, 1 cognada con el neerlandés.

En la segunda columna se menciona la frecuencia absoluta (FA) de cada unidad léxica. En la tercera columna se indica si se trata de una cognada (c), una falsa cognada (fc) o una universal (u) respecto del neerlandés (N). En la quinta columna se dan las mismas informaciones respecto del inglés y/o francés (I/F).

		FA	N	I/F
1.	accionariado	1		c
2.	accionista	38		c
3.	a crédito	2		c
4.	agrario	2	c	c
5.	agrícola	2		c
6.	agricultor	1		c
7.	agropecuario	1		c
8.	alimentación	3	fc	c
9.	amortización[1]	15		c
10.	amortización[2]	5		c
11.	amortizar[1]	11		c
12.	amortizar[2]	4		c
13.	análisis coste volumen beneficio	2		c
14.	auditoría interna	1	c	c
15.	autocrático	7	c	c
16.	autodirigir	1	c	c
17.	autofinanciación	10	c	c
18.	autofinanciarse	1	c	c
19.	autogestión	3		c
20.	automatización	2	c	c
21.	automatizar	3	c	c
22.	automóvil	17	c	c
23.	autopista	1	c	c
24.	autorregularse	1		c
25.	autoservicio	1		c
26.	avión de carga	1		c
27.	badwill	4	u	u
28.	bancario	2		c
29.	base temporal homogénea	1	c	c
30.	base temporal homogénea finita	3	c	c
31.	beneficio	185		c
32.	beneficio de explotación	3		c
33.	beneficio económico	27		c

34.	beneficio financiero	4	c
35.	beneficioso	1	c
36.	bien	70	c
37.	bien de consumo duradero	2	c
38.	bien de consumo inmediato	1	c
39.	bien de equipo	12	c
40.	bienes Giffen	1	c
41.	bienes manufacturados	2	c
42.	bien final	5	c
43.	bien inicial	1	c
44.	bit	3 u	u
45.	bursátil	4	c
46.	CAD	4 u	u
47.	calidad	77 c	c
48.	calidad de vida	1	c
49.	CAM	4 u	u
50.	campaña de publicidad	1 c	c
51.	campaña publicitaria	1 c	c
52.	capacidad de producción	17 c	c
53.	capacidad productiva	3 c	c
54.	capitalismo	1 c	c
55.	capital propio	19	c
56.	carbón	1	c
57.	centro comercial	3 c	c
58.	ciclo de amortizaciones	1	c
59.	ciclo de depreciación	1 c	c
60.	ciclo de explotación	7 c	c
61.	ciencias de la gestión	1	c
62.	cliente	214	c
63.	clientela	2 c	c
64.	coeficiente beneficio	1	c
65.	coeficiente de costes	2 c	c
66.	coeficiente de leverage	1 u	u
67.	combustible	1	c
68.	comercial	29 c	c
69.	comercialización	3 c	c
70.	comercializar	2 c	c
71.	comerciante	1 c	c
72.	comercio	3	c
73.	comercio exterior	1	c
74.	comisionista	1 c	c
75.	comparación de costes	1	c
76.	competencia	52 c	c
77.	competitividad	1 c	c
78.	computer aided design	1 u	u
79.	computer aided manufacturing	1 u	u
80.	consumidor	160	c
81.	consumir	27 c	c
82.	consumo	32	c
83.	contabilidad	1	c
84.	contractual	2 c	c
85.	contrato	11 c	c
86.	cooperativa	1 c	c
87.	costar	7 c	c
88.	coste	330 c	c
89.	coste de distribución	6 c	c

90.	coste de inventarios	1 c	c
91.	coste de la autofinanciación	5 c	c
92.	coste de la financiación	9 c	c
93.	coste de la materia prima	4	c
94.	coste de la producción	2 c	c
95.	coste del capital	11 c	c
96.	coste del inventario	3 c	c
97.	coste de mantenimiento	4	c
98.	coste de producción	7 c	c
99.	coste de transporte	3 c	c
100.	coste directo	7 c	c
101.	coste financiero	7 c	c
102.	coste indirecto	3 c	c
103.	coste real	8 c	c
104.	costes de transacción	6 c	c
105.	costes estándares	2 c	c
106.	coste social	1 c	c
107.	coste variable	27 c	c
108.	coste variable unitario	34 c	c
109.	costoso	6	c
110.	coyuntura económica	3 c	c
111.	coyuntural	1 c	c
112.	C. P. M.	10 u	u
113.	crecimiento económico	2	c
114.	crecimiento financiero	1	c
115.	crecimiento patrimonial	1	c
116.	crédito bancario	7 c	c
117.	crédito comercial	4 c	c
118.	crédito hipotecario	2 c	c
119.	curva de demanda	7	c
120.	decisión de capacidad de producción	1	c
121.	decisión de producción	2	c
122.	decisión de producir o comprar	1	c
123.	decisión estratégica	8	c
124.	decisión financiera	5	c
125.	decisión táctica	4	c
126.	depreciación	4 c	c
127.	descuento	18	c
128.	desviación económica	3	c
129.	desviación en cantidades	10	c
130.	desviación en costes	2	c
131.	desviación en cuotas	3	c
132.	desviación en precios	6	c
133.	desviación técnica	3	c
134.	desviación total	18	c
135.	detallista	10	c
136.	determinación de precios	3	c
137.	dirección de finanzas	1 c	c
138.	dirección de la producción	7 c	c
139.	dirección de marketing	7 c	c
140.	dirección de producción	2 c	c
141.	dirección de supervisión	1 c	c
142.	dirección estratégica	4 c	c
143.	directivo[1]	11	c
144.	directivo[2]	46	c
145.	directivo intermedio	1	c

146. director comercial	2 c	c
147. director de distribución	1 c	c
148. director de fábrica	1 c	c
149. director de investigación	1	c
150. director de marketing	1 c	c
151. director de producción	3 c	c
152. director financiero	3 c	c
153. director general	1 c	c
154. disminución de precios	1	c
155. distribución de la renta	1 c	c
156. distribución física	2 c	c
157. diversificación de productos y mercados	1 c	c
158. dividendo	66 c	c
159. dividendo extraordinario	1 c	c
160. dólar	1 c	c
161. econométrico	2 c	c
162. economía[1]	7 c	c
163. economía[2]	3 c	c
164. economía[3]	2 c	c
165. económicamente	5 c	c
166. economicidad	3 c	c
167. económico	60 c	c
168. economista	2 c	c
169. economizar	1 c	c
170. embalaje	2	c
171. empleado	28	c
172. empresa	821	c
173. empresario	10 fc	fc
174. energía	5 c	c
175. en masa	1	c
176. enriquecer	7 c	c
177. ensamblaje	9	c
178. ensamblar	4	c
179. en serie	5 c	c
180. en staff	1 u	u
181. en términos de capacidad adquisitiva	1	c
182. entidad financiera	1 c	c
183. entidad no lucrativa	1	c
184. entidad pública	1	c
185. establecimiento farmacéutico	1	c
186. estado de inventario	4	c
187. estructura económica	11 c	c
188. estructura económico financiera	6 c	c
189. estructura financiera	14 c	c
190. estructura organizativa	8 c	c
191. estudio de tiempos	7	c
192. etiqueta informativa	2 c	c
193. euro	2 u	u
194. experimentación comercial	5 c	c
195. explotación	4	c
196. fábrica	10 c	c
197. fabricación	32 c	c
198. fabricante[1]	29 c	c
199. fabricante[2]	15 c	c
200. fabricar	25 c	c
201. factores de producción	12 c	c

202.	factores motivacionales	1 c	c
203.	factoría	5	c
204.	factor productivo	2 c	c
205.	feedback	1 u	u
206.	ferroviario	1	c
207.	financiación	31 c	c
208.	financiar	45 c	c
209.	financieramente	1 c	c
210.	financiero	80 c	c
211.	finanzas	14 c	c
212.	fiscal	2 c	c
213.	fiscalmente	1 c	c
214.	free on board	1 u	u
215.	fuerza de trabajo	3	c
216.	fuerza de venta	1	c
217.	fuerza de ventas	25	c
218.	fullcosting	2 u	u
219.	gestión de la producción	1	c
220.	gestión económica de stocks	1	c
221.	gestión financiera	2	c
222.	goodwill	4 u	u
223.	gráfico de Gantt	7 c	c
224.	grafo	20	c
225.	grafo completo	1	c
226.	grafo parcial	10	c
227.	grafo PERT	6	c
228.	handmade	1 u	u
229.	hard	1 u	u
230.	hipermercado	3	c
231.	hora extra	1	c
232.	hora hombre	4	c
233.	hora laborable	2	c
234.	hostelería	1	c
235.	impuesto	39	c
236.	impuesto de sociedades	1	c
237.	impuesto sobre el beneficio	5	c
238.	impuesto sobre la renta de las sociedades	2	c
239.	impuesto sobre sociedades	2	c
240.	índice de cantidades de Laspeyres	1 c	c
241.	índice de cantidades de producción	1 c	c
242.	índice de evolución de la cantidad de producción de Laspeyres	1 c	c
243.	índice de Laspeyres	2 c	c
244.	índice de productividad global	2 c	c
245.	índice de rentabilidad	4 c	c
246.	industria	5 c	c
247.	industrial[1]	3 c	c
248.	industrial[2]	13 c	c
249.	ingeniero	5 c	c
250.	ingeniero de ventas	1	c
251.	inventariable	1 c	c
252.	inventariar	3 c	c
253.	inventario	92 c	c
254.	investigación comercial	5	c
255.	jefe de división	1	c
256.	jubilación	2	c
257.	labor	5	c

258.	laboral	5	c
259.	las primas a los vendedores en función de sus previsiones de venta	1	c
260.	last	3 u	u
261.	liquidación	3	c
262.	lote	7 c	c
263.	lucrativo	2 c	c
264.	management	1 u	u
265.	manutención	1	fc
266.	máquina	29 c	c
267.	maquinaria	22 c	c
268.	marítimo	1 c	c
269.	marketing	52 u	u
270.	marketingmix	11 u	u
271.	marketingmix de promoción	1 c	c
272.	materia	6	c
273.	material[1]	38 c	c
274.	material[2]	9 c	c
275.	materialización	2 c	c
276.	materializar	4 c	c
277.	materialmente	1 c	c
278.	maximin	3 c	c
279.	mecanismo	1 c	c
280.	mecanización	1 c	c
281.	mecanizar	5 c	c
282.	medio de transporte	1 c	c
283.	mensaje publicitario	7	c
284.	mercantil	2	c
285.	mina	2	c
286.	mineral	1 c	c
287.	minero	2	c
288.	minimax	3 u	u
289.	minusvalía	2	c
290.	monopolio	3 c	c
291.	monopolio bilateral	1 c	c
292.	monopolista	1 c	c
293.	monopolístico	1 c	c
294.	monopsonio	1 c	c
295.	monopsonio limitado	1 c	c
296.	montante	5	c
297.	multinacional	2 c	c
298.	negocio	10	c
299.	neto patrimonial	1 c	c
300.	nit	1 u	u
301.	nivel de renta	18	c
302.	Nobel de economía	1 c	c
303.	nutrición	2	c
304.	objetivo de ventas	2	c
305.	obligacionista	4	c
306.	oligopolio	3 c	c
307.	oligopsonio	1 c	c
308.	orientación a la competencia	1 c	c
309.	orientación a la producción	1 c	c
310.	orientación a las ventas	1	c
311.	orientación al consumidor	1 c	c
312.	orientación a los consumidores	1 c	c
313.	patrimonial	3	c

314.	patrimonio neto	1 c	c
315.	payback	4 u	u
316.	payback con descuento	2	c
317.	PERT	19 u	u
318.	PERT tiempo	2	c
319.	peseta	3 c	c
320.	petróleo	1 c	c
321.	plan de marketing	1 c	c
322.	pleno empleo	1	c
323.	plusvalía	4	c
324.	población objetivo	5	c
325.	política de producto	1 c	c
326.	política de productos	1 c	c
327.	política de promoción	1 c	c
328.	política de promoción y publicidad	1 c	c
329.	por lotes	5 c	c
330.	por órdenes	2	c
331.	por órdenes de fabricación	2	c
332.	postventa	1	c
333.	posventa	1	c
334.	prestación de servicios	1	c
335.	prima de productividad	1	c
336.	primera materia	6	c
337.	proceso de producción	26 c	c
338.	proceso productivo	2 c	c
339.	producción	143 c	c
340.	producción de energía	1 c	c
341.	producción en masa	2 c	c
342.	producción en serie	1 c	c
343.	producción individualizada	1 c	c
344.	producción intermitente	1 c	c
345.	producción múltiple	3 c	c
346.	producción por órdenes	1 c	c
347.	producción por órdenes de fabricación	1 c	c
348.	producción simple	1 c	c
349.	productividad	30 c	c
350.	productividad global	4 c	c
351.	productivo[1]	10 c	c
352.	productivo[2]	1 c	c
353.	producto[1]	491 c	c
354.	producto agrícola	1	c
355.	producto ampliado	1	c
356.	producto de alimentación	2 fc	c
357.	producto de artesanía	1 c	c
358.	producto diferenciado	1 c	c
359.	producto elaborado	1	c
360.	producto en curso	1	c
361.	producto en curso de elaboración	2	c
362.	producto en curso de fabricación	4	c
363.	producto farmacéutico	1 c	c
364.	producto financiero	1 c	c
365.	producto genérico	1 c	c
366.	producto primario	1 c	c
367.	producto químico	1 c	c
368.	productor[1]	13 c	c
369.	productor[2]	1 c	c

370. producto semielaborado	8	c
371. producto semiterminado	6	c
372. producto tangible	1	c
373. producto terminado	38	c
374. promoción[1]	47 c	c
375. promoción[2]	6 c	c
376. promocional	7 c	c
377. promocionar	4 c	c
378. promoción de ventas	15	c
379. promotor de ventas	1	c
380. propiedad	12	c
381. propietario	25	c
382. publicidad	48 c	c
383. publicidad difusiva	1 c	c
384. publicidad mixta	1 c	c
385. publicidad persuasiva	1 c	c
386. publicitario	16 c	c
387. ratio	20 c	c
388. ratio de actividad	1 c	c
389. ratio de tesorería	3	c
390. reclamo	1 c	c
391. recursos económicos	1	c
392. recursos financieros externos	1	c
393. recursos financieros propios	2	c
394. referencia geográfica	3 c	c
395. reinvertir	2	fc
396. rendimiento	15 c	c
397. rendimiento unitario	1 c	c
398. renta	26 c	c
399. renta anual equivalente	2 c	c
400. rentabilidad	173 c	c
401. rentabilidad económica	33 c	c
402. rentabilidad en términos de capacidad adquisitiva esperada	1	c
403. rentabilidad en términos reales	1 c	c
404. rentabilidad esperada	21	c
405. rentabilidad esperada requerida	4 c	c
406. rentabilidad financiera	47 c	c
407. rentabilidad operativa	7 c	c
408. rentabilidad real	17 c	c
409. rentabilidad requerida	43	c
410. rentable	10 c	c
411. renta nacional	2 c	c
412. rentar	9	c
413. representante mercantil	1	c
414. resolución de problemas	6	c
415. retribuir	2	c
416. revolución industrial	1 c	c
417. robot	1 c	c
418. robotizar	1 c	c
419. rural	1 c	c
420. S. A.	86	c
421. salario	9 c	c
422. salario mínimo	1 c	c
423. saldo	11 c	
424. segmentación de mercados	7 c	c
425. semielaborado	1	c

426. siderometalúrgico	1 c	c
427. simograma	2 c	c
428. simultaneous motion	1 u	u
429. sindical	1 c	c
430. sindicato	3 c	c
431. sindicato bancario	2 c	c
432. sinergia	4 c	c
433. sistema de cuotas constantes	4 c	c
434. sistema de economía centralizada	1 c	c
435. sistema de inventario continuo	1 c	c
436. sistema de inventario justo a tiempo	1	c
437. sistema de inventarios	4 c	c
438. sistema de período constante	2 c	c
439. sistema de revisión periódica	1	c
440. sistema económico	3 c	c
441. sistema periódico	1 c	c
442. skills	1 u	u
443. soft	2 u	u
444. staff	10 u	u
445. stock	7 u	u
446. stock en curso de fabricación	1	c
447. strategy	1 u	u
448. structure	1 u	u
449. style	1 u	u
450. subcontratación	3	c
451. subcontratista	2	c
452. subcontrato	2	c
453. subvencionar	2	c
454. superbeneficio	3	c
455. supermercado	2	c
456. super ordinate goals	1 u	u
457. superrendimiento	4 c	c
458. tabla de control de costes	2 c	c
459. tayloriano	1 c	c
460. técnico de venta	1	c
461. tecnocrático	2 c	c
462. tecnología	27 c	c
463. teoría de contenidos o causas	1	c
464. teoría de la motivación	1 c	c
465. teoría de los procesos	1 c	c
466. teoría motivacional	1 c	c
467. tesorería	9	c
468. test de reconocimiento	1	c
469. tiempo early	17	c
470. tiempo estándar	5	c
471. tiempo last	14	c
472. tiempo normal	5	c
473. tiempo normalizado	5	c
474. tiempo observado	3	c
475. tiempo predeterminado	2	c
476. tiempo suplementario	2	c
477. transporte	15 c	c
478. transportista	2 c	c
479. tributo	2	c
480. unidad departamental	1	c
481. unidad monetaria	36	c

482.	unidad operativa	1	c
483.	unidad organizativa	4	c
484.	valer	159	c
485.	valiosísimo	1	c
486.	valoración	12	c
487.	valoración en funcionamiento	2	c
488.	valoración en liquidación	3	c
489.	valor actual	27	c
490.	valor actual neto	66	c
491.	valorar	25	c
492.	valorativo	1	c
493.	valor de rendimiento	11	c
494.	valor económico	1	c
495.	valor en funcionamiento	2	c
496.	valor en liquidación	1	c
497.	valor esperado de la información	4	c
498.	valor global	18	c
499.	valor residual	4	c
500.	variación accidental	1 c	c
501.	variación cíclica	2 c	c
502.	vendedor	133	c
503.	vendedor a domicilio	1	c
504.	vender	73	c
505.	venta	285	c
506.	venta a crédito	2	c
507.	venta personal	13	c
508.	vicepresidente	4 c	c
509.	volumen de negocio	1	c
510.	volumen de producción	8 c	c
511.	volumen de ventas	24	c

Anexo F bis: El léxico subtécnico según la acepción didáctica *a*: resultados de su análisis

F.1. Las metáforas: 252 UL

La segunda columna menciona la frecuencia absoluta. La tercera indica si se trata de una cognada (c) o una falsa cognada (fc) con el neerlandés. En la cuarta columna se señala si se trata de una cognada (c) con el francés y/o inglés. En la última columna la (s) indica que la extensión semántica es la misma en neerlandés, mientras que la (n) expresa lo contrario.

1.	absorbente	1 c	c	s
2.	absorber	1 c	c	s
3.	absorción	1	c	s
4.	acción liberada	1	c	n
5.	activo	99 c	c	s
6.	activo circulante	26 c	c	s
7.	activo fijo	24	c	s
8.	afijación	2		n
9.	afijación óptima	4		n
10.	afijación óptima con costes variables	3		n
11.	afijación por igual	2		n
12.	afijación proporcional	3 c	c	n
13.	al contado	15		s
14.	al detalle	1 c	c	n
15.	al por mayor	1		s
16.	al por menor	1		s
17.	alta dirección	8		s
18.	alta segmentación	1		n
19.	alto directivo	2		n
20.	amortización acelerada	1	c	s
21.	amortización constante	2	c	s
22.	amplitud[1]	2	c	n
23.	apalancamiento	10		s
24.	apalancamiento combinado	2		s
25.	apalancamiento financiero	8		s
26.	apalancamiento operativo	14		s
27.	apalancamiento total	3		s
28.	apalancar	1		s
29.	aportación[1]	9	c	s
30.	árbol de decisión	6		s
31.	árbol[2]	4		s
32.	arqueo de caja	1		n
33.	balance[1]	20 c	c	s
34.	base amortizable	2	c	n
35.	base[1]	2 c	c	n
36.	beneficio líquido	4	c	n
37.	blando	6		s
38.	camino crítico	8		s

39.	canal de distribución	14	c	c	s
40.	capacidad punta	1		c	s
41.	capital humano	1	c	c	s
42.	capital inmovilizado	2	c	c	s
43.	capital social	7	c	c	s
44.	carga de estructura	6		c	n
45.	carga[1]	3		c	s
46.	carga[3]	1		c	s
47.	cartera de productos	4			s
48.	cartera[1]	1			s
49.	cartera[2]	1			s
50.	ciclo de vida	7		c	s
51.	ciclo de vida de un producto	2		c	s
52.	ciclo de vida del producto	1		c	s
53.	coeficiente de apalancamiento financiero	7			s
54.	coeficiente de apalancamiento operativo	9			s
55.	coeficiente de apalancamiento total	3			s
56.	coeficiente de elasticidad	1	c	c	s
57.	coeficiente de elasticidad de la demanda	1	c	c	s
58.	coste aparente	1	c	c	n
59.	coste de oportunidad	1	c	c	s
60.	coste del activo	3	c	c	n
61.	coste fijo	62			s
62.	coste marginal	4	c	c	s
63.	creación de nichos	3			n
64.	crecimiento externo	6			s
65.	crecimiento interno	3			s
66.	crédito	40	c	c	s
67.	criterio de optimismo parcial de Hurwicz	2			n
68.	criterio de Savage	1			n
69.	cuello de botella	1			s
70.	cuenta corriente	3			s
71.	cuota fija	2			n
72.	de línea y staff	1		c	s
73.	desviación en el mercado	1			n
74.	desviación en el tamaño global del mercado	2			n
75.	desviación en márgenes	5		c	s
76.	desviación[2]	34		c	s
77.	directivo de línea	1			s
78.	economía de escala	1			s
79.	elasticidad	32	c	c	s
80.	elasticidad de la demanda	2		c	s
81.	elástico	2	c	c	s
82.	empresa mixta	1			s
83.	en línea	4		c	s
84.	en línea y staff	2		c	s
85.	estructura en línea y staff	5	c	c	s
86.	estructura lineal	7	c	c	s
87.	estructura matricial	5	c	c	n
88.	existencias	28		c	n
89.	factores de mantenimiento	3	c	c	s
90.	filial	1	c	c	s
91.	flotante	1		c	s
92.	flujo de caja	87			s
93.	flujo de caja medio anual por unidad monetaria comprometida	3			n
94.	flujo de caja total por unidad monetaria comprometida	1			n

95.	flujo de información de salida	1		s
96.	flujo de los materiales	1		s
97.	flujo de materiales	3		s
98.	flujo del proceso	4		n
99.	flujo financiero	1		s
100.	flujo físico	2		s
101.	flujo neto de caja	3		s
102.	flujo neto de caja medio anual	1		s
103.	flujo real	1		s
104.	flujo total por unidad monetaria comprometida	1		s
105.	flujo[1]	31		s
106.	fondo de maniobra	12		n
107.	fondo de rotación	4	c	n
108.	fuente de financiación	27		s
109.	fuente financiera	10		s
110.	fuente[1]	12		s
111.	fusión	1 c	c	s
112.	fusionar	1 c	c	s
113.	gravar	2		s
114.	guerra de precios	2	c	s
115.	guerra publicitaria	1	c	s
116.	holgura	10		n
117.	holgura independiente	3		n
118.	holgura libre	3		n
119.	holgura total	4		n
120.	horizonte	5 c	c	s
121.	inelástico	1 c	c	s
122.	inflación	34 c	c	s
123.	inflacionario	1	c	s
124.	información de canal	1	c	s
125.	información de salida	1	c	s
126.	ingreso	35		s
127.	ingreso financiero	1		s
128.	ingreso marginal	3		s
129.	inmovilizado[1]	13	c	n
130.	inmovilizado[2]	3	c	n
131.	interés acumulado	1 c	c	n
132.	inversión	322 fc		n
133.	inversión de activo fijo	1 fc		n
134.	inversión de ampliación a nuevos productos o mercados	1 fc		n
135.	inversión de ampliación de los productos o mercados existentes	1 fc		n
136.	inversión de mantenimiento	1 fc		n
137.	inversión de reemplazamiento para el mantenimiento de la empresa	1 fc		n
138.	inversión de reemplazamiento para reducir costes o para mejorar	1 fc		n
139.	inversión de renovación o reemplazo	2 fc		n
140.	inversión efectuable	4 fc		n
141.	inversión en activo circulante	1 fc		n
142.	inversión financiera	3 fc		n
143.	inversión fraccionable	1 fc		n
144.	inversión impuesta	1 fc		n
145.	inversión mixta	3 fc		n
146.	inversión mutuamente excluyente	4 fc		n
147.	inversión no simple	1 fc		n
148.	inversión productiva	6 fc		n
149.	inversión pura	1 fc		n
150.	inversión simple	8 fc		n

151. invertir	33	fc		n
152. letra de cambio	1			s
153. libre mercado	1			s
154. límite de la dirección	2	c	c	n
155. límite del control	2	c	c	n
156. línea de precio	2		c	s
157. línea de precios	3		c	s
158. línea de productos	4	c	c	s
159. línea ejecutiva	1		c	s
160. línea y staff	2		c	s
161. línea¹	9		c	s
162. línea³	2	c	c	s
163. liquidez	6		c	s
164. líquido¹	2		c	s
165. longitud¹	2		c	s
166. mano invisible	4		c	s
167. mano visible	3		c	s
168. margen bruto	5		c	s
169. margen bruto total	5		c	s
170. margen bruto unitario	8		c	n
171. margen de beneficio	11		c	s
172. margen de beneficio bruto unitario	1		c	s
173. margen de seguridad	1		c	s
174. margen neto sobre ventas	1		c	s
175. margen unitario	4		c	s
176. margen unitario sobre costes variables	1		c	n
177. materia auxiliar	2		c	s
178. método de los números dígitos crecientes	1		c	s
179. método de los números dígitos en sentido decreciente	1			s
180. mezcla comercial	2			n
181. mezcla promocional	1			n
182. modelo de colas	1			s
183. modelo del íneas de espera	1			s
184. necesidades de inversión	1			n
185. nicho	2		c	n
186. nicho del mercado	1			n
187. nudo	109		c	s
188. nudo aleatorio	4		c	s
189. nudo decisional	7		c	s
190. obligación¹	22	c	c	s
191. pasivo	56	c	c	s
192. penetración	5		c	s
193. penetración de un soporte	1			s
194. penetración del mercado	1			s
195. penetración en el mercado	2			s
196. penetración neta	5		c	s
197. período de maduración	1		c	s
198. período de maduración económico	1		c	s
199. período medio de maduración	1		c	s
200. periodo medio de maduración económico	2		c	s
201. período medio de maduración económico	6		c	s
202. período medio de maduración financiera	5		c	s
203. prima de inflación	1		c	s
204. principio de retroacción	1		c	n
205. profundidad	2		c	s
206. puesto	6			s

		Frec.			
207.	punto muerto	32		c	n
208.	quebranto de emisión	3			n
209.	quebrar	2			n
210.	quiebra	2			n
211.	rama	12			s
212.	ratio de liquidez	2	c	c	s
213.	ratio de rotación	4		c	n
214.	recursos humanos	12	c	c	s
215.	red de distribución	3			s
216.	rentabilidad aparente	10		c	n
217.	rentabilidad neta de inflación	1	c	c	s
218.	retroacción	1		c	n
219.	retroalimentación	3		c	s
220.	ruptura	10		c	n
221.	ruptura de stocks	1		c	s
222.	ruptura del inventario	1		c	s
223.	ruptura del stock	6		c	n
224.	sanear	1			s
225.	sano	1		c	s
226.	sistema mixto	4	c	c	s
227.	sociedad anónima	2		c	s
228.	sociedad colectiva	1		c	s
229.	sociedad comanditaria	1		c	s
230.	sociedad cooperativa	1		c	s
231.	sociedad de responsabilidad limitada	1		c	s
232.	sociedad¹	3		c	s
233.	suspensión de pagos	1		c	n
234.	tasa de crecimiento	4		c	s
235.	tasa de inflación	6		c	s
236.	tasa de retorno	1		c	n
237.	tiempo más alto de iniciación	1		c	s
238.	tiempo más bajo de iniciación	1		c	s
239.	título	13	c	c	s
240.	toma de decisión	1			s
241.	toma de decisiones	18			s
242.	toma de las decisiones	1			s
243.	tormenta de ideas	1			s
244.	umbral de rentabilidad	5			n
245.	utilidad	9		c	s
246.	utilidad de forma	6		c	s
247.	utilidad de lugar	3		c	s
248.	utilidad de propiedad	2		c	s
249.	utilidad de tiempo	3		c	s
250.	vector de existencias	1		c	n
251.	vida económica	1		c	s
252.	vida técnica	3		c	s

F.2. Las UL subtécnicas de especialización y metonímicas: 370 UL

La segunda columna menciona la frecuencia absoluta. La tercera indica si se trata de una cognada (c) o una falsa cognada (fc) con el neerlandés. En la cuarta columna se señala si se trata de una cognada (c) con el francés y/o inglés. En la última columna la (s) indica que la extensión semántica es la misma en neerlandés, mientras que la (n) expresa lo contrario.

1.	a plazo	3		s
2.	actividad productiva	3 c	c	s
3.	administración de empresas	2		n
4.	administración de negocios	1	c	n
5.	administración pública	1 c	c	n
6.	adquirente	7	c	n
7.	adquirir	48	c	s
8.	adquisición	31	c	s
9.	agente	15 c	c	s
10.	agente comercial	1 c	c	s
11.	agente económico	1 c	c	s
12.	agente social	3 c	c	s
13.	agrupación dicotómica	2		s
14.	agrupación matricial	1		n
15.	ajuste	1	c	s
16.	análisis de la varianza	4	c	s
17.	análisis de viabilidad	1	c	s
18.	asesor	3	c	s
19.	asesoramiento	7	c	s
20.	asesorar	2	c	s
21.	asesoría	1	c	s
22.	asignación	19	c	s
23.	asignación de recursos	1	c	s
24.	atributo de posicionamiento	2	c	s
25.	audiencia neta	6	c	s
26.	beneficio bruto	4	c	n
27.	beneficio neto	32	c	n
28.	beneficio operativo	26	c	n
29.	bienes Giffen	1		s
30.	bruto	4 c	c	s
31.	cambio[1]	1		n
32.	capacidad adquisitiva	3	c	n
33.	capacidad de discriminación	1 c	c	s
34.	capacidad discriminante	6 c	c	s
35.	capacidad sostenida	2	c	n
36.	centro organizativo	1 c	c	s
37.	ciclo corto	1 c	c	s
38.	ciclo largo	2		s
39.	cifra de negocios	1	c	s
40.	coeficiente de optimismo	7 c	c	s
41.	coeficiente de pesimismo	1 c	c	s
42.	coeficiente de retención	1	c	n
43.	compactibilidad	3 c	c	s
44.	compañía	6	c	n
45.	competición	1 c	c	s
46.	competidor	16		s
47.	competir	10		s
48.	competitivo	10 c	c	s
49.	comunicación externa	2 c	c	s
50.	concepción frecuencial	2 c	c	n
51.	concurrente	2 c	c	s
52.	concurrir	1 c	c	s

53.	conglomeral	1 c	c	s
54.	consultor	2 c	c	n
55.	consultoría	1	c	n
56.	contable	3	c	n
57.	contablemente	2	c	n
58.	contraproducente	1 c	c	s
59.	convenio colectivo	1		n
60.	corredor de plaza	1		n
61.	coste del pasivo	9 c	c	s
62.	cotizar	5	c	n
63.	coyuntura	2 c	c	n
64.	crisis	1 c	c	s
65.	criterio aproximado	1	c	n
66.	criterio de Hurwicz	2		s
67.	criterio de igual verosimilitud	1	c	n
68.	criterio de Laplace	2		s
69.	criterio de Wald	1		s
70.	criterio del flujo de caja medio anual por unidad monetaria comprometida	1		s
71.	criterio del flujo total por unidad monetaria comprometida	2		s
72.	criterio del mínimo pesar	2		s
73.	criterio optimista	3 c	c	s
74.	criterio pesimista	4 c	c	s
75.	criterio racionalista	1 c	c	s
76.	cualificación	2 c	c	s
77.	cualificado	1 c	c	s
78.	cualitativamente	1 c	c	s
79.	cualitativo	1 c	c	s
80.	cuantía	6		n
81.	cuantitativo	3 c	c	s
82.	cultura estratégica	1 c	c	s
83.	cuota	35 c	c	s
84.	cuota constante	3 c	c	s
85.	decisión cualitativa	1	c	s
86.	decisión cuantitativa	1	c	s
87.	decisión de proceso	2	c	s
88.	decisión secuencial	1	c	s
89.	decisión[1]	215	c	s
90.	decisional	9	c	s
91.	decisor	23	c	s
92.	deducible	5		s
93.	definición de Laplace	1		s
94.	dejar hacer	2		n
95.	demanda	138	c	s
96.	demanda dependiente	1	c	s
97.	demanda independiente	1	c	s
98.	demandante	5	c	s
99.	demora	7	c	s
100.	departamentación	19 c	c	s
101.	departamento	32 c	c	s
102.	depositario	1	c	s
103.	depreciarse	5	c	n
104.	desembolso inicial	40		n
105.	designación sucesiva	1	c	s
106.	designación unívoca	2	c	s
107.	destinatario	1	c	s

108. diagrama	6 c	c	s
109. diagrama de actividades	3 c	c	s
110. diagrama de equipo	2 c	c	s
111. diagrama de operaciones	2 c	c	n
112. dirección de primera línea	1 c	c	s
113. dirección intermedia	3 c	c	n
114. dirección operativa	4 c	c	n
115. dirección[1]	46	c	s
116. dirección[2]	32 c	c	s
117. director	14 c	c	s
118. discriminación de precios	4	c	s
119. disposición combinada	2	c	n
120. disposición de punto fijo	2		n
121. disposición por procesos	2	c	n
122. disposición por productos	2	c	n
123. distintivo de marca	1	c	s
124. distribución[1]	47 c	c	s
125. distribución[2]	24 c	c	s
126. distribuidor	31 c	c	s
127. diversificación	18 c	c	s
128. efectuable	29	c	s
129. ejecutivo	3	c	n
130. emisión[1]	17 c	c	s
131. emprendedor	2		s
132. empresa grande	1		s
133. empresa pequeña	2		s
134. empresa social	5		s
135. empresas medianas y grandes	1		n
136. en comité	2 c	c	
137. encuesta	5		s
138. enfoque contingencial	1		s
139. enfoque sociotécnico	4		s
140. entrega	6		s
141. equipo[2]	9	c	s
142. especulación	1 c	c	s
143. estructura en comité	4 c	c	s
144. etiqueta de la marca	2 c	c	s
145. expansión	4 c	c	s
146. expedición	1 c	c	n
147. extensión de la marca	1	c	n
148. factor	125 c	c	s
149. factor humano	1	c	n
150. firma[1]	1	c	n
151. flujo de información	4		s
152. gama	4 c	c	s
153. ganar[1]	12		n
154. gestión	17	c	n
155. gestionar	6	c	s
156. gráfico de control	1 c	c	s
157. gráfico de Gantt	7		s
158. gran empresa	6		s
159. grandes almacenes	6		s
160. grandes superficies	2	c	n
161. hora extraordinaria	7	c	s
162. imputación	3	c	s
163. incentivación	1	c	n

164. incentivar	5	c	s
165. incentivo	22	c	s
166. incertidumbre estructurada	4		s
167. incertidumbre no estructurada	2		s
168. índice de cantidades de Laspeyres	1		s
169. índice de evolución de la cantidad de producción de Laspeyres	1		s
170. índice de Laspeyres	2		s
171. indiferente	6	c	n
172. información	130 c	c	s
173. informar	14 c	c	s
174. informativo	4 c	c	s
175. input	5		s
176. instalación	24 c	c	s
177. integración vertical	3 c	c	s
178. intermediación	6	c	s
179. intermediario	35	c	s
180. intersección de Fisher	4		n
181. investigación operativa	3	c	s
182. jornada reducida	3		n
183. libre de riesgo	2		s
184. líder	28	c	s
185. liderar	1		s
186. liderazgo¹	28		s
187. liderazgo²	2		s
188. liquidar	6 c	c	s
189. mando intermedio	1		n
190. mano de obra	19	c	s
191. mantenimiento correctivo	2	c	n
192. mantenimiento predictivo	2	c	s
193. mantenimiento preventivo	3	c	s
194. marca	60 c	c	s
195. marca de distribuidor	1 c	c	s
196. marca de familia	2 c	c	s
197. marca individual	2 c	c	s
198. marca nacional	2 c	c	s
199. marca registrada	1	c	n
200. marcado	1		n
201. marcar¹	2	c	s
202. materia prima	54	c	n
203. matricial¹	6	c	n
204. matriz de cambios de estado	1		n
205. matriz de decisión	4	c	s
206. matriz de decisiones	1	c	n
207. matriz de pagos	4	c	s
208. matriz de pesares	3		s
209. matriz de transición	4	c	n
210. mayorista de contado	1		n
211. mediana y gran empresa	1		s
212. mercado de factores	14		s
213. mercado de valores	1		n
214. mercado tendencial	2		s
215. método abc	1		s
216. método abc de control de inventarios	1		s
217. método de Belson	5		s
218. método de los potenciales	1	c	s
219. método de los prácticos	1	c	n

220. método del brainstorming	3	c	s
221. método del caminocrítico	1	c	s
222. método del mínimo adverso	1	c	n
223. método del tanto fijo	2		s
224. método dinámico	5 c	c	s
225. método directo	8 c	c	s
226. método Dupont	2		s
227. método estático	9 c	c	s
228. método indirecto	4 c	c	s
229. método lineal	1 c	c	s
230. método Roy	4		s
231. mínimo adverso	1	c	s
232. modelo aditivo	3 c	c	s
233. modelo de distribución	2 c	c	s
234. modelo de hitchkock	1		s
235. modelo de programación lineal	1 c	c	s
236. modelo de Wilson	4		s
237. modelo determinista	5 c	c	s
238. modelo multiplicativo	2 c	c	s
239. modelo probabilístico	3 c	c	s
240. muestra	34		n
241. muestreo del trabajo	2		n
242. muestreo estratificado	1		s
243. muestreo polietápico	1		s
244. muestreo por conglomerados o áreas	1		s
245. muestreo por cuotas	1		n
246. negociación	6	c	s
247. neto	23 c	c	s
248. nivel de realización	2 c	c	s
249. Nobel de economía	1		s
250. nombre de marca	1	c	s
251. nominal[1]	4	c	n
252. nominal[2]	4	c	n
253. nominalmente	1 c	c	n
254. nuevo liderazgo	2		s
255. oferente	2	c	s
256. oferta	9	c	s
257. ofertar	3	c	s
258. óptimo[1]	16 c		n
259. organización científica	3	c	n
260. organización formal	1 c	c	s
261. organización informal	2 c	c	s
262. organización[1]	45 c	c	s
263. organización[2]	49 c	c	s
264. panel	3 c	c	s
265. patrimonio	9 c	c	s
266. pedido constante	6		s
267. pequeña empresa	8		s
268. pequeña y mediana	1		s
269. pequeña y mediana empresa	2		s
270. pérdidas	14		s
271. perecedero	1		s
272. periodo constante	2 c	c	s
273. perturbación aleatoria	1	c	n
274. plan de estudios	1 c	c	s
275. plan operativo	58 c	c	s

276.	planificación	1 c	c	s
277.	planificación de las actividades productivas	1 c	c	s
278.	planificación de proyectos	6 c	c	s
279.	planificación estratégica	1 c	c	s
280.	plazo de recuperación	28		n
281.	plazo de recuperación con descuento	5		n
282.	poder de experiencia	1		s
283.	poder de reconocimiento	1		s
284.	política de acertar a la primera	1		s
285.	política de cero defectos	2		s
286.	política de distribución	2 c	c	s
287.	posición de la marca	1 c	c	n
288.	precedencia	11	c	s
289.	precio al contado	1	c	n
290.	precio de contado	1	c	n
291.	prelación de convergencia	1		s
292.	prelación de divergencia	1		s
293.	prelación lineal	2		s
294.	prescriptor	4	c	n
295.	presidente	2 c	c	s
296.	principal[3]	8	c	n
297.	principio de control	1 c	c	s
298.	principio de designación sucesiva	2	c	s
299.	principio de designación unívoca	3	c	s
300.	principio de interdependencia	2	c	s
301.	principio de Pareto	2		s
302.	principio de restricción en la toma de decisiones	1		s
303.	principio de secuencia	1 c	c	s
304.	principio de unicidad del estado final	1	c	s
305.	principio de unicidad del estado inicial y del estado final	1	c	s
306.	proceso intermitente	1	c	s
307.	programa productivo	1	c	s
308.	programación reticular	1 c	c	s
309.	ratio de síntesis	1 c	c	s
310.	ratio de situación	5 c	c	s
311.	recursos	38	c	s
312.	recursos ajenos	16		s
313.	recursos externos	1	c	s
314.	recursos internos	1	c	s
315.	recursos propios	21	c	s
316.	relación de agencia	4	c	s
317.	relaciones públicas	15 c	c	s
318.	remuneración	39	c	n
319.	remunerar	2	c	n
320.	rentabilidad bruta de las ventas	3	c	n
321.	rentabilidad neta	2 c	c	n
322.	rentabilidad neta de las ventas	1	c	s
323.	rentabilidad neta de riesgo	7		n
324.	repartidor	1	c	s
325.	reponer[1]	1		s
326.	representante de zona	1	c	s
327.	repuesto	4		s
328.	reserva	6 c	c	s
329.	respuesta al estímulo	3	c	n
330.	retirar[1]	1	c	n
331.	retribución	7	c	s

332. riqueza	11	c	s
333. rival	1 c	c	s
334. saldo a la vista	1		n
335. satisfacción de las necesidades	4	c	s
336. satisfacción de necesidades	1	c	s
337. sector primario	1 c	c	s
338. segmentación	17 c	c	s
339. segmentar	6 c	c	s
340. segmento	35 c	c	s
341. semielaboración	1	c	s
342. stock de seguridad	8	c	s
343. sueldo fijo	7		s
344. tanto fijo	3		s
345. tasa de interés	1	c	n
346. teoría contractual	3 c	c	s
347. teoría de grafos	1	c	s
348. teoría de la agencia	2	c	s
349. teoría de la decisión	1	c	s
350. teoría de la información	3 c	c	s
351. teoría de la personalidad	1 c	c	s
352. teoría situacional	1 c	c	s
353. teoría x	7		s
354. teoría y	3		s
355. teoría z	2		s
356. test de concepto	1 c	c	s
357. tipificación[1]	3 c	c	s
358. tipificar	3 c	c	s
359. tipo de descuento	42		n
360. tipo de gravamen	9		n
361. tipo de interés	20		n
362. tipo de rendimiento interno	18		n
363. tipo libre de riesgo	5		n
364. unicidad del estado inicial y del estado final	1	c	s
365. valor de retiro	4	c	n
366. valor nominal	4	c	n
367. valor sustancial	18	c	n
368. valor[2]	229	c	s
369. valores	26	c	s
370. vértice	3		n

F.3. Las homonimias: 58 UL

La segunda columna menciona la frecuencia absoluta. La tercera indica si se trata de una cognada (c) o una falsa cognada (fc) con el neerlandés. En la cuarta columna se señala si se trata de una cognada (c) con el francés y/o inglés.

1.	abonar	22		6.	banco	23	c	c
2.	abono	2		7.	bienes de capital	1		c
3.	acción[1]	96	c	8.	capital de trabajo	1		
4.	arista	4		9.	capital permanente	13	c	c
5.	artículo[1]	10 c	c	10.	capital total	6	c	c

11.	capital[1]	34	c	c		35.	función productiva	2	c	c
12.	capital[2]	3	c	c		36.	Hacienda	2		
13.	coste de capital	1	c	c		37.	importar[1]	1	c	c
14.	cotización	7	c			38.	importar[2]	18		c
15.	efecto[1]	3	c	c		39.	interés[1]	71	c	c
16.	ejercicio[1]	3	c			40.	matriz[1]	1	c	c
17.	empleador	1	c			41.	medio financiero	6		
18.	empleo	10	c			42.	medios	9		
19.	equipo de producción	9	c			43.	medios de producción	1		
20.	equipo de trabajo	2	c			44.	nave industrial	2		
21.	equipo productivo	1	c			45.	particular	3	c	c
22.	equipo[1]	65	c			46.	partida[1]	4		c
23.	firma de consultores	1	c	c		47.	partida[3]	4		
24.	fondo	4	c	c		48.	personal[1]	20	c	c
25.	fondo de comercio	30	c	c		49.	planta[1]	7		
26.	fondo interno	1	c	c		50.	prestar[1]	3		c
27.	fondo propio	1	c	c		51.	prima	22		c
28.	fondos	14	c	c		52.	prima de producción	1		c
29.	fondos de dinero	1	c	c		53.	principal[1]	12		c
30.	función de demanda	11	c	c		54.	producir[1]	36	c	c
31.	función de marketing	1	c	c		55.	seguro[1]	5		
32.	función de producción	7	c	c		56.	útil[1]	1		c
33.	función de rendimiento	1	c	c		57.	vencer	3		
34.	función lagrangiana	2	c	c		58.	vencimiento	1		

Anexo G bis: Las categorías léxicas según la aproximación lingüística

En este anexo las unidades léxicas de cada categoría se presentan por orden alfabético con mención de su frecuencia absoluta. La tercera columna especifica si se trata de:
- s: un sustantivo o sintagma nominal;
- a: un adjetivo o un sintagma adjetival;
- v: un verbo o un sintagma verbal;
- b: un adverbio o un sintagma adverbial.

Otras categorías léxicas no se identifican. En la cuarta columna se indica si se trata de una unidad léxica compuesta (c) o simple (espacio blanco).

G.1. El léxico funcional: 250 UL

1.	a	2574			35.	al igual que	6	c
2.	a bordo de	1	c		36.	al principio de	1	c
3.	a cambio de	3	c		37.	al servicio de	2	c
4.	a cargo de	1	c		38.	algo	18	
5.	a comienzo de	1	c		39.	alguien	7	
6.	a comienzos de	4	c		40.	alguno	180	
7.	a costa de	3	c		41.	allí	2	
8.	a diferencia de	12	c		42.	alrededor de	1	c
9.	a efectos de	1	c		43.	ambos	56	
10.	a favor de	1	c		44.	ante	22	
11.	a finales de	1	c		45.	antes de	28	c
12.	a la espera de	2	c		46.	aparte de	1	c
13.	a la izquierda de	1	c		47.	apenas	12	
14.	a la vista de	4	c		48.	aquel	140	
15.	a lo largo de	10	c		49.	aquél	28	
16.	a mediados de	1	c		50.	aquello	3	
17.	a medida que	31	c		51.	aquí	14	
18.	a menos que	6	c		52.	así	90	b
19.	a partir de	16	c		53.	así como	21	c
20.	a pesar de que	1	c		54.	aunque	64	
21.	a semejanza de	1	c		55.	bajo[1]	32	
22.	a través de	5	c		56.	bastante	9	
23.	acabar	3	v		57.	cada	373	
24.	acaso	1			58.	cerca de	1	c
25.	acorde	1			59.	cero	54	
26.	adelante	1			60.	ciento	1	
27.	además de	5	c		61.	cierto	146	
28.	ahí	2			62.	como	634	
29.	ahora	23	b		63.	cómo	16	
30.	ahora que	1	c		64.	como que	1	c
31.	al cabo de	10	c		65.	como si	9	c
32.	al comienzo de	1	c		66.	con	666	
33.	al final de	38	c		67.	con arreglo a	11	c
34.	al frente de	2	c		68.	con excepción	1	c

69.	con objeto de	3		c	125.	en concepto de	2		c
70.	con referencia a	3		c	126.	en cuanto a	59		c
71.	con relación a	2		c	127.	en detrimento de	2		c
72.	con	3		c	128.	en función de	9		c
73.	con sujeción a	1		c	129.	en lo	1		c
74.	con vistas a	1		c	130.	en lo relativo a	2		c
75.	conforme	2			131.	en lugar de	14		c
76.	conforme a	8		c	132.	en manos de	2		c
77.	continuar²	7	v		133.	en material de	13		c
78.	contra	4			134.	en orden a	1		c
79.	correspondiente	1		c	135.	en relación a	25		c
80.	cual	181			136.	en tanto que	40		c
81.	cuál	69			137.	en torno a	3		c
82.	cualquier	1			138.	en virtud de	3		c
83.	cualquiera	62			139.	enésimo	3		
84.	cuando	295			140.	entonces	10		
85.	cuándo	3			141.	entre	451		
86.	cuanto	67			142.	entretanto	1		
87.	cuánto	37			143.	ese	221		
88.	cuarto	8			144.	ésimo	2		
89.	cuyo	114			145.	estar	121	v	
90.	dado	3			146.	este	638		
91.	dado que	61		c	147.	éste	100		
92.	de	9219			148.	esto	26		
93.	de acuerdo con	7		c	149.	excepto	3		
94.	de ahí que	2		c	150.	frente a	11		c
95.	de bien	1		c	151.	fuera de	5		c
96.	de forma que	3		c	152.	gracias a	8		c
97.	de manera que	6		c	153.	haber	760	v	
98.	de modo que	22		c	154.	hacia	20		
99.	de tal manera	1		c	155.	hasta	53		
100.	de vez en	2		c	156.	hasta que	13		c
101.	deber	163	v		157.	ir²	69	v	
102.	debido a	2		c	158.	junto a	9		c
103.	del	1409			159.	junto con	9		c
104.	delante	1			160.	la	7748		
105.	demás	31			161.	llegar²	18	v	
106.	demasiado	2			162.	llevar²	2	v	
107.	dentro	1			163.	luego	22	b	
108.	dentro de	39		c	164.	más	396	b	
109.	desde	64			165.	mediante	52		
110.	desde que	3		c	166.	mientras	5		
111.	después de	17		c	167.	mientras que	3		c
112.	devenir	1			168.	mil	1		
113.	doble	3			169.	milésimo	1		
114.	donde	95			170.	millón	71		
115.	dónde	2			171.	mismo	300		
116.	dos	1			172.	mucho	112		
117.	durante	46			173.	muy	101		
118.	e¹	86			174.	nada	9		
119.	el	9591			175.	nadie	3		
120.	él	3681			176.	ni	51		
121.	en	2831			177.	ninguno	50		
122.	en ausencia de	2		c	178.	no	677	b	
123.	en base a	6		c	179.	noveno	1		
124.	en caso de	2		c	180.	nuestro	23		

181.	o	736			216.	si	516	
182.	octavo	1			217.	si bien	11	c
183.	otro	396			218.	siempre que	6	c
184.	para	789			219.	sin	71	
185.	para que	47	c		220.	sin que	4	c
186.	pero	198			221.	sino	45	
187.	poco	36			222.	sino que	32	c
188.	poder²	764	v		223.	sobre	177	
189.	por	940			224.	soler	79	v
190.	por cuenta de	6	c		225.	su	1057	
191.	por debajo de	4	c		226.	suyo	1	
192.	por doquier	1	c		227.	tal	127	
193.	por encima de	1	c		228.	tal y como	2	c
194.	por medio de	1	c		229.	tan	27	
195.	por parte de	5	c		230.	tanto	128	
196.	porque	28	c		231.	tener²	60	v
197.	primero	192			232.	tercero	57	
198.	pues	126	b		233.	tercio	2	
199.	puesto que	10	c		234.	todo	230	
200.	que	3792			235.	tras	29	
201.	qué	49			236.	tratar²	85	v
202.	quien	45			237.	tres	1	
203.	quién	4			238.	u	29	
204.	quinquenal	1			239.	un	2311	
205.	quinto	3			240.	una vez	29	c
206.	respecto	1			241.	una vez que	3	c
207.	respecto a	51	c		242.	uno	201	
208.	respecto de	3	c		243.	varios	47	
209.	salvo	5			244.	venir	24	v
210.	seguir²	8	v		245.	vía²	1	
211.	según	109			246.	volver²	5	v
212.	según que	1	c		247.	y	2884	
213.	segundo	124			248.	ya	77	b
214.	ser	3370	v		249.	ya que	3	c
215.	sexto	3			250.	yo	13	

G. 2. Los términos económicos: 1.408 UL

La quinta columna proporciona información respecto de la naturaleza de los términos simples y compuestos al especificar si se trata de una sigla (sig), un acrónimo (acrón), una abreviatura (abrev), una sinapsia (sinap), una disyunción (disyun), una contraposición (contra), un préstamo (prést) o un compuesto con epónimo (epón).

1.	a crédito	2	b	c
2.	a plazo	3	b	c
3.	abastecer	1	v	
4.	abastecimiento	3	s	
5.	abonar	22	v	
6.	abono	2	s	
7.	absorción	1	s	
8.	abundancia	1	s	

9.	acción liberada	1 s	c	
10.	acción[1]	96 s		
11.	accionariado	1 s		
12.	accionista	38 s		
13.	acreedor	9 s		
14.	actividad productiva	3 s	c	disyun
15.	activo	99 s		
16.	activo circulante	26 s	c	disyun
17.	activo fijo	24 s	c	disyun
18.	administración	9 s		
19.	administración de empresas	2 s	c	sinap
20.	administración de negocios	1 s	c	sinap
21.	administración pública	1 s	c	disyun
22.	adquirente	7 s		
23.	adquirir	48 v		
24.	adquisición	31 s		
25.	afijación	2 s		
26.	afijación óptima	4 s	c	disyun
27.	afijación optima con costes variables	3 s	c	sinap
28.	afijación por igual	2 s	c	sinap
29.	afijación proporcional	3 s	c	disyun
30.	agente	15 s		
31.	agente comercial	1 s	c	disyun
32.	agente económico	1 s	c	disyun
33.	agente social	3 s	c	disyun
34.	agrario	2 a		
35.	agrícola	2 a		
36.	agricultor	1 s		
37.	agropecuario	1 a		
38.	agrupación dicotómica	2 s	c	disyun
39.	agrupación matricial	1 s	c	disyun
40.	ahorrar	6 v		
41.	ahorro[1]	5 s		
42.	ahorro[2]	3 s		
43.	ajuste	1 s		
44.	al contado	15 b	c	
45.	al detalle	1 b	c	
46.	al por mayor	1 b	c	
47.	al por menor	1 b	c	
48.	alimentación	3 s		
49.	almacén	74 s		
50.	almacenamiento	18 s		
51.	almacenar	22 v		
52.	almacenista	2 s		
53.	alta dirección	8 s	c	disyun
54.	alta segmentación	1 s	c	disyun
55.	alto directivo	2 s	c	disyun
56.	amortización acelerada	1 s	c	disyun
57.	amortización constante	2 s	c	disyun
58.	amortización[1]	15 s		
59.	amortización[2]	5 s		
60.	amortizar[1]	11 v		
61.	amortizar[2]	4 v		
62.	amplitud[1]	2 s		
63.	análisis coste volumen beneficio	2 s	c	disyun
64.	análisis de la varianza	4 s	c	sinap

65.	análisis de viabilidad	1 s	c	sinap
66.	apalancamiento	10 s		
67.	apalancamiento combinado	2 s	c	disyun
68.	apalancamiento financiero	8 s	c	disyun
69.	apalancamiento total	3 s	c	disyun
70.	apalancamientooperativo	14 s	c	disyun
71.	apalancar	1 v		
72.	aportación[1]	9 s		
73.	árbol de decisión	6 s	c	sinap
74.	árbol[2]	4 s		
75.	arista	4 s		
76.	arqueo de caja	1 s	c	sinap
77.	artículo[1]	10 s		
78.	asesor	3 s		
79.	asesoramiento	7 s		
80.	asignación	19 s		
81.	asignación de recursos	1 s	c	sinap
82.	astillero	2 s		
83.	atributo de posicionamiento	2 s	c	sinap
84.	audiencia neta	6 s	c	disyun
85.	auditoria interna	1 s	c	disyun
86.	autocrático	7 a		
87.	autodirigir	1 v		
88.	autofinanciación	10 s		
89.	autofinanciarse	1 v		
90.	autogestión	3 s		
91.	automatización	2 s		
92.	autorregularse	1 v		
93.	autoservicio	1 s		
94.	badwill	4 s		prést
95.	balance[1]	20 s		
96.	bancario	2 a		
97.	banco	23 s		
98.	base amortizable	2 s	c	disyun
99.	base temporal homogénea	1 s	c	disyun
100.	base temporal homogénea finita	3 s	c	disyun
101.	base[1]	2 s		
102.	beneficio	185 s		
103.	beneficio bruto	4 s	c	disyun
104.	beneficio de explotación	3 s	c	sinap
105.	beneficio económico	27 s	c	disyun
106.	beneficio financiero	4 s	c	disyun
107.	beneficio fiscal	1 s	c	disyun
108.	beneficio líquido	4 s	c	disyun
109.	beneficio neto	32 s	c	disyun
110.	beneficio operativo	26 s	c	disyun
111.	beneficioso	1 a		
112.	bien de consumo duradero	2 s	c	sinap
113.	bien de consumo inmediato	1 s	c	sinap
114.	bien de equipo	12 s	c	sinap
115.	bien final	5 s	c	disyun
116.	bien inicial	1 s	c	disyun
117.	bien[1]	70 s		
118.	bienes de capital	1 s	c	sinap
119.	bienes Giffen	1 s	c	epón
120.	bienes manufacturados	2 s	c	disyun

121. bienestar	2	s	
122. bit	3	s	c	prést
123. blando	6	a	
124. bruto	4	a	
125. bursátil	4	a	
126. CAD	4	s	c	prést
127. calidad	77	s	
128. calidad de vida	1 s		c	sinap
129. CAM	4	s	c	prést
130. cambio¹	1 s		
131. camino crítico	8	s	c	disyun
132. campaña	5	s	
133. campaña de publicidad	1 s		c	sinap
134. campaña publicitaria	1 s		c	disyun
135. canal de distribución	14	s	c	sinap
136. capacidad adquisitiva	3	s	c	disyun
137. capacidad de discriminación	1 s		c	sinap
138. capacidad de producción	17	s	c	sinap
139. capacidad discriminante	6	s	c	disyun
140. capacidad productiva	3	s	c	disyun
141. capacidad punta	1 s		c	contra
142. capacidad sostenida	2	s	c	disyun
143. capital ajeno	1 s		c	disyun
144. capital de trabajo	1 s		c	sinap
145. capital humano	1 s		c	disyun
146. capital inmovilizado	2	s	c	disyun
147. capital permanente	13	s	c	disyun
148. capital propio	19	s	c	disyun
149. capital social	7	s	c	disyun
150. capital total	6	s	c	disyun
151. capital¹	34	s	
152. capital²	3	s	
153. capitalismo	1 s		
154. carbón	1 s		
155. carga de estructura	6	s	c	sinap
156. carga¹	3	s	
157. cargar¹	4	v	
158. cartera de productos	4	s	c	sinap
159. cartera¹	1 s		
160. cartera²	1 s		
161. centro comercial	3	s	c	disyun
162. centro organizativo	1 s		c	disyun
163. ciclo corto	1 s		c	disyun
164. ciclo de amortizaciones	1 s		c	sinap
165. ciclo de depreciación	1 s		c	sinap
166. ciclo de explotación	7	s	c	sinap
167. ciclo de vida	7	s	c	sinap
168. ciclo de vida de un producto	1 s		c	sinap
169. ciclo de vida del producto	2	s	c	sinap
170. ciclo largo	2	s	c	disyun
171. ciencias de la gestión	1 s		c	sinap
172. cifra de negocios	1 s		c	sinap
173. ciudad experimento	1 s		c	contra
174. ciudad testigo	2	s	c	contra
175. cliente	214	s	
176. clientela	2	s	

177. cobro	28	s	
178. coeficiente beneficio	1	s	c	contra
179. coeficiente de apalancamiento financiero	7	s	c	sinap
180. coeficiente de apalancamiento operativo	9	s	c	sinap
181. coeficiente de apalancamiento total	3	s	c	sinap
182. coeficiente de costes	2	s	c	sinap
183. coeficiente de elasticidad	1	s	c	sinap
184. coeficiente de elasticidad de la demanda	1	s	c	sinap
185. coeficiente de endeudamiento	3	s	c	sinap
186. coeficiente de leverage	1	s	c	prést
187. coeficiente de optimismo	7	s	c	sinap
188. coeficiente de pesimismo	1	s	c	sinap
189. coeficiente de retención	1	s	c	sinap
190. combustible	1	s		
191. comercial	29	a		
192. comercialización	3	s		
193. comercializar	2	v		
194. comerciante	1	s		
195. comercio	3	s		
196. comercio exterior	1	s	c	disyun
197. comisión	11	s		
198. comisionista	1	s		
199. compactibilidad	3	s		
200. compañía	6	s		
201. comparación de costes	1	s	c	sinap
202. competencia[1]	52	s		
203. competición	1	s		
204. competidor	16	s		
205. competir	10	v		
206. competitividad	1	s		
207. competitivo	10	a		
208. compra	48	s		
209. comprador	15	s		
210. comprar	36	v		
211. compra-venta	3	s	c	contra
212. computer aided design	1	s	c	prést
213. computer aided manufacturing	1	s	c	prést
214. comunicación externa	2	s	c	disyun
215. concepción frecuencial	2	s	c	disyun
216. concurrente	2	a		
217. concurrir	1	v		
218. conglomeral	1	a		
219. consultor	2	s		
220. consumidor	160	s		
221. consumo	32	s		
222. contabilidad	1	s		
223. contable	2	a		
224. contablemente	2	b		
225. contrato de compra	1	s	c	sinap
226. convenio colectivo	1	s	c	disyun
227. cooperativa	1	s		
228. coste	330	s		
229. coste aparente	1	s	c	disyun
230. coste de almacenamiento	3	s	c	sinap
231. coste de capital	1	s	c	sinap
232. coste de distribución	6	s	c	sinap

233.	coste de inventarios	1 s	c	sinap
234.	coste de la autofinanciación	5 s	c	sinap
235.	coste de la financiación	9 s	c	sinap
236.	coste de la mano de obra	3 s	c	sinap
237.	coste de la materia prima	4 s	c	sinap
238.	coste de la producción	2 s	c	sinap
239.	coste de mantenimiento	4 s	c	sinap
240.	coste de oportunidad	9 s	c	sinap
241.	coste de producción	7 s	c	sinap
242.	Ccoste de transporte	3 s	c	sinap
243.	oste del activo	1 s	c	sinap
244.	coste del capital	11 s	c	sinap
245.	coste del inventario	3 s	c	sinap
246.	coste del pasivo	3 s	c	sinap
247.	coste directo	7 s	c	disyun
248.	coste fijo	62 s	c	disyun
249.	coste financiero	7 s	c	disyun
250.	coste indirecto	3 s	c	disyun
251.	coste marginal	4 s	c	disyun
252.	coste real	8 s	c	disyun
253.	coste social	1 s	c	disyun
254.	coste variable	27 s	c	disyun
255.	coste variable unitario	34 s	c	disyun
256.	costes de transacción	6 s	c	sinap
257.	costes estándares	2 s	c	disyun
258.	cotización	7 s		
259.	cotizar	5 v		
260.	coyuntura	2 s		
261.	coyuntura económica	3 s	c	disyun
262.	coyuntural	1 a		
263.	CPM	10 s	c	prést
264.	creación de nichos	3 s	c	sinap
265.	crecimiento económico	2 s	c	disyun
266.	crecimiento externo	6 s	c	disyun
267.	crecimiento financiero	1 s	c	disyun
268.	crecimiento interno	3 s	c	disyun
269.	crecimiento patrimonial	1 s	c	disyun
270.	crédito	40 s		
271.	crédito bancario	7 s	c	disyun
272.	crédito comercial	4 s	c	disyun
273.	crédito hipotecario	2 s	c	disyun
274.	crisis	1 s		
275.	criterio aproximado	1 s	c	disyun
276.	criterio de Hurwicz	2 s	c	epón
277.	criterio de igual verosimilitud	1 s	c	sinap
278.	criterio de la comparación de costes	1 s	c	sinap
279.	criterio de Laplace	2 s	c	epón
280.	criterio de optimismo parcial de Hurwicz	1 s	c	epón
281.	criterio de Savage	2 s	c	epón
282.	criterio de Wald	2 s	c	epón
283.	criterio del flujo de caja medio anual por unidad monetaria comprometida	2 s	c	sinap
284.	criterio del flujo total por unidad monetaria comprometida	1 s	c	sinap
285.	criterio del mínimo pesar	1 s	c	sinap
286.	criterio maxi-max	1 s	c	acrón
287.	criterio maxi-min	1 s	c	acrón

288. criterio mini-max	1 s	c	acrón
289. criterio mini-min	1 s	c	acrón
290. criterio optimista	3 s	c	disyun
291. criterio pesimista	4 s	c	disyun
292. criterio racionalista	1 s	c	disyun
293. critical path method	1 s	c	prést
294. cuello de botella	1 s	c	sinap
295. cuenta corriente	3 s	c	disyun
296. cuenta[1]	1 s		
297. cultura empresarial	4 s	c	disyun
298. cultura estratégica	1 s	c	disyun
299. cuota	35 s		
300. cuota constante	3 s	c	disyun
301. cuota de mercado	9 s	c	sinap
302. cuota fija	2 s	c	disyun
303. curva de demanda	7 s	c	sinap
304. de línea y staff	1 b	c	prést
305. decision cualitativa	1 s	c	disyun
306. decision cuantitativa	1 s	c	disyun
307. decision de capacidad de producción	1 s	c	sinap
308. decision de proceso	2 s	c	sinap
309. decision de producción	2 s	c	sinap
310. decision de producir o comprar	1 s	c	sinap
311. decision empresarial	2 s	c	disyun
312. decision estratégica	8 s	c	disyun
313. decision financiera	5 s	c	disyun
314. decision secuencial	1 s	c	disyun
315. decision táctica	4 s	c	disyun
316. decisión[1]	215 s		
317. definición de Laplace	1 s	c	epón
318. dejar hacer	2 s	c	disyun
319. demanda	138 s		
320. demanda dependiente	1 s	c	disyun
321. demanda independiente	1 s	c	disyun
322. demora	7 s		
323. departamentación	19 s		
324. departamento	32 s		
325. depositario	1 s		
326. depreciación	4 s		
327. depreciar	5 v		
328. desabastecer	1 v		
329. desabastecimiento	1 s		
330. desarrollo del producto	3 s	c	sinap
331. descuento	18 s		
332. descuento por pronto pago	1 s	c	sinap
333. desembolsar	3 v		
334. desembolso	1 s		
335. desembolso inicial	40 s	c	disyun
336. desempleo	2 s		
337. designación sucesiva	1 s	c	disyun
338. designación unívoca	2 s	c	disyun
339. despido	1 s		
340. destajo	5 s		
341. desviación económica	3 s	c	disyun
342. desviación en cantidades	10 s	c	sinap
343. desviación en costes	2 s	c	sinap

344. desviación en cuotas	3	s	c	sinap
345. desviación en el mercado	1	s	c	sinap
346. desviación en el tamaño global del mercado	2	s	c	sinap
347. desviación en márgenes	5	s	c	sinap
348. desviación en precios	6	s	c	sinap
349. desviación técnica	3	s	c	disyun
350. desviación total	18	s	c	disyun
351. desviación^2	34	s		
352. detallista	10	s		
353. determinación de precios	3	s	c	sinap
354. determinismo tecnológico	1	s	c	disyun
355. deuda	75	s		
356. deudor	2	s		
357. diagrama	6	s		
358. diagrama de actividades	3	s	c	sinap
359. diagrama de equipo	2	s	c	sinap
360. diagrama de operaciones	2	s	c	sinap
361. dinero	12	s		
362. dinero en caja	1	s	c	sinap
363. dirección de empresas	6	s	c	sinap
364. dirección de finanzas	1	s	c	sinap
365. dirección de la empresa	2	s	c	sinap
366. dirección de la producción	7	s	c	sinap
367. dirección de marketing	7	s	c	prést
368. dirección de primera línea	1	s	c	sinap
369. dirección de producción	2	s	c	sinap
370. dirección de supervisión	1	s	c	sinap
371. dirección estratégica	4	s	c	disyun
372. dirección intermedia	3	s	c	disyun
373. dirección operativa	4	s	c	disyun
374. dirección^1	46	s		
375. dirección^2	32	s		
376. direct costing	1	s	c	prést
377. directivo de línea	1	s	c	sinap
378. directivo intermedio	1	s	c	disyun
379. directivo^2	46	s		
380. director	14	s		
381. director comercial	2	s	c	disyun
382. director de distribución	1	s	c	sinap
383. director de fábrica	1	s	c	sinap
384. director de investigación	1	s	c	sinap
385. director de marketing	1	s	c	sinap
386. director de producción	3	s	c	sinap
387. director financiero	3	s	c	disyun
388. director general	1	s	c	disyun
389. discriminación de precios	4	s	c	sinap
390. disminución de precios	1	s	c	sinap
391. disposición combinada	2	s	c	disyun
392. disposición de punto fijo	2	s	c	sinap
393. disposición por procesos	2	s	c	sinap
394. disposición por productos	2	s	c	sinap
395. disposición^1	8	s		
396. distintivo de marca	1	s	c	sinap
397. distribución circular	2	s	c	disyun
398. distribución de la renta	1	s	c	sinap
399. distribución en cuña	1	s	c	sinap

400. distribución física	2	s	c	disyun
401. distribución[1]	44	s	
402. distribuidor	31	s	
403. diversificación	18	s	
404. diversificación de productos y mercados	1	s	c	sinap
405. dividendo	66	s	
406. dividendo extraordinario	1	s	c	disyun
407. documento contable	1	s	c	disyun
408. dólar	1	s		prést
409. econométrico	2	a	
410. economía de escala	1	s	c	sinap
411. economía de la empresa	7	s	c	sinap
412. economía de los costes de transacción	1	s	c	sinap
413. economía de mercado	1	s	c	sinap
414. economía[1]	7	s	
415. economía[2]	3	s	
416. economía[3]	2	s	
417. económicamente	5	b	
418. economicidad	3	s	
419. económico	60	a	
420. economista	2	s	
421. economizar	1	v	
422. efecto[1]	3	s	
423. efectuable	29	a	
424. ejercicio[1]	3	s	
425. ejes centrales del trabajo	1	s	c	sinap
426. elasticidad	32	s	
427. elasticidad de la demanda	2	s	c	sinap
428. elástico	2	a	
429. embalaje	2	s	
430. emisión[1]	17	s	
431. empleado	28	s	
432. empleador	1	s	
433. empleo	10	s	
434. empresa	821	s	
435. empresa consultora	2	s	c	disyun
436. empresa cooperativa	2	s	c	disyun
437. empresa grande	1	s	c	disyun
438. empresa líder	1	s	c	prést
439. empresa local	2	s	c	disyun
440. empresa mediana y grande	2	s	c	disyun
441. empresa mixta	1	s	c	disyun
442. empresa multinacional	1	s	c	disyun
443. empresa pequeña	5	s	c	disyun
444. empresa privada	4	s	c	disyun
445. empresa pública	1	s	c	disyun
446. empresa seguidora	1	s	c	disyun
447. empresa social	1	s	c	disyun
448. empresariado	1	s	
449. empresarial	34	a	
450. empresario	10	s	
451. empréstito	16	s	
452. en comité	2	b	c	
453. en línea	4	b	c	
454. en línea y staff	2	b	c	prést
455. en masa	1	b	c	

456. en serie	5	b	c	
457. en staff	1	b	c	prést
458. en términos de capacidad adquisitiva	1	b	c	
459. encuesta	5	s		
460. endeudamiento	34	s		
461. endeudar	13	v		
462. enfoque contingencial	1	s	c	disyun
463. enfoque del enriquecimiento del puesto de trabajo	2	s	c	sinap
464. enfoque sociotécnico	4	s	c	disyun
465. enriquecimiento del trabajo	2	s	c	sinap
466. ensamblaje	9	s		
467. ensamblar	4	v		
468. entidad financiera	1	s	c	disyun
469. entidad no lucrativa	1	s	c	disyun
470. entidad pública	1	s	c	disyun
471. envasado	2	s		
472. envasar	1	v		
473. envase	21	s		
474. equipo de producción	9	s	c	sinap
475. equipo de trabajo	2	s	c	sinap
476. equipo productivo	1	s	c	disyun
477. equipo[1]	65	s		
478. escasez	8	s		
479. escaso	24	a		
480. escuela de la dirección científica	5	s	c	sinap
481. especulación	1	s		
482. estado de inventario	4	s	c	sinap
483. estado mayor	2	s	c	disyun
484. estrategia de desarrollo	1	s	c	sinap
485. estrategia de precios	4	s	c	sinap
486. estrategia empresarial	2	s	c	disyun
487. estrato	17	s		
488. estrechar	1	v		
489. estructura económica	11	s	c	disyun
490. estructura económicofinanciera	6	s	c	disyun
491. estructura en comité	4	s	c	sinap
492. estructura en línea y staff	5	s	c	prést
493. estructura financiera	14	s	c	disyun
494. estructura lineal	7	s	c	disyun
495. estructura matricial	5	s	c	disyun
496. estructura organizativa	8	s	c	disyun
497. estudio de mercado	2	s	c	sinap
498. estudio de tiempos	7	s	c	sinap
499. estudio del trabajo	2	s	c	sinap
500. etiqueta de la marca	2	s	c	sinap
501. etiqueta informativa	2	s	c	disyun
502. euro	2	s		
503. existencias	28	s		
504. expansión	4	s		
505. experimentación commercial	5	s	c	disyun
506. extensión de la marca	1	s	c	sinap
507. fábrica	10	s		
508. fabricación	32	s		
509. fabricante[1]	29	s		
510. fabricante[2]	15	a		
511. fabricar	25	v		

512. factor humano	3 s	c	disyun
513. factor productivo	2 s	c	disyun
514. factores de mantenimiento	1 s	c	sinap
515. factores de producción	12 s	c	sinap
516. factores motivacionales	1 s	c	disyun
517. factoría	5 s		
518. feedback	1 s		prést
519. fijación de los precios	2 s	c	sinap
520. fijación de precios	8 s	c	sinap
521. fijación del precio	1 s	c	sinap
522. filial	1 s		
523. financiación	31 s		
524. financiar	45 v		
525. financieramente	1 b		
526. financiero	80 a		
527. finanzas	14 s		
528. firma de consultores	1 s	c	sinap
529. firma[1]	1 s		
530. fiscal	1 a		
531. fiscalmente	1 b		
532. flotante	1 s		
533. flujo de caja	87 s	c	sinap
534. flujo de caja medio anual por unidad monetaria comprometida	3 s	c	sinap
535. flujo de caja total por unidad monetaria comprometida	1 s	c	sinap
536. flujo de información	4 s	c	sinap
537. flujo de información de salida	1 s	c	sinap
538. flujo de los materiales	1 s	c	sinap
539. flujo de materiales	3 s	c	sinap
540. flujo del proceso	4 s	c	sinap
541. flujo financiero	1 s	c	disyun
542. flujo físico	2 s	c	disyun
543. flujo neto de caja	3 s	c	sinap
544. flujo neto de caja medio anual	1 s	c	sinap
545. flujo real	1 s	c	disyun
546. flujo total por unidad monetaria comprometida	1 s	c	sinap
547. flujo[1]	31 s		
548. FOB	1 b	c	sig
549. fondo	4 s		
550. fondo de comercio	30 s	c	sinap
551. fondo de maniobra	12 s	c	sinap
552. fondo de rotación	4 s	c	sinap
553. fondos	14 s		
554. fondos de dinero	1 s	c	sinap
555. fondos internos	1 s	c	sinap
556. fondos propios	1 s	c	disyun
557. free on board	1 b	c	prést
558. fuente de financiación	27 s	c	sinap
559. fuente financiera	10 s	c	disyun
560. fuente[1]	12 s		
561. fuerza de trabajo	3 s	c	sinap
562. fuerza de venta	1 s	c	sinap
563. fuerza de ventas	25 s	c	sinap
564. full costing	2 s	c	prést
565. función de demanda	11 s	c	sinap
566. función de marketing	1 s	c	prést
567. función de producción	7 s	c	sinap

568. función de rendimiento	1 s	c	sinap
569. función lagrangiana	2 s	c	disyun
570. función productiva	2 s	c	disyun
571. fusión	1 s		
572. fusionar	1 v		
573. gama	4 s		
574. ganancia de capital	5 s	c	sinap
575. ganancia[1]	5 s		
576. gastar	5 v		
577. gasto	46 s		
578. gasto de transporte	1 s	c	sinap
579. gasto financiero	5 s	c	disyun
580. gestión	17 s		
581. gestión de la producción	1 s	c	sinap
582. gestión económica de stocks	1 s	c	prést
583. gestión financiera	2 s	c	disyun
584. gestionar	6 v		
585. globalización	1 s		
586. goodwill	4 s		prést
587. gráfico de control	1 s	c	sinap
588. gráfico de Gantt	7 s	c	epón
589. grafo	20 s		prést
590. grafo completo	1 s	c	prést
591. grafo parcial	10 s	c	prést
592. grafo PERT	6 s	c	prést
593. gran empresa	6 s	c	disyun
594. grandes almacenes	6 s	c	disyun
595. grandes superficies	2 s	c	disyun
596. gravar	2 v		
597. guerra de precios	2 s	c	sinap
598. guerra publicitaria	1 s	c	disyun
599. hacer inventario	1 v	c	
600. Hacienda	2 s		
601. handmade	1 a		Prést
602. hard	1 a		Prést
603. hecho a mano	1 a	c	
604. hipermercado	3 s		
605. holgura	10 s		
606. holgura independiente	3 s	c	disyun
607. holgura libre	3 s	c	disyun
608. holgura total	4 s	c	disyun
609. hora de trabajo	3 s	c	sinap
610. hora extra	1 s	c	disyun
611. hora extraordinaria	7 s	c	disyun
612. hora hombre	4 s	c	disyun
613. hora laborable	2 s	c	disyun
614. horizonte	5 s		
615. hostelería	1 s		
616. huelga	2 s		
617. importar[1]	1 v		
618. impuesto	41 s		
619. impuesto de sociedades	1 s	c	sinap
620. impuesto sobre el beneficio	5 s	c	sinap
621. impuesto sobre la renta de las sociedades	2 s	c	sinap
622. impuesto sobre sociedades	2 s	c	sinap
623. imputación	3 s		

624. incentivación	1 s		
625. incentivar	5 v		
626. incentivo	22 s		
627. incertidumbre	26 s		
628. incertidumbre estructurada	4 s	c	disyun
629. incertidumbre no estructurada	2 s	c	disyun
630. índice de cantidades de Laspeyres	1 s	c	epón
631. índice de cantidades de producción	1 s	c	sinap
632. índice de evolución de la cantidad de producción de Laspeyres	1 s	c	epón
633. índice de Laspeyres	2 s	c	epón
634. índice de productividad global	2 s	c	sinap
635. índice de rentabilidad	4 s	c	sinap
636. indiferente	6 a		
637. industria	5 s		
638. industrial[1]	3 s		
639. industrial[2]	13 a		
640. inelástico	1 a		
641. inflación	34 s		
642. inflacionario	1 a		
643. información de canal	1 s	c	sinap
644. información de salida	1 s	c	sinap
645. infrautilización	1 s		
646. infrautilizar	2 v		
647. ingeniero	5 s		
648. ingeniero de ventas	1 s	c	sinap
649. ingreso	35 s		
650. ingreso financiero	1 s	c	disyun
651. ingreso marginal	3 s	c	disyun
652. inmovilizado[1]	13 s		
653. inmovilizado[2]	3 a		
654. input	5 s		prést
655. insolvencia	6 s		
656. insolvente	1 a		
657. instalación	24 s		
658. integración vertical	3 s	c	disyun
659. interés acumulado	1 s	c	disyun
660. interés[1]	71 s		
661. intermediación	6 s		
662. intermediario	35 s		
663. intersección de Fisher	4 s	c	epón
664. inventariable	1 a		
665. inventariar	3 v		
666. inventario	92 s		
667. inversion	322 s		
668. inversión de activo fijo	1 s	c	sinap
669. inversión de ampliación a nuevos productos o mercados	1 s	c	sinap
670. inversión de ampliación de los productos o mercados existentes	1 s	c	sinap
671. inversión de mantenimiento	1 s	c	sinap
672. inversión de reemplazamiento para el mantenimiento de la empresa	1 s	c	sinap
673. inversión de reemplazamiento para reducir costes o para mejorar tecnológicamente	1 s	c	sinap
674. inversion de renovación o reemplazo	2 s	c	sinap
675. inversion efectuable	4 s	c	disyun
676. inversión en activo circulante	1 s	c	sinap
677. inversion financiera	3 s	c	disyun
678. inversión fraccionable	1 s	c	disyun

679.	inversión impuesta	1 s	c	disyun
680.	inversion mixta	3 s	c	disyun
681.	inversion mutuamente excluyente	4 s	c	disyun
682.	inversión no simple	1 s	c	disyun
683.	inversion productiva	6 s	c	disyun
684.	inversión pura	1 s	c	disyun
685.	inversion simple	8 s	c	disyun
686.	inversor	7 s		
687.	invertir[1]	33 v		
688.	investigación commercial	5 s	c	disyun
689.	investigación de mercados	4 s	c	sinap
690.	investigación operativa	3 s	c	disyun
691.	jefe de división	1 s	c	sinap
692.	jornada reducida	3 s	c	disyun
693.	jubilación	2 s		
694.	just in time inventory	1 s	c	prést
695.	labor	5 s		
696.	laboral	5 a		
697.	laissez faire	4 s	c	prést
698.	last	3 a		prést
699.	letra de cambio	1 s	c	sinap
700.	libre de riesgo	3 a	c	
701.	libre mercado	1 s	c	disyun
702.	líder	28 s		prést
703.	liderazgo en costes	6 s	c	sinap
704.	liderazgo total en costes	1 s	c	sinap
705.	liderazgo[1]	28 s		
706.	límite de la dirección	2 s	c	sinap
707.	límite del control	2 s	c	sinap
708.	línea de precio	2 s	c	sinap
709.	línea de precios	3 s	c	sinap
710.	línea de productos	4 s	c	sinap
711.	línea ejecutiva	1 s	c	disyun
712.	línea y staff	2 s	c	prést
713.	línea[1]	9 s		
714.	línea[3]	2 s		
715.	liquidación	3 s		
716.	liquidar	6 v		
717.	liquidez	6 s		
718.	líquido[1]	2 a		
719.	llevar el negocio	2 v	c	
720.	longitud[1]	2 s		
721.	lucrativo	2 a		
722.	lucro	1 s		
723.	management	1 s		Prést
724.	mando intermedio	1 s	c	disyun
725.	mano de obra	19 s	c	sinap
726.	mano invisible	4 s	c	disyun
727.	mano visible	3 s	c	disyun
728.	mantenimiento correctivo	2 s	c	disyun
729.	mantenimiento predictivo	2 s	c	disyun
730.	mantenimiento preventivo	3 s	c	disyun
731.	maquinaria	22 s		
732.	marca	60 s		
733.	marca de distribuidor	1 s	c	sinap
734.	marca de familia	2 s	c	sinap

735.	marca individual	2	s c	disyun
736.	marca nacional	2	s c	disyun
737.	marcado	1	s	
738.	marcar egistrada	1	s c	disyun
739.	marcar[1]	2	v	
740.	margen bruto	5	s c	disyun
741.	margen bruto total	5	s c	disyun
742.	margen bruto unitario	8	s c	disyun
743.	margen de beneficio	11	s c	sinap
744.	margen de beneficio bruto unitario	1	s c	sinap
745.	margen de seguridad	1	s c	sinap
746.	margen neto sobre ventas	1	s c	sinap
747.	margen unitario	4	s c	disyun
748.	margen unitario sobre costes variables	1	s c	sinap
749.	marketing	52	s	prést
750.	marketing mix	11	s c	prést
751.	marketingmix de promoción	1	s c	prést
752.	materia prima	54	s c	disyun
753.	material auxiliar	2	s c	disyun
754.	matricial[1]	6	a	
755.	matriz de cambios de estado	1	s c	sinap
756.	matriz de decisión	4	s c	sinap
757.	matriz de decisiones	1	s c	sinap
758.	matriz de pagos	4	s c	sinap
759.	matriz de pesares	3	s c	sinap
760.	matriz de transición	4	s c	sinap
761.	matriz[1]	1	s	
762.	maxi-min	3	a c	acrón
763.	mayorista	14	s	
764.	mayorista de contado	1	s c	sinap
765.	mayorista de servicio completo	1	s c	sinap
766.	mecanización	1	s	
767.	mecanizar	5	v	
768.	mediana y gran empresa	1	s c	disyun
769.	medio financiero	6	s c	disyun
770.	medioṣ	9	s	
771.	medios	9	s	
772.	medios de producción	1	s c	sinap
773.	mensaje publicitario	7	s c	disyun
774.	mercado actual	1	s c	disyun
775.	mercado de consumidores	1	s c	sinap
776.	mercado de consumo	2	s c	sinap
777.	mercado de factores	1	s c	sinap
778.	mercado de mayoristas	1	s c	sinap
779.	mercado de minoristas	1	s c	sinap
780.	mercado de productos	1	s c	sinap
781.	mercado de productos primarios	1	s c	sinap
782.	mercado de prueba	1	s c	sinap
783.	mercado de valores	2	s c	sinap
784.	mercado financiero	3	s c	disyun
785.	mercado futuro	1	s c	disyun
786.	mercado industrial	1	s c	disyun
787.	mercado objetivo	2	s c	contra
788.	mercado pasado	1	s c	disyun
789.	mercado potencial	1	s c	disyun
790.	mercado presente	1	s c	disyun

791. mercado prueba	1 s	c	contra
792. mercado tendencial	1 s	c	disyun
793. mercado testigo	1 s	c	contra
794. mercado[1]	191 s		
795. mercado[2]	14 s		
796. mercadotécnica	1 s		
797. mercadotécnico	33 a		
798. mercancía	5 s		
799. mercantil	2 a		
800. merchandising	5 s		prést
801. método ABC	1 s	c	epón
802. método ABC de control de inventarios	1 s	c	epón
803. método alemán	1 s	c	disyun
804. método CPM	2 s	c	prést
805. método de Belson	5 s	c	epón
806. método de la comparación de costes	2 s	c	sinap
807. método de la diferencia respecto al valor material	1 s	c	sinap
808. método de la diferencia respecto al valor total	1 s	c	sinap
809. método de los números dígitos crecientes	3 s	c	sinap
810. método de los números dígitos en sentido decreciente	1 s	c	sinap
811. método de los potenciales	1 s	c	sinap
812. método de los prácticos	1 s	c	sinap
813. método de los superrendimientos	3 s	c	sinap
814. método de trabajo	7 s	c	sinap
815. método del brainstorming	1 s	c	prést
816. método del camino crítico	1 s	c	sinap
817. método del direct costing	1 s	c	prést
818. método del mínimo adverso	1 s	c	sinap
819. método del tanto fijo	2 s	c	sinap
820. método del tanto fijo sobre una base amortizable decreciente	1 s	c	sinap
821. método del VAN	1 s	c	sig
822. método dinámico	5 s	c	disyun
823. método directo	8 s	c	disyun
824. método Dupont	2 s	c	epón
825. método estático	9 s	c	disyun
826. método indirecto	4 s	c	disyun
827. método lineal	1 s	c	disyun
828. método MAPI	1 s	c	prést
829. método PERT	11 s	c	prést
830. método PERT en incertidumbre	2 s	c	prést
831. método PERT en riesgo	1 s	c	prést
832. método probabilístico	2 s	c	disyun
833. método Roy	4 s	c	epón
834. método VAN	2 s	c	sig
835. mezcla comercial	2 s	c	disyun
836. mezcla promocional	1 s	c	disyun
837. mina	2 s		
838. minero	2 s		
839. mini-max	3 a	c	acrón
840. mínimo adverso	1 s	c	disyun
841. minorista	8 s		
842. minusvalía	2 s		prést
843. modelo aditivo	3 s	c	disyun
844. modelo de colas	1 s	c	sinap
845. modelo de distribución	2 s	c	sinap
846. modelo de Hitchkock	1 s	c	epón

847. modelo de líneas de espera	1 s	c	sinap
848. modelo de programación lineal	1 s	c	sinap
849. modelo de transporte	1 s	c	sinap
850. modelo de Wilson	4 s	c	epón
851. modelo determinista	5 s	c	disyun
852. modelo marginalista	2 s	c	disyun
853. modelo multiplicativo	2 s	c	disyun
854. modelo probabilístico	3 s	c	disyun
855. moneda	9 s		
856. monopolio	3 s		
857. monopolio bilateral	1 s	c	disyun
858. monopolista	1 s		
859. monopolístico	1 s		
860. monopsonio	1 s		
861. monopsonio limitado	1 s	c	disyun
862. muestra²	32 s		
863. muestreo	4 s		
864. muestreo aleatorio estratificado	1 s	c	disyun
865. muestreo aleatorio por itinerarios	1 s	c	sinap
866. muestreo aleatorio simple	1 s	c	disyun
867. muestreo aleatorio sistemático	2 s	c	disyun
868. muestreo del trabajo	2 s	c	sinap
869. muestreo estratificado	1 s	c	disyun
870. muestreo polietápico	1 s	c	disyun
871. muestreo por conglomerados o áreas	1 s	c	sinap
872. muestreo por cuotas	1 s	c	sinap
873. multinacional	2 s		
874. necesidades de inversión	1 s	c	sinap
875. negociación	6 s		
876. negocio	10 s		
877. neto	23 a		
878. neto patrimonial	1 s	c	disyun
879. nicho	2 s		
880. nicho del mercado	1 s	c	sinap
881. nit	1 s	c	prést
882. nivel de realización	2 s	c	sinap
883. nivel de renta	18 s	c	sinap
884. Nobel de economía	1 s	c	epón
885. nombre de marca	1 s	c	sinap
886. nominal¹	4 s		
887. nominal²	4 a		
888. nudo	109 s		
889. nudo aleatorio	4 s	c	disyun
890. nudo decisional	7 s	c	disyun
891. nuevo liderazgo	2 s	c	prést
892. nutrición	2 s		
893. objetivo de ventas	2 s	c	sinap
894. obligación¹	22 s		
895. obligacionista	4 s		
896. obrero	2 s		
897. oferente	2 s		
898. oferta	9 s		
899. ofertar	3 v		
900. oficio	1 s		
901. oligopolio	3 s		
902. oligopsonio	1 s		

903. operario	11	s	
904. optimización	9	s	
905. optimizar	16	v	
906. óptimo[1]	16	s	
907. organización científica	3	s c	disyun
908. organización empresarial	4	s c	disyun
909. organización formal	1 s	c	disyun
910. organización informal	2	s c	disyun
911. organización[1]	45	s	
912. organización[2]	49	s	
913. orientación a la competencia	1 s	c	sinap
914. orientación a la producción	1 s	c	sinap
915. orientación a las ventas	1 s	c	sinap
916. orientación a los consumidores	1 s	c	sinap
917. orientación al consumidor	1 s	c	sinap
918. output	5	s	prést
919. pagadero	1 a		
920. pagar	89	v	
921. pagaré	3	s	
922. pago	51	s	
923. país desarrollado	1 s	c	disyun
924. panel	3	s	
925. para almacén	3	b c	
926. para el mercado	2	b c	
927. participación[2]	4	s	
928. partida[1]	4	s	
929. pasivo	56	s	
930. patrimonial	3	a	
931. patrimonio	9	s	
932. patrimonio neto	1 s	c	disyun
933. payback	4	s	prést
934. payback con descuento	2	s c	prést
935. pedido	62	s	
936. pedido constante	6	s c	disyun
937. penetración	5	s	
938. penetración de un soporte	1 s	c	sinap
939. penetración del mercado	1 s	c	sinap
940. penetración en el mercado	2	s c	sinap
941. penetración neta	5	s c	disyun
942. pequeña empresa	8	s c	disyun
943. pequeña y mediana	1 s	c	disyun
944. pequeña y mediana empresa	2	s c	disyun
945. pérdidas	14	s	
946. pérdidas de capital	2	s c	sinap
947. perecedero	1 a		
948. periodo constante	2	s c	disyun
949. período de maduración	1 s	c	sinap
950. período de maduración económica	1 s	c	sinap
951. período medio de maduración	1 s	c	sinap
952. periodo medio de maduración económica	2	s c	sinap
953. período medio de maduración económica	6	s c	sinap
954. período medio de maduración financiera	5	s c	sinap
955. personal[1]	20	s	
956. PERT	19	s c	prést
957. PERT tiempo	2	s c	prést
958. perturbación aleatoria	1 s	c	disyun

959. petróleo	1 s		
960. plan de estudios	1 s	c	sinap
961. plan de marketing	1 s	c	prést
962. plan operativo	1 s	c	disyun
963. planificación	58 s		
964. planificación de las actividades productivas	1 s	c	sinap
965. planificación de proyectos	1 s	c	sinap
966. planificación estratégica	6 s	c	disyun
967. planta[1]	7 s		
968. plantilla	6 s		
969. plazo de amortización	3 s	c	sinap
970. plazo de entrega	4 s	c	sinap
971. plazo de recuperación	28 s	c	sinap
972. plazo de recuperación con descuento	5 s	c	sinap
973. pleno empleo	1 s	c	disyun
974. plusvalía	4 s		prést
975. población objetivo	5 s	c	contra
976. poder coercitivo	2 s	c	disyun
977. poder de compensación económica	1 s	c	sinap
978. poder de experiencia	1 s	c	sinap
979. poder de reconocimiento	1 s	c	sinap
980. poder no coercitivo	3 s	c	disyun
981. política de acertar a la primera	1 s	c	sinap
982. política de cero defectos	2 s	c	sinap
983. política de distribución	2 s	c	sinap
984. política de precio	2 s	c	sinap
985. política de precios	6 s	c	sinap
986. política de producto	1 s	c	sinap
987. política de productos	1 s	c	sinap
988. política de promoción	1 s	c	sinap
989. política de promoción y publicidad	1 s	c	sinap
990. por encargo	2 b	c	
991. por lotes	5 b	c	
992. por órdenes	2 b	c	
993. por órdenes de fabricación	2 b	c	
994. por pronto pago	1 b	c	
995. poscompra	1 s		
996. posición de la marca	1 s	c	sinap
997. postventa	1 s		
998. posventa	1 s		
999. precedencia	11 s		
1000.precio	228 s		
1001.precio al contado	1 s	c	disyun
1002.precio de adquisición	3 s	c	sinap
1003.precio de contado	1 s	c	disyun
1004.precio de coste	3 s	c	sinap
1005.precio de lista	1 s	c	sinap
1006.precio de venta	16 s	c	sinap
1007.precio estándar	2 s	c	disyun
1008.precio flexible	3 s	c	disyun
1009.precio máximo	1 s	c	disyun
1010.precio mínimo	4 s	c	disyun
1011.precio promocional	3 s	c	disyun
1012.precio psicológico	3 s	c	disyun
1013.precio técnico	4 s	c	disyun
1014.precio unitario	10 s	c	disyun

1015.prelación	9	s	
1016.prelación de convergencia	1	s	c	sinap
1017.prelación de divergencia	1	s	c	sinap
1018.prelación lineal	2	s	c	disyun
1019.prescriptor	4	s	
1020.presidente	2	s	
1021.prestación de servicios	1	s	c	sinap
1022.préstamo	33	s	
1023.prestar[1]	3	v	
1024.presupuestar	7	v	
1025.presupuestario	4	a	
1026.presupuesto	28	s	
1027.presupuesto de caja	1	s	c	sinap
1028.presupuesto de ingresos y gastos	1	s	c	sinap
1029.presupuesto de tesorería	3	s	c	sinap
1030.presupuesto mercadotécnico	7	s	c	disyun
1031.prima	22	s	
1032.prima de inflación	1	s	c	sinap
1033.prima de producción	1	s	c	sinap
1034.prima de productividad	1	s	c	sinap
1035.prima de reembolso	2	s	c	sinap
1036.prima de riesgo	10	s	c	sinap
1037.prima por riesgo	1	s	c	sinap
1038.primera materia	6	s	c	disyun
1039.principal[1]	12	s	
1040.principal[3]	8	s	
1041.principio de control	1	s	c	sinap
1042.principio de designación sucesiva	2	s	c	sinap
1043.principio de designación unívoca	3	s	c	sinap
1044.principio de interdependencia	2	s	c	sinap
1045.principio de Pareto	2	s	c	epón
1046.principio de restricción en la toma de decisiones	1	s	c	sinap
1047.principio de retroacción	1	s	c	sinap
1048.principio de secuencia	1	s	c	sinap
1049.principio de unicidad del estado final	1	s	c	sinap
1050.principio de unicidad del estado inicial y del estado final	1	s	c	sinap
1051.procedimiento de los superrendimientos	3	s	c	sinap
1052.proceso de producción	26	s	c	sinap
1053.proceso intermitente	1	s	c	disyun
1054.proceso productivo	2	s	c	disyun
1055.producción	143	s	
1056.producción de energía	1	s	c	sinap
1057.producción en masa	2	s	c	sinap
1058.producción en serie	1	s	c	sinap
1059.producción individualizada	1	s	c	disyun
1060.producción intermitente	1	s	c	disyun
1061.producción múltiple	3	s	c	disyun
1062.producción para almacén	3	s	c	sinap
1063.producción para el mercado	3	s	c	sinap
1064.producción por encargo	3	s	c	sinap
1065.producción por órdenes	1	s	c	sinap
1066.producción por órdenes de fabricación	1	s	c	sinap
1067.producción simple	1	s	c	disyun
1068.producir[1]	36	v	
1069.productividad	30	s	
1070.productividad global	4	s	c	disyun

1071.productivo[1]	10	a	
1072.productivo[2]	1	a	
1073.producto acabado	4 s	c	disyun
1074.producto agrícola	1 s	c	disyun
1075.producto ampliado	1 s	c	disyun
1076.producto de alimentación	2 s	c	sinap
1077.producto de artesanía	1 s	c	sinap
1078.producto diferenciado	1 s	c	disyun
1079.producto elaborado	1 s	c	disyun
1080.producto en curso	1 s	c	sinap
1081.producto en curso de elaboración	2 s	c	sinap
1082.producto en curso de fabricación	4 s	c	sinap
1083.producto farmacéutico	1 s	c	disyun
1084.producto financiero	1 s	c	disyun
1085.producto genérico	1 s	c	disyun
1086.producto primario	1 s	c	disyun
1087.producto químico	1 s	c	disyun
1088.producto semielaborado	8 s	c	disyun
1089.producto semiterminado	6 s	c	disyun
1090.producto tangible	1 s	c	disyun
1091.producto terminado	38 s	c	disyun
1092.producto[1]	491 s		
1093.productor[1]	13 s		
1094.productor[2]	1 a		
1095.profesión	1 s		
1096.profesional	1 a		
1097.profundidad	2 s		
1098.program evaluation and technique	1 s	c	prést
1099.program evaluation procedure	1 s	c	prést
1100.programa productivo	1 s	c	disyun
1101.programación lineal	10 s	c	disyun
1102.programación reticular	1 s	c	disyun
1103.promoción de ventas	15 s	c	sinap
1104.promoción[1]	47 s		
1105.promoción[2]	6 s		
1106.promotor de ventas	1 s	c	sinap
1107.propiedad	12 s		
1108.proveedor	39 s		
1109.prueba de mercado	1 s	c	sinap
1110.Ppts.	1 s		abrev
1111.publicidad	48 s		
1112.publicidad difusiva	1 s	c	disyun
1113.publicidad mixta	1 s	c	disyun
1114.publicidad persuasiva	1 s	c	disyun
1115.publicitario	16 a		
1116.puesto	6 s		
1117.puesto de trabajo	13 s	c	sinap
1118.punto muerto	32 s	c	disyun
1119.PYME	2 s	c	sig
1120.quebranto de emisión	3 s	c	sinap
1121.quebrar	2 v		
1122.quiebra	2 s		
1123.rama	12 s		
1124.ratio	20 s		prést
1125.ratio de actividad	1 s	c	prést
1126.ratio de endeudamiento	4 s	c	prést

1127.ratio de liquidez	2	s c	prést
1128.ratio de rotación	4	s c	prést
1129.ratio de síntesis	1	s c	prést
1130.ratio de situación	5	s c	prést
1131.ratio de solvencia	1	s c	prést
1132.ratio de tesorería	3	s c	prést
1133.reaprovisionamiento	3	s	
1134.reaprovisionar	1	v	
1135.rebaja	1	s	
1136.recursos	38	s	
1137.recursos ajenos	16	s c	disyun
1138.recursos económicos	1	s c	disyun
1139.recursos externos	1	s c	disyun
1140.recursos financieros externos	1	s c	disyun
1141.recursos financieros propios	2	s c	disyun
1142.recursos humanos	12	s c	disyun
1143.recursos internos	1	s c	disyun
1144.recursos propios	21	s c	disyun
1145.red de distribución	3	s c	sinap
1146.reembolsar	1	v	
1147.reembolso	6	s	
1148.referencia geográfica	3	s c	disyun
1149.reinvertir	2	v	
1150.relación de agencia	4	s c	sinap
1151.relaciones públicas	15	s c	disyun
1152.remuneración	39	s	
1153.remunerar	2	v	
1154.rendimiento	15	s	
1155.rendimiento unitario	1	s c	disyun
1156.renta	26	s	
1157.renta anual equivalente	2	s c	disyun
1158.renta nacional	2	s c	disyun
1159.rentabilidad	173	s	
1160.rentabilidad aparente	10	s c	disyun
1161.rentabilidad bruta de las ventas	3	s c	sinap
1162.rentabilidad económica	33	s c	disyun
1163.rentabilidad en términos de capacidad adquisitiva esperada	1	s c	sinap
1164.rentabilidad en términos reales	1	s c	sinap
1165.rentabilidad esperada	21	s c	disyun
1166.rentabilidad esperada requerida	4	s c	disyun
1167.rentabilidad financiera	47	s c	disyun
1168.rentabilidad media	1	s c	disyun
1169.rentabilidad neta	2	s c	disyun
1170.rentabilidad neta de inflación	1	s c	sinap
1171.rentabilidad neta de las ventas	1	s c	sinap
1172.rentabilidad neta de riesgo	7	s c	sinap
1173.rentabilidad operativa	7	s c	disyun
1174.rentabilidad real	17	s c	disyun
1175.rentabilidad requerida	43	s c	disyun
1176.rentable	10	a	
1177.rentar	9	v	
1178.repartidor	1	s	
1179.representante de zona	1	s c	sinap
1180.representante mercantil	1	s c	disyun
1181.repuesto	4	s	
1182.reserva	6	s	

1183.resolución de problemas	6	s c	sinap
1184.respuesta al estímulo	3	s c	sinap
1185.retribución	7	s	
1186.retroacción	1	s	
1187.retroalimentación	3	s	
1188.revolución industrial	1	s c	disyun
1189.riesgo	110	s	
1190.riesgo financiero	4	s c	disyun
1191.riqueza	11	s	
1192.robot	1	s	prést
1193.ruptura	10	s	
1194.ruptura de stocks	6	s c	prést
1195.ruptura del inventario	1	s c	sinap
1196.ruptura del stock	1	s c	prést
1197.S. A.	86	s c	sig
1198.salario	9	s	
1199.salario mínimo	1	s c	disyun
1200.saldo	11	s	prést
1201.saldo a la vista	1	s c	sinap
1202.satisfacción de las necesidades	4	s c	sinap
1203.satisfacción de necesidades	1	s c	sinap
1204.sector primario	1	s c	disyun
1205.segmentación	17	s	
1206.segmentación de mercados	7	s c	sinap
1207.segmento	35	s	
1208.seguro[1]	5	s	
1209.semielaboración	1	s	
1210.semielaborado	1	a	
1211.semimayorista	2	s	
1212.simograma	2	s	prést
1213.simultaneous motion	1	s c	prést
1214.sindicato	3	s	
1215.sindicato bancario	2	s c	disyun
1216.sinergia	4	s	
1217.sistema de cuotas constantes	4	s c	sinap
1218.sistema de economía centralizada	1	s c	sinap
1219.sistema de economía de mercado	3	s c	sinap
1220.sistema de empresa privada	2	s c	sinap
1221.sistema de intervalo fijo de pedido	1	s c	sinap
1222.sistema de inventario continuo	1	s c	sinap
1223.sistema de inventario justo a tiempo	1	s c	sinap
1224.sistema de inventarios	4	s c	sinap
1225.sistema de libre empresa	1	s c	sinap
1226.sistema de libre mercado	2	s c	sinap
1227.sistema de período constante	2	s c	sinap
1228.sistema de precios	3	s c	sinap
1229.sistema de revisión periódica	1	s c	sinap
1230.sistema de volumen de pedido constante	1	s c	sinap
1231.sistema de volumen económico de pedido	1	s c	sinap
1232.sistema económico	3	s c	disyun
1233.sistema empresarial	4	s c	disyun
1234.sistema mixto	4	s c	disyun
1235.sistema OPR	3	s c	prést
1236.sistema periódico	1	s c	disyun
1237.skills	1	s	Prést
1238.sociedad anónima	2	s c	disyun

1239.sociedad colectiva	1 s	c	disyun
1240.sociedad cooperativa	1 s	c	disyun
1241.sociedad de responsabilidad limitada	1 s	c	sinap
1242.sociedad¹	3 s		
1243.sociedad comanditaria	1 s	c	disyun
1244.socio	11 s		
1245.soft	2 a		prést
1246.solvente	1 a		
1247.sondeo	6 s		
1248.staff	10 s		prést
1249.stock	7 s		prést
1250.stock de seguridad	8 s	c	prést
1251.stock en curso de fabricación	1 s	c	prést
1252.strategy	1 s		Prést
1253.structure	1 s		Prést
1254.style	1 s		Prést
1255.subcontratación	3 s		
1256.subcontratista	2 s		
1257.subida de precios	2 s	c	sinap
1258.subvencionar	1 v		
1259.sueldo	1 s		
1260.sueldo fijo	7 s	c	disyun
1261.suministrar	1 v		
1262.suministro	3 s		
1263.superbeneficio	3 s		
1264.supermercado	2 s		
1265.superordinate goals	1 s	c	prést
1266.superrendimiento	4 s		
1267.suspensión de pagos	1 s	c	sinap
1268.tabla de control de costes	2 s	c	sinap
1269.taller	16 s		
1270.tanto fijo	3 s	c	disyun
1271.tasa	40 s		
1272.tasa de crecimiento	4 s	c	sinap
1273.tasa de inflación	6 s	c	sinap
1274.tasa de interés	1 s	c	sinap
1275.tasa de productividad global	2 s	c	sinap
1276.tasa de rendimiento contable	3 s	c	sinap
1277.tasa de rentabilidad	3 s	c	sinap
1278.tasa de rentabilidad interna	3 s	c	sinap
1279.tasa de retorno	1 s	c	sinap
1280.tasa de valor actual	5 s	c	sinap
1281.tasa interna de rendimiento	3 s	c	sinap
1282.tasa interna de rentabilidad	2 s	c	sinap
1283.tayloriano	1 a		prést
1284.técnica AIDA	4 s	c	prést
1285.técnica del direct costing	2 s	c	prést
1286.técnica PERT	2 s	c	prést
1287.técnica PERT CPM	2 s	c	prést
1288.técnico de venta	1 s	c	sinap
1289.tecnología	27 s		
1290.tecnológicamente	2 b		
1291.tecnológico	12 a		
1292.tecnólogo	1 s		
1293.teoría contractual	3 s	c	disyun
1294.teoría de contenido o causas	1 s	c	sinap

1295.teoría de grafos	1 s	c	prést
1296.teoría de la agencia	2 s	c	sinap
1297.teoría de la decisión	1 s	c	sinap
1298.teoría de la firma	2 s	c	sinap
1299.teoría de la información	3 s	c	sinap
1300.teoría de la motivación	1 s	c	sinap
1301.teoría de la personalidad	1 s	c	sinap
1302.teoría de los costes de transacción	6 s	c	sinap
1303.teoría de los derechos de propiedad	5 s	c	sinap
1304.teoría de los procesos	1 s	c	sinap
1305.teoría ecológica de las organizaciones	1 s	c	sinap
1306.teoría económica clásica	1 s	c	disyun
1307.teoría económica de la contabilidad	1 s	c	sinap
1308.teoría motivacional	1 s	c	disyun
1309.teoría neoclásica	4 s	c	disyun
1310.teoría situacional	1 s	c	disyun
1311.teoría X	7 s	c	epón
1312.teoría Y	3 s	c	epón
1313.teoría Z	2 s	c	epón
1314.tesorería	9 s		
1315.test de concepto	1 s	c	sinap
1316.test de reconocimiento	1 s	c	sinap
1317.test de recuerdo	2 s	c	sinap
1318.tiempo de trabajo	6 s	c	sinap
1319.tiempo early	17 s	c	prést
1320.tiempo estándar	5 s	c	disyun
1321.tiempo last	14 s	c	prést
1322.tiempo más alto de iniciación	1 s	c	sinap
1323.tiempo más bajo de iniciación	1 s	c	sinap
1324.tiempo normal	5 s	c	disyun
1325.tiempo normalizado	5 s	c	disyun
1326.tiempo observado	3 s	c	disyun
1327.tiempo predeterminado	2 s	c	disyun
1328.tiempo suplementario	2 s	c	disyun
1329.tipificación[1]	3 s		
1330.tipificar	3 v		
1331.tipo de descuento	42 s	c	sinap
1332.tipo de gravamen	9 s	c	sinap
1333.tipo de interés	20 s	c	sinap
1334.tipo de rendimiento interno	18 s	c	sinap
1335.tipo libre de riesgo	5 s	c	sinap
1336.TIR	26 s	c	sig
1337.título	13 s		
1338.toma de decisión	1 s	c	sinap
1339.toma de decisiones	18 s	c	sinap
1340.toma de las decisiones	1 s	c	sinap
1341.tomador externo de pedidos	1 s	c	sinap
1342.tomador interno de pedidos	1 s	c	sinap
1343.tormenta de ideas	1 s	c	sinap
1344.trabajador	92 s		
1345.trabajador de temporada	2 s	c	sinap
1346.trabajar	32 v		
1347.trabajo	117 s		
1348.trabajo a comisión	2 s	c	sinap
1349.transportar	20 v		
1350.transporte	15 s		

1351.transportista	2	s	
1352.tributo	2	s	
1353.u. m.	375	s	c	sig
1354.umbral de rentabilidad	5	s	c	sinap
1355.unicidad del estado inicial y del estado final	1	s	c	sinap
1356.unidad departamental	1	s	c	disyun
1357.unidad monetaria	36	s	c	disyun
1358.unidad operativa	1	s	c	disyun
1359.unidad organizativa	4	s	c	disyun
1360.utilidad de forma	6	s	c	sinap
1361.utilidad de lugar	3	s	c	sinap
1362.utilidad de propiedad	2	s	c	sinap
1363.utilidad de tiempo	3	s	c	sinap
1364.utilidad[1]	9	s	
1365.valor actual	27	s	c	disyun
1366.valor actual neto	66	s	c	disyun
1367.valor de mercado	6	s	c	sinap
1368.valor de rendimiento	11	s	c	sinap
1369.valor de reposición	5	s	c	sinap
1370.valor de retiro	4	s	c	sinap
1371.valor del almacén	1	s	c	sinap
1372.valor económico	1	s	c	disyun
1373.valor en funcionamiento	2	s	c	sinap
1374.valor en liquidación	1	s	c	sinap
1375.valor esperado de la información	4	s	c	sinap
1376.valor global	18	s	c	disyun
1377.valor nominal	4	s	c	disyun
1378.valor residual	4	s	c	disyun
1379.valor sustancial	18	s	c	disyun
1380.valor[2]	229	s	
1381.valoración de empresas	4	s	c	sinap
1382.valoración en funcionamiento	2	s	c	sinap
1383.valoración en liquidación	3	s	c	sinap
1384.valores	26	s	
1385.VAN	54	s	c	sig
1386.variación accidental	1	s	c	disyun
1387.variación cíclica	2	s	c	disyun
1388.variación estacional	1	s	c	disyun
1389.vector de existencias	1	s	c	sinap
1390.vendedor	133	s	
1391.vendedor a domicilio	1	s	c	sinap
1392.vendedor de plantilla	1	s	c	sinap
1393.vender	73	v	
1394.venta	285	s	
1395.venta a crédito	2	s	c	sinap
1396.venta personal	13	s	c	disyun
1397.ventaja comparativa	1	s	c	disyun
1398.ventaja competitiva	2	s	c	disyun
1399.ventaja en costes	2	s	c	sinap
1400.vértice	3	s	
1401.vicepresidente	4	s	
1402.vida económica	1	s	c	disyun
1403.vida técnica	3	s	c	disyun
1404.volumen de compras	3	s	c	sinap
1405.volumen de negocio	1	s	c	sinap
1406.volumen de producción	8	s	c	sinap

1407. volumen de ventas   24 s c   sinap
1408. volumen económico de pedido   1 s c   sinap

G.3. Los términos auxiliares: 265 UL

La cuarta columna proporciona la misma información que para los términos económicos.

1.	abogado	1 s	
2.	aeronaútica	1 s	
3.	algebraico	1 a	
4.	algoritmo	1 s	
5.	alquiler	3 s	
6.	análisis bayesiano	3 s	disyun
7.	análisis de regresión	1 s	sinap
8.	análisis de regresión simple	1 s	sinap
9.	antipolítico	1 a	
10.	aritmético	4 a	
11.	asegurado	1 s	
12.	asegurador	1 s	
13.	asíntota	1 s	
14.	asintóticamente ergódico	1 a	
15.	bienestar de la sociedad	1 s	sinap
16.	bienestar social	2 s	disyun
17.	bondad del ajuste	3 s	sinap
18.	cadena de Markov	3 s	epón
19.	calcular	83 v	
20.	cálculo	34 s	
21.	cálculo de máximos y mínimos	1 s	sinap
22.	cálculo de probabilidades	1 s	sinap
23.	cámara de representantes	1 s	sinap
24.	campana	3 s	
25.	campana de Gauss	1 s	epón
26.	casuística	1 s	
27.	cifra	4 s	
28.	cifrar	1 v	
29.	cláusula	2 s	
30.	cociente	45 s	
31.	coeficiente	19 s	
32.	coeficiente de correlación simple	1 s	sinap
33.	coeficiente de determinación	1 s	sinap
34.	coeficiente de determinación simple	1 s	sinap
35.	coeficiente de ponderación	1 s	sinap
36.	coeficiente de regresión	2 s	sinap
37.	coeficiente de variación	6 s	sinap
38.	computar	1 v	
39.	comunicación en masa	1 s	sinap
40.	contratación²	3 s	
41.	contrato	11 s	
42.	convergencia	5 s	
43.	coordenada	6 s	
44.	covarianza	2 s	
45.	cuadrado	15 s	

46.	cuadrante	5 s	
47.	cuantificable	1 a	
48.	cuantificar	1 v	
49.	cuasivarianza factorial	1 s	disyun
50.	cuasivarianza residual	1 s	disyun
51.	curva	14 s	
52.	curva de Gompertz	1 s	epón
53.	de interés público	1 b	
54.	decimal	2 a	
55.	defensa nacional	1 s	disyun
56.	democrático	6 a	
57.	demográfico	2 a	
58.	denominador	7 s	
59.	derecho de propiedad	1 s	sinap
60.	derecho de propiedad privada	1 s	sinap
61.	derecho[1]	23 s	
62.	derivada	7 s	
63.	descontar	4 v	
64.	desviación típica	27 s	disyun
65.	desviación[1]	3 s	
66.	diagnóstico	3 s	
67.	diferencial	3 s	
68.	dígito	2 s	
69.	dispersión factorial	11 s	disyun
70.	dispersión residual	6 s	disyun
71.	dispersión total	6 s	disyun
72.	distribución beta	1 s	disyun
73.	distribución de probabilidad	16 s	sinap
74.	distribución de probabilidad normal	3 s	sinap
75.	distribución normal	14 s	disyun
76.	distribución normal cero uno	1 s	disyun
77.	distribución normal estandarizada	4 s	disyun
78.	distribución[2]	24 s	
79.	divergencia[1]	4 s	
80.	ecuación	38 s	
81.	eje de abscisas	4 s	sinap
82.	eje de ordenadas	1 s	sinap
83.	eje[1]	1 s	
84.	empíricamente	1 b	
85.	empírico	4 a	
86.	en régimen de alquiler	1 b	
87.	ente público	2 s	disyun
88.	entropía	3 s	
89.	esperanza matemática	26 s	disyun
90.	estadística	6 s	
91.	estadísticamente	1 b	
92.	estadístico	9 a	
93.	estocástico	1 a	
94.	exponencial	3 a	
95.	función exponencial	1 s	disyun
96.	función objetivo	9 s	contrapos
97.	función[2]	31 s	
98.	geográficamente	1 b	
99.	geográfico	10 a	
100.	grado de libertad	3 s	sinap
101.	gráfico[1]	6 s	

102.	gráfico²	5 a	
103.	gubernamental	1 a	
104.	hiperbólico	1 a	
105.	histograma	3 s	
106.	homeostasis	1 s	
107.	informático	3 a	
108.	informatizar	3 v	
109.	intersección¹	5 s	
110.	juego con punto de silla	1 s	sinap
111.	juego de azar	1 s	sinap
112.	juego de dos personas de suma nula	1 s	sinap
113.	juego de estrategia	2 s	sinap
114.	juego de estrategia mixta	1 s	sinap
115.	juego de estrategia pura	1 s	sinap
116.	juego de suma no nula	1 s	sinap
117.	juego rectangular	3 s	disyun
118.	jurídico	6 a	
119.	legal	6 a	
120.	legalmente	1 b	
121.	ley	3 s	
122.	límite inferior	4 s	disyun
123.	límite superior	5 s	disyun
124.	logarítmico	1 a	
125.	logaritmo	3 s	
126.	logaritmo neperiano	3 s	disyun
127.	matemáticamente	1 b	
128.	matemático	2 a	
129.	matricial²	1 a	
130.	matriz²	12 s	
131.	mecanicista	1 a	
132.	mecánico	6 a	
133.	media	38 s	
134.	media aritmética	9 s	disyun
135.	mediano	2 a	
136.	medias móviles	1 s	disyun
137.	medición	11 s	
138.	medida	53 s	
139.	medios de comunicación	2 s	sinap
140.	medios de comunicación de masas	1 s	sinap
141.	medir	43 v	
142.	método de la x²	3 s	sinap
143.	método de las medias móviles	1 s	sinap
144.	método de los mínimos cuadrados	2 s	sinap
145.	método de prueba y error	2 s	sinap
146.	método del análisis de la varianza	4 s	sinap
147.	mínimo común múltiplo	2 s	disyun
148.	multiplicación	1 s	
149.	multiplicar	23 v	
150.	multiplicativo	3 a	
151.	mutuamente excluyente	8 a	
152.	neperiano	1 a	prést
153.	nivel de confianza	3 s	sinap
154.	nivel de significación	6 s	sinap
155.	numeración	1 s	
156.	numerador	4 s	
157.	numerar	5 v	

158.	número	201 s	
159.	operador	1 s	
160.	opinión pública	1 s	disyun
161.	ordenada	1 s	
162.	ordenador personal	2 s	disyun
163.	organismo público	2 s	disyun
164.	parabólico	1 a	
165.	parámetro	10 s	
166.	parte alícuota	1 s	disyun
167.	parte factorial	1 s	disyun
168.	persona física	1 s	disyun
169.	persona jurídica	1 s	disyun
170.	plaza milla	2 s	disyun
171.	poder legítimo	1 s	disyun
172.	poder público	3 s	disyun
173.	ponderación	5 s	
174.	ponderar	11 v	
175.	por término medio	21 b	
176.	porcentaje	25 s	
177.	poseer	6 v	
178.	posesión	5 s	
179.	postulado de Bayes	1 s	epón
180.	probabilidad	154 s	
181.	probabilidad a posteriori	6 s	prést
182.	probabilidad a priori	6 s	prést
183.	probabilístico	7 a	
184.	producto^2	11 s	
185.	promedio	14 s	
186.	propiedad conmutativa	1 s	disyun
187.	propiedad privada	1 s	disyun
188.	propietario	25 s	
189.	prorratear	1 v	
190.	psicográfico	1 a	
191.	psicología	1 s	
192.	psicológico	5 a	
193.	psicosociopolítico	1 a	
194.	punto de silla	4 s	sinap
195.	raíz cuadrada	6 s	disyun
196.	recta	15 s	
197.	rectangular	2 a	
198.	rectángulo	2 s	
199.	recuento	2 s	
200.	redondeo	1 s	
201.	regresión lineal	2 s	disyun
202.	relación funcional	1 s	disyun
203.	resolución^1	4 s	
204.	restar^2	1 v	
205.	senado	1 s	
206.	servicio público	2 s	disyun
207.	sistema de ecuaciones normales	1 s	sinap
208.	sistema ecológico	2 s	disyun
209.	sistema filosófico	1 s	disyun
210.	social	40 a	
211.	socialmente	5 b	
212.	sociedad^2	6 s	
213.	sociológico	2 a	

214.	sociólogo	1 s	
215.	sociotécnicamente	1 b	
216.	subcontrato	2 s	
217.	suceso compuesto	4 s	disyun
218.	suma	52 s	
219.	sumable	4 a	
220.	sumando	6 s	
221.	sumar	25 v	
222.	sumatorio	1 s	
223.	tabular	4 v	
224.	tecnocrático	2 a	
225.	teorema	1 s	
226.	teorema central del límite	3 s	sinap
227.	teorema de Bayes	4 s	epón
228.	teorema del suceso compuesto	1 s	sinap
229.	teorema fundamental del límite	2 s	sinap
230.	teoría	19 s	
231.	teoría de juegos	1 s	sinap
232.	teoría de los juegos	1 s	sinap
233.	teoría de los juegos de estrategia	1 s	sinap
234.	teóricamente	1 b	
235.	teórico	7 a	
236.	término	41 s	
237.	terminología	3 s	
238.	terminológico	1 a	
239.	tipificación²	1 s	
240.	universalista	3 a	
241.	valor esperado	24 s	disyun
242.	valor probable	10 s	disyun
243.	valor real	2 s	disyun
244.	variabilidad	13 s	
245.	variabilidad de los residuos	2 s	sinap
246.	variabilidad explicada	1 s	disyun
247.	variabilidad factorial	3 s	disyun
248.	variabilidad no explicada	1 s	disyun
249.	variabilidad total	4 s	disyun
250.	variable aleatoria	9 s	disyun
251.	variable continua	2 s	disyun
252.	variable controlada	4 s	disyun
253.	variable de acción	2 s	sinap
254.	variable exógena	2 s	disyun
255.	variable explicada	4 s	disyun
256.	variable explicativa	18 s	disyun
257.	variable normal	1 s	disyun
258.	variable normal estandarizada	2 s	disyun
259.	variable normal tipificada	1 s	disyun
260.	variable residual	3 s	disyun
261.	variable tipificada	1 s	disyun
262.	variable¹	172 s	
263.	varianza	37 s	
264.	vector	1 s	
265.	vector de estado	9 s	sinap

G.4. El léxico general: 3.010 unidades léxicas

1.	a la derecha	2 b	C	54.	acostumbrado	1 v	
2.	a la inversa	1 b	C	55.	acotar	1 v	
3.	a la izquierda	3 b	C	56.	acristalado	3 a	
4.	a la vez	1 b	C	57.	actitud	9 s	
5.	a menudo	3 b	C	58.	actividad	327 s	
6.	a priori	6 b	C	59.	acto	3 s	
7.	a su cargo	2 b	C	60.	actuación	9 s	
8.	a tiempo parcial	1 b	C	61.	actual	30 a	
9.	a veces	1 b	C	62.	actualidad	7 s	
10.	abandonar	4 v		63.	actualización	7 s	
11.	abanico	1 s		64.	actualizar	22 v	
12.	abaratar	2 v		65.	actualmente	11 b	
13.	abarcar	4 v		66.	actuar	26 v	
14.	abatimiento	1 s		67.	acudir	22 v	
15.	abierto	2 a		68.	acuerdo	11 s	
16.	abogar	2 v		69.	acumulación	3 s	
17.	abordar	1 v		70.	acumular	4 v	
18.	abrir	1 v		71.	acumulativo	1 a	
19.	abrumar	2 v		72.	acusar	3 v	
20.	absoluto	9 a		73.	ad infinitum	1 b	C
21.	absorbente	1 a		74.	adaptable	2 a	
22.	absorber	1 v		75.	adaptación	4 s	
23.	abstracción	2 s		76.	adaptar	10 v	
24.	abstracto	1 a		77.	adaptativo	1 a	
25.	acabado	1 a		78.	adecuación	4 s	
26.	acaecer	4 v		79.	adecuadamente	5 b	
27.	acaecimiento	6 s		80.	adecuado	50 a	
28.	acampanado	1 a		81.	adecuar	8 v	
29.	acatar	2 v		82.	adelanto	4 s	
30.	acceder	6 v		83.	además	114 b	
31.	accesible	1 a		84.	adentrar	1 v	
32.	acceso	6 s		85.	adicional	3 a	
33.	accesorio	1 a		86.	adiestrar	1 v	
34.	accidental	1 a		87.	aditivo	1 a	
35.	acción²	26 s		88.	administrar	1 v	
36.	aceituna	1 s		89.	administrativo	6 a	
37.	acelerar	2 v		90.	admisible	4 a	
38.	acentuar	1 v		91.	admitir	5 v	
39.	aceptable	3 a		92.	adolecer	2 v	
40.	aceptación	11 s		93.	adopción	3 s	
41.	aceptante	2 s		94.	adoptar	4 v	
42.	aceptar	13 v		95.	advertir	9 v	
43.	acercar	2 v		96.	aéreo	1 a	
44.	acero	1 s		97.	aerolínea	1 s	
45.	acertar	8 v		98.	aeropuerto	1 s	
46.	aclaración	1 s		99.	afectar	26 v	
47.	aclarar	1 v		100.	afeitar	1 v	
48.	acometer	4 v		101.	aficionado	1 a	
49.	acompañar	7 v		102.	afín	3 a	
50.	aconsejar	3 v		103.	afinar	1 v	
51.	acontecer	3 v		104.	afirmar	7 v	
52.	acontecimiento	2 s		105.	afrontar	5 v	
53.	acorazado	1 s		106.	agencia	2 s	

107. ágil	1 a	
108. agilización	1 s	
109. aglutinar	1 v	
110. agotamiento	1 s	
111. agotar	3 v	
112. agradar	13 v	
113. agrado	5 s	
114. agregar	2 v	
115. agrupación	29 s	
116. agrupar	7 v	
117. agua	1 s	
118. ahora bien	2 b	C
119. aisladamente	2 b	
120. aislado	3 a	
121. aislar	1 v	
122. ajeno	10 a	
123. ajustar	23 v	
124. al azar	3 b	C
125. al cien por cien	1 b	C
126. al comienzo	2 b	C
127. al final	5 b	C
128. al menos	11 b	C
129. al principio	3 b	C
130. alcance	3 s	
131. alcanzar	58 v	
132. aleatoriamente	1 b	
133. aleatorio	17 a	
134. alejado	1 a	
135. alejar	3 v	
136. alemán	2 a	
137. aliado	1 a	
138. alianza	2 s	
139. almacenable	2 a	
140. alojamiento	1 s	
141. alteración	5 s	
142. alterar	26 v	
143. alternativa	61 s	
144. alternativo	38 a	
145. alto	25 a	
146. altura	4 s	
147. alza	1 s	
148. amable	1 a	
149. ambición	1 s	
150. ambiente	22 s	
151. ámbito	17 s	
152. ambulancia	1 s	
153. amenaza	3 s	
154. americano	5 a	
155. amoldar	1 v	
156. amortiguar	1 v	
157. ampliación	6 s	
158. ampliamente	1 b	
159. ampliar	11 v	
160. amplio	23 a	
161. amplitud[2]	2 s	
162. añadir	19 s	

163. análisis	67 s	
164. analista	1 s	
165. analítico	11 a	
166. analizable	3 a	
167. analizar	46 v	
168. anchura	1 s	
169. anexo	1 a	
170. anglosajón	4 a	
171. anillo	1 s	
172. animal	5 s	
173. año	289 s	
174. anormal	2 a	
175. anotar	1 v	
176. ansiedad	1 s	
177. antecedente	1 a	
178. anteceder	2 v	
179. anterior	135 a	
180. anteriormente	70 b	
181. antes	10 b	
182. anticipación	3 s	
183. anticipar	6 v	
184. antigüedad	3 s	
185. antiguo	8 a	
186. anual	178 a	
187. anualmente	9 b	
188. anular	1 a	
189. anunciar	4 v	
190. anuncio	12 v	
191. aparato	2 s	
192. aparecer	17 v	
193. aparente	2 a	
194. aparentemente	3 b	
195. aparición	3 s	
196. apariencia	2 s	
197. apartado	18 s	
198. apartar	1 v	
199. apellido	1 s	
200. apéndice	11 s	
201. aplazamiento	6 s	
202. aplazar	4 v	
203. aplicable	19 a	
204. aplicación	22 s	
205. aplicado	1 a	
206. aplicar	90 v	
207. aportación[2]	4 s	
208. aportante	1 s	
209. aportar	8 v	
210. apoyar	3 v	
211. apoyo	6 s	
212. apreciación	1 s	
213. apreciar	1 v	
214. aprender	1 v	
215. aprendizaje	3 s	
216. aprensión	1 s	
217. aprobar	1 v	
218. apropiado	2 a	

219.	aprovechamiento	1 s		275.	atracción	1 s	
220.	aprovechar	10 v		276.	atraer	6 v	
221.	aproximación	9 s		277.	atribuir	2 v	
222.	aproximadamente	11 b		278.	atributo	17 s	
223.	aproximado	6 a		279.	atrincherar	1 v	
224.	aproximar	5 v		280.	audiencia	5 s	
225.	aptitud	5 s		281.	aumentar	44 v	
226.	apuntar	4 v		282.	aumento	21 s	
227.	arbitrariedad	1 s		283.	aún	1 b	
228.	arbitrario	1 a		284.	ausencia	1 s	
229.	árbol[1]	1 s		285.	auspiciar	1 v	
230.	archivo	1 s		286.	auténtico	2 a	
231.	arduo	1 a		287.	auto	1 s	
232.	área	43 s		288.	autocontrol	7 s	
233.	argumentación	1 s		289.	autocontrolar	3 v	
234.	argumento	3 s		290.	automático	4 a	
235.	armado	1 a		291.	automatizar	3 v	
236.	armonía	1 s		292.	automóvil	17 s	
237.	armonización	2 s		293.	autonomía	4 s	
238.	armonizador	2 a		294.	autónomo	1 a	
239.	armonizar	3 v		295.	autopista	1 s	
240.	arquitecto	1 s		296.	autor	22 s	
241.	arreglo	7 s		297.	autoridad	37 s	
242.	arrepentirse	1 v		298.	autoritario	1 a	
243.	arriesgado	2 a		299.	autoritarismo	1 s	
244.	arriesgar	1 v		300.	auxiliar	3 a	
245.	artículo[2]	2 s		301.	avance	2 s	
246.	artificio	1 s		302.	avanzado	3 a	
247.	asegurar	20 v		303.	avanzar	2 v	
248.	aserto	1 s		304.	aventurar	2 v	
249.	asesorar	2 v		305.	avería	5 s	
250.	asesoría	1 s		306.	averiguar	1 v	
251.	así pues	2 b	C	307.	aversión	7 s	
252.	asiático	1 a		308.	avión	6 s	
253.	asiduo	1 a		309.	avión de carga	1 s	C
254.	asiento	1 s		310.	avisar	1 v	
255.	asignar	42 v		311.	ayuda	3 s	
256.	asimetría	1 s		312.	ayudar	7 v	
257.	asimilar	1 v		313.	baja	1 s	
258.	asimismo	1 b		314.	bajo[2]	43 a	
259.	asistemático	1 a		315.	balance[2]	2 s	
260.	asistencia	2 s		316.	balístico	1 a	
261.	asistir	2 v		317.	barato	6 a	
262.	asociación	3 s		318.	barco	1 s	
263.	asociado	2 a		319.	barra	5 s	
264.	asociar	20 v		320.	barrera	1 v	
265.	aspecto	31 s		321.	barril	1 s	
266.	aspiración	2 s		322.	barrio	3 s	
267.	asumir	13 v		323.	basar	72 v	
268.	asunto	1 s		324.	base[2]	15 s	
269.	atacar	1 v		325.	base[3]	1 s	
270.	atañer	2 s		326.	básicamente	5 b	
271.	atención	17 s		327.	básico	21 a	
272.	atender	22 v		328.	bastar	7 v	
273.	atento	1 a		329.	batidora	3 s	
274.	atómico	1 a		330.	batir	1 v	

331. bebé	2 s	
332. bebida	3 s	
333. béisbol	1 s	
334. bélico	1 a	
335. belleza	1 s	
336. beneficiar	6 v	
337. bestseller	1 s	
338. bien²	43 b	
339. bilateral	1 a	
340. billete	1 s	
341. binario	2 a	
342. blanco	7 s	
343. bloque	2 s	
344. boga	1 s	
345. bola	25 s	
346. bolo	2 s	
347. bolsa	3 s	
348. bombero	1 s	
349. bombo	1 s	
350. breve	5 a	
351. bucle	1 s	
352. buen	13 a	
353. bueno	6 a	
354. burbuja	2 s	
355. burocracia	1 s	
356. burocrático	1 a	
357. buscar	9 v	
358. búsqueda	2 s	
359. caballero	1 a	
360. caballo	1 s	
361. caber	11 v	
362. cadena	15 s	
363. cadencia	2 s	
364. caducidad	1 s	
365. caja	3 s	
366. caja negra	4 s	C
367. calculadora	1 s	
368. calculadora de bolsillo	1 s	C
369. calentar	2 v	
370. calificativo	1 a	
371. cama	2 s	
372. cámara	4 s	
373. cambiante	5 a	
374. cambiar	15 v	
375. cambio²	20 s	
376. camello	1 s	
377. caminar	1 v	
378. camino	15 s	
379. camión	2 s	
380. campo	7 s	
381. canal	33 s	
382. cansar	1 v	
383. cantidad	86 s	
384. capacidad	83 s	
385. capataz	1 s	
386. capaz	8 a	

387. capitán	1 s	
388. capítulo	44 s	
389. captador	1 a	
390. captar	4 v	
391. cara	9 s	
392. carácter	26 s	
393. característica	51 s	
394. característico	2 a	
395. caracterizar	3 v	
396. carecer	8 v	
397. carente	1 a	
398. carga²	2 s	
399. carga³	1 s	
400. carga⁴	1 s	
401. cargar²	4 v	
402. caridad	1 s	
403. caro	7 a	
404. carretera	1 s	
405. casa	1 s	
406. casco	1 s	
407. casi	17 b	
408. caso	311 s	
409. castaña	1 s	
410. catálogo	2 s	
411. categoría	25 s	
412. cauce	1 s	
413. causa	14 s	
414. cautela	1 s	
415. ceder	2 v	
416. celeridad	3 s	
417. célula	1 s	
418. central	4 a	
419. centralización	5 s	
420. centralizar	8 v	
421. centrar	18 v	
422. centro	19 s	
423. cercano	1 a	
424. ceremonial	1 a	
425. certeza	19 s	
426. certitud	1 s	
427. cesar	2 v	
428. ciclo	10 s	
429. ciclo de conferencias	1 s	C
430. ciencia	4 s	
431. científicamente	1 b	
432. científico	11 a	
433. ciertamente	1 b	
434. circulación	3 s	
435. circulante	4 a	
436. circular	8 v	
437. círculo	7 s	
438. circunstancia	11 s	
439. ciudad	25 s	
440. ciudadano	1 a	
441. claramente	5 b	
442. claridad	2 s	

443. claro	13 a	499. complementario	8 a
444. clase	10 s	500. complemento	1 s
445. clásicamente	1 b	501. completamente	2 b
446. clásico	4 a	502. completar	6 v
447. clasificable	1 a	503. completo	4 a
448. clasificación	17 s	504. componente	36 s
449. clasificar	14 v	505. componer	1 v
450. clave	5 s	506. comportamiento	28 s
451. clima	4 s	507. comportar	24 v
452. cobertura	1 s	508. composición	7 s
453. cobrar	25 v	509. comprender	32 v
454. coexistencia	4 s	510. comprensible	2 a
455. coexistir	1 v	511. comprensión	6 s
456. coger	3 v	512. comprobar	45 v
457. coincidir	26 v	513. comprometer	8 v
458. cola	1 s	514. compromiso[1]	3 s
459. colaborador[1]	2 s	515. compromiso[2]	3 s
460. colaborador[2]	1 a	516. compromiso[3]	1 s
461. colaborar	2 v	517. compuesto	1 a
462. colectivo[1]	1 s	518. común	14 a
463. colectivo[2]	3 a	519. comunicación	27 s
464. colega	1 s	520. comunicar	7 v
465. colegio	2 s	521. comúnmente	1 b
466. colocación	1 s	522. concatenar	1 v
467. colocar	15 v	523. concebir	2 v
468. coloquial	1 a	524. conceder	9 v
469. coloquialmente	2 b	525. concentración	2 s
470. coloquio	1 s	526. concentrado	1 a
471. color	8 s	527. concéntrico	1 a
472. columna	10 s	528. concepción	7 s
473. comandante	1 s	529. concepto	39 s
474. combativo	1 a	530. conceptual	2 a
475. combinación	11 s	531. conceptualmente	1 b
476. combinar	22 v	532. concerniente	9 a
477. comentario	1 s	533. concernir	4 v
478. comenzar	35 v	534. concertar	2 v
479. comienzo	8 s	535. conciso	1 a
480. comité	4 s	536. concluir	14 v
481. comité de encuesta	1 s C	537. conclusión	20 s
482. como mucho	1 b C	538. concretamente	14 b
483. cómodamente	1 b	539. concretar	1 v
484. comodidad	1 s	540. concreto	8 a
485. comparación	6 s	541. concurso	2 s
486. comparar	27 v	542. condena	1 s
487. comparativamente	1 b	543. condición	40 s
488. comparecer	1 v	544. condicionado	8 a
489. compartir	18 v	545. condicionamiento	3 s
490. compatibilidad	2 s	546. condicionante	2 s
491. compatible	1 a	547. condicionar	14 v
492. compensación	3 s	548. conducir	24 v
493. compensar	12 v	549. conducta	12 s
494. competencia[2]	2 s	550. conectar	1 v
495. competencia[3]	3 s	551. conexión	1 s
496. complejidad	2 s	552. confección	1 s
497. complejo	13 a	553. conferencia	2 s
498. complementariamente	3 b	554. conferir	3 v

555. confianza	21 s	611. constantemente	6 b
556. confiar	3 v	612. constar	6 v
557. configurar	1 v	613. constatar	1 v
558. confirmar	2 v	614. constituir	60 v
559. conflictividad	1 s	615. constreñir	1 v
560. conflicto	18 s	616. construcción	9 s
561. conformar	4 v	617. construir	8 v
562. confrontación	1 s	618. consulta	3 s
563. confundir	4 v	619. consultar	8 v
564. confusión	1 s	620. consultoría	1 s
565. confusionismo	1 s	621. consumir	27 v
566. congestionamiento	1 s	622. contacto	4 s
567. conglomerado	1 s	623. contar	16 v
568. congreso	1 s	624. contemplar	2 v
569. congruencia	3 s	625. contemporáneo	1 a
570. congruente	7 a	626. contener	10 v
571. congruentemente	2 b	627. contenido	10 s
572. conjugar	1 v	628. contestar	3 v
573. conjuntamente	9 b	629. contexto	3 s
574. conjunto[1]	83 s	630. contiguo	1 a
575. conjunto[2]	12 a	631. contingencia	1 s
576. conllevar	1 v	632. contingente	2 s
577. conminar	1 v	633. continuación	4 s
578. connotación	2 s	634. continuamente	2 b
579. conocer	92 v	635. continuar[1]	17 v
580. conocido	18 a	636. continuidad	4 s
581. conocimiento	28 s	637. continuo	14 a
582. conquista	1 s	638. contractual	2 a
583. conquistar	1 v	639. contradictorio	1 a
584. consciente	3 a	640. contraposición	1 s
585. conscientemente	1 b	641. contraproducente	1 a
586. consecución	23 s	642. contrapuesto	2 a
587. consecuencia	17 s	643. contrario	6 a
588. consecuente	1 a	644. contrastación	3 s
589. conseguir	87 v	645. contrastar	1 v
590. consenso	1 s	646. contratación[1]	3 s
591. conserva	1 s	647. contratar	10 v
592. conservación	3 s	648. contratiempo	1 s
593. conservador	2 a	649. contribución	6 s
594. conservadurismo	1 s	650. contribuir	9 v
595. conservar	1 v	651. control	100 s
596. considerable	4 a	652. controlable	2 a
597. considerablemente	3 b	653. controlar	33 v
598. consideración	10 s	654. convencional	1 a
599. considerar	110 v	655. conveniencia	5 s
600. consignar[1]	2 v	656. conveniente	12 a
601. consignar[2]	1 v	657. convenio	2 s
602. consiguiente	2 a	658. convenir	9 v
603. consiguientemente	8 b	659. conversión	1 s
604. consistencia	1 s	660. convertir	9 v
605. consistente	14 a	661. convexo	1 a
606. consistir	34 v	662. convicción	1 s
607. consolidación	1 s	663. convivencia	1 s
608. constancia	2 s	664. cooperación	11 s
609. constante[1]	9 s	665. cooperante	2 a
610. constante[2]	74 a	666. cooperar	2 v

667. cooperativo	1 a	723. cuadro	3 s
668. coordinación	14 s	724. cualidad	10 s
669. coordinado	1 a	725. cualificación	2 s
670. coordinar	9 v	726. cualificado	1 a
671. copia	3 s	727. cualitativamente	1 b
672. corchete	3 s	728. cualitativo	1 a
673. coronel	1 s	729. cuantía	6 s
674. corrección	3 s	730. cuantioso	2 a
675. correctamente	1 b	731. cuantitativo	3 a
676. correctivo	1 a	732. cubrir	24 v
677. correcto	18 a	733. cuenta²	4 s
678. corrector	1 a	734. cuestión	19 s
679. corredor de plaza	1 s C	735. cuestionario	3 s
680. corregir	5 v	736. cuidado	1 s
681. correlación	3 s	737. cuidadosamente	3 b
682. correlacionar	2 v	738. cuidadoso	2 a
683. correo	1 s	739. cultivo	1 s
684. correos	1 s	740. cultura	25 s
685. correr	1 v	741. cultural	25 a
686. correr el riesgo	1 v C	742. cumplimiento	5 s
687. correspondencia	2 s	743. cumplir	61 v
688. corresponder	54 v	744. cuña	1 s
689. correspondiente	77 a	745. cupón	2 s
690. corriente¹	4 s	746. cúspide	1 s
691. corriente²	1 a	747. dañar	1 s
692. corroborar	1 v	748. daño	1 s
693. corrupto	1 a	749. dar	70 v
694. cortar	3 v	750. dar lugar	19 v C
695. corto	67 a	751. dato	61 s
696. cosa	4 s	752. de antemano	1 b C
697. cosechar	1 v	753. de hecho	2 b C
698. cosmético	1 a	754. de momento	3 b C
699. costar	7 v	755. de nuevo	5 b C
700. costoso	6 a	756. debatir	1 v
701. cotidiano	3 a	757. debido	1 a
702. creación	20 s	758. débil	1 a
703. creador	2 a	759. debilidad	1 s
704. crear	53 v	760. década	4 s
705. creatividad	5 s	761. decidir	32 v
706. creativo	4 a	762. decir	92 v
707. crecer	46 v	763. decisión²	18 s
708. creciente	6 a	764. decisional	9 a
709. crecimiento	32 s	765. decisor	23 s
710. credibilidad	1 s	766. declarar	1 v
711. crédulo	1 a	767. declinar	1 v
712. creer	2 v	768. declive	2 s
713. creíble	2 a	769. decoración	1 s
714. criterio	133 s	770. decrecer	1 v
715. crítica	3 s	771. decreciente	3 a
716. criticar	1 v	772. dedicar	30 v
717. crítico	9 a	773. deducción	1 s
718. cronológico	1 a	774. deducible	5 a
719. cronómetro	1 s	775. deducir	67 v
720. cruce	3 s	776. defecto	7 s
721. cruz	4 s	777. defectuoso	2 a
722. cruzar	2 v	778. defender	2 v

779. defensa	6 s	835. descubrir	4 v
780. defensor	1 a	836. descuidar	3 v
781. definición	10 s	837. desde luego	1 b C
782. definido	5 a	838. desdoblar	1 v
783. definir	38 v	839. deseable	7 a
784. definitivo	1 a	840. desear	101 v
785. defraudar	1 v	841. desempeñar	6 v
786. dejar	25 v	842. desempeño	2 s
787. del todo	1 b C	843. desenvolver	1 v
788. delegación	2 s	844. desenvolvimiento	1 s
789. delegado	1 a	845. deseo	31 s
790. delegar	2 v	846. desestabilizar	2 v
791. deliberar	1 v	847. desfase	3 s
792. demandante	5 s	848. desfavorable	11 a
793. demandar	16 v	849. desgastar	2 v
794. demorar	1 v	850. desglosar	1 v
795. demostración	7 s	851. designación	1 s
796. demostrar	29 v	852. designar	5 v
797. denominación	7 s	853. desinformar	1 v
798. denominado	56 a	854. desintegración	1 s
799. denominar	180 v	855. desorbitar	1 v
800. denotar	4 v	856. desorden	1 s
801. densidad	1 s	857. desorientar	1 v
802. departamentalizar	1 v	858. despedir	2 v
803. dependencia	2 s	859. despejar	10 v
804. depender	86 v	860. desplazamiento	9 s
805. dependiente	4 a	861. desplazar	4 v
806. deportivo	1 a	862. despliegue	1 s
807. derecha	12 s	863. después	3 b
808. derecho²	1 a	864. destacar	10 v
809. derivado	3 a	865. destinar	16 v
810. derivar	42 v	866. destinatario	1 v
811. desacuerdo	3 s	867. destino	19 s
812. desafortunadamente	2 v	868. destruir	1 v
813. desagregación	2 s	869. desventaja	3 s
814. desaparecer	5 v	870. desviar	3 v
815. desaparición	1 s	871. desvincular	1 v
816. desarrollar	50 v	872. detallar	9 v
817. desarrollo	27 s	873. detalle	10 s
818. desastre	1 s	874. detección	1 s
819. desastroso	1 a	875. detectar	2 v
820. descanso	1 s	876. detención	3 s
821. descartar	2 v	877. detener	6 v
822. descender	2 v	878. detentar	3 v
823. descenso	1 s	879. determinación	33 s
824. descentralización	2 s	880. determinado	25 a
825. descentralizar	5 v	881. determinante	4 s
826. descomponer	5 v	882. determinar	158 v
827. descomposición	2 s	883. determinista	1 a
828. desconfianza	1 s	884. detractor	1 a
829. desconocer	1 v	885. detraer	1 v
830. desconocido	2 a	886. devolución	9 s
831. descontrolarse	1 v	887. devolver	10 v
832. describir	14 v	888. día	71 s
833. descripción	10 s	889. diamante	1 s
834. descriptivo	1 a	890. diariamente	4 b

891.	diario	18 a		947.	distancia	9 s
892.	dibujo	1 s		948.	distanciar	2 v
893.	diccionario	1 s		949.	distante	2 a
894.	dicho	9 s		950.	distinción	3 s
895.	diciembre	1 s		951.	distinguir	55 v
896.	dicotómico	5 a		952.	distintivo	1 a
897.	dictar	1 v		953.	distinto	116 a
898.	diente	2 s		954.	distribución³	13 s
899.	dieta	1 s		955.	distribución⁴	4 s
900.	diferencia	105 s		956.	distribuir	28 v
901.	diferenciación	26 s		957.	disyuntiva	3 s
902.	diferenciar	37 v		958.	diurno	1 a
903.	diferente	87 a		959.	divergencia²	2 s
904.	diferir	8 v		960.	diversificar	3 v
905.	difícil	9 a		961.	diverso	86 a
906.	difícilmente	2 b		962.	dividir	34 v
907.	dificultad	33 s		963.	divisa	1 s
908.	dificultoso	1 a		964.	división	18 s
909.	difundir	3 v		965.	divulgación	2 s
910.	difusión	6 s		966.	doctrina	1 s
911.	dilación	1 s		967.	documentar	2 v
912.	dilucidar	2 v		968.	documento	9 s
913.	diluir	1 v		969.	dogmático	1 a
914.	dimensión	31 s		970.	doméstico	1 a
915.	dinámico	8 a		971.	dominante	1 a
916.	dirección³	1 s		972.	dominar	8 v
917.	directamente	16 b		973.	dominio	2 s
918.	directiva	2 s		974.	dosis	1 s
919.	directivo¹	11 a		975.	dotar	2 v
920.	directo	12 a		976.	dual	1 a
921.	dirigir	52 v		977.	dulce	3 a
922.	discernir	1 v		978.	duplicar	1 v
923.	disciplina	8 s		979.	duración	133 s
924.	discontinuo	2 a		980.	duradero	1 a
925.	discrecional	1 a		981.	durar	27 v
926.	discrepancia	6 s		982.	duro	8 a
927.	discreto	2 a		983.	edad	26 s
928.	discriminación	2 s		984.	edición	1 s
929.	discriminar	1 v		985.	edificar	1 v
930.	discusión	2 s		986.	edificio	3 s
931.	discutir	2 v		987.	editar	3 v
932.	diseñador	1 v		988.	editor	1 a
933.	diseñar	11 v		989.	editorial	3 a
934.	diseño	29 s		990.	educación	2 s
935.	disfrutar	1 v		991.	efectivamente	5 b
936.	disipar	1 v		992.	efectividad	2 s
937.	disjunto	1 v		993.	efectivo	28 a
938.	disminución	3 s		994.	efecto²	39 s
939.	disminuir	5 v		995.	efectuabilidad	3 s
940.	disolución	1 s		996.	efectuar	54 v
941.	dispersar	1 v		997.	eficacia	12 s
942.	dispersión	14 s		998.	eficaz	6 a
943.	disponer	46 v		999.	eficiencia	7 s
944.	disponibilidad	7 s		1000.	eficiente	4 a
945.	disponible	18 a		1001.	eficientemente	2 b
946.	disposición²	5 s		1002.	efímero	1 a

1003.eje²	1 s		1059.encargo	3 s	
1004.ejecución	20 s		1060.encomendar	2 v	
1005.ejecutar	9 v		1061.encontrar	155 v	
1006.ejecutivo	3 a		1062.encuadrar	1 v	
1007.ejemplo	65 s		1063.encuestar	4 v	
1008.ejercer	3 v		1064.energía	5 s	
1009.ejercicio²	2 s		1065.énfasis	3 s	
1010.ejercicio³	4 s		1066.enfatizar	1 v	
1011.ejército	1 s		1067.enfermo	1 a	
1012.elaboración	22 s		1068.enfocar	5 v	
1013.elaborar	49 v		1069.enfoque	39 s	
1014.elección	13 s		1070.enfrentar	5 v	
1015.eléctrico	2 a		1071.englobar	2 v	
1016.electrónico	2 a		1072.enigma	1 s	
1017.elegir	67 v		1073.enlace	1 s	
1018.elemental	4 a		1074.enorme	4 a	
1019.elemento	73 s		1075.enriquecer	7 v	
1020.elevación	1 s		1076.enriquecimiento	2 s	
1021.elevado	87 a		1077.ensayar	1 v	
1022.elevar	33 v		1078.enseñar	1 v	
1023.eliminación	2 s		1079.ente	2 s	
1024.eliminar	7 v		1080.entender	11 v	
1025.embutido	1 s		1081.enteramente	2 b	
1026.emergencia	4 s		1082.entidad	9 s	
1027.emisión²	4 s		1083.entorno	31 s	
1028.emitir	15 v		1084.entrada	18 s	
1029.emplear	27 v		1085.entrañar	1 v	
1030.emprendedor	2 a		1086.entrar	8 v	
1031.emprender	1 v		1087.entrega	6 s	
1032.en absoluto	2 b	C	1088.entregar	3 v	
1033.en cierto modo	1 b	C	1089.entrenar	2 v	
1034.en común	1 b	C	1090.entretenimiento	2 s	
1035.en concreto	9 b	C	1091.entrevista	1 s	
1036.en consecuencia	17 b	C	1092.entrevistador	3 s	
1037.en cuestión	12 b	C	1093.entrevistar	1 v	
1038.en definitiva	10 b	C	1094.entusiasmo	1 s	
1039.en efecto	18 b	C	1095.enumeración	3 s	
1040.en esencia	1 b	C	1096.enumerar	3 v	
1041.en exceso	1 b	C	1097.enunciado	1 s	
1042.en general	47 b	C	1098.enunciar	1 v	
1043.en gran medida	5 b	C	1099.enviar	7 v	
1044.en ocasiones	9 b	C	1100.envío	3 s	
1045.en parte	2 b	C	1101.epígrafe	1 s	
1046.en particular	2 b	C	1102.época	4 s	
1047.en principio	13 b	C	1103.equilibrar	2 v	
1048.en puridad	1 b	C	1104.equilibrio	10 s	
1049.en realidad	22 b	C	1105.equipo²	9 s	
1050.en rigor	1 b	C	1106.equivalencia	2 s	
1051.en teoría	1 b	C	1107.equivalente	14 a	
1052.en total	3 b	C	1108.equivalentemente	1 b	
1053.enajenar	1 v		1109.equivaler	9 v	
1054.encajar	1 v		1110.equivocar	7 v	
1055.encaminar	2 v		1111.erróneamente	1 b	
1056.encargar¹	1 v		1112.error	15 s	
1057.encargar²	7 v		1113.es decir	225 b	C
1058.encargar³	4 v		1114.es más	5 b	C

1115.escala	7 s	
1116.escapar	2 v	
1117.escaparate	1 s	
1118.escisión	1 s	
1119.escribir	11 v	
1120.escrito	1 a	
1121.escuela	3 s	
1122.esencial	4 a	
1123.esencialmente	1 b	
1124.esforzar	1 v	
1125.esfuerzo	42 s	
1126.eslabón	1 s	
1127.espacio	3 s	
1128.español	7 s	
1129.especial	11 a	
1130.especialista	9 a	
1131.especialización	17 s	
1132.especializado	5 a	
1133.especializar	3 v	
1134.especialmente	20 b	
1135.especie	1 s	
1136.especificación	2 s	
1137.especificar	10 v	
1138.específico	11 a	
1139.espectacular	1 a	
1140.espera	5 s	
1141.esperanza	6 s	
1142.esperar	91 v	
1143.espíritu	1 s	
1144.espontáneo	6 a	
1145.esporádico	4 a	
1146.esposo	1 s	
1147.espuma	1 s	
1148.esqueleto	1 s	
1149.esquema	4 s	
1150.esquemático	3 a	
1151.esquematizar	2 v	
1152.estabilidad	8 s	
1153.estabilizar	3 v	
1154.estable	6 a	
1155.establecer	48 v	
1156.establecimiento	33 s	
1157.establecimiento farmacéutico	1 s	C
1158.estación	1 s	
1159.estacional	2 a	
1160.estacionario	1 a	
1161.estado civil	1 s	C
1162.estado[1]	4 s	
1163.estado[2]	38 s	
1164.estándar	30 s	
1165.estandarizar	1 v	
1166.estante	1 a	
1167.estar de acuerdo	3 v	C
1168.estatal	1 a	
1169.estático	5 a	
1170.estatura	1 s	
1171.estilo	22 s	
1172.estimación	12 s	
1173.estimar	49 v	
1174.estimulante	1 a	
1175.estimular	10 v	
1176.estímulo	10 s	
1177.estrategia	112 s	
1178.estratégico	22 a	
1179.estratificar	2 v	
1180.estrecho	5 a	
1181.estrictamente	3 b	
1182.estricto	1 a	
1183.estropear	1 v	
1184.estructura	26 s	
1185.estructural	3 a	
1186.estructuralmente	1 a	
1187.estructurar	5 v	
1188.estudiante	3 s	
1189.estudiar	58 v	
1190.estudio	69 s	
1191.estudioso	1 a	
1192.etapa	22 s	
1193.etc.	114 b	
1194.etcétera	18 b	
1195.ética	1 s	
1196.ético	3 a	
1197.etiqueta	4 s	
1198.euforia	1 s	
1199.europeo	1 a	
1200.evaluación	13 s	
1201.evaluar	7 v	
1202.evidencia	3 s	
1203.evidente	35 a	
1204.evidentemente	69 b	
1205.evitar	30 v	
1206.evocación	1 s	
1207.evocar	1 v	
1208.evolución	23 s	
1209.evolucionar	6 v	
1210.exactitud	3 s	
1211.exacto	4 a	
1212.exceder	1 v	
1213.excepción	2 s	
1214.excesivamente	6 b	
1215.excesivo	11 a	
1216.exceso	15 s	
1217.excluir	3 v	
1218.exclusión	2 s	
1219.exclusivamente	2 b	
1220.exclusividad	3 s	
1221.exclusivo	3 a	
1222.excluyente	1 a	
1223.exigencia	1 s	
1224.exigente	2 a	
1225.exigibilidad	2 s	

1226.exigible	1 a		1282.falseamiento	1 s
1227.exigir	33 v		1283.falsedad	1 s
1228.existencia	26 s		1284.falsificación	1 s
1229.existente	74 a		1285.falso	1 a
1230.existir	193 v		1286.falta	14 s
1231.éxito	31 s		1287.faltar	2 v
1232.exógeno	1 a		1288.fama	2 s
1233.expectativa	14 s		1289.familia	8 s
1234.expedición	1 s		1290.familiar	1 a
1235.experiencia	14 s		1291.famoso	2 a
1236.experimentable	1 a		1292.farmacéutico	3 a
1237.experimentación	6 s		1293.farmacia	1 s
1238.experimental	3 a		1294.fase	57 s
1239.experimentar	6 v		1295.fatiga	2 s
1240.experimento	5 s		1296.favorable	29 a
1241.experto[1]	7 s		1297.favorecer	6 v
1242.experto[2]	2 a		1298.fecha	4 s
1243.explicación	5 s		1299.fechar	1 v
1244.explicar	22 v		1300.fenómeno	2 s
1245.explicativo	4 a		1301.feria	1 s
1246.explícitamente	3 b		1302.ferroviario	1 a
1247.explícito	3 a		1303.fiabilidad	8 s
1248.exploración	1 s		1304.fiable	1 a
1249.explotación	4 s		1305.ficticio	6 a
1250.exponer	26 v		1306.fidelidad	2 s
1251.exposición	7 s		1307.figura	242 s
1252.expositor	1 a		1308.figurar	16 v
1253.expresar	17 v		1309.fijación	10 s
1254.expresión	89 s		1310.fijar	40 v
1255.extender[1]	9 v		1311.fijo	10 a
1256.extender[2]	1 v		1312.fila	9 s
1257.extensión	3 s		1313.filmación	1 s
1258.exterior[1]	9 s		1314.filosofía	1 s
1259.exterior[2]	3 s		1315.fin	10 s
1260.externo	19 a		1316.final	51 a
1261.extinción	1 s		1317.finalización	2 s
1262.extinguir	1 v		1318.finalizar	28 v
1263.extracción	26 s		1319.finalmente	17 b
1264.extraer	5 v		1320.finito	6 a
1265.extranjero[1]	1 s		1321.fino	1 a
1266.extranjero[2]	1 a		1322.firma[2]	1 s
1267.extraordinariamente	1 b		1323.firmar	1 v
1268.extraordinario	4 a		1324.firme	4 a
1269.extrapolación	9 s		1325.físicamente	4 b
1270.extremadamente	1 b		1326.físico	58 a
1271.extremado	1 a		1327.flecha	22 s
1272.extremo[1]	7 s		1328.flexibilidad	10 s
1273.extremo[2]	4 a		1329.flexibilizar	1 v
1274.fachada	1 s		1330.flexible	7 a
1275.fácil	3 a		1331.fluctuar	1 v
1276.facilidad	3 s		1332.fluido	1 a
1277.facilitar	23 v		1333.flujo[2]	1 s
1278.fácilmente	12 b		1334.folleto	2 s
1279.factible	5 a		1335.forma	155 s
1280.factor	125 s		1336.formación	10 s
1281.fallo	1 s		1337.formal	9 a

1338.formalismo	1 s	1394.geométrico	3 a
1339.formalización	1 s	1395.girar	2 v
1340.formalizar	1 v	1396.global	21 a
1341.formalmente	5 b	1397.globalmente	1 b
1342.formar	59 v	1398.gozar	1 v
1343.formar parte	3 v C	1399.grado	42 s
1344.fórmula	6 s	1400.gráficamente	4 b
1345.formulación	3 s	1401.grande	107 a
1346.formular	6 v	1402.gratuito	4 a
1347.formulario	1 s	1403.griego	1 a
1348.fortuito	1 a	1404.grupo	83 s
1349.fotografía	1 s	1405.guía	1 s
1350.fotográfico	1 a	1406.gusto	5 s
1351.fotograma	2 s	1407.habilidad	3 s
1352.fracasar	3 v	1408.hábito	1 s
1353.fracaso	10 s	1409.habitual	25 a
1354.frecuencia	12 s	1410.habitualmente	18 b
1355.frecuente	43 a	1411.hablar	9 v
1356.frecuentemente	11 b	1412.hacer	143 v
1357.frente	1 s	1413.hacer acopio de	1 v C
1358.frigorífico	1 a	1414.hacer frente	2 v C
1359.frontera	1 s	1415.hacer frente a	9 v C
1360.frustración	1 s	1416.hacer hincapié en	2 v C
1361.frustrante	1 a	1417.hacer referencia	7 v C
1362.frustrar	1 v	1418.hacerse cargo de	1 v C
1363.fuente²	17 s	1419.hacha	1 s
1364.fuera	3 b	1420.hallar	3 v
1365.fuerte	16 a	1421.hangar	3 s
1366.fuerza	12 s	1422.harina	1 s
1367.función¹	67 s	1423.hecho	13 s
1368.funcional	9 a	1424.helado	3 a
1369.funcionalmente	2 b	1425.héroe	1 s
1370.funcionamiento	14 s	1426.herramienta	14 s
1371.funcionar	9 v	1427.heterogeneidad	1 s
1372.fundador	1 a	1428.heterogéneo	7 a
1373.fundamental	15 a	1429.hierro	1 s
1374.fundamentalmente	2 b	1430.hipótesis	5 s
1375.fundición	1 s	1431.historia	2 s
1376.futuro¹	20 s	1432.histórico	3 a
1377.futuro²	15 a	1433.hoja	2 s
1378.galleta	1 s	1434.hombre	17 s
1379.ganador	5 a	1435.homogeneidad	4 s
1380.ganancia²	2 s	1436.homogeneizar	1 v
1381.ganar¹	12 v	1437.homogéneo	12 a
1382.ganar²	15 v	1438.honesto	1 a
1383.garantía	2 s	1439.honorífico	1 a
1384.garantizar	10 v	1440.hora	18 s
1385.generación	9 s	1441.horario	4 a
1386.generador	1 a	1442.horizontal	3 a
1387.general	52 a	1443.horizontalmente	3 b
1388.generalidad	1 s	1444.hospital	3 s
1389.generalizar	3 v	1445.hostilidad	1 s
1390.generalmente	37 b	1446.hotel	1 s
1391.generar	100 v	1447.hoy	8 b
1392.genérico	5 a	1448.humano	24 a
1393.generoso	1 a	1449.húmedo	1 a

1450.idea	39 s	
1451.ideal	5 a	
1452.idear	2 v	
1453.ideas fuerza	1 s	C
1454.idéntico	14 a	
1455.identidad	5 s	
1456.identificación	8 s	
1457.identificador	1 a	
1458.identificar	28 v	
1459.idóneo	3 a	
1460.ignorancia	1 s	
1461.ignorar	6 v	
1462.igual	174 a	
1463.igualar	9 v	
1464.igualdad	11 s	
1465.igualmente	6 b	
1466.ilimitadamente	2 a	
1467.ilimitado	17 a	
1468.iluminación	1 s	
1469.ilustración	1 s	
1470.ilustrar	1 v	
1471.ilustrativo	1 a	
1472.imagen	15 s	
1473.imaginación	2 s	
1474.imaginario	1 a	
1475.imbuir	1 v	
1476.imitación	1 s	
1477.impacto	4 s	
1478.imparcial	1 a	
1479.impedimento	1 s	
1480.impedir	6 v	
1481.imperar	1 v	
1482.imperativo	1 a	
1483.imperfección	1 s	
1484.imperfecto	3 a	
1485.implantación	2 s	
1486.implantar	5 v	
1487.implementar	1 v	
1488.implicación	2 s	
1489.implicar	5 v	
1490.implícito	1 a	
1491.imponer	8 v	
1492.importancia	62 s	
1493.importante	64 a	
1494.importar²	18 v	
1495.importar³	5 v	
1496.importe	62 s	
1497.imposibilidad	3 s	
1498.imposible	7 a	
1499.imposición	2 s	
1500.imprenta	1 s	
1501.imprescindible	6 a	
1502.impresión	1 s	
1503.impreso	4 s	
1504.improbable	1 a	
1505.impulsar	1 v	

1506.impulso	1 s	
1507.imputable	1 a	
1508.imputar	7 v	
1509.inactividad	7 s	
1510.inadecuado	1 a	
1511.inagotable	1 a	
1512.inalcanzable	2 a	
1513.inalterable	1 a	
1514.incapaz	1 a	
1515.incidencia	16 s	
1516.incidir	9 v	
1517.incierto	5 a	
1518.inclinación	1 s	
1519.inclinar	1 v	
1520.incluir	24 v	
1521.inclusive	1 b	
1522.incluso	29 b	
1523.incógnita	5 s	
1524.incompatible	4 a	
1525.incompleto	4 a	
1526.inconscientemente	1 b	
1527.incontrolado	1 a	
1528.inconveniente	38 s	
1529.incorporación	1 s	
1530.incorporar	55 v	
1531.incorrecto	3 a	
1532.incrementar	25 v	
1533.incremento	4 s	
1534.incumbir	1 v	
1535.incumplimiento	1 s	
1536.incumplir	1 v	
1537.incurrir	26 v	
1538.indefinidamente	2 b	
1539.indefinido	1 a	
1540.independencia	3 s	
1541.independiente	35 a	
1542.independientemente	5 b	
1543.indeterminación	1 s	
1544.indicación	1 s	
1545.indicador	1 a	
1546.indicar	10 v	
1547.índice	7 s	
1548.indicio	1 s	
1549.indirecto	3 a	
1550.indispensable	2 a	
1551.indistintamente	1 b	
1552.individual	10 a	
1553.individualizadamente	1 b	
1554.individualizar	5 v	
1555.individualmente	1 b	
1556.individuo	10 a	
1557.indivisible	1 a	
1558.índole	3 s	
1559.inducir	1 v	
1560.indudablemente	1 b	
1561.ineficaz	1 a	

1562.inercia	3 s	1618.inspeccionar	2 v
1563.inerte	1 a	1619.inspector	1 a
1564.inesperado	1 a	1620.inspirar	1 v
1565.inevitable	1 a	1621.instalar	3 v
1566.inevitablemente	1 b	1622.instantáneo	1 a
1567.inexactitud	1 s	1623.instante	6 s
1568.inexistencia	3 s	1624.institución	3 s
1569.infalible	1 a	1625.instrucción	5 s
1570.inferior[1]	70 a	1626.instruir	2 v
1571.inferior[2]	3 a	1627.instrumento	29 s
1572.inferioridad	4 s	1628.insuficiente	4 a
1573.inferir	2 v	1629.intangible	5 a
1574.infinidad	1 s	1630.integración	8 s
1575.infinitamente	1 b	1631.integrador	2 a
1576.infinitesimal	3 a	1632.íntegramente	4 b
1577.infinito	32 a	1633.integrante	1 a
1578.influencia	9 s	1634.integrar	35 v
1579.influir	22 v	1635.intención	2 s
1580.información	130 s	1636.intensidad	2 s
1581.informal	7 a	1637.intensificar	1 v
1582.informar	14 v	1638.intensivamente	1 b
1583.informativo	4 a	1639.intenso	1 a
1584.informe	12 s	1640.intentar	7 v
1585.infructuoso	1 a	1641.intento	2 s
1586.ingente	3 a	1642.interacción	4 s
1587.inglés	1 a	1643.interactivo	1 a
1588.ingrediente	1 s	1644.intercambiar	1 v
1589.inherente	1 a	1645.intercambio	10 s
1590.iniciación	1 s	1646.interdependencia	1 s
1591.iniciado	1 a	1647.interdependiente	4 a
1592.inicial	16 a	1648.interés[2]	26 s
1593.inicialmente	13 b	1649.interesado	1 a
1594.iniciar	11 v	1650.interesante	1 a
1595.iniciativa	1 a	1651.interesar	23 v
1596.inicio	1 s	1652.interferencia	1 s
1597.ininterrumpido	1 a	1653.interior[1]	8 s
1598.inmaterial	3 a	1654.interior[2]	2 a
1599.inmediatamente	3 b	1655.intermedio	6 a
1600.inmediato	12 a	1656.intermitente	4 a
1601.inmerso	1 a	1657.internacional	4 a
1602.inmóvil	1 a	1658.internacionalización	4 s
1603.inmovilización	4 s	1659.internacionalizar	4 v
1604.inmovilizar	1 v	1660.internamente	1 b
1605.inmutable	1 a	1661.interno	14 a
1606.innato	1 a	1662.interpretación	6 s
1607.innecesario	6 a	1663.interpretar	4 v
1608.innovación	12 s	1664.interrelación	5 s
1609.innovador	6 a	1665.interrelacionado	4 a
1610.innovar	4 v	1666.interrelacionar	3 v
1611.innumerable	1 a	1667.interrumpir	3 v
1612.insatisfacción	2 s	1668.interrupción	2 s
1613.insatisfecho	3 a	1669.intersección[2]	1 s
1614.insertar	2 v	1670.intervalo	12 s
1615.insistir	2 v	1671.intervención	9 s
1616.insostenible	1 a	1672.intervenir	22 v
1617.inspección	8 s	1673.introducción	30 s

1674.introducir	21 v		1730.lentitud	2 a	
1675.introductorio	6 a		1731.lento	6 a	
1676.intuición	6 s		1732.letra	2 s	
1677.intuitivo	3 a		1733.libertad	13 s	
1678.inutilizar	1 v		1734.libre	4 a	
1679.invalidar	1 v		1735.libremente	1 b	
1680.inversamente	1 b		1736.librería	1 s	
1681.inverso	10 a		1737.librero	2 s	
1682.invertir²	1 v		1738.libro	13 s	
1683.investigación	31 s		1739.liderar	1 v	
1684.investigador	8 a		1740.liderazgo²	2 s	
1685.investigar	6 v		1741.ligar	3 v	
1686.inviable	1 a		1742.limitación	25 s	
1687.invierno	3 s		1743.limitado	10 a	
1688.involucrar	2 v		1744.limitar	24 v	
1689.ir¹	11 v		1745.limitativo	1 a	
1690.irrealizable	1 a		1746.límite	26 s	
1691.irregularidad	1 s		1747.línea²	8 s	
1692.irrelevante	1 a		1748.lineal	18 a	
1693.irreversible	1 a		1749.líneas aéreas	1 s	C
1694.irrupción	2 s		1750.líquido²	1 a	
1695.ítem	18 s		1751.literalmente	1 b	
1696.itinerario	2 a		1752.literatura	1 s	
1697.izquierda	5 s		1753.llamado	1 s	
1698.izquierdo	2 a		1754.llamar	15 v	
1699.japonés	3 a		1755.llegar¹	60 v	
1700.jefe	1 s		1756.llevar a cabo	11 v	C
1701.jerarquía	3 s		1757.llevar a efecto	3 v	C
1702.jerárquico	3 a		1758.llevar a la práctica	1 v	C
1703.jerarquizar	1 v		1759.llevar¹	2 v	
1704.joven	2 a		1760.loable	1 a	
1705.joya	2 s		1761.local¹	4 s	
1706.juego	13 s		1762.local²	5 a	
1707.jugada	4 s		1763.localidad	6 s	
1708.jugador	26 s		1764.localización	26 s	
1709.jugar	2 v		1765.localizar	6 v	
1710.juicio	4 s		1766.lógico	7 a	
1711.junto	1 a		1767.logístico	2 a	
1712.justificar	4 v		1768.lograr	1 v	
1713.kilo	1 s		1769.longitud²	1 s	
1714.kilogramo	2 s		1770.lote	7 s	
1715.lácteo	1 a		1771.lúdico	1 a	
1716.lado	3 s		1772.lugar	56 s	
1717.ladrillo	6 s		1773.lugar de residencia	1 s	C
1718.lámpara	7 s		1774.lujo	1 s	
1719.lanzamiento	10 s		1775.madera	3 s	
1720.lanzar	6 v		1776.maduración	2 s	
1721.largo	72 a		1777.madurez	6 s	
1722.lastre	1 s		1778.maestro	1 a	
1723.lealtad	6 s		1779.magnitud	11 s	
1724.lector	7 a		1780.mal	6 a	
1725.lego	1 a		1781.malestar	1 s	
1726.lejano	2 a		1782.malo	1 a	
1727.lejos	1 b		1783.mañana	2 a	
1728.lema	1 s		1784.mandar	3 v	
1729.lentamente	2 b		1785.mando	3 s	

1786.manejar	6 v		1842.memorizar	1 v	
1787.manejo	3 s		1843.mencionar	13 v	
1788.manera	8 s		1844.menor	61 a	
1789.manifestar	6 v		1845.menos	50 b	
1790.maniobra	2 s		1846.mensaje	18 s	
1791.manipulación	2 s		1847.mensual	8 a	
1792.manipular	1 v		1848.mensualmente	1 b	
1793.mano	5 s		1849.mental	4 a	
1794.mantener	67 v		1850.mentalidad	1 s	
1795.mantenimiento	31 s		1851.mente	2 s	
1796.manual	5 a		1852.mentir	1 v	
1797.manutención	1 a		1853.mentiroso	1 a	
1798.manzana	1 a		1854.meramente	2 b	
1799.máquina	29 s		1855.mercadería	3 s	
1800.máquina de afeitar	1 s	C	1856.mercurio	1 s	
1801.marcar²	1 v		1857.merecer	4 v	
1802.marcha	1 s		1858.mérito	2 s	
1803.marco	1 s		1859.merma	1 s	
1804.margen	24 s		1860.mermar	2 v	
1805.marginal	3 a		1861.mero	11 a	
1806.marginalista	1 a		1862.mes	21 s	
1807.marina	1 s		1863.meta	2 s	
1808.marítimo	1 a		1864.método	82 s	
1809.marzo	1 s		1865.metodología	1 s	
1810.más aún	2 b	C	1866.micromovimiento	1 s	
1811.más bien	3 b	C	1867.miembro	16 s	
1812.más o menos	4 b	C	1868.milímetro	1 s	
1813.masa	5 s		1869.militar	2 a	
1814.masivo	1 a		1870.milla	2 s	
1815.materia	6 s		1871.mineral	1 a	
1816.material¹	38 s		1872.mínimamente	1 b	
1817.material²	9 a		1873.minimización	3 s	
1818.materialización	2 s		1874.minimizar	27 v	
1819.materializar	4 v		1875.mínimo¹	10 s	
1820.materialmente	1 b		1876.mínimo²	29 a	
1821.maximización	11 s		1877.minoría	1 s	
1822.maximizar	48 v		1878.minuciosamente	1 b	
1823.máximo¹	15 s		1879.minucioso	1 a	
1824.máximo²	31 a		1880.minuto	10 s	
1825.mayor	266 a		1881.misil	1 s	
1826.mayoría	22 s		1882.misión	1 s	
1827.mecanismo	1 s		1883.misión espacial	1 s	C
1828.mediación	1 s		1884.mitad	10 s	
1829.mediar	5 v		1885.mito	1 s	
1830.mediato	1 a		1886.mixto	2 a	
1831.medicamento	1 s		1887.mobiliario	3 a	
1832.médico	3 a		1888.modelización	2 s	
1833.medio de transporte	1 s	C	1889.modelo	80 s	
1834.medio¹	24 s		1890.moderado	2 a	
1835.medio²	118 a		1891.moderar	1 v	
1836.medio³	5 s		1892.modernamente	2 b	
1837.medio⁴	3 s		1893.moderno	4 a	
1838.mejor	89 a		1894.modesto	2 a	
1839.mejora	6 s		1895.modificación	23 s	
1840.mejorar	14 v		1896.modificar	49 v	
1841.memorización	3 s		1897.modo	113 s	

1898.modular	1 v	1954.ni siquiera	3 b	C
1899.módulo	15 s	1955.nicotina	1 s
1900.molestar	1 v	1956.nieto	1 s
1901.momentáneo	1 a	1957.niño	1 a
1902.momento	114 s	1958.nivel	177 s
1903.monótono	1 a	1959.no obstante	18 b	C
1904.montaje	2 s	1960.noche	3 s
1905.montante	5 s	1961.noción	1 s
1906.montar	1 v	1962.nocturno	2 a
1907.moral	1 s	1963.nombrar	2 v
1908.morir	2 v	1964.nombre	8 s
1909.mostrar	10 v	1965.nominalmente	1 b
1910.motivación	22 s	1966.norma	14 s
1911.motivacional	3 a	1967.normal	33 a
1912.motivado	3 a	1968.normalización	3 s
1913.motivador	4 a	1969.normalizar	3 v
1914.motivar	9 v	1970.normalmente	5 b
1915.motivo	13 a	1971.normativo	1 a
1916.motor	5 a	1972.norteamericano	1 a
1917.mover	3 v	1973.nota	1 s
1918.movilizar	1 v	1974.notable	3 a
1919.movimiento	22 s	1975.notablemente	1 b
1920.muerto	3 a	1976.notación	3 s
1921.muestra[1]	2 s	1977.notar	1 v
1922.mujer	2 s	1978.noticia	5 s
1923.multidoméstico	3 a	1979.notificar	2 v
1924.múltiple	4 a	1980.notoriedad	1 s
1925.multitud	4 s	1981.notorio	1 a
1926.multivariable	1 a	1982.novedad	1 s
1927.mundo	3 s	1983.novedoso	1 a
1928.municipio	1 s	1984.noviembre	2 s
1929.músculo	1 s	1985.nuevamente	1 b
1930.museo	1 s	1986.nuevo	124 a
1931.música	2 s	1987.nulo	25 a
1932.mutuamente	2 b	1988.numeroso	11 a
1933.mutuo	1 a	1989.nunca	18 b
1934.nación	1 s	1990.obedecer	2 v
1935.nacional	6 a	1991.objeción	1 s
1936.nadar	1 v	1992.objetivamente	1 b
1937.natural	4 a	1993.objetivista	2 a
1938.naturaleza	25 s	1994.objetivo[1]	170 s
1939.nave industrial	2 s	C	1995.objetivo[2]	4 a
1940.necesariamente	2 b	1996.objeto	22 s
1941.necesario	99 a	1997.obligación[2]	3 s
1942.necesidad	97 s	1998.obligar	27 v
1943.necesitar	24 v	1999.obligatoriamente	1 b
1944.negar	1 v	2000.obra	6 s
1945.negativa	1 s	2001.obrar	1 v
1946.negatividad	5 s	2002.observable	2 a
1947.negativo	54 a	2003.observación	9 s
1948.negociador	6 a	2004.observar	70 v
1949.negro	22 a	2005.obsolescencia	5 s
1950.neoclásico	1 a	2006.obsoleto	5 a
1951.nexo	1 s	2007.obtención	10 s
1952.ni aun	1 b	C	2008.obtener	277 v
1953.ni más ni menos	1 b	C	2009.obviamente	9 b

2010.obvio	13 a	2066.otro tanto	5 b C
2011.ocasión	57 s	2067.paciente¹	2 s
2012.occidente	1 s	2068.paciente²	1 a
2013.ocioso	8 a	2069.padre	2 s
2014.octubre	2 s	2070.página	1 s
2015.oculto	1 a	2071.país	9 s
2016.ocupar	12 v	2072.palabra	9 s
2017.ocurrencia	5 s	2073.palanca²	2 s
2018.ocurrir	11 v	2074.paliar	2 v
2019.oficial	2 a	2075.palidecer	1 v
2020.oficina	4 s	2076.panadería	1 s
2021.ofrecer	18 v	2077.pantalla	1 s
2022.oír	1 v	2078.papel	10 s
2023.ojeada	1 s	2079.papeleo	2 s
2024.ojo	1 s	2080.papeleta	1 s
2025.olvidar	6 v	2081.papilla	2 s
2026.olvido	1 s	2082.par	2 a
2027.opción	4 s	2083.parada	1 s
2028.operación	42 s	2084.paralela	2 s
2029.operar	11 v	2085.paralelo	5 a
2030.operatividad	1 s	2086.paralización	2 s
2031.operativo	8 a	2087.parcial	9 a
2032.opinión	8 s	2088.parcialmente	1 b
2033.oponer	2 v	2089.parecer	12 v
2034.oportunidad	3 s	2090.paréntesis	3 s
2035.oportuno	2 a	2091.parte	115 s
2036.oposición	1 s	2092.parte integrante	1 s C
2037.optar	2 v	2093.participación¹	8 s
2038.optimismo	2 s	2094.participante	4 a
2039.optimista	7 a	2095.participar	8 v
2040.óptimo²	68 a	2096.particular¹	3 s
2041.orden¹	13 s	2097.particular²	10 a
2042.orden²	13 s	2098.particularmente	4 b
2043.ordenación	6 s	2099.partida²	6 s
2044.ordenador	7 a	2100.partida³	4 s
2045.ordenador de sobremesa	1 s C	2101.partir	37 v
2046.ordenar	6 a	2102.pasado	19 s
2047.ordinario	1 a	2103.pasar	29 v
2048.organigrama	7 s	2104.paso	20 s
2049.organismo	1 s	2105.patrocinio	1 s
2050.organizado	4 a	2106.paulatinamente	1 b
2051.organizar	10 v	2107.pauta	2 s
2052.organizativo	13 a	2108.peculiaridad	6 s
2053.órgano	1 s	2109.pedir	8 v
2054.orientación	7 s	2110.pelear	1 v
2055.oriental	2 a	2111.película	1 s
2056.orientar	18 v	2112.peligro	1 s
2057.origen	22 s	2113.peluquero	1 s
2058.original	4 a	2114.pena	2 s
2059.originar	1 v	2115.penalización	1 s
2060.originariamente	1 b	2116.penalizar	1 v
2061.oro	2 s	2117.pendiente	3 a
2062.oscilación	21 s	2118.peninsular	1 a
2063.oscilar	3 v	2119.pensamiento	5 s
2064.ostensiblemente	2 b	2120.pensar	27 v
2065.otorgar	2 v	2121.penúltimo	2 s

2122.peor	4 a		2178.plaza	3 s	
2123.pequeño	47 a		2179.plazo	124 s	
2124.percepción	7 s		2180.población	20 s	
2125.perceptible	1 a		2181.poblar	1 v	
2126.percibir	18 v		2182.poco a poco	1 b	C
2127.perdedor	5 a		2183.poder[1]	11 s	
2128.perder	32 v		2184.poderoso	1 a	
2129.pérdida	8 s		2185.polémica	2 s	
2130.perdurabilidad	1 s		2186.policía	1 s	
2131.perfección	1 s		2187.polietápico	1 s	
2132.perfeccionar	2 v		2188.política	54 s	
2133.perfectamente	7 b		2189.político	3 a	
2134.perfecto	18 a		2190.poner	12 v	
2135.perfumería	2 s		2191.poner a disposición	6 v	C
2136.periódicamente	3 b		2192.poner a la venta	1 v	C
2137.periodicidad	2 s		2193.poner de manifiesto	11 v	C
2138.periódico	3 a		2194.poner en acción	1 v	C
2139.periodo	14 s		2195.poner en juego	1 v	C
2140.período	113 s		2196.poner en marcha	2 v	C
2141.perjudicar	2 v		2197.popular	1 a	
2142.perjudicial	1 a		2198.popularidad	1 s	
2143.permanecer	10 v		2199.popularizar	2 v	
2144.permanencia	3 s		2200.por consiguiente	76 b	C
2145.permanente	3 a		2201.por ejemplo	138 b	C
2146.permiso	2 s		2202.por el contrario	18 b	C
2147.permitir	77 v		2203.por escrito	1 b	C
2148.perpetuo	2 a		2204.por lo demás	1 b	C
2149.perro	1 s		2205.por lo tanto	9 b	C
2150.perseguir	8 v		2206.por otra parte	21 b	C
2151.persistencia	1 s		2207.por otro lado	2 b	C
2152.persistir	1 v		2208.por regla general	7 b	C
2153.persona	137 s		2209.por supuesto	7 b	C
2154.personal[2]	15 a		2210.por tanto	83 b	C
2155.personalidad	2 s		2211.por un lado	2 b	C
2156.perspectiva	29 s		2212.por una parte	1 b	C
2157.persuasión	2 s		2213.porción	1 s	
2158.pertenecer	4 v		2214.posibilidad	44 s	
2159.perteneciente	3 a		2215.posible	161 a	
2160.pertenencia	2 s		2216.posiblemente	7 b	
2161.pesar	10 v		2217.posición	12 s	
2162.peseta	3 s		2218.posicionamiento	1 s	
2163.pesimismo	3 s		2219.posicionar	1 v	
2164.pesimista	7 a		2220.positivamente	1 b	
2165.peso	3 s		2221.positivo	32 a	
2166.pesquero	1 a		2222.posterior	26 a	
2167.peticionario	1 a		2223.posterioridad	4 s	
2168.pieza	5 s		2224.posteriormente	37 b	
2169.pintura	6 s		2225.potencia	3 s	
2170.pirámide	3 s		2226.potencial[1]	4 s	
2171.piso	3 s		2227.potencial[2]	19 a	
2172.plan	45 s		2228.potenciar	2 v	
2173.planificar	18 v		2229.práctica	34 s	
2174.plano	1 s		2230.prácticamente	3 b	
2175.planta[2]	1 s		2231.práctico	8 a	
2176.planteamiento	11 s		2232.precedente[1]	2 s	
2177.plantear	24 v		2233.precedente[2]	3 a	

2234.preceder	13	v
2235.precisamente	4	b
2236.precisar	31	v
2237.precisión	12	s
2238.preciso¹	65	a
2239.preciso²	1	a
2240.preconizar	1	v
2241.predecir	2	v
2242.predeterminar	1	v
2243.predicción	4	s
2244.predictivo	2	a
2245.predisponer	1	v
2246.predisposición	2	s
2247.predominante	2	a
2248.predominar	2	v
2249.preferencia	14	s
2250.preferible	44	a
2251.preferir	17	v
2252.pregunta	6	s
2253.preguntar	25	v
2254.prejuicio	1	s
2255.premio	4	s
2256.premisa	1	a
2257.premura	1	s
2258.prenda	2	s
2259.prensa	1	s
2260.preparación	3	s
2261.preparar	6	v
2262.prescindir	4	v
2263.prescripción	1	s
2264.prescriptivo	1	a
2265.presencia	1	s
2266.presentación	8	s
2267.presentar	35	v
2268.presente	7	a
2269.presidir	1	v
2270.presión	1	s
2271.presionar	1	v
2272.prestación	6	s
2273.prestar²	6	v
2274.prestigio	5	s
2275.presumible	1	a
2276.presumir	1	v
2277.presuponer	1	v
2278.pretender	12	v
2279.prevalecer	1	v
2280.prevenir	1	v
2281.preventivo	1	a
2282.prever	65	v
2283.previamente	14	b
2284.previo	15	a
2285.previsible	4	a
2286.previsión	51	s
2287.previsto	21	a
2288.primar	4	v
2289.primario	8	a

2290.primavera	1	s
2291.primordial	6	a
2292.primordialmente	1	b
2293.principal²	105	a
2294.principalmente	3	b
2295.principio¹	30	s
2296.principio²	4	s
2297.prioridad	1	s
2298.prioritario	2	a
2299.privado	1	a
2300.probable	6	a
2301.probablemente	1	b
2302.probar	7	v
2303.problema	87	s
2304.problemática	5	s
2305.procedencia	2	s
2306.procedente	1	a
2307.proceder	12	v
2308.procedimiento	66	s
2309.procesador	2	s
2310.proceso	99	s
2311.procurar	6	v
2312.producir²	70	v
2313.profesor	3	s
2314.programa	11	s
2315.programación	16	s
2316.programar	5	v
2317.progresión	5	s
2318.progresivamente	1	b
2319.progresivo	1	a
2320.progreso	1	s
2321.prohibir	5	v
2322.prolijo	1	a
2323.prolongado	8	a
2324.prolongar	8	v
2325.promocional	7	a
2326.promocionar	4	v
2327.promover	1	v
2328.pronto	4	a
2329.pronunciación	1	s
2330.pronunciar	3	v
2331.propiamente	2	b
2332.propiciador	1	a
2333.propiciar	1	v
2334.propio	71	a
2335.proponer	5	v
2336.proporción	53	s
2337.proporcional	12	a
2338.proporcionalmente	5	b
2339.proporcionar	20	v
2340.propósito	3	s
2341.proteger	6	v
2342.protocolo	1	s
2343.prototipo	4	s
2344.proveniente	9	a
2345.provenir	13	v

2346.provincial	2 a		2402.realista	2 a	
2347.provisión	1 s		2403.realizable	5 a	
2348.provocar	35 v		2404.realización	37 s	
2349.próximamente	2 b		2405.realizar	272 v	
2350.proximidad	3 s		2406.realmente	16 b	
2351.próximo	19 a		2407.reasignación	1 s	
2352.proyectil	1 s		2408.reasignar	1 v	
2353.proyecto	137 s		2409.rebasar	1 v	
2354.prudencia	1 s		2410.rebelar	2 v	
2355.prudente	4 a		2411.recaer	1 v	
2356.prueba	17 s		2412.recepción	7 s	
2357.pseudoacontecimiento	3 s		2413.receptor	1 a	
2358.publicar	4 v		2414.rechazar	3 v	
2359.público	2 a		2415.rechazo	4 s	
2360.puente	2 s		2416.recibir	24 v	
2361.pues bien	13 b	C	2417.reciente	2 a	
2362.puesta en marcha	5 s	C	2418.recientemente	1 b	
2363.puesto callejero	1 s	C	2419.recíproco	2 a	
2364.punta	1 s		2420.reclamar	1 v	
2365.punto	78 s		2421.reclamo	1 s	
2366.punto de partida	1 s	C	2422.recoger	42 v	
2367.punto de vista	16 s	C	2423.recogida[1]	1 s	
2368.puntuación	13 s		2424.recogida[2]	6 s	
2369.puntualización	1 s		2425.recomendable	1 a	
2370.puramente	3 b		2426.recomendación	1 s	
2371.puro	2 a		2427.recomendar	2 v	
2372.quebrantar	1 v		2428.recompensa	2 s	
2373.quedar	55 v		2429.recompensar	1 v	
2374.quejar	1 v		2430.reconocer	4 v	
2375.querer	3 v		2431.reconocimiento	7 s	
2376.quincena	1 a		2432.reconsideración	1 s	
2377.quizá	7 b		2433.recopilación	1 s	
2378.racional	2 a		2434.recordar	24 v	
2379.racionalidad	2 s		2435.recorrer	5 v	
2380.racionalización	1 s		2436.recreo	1 s	
2381.racionalizar	1 v		2437.recto	1 a	
2382.radical	2 a		2438.recuperación	1 s	
2383.radicalmente	1 b		2439.recuperar	22 v	
2384.radicar	3 v		2440.recurrir	2 v	
2385.radio	1 s		2441.red	5 s	
2386.raíz	2 s		2442.rediseñar	1 v	
2387.rango	2 s		2443.reducción	17 s	
2388.rápidamente	5 b		2444.reducido	7 a	
2389.rapidez	13 s		2445.reducir	92 v	
2390.rápido	4 a		2446.redundar	7 v	
2391.rasgo	4 s		2447.reemplazamiento	5 s	
2392.rayar	1 v		2448.reemplazar	6 v	
2393.raza	1 s		2449.referencia	20 s	
2394.razón	41 s		2450.referente	16 a	
2395.razonable	11 a		2451.referir	53 v	
2396.razonablemente	1 b		2452.refinamiento	1 s	
2397.razonamiento	2 s		2453.reflejar	16 v	
2398.reacción	6 s		2454.reflexivo	1 a	
2399.reaccionar	1 v		2455.reformulación	1 s	
2400.real	39 a		2456.reforzar	2 v	
2401.realidad	16 s		2457.refresco	3 s	

2458.regalar	1 v		2514.requerimiento	1 s
2459.región	5 s		2515.requerir	133 v
2460.regional	2 a		2516.requisito	4 s
2461.regir	3 v		2517.resaltar	4 v
2462.registrar	5 v		2518.reseñar	7 v
2463.registro	5 s		2519.resentirse	1 v
2464.regla	14 s		2520.reservar	4 v
2465.reglamento	1 s		2521.residir	1 v
2466.reglar	1 v		2522.residual	3 a
2467.regresión	3 s		2523.residuo	7 s
2468.regulación	2 s		2524.resistir	3 v
2469.regulador	6 a		2525.resolución²	6 s
2470.regular¹	3 v		2526.resolución³	1 s
2471.regular²	4 a		2527.resolver	80 v
2472.regularmente	1 b		2528.respectivamente	15 b
2473.reiteradamente	1 b		2529.respectivo	11 a
2474.reiterativo	1 a		2530.respetar	5 v
2475.relación	118 s		2531.responder	23 v
2476.relacionar	22 v		2532.responsabilidad	31 s
2477.relativamente	6 b		2533.responsabilizar	3 v
2478.relatividad	1 s		2534.responsable	9 a
2479.relativo	34 a		2535.respuesta	21 s
2480.relegar	2 v		2536.restante	13 a
2481.relevancia	4 s		2537.restar¹	3 v
2482.relevante	21 a		2538.restaurante	2 a
2483.relevar	1 v		2539.resto	10 s
2484.religión	1 s		2540.restricción	38 s
2485.rellenar	1 v		2541.restringir	6 v
2486.remanente	1 s		2542.resultado	147 s
2487.remitir	4 v		2543.resultante	10 a
2488.renovación	12 s		2544.resultar	99 v
2489.renovar	8 v		2545.retardo	2 s
2490.renunciar	1 v		2546.retención	6 s
2491.reorganización	1 s		2547.retener	10 v
2492.reparación	5 s		2548.retirada	4 s
2493.reparar	2 v		2549.retirar¹	1 v
2494.repartir	30 v		2550.retirar²	2 s
2495.reparto	10 s		2551.retocar	1 v
2496.repasar	1 v		2552.retrasar	8 v
2497.repentino	2 a		2553.retraso	11 s
2498.repetición	2 s		2554.retribuir	2 v
2499.repetidamente	2 b		2555.reunión	3 s
2500.repetir	12 v		2556.reunir	4 v
2501.repetitivo	5 a		2557.reverendo	1 a
2502.reponer¹	1 v		2558.revestir	1 v
2503.reponer²	1 v		2559.revisar	6 v
2504.reportar	1 v		2560.revisión	11 s
2505.reposición	1 s		2561.revista	1 s
2506.representación	24 s		2562.revitalizar	1 v
2507.representante	5 s		2563.rezagar	1 v
2508.representar	121 v		2564.rigidez	3 s
2509.representatividad	1 s		2565.rígido	5 a
2510.representativo	1 a		2566.rigurosamente	1 b
2511.represivo	2 a		2567.riguroso	2 a
2512.reprogramable	1 a		2568.ritmo	25 s
2513.reputación	2 s		2569.rito	1 s

2570.ritual	2 a		2626.selecto	1 a	
2571.rival	1 s		2627.semana	22 s	
2572.rivalidad	2 s		2628.semanal	11 a	
2573.robotizar	1 v		2629.semanalmente	1 b	
2574.rodear	2 v		2630.semejante	53 a	
2575.rol	2 s		2631.semestral	3 a	
2576.romper	1 v		2632.semestralmente	4 b	
2577.ropa	5 s		2633.semestre	5 a	
2578.rotación	16 s		2634.seminario	1 s	
2579.rotar	2 v		2635.señal	1 s	
2580.rótulo	1 s		2636.señalar	81 v	
2581.rúbrica	1 s		2637.señalización	1 s	
2582.rueda	3 s		2638.sencillamente	1 b	
2583.ruido	1 s		2639.sencillez	3 s	
2584.rumbo	1 s		2640.sencillo	41 a	
2585.rural	1 a		2641.seno	2 s	
2586.ruta	2 s		2642.señora	1 s	
2587.rutina	1 s		2643.sensación	1 s	
2588.rutinario	3 a		2644.sensibilidad	6 s	
2589.saber	63 v		2645.sensible	5 a	
2590.sacrificar	1 v		2646.sensiblemente	2 b	
2591.sacrificio	1 s		2647.sensor	1 s	
2592.sagitario	1 s		2648.sentar	1 v	
2593.salida	18 s		2649.sentar las bases de	1 v	C
2594.salir	2 v		2650.sentido	37 s	
2595.saltar	2 v		2651.sentido común	1 s	C
2596.salud	3 s		2652.sentimiento	2 s	
2597.salvaguardar	1 v		2653.sentir	6 v	
2598.salvar	2 v		2654.separación	2 s	
2599.sancioso	1 a		2655.separadamente	2 b	
2600.sanear	1 v		2656.separar	2 v	
2601.sano	1 a		2657.serie	28 s	
2602.sargento	1 s		2658.servicio	73 s	
2603.satisfacción	19 s		2659.servicio civil	1 s	C
2604.satisfacer	39 v		2660.servir	14 v	
2605.satisfactorio	1 a		2661.sesgo	1 s	
2606.satisfecho	3 a		2662.severamente	1 b	
2607.saturar	1 v		2663.sexo	7 s	
2608.sección	4 s		2664.sí	58 b	
2609.seco	1 a		2665.siderometalúrgico	1 a	
2610.secreto	1 s		2666.siempre	43 b	
2611.sector	13 s		2667.sierra	2 s	
2612.secuencia	7 s		2668.sig	3 s	
2613.secuencial	2 a		2669.siglo	2 s	
2614.secuencialmente	1 b		2670.significado	1 s	
2615.secundario	3 a		2671.significar	26 v	
2616.segmentar	6 v		2672.significativamente	2 b	
2617.seguidamente	11 b		2673.significativo	12 a	
2618.seguidor	3 a		2674.signo	11 s	
2619.seguimiento	4 s		2675.siguiente	243 a	
2620.seguir[1]	78 v		2676.silla	3 s	
2621.seguramente	1 b		2677.simbolizar	1 v	
2622.seguridad	4 s		2678.símbolo	9 s	
2623.seguro[2]	7 a		2679.simétrico	3 a	
2624.selección	78 s		2680.similar	5 a	
2625.seleccionar	36 v		2681.simple	18 a	

2682.simplemente	8 b	
2683.simplificador	1 a	
2684.simplificar	14 v	
2685.simulación	7 s	
2686.simular	3 v	
2687.simultáneamente	6 b	
2688.simultáneo	7 a	
2689.sin duda	3 b	C
2690.sin embargo	57 b	C
2691.sincero	1 a	
2692.sindical	1 a	
2693.singular	1 a	
2694.sinónimo	1 a	
2695.síntesis	1 s	
2696.sintético	3 a	
2697.sintetizar	6 v	
2698.síntoma	1 s	
2699.siquiera	1 b	
2700.sistema	155 s	
2701.sistema cultural	5 s	C
2702.sistemáticamente	1 b	
2703.sistemático	9 a	
2704.sitio	2 s	
2705.situación	51 s	
2706.situar	59 v	
2707.sobrante	3 a	
2708.sobrar	1 v	
2709.sobre todo	1 b	C
2710.sobrecargar	1 v	
2711.sobrepasar	3 v	
2712.sobrevivir	4 v	
2713.sofisticado	2 a	
2714.solamente	20 b	
2715.soldado	1 s	
2716.soldadura	5 s	
2717.solicitar	8 v	
2718.solicitud	1 s	
2719.sólidamente	1 b	
2720.solidaridad	1 s	
2721.sólido	5 a	
2722.solo	10 a	
2723.sólo	91 b	
2724.solución	45 s	
2725.sombrear	1 v	
2726.somero	4 a	
2727.someter	24 v	
2728.soportar	5 v	
2729.soporte	29 s	
2730.sorpresa	1 s	
2731.sostener	4 v	
2732.status	1 s	
2733.suavizar	1 v	
2734.subalterno	1 a	
2735.subapartado	15 s	
2736.subdividir	4 v	
2737.subdivisión	2 s	

2738.subepígrafe	1 s	
2739.subíndice	4 s	
2740.subir	1 v	
2741.súbitamente	1 b	
2742.súbito	1 a	
2743.subjetivamente	3 b	
2744.subjetividad	5 s	
2745.subjetivo	9 a	
2746.submarino	1 a	
2747.subobjetivo	1 s	
2748.subordinado	18 s	
2749.subrayar	1 v	
2750.subsistema	32 s	
2751.subyacer	1 v	
2752.suceder	25 v	
2753.sucesión	3 s	
2754.sucesivamente	5 b	
2755.sucesivo	9 a	
2756.suceso	71 s	
2757.suerte	1 s	
2758.suficiente	32 a	
2759.suficientemente	9 b	
2760.sugerir	7 v	
2761.sujeción	1 s	
2762.sujeto	2 a	
2763.sumo	2 a	
2764.superación	1 s	
2765.superado	1 a	
2766.superar	28 v	
2767.superfluo	1 a	
2768.superior[1]	103 a	
2769.superior[2]	15 s	
2770.superioridad	1 s	
2771.superposición	1 s	
2772.supervisar	3 v	
2773.supervisión	4 s	
2774.supervisor	2 a	
2775.supervivencia	4 s	
2776.suplantación	1 s	
2777.suplementario	2 a	
2778.suplemento	1 s	
2779.suponer	124 v	
2780.supuestamente	1 b	
2781.supuesto	34 s	
2782.sur	1 s	
2783.surgir	21 v	
2784.susceptible	3 a	
2785.suscitar	1 v	
2786.suscribir	3 v	
2787.suscripción	1 s	
2788.suspender	3 v	
2789.sustancia	4 s	
2790.sustancial	4 a	
2791.sustancialmente	5 b	
2792.sustentar	1 v	
2793.sustitución	4 s	

2794.sustituir	22 v	2850.titularidad	1 s
2795.sustitutivo	3 a	2851.todavía	11 b
2796.sutil	3 a	2852.tolerable	1 a
2797.tabaco	2 s	2853.tolerancia	1 s
2798.tabla	215 s	2854.toma	1 s
2799.tácitamente	1 b	2855.tomar	151 v
2800.táctica	3 s	2856.tomar en consideración	2 v	C
2801.táctico	3 a	2857.tomavistas	1 s
2802.talado	1 s	2858.tonelada	2 s
2803.talar	1 v	2859.tornillo	3 s
2804.talla	1 s	2860.total¹	42 s
2805.tamaño	81 s	2861.total²	116 a
2806.también	215 b	2862.totalidad	9 s
2807.tampoco	12 b	2863.totalizar	16 v
2808.tangible	7 a	2864.totalmente	7 b
2809.tardar	20 v	2865.tradición	2 s
2810.tarde	2 a	2866.tradicional	2 a
2811.tardío	2 a	2867.tradicionalmente	3 b
2812.tarea	74 s	2868.traducción	3 s
2813.técnica	34 s	2869.traducir	1 v
2814.técnicamente	8 b	2870.tráfico	3 s
2815.técnico¹	1 s	2871.trámite	1 s
2816.técnico²	39 a	2872.tramo	2 s
2817.tedioso	1 a	2873.transacción	3 s
2818.teja	2 s	2874.transcendencia	2 s
2819.telefónicamente	1 b	2875.transcurrir	11 v
2820.telefónico	1 a	2876.transcurso	3 s
2821.televidente	1 s	2877.transferencia	2 s
2822.televisión	3 s	2878.transferir	4 v
2823.televisor	2 s	2879.transformación	2 s
2824.tema	10 s	2880.transformar	13 v
2825.temor	2 s	2881.transitoriamente	3 b
2826.temporada	2 s	2882.transmisor	1 a
2827.temporal	24 a	2883.transmitir	4 v
2828.temporalmente	1 b	2884.transnacional	1 a
2829.tendencia	7 s	2885.transparente	1 a
2830.tendencial	1 a	2886.traslación	2 s
2831.tender	44 v	2887.trasladar	4 v
2832.tener en cuenta	49 v	C	2888.trasmitir	1 v
2833.tener¹	524 v	2889.tratadista	2 s
2834.tensión	1 v	2890.tratamiento	1 s
2835.tentativa	1 s	2891.tratar¹	69 v
2836.terciario	1 a	2892.trato	4 s
2837.terminación	2 s	2893.trazar	3 v
2838.terminar	19 v	2894.trimestral	2 a
2839.terreno	4 a	2895.trimestre	4 a
2840.territorial	9 a	2896.turístico	2 a
2841.territorio	44 s	2897.turrón	1 s
2842.tesón	1 s	2898.u. t.	60 s
2843.test	6 s	2899.ubicación	2 s
2844.texto	5 s	2900.ubicar	3 v
2845.tiempo	178 s	2901.ulterior	5 a
2846.tienda	8 s	2902.último	94 a
2847.típico	1 a	2903.una a una	1 b	C
2848.tipo	211 s	2904.unánime	1 a
2849.tipología	1 s	2905.unánimemente	1 b

2906.unanimidad	1 s			2959.verano	3 s	
2907.únicamente	1 b			2960.verdad	2 s	
2908.único	35 a			2961.verdaderamente	1 b	
2909.unidad	171 s			2962.verdadero	4 b	
2910.unificar	1 v			2963.verificación	1 s	
2911.uniforme	2 a			2964.verificar	1 v	
2912.unilateral	1 a			2965.verter	1 v	
2913.unilateralmente	1 b			2966.vertical	7 a	
2914.unión	2 s			2967.verticalmente	1 b	
2915.unir	5 v			2968.vertiente	3 s	
2916.unitario	23 a			2969.vestir	1 v	
2917.universal	1 a			2970.vez	54 s	
2918.universidad	2 s			2971.vía[1]	2 s	
2919.universitario	1 a			2972.viabilidad	1 s	
2920.uno a otro	1 b	C		2973.viable	4 a	
2921.urbano	1 a			2974.viajante	1 a	
2922.urbe	1 s			2975.viajar	1 v	
2923.urgencia	1 s			2976.viaje	2 s	
2924.urna	5 s			2977.vibración	1 s	
2925.usar	4 v			2978.vice versa	1 b	C
2926.uso	12 s			2979.vida	15 s	
2927.útil[1]	1 s			2980.vídeo	2 s	
2928.útil[2]	20 a			2981.vigilancia	1 s	
2929.utilidad[2]	10 s			2982.vinculación	3 s	
2930.utilización	41 s			2983.vincular	6 v	
2931.utilizar	156 v			2984.virtual	1 a	
2932.vacaciones	1 a			2985.visión	4 s	
2933.vaciar	1 v			2986.visionado	2 s	
2934.vagón	2 s			2987.visionario	1 a	
2935.valentía	1 s			2988.visita	9 s	
2936.valer	159 v			2989.visitador	1 a	
2937.valerosamente	1 b			2990.visitar	5 v	
2938.válido	2 a			2991.vista	1 s	
2939.valiosísimo	1 a			2992.vistazo	1 s	
2940.valor[1]	1 s			2993.visualización	3 s	
2941.valoración	12 s			2994.visualmente	2 b	
2942.valorar	25 v			2995.vital	2 a	
2943.valorativo	1 a			2996.vivienda	3 s	
2944.variable[2]	15 a			2997.vivir	3 v	
2945.variación	49 s			2998.vivo	2 a	
2946.variar	12 v			2999.vocación	1 s	
2947.variedad	11 s			3000.volar	1 v	
2948.varón	2 s			3001.volcar	1 v	
2949.vegetal	1 a			3002.volumen	34 s	
2950.vehículo	2 s			3003.voluntad	2 s	
2951.velocidad	2 s			3004.voluntario	1 a	
2952.vencer	3 v			3005.volver[1]	4 v	
2953.vencimiento	1 s			3006.vulnerable	1 a	
2954.vengar	1 v			3007.vulnerar	1 v	
2955.ventaja	35 s			3008.zapatería	1 s	
2956.ventajoso	1 a			3009.zapato	1 s	
2957.ventilador	1 s			3010.zona	23 s	
2958.ver	44 v					

Anexo H bis: Los términos con mención de la frecuencia corregida y de la frecuencia absoluta

Los términos están ordenados por orden alfabético.

H.1. Términos económicos: 904 UL

		FC	FA
1.	a crédito	0.252771	2
2.	a plazo	0.223267	3
3.	abastecimiento	0.360035	3
4.	abonar	9.523161	22
5.	abono	0.238788	2
6.	acción[1]	21.81592	96
7.	accionista	11.01353	38
8.	acreedor	1.519277	9
9.	actividad productiva	0.479318	3
10.	activo	27.61408	99
11.	activo circulante	3.079183	26
12.	activo fijo	5.874253	24
13.	administración	1.620389	9
14.	administración de empresas	0.065019	2
15.	adquirente	0.921785	7
16.	adquirir	29.63824	48
17.	adquisición	18.87421	31
18.	afijación	0.093186	2
19.	afijación óptima	0.186373	4
20.	afijación optima con costes variables	0.139779	3
21.	afijación por igual	0.093186	2
22.	afijación proporcional	0.139779	3
23.	agente	1.973094	15
24.	agente social	0.097529	3
25.	agrario	0.216878	2
26.	agrícola	0.329731	2
27.	agrupación dicotómica	0.093186	2
28.	ahorrar	0.925483	6
29.	ahorro[1]	0.791143	5
30.	ahorro[2]	0.315196	3
31.	al contado	5.49654	15
32.	alimentación	0.426275	3
33.	almacén	19.28361	74
34.	almacenamiento	3.820192	18
35.	almacenar	4.818589	22
36.	almacenista	0.162903	2
37.	alta dirección	0.788471	8
38.	alto directivo	0.206089	2
39.	amortización constante	0.315428	2
40.	amortización[1]	4.712789	15
41.	amortización[2]	0.372112	5
42.	amortizar[1]	0.917619	11
43.	amortizar[2]	0.297689	4
44.	amplitud[1]	0.135057	2
45.	análisis coste volumen beneficio	0.104558	2

46.	análisis de la varianza	0.401618	4
47.	apalancamiento	1.190223	10
48.	apalancamiento combinado	0.104558	2
49.	apalancamiento financiero	0.418232	8
50.	apalancamiento operativo	0.731906	14
51.	apalancamiento total	0.156837	3
52.	aportación[1]	2.080835	9
53.	árbol de decisión	0.738135	6
54.	árbol[2]	0.287315	4
55.	arista	0.287315	4
56.	artículo[1]	2.088674	10
57.	asesor	0.474613	3
58.	asesoramiento	1.31758	7
59.	asignación	6.344773	19
60.	astillero	0.090939	2
61.	atributo de posicionamiento	0.135057	2
62.	audiencia neta	0.488709	6
63.	autocrático	0.486774	7
64.	autofinanciación	1.718967	10
65.	autogestión	0.309444	3
66.	automatización	0.175488	2
67.	badwill	0.297689	4
68.	balance[1]	2.415092	20
69.	bancario	0.174463	2
70.	banco	4.706297	23
71.	base amortizable	0.16684	2
72.	base temporal homogénea finita	0.25026	3
73.	base[1]	0.16684	2
74.	beneficio	111.6004	185
75.	beneficio bruto	0.237739	4
76.	beneficio de explotación	0.156837	3
77.	beneficio económico	4.263667	27
78.	beneficio financiero	0.209116	4
79.	beneficio líquido	0.401209	4
80.	beneficio neto	5.703125	32
81.	beneficio operativo	2.11948	26
82.	bien de consumo duradero	0.11887	2
83.	bien de equipo	1.517928	12
84.	bien final	0.343474	5
85.	bien[1]	32.56584	70
86.	bienes manufacturados	0.11887	2
87.	bienestar	0.11887	2
88.	bit	0.191611	3
89.	blando	0.256799	6
90.	bruto	0.70084	4
91.	bursátil	0.297689	4
92.	CAD	0.33368	4
93.	calidad	35.12589	77
94.	CAM	0.33368	4
95.	camino crítico	0.574629	8
96.	campaña	0.923341	5
97.	canal de distribución	5.283763	14
98.	capacidad adquisitiva	0.436215	3
99.	capacidad de producción	4.237612	17
100.	capacidad discriminante	0.279559	6
101.	capacidad productiva	0.405904	3

102. capacidad sostenida	0.072403	2
103. capital inmovilizado	0.193833	2
104. capital permanente	1.233582	13
105. capital propio	3.914219	19
106. capital social	0.729784	7
107. capital total	0.338107	6
108. capital[1]	15.90946	34
109. capital[2]	0.097529	3
110. carga de estructura	1.084634	6
111. carga[1]	0.379248	3
112. cargar[1]	0.522583	4
113. cartera de productos	0.410063	4
114. centro comercial	0.108605	3
115. ciclo de explotación	0.394458	7
116. ciclo de vida	0.849949	7
117. ciclo de vida del producto	0.135057	2
118. ciclo largo	0.112702	2
119. ciudad testigo	0.162903	2
120. cliente	140.2658	214
121. clientela	0.148845	2
122. cobro	8.744123	28
123. coeficiente de apalancamiento financiero	0.365953	7
124. coeficiente de apalancamiento operativo	0.470511	9
125. coeficiente de apalancamiento total	0.156837	3
126. coeficiente de costes	0.143657	2
127. coeficiente de endeudamiento	0.156837	3
128. coeficiente de optimismo	0.447092	7
129. comercial	14.24382	29
130. comercialización	0.598929	3
131. comercializar	0.135057	2
132. comercio	0.279778	3
133. comisión	2.937367	11
134. compactibilidad	0.244354	3
135. compañía	0.752959	6
136. competencia[1]	21.24844	52
137. competidor	2.900659	16
138. competir	2.39684	10
139. competitivo	0.864757	10
140. compra	23.87711	48
141. comprador	4.154357	15
142. comprar	20.92116	36
143. compra-venta	0.45754	3
144. comunicación externa	0.162903	2
145. concepción frecuencial	0.12774	2
146. concurrente	0.253668	2
147. consultor	0.17534	2
148. consumidor	65.22496	160
149. consumo	14.8564	32
150. contable	0.2733	2
151. contablemente	0.299124	2
152. coste	260.8548	330
153. coste de almacenamiento	0.123482	3
154. coste de distribución	1.042285	6
155. coste de la autofinanciación	0.372112	5
156. coste de la financiación	2.579565	9
157. coste de la mano de obra	0.108605	3

158. coste de la materia prima	0.283486	4
159. coste de la producción	0.276896	2
160. coste de mantenimiento	0.164643	4
161. coste de oportunidad	2.455987	9
162. coste de producción	1.686934	7
163. coste de transporte	0.460424	3
164. coste de transporte	0.123482	3
165. coste del capital	1.678094	11
166. coste del pasivo	0.313289	3
167. coste directo	0.502801	7
168. coste fijo	18.00784	62
169. coste financiero	1.362065	7
170. coste indirecto	0.215486	3
171. coste marginal	0.522583	4
172. coste real	1.261712	8
173. coste variable	7.387227	27
174. coste variable unitario	10.61932	34
175. costes de transacción	0.372165	6
176. costes estándares	0.16684	2
177. cotización	0.520956	7
178. cotizar	0.635153	5
179. coyuntura	0.26424	2
180. coyuntura económica	0.622603	3
181. CPM	0.718287	10
182. creación de nichos	0.128399	3
183. crecimiento económico	0.065019	2
184. crecimiento externo	0.256799	6
185. crecimiento interno	0.128399	3
186. crédito	5.134158	40
187. crédito bancario	1.255115	7
188. crédito comercial	0.297689	4
189. crédito hipotecario	0.112702	2
190. criterio de Hurwicz	0.12774	2
191. criterio de Laplace	0.12774	2
192. criterio de Savage	0.12774	2
193. criterio de Wald	0.12774	2
194. criterio del flujo de caja medio anual por unidad monetaria comprometida	0.150281	2
195. criterio optimista	0.191611	3
196. criterio pesimista	0.255481	4
197. cuenta corriente	0.169053	3
198. cultura empresarial	0.171199	4
199. cuota	9.538635	35
200. cuota constante	0.223267	3
201. cuota de mercado	1.096758	9
202. cuota fija	0.315428	2
203. curva de demanda	0.472699	7
204. decision de proceso	0.16684	2
205. decision de producción	0.16684	2
206. decision empresarial	0.24653	2
207. decision estratégica	0.667359	8
208. decision financiera	0.281756	5
209. decision táctica	0.33368	4
210. decisión[1]	188.6877	215
211. dejar hacer	0.139078	2
212. demanda	55.66112	138
213. demora	0.951567	7

214. departamentación	1.321244	19
215. departamento	5.161476	32
216. depreciación	1.087445	4
217. depreciar	0.664281	5
218. desarrollo del producto	0.202585	3
219. descuento	5.477579	18
220. desembolsar	0.436215	3
221. desembolso inicial	6.047734	40
222. desempleo	0.137323	2
223. designación unívoca	0.143657	2
224. destajo	0.227348	5
225. desviación económica	0.25026	3
226. desviación en cantidades	1.418408	10
227. desviación en costes	0.11887	2
228. desviación en cuotas	0.178304	3
229. desviación en el tamaño global del mercado	0.11887	2
230. desviación en márgenes	0.297174	5
231. desviación en precios	0.851045	6
232. desviación técnica	0.25026	3
233. desviación total	2.517015	18
234. desviación²	6.757472	34
235. detallista	0.814514	10
236. determinación de precios	0.202585	3
237. deuda	18.54334	75
238. deudor	0.148845	2
239. diagrama	0.272817	6
240. diagrama de actividades	0.136409	3
241. diagrama de equipo	0.090939	2
242. diagrama de operaciones	0.090939	2
243. dinero	4.356666	12
244. dirección de empresas	0.527516	6
245. dirección de la empresa	0.197142	2
246. dirección de la producción	0.805939	7
247. dirección de marketing	0.569848	7
248. dirección de producción	0.16684	2
249. dirección estratégica	0.278157	4
250. dirección intermedia	0.208617	3
251. dirección operativa	0.278157	4
252. dirección¹	21.41936	46
253. dirección²	7.380317	32
254. directivo²	15.46428	46
255. director	0.973548	14
256. director comercial	0.139078	2
257. director de producción	0.208617	3
258. director financiero	0.416976	3
259. discriminación de precios	0.270114	4
260. disposición combinada	0.16684	2
261. disposición de punto fijo	0.16684	2
262. disposición por procesos	0.16684	2
263. disposición por productos	0.16684	2
264. disposición¹	1.876859	8
265. distribución circular	0.162903	2
266. distribución física	0.162903	2
267. distribución¹	19.04397	44
268. distribuidor	7.244555	31
269. diversificación	1.247009	18

270. dividendo	10.23036	66
271. econométrico	0.162903	2
272. economía de la empresa	1.369293	7
273. economía[1]	1.016329	7
274. economía[2]	0.136409	3
275. economía[3]	0.179858	2
276. económicamente	0.956576	5
277. economicidad	0.340958	3
278. económico	42.01681	60
279. economista	0.149913	2
280. efecto[1]	0.169053	3
281. efectuable	2.925319	29
282. ejercicio[1]	0.617908	3
283. elasticidad	5.532457	32
284. elasticidad de la demanda	0.11887	2
285. elástico	0.135057	2
286. embalaje	0.248635	2
287. emisión[1]	3.299687	17
288. empleado	10.05569	28
289. empleo	3.408045	10
290. empresa	686.7391	821
291. empresa consultora	0.230098	2
292. empresa cooperativa	0.065019	2
293. empresa local	0.149913	2
294. empresa mediana y grande	0.139078	2
295. empresa pequeña	0.992899	5
296. empresa privada	0.130038	4
297. empresarial	23.61962	34
298. empresario	3.635985	10
299. empréstito	1.651774	16
300. en comité	0.139078	2
301. en línea	0.278157	4
302. en línea y staff	0.139078	2
303. en serie	0.609229	5
304. encuesta	0.415954	5
305. endeudamiento	5.4745	34
306. endeudar	1.309049	13
307. enfoque del enriquecimiento del puesto de trabajo	0.090939	2
308. enfoque sociotécnico	0.433175	4
309. enriquecimiento del trabajo	0.090939	2
310. ensamblaje	1.385178	9
311. ensamblar	0.445004	4
312. envasado	0.135057	2
313. envase	2.838082	21
314. equipo de producción	1.695151	9
315. equipo de trabajo	0.22747	2
316. equipo[1]	10.145	65
317. escasez	2.972475	8
318. escaso	14.03677	24
319. escuela de la dirección científica	0.227348	5
320. estado de inventario	0.225404	4
321. estado mayor	0.257551	2
322. estrategia de precios	0.270114	4
323. estrategia empresarial	0.0856	2
324. estrato	0.792084	17
325. estructura económica	1.723651	11

326. estructura económicofinanciera	0.338107	6
327. estructura en comité	0.278157	4
328. estructura en línea y staff	0.347696	5
329. estructura financiera	2.134314	14
330. estructura lineal	0.486774	7
331. estructura matricial	0.347696	5
332. estructura organizativa	1.371373	8
333. estudio de mercado	0.253668	2
334. estudio de tiempos	0.318287	7
335. estudio del trabajo	0.090939	2
336. etiqueta de la marca	0.135057	2
337. etiqueta informativa	0.135057	2
338. euro	0.149913	2
339. existencias	3.651961	28
340. expansión	0.658562	4
341. experimentación commercial	0.456302	5
342. fábrica	0.987566	10
343. fabricación	16.59112	32
344. fabricante[1]	7.504596	29
345. fabricante[2]	7.618155	15
346. fabricar	8.694421	25
347. factor humano	0.136409	3
348. factor productivo	0.065019	2
349. factores de producción	2.25144	12
350. factoría	0.591881	5
351. fijación de los precios	0.135057	2
352. fijación de precios	0.540227	8
353. financiación	13.90081	31
354. financiar	15.77752	45
355. financiero	53.42527	80
356. finanzas	3.030272	14
357. flujo de caja	18.70803	87
358. flujo de caja medio anual por unidad monetaria comprometida	0.225421	3
359. flujo de información	0.761678	4
360. flujo de materiales	0.25026	3
361. flujo del proceso	0.33368	4
362. flujo físico	0.216878	2
363. flujo neto de caja	0.419286	3
364. flujo[1]	12.91233	31
365. fondo	0.503951	4
366. fondo de comercio	2.23267	30
367. fondo de maniobra	0.988423	12
368. fondo de rotación	0.225404	4
369. fondos	5.079708	14
370. fuente de financiación	5.19694	27
371. fuente financiera	1.222517	10
372. fuente[1]	2.08438	12
373. fuerza de trabajo	0.136409	3
374. fuerza de ventas	4.059763	25
375. full costing	0.16684	2
376. función de demanda	1.810472	11
377. función de producción	1.76071	7
378. función lagrangiana	0.11887	2
379. función productiva	0.16684	2
380. gama	0.270114	4
381. ganancia de capital	0.372112	5

382. ganancia[1]	0.516511	5
383. gastar	0.704083	5
384. gasto	28.9195	46
385. gasto financiero	0.533041	5
386. gestión	4.402711	17
387. gestión financiera	0.289251	2
388. gestionar	0.634473	6
389. goodwill	0.297689	4
390. gráfico de Gantt	0.716988	7
391. grafo	1.436573	20
392. grafo parcial	0.718287	10
393. grafo PERT	0.430972	6
394. gran empresa	1.139001	6
395. grandes almacenes	0.965511	6
396. grandes superficies	0.301511	2
397. gravar	0.260292	2
398. guerra de precios	0.135057	2
399. Hacienda	0.112702	2
400. hipermercado	0.559714	3
401. holgura	0.718287	10
402. holgura independiente	0.215486	3
403. holgura libre	0.215486	3
404. holgura total	0.287315	4
405. hora de trabajo	0.311256	3
406. hora extraordinaria	1.359589	7
407. hora hombre	0.33368	4
408. hora laborable	0.090939	2
409. horizonte	0.938085	5
410. huelga	0.173153	2
411. impuesto	11.82703	41
412. impuesto sobre el beneficio	0.633402	5
413. impuesto sobre la renta de las sociedades	0.148845	2
414. impuesto sobre sociedades	0.148845	2
415. imputación	0.25026	3
416. incentivar	0.943347	5
417. incentivo	2.848771	22
418. incertidumbre	7.931735	26
419. incertidumbre estructurada	0.255481	4
420. incertidumbre no estructurada	0.12774	2
421. índice de Laspeyres	0.16684	2
422. índice de productividad global	0.16684	2
423. índice de rentabilidad	0.300562	4
424. indiferente	0.450843	6
425. industria	0.852571	5
426. industrial[1]	0.223267	3
427. industrial[2]	4.395825	13
428. inflación	6.259083	34
429. infrautilizar	0.157727	2
430. ingeniero	1.259486	5
431. ingreso	11.87045	35
432. ingreso marginal	0.202585	3
433. inmovilizado[1]	1.286416	13
434. inmovilizado[2]	0.290082	3
435. input	0.162548	5
436. insolvencia	0.313674	6
437. instalación	5.414008	24

438. integración vertical	0.128399	3
439. interés[1]	19.27059	71
440. intermediación	1.082591	6
441. intermediario	10.51778	35
442. intersección de Fisher	0.300562	4
443. inventariar	0.274892	3
444. inventario	19.30368	92
445. inversion	120.8071	322
446. inversion de renovación o reemplazo	0.16684	2
447. inversion efectuable	0.300562	4
448. inversion financiera	0.225421	3
449. inversion mixta	0.225421	3
450. inversion mutuamente excluyente	0.558891	4
451. inversion productiva	0.875012	6
452. inversion simple	0.601124	8
453. inversor	1.306634	7
454. invertir[1]	12.9352	33
455. investigación commercial	0.232966	5
456. investigación de mercados	0.4065	4
457. investigación operativa	0.641003	3
458. jornada reducida	0.108605	3
459. jubilación	0.329731	2
460. labor	1.339314	5
461. laboral	1.293727	5
462. laissez faire	0.278157	4
463. last	0.215486	3
464. libre de riesgo	0.638423	3
465. líder	3.997208	28
466. liderazgo en costes	0.256799	6
467. liderazgo[1]	3.14357	28
468. límite de la dirección	0.139078	2
469. límite del control	0.139078	2
470. línea de precio	0.135057	2
471. línea de precios	0.202585	3
472. línea de productos	0.637232	4
473. línea y staff	0.139078	2
474. línea[1]	1.041213	9
475. línea[3]	0.305287	2
476. liquidación	0.223267	3
477. liquidar	0.718076	6
478. liquidez	1.072309	6
479. líquido[1]	0.261634	2
480. llevar el negocio	0.0856	2
481. longitud[1]	0.135057	2
482. lucrativo	0.197142	2
483. mano de obra	5.892232	19
484. mano invisible	0.130038	4
485. mano visible	0.097529	3
486. mantenimiento correctivo	0.16684	2
487. mantenimiento predictivo	0.16684	2
488. mantenimiento preventivo	0.25026	3
489. maquinaria	9.705369	22
490. marca	16.91076	60
491. marca de familia	0.135057	2
492. marca individual	0.135057	2
493. marca nacional	0.135057	2

494. marcar[1]	0.135057	2
495. margen bruto	1.09311	5
496. margen bruto total	0.983423	5
497. margen bruto unitario	1.363275	8
498. margen de beneficio	3.989513	11
499. margen unitario	0.743468	4
500. marketing	23.79609	52
501. marketing mix	2.156415	11
502. materia prima	17.03658	54
503. material auxiliar	0.241775	2
504. matricial[1]	0.417235	6
505. matriz de decisión	0.255481	4
506. matriz de pagos	0.255481	4
507. matriz de pesares	0.191611	3
508. matriz de transición	0.237739	4
509. maxi-min	0.191611	3
510. mayorista	2.314237	14
511. mecanizar	0.4171	5
512. medio financiero	1.700876	6
513. medios	1.104637	9
514. medios	3.081594	9
515. mensaje publicitario	0.57016	7
516. mercado de consumo	0.11887	2
517. mercado de valores	0.260292	2
518. mercado financiero	0.223267	3
519. mercado objetivo	0.11887	2
520. mercado[1]	106.832	191
521. mercado[2]	1.820395	14
522. mercadotécnico	12.66266	33
523. mercancía	1.253239	5
524. mercantil	0.216878	2
525. merchandising	0.407257	5
526. método CPM	0.143657	2
527. método de Belson	0.232966	5
528. método de la comparación de costes	0.150281	2
529. método de los números dígitos crecientes	0.25026	3
530. método de los superrendimientos	0.223267	3
531. método de trabajo	0.318287	7
532. método del tanto fijo	0.16684	2
533. método dinámico	0.375702	5
534. método directo	0.595379	8
535. método Dupont	0.112702	2
536. método estático	0.676264	9
537. método indirecto	0.297689	4
538. método PERT	0.790115	11
539. método PERT en incertidumbre	0.143657	2
540. método probabilístico	0.093186	2
541. método Roy	0.287315	4
542. método VAN	0.150281	2
543. mezcla comercial	0.11887	2
544. mina	0.252065	2
545. minero	0.205308	2
546. mini-max	0.191611	3
547. minorista	2.046751	8
548. minusvalía	0.148845	2
549. modelo aditivo	0.108605	3

550.	modelo de distribución	0.162903	2
551.	modelo de Wilson	0.164643	4
552.	modelo determinista	0.50241	5
553.	modelo marginalista	0.162903	2
554.	modelo multiplicativo	0.072403	2
555.	modelo probabilístico	0.123482	3
556.	moneda	0.906685	9
557.	monopolio	0.178304	3
558.	muestra²	5.154554	32
559.	muestreo	0.509403	4
560.	muestreo aleatorio sistemático	0.093186	2
561.	muestreo del trabajo	0.090939	2
562.	multinacional	0.065019	2
563.	negociación	1.814979	6
564.	negocio	3.13221	10
565.	neto	10.92182	23
566.	nicho	0.0856	2
567.	nivel de realización	0.072403	2
568.	nivel de renta	1.322162	18
569.	nominal¹	0.557455	4
570.	nominal²	0.297689	4
571.	nudo	7.829325	109
572.	nudo aleatorio	0.287315	4
573.	nudo decisional	0.502801	7
574.	nuevo liderazgo	0.0856	2
575.	nutrición	0.093186	2
576.	objetivo de ventas	0.226256	2
577.	obligación¹	4.26958	22
578.	obligacionista	0.297689	4
579.	obrero	0.090939	2
580.	oferente	0.11887	2
581.	oferta	1.381272	9
582.	ofertar	0.365586	3
583.	oligopolio	0.178304	3
584.	operario	1.21902	11
585.	optimización	2.410045	9
586.	optimizar	6.234541	16
587.	óptimo¹	5.456852	16
588.	organización científica	0.136409	3
589.	organización empresarial	0.640397	4
590.	organización informal	0.139078	2
591.	organización¹	13.66398	45
592.	organización²	13.8328	49
593.	output	0.421764	5
594.	pagar	48.58437	89
595.	pagaré	0.225421	3
596.	pago	25.61862	51
597.	panel	0.314305	3
598.	para almacén	0.25026	3
599.	para el mercado	0.16684	2
600.	participación²	0.633981	4
601.	partida¹	0.225404	4
602.	pasivo	6.135977	56
603.	patrimonial	0.169053	3
604.	patrimonio	1.275791	9
605.	payback	0.300562	4

606. payback con descuento	0.150281	2
607. pedido	6.818752	62
608. pedido constante	0.246965	6
609. penetración	0.68999	5
610. penetración en el mercado	0.0856	2
611. penetración neta	0.407257	5
612. pequeña empresa	0.966464	8
613. pequeña y mediana empresa	0.149913	2
614. pérdidas	3.728562	14
615. pérdidas de capital	0.148845	2
616. periodo constante	0.082322	2
617. periodo medio de maduración económica	0.112702	2
618. período medio de maduración económica	0.338107	6
619. período medio de maduración financiera	0.281756	5
620. personal[1]	5.569289	20
621. PERT	1.364745	19
622. PERT tiempo	0.143657	2
623. planificación	25.08683	58
624. planificación estratégica	0.417235	6
625. planta[1]	0.876321	7
626. plantilla	1.076088	6
627. plazo de amortización	0.223267	3
628. plazo de entrega	0.164643	4
629. plazo de recuperación	2.103933	28
630. plazo de recuperación con descuento	0.375702	5
631. plusvalía	0.297689	4
632. población objetivo	0.407257	5
633. poder coercitivo	0.162903	2
634. poder no coercitivo	0.244354	3
635. política de cero defectos	0.252065	2
636. política de distribución	0.11887	2
637. política de precio	0.11887	2
638. política de precios	0.750765	6
639. por encargo	0.16684	2
640. por lotes	0.205804	5
641. por órdenes	0.241775	2
642. por órdenes de fabricación	0.16684	2
643. precedencia	1.076998	11
644. precio	133.2377	228
645. precio de adquisición	0.638423	3
646. precio de coste	0.390046	3
647. precio de venta	5.297013	16
648. precio estándar	0.16684	2
649. precio flexible	0.202585	3
650. precio mínimo	0.270114	4
651. precio promocional	0.202585	3
652. precio psicológico	0.202585	3
653. precio técnico	0.270114	4
654. precio unitario	2.474277	10
655. prelación	0.646458	9
656. prelación lineal	0.143657	2
657. prescriptor	0.325806	4
658. presidente	0.139078	2
659. préstamo	7.369049	33
660. prestar[1]	0.388363	3
661. presupuestar	0.900125	7

662.	presupuestario	0.42368	4
663.	presupuesto	6.931936	28
664.	presupuesto de tesorería	0.156837	3
665.	presupuesto mercadotécnico	0.416044	7
666.	prima	7.171826	22
667.	prima de reembolso	0.148845	2
668.	prima de riesgo	0.751405	10
669.	primera materia	0.5815	6
670.	principal[1]	1.864446	12
671.	principal[3]	0.260077	8
672.	principio de designación sucesiva	0.143657	2
673.	principio de designación unívoca	0.215486	3
674.	principio de interdependencia	0.11887	2
675.	principio de Pareto	0.082322	2
676.	procedimiento de los superrendimientos	0.223267	3
677.	proceso de producción	8.21195	26
678.	proceso productivo	0.241775	2
679.	producción	80.72179	143
680.	producción en masa	0.16684	2
681.	producción múltiple	0.358475	3
682.	producción para almacén	0.25026	3
683.	producción para el mercado	0.25026	3
684.	producción por encargo	0.25026	3
685.	producir[1]	17.21612	36
686.	productividad	5.59112	30
687.	productividad global	0.33368	4
688.	productivo[1]	2.476085	10
689.	producto acabado	0.225404	4
690.	producto de alimentación	0.139078	2
691.	producto en curso de elaboración	0.112702	2
692.	producto en curso de fabricación	0.48998	4
693.	producto semielaborado	1.773367	8
694.	producto semiterminado	0.973979	6
695.	producto terminado	12.87173	38
696.	producto[1]	319.8035	491
697.	productor[1]	2.94727	13
698.	profundidad	0.135057	2
699.	programación lineal	1.600774	10
700.	promoción de ventas	2.434872	15
701.	promoción[1]	17.46864	47
702.	promoción[2]	0.644637	6
703.	propiedad	2.033285	12
704.	proveedor	11.44444	39
705.	publicidad	14.85287	48
706.	publicitario	2.179253	16
707.	puesto	0.682411	6
708.	puesto de trabajo	1.379616	13
709.	punto muerto	2.991534	32
710.	PYME	0.149913	2
711.	quebranto de emisión	0.223267	3
712.	quebrar	0.148845	2
713.	quiebra	0.148845	2
714.	rama	1.328457	12
715.	ratio	2.616838	20
716.	ratio de endeudamiento	0.225404	4
717.	ratio de liquidez	0.112702	2

718. ratio de rotación	0.225404	4
719. ratio de situación	0.281756	5
720. ratio de tesorería	0.169053	3
721. reaprovisionamiento	0.123482	3
722. recursos	19.9185	38
723. recursos ajenos	1.718039	16
724. recursos financieros propios	0.217184	2
725. recursos humanos	2.196986	12
726. recursos propios	5.219261	21
727. red de distribución	0.5418	3
728. reembolso	0.446534	6
729. referencia geográfica	0.202585	3
730. reinvertir	0.148845	2
731. relación de agencia	0.130038	4
732. relaciones públicas	1.221772	15
733. remuneración	5.905954	39
734. remunerar	0.236235	2
735. rendimiento	2.825838	15
736. renta	13.25164	26
737. renta anual equivalente	0.16684	2
738. renta nacional	0.148845	2
739. rentabilidad	77.733	173
740. rentabilidad aparente	1.19937	10
741. rentabilidad bruta de las ventas	0.169053	3
742. rentabilidad económica	6.675477	33
743. rentabilidad esperada	5.195956	21
744. rentabilidad esperada requerida	0.297689	4
745. rentabilidad financiera	7.317808	47
746. rentabilidad neta	0.112702	2
747. rentabilidad neta de riesgo	0.525983	7
748. rentabilidad operativa	1.135947	7
749. rentabilidad real	3.04655	17
750. rentabilidad requerida	9.122898	43
751. rentable	4.395593	10
752. rentar	1.007951	9
753. repuesto	0.48355	4
754. reserva	0.553307	6
755. resolución de problemas	0.707362	6
756. respuesta al estímulo	0.244354	3
757. retribución	1.422033	7
758. retroalimentación	0.406193	3
759. riesgo	65.12165	110
760. riesgo financiero	0.209116	4
761. riqueza	2.968989	11
762. ruptura	0.411608	10
763. ruptura de stocks	0.246965	6
764. S. A.	41.84001	86
765. salario	1.162541	9
766. saldo	2.412338	11
767. satisfacción de las necesidades	0.325806	4
768. segmentación	0.792084	17
769. segmentación de mercados	0.326152	7
770. segmento	11.09451	35
771. seguro[1]	1.045391	5
772. semimayorista	0.162903	2
773. simograma	0.090939	2

774. sindicato	0.474583	3
775. sindicato bancario	0.148845	2
776. sinergia	0.171199	4
777. sistema de cuotas constantes	0.297689	4
778. sistema de economía de mercado	0.097529	3
779. sistema de empresa privada	0.065019	2
780. sistema de inventarios	0.164643	4
781. sistema de libre mercado	0.065019	2
782. sistema de período constante	0.082322	2
783. sistema de precios	0.097529	3
784. sistema económico	0.097529	3
785. sistema empresarial	0.292618	4
786. sistema mixto	0.325806	4
787. sistema OPR	0.244354	3
788. sociedad anónima	0.174463	2
789. sociedad¹	0.265072	3
790. socio	1.841533	11
791. soft	0.0856	2
792. sondeo	1.155966	6
793. staff	1.636074	10
794. stock	0.682554	7
795. stock de seguridad	0.329287	8
796. subcontratación	0.108605	3
797. subcontratista	0.072403	2
798. subida de precios	0.082322	2
799. sueldo fijo	0.57016	7
800. suministro	0.540999	3
801. superbeneficio	0.223267	3
802. supermercado	0.27412	2
803. superrendimiento	0.297689	4
804. tabla de control de costes	0.16684	2
805. taller	4.393765	16
806. tanto fijo	0.25026	3
807. tasa	7.862416	40
808. tasa de crecimiento	0.598248	4
809. tasa de inflación	0.781681	6
810. tasa de productividad global	0.16684	2
811. tasa de rendimiento contable	0.225421	3
812. tasa de rentabilidad	0.419286	3
813. tasa de rentabilidad interna	0.225421	3
814. tasa de valor actual	0.375702	5
815. tasa interna de rendimiento	0.225421	3
816. tasa interna de rentabilidad	0.150281	2
817. técnica AIDA	0.325806	4
818. técnica del direct costing	0.16684	2
819. técnica PERT	0.278648	2
820. técnica PERT CPM	0.210017	2
821. tecnología	7.922279	27
822. tecnológicamente	0.16684	2
823. tecnológico	5.0731	12
824. teoría contractual	0.097529	3
825. teoría de la agencia	0.065019	2
826. teoría de la firma	0.065019	2
827. teoría de la información	0.391146	3
828. teoría de los costes de transacción	0.195058	6
829. teoría de los derechos de propiedad	0.162548	5

830. teoría neoclásica	0.130038	4
831. teoría X	0.486774	7
832. teoría Y	0.208617	3
833. teoría Z	0.139078	2
834. tesorería	1.365454	9
835. test de recuerdo	0.162903	2
836. tiempo de trabajo	0.580959	6
837. tiempo early	1.221087	17
838. tiempo estándar	0.227348	5
839. tiempo last	1.005601	14
840. tiempo normal	0.482303	5
841. tiempo normalizado	0.227348	5
842. tiempo observado	0.136409	3
843. tiempo predeterminado	0.090939	2
844. tiempo suplementario	0.090939	2
845. tipificación[1]	0.25026	3
846. tipificar	0.417617	3
847. tipo de descuento	8.356886	42
848. tipo de gravamen	1.546093	9
849. tipo de interés	4.702123	20
850. tipo de rendimiento interno	3.505309	18
851. tipo libre de riesgo	0.375702	5
852. TIR	3.62722	26
853. título	1.788824	13
854. toma de decisiones	10.00627	18
855. trabajador	14.89926	92
856. trabajador de temporada	0.072403	2
857. trabajar	17.73608	32
858. trabajo	32.49762	117
859. trabajo a comisión	0.162903	2
860. transportar	6.531534	20
861. transporte	4.854111	15
862. transportista	0.238416	2
863. tributo	0.148845	2
864. u. m.	214.4551	375
865. umbral de rentabilidad	0.582974	5
866. unidad monetaria	22.19916	36
867. unidad organizativa	0.278157	4
868. utilidad de forma	0.851045	6
869. utilidad de lugar	0.397116	3
870. utilidad de propiedad	0.11887	2
871. utilidad de tiempo	0.397116	3
872. utilidad[1]	1.943848	9
873. valor actual	5.470476	27
874. valor actual neto	15.21943	66
875. valor de Mercado	0.446534	6
876. valor de rendimiento	0.818646	11
877. valor de reposición	0.372112	5
878. valor de retiro	0.33368	4
879. valor en funcionamiento	0.148845	2
880. valor esperado de la información	0.287315	4
881. valor global	1.339602	18
882. valor residual	0.557455	4
883. valor residual	0.33368	4
884. valor sustancial	1.339602	18
885. valor[2]	186.2765	229

886.	valoración de empresas	0.297689	4
887.	valoración en funcionamiento	0.148845	2
888.	valoración en liquidación	0.223267	3
889.	valores	3.110164	26
890.	VAN	7.820875	54
891.	variación cíclica	0.11887	2
892.	vendedor	34.69396	133
893.	vender	47.16116	73
894.	venta	147.3354	285
895.	venta a crédito	0.217184	2
896.	venta personal	1.828598	13
897.	ventaja competitiva	0.0856	2
898.	ventaja en costes	0.0856	2
899.	vértice	0.215486	3
900.	vicepresidente	0.278157	4
901.	vida técnica	0.25026	3
902.	volumen de compras	0.202585	3
903.	volumen de producción	1.358074	8
904.	volumen de ventas	7.383979	24

H.2. Términos auxiliares: 163 UL

		FC	FA				
1.	alquiler	0.37	3	30.	descontar	1.02	4
2.	análisis bayesiano	0.40	3	31.	desviación típica	8.67	27
3.	aritmético	0.52	4	32.	desviación[1]	0.31	3
4.	bienestar social	0.07	2	33.	diagnóstico	0.47	3
5.	bondad del ajuste	0.18	3	34.	diferencial	0.32	3
6.	cadena de Markov	0.18	3	35.	dígito	0.30	2
7.	calcular	56.99	83	36.	dispersión factorial	0.51	11
8.	cálculo	21.42	34	37.	dispersión residual	0.28	6
9.	campana	0.19	3	38.	dispersión total	0.28	6
10.	cifra	1.08	4	39.	distribución de probabilidad	2.32	16
11.	cláusula	0.14	2	40.	distribución de probabilidad normal	0.49	3
12.	cociente	27.13	45				
13.	coeficiente	10.23	19	41.	distribución normal	3.78	14
14.	coeficiente de regresión	0.12	2	42.	distribución normal estandarizada	0.84	4
15.	coeficiente de variación	0.78	6				
16.	contratación[2]	0.31	3	43.	distribución[2]	3.82	24
17.	contrato	1.39	11	44.	divergencia[1]	0.29	4
18.	convergencia	0.36	5	45.	ecuación	19.78	38
19.	coordenada	0.43	6	46.	eje de abscisas	0.78	4
20.	covarianza	0.12	2	47.	empírico	0.58	4
21.	cuadrado	3.02	15	48.	ente público	0.07	2
22.	cuadrante	0.73	5	49.	entropía	0.19	3
23.	curva	4.27	14	50.	esperanza matemática	5.75	26
24.	decimal	0.13	2	51.	estadística	0.53	6
25.	democrático	0.42	6	52.	estadístico	1.95	9
26.	demográfico	0.25	2	53.	exponencial	0.18	3
27.	denominador	1.39	7	54.	función objetivo	0.90	9
28.	derecho[1]	5.27	23	55.	función[2]	12.30	31
29.	derivada	1.01	7	56.	geográfico	4.36	10

57.	grado de libertad	0.14	3	105. poseer	1.44	6
58.	gráfico[1]	1.49	6	106. posesión	0.39	5
59.	gráfico[2]	1.15	5	107. probabilidad	44.77	154
60.	histograma	0.19	3	108. probabilidad a posteriori	0.69	6
61.	informático	0.47	3	109. probabilidad a priori	0.78	6
62.	informatizar	0.54	3	110. probabilístico	0.76	7
63.	intersección[1]	1.12	5	111. producto[2]	2.49	11
64.	juego de estrategia	0.13	2	112. promedio	3.74	14
65.	juego rectangular	0.19	3	113. propietario	6.95	25
66.	jurídico	0.58	6	114. psicológico	0.87	5
67.	legal	1.41	6	115. punto de silla	0.26	4
68.	ley	0.28	3	116. raíz cuadrada	0.86	6
69.	límite inferior	0.48	4	117. recta	2.52	15
70.	límite superior	0.81	5	118. rectangular	0.29	2
71.	logaritmo	0.36	3	119. rectángulo	0.13	2
72.	logaritmo neperiano	0.40	3	120. recuento	0.18	2
73.	matemático	0.09	2	121. regresión lineal	0.12	2
74.	matriz[2]	1.81	12	122. resolución[1]	0.43	4
75.	mecánico	0.74	6	123. servicio público	0.19	2
76.	media	10.06	38	124. sistema ecológico	0.07	2
77.	media aritmética	2.69	9	125. social	17.88	40
78.	mediano	0.07	2	126. socialmente	0.67	5
79.	medición	1.68	11	127. sociedad[2]	0.54	6
80.	medida	38.27	53	128. sociológico	0.18	2
81.	medios de comunicación	0.16	2	129. subcontrato	0.23	2
				130. suceso compuesto	0.26	4
82.	medir	25.64	43	131. suma	21.78	52
83.	método de la x[2]	0.14	3	132. sumable	1.05	4
84.	método de los mínimos cuadrados	0.12	2	133. sumando	1.55	6
				134. sumar	15.19	25
85.	método de prueba y error	0.15	2	135. tabular	0.64	4
				136. tecnocrático	0.26	2
86.	método del análisis de la varianza	0.19	4	137. teorema central del límite	0.34	3
87.	mínimo común múltiplo	0.17	2	138. teorema de Bayes	0.50	4
88.	multiplicar	14.88	23	139. teorema fundamental del límite	0.13	2
89.	multiplicativo	0.50	3			
90.	mutuamente excluyente	1.63	8	140. teoría	3.56	19
91.	nivel de confianza	0.14	3	141. teórico	0.57	7
92.	nivel de significación	0.28	6	142. término	26.31	41
93.	numerador	0.60	4	143. terminología	0.39	3
94.	numerar	0.57	5	144. universalista	0.21	3
95.	número	173.26	201	145. valor esperado	4.45	24
96.	ordenador personal	0.21	2	146. valor probable	0.64	10
97.	organismo público	0.16	2	147. valor real	0.32	2
98.	parámetro	1.40	10	148. variabilidad	4.28	13
99.	plaza milla	0.07	2	149. variabilidad de los residuos	0.12	2
100.	poder público	0.29	3			
101.	ponderación	0.43	5	150. variabilidad factorial	0.30	3
102.	ponderar	2.35	11	151. variabilidad total	0.19	4
103.	por término medio	7.01	21	152. variable aleatoria	1.52	9
104.	porcentaje	11.61	25	153. variable continua	0.13	2

Anexo I bis: Las relaciones de sinonimia y antonimia entre los términos del corpus

Anexo I.1.: Los sinónimos[1]

Los casos de sinonimia se presentan por orden alfabético del elemento de la relación sinonímica con la mayor frecuencia corregida. Cada elemento va seguido de su frecuencia absoluta y los términos que no están entre los 805 seleccionados están en itálica:

abastecer	1	*reaprovisionar*	1	*suministrar*	1		
activo fijo	24	inmovilizado[1]	13				
adquirir	48	comprar	36				
al detalle	1	*al por menor*	1				
alimentación	3	***nutrición***	2				
almacenista	2	depositario	1				
asesor	3	consultor	2				
beneficio	186	ganancia[1]	5	*lucro*	1		
beneficio económico	27	beneficio operativo	26	beneficio bruto	4	beneficio de explotación	3
bien[1]	70	artículo[1]	10	mercancía	5		
capital permanente	13	***capital de trabajo***	1				
cargar[1]	4	gravar	2				
comercial	29	mercantil	2				
compra	48	adquisición	31				
comprador	15	adquirente	7				
coste fijo	62	carga de estructura	6				

---

[1] Los casos polisémicos, indicados con [1], [2], [3], etc. se explican en este anexo por sus sinónimos o antónimos respectivos. Una explicación suplementaria se puede encontrar en el anexo C.

Término	Frec.	Variante	Frec.
cuota de mercado	9	participación²	4
cuota fija	2	cuota constante	3
descuento	18	*rebaja*	1
dirección intermedia	3	mando intermedio	1
dirección operativa	4	dirección de primera línea	1
dirección¹	46	gestión	17
dirección¹	46	gestión	17
distribuidor	31	repartidor	1
economía de la empresa	7	dirección de empresas	6
empresa	821	compañía	6
empresa cooperativa	2	empresa social	1
empresa pública	1	entidad pública	1
envase	21	*embalaje*	2
equipo¹	65	bien de equipo	12
fábrica	10	factoría	5
fabricante¹ (= sustantivo)	29	*productor¹*	13
fabricante¹ (= adjetivo)	15	*productor²*	1
factor humano	3	fuerza de trabajo	3
fondo de maniobra	12	fondo de rotación	4
fondos internos	1	*fondos propios*	1
gestionar	6	*llevar el negocio*	2
grandes almacenes	6	grandes superficies	2
hora de trabajo	3	*hora laborable*	3
impuesto	41	carga¹	3
incentivo	22	*incentivación*	1
inventariar	3	hacer inventario	1
lucrativo	2	beneficioso	1
marca	60	*marcado*	2
marketing mix	11	*mezcla comercial*	2
materia prima	54	primera materia	6
mercado de valores	2	mercado financiero	3
método pert en incertidumbre	2	*método pert en riesgo*	1
modelo de colas	1	*modelo de líneas de espera*	1

dirección de supervisión

liderazgo¹	28
administración	9

administración de empresas

sociedad¹	2
maquinaria	22
supermercado	2
tributo	2

administración de negocios

liderazgo¹	1
firma¹	1
sociedad¹	3

marketing mix de promoción — 1

mezcla promocional — 1

Anexo I.2.: Los antónimos

Los casos de antonimia se presentan por orden alfabético del elemento de la relación antonímica con la mayor frecuencia corregida. Cada elemento va seguido de su frecuencia absoluta. Los casos de antonimia en que todos los elementos están entre los 805 seleccionados van en itálica (22 en total); en los que uno o más no están entre los términos seleccionados, van en negrita (28 en total); en los que ninguno está, se ponen en letra normal (17 en total).

1. Antonimia de complementariedad

activo	99	*pasivo*	56		
capital propio	19	**capital ajeno**	1		
coste del pasivo	3	**coste del activo**	1		
coste directo	7	*coste indirecto*	3		
criterio maxi-max	1	criterio mini-min	1		
criterio maxi-min	1	criterio mini-max	1		
demanda dependiente	1	demanda independiente	1		
designación unívoca	2	**designación sucesiva**	1		
empresa líder	1	empresa seguidora	1		
empresa privada	4	empresa mixta	1	empresa pública	1
gasto	46	*ingreso*	35		
insolvente	1	solvente	1		
inversión simple	8	**inversión no simple**	1		
mano invisible	4	mano visible	3		
materia prima	54	*materia auxiliar*	2		
mayorista	14	*minorista*	8	*detallista*	10
mercado de mayoristas	1	mercado de minoristas	1		
mercado de valores	2	**mercado de productos**	1		
método directo	8	método indirecto	4		
para almacén	3	*para el mercado*	2		

2. Antonimia de contrariedad

bien de consumo duradero	2	bien de consumo inmediato	1											
bien final	5	**bien inicial**	1											
bruto	4	*blando*	6											
capacidad sostenida	2	capacidad punta	1											
coeficiente de optimismo	7	**coeficiente de pesimismo**	1											
criterio pesimista	4	*criterio optimista*	3											
escasez	8	riqueza	11	**abundancia**	1									
gran empresa	6	**empresa pequeña**	5	*pequeña empresa*	8	**pequeña y mediana empresa**	2	**PYME**	2	**empresa mediana y grande**	2	**empresa grande**	1	**mediana y gran empresa** 1 **pequeña y mediana** 1
inversión mixta	3	**inversión pura**	1											
mercado actual	1	mercado potencial	1	mercado tendencial	1									
método de los números dígitos	3	**método de los números dígitos en sentido decreciente**	1											
método estático	9	*método dinámico*	5											
plusvalía	4	*minusvalía*	2											
poder no coercitivo	3	*poder coercitivo*	2											
precio mínimo	4	**precio máximo**	1											
tiempo oearly	17	*tiempo last*	14											
tiempo más alto de iniciación	1	tiempo más bajo de iniciación	1											

3. Oposición por inversión

acreedor	9	*deudor*	2		
agente comercial	1	agente social	3	agente económico	1
decisión cualitativa	1	decisión cuantitativa	1		
inversión de ampliación a nuevos productos o mercados	2	inversión de ampliación de los productos o mercados existentes	1		
inversión de renovación o reemplazo	2	**inversión de mantenimiento**	3	*mantenimiento predictivo*	2
mantenimiento correctivo	2	*mantenimiento preventivo*	1		
matricial[1]	6	**filial**	1		
mercado futuro	1	mercado pasado	1	mercado presente	1
monopolio	3	**monopsonio**	1		
oligopolio	3	**oligopsonio**	1		
volumen de ventas	24	*volumen de compras*	3		

Anexo J bis: La comparación del corpus modélico Econ con el corpus de lengua general Cumbre

Las unidades léxicas se presentan por orden alfabético con mención de su frecuencia absoluta.

J.1. Las UL compuestas: 123 UL

1.	a la derecha	2		45.	en gran medida	5
2.	a la inversa	1		46.	en ocasiones	9
3.	a la izquierda	3		47.	en parte	2
4.	a la vez	1		48.	en particular	2
5.	a menudo	3		49.	en principio	13
6.	a priori	6		50.	en puridad	1
7.	a su cargo	2		51.	en realidad	22
8.	a tiempo parcial	1		52.	en rigor	1
9.	a veces	1		53.	en teoría	1
10.	ad infinitum	1		54.	en total	3
11.	ahora bien	2		55.	es decir	225
12.	al azar	3		56.	es más	5
13.	al cien por cien	1		57.	establecimiento farmacéutico	1
14.	al comienzo	2		58.	estado civil	1
15.	al final	5		59.	estar de acuerdo	3
16.	al menos	11		60.	formar parte	3
17.	al principio	3		61.	hacer acopio de	1
18.	así pues	2		62.	hacer frente	2
19.	avión de carga	1		63.	hacer frente a	9
20.	caja negra	4		64.	hacer hincapié en	2
21.	calculadora de bolsillo	1		65.	hacer referencia	7
22.	ciclo de conferencias	1		66.	hora extra	1
23.	comité de encuesta	1		67.	ideas fuerza	1
24.	como mucho	1		68.	líneas aéreas	1
25.	corredor de plaza	1		69.	llevar a cabo	11
26.	correr el riesgo	1		70.	llevar a efecto	3
27.	dar lugar	19		71.	llevar a la práctica	1
28.	de antemano	1		72.	lugar de residencia	1
29.	de hecho	2		73.	máquina de afeitar	1
30.	de momento	3		74.	más aún	2
31.	de nuevo	5		75.	más bien	3
32.	del todo	1		76.	más o menos	4
33.	desde luego	1		77.	medio de transporte	1
34.	en absoluto	2		78.	misión espacial	1
35.	en cierto modo	1		79.	nave industrial	2
36.	en común	1		80.	ni aun	1
37.	en concreto	9		81.	ni más ni menos	1
38.	en consecuencia	17		82.	ni siquiera	3
39.	en cuestión	12		83.	no obstante	18
40.	en definitiva	10		84.	ordenador de sobremesa	1
41.	en efecto	18		85.	otro tanto	5
42.	en esencia	1		86.	parte integrante	1
43.	en exceso	1		87.	poco a poco	1
44.	en general	47		88.	poner a disposición	6

89.	poner a la venta	1	107.	pues bien	13
90.	poner de manifiesto	11	108.	puesta en marcha	5
91.	poner en acción	1	109.	puesto callejero	1
92.	poner en juego	1	110.	punto de partida	1
93.	poner en marcha	2	111.	punto de vista	16
94.	por consiguiente	76	112.	sentar las bases de	1
95.	por ejemplo	138	113.	sentido común	1
96.	por el contrario	18	114.	servicio civil	1
97.	por escrito	1	115.	sin duda	3
98.	por lo demás	1	116.	sin embargo	57
99.	por lo tanto	9	117.	sistema cultural	5
100.	por otra parte	21	118.	sobre todo	1
101.	por otro lado	2	119.	tener en cuenta	49
102.	por regla general	7	120.	tomar en consideración	2
103.	por supuesto	7	121.	una a una	1
104.	por tanto	83	122.	uno a otro	1
105.	por un lado	2	123.	vice versa	1
106.	por una parte	1			

J.2. Las polisemias: 199 UL

Aquí se mencionan todas las UL del corpus Econ que no se pueden comparar con el corpus Cumbre porque no están desambiguadas en Cumbre. Se trata, por lo tanto, de algunas formas reconocidas como polisémicas en Econ, por ejemplo *tener*[1], *objetivo*[1], etc., pero también de formas nuevas, como por ejemplo, *alternativa/alternativo*, *característica/característico*, etc.

1.	acción[2]	26	24.	colaborador[1]	2	47.	decisión[2]	18
2.	alternativa	61	25.	colaborador[2]	1	48.	derecho[2]	1
3.	alternativo	38	26.	colectivo[1]	1	49.	derivado	3
4.	amplitud[2]	2	27.	colectivo[2]	3	50.	dirección[3]	1
5.	apartado	18	28.	competencia[2]	2	51.	directivo[1]	11
6.	aportación[2]	4	29.	competencia[3]	3	52.	disposición[2]	5
7.	árbol[1]	1	30.	compromiso[1]	3	53.	distribución[3]	13
8.	artículo[2]	2	31.	compromiso[2]	3	54.	distribución4	4
9.	bajo[2]	43	32.	compromiso[3]	1	55.	disyuntiva	3
10.	balance[2]	2	33.	compuesto	1	56.	divergencia[2]	2
11.	base[2]	15	34.	condicionante	2	57.	efecto[2]	39
12.	base[3]	1	35.	conjunto[1]	83	58.	eje[2]	1
13.	bebida	3	36.	conjunto[2]	12	59.	ejercicio[2]	2
14.	bien[2]	43	37.	consignar[1]	2	60.	ejercicio[3]	4
15.	bombo	1	38.	consignar[2]	1	61.	emisión[2]	4
16.	cambio[2]	20	39.	constante[1]	9	62.	encargar[1]	1
17.	característica	51	40.	constante[2]	74	63.	encargar[2]	7
18.	característico	2	41.	contenido	10	64.	encargar[3]	4
19.	carga[2]	2	42.	continuar[1]	17	65.	equipo[2]	9
20.	carga[3]	1	43.	contratación[1]	3	66.	estado[1]	4
21.	carga4	1	44.	corriente[1]	4	67.	estado[2]	38
22.	cargar[2]	4	45.	corriente[2]	1	68.	experto[1]	7
23.	castaña	1	46.	cuenta[2]	4	69.	experto[2]	2

70.	extender[1]	9	114.	medio[2]	118	158.	producir[2]	70
71.	extender[2]	1	115.	medio[3]	5	159.	recogida[1]	1
72.	exterior[1]	9	116.	medio[4]	3	160.	recogida[2]	6
73.	exterior[2]	3	117.	mínimo[1]	10	161.	regular[1]	3
74.	extranjero[1]	1	118.	mínimo[2]	29	162.	regular[2]	4
75.	extranjero[2]	1	119.	muestra[1]	2	163.	reponer[1]	1
76.	extremo[1]	7	120.	objetivo[1]	170	164.	reponer[2]	1
77.	extremo[2]	4	121.	objetivo[2]	4	165.	resolución[2]	6
78.	firma[2]	1	122.	obligación[2]	3	166.	resolución[3]	1
79.	flujo[2]	1	123.	óptimo[2]	68	167.	restante	13
80.	frontera	1	124.	orden[1]	13	168.	restar[1]	3
81.	fuente[2]	17	125.	orden[2]	13	169.	retirada	4
82.	función[1]	67	126.	paciente[1]	2	170.	retirar[1]	1
83.	futuro[1]	20	127.	paciente[2]	1	171.	retirar[2]	2
84.	futuro[2]	15	128.	palanca[2]	2	172.	revista	1
85.	ganancia[2]	2	129.	paralela	2	173.	salida	18
86.	ganar[1]	12	130.	paralelo	5	174.	seguir[1]	78
87.	ganar[2]	15	131.	participación[1]	8	175.	seguro[2]	7
88.	importar[2]	18	132.	particular[1]	3	176.	señora	1
89.	importar[3]	5	133.	particular[2]	10	177.	sentido	37
90.	inferior[1]	70	134.	partida[2]	6	178.	sesgo	1
91.	inferior[2]	3	135.	partida[3]	4	179.	significado	1
92.	interés[2]	26	136.	pendiente	3	180.	subordinado	18
93.	interior[1]	8	137.	periodo	14	181.	superior[1]	103
94.	interior[2]	2	138.	período	113	182.	superior[2]	15
95.	intersección[2]	1	139.	personal[2]	15	183.	táctica	3
96.	invertir[2]	1	140.	plano	1	184.	táctico	3
97.	ir[1]	11	141.	planta[2]	1	185.	tarde	2
98.	izquierda	5	142.	poder[1]	11	186.	técnico[1]	1
99.	izquierdo	2	143.	política	54	187.	técnico[2]	39
100.	liderazgo[2]	2	144.	político	3	188.	tener[1]	524
101.	línea[2]	8	145.	potencial[1]	4	189.	tentativa	1
102.	líquido[2]	1	146.	potencial[2]	19	190.	total[1]	42
103.	llegar[1]	60	147.	práctica	34	191.	total[2]	116
104.	llevar[1]	2	148.	práctico	8	192.	tratar[1]	69
105.	local[1]	4	149.	precedente[1]	2	193.	útil[1]	1
106.	local[2]	5	150.	precedente[2]	3	194.	útil[2]	20
107.	longitud[2]	1	151.	preciso[1]	65	195.	utilidad[2]	10
108.	marcar[2]	1	152.	preciso[2]	1	196.	valor[1]	1
109.	material[1]	38	153.	prestar[2]	6	197.	variable[2]	15
110.	material[2]	9	154.	principal[2]	105	198.	vía[1]	2
111.	máximo[1]	15	155.	principio[1]	30	199.	volver[1]	4
112.	máximo[2]	31	156.	principio[2]	4			
113.	medio[1]	24	157.	problemática	5			

J.3. Abreviaturas y formas plurales: 4 UL

1.	correo	1
2.	correos	1
3.	etc.	114
4.	u. t.	60

J.4. El léxico subeconómico: 255 UL

1.	acaecimiento	6
2.	actividad	327
3.	actualizar	22
4.	adecuado	50
5.	además	114
6.	agrupación	29
7.	alcanzar	58
8.	aleatorio	17
9.	alterar	26
10.	análisis	67
11.	analítico	11
12.	analizar	46
13.	anterior	135
14.	anteriormente	70
15.	anual	178
16.	apéndice	11
17.	aplicable	19
18.	aplicar	90
19.	área	43
20.	asignar	42
21.	atributo	17
22.	autoridad	37
23.	basar	72
24.	bola	25
25.	canal	33
26.	cantidad	86
27.	capacidad	83
28.	capítulo	44
29.	cara	9
30.	caso	311
31.	certeza	19
32.	combinar	22
33.	comparar	27
34.	componente	36
35.	comportar	24
36.	comprobar	45
37.	concepto	39
38.	condición	40
39.	consecución	23
40.	conseguir	87
41.	considerar	110
42.	consiguientemente	8
43.	consistente	14
44.	consistir	34
45.	constituir	60
46.	control	100
47.	controlar	33
48.	corresponder	54
49.	correspondiente	77
50.	corto	67
51.	crecer	46
52.	crecimiento	32
53.	criterio	133

54.	cumplir	61
55.	dato	61
56.	decisional	9
57.	decisor	23
58.	deducir	67
59.	definir	38
60.	denominado	56
61.	denominar	180
62.	depender	86
63.	derecha	12
64.	derivar	42
65.	desear	101
66.	deseo	31
67.	desfavorable	11
68.	destino	19
69.	determinación	33
70.	determinar	158
71.	diferencia	105
72.	diferenciación	26
73.	diferenciar	37
74.	diferente	87
75.	dificultad	33
76.	dimensión	31
77.	dirigir	52
78.	diseño	29
79.	dispersión	14
80.	disponer	46
81.	distinguir	55
82.	distinto	116
83.	distribuir	28
84.	diverso	86
85.	dividir	34
86.	duración	133
87.	durar	27
88.	efectuar	54
89.	elaboración	22
90.	elaborar	49
91.	elegir	67
92.	elemento	73
93.	elevado	87
94.	elevar	33
95.	encontrar	155
96.	enfoque	39
97.	entorno	31
98.	esfuerzo	42
99.	especialización	17
100.	esperar	91
101.	establecimiento	33
102.	estándar	30
103.	estimar	49
104.	estrategia	112
105.	estratégico	22
106.	estudiar	58

107.	estudio	69	163.	modo	113
108.	evidente	35	164.	módulo	15
109.	evidentemente	69	165.	motivación	22
110.	exigir	33	166.	necesario	99
111.	existente	74	167.	necesidad	97
112.	existir	193	168.	negativo	54
113.	éxito	31	169.	nivel	177
114.	expresión	89	170.	normal	33
115.	extracción	26	171.	nulo	25
116.	extrapolación	9	172.	obligar	27
117.	factor	125	173.	observar	70
118.	fase	57	174.	obtener	277
119.	favorable	29	175.	ocasión	57
120.	figura	242	176.	operación	42
121.	fijar	40	177.	organizativo	13
122.	finalizar	28	178.	oscilación	21
123.	físico	58	179.	parte	115
124.	flecha	22	180.	permitir	77
125.	forma	155	181.	persona	137
126.	frecuente	43	182.	perspectiva	29
127.	garantizar	10	183.	plan	45
128.	generalmente	37	184.	planificar	18
129.	generar	100	185.	plazo	124
130.	grado	42	186.	posible	161
131.	grande	107	187.	positivo	32
132.	habitualmente	18	188.	posteriormente	37
133.	idea	39	189.	precisar	31
134.	igual	174	190.	preferible	44
135.	ilimitado	17	191.	prever	65
136.	importancia	62	192.	previsión	51
137.	importe	62	193.	procedimiento	66
138.	inconveniente	38	194.	proceso	99
139.	incorporar	55	195.	proporción	53
140.	incurrir	26	196.	provocar	35
141.	independiente	35	197.	proyecto	137
142.	infinito	32	198.	punto	78
143.	información	130	199.	realización	37
144.	instrumento	29	200.	realizar	272
145.	integrar	35	201.	recoger	42
146.	introducción	30	202.	reducir	92
147.	ítem	18	203.	reemplazamiento	5
148.	jugador	26	204.	referir	53
149.	largo	72	205.	relación	118
150.	limitación	25	206.	relativo	34
151.	lineal	18	207.	relevante	21
152.	localización	26	208.	repartir	30
153.	mantener	67	209.	representar	121
154.	mantenimiento	31	210.	requerir	133
155.	maximización	11	211.	resolver	80
156.	maximizar	48	212.	responsabilidad	31
157.	mayor	266	213.	restricción	38
158.	menor	61	214.	resultado	147
159.	método	82	215.	resultar	99
160.	minimizar	27	216.	ritmo	25
161.	modelo	80	217.	rotación	16
162.	modificar	49	218.	satisfacer	39

219.	seguidamente	11	238.	tamaño	81
220.	selección	78	239.	tarea	74
221.	seleccionar	36	240.	técnica	34
222.	semejante	53	241.	temporal	24
223.	señalar	81	242.	tender	44
224.	sencillo	41	243.	territorio	44
225.	servicio	73	244.	tiempo	178
226.	siguiente	243	245.	tipo	211
227.	sistema	155	246.	tomar	151
228.	situar	59	247.	totalizar	16
229.	solución	45	248.	unidad	171
230.	soporte	29	249.	unitario	23
231.	subsistema	32	250.	utilización	41
232.	suceso	71	251.	utilizar	156
233.	suficiente	32	252.	valer	159
234.	superar	28	253.	variación	49
235.	suponer	124	254.	ventaja	35
236.	supuesto	34	255.	volumen	34
237.	tabla	215			

J.5. El léxico general básico: 756 UL

1.	abarcar	4	34.	afrontar	5	67.	arreglo	7
2.	absoluto	9	35.	agradar	13	68.	asegurar	20
3.	acceder	6	36.	agrupar	7	69.	asociar	20
4.	acceso	6	37.	ajeno	10	70.	aspecto	31
5.	aceptable	3	38.	ajustar	23	71.	asumir	13
6.	aceptación	11	39.	alcance	3	72.	atención	17
7.	aceptar	13	40.	alteración	5	73.	atender	22
8.	acertar	8	41.	altura	4	74.	atraer	6
9.	acometer	4	42.	ambiente	22	75.	aumento	21
10.	acompañar	7	43.	ámbito	17	76.	autocontrol	7
11.	actitud	9	44.	americano	5	77.	automóvil	17
12.	actuación	9	45.	ampliación	6	78.	autonomía	4
13.	actual	30	46.	ampliar	11	79.	autor	22
14.	actualidad	7	47.	amplio	23	80.	auxiliar	3
15.	actualización	7	48.	añadir	19	81.	aversión	7
16.	actualmente	11	49.	anglosajón	4	82.	avión	6
17.	actuar	26	50.	año	289	83.	ayuda	3
18.	acudir	22	51.	anticipar	6	84.	barato	6
19.	acumulación	3	52.	anualmente	9	85.	barra	5
20.	acusar	3	53.	anuncio	12	86.	básicamente	5
21.	adaptación	4	54.	aparentemente	3	87.	básico	21
22.	adaptar	10	55.	aplazamiento	6	88.	bastar	7
23.	adecuación	4	56.	aplazar	4	89.	beneficiar	6
24.	adecuadamente	5	57.	aplicación	22	90.	breve	5
25.	adecuar	8	58.	aportar	8	91.	buen	13
26.	adicional	3	59.	apoyo	6	92.	caber	11
27.	administrativo	6	60.	aprovechar	10	93.	cadena	15
28.	admisible	4	61.	aproximación	9	94.	cambiante	5
29.	admitir	5	62.	aproximadamente	11	95.	camino	15
30.	adopción	3	63.	aproximado	6	96.	capaz	8
31.	adoptar	4	64.	aproximar	5	97.	captar	4
32.	advertir	9	65.	aptitud	5	98.	carácter	26
33.	afectar	26	66.	apuntar	4	99.	caracterizar	3

100.	carecer	8	156.	confundir	4	212.	denominación	7
101.	categoría	25	157.	congruente	7	213.	desarrollar	50
102.	causa	14	158.	conjuntamente	9	214.	desarrollo	27
103.	centralización	5	159.	conocer	92	215.	descentralizar	5
104.	centralizar	8	160.	conocido	18	216.	descomponer	5
105.	centrar	18	161.	conocimiento	28	217.	describir	14
106.	centro	19	162.	consecuencia	17	218.	descripción	10
107.	ciclo	10	163.	considerable	4	219.	descuidar	3
108.	científico	11	164.	considerablemente	3	220.	deseable	7
109.	circulación	3	165.	consideración	10	221.	desempeñar	6
110.	circular	8	166.	constantemente	6	222.	designar	5
111.	círculo	7	167.	constar	6	223.	despejar	10
112.	circunstancia	11	168.	construcción	9	224.	desplazamiento	9
113.	claramente	5	169.	construir	8	225.	desplazar	4
114.	clásico	4	170.	consultar	8	226.	destacar	10
115.	clasificación	17	171.	consumir	27	227.	destinar	16
116.	clasificar	14	172.	contacto	4	228.	desviar	3
117.	clima	4	173.	contener	10	229.	detallar	9
118.	cobrar	25	174.	continuación	4	230.	detalle	10
119.	coincidir	26	175.	continuo	14	231.	detener	6
120.	colocar	15	176.	contratar	10	232.	determinado	25
121.	columna	10	177.	contribución	6	233.	determinante	4
122.	combinación	11	178.	contribuir	9	234.	devolución	9
123.	comenzar	35	179.	conveniencia	5	235.	devolver	10
124.	comienzo	8	180.	conveniente	12	236.	diariamente	4
125.	comparación	6	181.	convenir	9	237.	diario	18
126.	compartir	18	182.	cooperación	11	238.	diferir	8
127.	compensar	12	183.	coordinación	14	239.	difundir	3
128.	complejo	13	184.	coordinar	9	240.	difusión	6
129.	complementario	8	185.	correcto	18	241.	dinámico	8
130.	completar	6	186.	corregir	5	242.	directamente	16
131.	completo	4	187.	costar	7	243.	directo	12
132.	comportamiento	28	188.	costoso	6	244.	disciplina	8
133.	composición	7	189.	creación	20	245.	diseñar	11
134.	comprender	32	190.	creatividad	5	246.	disminuir	5
135.	comprensión	6	191.	creativo	4	247.	disponibilidad	7
136.	comprometer	8	192.	creciente	6	248.	disponible	18
137.	común	14	193.	crítica	3	249.	distancia	9
138.	comunicación	27	194.	crítico	9	250.	distinción	3
139.	comunicar	7	195.	cruce	3	251.	división	18
140.	conceder	9	196.	cualidad	10	252.	documento	9
141.	concepción	7	197.	cuantía	6	253.	dominar	8
142.	concerniente	9	198.	cubrir	24	254.	duro	8
143.	concernir	4	199.	cuestión	19	255.	edad	26
144.	concluir	14	200.	cultura	25	256.	editorial	3
145.	conclusión	20	201.	cultural	25	257.	efectivamente	5
146.	concretamente	14	202.	cumplimiento	5	258.	efectivo	28
147.	concreto	8	203.	década	4	259.	eficacia	12
148.	condicionado	8	204.	decidir	32	260.	eficaz	6
149.	condicionar	14	205.	dedicar	30	261.	eficiencia	7
150.	conducir	24	206.	defecto	7	262.	eficiente	4
151.	conducta	12	207.	definición	10	263.	ejecución	20
152.	confianza	21	208.	definido	5	264.	ejecutar	9
153.	confiar	3	209.	demandar	16	265.	ejemplo	65
154.	conflicto	18	210.	demostración	7	266.	elección	13
155.	conformar	4	211.	demostrar	29	267.	elemental	4

268. eliminar	7	324. expectativa	14	380. homogeneidad	4
269. emitir	15	325. experiencia	14	381. homogéneo	12
270. emplear	27	326. experimentación	6	382. humano	24
271. encuestar	4	327. experimentar	6	383. ideal	5
272. enfocar	5	328. experimento	5	384. idéntico	14
273. enfrentar	5	329. explicación	5	385. identidad	5
274. enriquecer	7	330. explicar	22	386. identificación	8
275. entidad	9	331. explícitamente	3	387. identificar	28
276. entrada	18	332. explotación	4	388. idóneo	3
277. entrega	6	333. exponer	26	389. ignorar	6
278. enumerar	3	334. exposición	7	390. igualar	9
279. enviar	7	335. expresar	17	391. igualdad	11
280. equilibrio	10	336. extensión	3	392. igualmente	6
281. equivalente	14	337. externo	19	393. imagen	15
282. equivaler	9	338. extraer	5	394. impacto	4
283. equivocar	7	339. extraordinario	4	395. impedir	6
284. error	15	340. facilidad	3	396. implantar	5
285. escala	7	341. facilitar	23	397. implicar	5
286. esencial	4	342. fácilmente	12	398. imponer	8
287. especialista	9	343. factible	5	399. importante	64
288. especializado	5	344. falta	14	400. imposible	7
289. especialmente	20	345. favorecer	6	401. imprescindible	6
290. especificar	10	346. fiabilidad	8	402. imputar	7
291. específico	11	347. figurar	16	403. inactividad	7
292. espera	5	348. fijación	10	404. incidencia	16
293. esperanza	6	349. fijo	10	405. incidir	9
294. espontáneo	6	350. fila	9	406. incierto	5
295. esporádico	4	351. final	51	407. incluir	24
296. esquema	4	352. finalmente	17	408. incluso	29
297. estabilidad	8	353. finito	6	409. incompatible	4
298. estable	6	354. físicamente	4	410. incompleto	4
299. establecer	48	355. flexibilidad	10	411. incrementar	25
300. estático	5	356. flexible	7	412. incremento	4
301. estilo	22	357. formación	10	413. independencia	3
302. estimación	12	358. formal	9	414. independiente-	
303. estimular	10	359. formalmente	5	mente	5
304. estímulo	10	360. formar	59	415. indicar	10
305. estrecho	5	361. fórmula	6	416. índice	7
306. estructura	26	362. formular	6	417. individual	10
307. estructurar	5	363. fracaso	10	418. individuo	10
308. etapa	22	364. frecuencia	12	419. inferioridad	4
309. etcétera	18	365. frecuentemente	11	420. infinitesimal	3
310. evaluación	13	366. fuerte	16	421. influencia	9
311. evaluar	7	367. fuerza	12	422. influir	22
312. evitar	30	368. funcional	9	423. informal	7
313. evolución	23	369. funcionamiento	14	424. informar	14
314. evolucionar	6	370. funcionar	9	425. informativo	4
315. exactitud	3	371. fundamental	15	426. informe	12
316. exacto	4	372. generación	9	427. inicial	16
317. excesivamente	6	373. global	21	428. inicialmente	13
318. excesivo	11	374. grupo	83	429. iniciar	11
319. exceso	15	375. gusto	5	430. inmediatamente	3
320. excluir	3	376. habitual	25	431. inmediato	12
321. exclusividad	3	377. herramienta	14	432. inmovilización	4
322. exclusivo	3	378. heterogéneo	7	433. innecesario	6
323. existencia	26	379. hipótesis	5	434. innovación	12

435.	innovador	6	491.	mejor	89	547.	particularmente	4
436.	inspección	8	492.	mejora	6	548.	pasado	19
437.	instante	6	493.	mejorar	14	549.	paso	20
438.	instrucción	5	494.	mencionar	13	550.	peculiaridad	6
439.	insuficiente	4	495.	mensaje	18	551.	pensamiento	5
440.	intangible	5	496.	mensual	8	552.	pequeño	47
441.	integración	8	497.	merecer	4	553.	percepción	7
442.	íntegramente	4	498.	mero	11	554.	percibir	18
443.	intercambio	10	499.	mes	21	555.	perder	32
444.	interesar	23	500.	miembro	16	556.	pérdida	8
445.	intermedio	6	501.	mitad	10	557.	perfectamente	7
446.	interno	14	502.	mobiliario	3	558.	perfecto	18
447.	interpretación	6	503.	modificación	23	559.	permanecer	10
448.	interpretar	4	504.	momento	114	560.	permanente	3
449.	interrelación	5	505.	montante	5	561.	perseguir	8
450.	interrelacionado	4	506.	motivar	9	562.	pesimista	7
451.	interrelacionar	3	507.	motivo	13	563.	pieza	5
452.	intervalo	12	508.	motor	5	564.	pintura	6
453.	intervención	9	509.	movimiento	22	565.	planteamiento	11
454.	intervenir	22	510.	múltiple	4	566.	plantear	24
455.	introducir	21	511.	multitud	4	567.	población	20
456.	introductorio	6	512.	naturaleza	25	568.	posibilidad	44
457.	intuición	6	513.	necesitar	24	569.	posiblemente	7
458.	intuitivo	3	514.	negatividad	5	570.	posición	12
459.	inverso	10	515.	negociador	6	571.	posterior	26
460.	investigación	31	516.	negro	22	572.	posterioridad	4
461.	investigador	8	517.	norma	14	573.	preceder	13
462.	investigar	6	518.	normalmente	5	574.	precisión	12
463.	juego	13	519.	noticia	5	575.	predicción	4
464.	justificar	4	520.	nuevo	124	576.	preferencia	14
465.	ladrillo	6	521.	numeroso	11	577.	preferir	17
466.	lanzamiento	10	522.	objeto	22	578.	pregunta	6
467.	lanzar	6	523.	observación	9	579.	premio	4
468.	lealtad	6	524.	obsolescencia	5	580.	prescindir	4
469.	lector	7	525.	obsoleto	5	581.	presentación	8
470.	lento	6	526.	obtención	10	582.	presente	7
471.	libertad	13	527.	obviamente	9	583.	prestación	6
472.	libre	4	528.	obvio	13	584.	prestigio	5
473.	ligar	3	529.	ocioso	8	585.	pretender	12
474.	limitado	10	530.	ocupar	12	586.	previamente	14
475.	limitar	24	531.	oficina	4	587.	previo	15
476.	límite	26	532.	ofrecer	18	588.	previsible	4
477.	localidad	6	533.	opción	4	589.	previsto	21
478.	localizar	6	534.	operar	11	590.	primar	4
479.	lógico	7	535.	operativo	8	591.	primario	8
480.	lote	7	536.	optimista	7	592.	primordial	6
481.	lugar	56	537.	ordenador	7	593.	probable	6
482.	madurez	6	538.	ordenar	6	594.	probar	7
483.	magnitud	11	539.	organigrama	7	595.	problema	87
484.	manejar	6	540.	organizar	10	596.	proceder	12
485.	manifestar	6	541.	orientación	7	597.	procurar	6
486.	manual	5	542.	orientar	18	598.	programación	16
487.	máquina	29	543.	origen	22	599.	progresión	5
488.	margen	24	544.	original	4	600.	prohibir	5
489.	materializar	4	545.	parcial	9	601.	prolongado	8
490.	mayoría	22	546.	participar	8	602.	prolongar	8

603. promocional	7	
604. promocionar	4	
605. propio	71	
606. proporcional	12	
607. proporcionalmente	5	
608. proporcionar	20	
609. propósito	3	
610. proteger	6	
611. prototipo	4	
612. proveniente	9	
613. provenir	13	
614. próximo	19	
615. prueba	17	
616. puntuación	13	
617. rápidamente	5	
618. rapidez	13	
619. razón	41	
620. razonable	11	
621. reacción	6	
622. real	39	
623. realizable	5	
624. realmente	16	
625. recepción	7	
626. rechazar	3	
627. reconocimiento	7	
628. recordar	24	
629. recorrer	5	
630. recuperar	22	
631. red	5	
632. reducción	17	
633. reducido	7	
634. redundar	7	
635. reemplazar	6	
636. referencia	20	
637. referente	16	
638. reflejar	16	
639. refresco	3	
640. registrar	5	
641. regla	14	
642. regulador	6	
643. relacionar	22	
644. relativamente	6	
645. relevancia	4	
646. remitir	4	
647. renovación	12	
648. renovar	8	
649. reparación	5	
650. reparto	10	
651. repetir	12	
652. repetitivo	5	
653. representación	24	
654. representante	5	

655. requisito	4
656. resaltar	4
657. reseñar	7
658. reservar	4
659. respectivamente	15
660. respectivo	11
661. respetar	5
662. responder	23
663. responsabilizar	3
664. responsable	9
665. respuesta	21
666. resto	10
667. restringir	6
668. resultante	10
669. retención	6
670. retener	10
671. retrasar	8
672. retraso	11
673. revisar	6
674. revisión	11
675. rígido	5
676. ropa	5
677. satisfacción	19
678. secuencia	7
679. segmentar	6
680. seguimiento	4
681. semana	22
682. semanal	11
683. semestre	5
684. sensibilidad	6
685. serie	28
686. significar	26
687. significativo	12
688. signo	11
689. símbolo	9
690. similar	5
691. simple	18
692. simplemente	8
693. simulación	7
694. simultáneamente	6
695. simultáneo	7
696. sintetizar	6
697. sistemático	9
698. situación	51
699. sobrepasar	3
700. sobrevivir	4
701. solamente	20
702. solicitar	8
703. somero	4
704. someter	24
705. soportar	5
706. sostener	4

707. subdividir	4
708. subíndice	4
709. subjetividad	5
710. subjetivo	9
711. suceder	25
712. sucesivamente	5
713. sucesivo	9
714. suficientemente	9
715. sugerir	7
716. supervivencia	4
717. surgir	21
718. susceptible	3
719. sustancia	4
720. sustancial	4
721. sustancialmente	5
722. sustitución	4
723. sustituir	22
724. sutil	3
725. también	215
726. tangible	7
727. tardar	20
728. técnicamente	8
729. tendencia	7
730. terminar	19
731. territorial	9
732. test	6
733. tienda	8
734. totalidad	9
735. totalmente	7
736. transcurrir	11
737. transcurso	3
738. transformar	13
739. transmitir	4
740. trato	4
741. trimestre	4
742. último	94
743. único	35
744. urna	5
745. uso	12
746. valoración	12
747. valorar	25
748. variar	12
749. variedad	11
750. vertical	7
751. viable	4
752. vinculación	3
753. vincular	6
754. visita	9
755. vivienda	3
756. zona	23

J.6. El léxico típico de Cumbre y básico en Econ: 91 UL.

1.	acuerdo	11	32.	español	7	63.	partir	37
2.	afirmar	7	33.	especial	11	64.	pasar	29
3.	alto	25	34.	familia	8	65.	pedir	8
4.	antes	10	35.	fin	10	66.	pensar	27
5.	antiguo	8	36.	general	52	67.	poner	12
6.	aparecer	17	37.	hablar	9	68.	preguntar	25
7.	aumentar	44	38.	hacer	143	69.	preparar	6
8.	ayudar	7	39.	hecho	13	70.	presentar	35
9.	buscar	9	40.	hombre	17	71.	programa	11
10.	cambiar	15	41.	hora	18	72.	quedar	55
11.	campo	7	42.	hoy	8	73.	quizá	7
12.	caro	7	43.	intentar	7	74.	realidad	16
13.	casi	17	44.	libro	13	75.	recibir	24
14.	ciudad	25	45.	llamar	15	76.	saber	63
15.	claro	13	46.	mal	6	77.	sector	13
16.	clase	10	47.	manera	8	78.	sentir	6
17.	color	8	48.	materia	6	79.	servir	14
18.	contar	16	49.	mediar	5	80.	sí	58
19.	contrario	6	50.	menos	50	81.	siempre	43
20.	convertir	9	51.	minuto	10	82.	simplificar	14
21.	crear	53	52.	mostrar	10	83.	solo	10
22.	dar	70	53.	nacional	6	84.	sólo	91
23.	decir	92	54.	nombre	8	85.	tampoco	12
24.	dejar	25	55.	nunca	18	86.	tema	10
25.	día	71	56.	ocurrir	11	87.	todavía	11
26.	dicho	9	57.	olvidar	6	88.	unir	5
27.	difícil	9	58.	opinión	8	89.	ver	44
28.	energía	5	59.	país	9	90.	vez	54
29.	entender	11	60.	palabra	9	91.	vida	15
30.	entrar	8	61.	papel	10			
31.	escribir	11	62.	parecer	12			

Anexo K bis: Léxico no seleccionado (2.519 UL)

Este léxico se presenta por orden alfabético con mención de su frecuencia absoluta.

K.1. 603 términos económicos no seleccionados

1.	abastecer	1
2.	absorción	1
3.	abundancia	1
4.	acción liberada	1
5.	accionariado	1
6.	administración de empresas	2
7.	administración de negocios	1
8.	administración pública	1
9.	afijación	2
10.	afijación por igual	2
11.	agente comercial	1
12.	agente económico	1
13.	Agente social	3
14.	agricultor	1
15.	agropecuario	1
16.	agrupación dicotómica	2
17.	agrupación matricial	1
18.	ajuste	1
19.	al detalle	1
20.	al por mayor	1
21.	al por menor	1
22.	alta segmentación	1
23.	amortización acelerada	1
24.	análisis coste volumen beneficio	2
25.	análisis de viabilidad	1
26.	apalancamiento combinado	2
27.	apalancar	1
28.	arqueo de caja	1
29.	asignación de recursos	1
30.	astillero	2
31.	auditoria interna	1
32.	autodirigir	1
33.	autofinanciarse	1
34.	autorregularse	1
35.	autoservicio	1
36.	base temporal homogénea	1
37.	beneficio fiscal	1
38.	beneficioso	1
39.	bien de consumo duradero	2
40.	bien de consumo inmediato	1
41.	bien inicial	1
42.	bienes de capital	1
43.	bienes Giffen	1
44.	bienes manufacturados	2
45.	bienestar	2
46.	calidad de vida	1
47.	cambio[1]	1
48.	campaña de publicidad	1
49.	campaña publicitaria	1
50.	capacidad de discriminación	1
51.	capacidad punta	1
52.	capacidad sostenida	2
53.	capital ajeno	1
54.	capital de trabajo	1
55.	capital humano	1
56.	capital[2]	3
57.	capitalismo	1
58.	carbón	1
59.	cartera[1]	1
60.	cartera[2]	1
61.	centro comercial	3
62.	centro organizativo	1
63.	ciclo corto	1
64.	ciclo de amortizaciones	1
65.	ciclo de depreciación	1
66.	ciclo de vida de un producto	1
67.	ciclo largo	2
68.	ciencias de la gestión	1
69.	cifra de negocios	1
70.	ciudad experimento	1
71.	coeficiente beneficio	1
72.	coeficiente de elasticidad	1
73.	coeficiente de elasticidad de la demanda	1
74.	coeficiente de leverage	1
75.	coeficiente de pesimismo	1
76.	coeficiente de retención	1
77.	combustible	1
78.	comerciante	1
79.	comercio exterior	1
80.	comisionista	1
81.	comparación de costes	1
82.	competición	1
83.	competitividad	1

84.	computer aided design	1
85.	computer aided manufacturing	1
86.	concepción frecuencial	2
87.	concurrir	1
88.	conglomeral	1
89.	contabilidad	1
90.	contrato de compra	1
91.	convenio colectivo	1
92.	cooperativa	1
93.	coste aparente	1
94.	coste de almacenamiento	3
95.	coste de capital	1
96.	coste de inventarios	1
97.	coste de la mano de obra	3
98.	coste de transporte	3
99.	coste del activo	1
100.	coste social	1
101.	coyuntural	1
102.	creación de nichos	3
103.	crecimiento económico	2
104.	crecimiento financiero	1
105.	crecimiento interno	3
106.	crecimiento patrimonial	1
107.	crédito hipotecario	2
108.	crisis	1
109.	criterio aproximado	1
110.	criterio de Hurwicz	2
111.	criterio de igual verosimilitud	1
112.	criterio de la comparación de costes	1
113.	criterio de Laplace	2
114.	criterio de optimismo parcial de Hurwicz	1
115.	criterio de Savage	2
116.	criterio de Wald	2
117.	criterio del flujo total por unidad monetaria comprometida	1
118.	criterio del mínimo pesar	1
119.	criterio maxi-max	1
120.	criterio maxi-min	1
121.	criterio mini-max	1
122.	criterio mini-min	1
123.	criterio racionalista	1
124.	critical path method	1
125.	cuello de botella	1
126.	cuenta[1]	1
127.	cultura estratégica	1
128.	de línea y staff	1
129.	decision cualitativa	1
130.	decision cuantitativa	1
131.	decision de capacidad de producción	1

132.	decision de producir o comprar	1
133.	decision secuencial	1
134.	definición de Laplace	1
135.	demanda dependiente	1
136.	demanda independiente	1
137.	depositario	1
138.	desabastecer	1
139.	desabastecimiento	1
140.	descuento por pronto pago	1
141.	desembolso	1
142.	designación sucesiva	1
143.	despido	1
144.	desviación en costes	2
145.	desviación en el mercado	1
146.	desviación en el tamaño global del mercado	2
147.	determinismo tecnológico	1
148.	diagrama de equipo	2
149.	diagrama de operaciones	2
150.	dinero en caja	1
151.	dirección de finanzas	1
152.	dirección de primera línea	1
153.	dirección de supervisión	1
154.	direct costing	1
155.	directivo de línea	1
156.	directivo intermedio	1
157.	director de distribución	1
158.	director de fábrica	1
159.	director de investigación	1
160.	director de marketing	1
161.	director general	1
162.	disminución de precios	1
163.	distintivo de marca	1
164.	distribución de la renta	1
165.	distribución en cuña	1
166.	diversificación de productos y mercados	1
167.	dividendo extraordinario	1
168.	documento contable	1
169.	dólar	1
170.	economía de escala	1
171.	economía de los costes de transacción	
172.	economía de mercado	1
173.	economizar	1
174.	ejes centrales del trabajo	1
175.	elasticidad de la demanda	2
176.	empleador	1
177.	empresa cooperativa	2
178.	empresa grande	1
179.	empresa líder	1
180.	empresa mixta	1

181. empresa multinacional 1
182. empresa privada 4
183. empresa pública 1
184. empresa seguidora 1
185. empresa social 1
186. empresariado 1
187. en masa 1
188. en staff 1
189. en términos de capacidad 1
     adquisitiva
190. enfoque contingencial 1
191. Enfoque del enriquecimiento del 2
     puesto de trabajo
192. enriquecimiento del trabajo 2
193. entidad financiera 1
194. entidad no lucrativa 1
195. entidad pública 1
196. envasar 1
197. equipo productivo 1
198. especulación 1
199. estrategia de desarrollo 1
200. estrategia empresarial 2
201. estrechar 1
202. estudio del trabajo 2
203. extensión de la marca 1
204. factor productivo 2
205. factores de mantenimiento 1
206. factores motivacionales 1
207. feedback 1
208. fijación del precio 1
209. filial 1
210. financieramente 1
211. firma de consultores 1
212. firma[1] 1
213. fiscal 1
214. fiscalmente 1
215. flotante 1
216. flujo de caja total por unidad 1
     monetaria comprometida
217. flujo de información de salida 1
218. flujo de los materiales 1
219. flujo financiero 1
220. flujo neto de caja medio anual 1
221. flujo real 1
222. flujo total por unidad monetaria 1
     comprometida
223. FOB 1
224. fondos de dinero 1
225. fondos internos 1
226. fondos propios 1
227. free on board 1
228. fuerza de venta 1

229. función de marketing 1
230. función de rendimiento 1
231. función lagrangiana 2
232. fusión 1
233. fusionar 1
234. gasto de transporte 1
235. gestión de la producción 1
236. gestión económica de stocks 1
237. globalización 1
238. gráfico de control 1
239. grafo completo 1
240. guerra publicitaria 1
241. hacer inventario 1
242. hacienda 2
243. handmade 1
244. hard 1
245. hecho a mano 1
246. hora extra 1
247. hora laborable 2
248. hostelería 1
249. importar[1] 1
250. impuesto de sociedades 1
251. incentivación 1
252. incertidumbre no estructurada 2
253. índice de cantidades de 1
     Laspeyres
254. índice de cantidades de 1
     producción
255. índice de evolución de la 1
     cantidad de producción de
     Laspeyres
256. inelástico 1
257. inflacionario 1
258. información de canal 1
259. información de salida 1
260. infrautilización 1
261. ingeniero de ventas 1
262. ingreso financiero 1
263. insolvente 1
264. integración vertical 3
265. interés acumulado 1
266. inventariable 1
267. inversión de activo fijo 1
268. inversión de ampliación a 1
     nuevos productos o mercados
269. inversión de ampliación de los 1
     productos o mercados existentes
270. inversión de mantenimiento 1
271. inversión de reemplazamiento 1
     para el mantenimiento de la
     empresa
272. inversión de reemplazamiento 1

	para reducir costes o para mejorar tecnológicamente	
273.	inversión en activo circulante	1
274.	inversión fraccionable	1
275.	inversión impuesta	1
276.	inversión no simple	1
277.	inversión pura	1
278.	jefe de división	1
279.	jornada reducida	3
280.	just in time inventory	1
281.	letra de cambio	1
282.	libre mercado	1
283.	liderazgo total en costes	1
284.	línea ejecutiva	1
285.	llevar el negocio	2
286.	lucro	1
287.	management	1
288.	mando intermedio	1
289.	mano invisible	4
290.	mano visible	3
291.	marca de distribuidor	1
292.	marcado	1
293.	marcar egistrada	1
294.	margen de beneficio bruto unitario	1
295.	margen de seguridad	1
296.	margen neto sobre ventas	1
297.	margen unitario sobre costes variables	1
298.	marketingmix de promoción	1
299.	matriz de cambios de estado	1
300.	matriz de decisiones	1
301.	matriz[1]	1
302.	mayorista de contado	1
303.	mayorista de servicio completo	1
304.	mecanización	1
305.	mediana y gran empresa	1
306.	medios de producción	1
307.	mercado actual	1
308.	mercado de consumidores	1
309.	mercado de consumo	2
310.	mercado de factores	1
311.	mercado de mayoristas	1
312.	mercado de minoristas	1
313.	mercado de productos	1
314.	mercado de productos primarios	1
315.	mercado de prueba	1
316.	mercado futuro	1
317.	mercado industrial	1
318.	mercado objetivo	2
319.	mercado pasado	1
320.	mercado potencial	1

321.	mercado presente	1
322.	mercado prueba	1
323.	mercado tendencial	1
324.	mercado testigo	1
325.	mercadotécnica	1
326.	método ABC	1
327.	método ABC de control de inventarios	1
328.	método alemán	1
329.	método de la diferencia respecto al valor material	1
330.	método de la diferencia respecto al valor total	1
331.	método de los números dígitos en sentido decreciente	1
332.	método de los potenciales	1
333.	método de los prácticos	1
334.	método del brainstorming	1
335.	método del camino crítico	1
336.	método del direct costing	1
337.	método del mínimo adverso	1
338.	método del tanto fijo sobre una base amortizable decreciente	1
339.	método del VAN	1
340.	método Dupont	2
341.	método lineal	1
342.	método MAPI	1
343.	método PERT en riesgo	1
344.	método probabilístico	2
345.	mezcla comercial	2
346.	mezcla promocional	1
347.	mínimo adverso	1
348.	modelo aditivo	3
349.	modelo de colas	1
350.	modelo de Hitchkock	1
351.	modelo de líneas de espera	1
352.	modelo de programación lineal	1
353.	modelo de transporte	1
354.	modelo multiplicativo	2
355.	modelo probabilístico	3
356.	monopolio bilateral	1
357.	monopolista	1
358.	monopolístico	1
359.	monopsonio	1
360.	monopsonio limitado	1
361.	muestreo aleatorio estratificado	1
362.	muestreo aleatorio por itinerarios	1
363.	muestreo aleatorio simple	1
364.	muestreo aleatorio sistemático	2
365.	muestreo del trabajo	2
366.	muestreo estratificado	1
367.	muestreo polietápico	1

368.	muestreo por conglomerados o áreas	1
369.	muestreo por cuotas	1
370.	multinacional	2
371.	necesidades de inversión	1
372.	neto patrimonial	1
373.	nicho	2
374.	nicho del mercado	1
375.	nit	1
376.	nivel de realización	2
377.	nobel de economía	1
378.	nombre de marca	1
379.	nuevo liderazgo	2
380.	nutrición	2
381.	obrero	2
382.	oferente	2
383.	oficio	1
384.	oligopsonio	1
385.	organización formal	1
386.	orientación a la competencia	1
387.	orientación a la producción	1
388.	orientación a las ventas	1
389.	orientación a los consumidores	1
390.	orientación al consumidor	1
391.	pagadero	1
392.	país desarrollado	1
393.	patrimonio neto	1
394.	penetración de un soporte	1
395.	penetración del mercado	1
396.	penetración en el mercado	2
397.	pequeña y mediana	1
398.	perecedero	1
399.	periodo constante	2
400.	período de maduración	1
401.	período de maduración económica	1
402.	período medio de maduración	1
403.	periodo medio de maduración económica	2
404.	perturbación aleatoria	1
405.	petróleo	1
406.	plan de estudios	1
407.	plan de marketing	1
408.	plan operativo	1
409.	planificación de las actividades productivas	1
410.	planificación de proyectos	1
411.	pleno empleo	1
412.	poder de compensación económica	1
413.	poder de experiencia	1
414.	poder de reconocimiento	1

415.	política de acertar a la primera	1
416.	política de distribución	2
417.	política de precio	2
418.	política de producto	1
419.	política de productos	1
420.	política de promoción	1
421.	política de promoción y publicidad	1
422.	por pronto pago	1
423.	poscompra	1
424.	posición de la marca	1
425.	postventa	1
426.	posventa	1
427.	precio al contado	1
428.	precio de contado	1
429.	precio de lista	1
430.	precio máximo	1
431.	prelación de convergencia	1
432.	prelación de divergencia	1
433.	prestación de servicios	1
434.	presupuesto de caja	1
435.	presupuesto de ingresos y gastos	1
436.	prima de inflación	1
437.	prima de producción	1
438.	prima de productividad	1
439.	prima por riesgo	1
440.	principio de control	1
441.	principio de interdependencia	2
442.	principio de Pareto	2
443.	principio de restricción en la toma de decisiones	1
444.	principio de retroacción	1
445.	principio de secuencia	1
446.	principio de unicidad del estado final	1
447.	principio de unicidad del estado inicial y del estado final	1
448.	proceso intermitente	1
449.	producción de energía	1
450.	producción en serie	1
451.	producción individualizada	1
452.	producción intermitente	1
453.	producción por órdenes	1
454.	producción por órdenes de fabricación	1
455.	producción simple	1
456.	productivo^2	1
457.	producto agrícola	1
458.	producto ampliado	1
459.	producto de artesanía	1
460.	producto diferenciado	1
461.	producto elaborado	1

462. producto en curso	1	
463. producto en curso de elaboración	2	
464. producto farmacéutico	1	
465. producto financiero	1	
466. producto genérico	1	
467. producto primario	1	
468. producto químico	1	
469. producto tangible	1	
470. producto²	1	
471. profesión	1	
472. profesional	1	
473. program evaluation and technique	1	
474. program evaluation procedure	1	
475. programa productivo	1	
476. programación reticular	1	
477. promotor de ventas	1	
478. prueba de mercado	1	
479. ptas	1	
480. publicidad difusiva	1	
481. publicidad mixta	1	
482. publicidad persuasiva	1	
483. ratio de actividad	1	
484. ratio de liquidez	2	
485. ratio de síntesis	1	
486. ratio de solvencia	1	
487. reaprovisionamiento	3	
488. reaprovisionar	1	
489. rebaja	1	
490. recursos económicos	1	
491. recursos externos	1	
492. recursos financieros externos	1	
493. recursos internos	1	
494. reembolsar	1	
495. relación de agencia	4	
496. rendimiento unitario	1	
497. rentabilidad en términos de capacidad adquisitiva esperada	1	
498. rentabilidad en términos reales	1	
499. rentabilidad media	1	
500. Rentabilidad neta	2	
501. rentabilidad neta de inflación	1	
502. rentabilidad neta de las ventas	1	
503. repartidor	1	
504. representante de zona	1	
505. representante mercantil	1	
506. retroacción	1	
507. revolución industrial	1	
508. robot	1	
509. ruptura del inventario	1	
510. ruptura del stock	1	
511. salario mínimo	1	

512. Saldo a la vista	1	
513. satisfacción de necesidades	1	
514. sector primario	1	
515. semielaboración	1	
516. semielaborado	1	
517. simograma	2	
518. simultaneous motion	1	
519. sistema de economía centralizada	1	
520. sistema de economía de mercado	3	
521. sistema de empresa privada	2	
522. sistema de intervalo fijo de pedido	1	
523. sistema de inventario continuo	1	
524. sistema de inventario justo a tiempo	1	
525. sistema de libre empresa	1	
526. sistema de libre mercado	2	
527. sistema de período constante	2	
528. sistema de precios	3	
529. sistema de revisión periódica	1	
530. sistema de volumen de pedido constante	1	
531. sistema de volumen económico de pedido	1	
532. sistema económico	3	
533. sistema periódico	1	
534. skills	1	
535. sociedad colectiva	1	
536. sociedad cooperativa	1	
537. sociedad de responsabilidad limitada	1	
538. sociedadcomanditaria	1	
539. soft	2	
540. solvente	1	
541. stock en curso de fabricación	1	
542. strategy	1	
543. structure	1	
544. style	1	
545. subcontratación	3	
546. subcontratista	2	
547. subida de precios	2	
548. subvencionar	1	
549. sueldo	1	
550. suministrar	1	
551. superordinate goals	1	
552. suspensión de pagos	1	
553. tasa de interés	1	
554. tasa de retorno	1	
555. tayloriano	1	
556. técnico de venta	1	
557. tecnólogo	1	

558.	teoría contractual	3
559.	teoría de contenido o causas	1
560.	teoría de grafos	1
561.	teoría de la agencia	2
562.	teoría de la decisión	1
563.	teoría de la firma	2
564.	teoría de la motivación	1
565.	teoría de la personalidad	1
566.	teoría de los procesos	1
567.	teoría ecológica de las organizaciones	1
568.	teoría económica clásica	1
569.	teoría económica de la contabilidad	1
570.	teoría motivacional	1
571.	teoría neoclásica	4
572.	teoría situacional	1
573.	test de concepto	1
574.	test de reconocimiento	1
575.	tiempo más alto de iniciación	1
576.	tiempo más bajo de iniciación	1
577.	tiempo predeterminado	2
578.	tiempo suplementario	2
579.	toma de decisión	1
580.	toma de las decisiones	1

581.	tomador externo de pedidos	1
582.	tomador interno de pedidos	1
583.	tormenta de ideas	1
584.	trabajador de temporada	2
585.	unicidad del estado inicial y del estado final	1
586.	unidad departamental	1
587.	unidad operativa	1
588.	utilidad de propiedad	2
589.	valor del almacén	1
590.	valor económico	1
591.	valor en liquidación	1
592.	variación accidental	1
593.	variación cíclica	2
594.	variación estacional	1
595.	vector de existencias	1
596.	vendedor a domicilio	1
597.	vendedor de plantilla	1
598.	ventaja comparativa	1
599.	ventaja competitiva	2
600.	ventaja en costes	2
601.	vida económica	1
602.	volumen de negocio	1
603.	volumen económico de pedido	1

K.2. 115 términos auxiliares no seleccionados

1.	abogado	1
2.	aeronaútica	1
3.	algebraico	1
4.	algoritmo	1
5.	análisis de regresión	1
6.	análisis de regresión simple	1
7.	antipolítico	1
8.	asegurado	1
9.	asegurador	1
10.	asíntota	1
11.	asintóticamente ergódico	1
12.	bienestar de la sociedad	1
13.	bienestar social	2
14.	cálculo de máximos y mínimos	1
15.	cálculo de probabilidades	1
16.	cámara de representantes	1
17.	campana de Gauss	1
18.	casuística	1
19.	cifrar	1
20.	coeficiente de correlación simple	1
21.	coeficiente de determinación	1
22.	coeficiente de determinación	1

	simple	
23.	coeficiente de ponderación	1
24.	coeficiente de regresión	2
25.	computar	1
26.	comunicación en masa	1
27.	covarianza	2
28.	cuantificable	1
29.	cuantificar	1
30.	cuasivarianza factorial	1
31.	cuasivarianza residual	1
32.	curva de Gompertz	1
33.	de interés público	1
34.	defensa nacional	1
35.	derecho de propiedad	1
36.	derecho de propiedad privada	1
37.	distribución beta	1
38.	distribución normal cero uno	1
39.	eje de ordenadas	1
40.	eje[1]	1
41.	empíricamente	1
42.	en régimen de alquiler	1
43.	ente público	2
44.	estadísticamente	1

45.	estocástico	1	80.	poder legítimo	1
46.	función exponencial	1	81.	postulado de Bayes	1
47.	geográficamente	1	82.	propiedad conmutativa	1
48.	gubernamental	1	83.	propiedad privada	1
49.	hiperbólico	1	84.	prorratear	1
50.	homeostasis	1	85.	psicográfico	1
51.	juego con punto de silla	1	86.	psicología	1
52.	juego de azar	1	87.	psicosociopolítico	1
53.	juego de dos personas de suma nula	1	88.	redondeo	1
			89.	regresión lineal	2
54.	juego de estrategia mixta	1	90.	relación funcional	1
55.	juego de estrategia pura	1	91.	restar²	1
56.	juego de suma no nula	1	92.	senado	1
57.	legalmente	1	93.	sistema de ecuaciones normales	1
58.	logarítmico	1	94.	sistema ecológico	2
59.	matemáticamente	1	95.	sistema filosófico	1
60.	matemático	2	96.	sociólogo	1
61.	matricial²	1	97.	sociotécnicamente	1
62.	mecanicista	1	98.	sumatorio	1
63.	mediano	2	99.	teorema	1
64.	medias móviles	1	100.	teorema del suceso compuesto	1
65.	medios de comunicación de masas	1	101.	teoría de juegos	1
			102.	teoría de los juegos	1
66.	método de las medias móviles	1	103.	teoría de los juegos de estrategia	1
67.	método de los mínimos cuadrados	2	104.	teóricamente	1
			105.	terminológico	1
68.	multiplicación	1	106.	tipificación²	1
69.	neperiano	1	107.	variabilidad de los residuos	2
70.	numeración	1	108.	variabilidad explicada	1
71.	operador	1	109.	variabilidad no explicada	1
72.	opinión pública	1	110.	variable de acción	2
73.	ordenada	1	111.	variable exógena	2
74.	parabólico	1	112.	variable normal	1
75.	parte alícuota	1	113.	variable normal tipificada	1
76.	parte factorial	1	114.	variable tipificada	1
77.	persona física	1	115.	vector	1
78.	persona jurídica	1			
79.	plaza milla	2			

K.3. 1.395 UL generales no seleccionadas

1.	abanico	1	11.	abstracto	1	21.	acentuar	1
2.	abaratar	2	12.	acabado	1	22.	aceptante	2
3.	abatimiento	1	13.	acaecer	4	23.	acero	1
4.	abierto	2	14.	acampanado	1	24.	aclaración	1
5.	abogar	2	15.	acatar	2	25.	aclarar	1
6.	abordar	1	16.	accesible	1	26.	aconsejar	3
7.	abrumar	2	17.	accesorio	1	27.	acontecer	3
8.	absorbente	1	18.	accidental	1	28.	acontecimiento	2
9.	absorber	1	19.	aceituna	1	29.	acorazado	1
10.	abstracción	2	20.	acelerar	2	30.	acostumbrado	1

31.	acotar	1	83.	anteceder	2	135.	atracción	1
32.	acristalado	3	84.	anticipación	3	136.	atribuir	2
33.	acumular	4	85.	antigüedad	3	137.	atrincherar	1
34.	acumulativo	1	86.	anular	1	138.	audiencia	5
35.	adaptable	2	87.	aparato	2	139.	ausencia	1
36.	adaptativo	1	88.	aparente	2	140.	auspiciar	1
37.	adelanto	4	89.	aparición	3	141.	auténtico	2
38.	adentrar	1	90.	apariencia	2	142.	auto	1
39.	adiestrar	1	91.	apartar	1	143.	autocontrolar	3
40.	aditivo	1	92.	apellido	1	144.	automático	4
41.	administrar	1	93.	aplicado	1	145.	automatizar	3
42.	adolecer	2	94.	aportante	1	146.	autopista	1
43.	aéreo	1	95.	apreciación	1	147.	autoritario	1
44.	aerolínea	1	96.	apreciar	1	148.	autoritarismo	1
45.	aeropuerto	1	97.	aprendizaje	3	149.	avance	2
46.	afeitar	1	98.	aprensión	1	150.	avanzado	3
47.	aficionado	1	99.	apropiado	2	151.	aventurar	2
48.	afín	3	100.	aprovechamiento	1	152.	avería	5
49.	afinar	1	101.	arbitrariedad	1	153.	averiguar	1
50.	agencia	2	102.	arbitrario	1	154.	avisar	1
51.	ágil	1	103.	archivo	1	155.	balístico	1
52.	agilización	1	104.	arduo	1	156.	barco	1
53.	aglutinar	1	105.	argumentación	1	157.	barrera	1
54.	agotamiento	1	106.	argumento	3	158.	barril	1
55.	agotar	3	107.	armado	1	159.	barrio	3
56.	agrado	5	108.	armonía	1	160.	batir	1
57.	agregar	2	109.	armonización	2	161.	bebé	2
58.	aisladamente	2	110.	armonizador	2	162.	béisbol	1
59.	aislado	3	111.	armonizar	3	163.	bélico	1
60.	aislar	1	112.	arquitecto	1	164.	belleza	1
61.	alejar	3	113.	arrepentirse	1	165.	bestseller	1
62.	alemán	2	114.	arriesgado	2	166.	bilateral	1
63.	aliado	1	115.	arriesgar	1	167.	billete	1
64.	alianza	2	116.	artificio	1	168.	binario	2
65.	alojamiento	1	117.	aserto	1	169.	bloque	2
66.	alza	1	118.	asesorar	2	170.	boga	1
67.	amable	1	119.	asesoría	1	171.	bolo	2
68.	ambición	1	120.	asiático	1	172.	bolsa	3
69.	ambulancia	1	121.	asiduo	1	173.	bombero	1
70.	amenaza	3	122.	asiento	1	174.	bucle	1
71.	amoldar	1	123.	asimetría	1	175.	burbuja	2
72.	amortiguar	1	124.	asimilar	1	176.	burocracia	1
73.	ampliamente	1	125.	asimismo	1	177.	burocrático	1
74.	analista	1	126.	asistemático	1	178.	búsqueda	2
75.	analizable	3	127.	asistencia	2	179.	caballero	1
76.	anchura	1	128.	asistir	2	180.	caballo	1
77.	anexo	1	129.	asociado	2	181.	cadencia	2
78.	anillo	1	130.	aspiración	2	182.	caducidad	1
79.	anormal	2	131.	atacar	1	183.	caja	3
80.	anotar	1	132.	atañer	2	184.	calentar	2
81.	ansiedad	1	133.	atento	1	185.	calificativo	1
82.	antecedente	1	134.	atómico	1	186.	camello	1

187. camión	2	
188. cansar	1	
189. capataz	1	
190. capitán	1	
191. captador	1	
192. carente	1	
193. caridad	1	
194. carretera	1	
195. casco	1	
196. catálogo	2	
197. cauce	1	
198. cautela	1	
199. ceder	2	
200. celeridad	3	
201. célula	1	
202. cercano	1	
203. ceremonial	1	
204. cesar	2	
205. científicamente	1	
206. ciertamente	1	
207. circulante	4	
208. claridad	2	
209. clásicamente	1	
210. clave	5	
211. cobertura	1	
212. coexistencia	4	
213. coexistir	1	
214. cola	1	
215. colaborar	2	
216. colega	1	
217. colegio	2	
218. colocación	1	
219. coloquial	1	
220. coloquio	1	
221. comandante	1	
222. combativo	1	
223. comentario	1	
224. comité	4	
225. cómodamente	1	
226. comodidad	1	
227. comparativamente	1	
228. comparecer	1	
229. compatibilidad	2	
230. compatible	1	
231. compensación	3	
232. complejidad	2	
233. complemento	1	
234. completamente	2	
235. componer	1	
236. comprensible	2	
237. comúnmente	1	
238. concatenar	1	

239. concebir	2
240. concentración	2
241. concentrado	1
242. concéntrico	1
243. conceptual	2
244. conceptualmente	1
245. concertar	2
246. conciso	1
247. concretar	1
248. concurso	2
249. condena	1
250. condicionamiento	3
251. conectar	1
252. conexión	1
253. confección	1
254. conferencia	2
255. conferir	3
256. configurar	1
257. confirmar	2
258. conflictividad	1
259. confrontación	1
260. confusión	1
261. confusionismo	1
262. congestionamiento	1
263. conglomerado	1
264. congruencia	3
265. congruentemente	2
266. conjugar	1
267. conllevar	1
268. conminar	1
269. connotación	2
270. conquista	1
271. conquistar	1
272. consciente	3
273. conscientemente	1
274. consecuente	1
275. consenso	1
276. conserva	1
277. conservación	3
278. conservador	2
279. conservadurismo	1
280. consiguiente	2
281. consistencia	1
282. consolidación	1
283. constancia	1
284. constatar	1
285. constreñir	1
286. consulta	3
287. consultoría	1
288. contemplar	2
289. contemporáneo	1
290. contexto	3

291. contiguo	1
292. contingencia	1
293. contingente	2
294. continuamente	2
295. continuidad	4
296. contractual	2
297. contradictorio	1
298. contraposición	1
299. contraproducente	1
300. contrapuesto	2
301. contrastación	3
302. contrastar	1
303. contratiempo	1
304. controlable	2
305. convencional	1
306. convenio	2
307. conversión	1
308. convexo	1
309. convicción	1
310. convivencia	1
311. cooperante	2
312. cooperar	2
313. cooperativo	1
314. coordinado	1
315. copia	3
316. corchete	3
317. coronel	1
318. corrección	3
319. correctamente	1
320. correctivo	1
321. corrector	1
322. correlación	3
323. correlacionar	2
324. correspondencia	2
325. corroborar	1
326. corrupto	1
327. cosechar	1
328. cosmético	1
329. cotidiano	3
330. creador	2
331. credibilidad	1
332. crédulo	1
333. creíble	2
334. criticar	1
335. cronológico	1
336. cronómetro	1
337. cruz	4
338. cruzar	2
339. cualificación	2
340. cualificado	1
341. cualitativamente	1
342. cualitativo	1

343.	cuantioso	2	394.	desconocido	2	446.	disfrutar	1
344.	cuantitativo	3	395.	descontrolarse	1	447.	disipar	1
345.	cuestionario	3	396.	descriptivo	1	448.	disjunto	1
346.	cuidado	1	397.	desdoblar	1	449.	disminución	3
347.	cuidadosamente	3	398.	desempeño	2	450.	disolución	1
348.	cuidadoso	2	399.	desenvolver	1	451.	dispersar	1
349.	cultivo	1	400.	desenvolvimiento	1	452.	distanciar	2
350.	cuña	1	401.	desestabilizar	2	453.	distante	2
351.	cupón	2	402.	desfase	3	454.	distintivo	1
352.	cúspide	1	403.	desgastar	2	455.	diurno	1
353.	dañar	1	404.	desglosar	1	456.	diversificar	3
354.	daño	1	405.	designación	1	457.	divisa	1
355.	debatir	1	406.	desinformar	1	458.	divulgación	2
356.	debido	1	407.	desintegración	1	459.	doctrina	1
357.	débil	1	408.	desorbitar	1	460.	documentar	2
358.	debilidad	1	409.	desorden	1	461.	dogmático	1
359.	declinar	1	410.	desorientar	1	462.	doméstico	1
360.	declive	2	411.	despedir	2	463.	dominante	1
361.	decoración	1	412.	despliegue	1	464.	dominio	2
362.	decrecer	1	413.	destinatario	1	465.	dosis	1
363.	decreciente	3	414.	destruir	1	466.	dotar	2
364.	deducción	1	415.	desventaja	3	467.	dual	1
365.	deducible	5	416.	desvincular	1	468.	dulce	3
366.	defectuoso	2	417.	detección	1	469.	duplicar	1
367.	defensor	1	418.	detectar	2	470.	duradero	1
368.	defraudar	1	419.	detención	3	471.	edición	1
369.	delegación	2	420.	detentar	3	472.	edificar	1
370.	delegado	1	421.	determinista	1	473.	editar	3
371.	delegar	2	422.	detractor	1	474.	editor	1
372.	deliberar	1	423.	detraer	1	475.	efectividad	2
373.	demandante	5	424.	diamante	1	476.	eficientemente	2
374.	demorar	1	425.	dibujo	1	477.	efímero	1
375.	denotar	4	426.	diccionario	1	478.	ejecutivo	3
376.	densidad	1	427.	dicotómico	5	479.	ejercer	3
377.	dependencia	2	428.	dictar	1	480.	eléctrico	2
378.	dependiente	4	429.	diente	2	481.	electrónico	1
379.	deportivo	1	430.	dieta	1	482.	elevación	2
380.	desacuerdo	3	431.	difícilmente	2	483.	eliminación	2
381.	desafortunada		432.	dificultoso	1	484.	embutido	1
-mente		2	433.	dilación	1	485.	emergencia	4
382.	desagregación	2	434.	dilucidar	2	486.	emprendedor	2
383.	desaparición	1	435.	diluir	1	487.	emprender	1
384.	desastre	1	436.	discernir	1	488.	enajenar	1
385.	desastroso	1	437.	discontinuo	2	489.	encajar	1
386.	descanso	1	438.	discrecional	1	490.	encaminar	2
387.	descartar	2	439.	discrepancia	6	491.	encargo	3
388.	descender	2	440.	discreto	2	492.	encomendar	2
389.	descenso	1	441.	discriminación	2	493.	encuadrar	1
390.	descentralización	2	442.	discriminar	1	494.	énfasis	3
391.	descomposición	2	443.	discusión	2	495.	enfatizar	1
392.	desconfianza	1	444.	discutir	2	496.	enfermo	1
393.	desconocer	1	445.	diseñador	1	497.	englobar	2

498.	enigma	1	550.	estudiante	3	601.	firme	4
499.	enlace	1	551.	estudioso	1	602.	flexibilizar	1
500.	enriquecimiento	2	552.	ética	1	603.	fluctuar	1
501.	ensayar	1	553.	ético	3	604.	fluido	1
502.	enseñar	1	554.	etiqueta	4	605.	folleto	2
503.	ente	2	555.	euforia	1	606.	formalismo	1
504.	enteramente	2	556.	evidencia	3	607.	formalización	1
505.	entrañar	1	557.	evocación	1	608.	formalizar	1
506.	entrenar	2	558.	evocar	1	609.	formulación	3
507.	entretenimiento	2	559.	exceder	1	610.	formulario	1
508.	entrevista	1	560.	excepción	2	611.	fortuito	1
509.	entrevistador	3	561.	exclusión	2	612.	fotografía	1
510.	entrevistar	1	562.	exclusivamente	2	613.	fotográfico	1
511.	entusiasmo	1	563.	excluyente	1	614.	fotograma	2
512.	enumeración	3	564.	exigencia	1	615.	fracasar	3
513.	enunciado	1	565.	exigente	2	616.	frigorífico	1
514.	enunciar	1	566.	exigibilidad	2	617.	frustración	1
515.	envío	3	567.	exigible	1	618.	frustrante	1
516.	epígrafe	1	568.	exógeno	1	619.	frustrar	1
517.	equilibrar	2	569.	expedición	1	620.	funcionalmente	2
518.	equivalencia	2	570.	experimentable	1	621.	fundador	1
519.	erróneamente	1	571.	experimental	3	622.	fundamentalmente	2
520.	escapar	2	572.	explicativo	4	623.	fundición	1
521.	escaparate	1	573.	explícito	3	624.	galleta	1
522.	escisión	1	574.	exploración	1	625.	ganador	5
523.	escuela	3	575.	expositor	1	626.	garantía	2
524.	esencialmente	1	576.	extinción	1	627.	generador	1
525.	esforzar	1	577.	extinguir	1	628.	generalidad	1
526.	eslabón	1	578.	extraordinaria		629.	generalizar	3
527.	especializar	3	-mente		1	630.	genérico	5
528.	especificación	2	579.	extremadamente	1	631.	generoso	1
529.	espectacular	1	580.	extremado	1	632.	geométrico	3
530.	esposo	1	581.	fachada	1	633.	girar	2
531.	espuma	1	582.	fallo	1	634.	globalmente	1
532.	esqueleto	1	583.	falseamiento	1	635.	gozar	1
533.	esquemático	3	584.	falsedad	1	636.	gráficamente	4
534.	esquematizar	2	585.	falsificación	1	637.	gratuito	4
535.	estabilizar	3	586.	fama	2	638.	griego	1
536.	estación	1	587.	famoso	2	639.	guía	1
537.	estacional	2	588.	farmacéutico	3	640.	habilidad	3
538.	estacionario	1	589.	farmacia	1	641.	hábito	1
539.	estandarizar	1	590.	fatiga	2	642.	hacha	1
540.	estante	1	591.	fechar	1	643.	hallar	3
541.	estatal	1	592.	feria	1	644.	hangar	3
542.	estatura	1	593.	ferroviario	1	645.	harina	1
543.	estimulante	1	594.	fiable	1	646.	helado	3
544.	estratificar	2	595.	ficticio	6	647.	héroe	1
545.	estrictamente	3	596.	fidelidad	2	648.	heterogeneidad	1
546.	estricto	1	597.	filmación	1	649.	hierro	1
547.	estropear	1	598.	filosofía	1	650.	hoja	2
548.	estructural	3	599.	finalización	2	651.	homogeneizar	1
549.	estructuralmente	1	600.	fino	1	652.	honesto	1

653.	honorífico	1	705.	incumplir	1	757. inspirar	1
654.	horario	4	706.	indefinidamente	2	758. instalar	3
655.	horizontal	3	707.	indefinido	1	759. instantáneo	1
656.	horizontalmente	3	708.	indeterminación	1	760. instruir	2
657.	hospital	3	709.	indicación	1	761. integrador	2
658.	hostilidad	1	710.	indicador	1	762. integrante	1
659.	hotel	1	711.	indicio	1	763. intención	2
660.	húmedo	1	712.	indirecto	3	764. intensidad	2
661.	identificador	1	713.	indispensable	2	765. intensificar	1
662.	ignorancia	1	714.	indistintamente	1	766. intensivamente	1
663.	ilimitadamente	2	715.	individualizar	5	767. intenso	1
664.	iluminación	1	716.	individualmente	1	768. intento	2
665.	ilustración	1	717.	indivisible	1	769. interacción	4
666.	ilustrar	1	718.	índole	3	770. interactivo	1
667.	ilustrativo	1	719.	inducir	1	771. intercambiar	1
668.	imaginación	2	720.	indudablemente	1	772. interdependencia	1
669.	imaginario	1	721.	ineficaz	1	773. interdependiente	4
670.	imbuir	1	722.	inercia	3	774. interesado	1
671.	imitación	1	723.	inerte	1	775. interferencia	1
672.	imparcial	1	724.	inesperado	1	776. intermitente	4
673.	impedimento	1	725.	inevitable	1	777. internacionaliza	
674.	imperar	1	726.	inevitablemente	1	-ción	4
675.	imperativo	1	727.	inexactitud	1	778. internacionalizar	4
676.	imperfección	1	728.	inexistencia	3	779. internamente	1
677.	imperfecto	3	729.	infalible	1	780. interrumpir	3
678.	implantación	2	730.	inferir	2	781. interrupción	2
679.	implementar	1	731.	infinidad	1	782. inutilizar	1
680.	implicación	2	732.	infinitamente	1	783. invalidar	1
681.	implícito	1	733.	infructuoso	1	784. inversamente	1
682.	imposibilidad	3	734.	ingente	3	785. inviable	1
683.	imposición	2	735.	ingrediente	1	786. invierno	3
684.	imprenta	1	736.	inherente	1	787. involucrar	2
685.	impresión	1	737.	iniciación	1	788. irrealizable	1
686.	impreso	4	738.	iniciado	1	789. irregularidad	1
687.	improbable	1	739.	iniciativa	1	790. irrelevante	1
688.	impulsar	1	740.	inicio	1	791. irreversible	1
689.	impulso	1	741.	ininterrumpido	1	792. irrupción	2
690.	imputable	1	742.	inmaterial	3	793. itinerario	2
691.	inadecuado	1	743.	inmerso	1	794. japonés	3
692.	inagotable	1	744.	inmóvil	1	795. jerarquía	3
693.	inalcanzable	2	745.	inmovilizar	1	796. jerárquico	3
694.	inalterable	1	746.	inmutable	1	797. jerarquizar	1
695.	incapaz	1	747.	innato	1	798. joya	2
696.	inclinación	1	748.	innovar	4	799. kilo	1
697.	inclinar	1	749.	innumerable	1	800. kilogramo	2
698.	inclusive	1	750.	insatisfacción	2	801. lácteo	1
699.	inconscientemente	1	751.	insatisfecho	3	802. lámpara	7
700.	incontrolado	1	752.	insertar	2	803. lastre	1
701.	incorporación	1	753.	insistir	2	804. lego	1
702.	incorrecto	3	754.	insostenible	1	805. lejano	2
703.	incumbir	1	755.	inspeccionar	2	806. lema	1
704.	incumplimiento	1	756.	inspector	1	807. lentamente	2

808.	lentitud	2	860.	meta	2	912.	notoriedad	1
809.	letra	2	861.	metodología	1	913.	notorio	1
810.	libremente	1	862.	milímetro	1	914.	novedad	1
811.	librería	1	863.	milla	2	915.	novedoso	1
812.	librero	2	864.	mineral	1	916.	nuevamente	1
813.	liderar	1	865.	mínimamente	1	917.	obedecer	2
814.	limitativo	1	866.	minimización	3	918.	objeción	1
815.	literalmente	1	867.	minoría	1	919.	objetivamente	1
816.	llamado	1	868.	minuciosamente	1	920.	objetivista	2
817.	loable	1	869.	minucioso	1	921.	obligatoriamente	1
818.	logístico	2	870.	misil	1	922.	observable	2
819.	lúdico	1	871.	misión	1	923.	occidente	1
820.	lujo	1	872.	mito	1	924.	oculto	1
821.	madera	3	873.	mixto	2	925.	ocurrencia	5
822.	maduración	2	874.	modelización	2	926.	ojeada	1
823.	malestar	1	875.	moderado	2	927.	olvido	1
824.	mañana	2	876.	moderar	1	928.	operatividad	1
825.	mando	3	877.	modernamente	2	929.	oponer	2
826.	manejo	3	878.	modesto	2	930.	oportuno	2
827.	maniobra	2	879.	modular	1	931.	oposición	1
828.	manipulación	2	880.	molestar	1	932.	optar	2
829.	manipular	1	881.	momentáneo	1	933.	optimismo	2
830.	manutención	1	882.	monótono	1	934.	ordenación	6
831.	manzana	1	883.	montaje	2	935.	ordinario	1
832.	marcha	1	884.	montar	1	936.	organizado	4
833.	marco	1	885.	motivacional	3	937.	órgano	1
834.	marginal	3	886.	motivador	4	938.	oriental	2
835.	marina	1	887.	movilizar	1	939.	originar	1
836.	marítimo	1	888.	muerto	3	940.	originariamente	1
837.	marzo	1	889.	municipio	1	941.	oro	2
838.	masa	5	890.	músculo	1	942.	oscilar	3
839.	masivo	1	891.	museo	1	943.	ostensiblemente	2
840.	materialización	2	892.	mutuamente	2	944.	otorgar	2
841.	materialmente	1	893.	mutuo	1	945.	paliar	2
842.	mecanismo	1	894.	necesariamente	2	946.	palidecer	1
843.	mediación	1	895.	negativa	1	947.	panadería	1
844.	mediato	1	896.	neoclásico	1	948.	pantalla	1
845.	medicamento	1	897.	nexo	1	949.	papeleo	2
846.	memorización	3	898.	nicotina	1	950.	papeleta	1
847.	memorizar	1	899.	nieto	1	951.	papilla	2
848.	mensualmente	1	900.	noción	1	952.	par	2
849.	mental	4	901.	nocturno	2	953.	parada	1
850.	mentalidad	1	902.	nominalmente	1	954.	paralización	2
851.	mente	2	903.	normalización	3	955.	parcialmente	1
852.	mentir	1	904.	normalizar	3	956.	paréntesis	3
853.	mentiroso	1	905.	normativo	1	957.	participante	4
854.	meramente	2	906.	norteamericano	1	958.	patrocinio	1
855.	mercadería	3	907.	nota	1	959.	paulatinamente	1
856.	mercurio	1	908.	notable	3	960.	pauta	2
857.	mérito	2	909.	notablemente	1	961.	pelear	1
858.	merma	1	910.	notación	3	962.	peligro	1
859.	mermar	2	911.	notificar	2	963.	peluquero	1

964.	pena	2	1016.	prejuicio	1	1068.	racional	2
965.	penalización	1	1017.	premisa	1	1069.	racionalidad	2
966.	penalizar	1	1018.	premura	1	1070.	racionalización	1
967.	peninsular	1	1019.	prenda	2	1071.	racionalizar	1
968.	penúltimo	2	1020.	prensa	1	1072.	radical	2
969.	perceptible	1	1021.	preparación	3	1073.	radicalmente	1
970.	perdedor	5	1022.	prescripción	1	1074.	radicar	3
971.	perdurabilidad	1	1023.	presencia	1	1075.	raíz	2
972.	perfección	1	1024.	presidir	1	1076.	rango	2
973.	perfeccionar	2	1025.	presión	1	1077.	rasgo	4
974.	perfumería	2	1026.	presionar	1	1078.	rayar	1
975.	periódicamente	3	1027.	presumible	1	1079.	raza	1
976.	periodicidad	2	1028.	presumir	1	1080.	razonablemente	1
977.	perjudicar	2	1029.	presuponer	1	1081.	razonamiento	2
978.	perjudicial	1	1030.	prevalecer	1	1082.	reaccionar	1
979.	permanencia	3	1031.	prevenir	1	1083.	realista	2
980.	permiso	2	1032.	preventivo	1	1084.	reasignación	1
981.	perpetuo	2	1033.	primavera	1	1085.	rebasar	1
982.	perro	1	1034.	primordialmente	1	1086.	rebelar	2
983.	persistencia	1	1035.	principalmente	3	1087.	recaer	1
984.	persistir	1	1036.	prioridad	1	1088.	receptor	1
985.	personalidad	2	1037.	prioritario	2	1089.	rechazo	4
986.	persuasión	2	1038.	probablemente	1	1090.	reciente	2
987.	pertenecer	4	1039.	procedencia	2	1091.	recientemente	1
988.	perteneciente	3	1040.	procedente	1	1092.	recíproco	2
989.	pertenencia	2	1041.	procesador	2	1093.	reclamar	1
990.	pesimismo	3	1042.	progresivamente	1	1094.	reclamo	1
991.	pesquero	1	1043.	progresivo	1	1095.	recomendable	1
992.	peticionario	1	1044.	progreso	1	1096.	recomendación	1
993.	pirámide	3	1045.	prolijo	1	1097.	recomendar	2
994.	piso	3	1046.	promover	1	1098.	recompensa	2
995.	poderoso	1	1047.	pronunciación	1	1099.	recompensar	1
996.	polémica	2	1048.	pronunciar	3	1100.	reconsideración	1
997.	polietápico	1	1049.	propiamente	2	1101.	recopilación	1
998.	popular	1	1050.	propiciador	1	1102.	recreo	1
999.	popularidad	1	1051.	propiciar	1	1103.	recto	1
1000.	popularizar	2	1052.	protocolo	1	1104.	recuperación	1
1001.	porción	1	1053.	provincial	2	1105.	recurrir	2
1002.	posicionamiento	1	1054.	provisión	1	1106.	rediseñar	1
1003.	posicionar	1	1055.	próximamente	2	1107.	refinamiento	1
1004.	positivamente	1	1056.	proximidad	3	1108.	reflexivo	1
1005.	potencia	3	1057.	proyectil	1	1109.	reformulación	1
1006.	potenciar	2	1058.	prudencia	1	1110.	reforzar	2
1007.	prácticamente	3	1059.	prudente	4	1111.	regalar	1
1008.	preconizar	1	1060.	puente	2	1112.	regional	2
1009.	predecir	2	1061.	punta	1	1113.	regir	3
1010.	predeterminar	1	1062.	puntualización	1	1114.	registro	5
1011.	predictivo	2	1063.	puramente	3	1115.	reglamento	1
1012.	predisponer	1	1064.	puro	2	1116.	reglar	1
1013.	predisposición	2	1065.	quebrantar	1	1117.	regresión	3
1014.	predominante	2	1066.	quejar	1	1118.	regulación	2
1015.	predominar	2	1067.	quincena	1	1119.	regularmente	1

1120.reiteradamente	1	1172.rural	1	1224.singular	1
1121.reiterativo	1	1173.rutina	1	1225.sinónimo	1
1122.relatividad	1	1174.rutinario	3	1226.síntesis	1
1123.relegar	2	1175.sacrificar	1	1227.sintético	3
1124.relevar	1	1176.sacrificio	1	1228.síntoma	1
1125.religión	1	1177.sagitario	1	1229.sistemáticamente	1
1126.rellenar	1	1178.saltar	2	1230.sitio	2
1127.remanente	1	1179.salvaguardar	1	1231.sobrante	3
1128.renunciar	1	1180.sanear	1	1232.sobrecargar	1
1129.reorganización	1	1181.sano	1	1233.sofisticado	2
1130.reparar	2	1182.sargento	1	1234.soldado	1
1131.repasar	1	1183.satisfactorio	1	1235.soldadura	5
1132.repentino	2	1184.satisfecho	3	1236.solicitud	1
1133.repetición	2	1185.saturar	1	1237.sólidamente	1
1134.repetidamente	2	1186.sección	4	1238.solidaridad	1
1135.reportar	1	1187.seco	1	1239.sólido	5
1136.reposición	1	1188.secreto	1	1240.sombrear	1
1137.representatividad	1	1189.secuencial	2	1241.sorpresa	1
1138.representativo	1	1190.secuencialmente	1	1242.status	1
1139.represivo	2	1191.secundario	3	1243.suavizar	1
1140.reprogramable	1	1192.seguidor	3	1244.subalterno	1
1141.reputación	2	1193.seguramente	1	1245.subdivisión	2
1142.requerimiento	1	1194.selecto	1	1246.súbitamente	1
1143.resentirse	1	1195.semanalmente	1	1247.súbito	1
1144.residir	1	1196.semestral	3	1248.subjetivamente	3
1145.residual	3	1197.semestralmente	4	1249.submarino	1
1146.residuo	7	1198.seminario	1	1250.subobjetivo	1
1147.resistir	3	1199.señal	1	1251.subrayar	1
1148.restaurante	2	1200.señalización	1	1252.subyacer	1
1149.retardo	2	1201.sencillamente	1	1253.sucesión	3
1150.retocar	1	1202.sencillez	3	1254.sujeción	1
1151.retribuir	2	1203.seno	2	1255.sujeto	2
1152.reverendo	1	1204.sensación	1	1256.sumo	2
1153.revestir	1	1205.sensible	5	1257.superación	1
1154.revitalizar	1	1206.sensiblemente	2	1258.superado	1
1155.rezagar	1	1207.sensor	2	1259.superfluo	1
1156.rigidez	3	1208.sentimiento	2	1260.superioridad	1
1157.rigurosamente	1	1209.separación	2	1261.superposición	1
1158.riguroso	2	1210.separadamente	2	1262.supervisar	3
1159.rito	1	1211.severamente	1	1263.supervisión	4
1160.ritual	2	1212.sexo	7	1264.supervisor	2
1161.rival	1	1213.siderometalúrgico	1	1265.suplantación	1
1162.rivalidad	2	1214.sierra	2	1266.suplementario	2
1163.robotizar	1	1215.sigla	3	1267.suplemento	1
1164.rodear	2	1216.significativamente	2	1268.supuestamente	1
1165.rol	2	1217.silla	3	1269.suscitar	1
1166.rotar	2	1218.simbolizar	1	1270.suscribir	3
1167.rótulo	1	1219.simétrico	3	1271.suscripción	1
1168.rúbrica	1	1220.simplificador	1	1272.suspender	3
1169.rueda	3	1221.simular	3	1273.sustancioso	1
1170.ruido	1	1222.sincero	2	1274.sustentar	1
1171.rumbo	1	1223.sindical	1	1275.sustitutivo	3